"공부의 시작과 끝을 장식하는 데에 좋은 교재"

– 신성무(중앙대학교 의과대학 의학부, 19학번)

수능 국어를 공부하면서 가장 힘들었던 부분이 여러 글 … 능력이 부족했던 점이었습니다. 단순하게 기출 문제만을 … 특징들을 잡아내기 어렵기 때문입니다. 그런 점에서 이 … 념을 꼼꼼하게 잡아주어 공부의 시작과 끝을 장식하는 … 습니다. 제가 수능 1등급을 받은 것 역시 이 기본 구조를 … 데, 책 내용이 이를 위한 글의 기본 짜임새나 독해 원리를 매우 잘 설명하고 있어 공부를 시작하는 분들이 개념서로 쓰기에 적합합니다. 또한 수시로 기출 문제들을 분석하는 과정에서 그 방향을 제시하는 지침서로도 충분합니다.

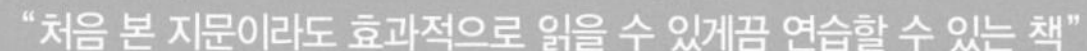

"처음 본 지문이라도 효과적으로 읽을 수 있게끔 연습할 수 있는 책"

– 이유정(서울대 중어중문학과, 19학번)

내신 공부에 익숙해진 학생들의 경우 학년이 올라가면서 모의고사 비문학 영역에서 어려움을 겪는 경우가 많습니다. 내신 시험에서는 '사전에 알고 있는 지문들'에 대한 문제를 풀기 때문에 학생들은 '지문'보다 '문제'에 집중해 비문학을 푸는 것에 익숙해져 있습니다. 따라서 모의고사·수능에서 비문학 영역을 풀 때 지문을 꼼꼼히 분석하지 않고 문제부터 풀다가, 막히면 다시 지문으로 또다시 돌아가 읽는 과정을 반복하게 됩니다. 그러나 제가 그동안 비문학 영역을 공부해 본 결과 가장 중요한 것은 지문의 정확한 분석이라는 것을 깨달았습니다. 이러한 지문 분석을 배우고, 또 연습해 볼 기회는 그리 많지 않습니다. 이런 이유로 후배들에게 100인의 지혜(독서) 교재를 추천해 주고 싶습니다. 이 교재는 지문 분석→문제 분석→실전 문제 풀이 순으로 구성되어 있는데, 특히 지문 분석에서 문장, 문맥, 문단, 글 전체 순으로 어떻게 분석해야 하는지 체계적으로 알려주고 있기 때문에 학생들이 지문 분석의 기본기를 다질 좋은 기회가 될 것이라 생각합니다.

"어떤 문제를 만나든 활용할 수 있는 독해력을 기르자!"

– 최한동(서울교대, 19학번)

독서 지문은 수능 국어에서 대다수의 학생들이 가장 어려워하는 부분입니다. 생소한 소재, 길고 복잡한 내용으로 이루어진 독서 지문을 잘 풀기 위해서는 처음 본 글을 짧은 시간 안에 이해할 수 있는 독해력이 필수적입니다. 하지만 독해력의 특성상 단기간에 실력을 쌓는 것도 어렵고, 지문 독해력이 있다 해도 문제까지 잘 해결해서 수능 독서 영역 점수를 향상시키는 것은 더더욱 쉽지 않습니다. 어렸을 때부터 독해의 기본을 다져 온 것이 아니라면, 이제부터라도 독해의 기본적인 부분부터 배우고 익혀 나가는 과정이 꼭 필요합니다. 이 교재는 독해 원리에 대한 설명과 훈련에 충실하여 기본을 갈고 닦기에 안성맞춤이라고 할 수 있습니다. 한 번 제대로 몸에 익혀 둔 능력은 앞으로 어떤 문제를 만나든, 두고두고 활용할 수 있습니다. 이 교재를 통해 독서 지문 정복의 첫 단추를 잘 끼울 수 있기를 바랍니다.

"… 대한 막막함을 풀어 주다."

– … 학교 교사)

… 달리 비문학 영역은 무엇을 공부해야 할지 명확하게 잡히지 않는 … 학생들이 비문학 공부를 할 때 실전처럼 문제만 열심히 푸는 이유 … 입니다. 그래서 저는 비문학 공부를 시작하는 학생들에게 '비문학 … 공부하라고 얘기합니다. 즉 비문학 문제집에서 무엇을 어떻게 공 … 것을 공부하면서 어떤 능력과 감각을 키워야 하는지를 알고 난 후 공부를 해야 하는 것이죠. 하지만 안타깝게도 학생 스스로 비문학 공부 방법을 터득하도록 도와주는 교재는 시중에 많지가 않습니다. 〈100인의 지혜〉(독서)의 체계와 설명 방식을 살펴보면, 문학이나 문법과는 다른 비문학 학습의 특성, 그로 인해 학생들이 학습 과정에서 느끼는 어려움을 충분히 이해하고 고민한 책이라는 생각이 듭니다. 무엇보다 비문학에 대한 감각과 실력을 키워주는 것은 물론, 수능 때까지 접하게 될 수많은 지문과 문제들을 어떻게 분석하고 내 것으로 만들 수 있는지를 친절하게 안내해 주고 있습니다. 책 곳곳에 제시된 국어 전문가와 선생님들의 수많은 조언들을 따라 교재를 충실히 공부하면서, 수능 날까지 계속 될 비문학과의 긴 싸움에 자신감을 갖고 나설 수 있기를 바랍니다.

"기술이 아닌 이해를 위한 첫 시작의 걸음으로 다가섭니다."

– 서정현(예일여자고등학교 교사)

단기간에 고득점을 올릴 수 있는 비법이냐, 진정으로 글을 잘 읽는 독해력이냐, 두 가지 공부법 사이에서 갈등하는 학생들과 교사들이 많습니다. 때로는 문제 풀이만을 위한 기술과 비법에 혹하여 휘둘리다 진짜 공부의 목적을 잃기도 하고, 먼 이상만 바라보다 현실에서 찾아갈 길을 잃기도 하죠. 이 책을 보는 여러분들은 이제 문장, 문단, 글을 분석하여 화제를 연결하고 구조를 파악하는 것을 더 이상 문제 풀이만을 위한 기술과 비법으로만 여기지 않기를 바랍니다. 이 책에는 이런 독해 연습을 통해 여러분이 더 넓은 독해의 세계를 향해 발걸음을 이어갈 수 있는 첫 걸음이 되길 바라는 마음을 담았습니다. 여러분과 동행하고자 하는 많은 선생님들의 마음이 깃든 이 책과 함께 길을 찾고 걸어 보길 바랍니다.

"국어 공부의 시작! 기초를 튼튼하게!"

– 김종일(목동 갈무리국어학원 원장)

비문학 독서의 난도가 오르며 국어 영역 전체의 난도가 높아졌습니다. 책 읽기에 소홀한 학생들이 국어 공부에서 가장 막막함을 느끼는 부분도 바로 비문학, 독서입니다. 이 책은 이런 학생들이 수능 비문학 공부를 시작하는 데 최고의 책입니다. 단계별 지문과 훈련 문제, 잘 정리된 독해 원리와 예문, 국어 고수가 알려주는 비문학 공부의 비법들로 기초를 튼튼하게 다질 수 있습니다. 고등 국어 공부를 시작하는 학생들에게 최고의 길잡이가 될 책입니다.

"고등 국어, 기본부터 친절하게"

– 김정연(일산 김정연국어학원 원장)

문학부터 독서까지, 어느 한 파트도 놓칠 수 없는 국어 과목에서 꼭 필요한 자료만 일목요연하게, 핵심을 담은 기본서. 고등 국어 공부를 준비하는 예비 고1 학생에게는 필수입니다. 이해를 돕는 친절한 해설로, 무작정 기출 문제만 풀던 학생들은 물론 혼자서 공부하며 갈피를 못 잡던 학생에게도 딱 맞는 교재입니다. 집필진의 오랜 경험과 노하우를 바탕으로 만들어진 이 책의 학습 방법을 발판 삼아, 국어 공부의 윤곽을 확실하게 잡아 보시길 바랍니다.

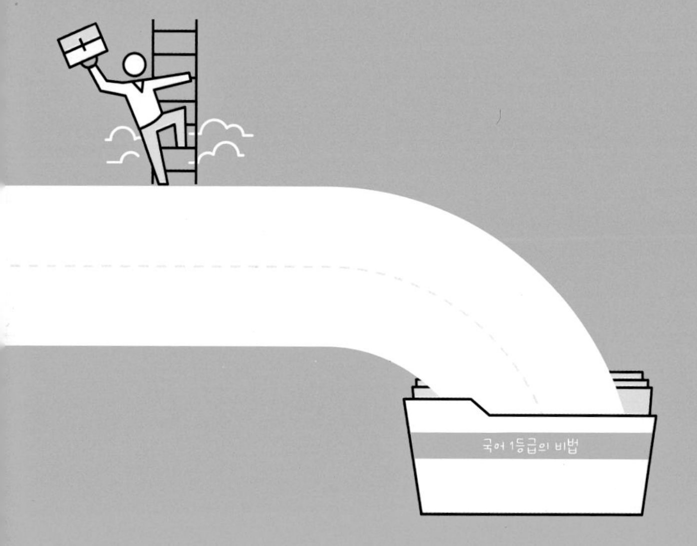

정말, 제대로 된 국어 기본서를 만나다!

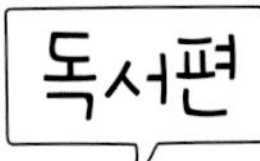

100인의 지혜를 함께 연구하고 집필한 100인의 국어 공부 전문가를 소개합니다

강영애(경기) **강찬**(경기) **고영일**(인천) **권용덕**(경북) **기서경**(경기) **김가진**(서울) **김광철**(광주) **김금진**(서울) **김대명**(대전) **김동훈**(충주) **김면수**(인천) **김민진**(경기) **김상지**(서울)

김상희(경기) **김선미**(제주) **김수영**(인천) **김수학**(서울) **김용윤**(경기) **김정욱**(경기) **김주욱**(서울) **김지연**(경기) **김태원**(서울) **김현수**(경남) **김흙**(경기) **김희선**(서울) **문동열**(서울)

문효상(충북) **박노덕**(대구) **박대권**(충북) **박상준**(부산) **박소미**(서울) **박수영**(서울) **박수진**(경남) **박인태**(서울) **박재한**(대구) **박정민**(서울) **박진영**(충남) **박철선**(부산) **박현**(전북)

박혜영(경기) **부경필**(서울) **서정현**(서울) **서주희**(서울) **성부경**(울산) **성옥주**(서울) **손범호**(서울) **송언효**(경남) **송현희**(경기) **신영수**(서울) **신영은**(경기) **안학수**(대구) **안혜민**(경기)

양상열(서울) **양성정**(전북) **오승현**(경기) **오지희**(제주) **유성주**(서울) **유승기**(경남) **윤강욱**(부산) **윤귀성**(광주) **윤미정**(서울) **윤예미**(경남) **이금희**(대구) **이도실**(전남) **이선영**(제주)

이성우(경기) **이성훈**(서울) **이세영**(경기) **이수진**(경기) **이순형**(경기) **이신우**(대구) **이영완**(서울) **이영지**(경기) **이원재**(경기) **이유림**(울산) **이윤진**(전북) **이종훈**(경기) **이한준**(서울)

전희재(경기) **정민지**(서울) **정지성**(경북) **정현성**(서울) **정홍희**(경기) **조경식**(경기) **조나연**(서울) **조선희**(서울) **조성오**(경기) **조영란**(광주) **진달래**(전남) **차성만**(경기) **차승훈**(울산)

천가은(경기) **최상근**(경기) **최수남**(강원) **최진아**(경기) **하랑**(서울) **하선희**(전남) **한상철**(충북) **현수연**(서울) **황선욱**(제주) **황양규**(경남)

내용 감수

박영목 | 서울대 국어교육 학사/석사, 미국 일리노이대학교 교육심리학과 박사, 전 홍익대 국어교육과 교수
전 한국독서학회/한국작문학회/한국어교육학회 회장
중·고등학교 〈국어〉, 고등 〈독서와 문법〉 〈독서〉 교과서 집필

박의용 | 서울대 국어교육 학사, 계성고등학교 교사, 고등 〈국어〉 〈독서와 문법〉 〈독서〉 교과서 집필

대학생 검토단

서민영(성균관대), 신성무(중앙대), 이영진(고려대), 이유정(서울대), 정태웅(한양대), 최한동(서울교대)

기획/편집 ...... 김덕유, 고명선, 박지인, 김현아, 이하은
디자인 ...... **표지** 김희정, 김지현 **내지** 박희춘, 이혜진
삽화 ...... 최준석
조판 ...... 대진문화(구민범, 임수정 외)

명강사

100인의 지혜

독서

"국어 공부의 지혜를 쌓아 볼까?"

국어 공부의 새로운 해법, 100인의 지혜

"국어 1등급을 향해, 〈100인의 지혜〉와 함께 힘차게 출발!"

1단계 독해 원리

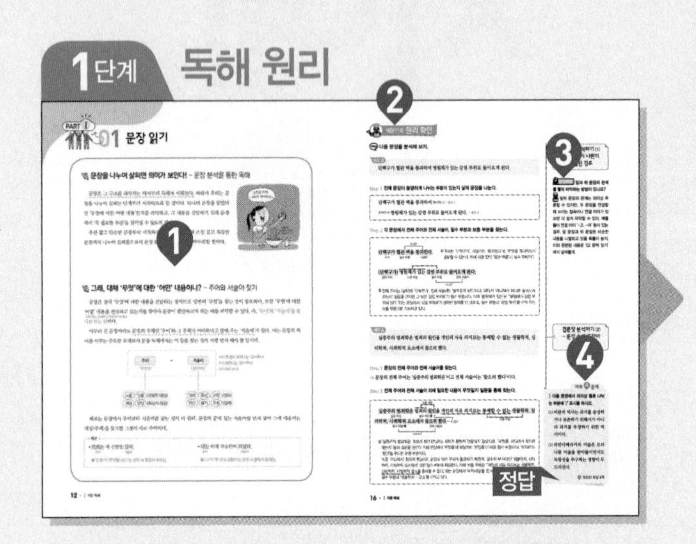

★ 수능과 내신에 모두 통하는 기본 원리를 학습합니다.

❶ **원리 강의** 비문학 지문 독해를 위한 원리와 문제 유형별 출제 패턴 및 접근법을 100인 선생님이 친절하게 설명합니다. 지문을 어떻게 읽을 것인지, 문제에 어떻게 접근할 것인지를 제대로 익힙니다.

❷ **예문으로 원리 확인** 원리 강의에서 설명한 내용을 실제 기출 문제에 어떻게 적용하여 푸는지 확인합니다.

❸ **깨알 강의(짚고 가요, 궁금해요)** 원리 학습 과정에서 여러분이 궁금해할 만한 내용, 중요한 내용을 정리했어요.

❹ **바로 콕 문제** 해당 강에서 설명한 독해 원리와 관련된 문제를 통해 기본 원리를 제대로 이해했는지 점검해 보세요. 〈정답과 해설〉은 안내한 쪽수에서 확인할 수 있어요.

2단계 사뿐히 즈려 밟는 훈련 문제

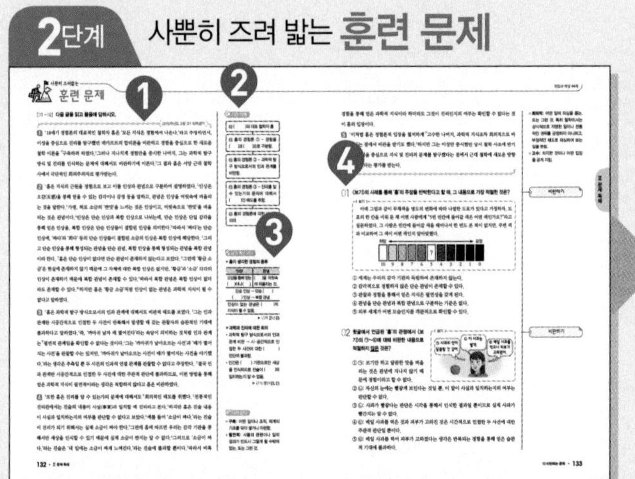

★ 원리를 확인하고 적용해 봅니다.

❶ **기출 지문** 고등학교 1~3학년 전국연합학력평가에 출제된 기출 문제 중 수준, 내용 적합성 등을 고려하여 엄선한 지문과 문제를 수록했어요.

❷ **지문 이해** 날개에 제시된 지문 분석을 위한 틀을 활용하여 지문을 빠르고 효과적으로 읽는 훈련을 반복합니다.

❸ **글의 핵심 파악** 지문에서 꼭 확인해야 할 핵심 내용을 뽑아 빈칸을 채우면서 정리하도록 했어요.

❹ **훈련 문제** 원리 강의에서 설명한 내용이나 문제 유형을 연습할 수 있는 기출 문제와 기출 변형 문제를 수록했어요. '지피지기 백전불태'라는 말처럼 실전 시험 문제를 많이 접하는 것이 비문학 독해력을 키우는 비법이란 걸 잊지 마세요!

1 국어 공부 전문가들의 지혜를 담은 국어 기본서!

전국의 국어 고수 선생님들이 참여하여 만든 책입니다. 놓쳐서는 안 될 내용, 여러분이 어려워하거나 궁금해하는 내용을 잘 정리해 뒀어요. 그리고 똘똘한 선배들의 공부 경험도 참고하였지요. 여러분이 이 〈100인의 지혜〉를 잘 따라온다면 수능과 내신 국어 1등급의 실력자로 올라설 수 있을 거예요.

2 빈틈없이 완벽하게, '독해 원리 & 기출'의 환상 조합!

기출 문제의 발문과 선택지를 하나하나 분석해서 수능과 내신에 모두 통하는 독해의 원리를 담았어요. 수능과 내신에 등장하는 비문학 지문을 어떻게 하면 빠르고 정확하게 읽을 수 있는지, 지문을 활용한 문제가 어떻게 출제되는지 파악해서 접근 방법을 조목조목 정리했어요. 이제 길고 낯선 지문이 나와도 자신감을 가질 수 있을 거예요.

3 수능과 내신에 모두 통하는 단계별 학습법!

〈100인의 지혜〉는 단계별 훈련을 통해 수능과 내신의 기초를 확실하게 다지고 탄탄한 국어 실력을 쌓을 수 있도록 만들었어요. 독해 원리 → 훈련 문제 → 수능 다가가기 단계를 차근차근 따라오면, 반드시 목표에 이를 수 있답니다.

특강 <알아 두면 쓸데 있는 100인의 지혜>
독해력을 기르는 데 필요한 것들, 다양한 유형의 독해 문제 풀이에 쉽게 다가가는 접근법 등 국어 공부의 꿀팁을 담았어요.

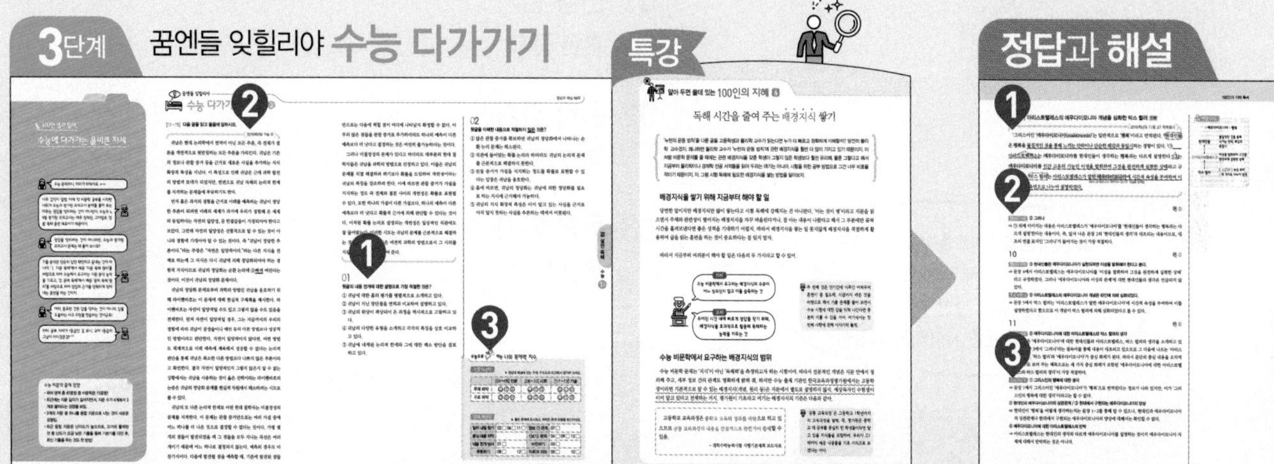

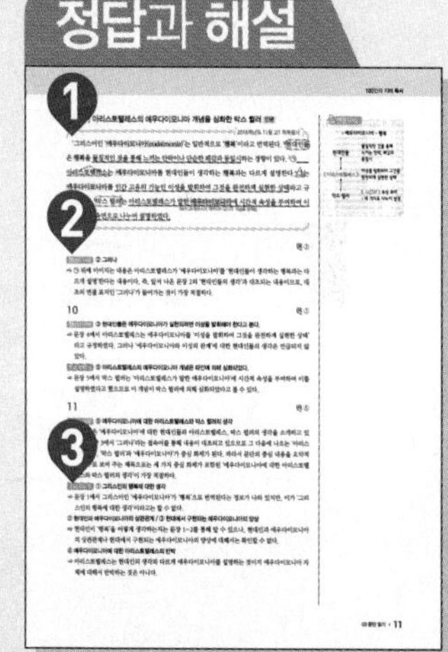

★ 수능 기출 문제에 도전해 봅니다.

1, 2단계에서 공부한 개념을 바탕으로 하여 종합적인 문제 해결력과 사고력을 발휘할 단계이죠.

❶ **수능 기출 문제** 학평·모평·수능의 기출 문제를 그대로 실었어요. 혼자 힘으로 풀어 본 후, 〈정답과 해설〉의 친절한 설명을 보며 다시 한번 답을 찾는 방법을 생각해 보세요. 꿈엔들 잊히지 않도록요!

❷ **출처** 몇 년도의 어떤 시험에 나온 문제인지 확인하면서 출제 경향을 자연스럽게 가늠해 볼 수 있을 거예요.

❸ **수능으로 체크하는 나의 독해력** 수능 기출 문제를 풀고 난 뒤 '지문 이해력'과 '문제 해결력'을 스스로 체크하여 평가해 보세요.

★ 틀린 문제, 헷갈리는 선택지는 해설을 꼭 확인하세요.

❶ **지문 해설** 본문에 나온 지문을 우리 책에서 제시한 독해 원리에 따라 자세하고 친절하게 분석했어요. 독해 기호 표시와 설명, 보조단의 내용 정리를 통해 지문을 100% 완벽하게 이해할 수 있을 거예요. (본문 보조단의 빈칸 정답도 여기서 확인할 수 있습니다!)

❷ **정답인 이유** 정답이 정답일 수밖에 없는 이유를 설명했어요. 친절한 풀이를 통해 출제 의도를 확인하고, 문제 해결력을 높일 수 있어요.

❸ **오답 피하기** 오답인 이유를 정확하고 상세하게 제시했어요. 헷갈리는 문제나 선택지는 "꺼진 불도 다시 보자."라는 생각으로 찬찬히 살펴보세요.

차례 Contents

I
지문 독해

실전 독해를 향해 출발해 보자구!
참, 지문 독해는 독해의 기초 과정이므로
독해에 어느 정도 자신 있는 친구들은
바로 문제 독해를 시작해도 괜찮아.

“ 개념에서 기출까지, 빈틈없이 완벽하게! ”

Ⅱ 문제 독해

Ⅲ 실전 독해

- 이 책은 학생 스스로가 하루에 **1강씩** 주 **5일간** 꾸준히 공부한다면, **약 5주** 동안 **26차**에 걸쳐 끝낼 수 있게 설계했습니다. 하루에 약 **2강씩** 주 **3일간** 꾸준히 공부한다면, **5주** 동안 **15차**에 걸쳐 끝낼 수도 있습니다. (1강에 1시간 공부 기준)
- 자신의 수준이나 학습 패턴에 맞게 아래의 계획표를 참고하여 공부해 보세요.

대단원	소단원		공부한 날짜		성취도
			26차 완성	15차 완성	자기 평가
I 지문 독해	**01** 문장 읽기	1강	월 일	월 일	😊 😐 ☹
	훈련 문제	2강	월 일		😊 😐 ☹
	02 문맥 읽기	3강	월 일	월 일	😊 😐 ☹
	훈련 문제	4강	월 일		😊 😐 ☹
	03 문단 읽기	5강	월 일	월 일	😊 😐 ☹
	훈련 문제	6강	월 일		😊 😐 ☹
	04 글 읽기 / 알쓸지혜 1	7강	월 일	월 일	😊 😐 ☹
	훈련 문제 / 알쓸지혜 2	8강	월 일		😊 😐 ☹
II 문제 독해	**05** 내용을 파악하는 문제	9강	월 일	월 일	😊 😐 ☹
	훈련 문제 / 알쓸지혜 3	10강	월 일		😊 😐 ☹
	06 전개 방식을 파악하는 문제	11강	월 일	월 일	😊 😐 ☹
	훈련 문제	12강	월 일		😊 😐 ☹
	07 추론하는 문제	13강	월 일	월 일	😊 😐 ☹
	훈련 문제	14강	월 일		😊 😐 ☹
	08 정보 간의 관계를 파악하는 문제 / 훈련 문제	15강	월 일	월 일	😊 😐 ☹
	09 〈보기〉를 활용하는 문제	16강	월 일	월 일	😊 😐 ☹
	훈련 문제 / 알쓸지혜 4	17강	월 일		😊 😐 ☹
	10 비판하는 문제	18강	월 일	월 일	😊 😐 ☹
	훈련 문제 / 알쓸지혜 5	19강	월 일		😊 😐 ☹
III 실전 독해	**11** 인문 훈련 문제	20강	월 일	월 일	😊 😐 ☹
	12 사회 훈련 문제	21강	월 일	월 일	😊 😐 ☹
	13 과학·기술 훈련 문제	22강	월 일	월 일	😊 😐 ☹
	14 예술 훈련 문제 / 알쓸지혜 6	23강	월 일	월 일	😊 😐 ☹
	● 수능 다가가기 1회	24강	월 일		😊 😐 ☹
	● 수능 다가가기 2회	25강	월 일	월 일	😊 😐 ☹
	● 수능 다가가기 3회	26강	월 일		😊 😐 ☹

I

지문 독해

결국은 독해력!

국어 시험에 나오는 비문학 지문은 인문, 사회, 과학·기술, 예술 등 다양한 분야에서 출제된다. 내신에서는 수업 시간에 배운 글이 출제되니 여러 번 읽고 공부하면 지문 독해에 큰 어려움이 없다. 그러나 수능에서는 제한된 시간 안에 처음 보는 글을 빠르고 정확하게 이해해야 한다. 전문적인 내용인 데다가 지문 길이도 짧지 않아서 독해가 매우 어렵게 느껴진다. 최근 수능에서 국어 영역의 성적이 상위권 학생들의 등급을 가르는 결정적 요인이 된 까닭도 비문학 지문의 내용이 어려워지고 지문 길이도 길어진 탓이다.

결국 처음 보는 글을 '빠르고 정확하게 이해하는 독해력'이 수능 국어의 경쟁력을 좌우한다고 할 수 있다.

'독해력'이란?

그렇다면 독해력이란 무엇일까? 이 질문에 답하기에 앞서 다음 글을 살펴보자.

2019학년도 3월 고1 학력평가

> 전통 경제학은 인간이 합리적 선택을 한다는 전제로 이상적인 경제 상황을 설명했다면, 카너먼은 이러한 전제를 비판하며 실제 인간의 삶에서 나타나는 선택 행동의 특성을 심리학에 근거해 설명했다. 그 결과 인간의 선택 과정에 영향을 주는 요인들에 주목해 행동 경제학이라는 새로운 분야를 개척하였다.

두 개의 문장으로 이루어진 윗글을 이해하는 데 동원되는 기능은 무엇일까?

우선은 이 글에 나온 어휘의 뜻을 알고 있어야 한다. '전제', '비판', '근거', '요인', '주목하다', '개척하다' 등 개별 단어들의 뜻을 모르면 글의 의미를 제대로 이해할 수 없다. 또한 전체 글의 맥락에서 '전통 경제학', '이상적인 경제 상황', '선택 행동', '행동 경제학'과 같은 주요 개념들을 이해해야 한다. 그리고 마지막으로 글(텍스트) 분석을 통해 그러한 개념들이 어떻게 관련되어 있는지를 파악해야 한다. 바로 이 세 가지가 독해력의 핵심 요소이다.

첫 번째 기능인 '**어휘력**'은 독서량과 비례한다. 어렸을 때부터 책을 많이 읽거나 학교 공부를 충실히 했다면, 기본적인 어휘력은 자연스럽게 갖추었을 것이다.

두 번째 기능은 '**배경지식**'과 관련이 있다. '전통 경제학'과 '행동 경제학'에 관한 배경지식이 있다면 윗글을 더 빠르고 정확하게 이해할 수 있을 것이다.

세 번째 기능은 글 분석을 통한 의미 파악 능력, 즉 '**글 독해 능력**'이다. 문장과 글의 구조에 관한 이해를 바탕으로 하여 문장 안에서 핵심 내용이 무엇인지, 문장과 문장이 어떤 의미 관계를 이루는지 등을 파악할 수 있어야 한다.

독해력
- 어휘력
- 배경지식
- 글 독해 능력

어휘력·배경지식:
- 국어·사회·과학 등 교과 학습
- 책/신문 등 읽기

글 독해 능력:
- 글 구조 분석하기
- 반복적인 독해 훈련

'어휘력'과 '배경지식'은 단기간에 기르기가 어렵다. 그래서 교과서를 포함하여 책이나 신문 등을 꾸준히 읽으면서 길러야 한다. 그런데 '글 독해 능력'은 그 원리를 잘 알고 훈련한다면 단기간에 실력을 끌어올릴 수 있다. 더욱이 글 독해 능력을 기르면 잘 모르는 어휘가 나와도 문맥을 고려하여 그 뜻을 짐작할 수 있고, 관련 배경지식이 없더라도 글의 전체 맥락을 통해 핵심 내용을 파악할 수 있게 된다.

독해에는 원리가 있다.

그렇다면 '글 독해 능력'은 어떻게 길러야 할까? 영어 독해를 배울 때 무엇부터 했는지를 떠올려 보면 힌트를 얻을 수 있다. 대부분 '주어-서술어-목적어/보어'를 찾아 끊어 읽는 문장 독해부터 시작한다. 즉 문장 구조를 분석하여 의미를 파악하기 쉬운 형태로 만드는 것이다.

국어의 독해 원리도 이와 같다. 국어의 비문학 독해도 가장 기초적인 문장 독해부터 접근해 보자는 것이다. 문장 독해를 통해 문장의 핵심 내용을 파악하고, 이를 토대로 문장 간의 관계를 살펴 글의 중심 내용을 파악할 수 있다.

이 과정에 적용되는 기능이나 전략을 바로 '독해 원리'라 한다.

➲ 문장 독해를 익힐 때는 문장 성분이나 문장 구조에 관한 문법 지식을 활용하는 것이 도움이 된다.

원리를 알면 독해는 저절로~
독해
원리
원리
원리

독해의 시작은 문장 독해부터!

문장은, 문단과 글을 이루는 구성 요소이고 문장 독해의 원리는 문단과 글 독해의 원리로 이어지기 때문에, 독해의 바탕이 되는 문장 독해부터 익히는 것이 좋다.

시험 독해, 특히 수능에서는 선택지의 적절성을 판단하는 과정에서 정확한 문장 읽기의 중요성이 더욱 커진다. 선택지의 적절성을 판단하는 과정에서 문장 단위의 독해가 중심을 이루기 때문이다.

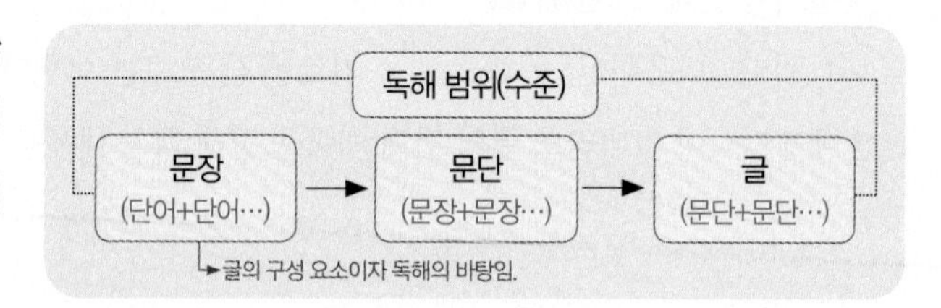

다음 예를 살펴보자.

[2019학년도 수능]

지문 그림 A의 소실이 계약 체결 전이었다면, 그 계약은 실현 불가능한 내용을 담고 있기 때문에 체결할 때부터 계약 자체가 무효이다.

➲ '실현 불가능한 내용을 담은 계약'은 체결할 때부터 무효라는 의미이다.

선택지 ⑤ 실현 불가능한 것을 내용으로 하는 계약은 무효이다.

위 선택지가 적절한지를 판별하려면 지문에서 이와 관련된 부분의 의미를 정확하게 파악해야 하고, 문장 단위인 선택지의 진술이 지문의 내용과 일치하는지를 따질 수 있어야 한다. 문장 독해 실력이 필요한 까닭이 바로 여기에 있다. 대부분의 비문학 독해 문제가 이와 같은 형식을 취하기 때문이다.

그래서 이 책은 다음의 예와 같이 글의 구조를 분석하면서 글의 내용을 빠르고 정확하게 읽는 훈련을 반복하도록 구성하였다.

[2019학년도 3월 고1 학력평가]

전통 경제학은 인간이 합리적 선택을 한다는 전제로 이상적인 경제 상황을 설명했다면, 카너먼은 이러한 전제를 비판하며 실제 인간의 삶에서 나타나는 선택 행동의 특성을 심리학에 근거해 설명했다. 그 결과(→) 인간의 선택 과정에 영향을 주는 요인들에 주목해 행동 경제학이라는 새로운 분야를 개척하였다.

➲ 이와 같이 경제학에 관한 배경지식을 동원하지 않더라도, 글 분석을 통해 행동 경제학이 전통 경제학과 달리 심리학에 근거한 새로운 이론임을 어렵지 않게 파악할 수 있다. 또한 "카너먼은 전통 경제학을 비판하면서 심리학에 근거하여 행동 경제학을 개척하였다."라고 요약할 수도 있다.

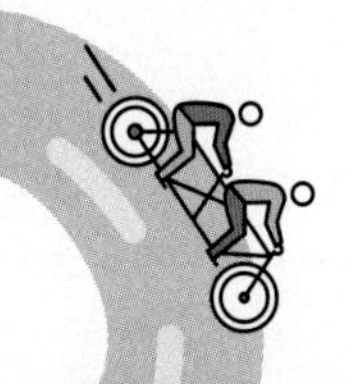

처음 독해를 시작하는 단계에서는 문장 하나씩 차근차근 분석해 보겠지만, 이것이 익숙해지면 글을 읽을 때 문장 단위마다 세세하게 분석하지 않아도 된다. 수영을 배우면서 처음에는 호흡, 팔 동작, 발차기 등의 움직임을 하나하나 신경 쓰며 정확하게 하는 것이 중요하지만, 익숙해지면 모든 동작이 자연스레 되는 것처럼 말이다.

물론 한 문장의 의미를 제대로 파악하려면 문단이나 글 수준에서 전체 맥락을 고려해야 하므로 문장 독해가 문장 차원에서만 이루어지는 것은 아니다. '숲에서 나무로, 나무에서 숲으로'처럼 '문장–문단–글' 수준의 독해가 서로 맞물리면서 이루어질 때 글을 정확하고 효과적으로 이해할 수 있다.

그렇다면 글 독해 훈련은 어떤 재료로 하는 것이 좋을까?

가장 좋은 재료는 역시 기출 지문과 문제이다. 학력평가나 모의평가 및 수능 기출은 출제 전문가들이 여러 가지 조건에 맞도록 설계한 지문이자 문제이기 때문에 다른 어떤 것보다 우수하고 검증된 독해 훈련 재료인 셈이다. 그래서 이 책은 주로 기출에서 지문과 문제를 선정하여, 학생들이 좋은 재료를 통해 훈련할 수 있도록 설계하였다.

기출 지문과 친해지자!

"자, 그럼 이제 독해 고수가 되기 위한 첫 걸음으로서, 문장 독해의 원리부터 차근차근 알아보자!"

문장 읽기

문장을 나누어 살피면 의미가 보인다! – 문장 분석을 통한 독해

문장 독해는 그 구조를 파악하는 데서부터 시작한다. 따라서 우리는 문장을 나누어 살피는 단계부터 시작하도록 할 것이다. 하나의 문장을 읽었다면 '무엇에 대한 어떤 내용'인지를 파악하고, 그 내용을 전달하기 위해 문장에서 '꼭 필요한 부분'을 찾아낼 수 있도록 말이다.

우선 짧고 단순한 문장부터 시작하여 여러 문장이 겹쳐 쓰인 길고 복잡한 문장까지 나누어 살펴봄으로써 문장 분석을 통한 독해를 마무리할 것이다.

그래, 대체 '무엇'에 대한 '어떤' 내용이니? – 주어와 서술어 찾기

문장은 결국 '무엇'에 대한 내용을 전달하는 것이므로 당연히 '무엇'을 찾는 것이 중요하다. 또한 '무엇'에 대한 '어떤'('어찌하다, 어떠하다, 무엇이다'에 해당) 내용을 전달하고 있는지를 찾아야 문장이 전달하고자 하는 바를 파악할 수 있다. 즉, '주어'와 '서술어'를 찾아보자는 것이다.

아무리 긴 문장이라도 문장의 주체인 '주어'와 그 주체가 어떠하다고 말해 주는 '서술어'가 있다. 이는 문장의 의미를 이루는 주요한 토대로서 문장 독해에서는 이 둘을 찾는 것이 가장 먼저 해야 할 일이다.

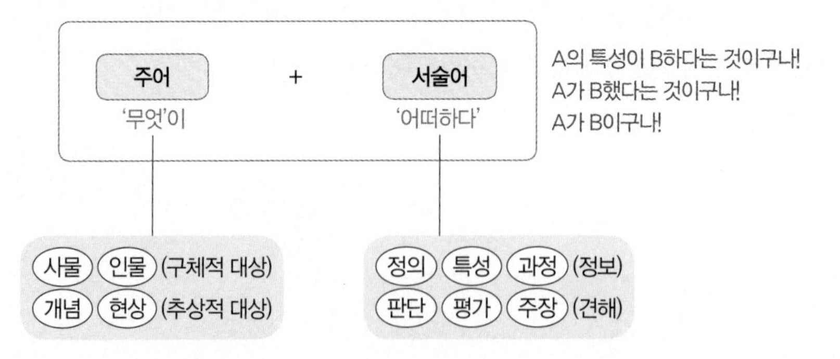

때로는 문장에서 주어보다 서술어를 찾는 것이 더 쉽다. 문장의 끝에 있는 서술어를 먼저 찾아 그에 대응하는 대상(주체)을 찾으면 그것이 바로 주어이다.

예문

- 민희는(주어) 새 신발을 샀다(서술어).
  - '민희'가 '(무엇을) 샀다'는 것이 이 문장의 토대임.
- 나는(주어) 이제 자유인이 되었다(서술어).
  - '나'가 '(무엇이) 되었다'는 것이 이 문장의 토대임.

그렇지만 비문학 지문에 나오는 실제 문장들은 이렇게 짧고 간단하지 않다. 겹문장(주어와 서술어의 관계가 두 번 이상 나타나는 문장)의 경우 문장의 길이가 길뿐더러 주어와 서술어의 관계가 여러 번 나오기 때문이다. 이때에는 문장의 '전체 주어'와 '전체 서술어'를 찾아 문장의 토대를 파악하면 된다. '전체 서술어' 또한 문장의 끝부분을 살피면 찾을 수 있다.

예문

- 중세 서양인들은(전체 주어) 세계가(주어) 완전한 천상계와 불완전한 지상계로 이루어져 있다고(서술어) 생각했다(전체 서술어).
  - ➲ '중세 서양인들'이 '(~라고) 생각했다'는 것이 이 문장의 토대임. '세계'가 '이루어져 있다' 또한 주어와 서술어의 관계이지만, 전체 주어나 전체 서술어는 아님.
- 평행론은(전체 주어) 정신적 사건과 육체적 사건 사이에는 어떤 인과 관계도(주어) 성립하지 않으며(서술어), 정신적 사건은 정신적 사건대로, 육체적 사건은 육체적 사건대로 인과 관계가(주어) 성립한다고(서술어) 주장한다(전체 서술어).
  - ➲ '평행론'은 '(~라고) 주장한다'라는 것이 이 문장의 토대임. '인과 관계'가 '성립하지 않는다'와 '인과 관계'가 '성립한다' 또한 주어와 서술어의 관계이지만, 전체 주어나 전체 서술어는 아님.

이런 겹문장은 그 내용을 한눈에 파악하기 어렵다. 하지만 이런 문장이라도 앞에서 설명한 원리가 그대로 적용된다. 결국 '전체 주어'와 이에 대응하는 '전체 서술어'를 찾는 것이 복잡한 문장 독해의 시작인 것이다.

'주어/서술어'가 아닌 부분은 뭐지? – 필수 부분과 보충 부분 구분하기

주어와 서술어는 문장의 의미를 파악하는 중요한 요소이지만, 이것만으로는 문장에서 전달하고자 하는 바를 충분히 알 수 없다. 다음 예시 문장을 살펴보자.

예문

- 민희는 새 신발을(필수 부분) 샀다. – 무엇을?
  - ➲ 서술어 '샀다'에 대해 '무엇'을 샀는지 설명해 주는 것은 문장의 필수 부분인 '신발을'(목적어)임.
- 나는 이제 자유인이(필수 부분) 되었다. – 무엇이?
  - ➲ 서술어 '되었다'에 대해 '무엇'이 되었는지를 설명해 주는 것은 문장의 필수 부분인 '자유인이'(보어)임.

이처럼 문장의 의미를 완성하는 데 꼭 필요한 '필수 부분'이 있다. 이러한 필수 부분을 찾을 때 비로소 문장의 의미를 제대로 파악할 수 있다. '주어 + 필수 부분 + 서술어'가 문장의 뼈대를 이루는 것이다.

> 100人 이래서 문법에서 '주어, 목적어, 보어, 서술어'를 문장의 주성분이라고 하는 거야. 이런 요소들이 있어야 문장의 의미가 완전하게 전달되기 때문이지. 참고로 부사어 중에서는 '동생이 (엄마와) 닮았다.'의 밑줄 친 부분처럼 생략되면 문장의 의미 전달이 어려워지는 '필수적 부사어'가 있는데, 필수적 부사어는 문장의 주성분은 아니지만 '필수 부분'에 해당한단다.

또 문장에는 의미를 더 구체적이고 풍부하게 설명해 주는 보충 부분도 있다. 보충 부분은 대개 다른 요소들을 꾸며 주는 역할을 한다. ➲ 위의 예시 문장에서는 '새'와 '이제'가 의미를 보충해 주는 부분이다. (새 신발) (이제 자유인이 되었다)

보충 부분은 문장의 의미 구성에 반드시 필요하지는 않지만, 시험에서는 문장의 보충 부분을 정확하게 이해해야 선택지의 적절성 여부를 판별할 수 있는 경우가 종종 있기 때문에 보충 부분도 주의해서 봐야 한다.

다음 문장이 '무엇'에 대한 '어떤' 내용인지 살펴보자.

주어와 서술어 찾기

예문 1

바닥부터 천장까지 책으로 빼곡한 그의 서재는 과학자의 서재라고는 상상하기 힘들 만큼 인문학 책과 예술 책들로 가득하다.

→ 먼저 문장의 끝을 살펴서 전체 서술어를 찾아보자. 그런 다음 전체 서술어에 대응하는 말을 찾으면, 문장의 전체 주어를 알 수 있다.

예문 1의 전체 서술어는 '가득하다'이고,

무엇이 가득한지 질문해 보면, 전체 주어는 '그의 서재는'임을 알 수 있다.

바닥부터 천장까지 책으로 빼곡한 **그의 서재는**(전체 주어) 과학자의 서재라고는 상상하기 힘들 만큼 인문학 책과 예술 책들로 **가득하다**(전체 서술어 - 무엇이?).

짚고 가요

문장의 주어를 찾는 방법

- 문장의 서술어를 먼저 찾고, '뭐가?', '누가?' 등의 질문을 통해 이에 대응하는 대상을 찾는다.
- 조사 '은/는/이/가'가 붙은 부분을 주의 깊게 살핀다.

다음 문장에서 '필수 부분'을 찾아보자.

필수 부분 찾기

예문 2

경매는 입찰 방식의 공개 여부에 따라 공개 구두 경매와 밀봉 입찰 경매로 구분할 수 있다.

Step 1 문장의 주어와 서술어를 찾는다.

→ 주어는 '경매는'이고, 서술어는 '구분할 수 있다'이다.

Step 2 주어와 서술어 외에 필요한 내용이 무엇일지 질문을 통해 찾는다.

→ 주어와 서술어인 '경매는, 구분할 수 있다'만으로는 의미가 충분하지 않으므로, '어떻게 구분할 수 있는지'를 자연스럽게 묻게 된다.

'어떻게'에 대한 답은 서술어 바로 앞에 있는 '공개 구두 경매와 밀봉 입찰 경매로'임을 알 수 있다.

경매는(주어) 입찰 방식의 공개 여부에 따라 **공개 구두 경매와 밀봉 입찰 경매로**(필수 부분) **구분할 수 있다**(서술어 - 어떻게?).

100人 주어와 서술어만으로 문장의 의미가 명확하게 파악되지 않는다면 '무엇을?', '왜?', '어떻게?'와 같은 질문을 해 보는 것이 좋아. 이러한 질문의 답에 해당하는 내용이 바로 필수 부분일 가능성이 높거든.

긴 문장은 나누어 살피자!
– 겹문장 분석하기

비문학 지문에는 한 문장 안에 여러 문장이 겹쳐 있는 길고 복잡한 문장들이 자주 등장한다. 이러한 문장도 그 구조를 분석하여 살피면 의미를 파악하기 쉽다. 길고 복잡한 문장을 읽을 때는 오른쪽 도식을 참고하여 문장을 분석해 보자.

➲ 단, 문장을 문법적으로 얼마나 정확하게 나누어야 할지는 고민하지 않아도 된다. 문장을 나누어 살피는 까닭은 결국 그 문장에서 말하는 바를 쉽게 찾기 위해서이므로 '이 문장에 대략 이러한 내용들이 있구나.' 하는 정도만 이해하면 된다.

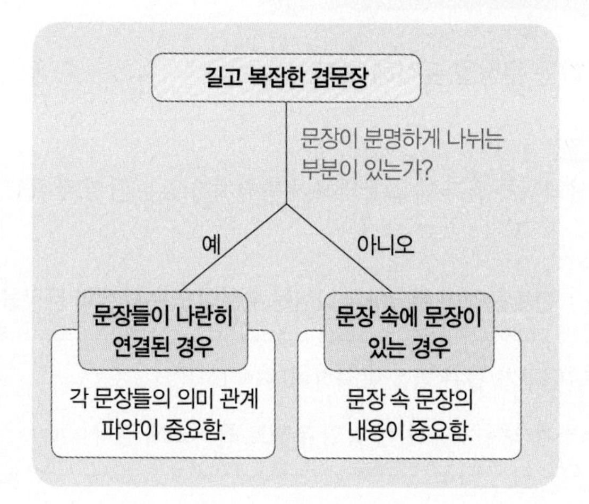

I 지문 독해

● 문장 속에 문장이 있는 경우 – 필수 부분, 보충 부분 찾기

문장이 뚜렷하게 둘로 나뉘지 않을 때에는 문장 속에 문장이 있는 경우에 해당한다. 이때는 문장 속 문장이 통째로 '필수 부분'이나 '보충 부분'으로 기능하고 있는 것이므로, 문장을 분석하여 이를 찾으면 된다.

예문

• 프랑스의 법률가인(보충 부분) 몽테스키외는(전체 주어) 동양의 유교 사회를 '법이 아닌 도덕에 의해 다스려지는 사회'라고(필수 부분) 말했다(전체 서술어 – 무엇을 무엇이라고?).

➲ 전체 주어와 전체 서술어인 '몽테스키외는, 말했다'만으로는 의미가 충분하지 않으므로, '무엇을 무엇이라고' 말했는지 질문을 던진다. 그러면 "동양의 유교 사회를 '법이 아닌 도덕에 의해 다스려지는 사회'라고"가 필수 부분임을 알 수 있다. 이는 "동양의 유교 사회는 법이 아닌 도덕에 의해 다스려지는 사회이다."라는 문장이 필수 부분으로 기능하고 있는 것이다.
또, '프랑스의 법률가인'은 "몽테스키외는 프랑스의 법률가이다."라는 문장에서 주어가 생략된 형태를 띤 것으로, 전체 주어의 '몽테스키외'를 꾸며 주는 '보충 부분'으로 기능하고 있다.

● 문장들이 나란히 연결된 경우 – 문장을 둘로 나누기

문장 중간에 쉼표가 있거나 앞뒤를 연결하는 말이 비교적 뚜렷할 때에는 문장과 문장이 나란히 연결된 경우이다. 이때는 문장을 둘로 나눈 뒤 각 문장을 분석하고, 문장 1과 문장 2가 어떤 관계인지를 살핀다.

➲ 문장 사이의 관계를 알아야 두 문장 중에서 주목해야 할 문장을 찾을 수 있기 때문이다. 대부분 앞 문장보다는 뒤 문장에 결과나 중점 등이 나오므로 뒤 문장에 유의하여 읽는 것이 좋은데, 만약 정보를 대등하게 나열하고 있다면 두 문장 모두에 주목해야 한다.

예문

• [1]그는(전체 주어) 정신과 신체에 관계되는(보충 부분) 코나투스를 충동이라(필수 부분) 부르고(전체 서술어 – 무엇을 무엇이라고?), / [2](그는(전체 주어)) 인간도 자신을 보존하고자 하는 충동을 갖고 있다고(필수 부분) 보았다(전체 서술어 – 무엇을 무엇이라고?).

➲ 문장 1과 문장 2가 나란히 연결된 문장이다. 두 문장의 전체 주어는 '그는'으로 문장 2에는 이것이 생략되어 있다. 따라서 이 문장은 '그'가 ~을 ~이라 '부르고', '그'가 ~도 ~라고 '보았다'는 내용을 대등하게 나열한 문장이다. 문장 1과 문장 2 모두 '그'의 견해와 관련된 정보이므로 주의 깊게 살펴야 한다.

• [1]염증 반응이(전체 주어) 과도하거나 지속적으로(보충 부분) 일어나게 되면(전체 서술어) / [2](염증 반응이(전체 주어)) 질병으로(필수 부분 – 무엇으로?) 이어진다(전체 서술어).

➲ 두 문장의 전체 주어는 '염증 반응이'로 문장 2에는 이것이 생략되어 있다.

예문으로 원리 확인

다음 문장을 분석해 보자.

예문 3

단핵구가 혈관 벽을 통과하여 병원체가 있는 감염 부위로 들어오게 된다.

Step 1 전체 문장이 분명하게 나뉘는 부분이 있는지 살펴 문장을 나눈다.

단핵구가 혈관 벽을 통과하여 (통과한다.) → 문장 1

(단핵구가) 병원체가 있는 감염 부위로 들어오게 된다. → 문장 2

Step 2 각 문장에서 전체 주어와 전체 서술어, 필수 부분과 보충 부분을 찾는다.

단핵구가(주어) 혈관 벽을(필수 부분) 통과한다(서술어). — 무엇을?

➲ 주어는 '단핵구가', 서술어는 '통과한다'로 '무엇을 통과하는지' 질문할 수 있는데, 이에 대한 답인 '혈관 벽을'이 필수 부분이다.

(단핵구가)(전체 주어) 병원체가 있는(보충 부분) 감염 부위로(필수 부분) 들어오게 된다(전체 서술어). — 어디로?

➲ 전체 주어는 (생략된) '단핵구가', 전체 서술어는 '들어오게 된다'이다. 따라서 '어디에서 어디로 들어오게 되는지' 질문을 던지면 그 답인 '감염 부위로'가 필수 부분이다. 이때 '병원체가 있는'은 "병원체가 감염 부위에 있다."라는 문장에서 '감염 부위에'가 생략된 형태를 띤 것으로, 필수 부분의 '감염 부위'를 꾸며 주는 보충 부분으로 기능하고 있다.

예문 4

실증주의 범죄학은 범죄의 원인을 개인의 자유 의지로는 통제할 수 없는 생물학적, 심리학적, 사회학적 요소에서 찾으려 했다.

Step 1 문장의 전체 주어와 전체 서술어를 찾는다.

→ 문장의 전체 주어는 '실증주의 범죄학은'이고 전체 서술어는 '찾으려 했다'이다.

Step 2 전체 주어와 전체 서술어 외에 필요한 내용이 무엇일지 질문을 통해 찾는다.

실증주의 범죄학은(전체 주어) 범죄의(보충 부분) 원인을(필수 부분 ❶) 개인의 자유 의지로는 통제할 수 없는(보충 부분) 생물학적, 심리학적, 사회학적 요소에서(필수 부분 ❷) 찾으려 했다(전체 서술어). — 무엇을? 어디에서?

➲ '실증주의 범죄학은, 찾으려 했다'만으로는 의미가 충분히 전달되지 않으므로, '무엇을, 어디에서 찾으려 했는지' 등의 질문을 던진다. 이때 문장에서 '무엇을'에 해당하는 '원인을'이 바로 필수 부분이다. '범죄의'는 '원인'을 꾸미는 보충 부분이다.
또한 '어디에서' 찾으려 했는지도 문장의 의미 구성에 중요하기 때문에, 필수적 부사어인 '생물학적, 심리학적, 사회학적 요소에서' 또한 필수 부분에 해당한다. 이때 보충 부분은 "개인의 자유 의지로는 생물학적, 심리학적, 사회학적 요소를 통제할 수 없다."라는 문장에서 목적어(밑줄 친 부분)가 생략된 형태를 띠면서 필수 부분의 '생물학적 ~ 요소'를 꾸미고 있다.

겹문장 분석하기 (1) – 문장들이 나란히 연결된 경우

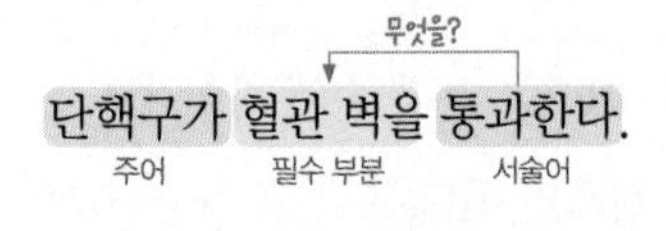

궁금해요 앞과 뒤 문장의 관계를 빨리 파악하는 방법이 있나요?

앞뒤 문장의 관계는 의미상 추론할 수 있지만, 두 문장을 연결할 때 쓰이는 접속어나 연결 어미가 있으면 더 쉽게 파악할 수 있어. 예를 들어 연결 어미 '-고, -며' 등이 있는 경우, 앞 문장과 뒤 문장은 비슷한 내용을 나열하고 있을 확률이 높지. 이와 관련된 내용은 '02 문맥 읽기'에서 살펴볼게.

겹문장 분석하기 (2) – 문장 속에 문장이 있는 경우

바로 콕 문제

1 다음 문장에서 의미상 둘로 나뉘는 부분에 '/' 표시를 하시오.

(1) 비판적 역사는 과거를 숭상하거나 보존하기 위해서가 아니라 과거를 부정하기 위한 역사이다.

(2) 라틴아메리카의 미술은 모더니즘 미술을 받아들이면서도 독창성을 추구하는 경향이 두드러진다.

콕 정답과 해설 2쪽

예문 5

이는 지배층이라고 해도 유교 이념에 어긋난 행동을 하면 처벌을 받아야 한다는 인식에서 비롯된 것으로 고려 말 지배층의 부정부패로 인한 혼란을 겪으며 얻은 교훈의 결과였다.

Step 1 전체 문장이 분명하게 나뉘는 부분이 있는지 살펴 문장을 나눈다.

이는 지배층이라고 해도 유교 이념에 어긋난 행동을 하면 처벌을 받아야 한다는 인식에서 비롯된 것으로 (것이다.) → 문장 1

(이는) 고려 말 지배층의 부정부패로 인한 혼란을 겪으며 얻은 교훈의 결과였다. → 문장 2

Step 2 각 문장에서 전체 주어와 전체 서술어, 필수 부분과 보충 부분을 찾는다.

[1]이는(전체 주어) 지배층이라고 해도 유교 이념에 어긋난 행동을 하면 처벌을 받아야 한다는(보충 부분) 인식에서(필수 부분, 어디에서?) 비롯된 것이다(전체 서술어).

➲ 전체 주어는 '이는', 전체 서술어는 '비롯된 것이다'이다. 따라서 '어디에서 비롯되었는지' 질문을 던질 수 있는데, 이에 대한 답인 '인식에서'가 필수 부분이다. 이때 '지배층이라고 해도 유교 이념에 어긋난 행동을 하면 처벌을 받아야 한다는'은 "지배층이라고 해도 유교 이념에 어긋난 행동을 하면 처벌을 받아야 한다."라는 문장이 통째로 '인식'을 꾸며 주는 보충 부분으로 기능한 것이다.

[2](이는)(전체 주어) 고려 말 지배층의 부정부패로 인한 혼란을 겪으며 얻은(보충 부분) 교훈의(보충 부분) 결과였다(전체 서술어).

➲ 전체 주어는 문장 맨 앞에 있던 '이는'으로 생략되어 있고, 전체 서술어는 '결과였다'이다. 이때 '교훈의'는 전체 서술어의 '결과'를 꾸미는 보충 부분이다.
또 '고려 말 지배층의 부정부패로 인한 혼란을 겪으며 얻은'은 "(주어가) 고려 말 지배층의 부정부패로 인한 혼란을 겪으며 교훈을 얻었다."라는 문장에서 '교훈을'이 생략된 형태로, 보충 부분의 '교훈'을 꾸며 주는 보충 부분으로 기능한 것이다.

이와 같이 문장의 의미를 구성하는 주요 요소들(전체 주어, 전체 서술어, 필수 부분)을 먼저 찾은 다음, 이를 제외한 보충 부분이 어떤 대상을 수식하고 있는지 확인함으로써 기초적인 문장 독해 능력을 기를 수 있다.

겹문장 분석하기 (3)

100人 문장을 독해할 때 필수-보충 부분의 구분이 모호할 때가 있어. 이때 주의할 점은, 필수-보충 부분의 구분에 지나치게 얽매이지 말아야 한다는 거야.
문장을 주어와 서술어, 필수-보충 부분으로 분석하고 문장의 구조를 살피는 궁극적인 이유는 결국 '문장의 의미'를 파악하기 위해서거든. 따라서 찾아낸 필수-보충 부분의 범위가 우리 책의 정답과 조금 다르다고 해서 너무 상심하지 않아도 돼.

I 지문 독해

바로 콕 문제

2 다음 문장에서 ㉠의 내용을 꾸며 주는 '보충 부분'을 찾아 밑줄을 치시오.

즉 무역을 통해 양국은 무역 이전에는 생산할 수 없었던 재화량의 조합을 생산하는 것과 같은 ㉠효과를 갖게 된다.

3 다음 문장의 내용과 일치하면 ○표, 일치하지 않으면 ×표 하시오.

겔렌은 동물학자 포르트만의 이론에 근거를 두고 인간의 본질을 밝히고자 했다.

(1) 포르트만은 인간의 본질을 밝히고자 했다. ( )
(2) 겔렌은 타인의 이론을 근거로 삼았다. ( )

콕 정답과 해설 2쪽

사뿐히 즈려밟는

훈련 문제

01 다음 문장의 전체 주어와 전체 서술어를 찾아 ◯표 하시오.

(1)

이렇게 경제 안정을 위해 거둬들이는 세금의 크기를 조정하다 보면 정부 재정에 적자가 발생할 수 있다.

(2)

컴퓨터를 구성하고 있는 여러 가지 장치 중에서 가장 핵심적인 역할을 담당하고 있는 세 가지 요소는 중앙처리장치(CPU), 주기억장치, 보조기억장치이다.

(3)

백인 신부들이 여성과 아이에게 선교를 위해 선물한 쇠도끼는 성(性) 역할, 연령에 따른 위계와 권위, 부족 간의 교역에 혼란을 초래하였다.

(4)

1960년대에 들어서 키네틱 아트는 새로운 첨단 매체를 활용하여 변화무쌍한 움직임을 보여 주는 비디오 아트, 레이저 아트, 홀로그래피 아트 등과 같은 예술이 출현하게 되는 계기를 제공하였다.

02 다음 문장을 둘로 나누고, 나뉜 문장의 전체 주어와 전체 서술어를 각각 찾아 ◯표 하시오.

(1)

요정들이 하늘을 둥둥 떠다니는 느낌을 연출하기 위해 발끝을 수직으로 세우고 춤을 추는 '포인트 동작'이 등장했고, 여성 무용수들은 '로맨틱 튀튀'라고 부르는 하늘하늘하고 여러 겹으로 된 발목까지 오는 긴 의상을 입어서 움직일 때마다 우아한 느낌을 주었다.

(3)

그런데 미성년자가 부모님의 동의 없이 맺은 계약은 언제든지 취소될 수 있으므로 사업자는 불안한 상태에 놓이게 된다.

(3)

노폐물은 혈액의 압력 차이에 의해 모세혈관 덩어리인 사구체를 통해 보먼주머니에 모이고 이것이 세뇨관을 거쳐 방광에 모아져 오줌으로 배설된다.

100人 긴 문장에서 나뉘는 부분을 찾을 때에도 서술어의 위치를 먼저 확인하는 것이 효율적이야. 서술어가 두 번 나왔다면, 앞에 있는 서술어 다음에서 문장이 나뉜다고 보면 되거든.

03 다음 문장의 필수 부분을 찾아 ☐표 하시오.

(1) 노폐물인 요소도 농도가 높은 곳에서 낮은 곳으로 이동한다.

(2) 김홍도는 계산된 구도로 전대에 비해 더욱 치밀하고 박진감 넘치는 화풍을 보였다.

(3) 실록은 이전 국왕이 어떻게 국가를 운영하였는지를 평가하는 기초 자료의 구실을 하였다.

(4) 이처럼 하이데거는 기술은 인간세계의 관계를 왜곡시키거나 변형시킬 수 있는 힘을 가지고 있다고 보았다.

(5) 아프리카 사람들은 이러한 조각이 자연의 영(靈)과 조상신의 힘이 깃든 신성한 물건으로서 병을 치료하거나 적을 해하는 힘이 있다고 믿는다.

04 다음 문장에서 ㉠을 꾸미는 보충 부분을 찾아 밑줄을 치시오.

(1) 흄은 과학적 탐구 방식으로서의 ㉠<u>인과 관계</u>에 대해서도 비판적 태도를 보였다.

(2) 뉴턴의 운동 법칙에 의하면, 운동하는 물체는 외부의 힘이 작용하지 않을 때 ㉠<u>등속 직선운동을 한다</u>.

(3) 일반적으로 거품은 어떤 상품-특히 자산-의 가격이 지속적으로 급격히 상승하는 ㉠<u>현상</u>을 가리킨다.

05 다음 문장을 읽고 물음에 답하시오.

> ‘이론–이론’은, 사람이 세상을 접하면서 마음의 작동 방식에 대한 개념적 이론을 갖게 되는데 이를 바탕으로 논리적 추론을 함으로써 타인의 마음을 이해할 수 있다는 이론이다.

(1) **위 문장의 전체 주어와 전체 서술어를 찾아 쓰시오.**

• 전체 주어: ____________________

• 전체 서술어: ____________________

(2) **위 문장을 분석한 아래 내용의 빈칸에 들어갈 알맞은 말을 쓰시오.**

> ‘이론–이론’은
> • 사람은 세상을 접하면서 마음의 작동 방식에 대한 개념적 이론을 ㉠________ 된다.
> • ㉡________ 이(개념적 이론)를 바탕으로 논리적 추론을 한다.
> • 사람은 ㉢________ 추론을 함으로써 타인의 마음을 이해할 수 있다.
> 라는 이론이다.

06 다음 문장의 내용과 일치하면 ○표, 일치하지 않으면 ×표 하시오.

(1)

> 한옥 공간에서는 여러 공간을 거쳐 가는 돌아가기와 최단 거리로 가는 질러가기가 모두 가능하다.

① 한옥 공간은 돌아가기와 질러가기로 나뉜다. (　　)

② 한옥 공간에서는 두 가지 방식의 이동이 가능하다. (　　)

(2)

> 자동 조정 장치는 조종사가 비행 전에 미리 입력한 데이터에 따라 자동으로 비행경로 및 고도를 유지해 주는 장치이다.

① 자동 조정 장치를 사용하기 위해서는 비행 전에 데이터를 입력해 두어야 한다. (　　)

② 자동 조정 장치를 사용하는 비행기의 경로는 비행을 하면서 결정된다. (　　)

100人 전체 문장의 내용을 제대로 이해하려면 결국 주어, 서술어, 필수 부분뿐만 아니라 보충 부분까지 꼼꼼하게 확인해야 해. 보충 부분은 문장의 뼈대에 살을 붙이는 부분이고, 시험에서는 이런 보충 부분을 이해해야 문항을 풀 수 있도록 선택지를 구성하는 경우가 많거든.

(3)

칸트는 인간이란 이성을 바탕으로 자신이 지켜야 할 도덕 법칙을 인식하고 이를 실천할 수 있는 실천 능력을 가진 존재라고 생각하였다.

① 칸트는 인간이 도덕 법칙을 인식하기 위해서는 이성이 바탕이 되어야 한다고 보았다. (　　)

② 칸트에게 인간이란 도덕 법칙을 실천할 수 있는 능력이 있는 존재이다. (　　)

(4)

그 해결 방법은 우리를 막연한 불안감, 불확실성에 떨게 하는 무차별적인 정보의 과다 수집을 금하고, 이미 수집된 정보에 대한 접근을 좀 더 평등하게 만드는 것이다.

① 많은 정보의 수집은 우리를 불안감과 불확실성에 떨게 만든다. (　　)

② 정보의 과다 수집을 금하면 이미 수집된 정보에 대한 접근이 평등해질 수 있다. (　　)

(5)

조선 후기 시조는 자기 자신에 대한 새로운 인식과 실학의 대두로 인하여 관념적이고 형식적인 경향에서 벗어났다.

① 실학이 대두하자 조선 후기 시조의 경향이 달라졌다. (　　)

② 조선 후기 시조는 자기 자신에 대한 새로운 인식과 실학의 대두에 영향을 받았다. (　　)

(6)

가격분산이 존재하면 소비자는 특정 품질에 대해 비용을 더 많이 지불할 가능성이 있고 그 결과 구매력은 그만큼 저하되고, 경제적 복지수준도 낮아지게 된다.

① 가격분산이 존재하면 소비자의 구매력은 저하된다. (　　)

② 경제적 복지수준이 낮아지는 현상은 가격분산의 존재 때문이다. (　　)

(7)

16세기 르네상스 시대에 들어서면서 고대 그리스 철학자들이 중시했던 음악의 도덕적·윤리적 작용보다는 음악이 지닌 감정적 효과에 관심을 가지기 시작했으며 이는 언어, 즉 가사를 통해 사람의 마음 상태나 사물 혹은 환경 등을 음악적으로 잘 묘사하려는 구체적인 시도들로 나타났다.

① 고대 그리스 철학자들은 음악의 감정적 효과를 중시하였다. (　　)

② 16세기 르네상스 시대에는 가사를 통한 음악적 묘사의 구체적인 시도가 있었다. (　　)

PART I

02 문맥 읽기

문맥을 파악하며 읽어야 하는 이유

하나의 문단은 서로 관련이 없는 문장들의 나열이 아니라 서로 밀접하게 연관된 문장들로 이루어진다. 글을 이루고 있는 여러 문장들은 글쓴이의 의도를 효과적으로 전달하기 위해 선택된 문장들의 유기적인 배열이다. 따라서 글을 이루는 여러 문장들 간의 의미 관계를 잘 파악하며 읽어야 비로소 글의 내용을 온전하게 이해할 수 있다. 우리가 '글에 표현된 의미의 앞뒤 연결'인 문맥을 파악하며 읽어야 하는 이유가 바로 여기에 있다.

문장의 내용들은 어떻게 연결되어 있는 거지? – 앞뒤 내용 간 의미 관계 파악하기

의미 관계는 앞의 내용과 뒤에 이어지는 내용의 관계를 살펴봄으로써 파악할 수 있다. 의미 관계는 문장과 문장 간, 문단과 문단 간에도 파악해야 하지만, 긴 문장의 경우에는 문장 내에서도 앞과 뒤를 나누어 의미 흐름을 살펴보아야 한다. 이는 시험에 자주 나오는 '내용 전개 방식'과 밀접하게 관련되어 있는데, 문장의 의미 관계가 문단이나 글의 내용 전개 방식으로 확대되어 이어지기 때문이다.

➲ 뒤의 내용이 앞 내용을 더해 주거나(첨가), 예를 들거나(예시), 같은 층위의 내용을 열거하거나(나열), 원인이 된 내용의 결과를 나타내거나(인과), 과정을 설명하는 등

문장에 '연결 표지'가 있는 경우, 이를 주목하면 의미 관계를 쉽게 파악할 수 있다. '연결 표지'란 문장 내부에서 앞 내용과 뒤 내용을 연결하는 표현이나, 문장과 문장의 내용을 연결하는 지시어·접속어를 말한다. 이러한 연결 표지는 앞 내용과 뒤 내용의 의미 관계에 맞게 선택되기 때문에 의미 관계를 파악하기 좋은 단서가 된다.

예 –하거나, –하고, –하지만 등

개념+ 지시어, 접속어

지시어: 앞에서 이미 사용한 단어나 어구, 또는 문장이나 문단 전체를 가리키는 구실을 하는 말.

예시

- 이, 그, 저, 이때, 그때, 저때, 이렇게, 그렇게, 저렇게, 이러하다, 그러하다, 저러하다, 그(들) 등 (사람을 가리키는 지시어)
- 이름처럼 실이나 철사 없이 화학 접착제만으로 책을 묶는 방식이다. 이 방법은 자동화가 가능해 대량 생산에 더욱 적합했다. (앞 문장의 '이름처럼 ~ 묶는'을 가리키는 지시어)

접속어: 단어와 단어, 구절과 구절, 문장과 문장을 이어 주는 구실을 하는 말.

예시

- 그리고, 그래서, 그러나, 또는, 먼저, 첫째, 둘째 등
- 종이가 개발되기 전, 인류는 동물의 뼈나 양피지 등에 필요한 정보를 기록해 왔다. 하지만 담긴 정보량에 비해 부피가 방대하였고 그로 인해 보존과 가독에 어려움을 겪었다. (앞 문장과 뒤 문장을 연결하면서, 두 문장의 관계가 '대조'임을 알려 주는 접속어)

기호 표시 정리

앞으로 예문을 볼 때는 의미 관계에 따라 기호를 표시하면서 읽을 거야. 지금부터 우리 책에서 사용할 기호를 간단하게 정리해 줄게.

① 의미 관계에 따른 기호 표시

의미 관계	기호
정의, 재진술	=
예시, 유추	( )
첨가	+
나열	①, ②, ③
원인-결과, 가정-결과, 과정, 이유/근거-주장, 목적-수단	→, ←
대조	↔
전환	▽

② 개념, 인물 등에 기호 표시

지문에서 정의하는 개념, 인물, 기억해야 할 용어 등이 나올 때 ◯, □, △ 등 다른 모양의 기호로 구분해서 표시한다.

> 유명한 지휘자 토스카니니는 정확하게 …… 연주한다. 반면 푸르트벵글러는 …… 별로 신경을 쓰지 않았다.

이렇게 기호를 표시하며 읽으면 지문에 있는 정보의 위치와, 정보 간의 관계를 파악하기 쉬워진단다.

다음은 지문에서 사용되는 의미 관계와 그에 다른 연결 표지를 정리한 것이다.

의미 관계		표지	예문
정의 =	어떤 말이나 사물의 뜻을 명백히 밝혀 규정함.	'이는 ~이다.' 등	공기 중의 습기를 제거하는 방식에는 냉각식과 건조식이 있다. 건조식은 화학물질인 흡습제를 이용하는 방식이다.
재진술 =	앞서 나온 내용을 다시 진술하거나 정리함.	즉, 결국, 다시 말해 등	사람들은 자연현상에 대해 특별한 의미를 부여하지 말고 오직 인간 사회에서 스스로가 해야 할 일을 열심히 해야 한다. 즉, 재앙이 닥치면 공포에 떨며 기도나 하는 것이 아니라 적극적인 행위로 그것을 이겨내야 한다는 것이다.
(예시)	예를 들어 보임.	예를 들어, 만일, 가령, 이를테면 등	계약과 같은 법률 행위를 하여 권리를 얻거나 의무를 지려면 자신의 의사로 판단하고 결정할 수 있는 능력이 있어야 한다. (예를 들어, 태어난 지 얼마 안 된 아기나 만취한 어른은 의사 능력이 있다고 할 수 없다.)
(유추)	같은 종류의 것 또는 비슷한 것에 기초하여 다른 사물을 미루어 추측함.	'A가 B인 것처럼 C도 D이다.' 등	(장인이 버드나무로 바구니를 만들 때 버드나무 속에 본래 바구니가 들어 있지 않은 것처럼,) 인간의 본성에는 선이나 악의 성질이 들어 있지 않다고 하였다.
첨가 +	내용을 덧붙이거나 보탬.	그리고, 또한, 게다가, 더하여, 특히 등	갈릴레이는 피사의 대사원에서 기도하던 중 천장에서 흔들리는 램프를 보고 진자(振子)의 원리를 발견하였다. 그리고 아르키메데스는 목욕탕 안에서 물체의 부피를 측정하는 원리를 발견하고 "유레카! 유레카!"를 외치며 집으로 달려갔던 것이다.
나열 ①, ②, ③…	여러가지 사실이나 예를 죽 늘어놓음.	첫째, 둘째, 하나, 둘 등	뼈의 재구성에 관여하는 주요 세포에는 ①뼈모세포, ②뼈세포, ③뼈파괴세포가 있다. ①뼈모세포는 뼈조직의 표면에 주로 위치하고 있는 세포로 뼈바탕질을 생산하는 역할을 한다. ②뼈세포는 뼈모세포가 더 이상 뼈바탕질을 생산할 수 없게 된 세포이고, ③뼈파괴세포는 뼈모세포에 비해 크고 운동성이 있는 세포로 뼈바탕질을 분해할 수 있는 효소들이 풍부하다.
문답	묻고 답함.	'A는 무엇일까? A는 B이다.' 등	A씨가 인터넷 쇼핑몰에서 악기를 구입하려고 할 때 어떻게 하면 안전하게 구매할 수 있을까?(물음) 이때 '전자상거래 등에서의 소비자 보호법'(답)이 도움을 줄 수 있다.
분류	종류에 따라서 가름.	'~에 따라' 등	태양빛이 대기층에 입사하여 산소나 질소 분자와 같은 공기 입자 등과 부딪치면 여러 방향으로 흩어지는데 이러한 현상을 산란이라 한다. 산란은 입자의 직경과 빛의 파장에 따라 '레일리 산란'과 '미 산란'으로 구분된다.

I 지문 독해

분석	복잡한 현상이나 대상을 개별적인 요소나 성질로 나눔.	'~는 ~를 요소로 한다', '~는 a와 b와 c로 구성된다.' 등	박테리오파지는 머리와 꼬리, 꼬리 섬유로 구성되어 있다. 머리는 다면체로 되어 있고, 그 밑에는 길쭉한 꼬리가, 꼬리 밑에는 갈고리 모양의 꼬리 섬유가 붙어 있다. '박테리오파지'의 구성 요소를 분석하고 있음.
원인-결과(인과), 가정-결과 →	원인이나 가정된 상황의 결과를 밝힘.	이를 위해, 왜냐하면, 그래서, 따라서, 때문에, ~ 때문이다, '만약/가령 ~한다면' 등	만일 이 말이 없으면, 이 장면에 '이에 앞서 공주는 궁궐을 나올 때에 패물을 가지고 왔었는데' 하는 군더더기 설명을 덧붙여야 한다. 이렇게 되면 뒷북치는 글이 되어 문장의 활력이 사라지고 만다.
과정 →	일이 되어 가는 경로를 밝힘.		밀폐된 용기 속에 물을 담아 두면 물 분자들은 표면에서 일정한 속도로 증발한다. 이 과정에서 액체 상태의 물이 기체 상태로 변하기 때문에 물의 양은 점점 줄어든다.
이유 근거 -주장, 논증 →	주장과 그 주장을 뒷받침하는 근거를 밝히거나, 옳고 그름을 이유를 들어 밝힘.		도덕 법칙은 언제나 타당하고 보편적인 것이기에 '왜'라는 질문은 성립하지 않는다. 따라서 좋지 않은 결과를 초래하더라도 도덕 법칙은 지켜야 한다.
목적-수단 ←	목적과 그 목적을 이루기 위한 수단을 밝힘.		인간은 코나투스의 증가를 위해 자신의 신체적 활동 능력을 증가시키고 기쁨의 감정을 유지하려고 노력한다는 것이다.
통시	대상이 진행되거나 변화하는 과정을 시대나 (대체로 긴) 시간 순서에 따라 전개함.	~세기에 이르러, ~시대에 접어들어 등	기술에 대한 이러한 관점은 16세기 영국 철학자인 베이컨에 의해 강한 비판을 받았다. 하지만 20세기에 기술을 바라보는 새로운 철학적 관점이 등장하였는데, 독일의 철학자 하이데거를 필두로 기술의 진정한 본질은 무엇인지 등에 대한 철학적 고민이 시작되었다. → '기술에 대한 관점 변화'를 통시적으로 전개함.
비교	둘 이상의 사물을 견주어 서로 간의 유사점, 차이점, 일반 법칙 따위를 고찰함.	~와 같이, ~와 달리, ~에 비해 등	고전 발레는 전설이나 동화를 바탕으로 한 낭만적인 줄거리를 지니고 있다는 점에서는 낭만 발레와 비슷하다. ※ 비교는 크게 보아 '대조'를 포함하는 개념임.
대조 ↔	앞 내용과 반대되거나, 일치하지 않는 내용이 나타남.	그러나, 하지만, 반면에, 이와 달리 등	선풍기가 처음 개발된 이후, 동력이나 기능은 달라졌지만 날개가 회전하며 바람을 일으키는 선풍기의 모습에는 변화가 없다. 하지만 최근 영국의 한 회사가 날개 없는 선풍기를 개발했다.
전환 ▽	이어지던 내용과 다른 방향이나 흐름으로 바뀜.	그런데, 그러면(그럼), 한편, 특히 등	이러한 뼈의 재구성은 뼈의 구조 유지에 필수적인 것으로 일생 동안 일어난다. 그럼 뼈의 재구성은 어떻게 이루어질까?

특히 '대조'나 '전환'의 의미 관계를 보이는 경우, 앞 내용과 다른 내용이 이어지기 때문에 뒤 내용에 주목하면서 읽는 것이 좋다.

문장과 문장 간 의미 관계를 찾는 방법은 지시어나 접속어의 유무에 따라 두 가지로 구분할 수 있다.

● 지시어나 접속어가 있는 경우

지시어가 나타나면 그 지시어가 가리키는 대상·내용이 무엇인지 파악하며 읽어야 한다. 해당 문장이 앞에 나온 대상·내용에 대한 추가 정보를 주고 있다는 의미이기 때문이다. 또 접속어가 나타나면 해당 접속어가 앞의 내용과 어떤 의미 관계를 나타내는 표지인지 확인하며 읽으면 된다.

예문

[1]수치상의 소득이나 재산이 동일하더라도 실질적인 조세 부담 능력이 달라, 내야 하는 세금에 차이가 생길 수 있다. [2](예를 들어 소득이 동일하더라도 부양가족의 수가 다르면 실질적인 조세 부담 능력에 차이가 생긴다.) [3]이와 같은 문제를 해결하여 공평성을 높이기 위해 ← 정부에서는 공제 제도를 통해 조세 부담 능력이 적은 사람의 세금을 감면해 주기도 한다.

➲ 접속어 '예를 들어'를 통해 문장 2는 문장 1의 내용에 대한 구체적인 예시임을 알 수 있다. 문장 3은 '이'라는 지시어를 통해 문장 1의 내용을 칭하면서, 문장 1에서 언급된 문제점을 해결하려는 정부의 방안에 대해 소개하고 있다.

● 지시어나 접속어가 없는 경우

지시어나 접속어가 없는 경우는 앞뒤 문장에서 반복되고 있는 부분에 주목하도록 한다. 앞 문장에 나온 단어나 구절 등을 뒤 문장에서 다시 언급할 때, 뒤 내용은 앞 내용에 대해 추가적인 설명을 더해 준다. 정의를 내리거나 재진술하거나 이유·근거·결론을 밝히는 등 다양한 의미 관계가 나타나지만, 이렇게 반복되는 부분이 있을 경우 문장들의 관계가 밀접하다는 것을 확인할 수 있다.

이때 문장 간에 생략된 지시어나 접속어를 추측하여 직접 넣어 보면 의미 관계가 더 확실하게 파악된다.

예문

• [1]근대 건축에서 빼놓을 수 없는 인물이 안토니오 가우디이다. [2]가우디(+)는 기존 건축의 어떠한 흐름에도 얽매이지 않은 역사상 가장 창의적인 건축가였다.

➲ 문장 1에서 언급한 '안토니오 가우디'가 문장 2의 전체 주어로 사용되고 있다. 따라서 문장 2는 문장 1에서 언급된 '가우디'에 대한 내용을 '첨가'하고 있음을 알 수 있다.

• [1]하지만 이런 일이 항상 벌어지는 것은 아니며 하늘이 이상 현상을 드러내 무슨 길흉을 예시하는 것은 더더욱 아니다. (=, 즉, 결국) [2]하늘은 아무 이야기도 하지 않는데 사람들은 하늘과 관련된 이야기를 만들어 낸다는 것이다. (→, 그래서, 따라서) [3]순자는 천재지변이 일어난다고 해서 하늘의 뜻이 무엇인지 알려고 노력할 필요가 없다고 말한다.

➲ 문장 1~3에서 반복되는 단어인 '하늘'에만 주목하면 이 문장들이 '하늘'과 관련된 이야기를 하고 있다는 사실을 알 수 있지만, 이것만으로는 문장 간 의미 관계를 파악하기 어렵다. 따라서 문장과 문장 사이에 들어갈 적절한 지시어나 접속어를 추측해야 한다. 문장 1과 문장 2 사이에는 '즉, 결국' 등의 접속어를 넣었을 때 내용의 흐름이 가장 자연스럽다. 따라서 문장 1-2의 의미 관계는 '재진술'이다. 또 문장 2와 문장 3 사이에는 '따라서, 그래서' 등을 넣었을 때 내용이 자연스러우므로 문장 2-3의 의미 관계는 '근거-주장'임을 파악할 수 있다.

시험에 '전개 방식'을 묻는 문제가 어떻게 나오는지는 'II 문제 독해' 부분에서 살펴볼 거야. 이 강의에서는 문장의 의미 관계를 파악하는 방법에 집중해서 공부하도록 하자.

다음 문장의 의미 관계를 파악해 보자.

예문 1

절벽 바위 하나하나의 질감을 나타내기 위해 선의 굵기와 농담에 변화를 주어 입체감 있게 표현하였다.

Step 1 연결 표지에 주목하여 전체 문장을 둘로 나눈다.

➔ 이 문장은 '위해' 다음에서 두 부분으로 나눌 수 있다.

Step 2 앞뒤 내용의 의미 관계를 살펴본다.

➔ 앞 내용은 "절벽 바위 하나하나의 질감을 나타내기"라는 목적이며, 뒤 내용은 이를 달성하기 위해 "선의 굵기와 농담에 변화를 주어 입체감 있게 표현"하였다는 내용이다. 따라서 앞뒤 내용의 의미 관계는 '목적–수단'이다.

> 절벽 바위 하나하나의 질감을 나타내기 위해 선의 굵기와 농담에 변화를 주어 입체감 있게 표현하였다.
> (절벽 바위 하나하나의 질감을 나타내기: 목적 / 위해 ← / 선의 굵기와 농담에 변화를 주어 입체감 있게 표현: 목적을 달성하기 위한 수단)

예문 2

중국 종의 영향 속에서도 우리나라와 일본의 범종은 각각 독특한 조형 양식을 발전시켰는데, 우리나라 범종의 전형적인 조형 양식은 신라에서 완성되었다.

Step 1 연결 표지에 주목하여 전체 문장을 둘로 나눈다.

➔ 이 문장은 '발전시켰는데' 다음에서 둘로 나눌 수 있다.

Step 2 앞뒤 내용의 의미 관계를 살펴본다.

➔ 앞 내용은 "중국 종의 영향 속에서도 우리나라와 일본의 범종은 각각 독특한 조형 양식을 발전"시켰다는 내용이고, 뒤 내용은 "우리나라 범종의 전형적인 조형 양식은 신라에서 완성"되었다는 내용이다. 이때 뒤 내용이 '–데'를 통해 앞 내용과 다른 내용으로 흐름이 바뀌고 있으므로 앞뒤의 의미 관계는 '전환'이다.

> 중국 종의 영향 속에서도 우리나라와 일본의 범종은 각각 독특한 조형 양식을 발전시켰는데, 우리나라 범종의 전형적인 조형 양식은 신라에서 완성되었다.
> (우리나라와 일본의 범종: 앞 내용의 주어(부) / 발전시켰는데 ▽ / 우리나라 범종의 전형적인 조형 양식: 뒤 내용의 주어(부))
>
> ➲ 앞 내용과 뒤 내용이 '전환' 관계를 보이는 문장이므로, 전체 문장에서 중점을 두는 것은 뒤에 나오는 '우리나라 범종의 조형 양식'임을 짐작할 수 있다.

문장 속의 의미 관계 파악하기

궁금해요 연결 표지를 다 외워야 하나요?

연결 표지는 외우는 게 아니라 읽으면서 이해하는 거야. 예를 들어 'A를 위해 B하다'가 'A'라는 '목적'을 위해 'B'라는 '수단'을 썼다는 의미라는 것은 읽으면서 알 수 있는 거잖아? 그러니까 연결 표지를 암기하려고 하지 말고, 자연스레 문장을 읽으면서 연결 표지가 나타내는 의미를 이해해 봐.

바로 콕 문제

1 다음 문장을 둘로 나눌 수 있는 부분에 '/' 표시를 하고, 나뉘어진 앞뒤 내용의 의미 관계를 고르시오.

> 이 때문에 CPU와 램의 동작 속도가 하루가 다르게 향상되고 있는 반면 HDD의 동작 속도는 그렇지 못하다.

① 전환
② 예시
③ 대조
④ 분류
⑤ 원인–결과

콕 정답과 해설 4쪽

100人 지시어나 접속어를 중심으로 다음 문장 간 의미 관계를 파악해 보자.

문장 간 의미 관계 파악하기 (1) – 지시어나 접속어가 있는 경우

예문 3

[1]만약 어떤 상품의 가격의 변화율과 수요량의 변화율이 같다면 수요 탄력성은 1이 된다. [2]이 경우 수요는 '단위 탄력적'이라고 불린다.

Step 1 각 문장에서 지시어나 접속어를 찾는다.

➜ 문장 2에 지시어 '이'가 쓰였다.

Step 2 지시어가 어떤 내용을 가리키는지 찾고, 문장 간 의미 관계를 파악한다.

➜ 문장 2에 쓰인 지시어 '이'는 문장 1의 "어떤 상품의 가격의 변화율과 수요량의 변화율이 같다면 수요 탄력성은 1이 된다."를 가리킨다. 따라서 문장 2의 '이 경우'는 '문장 1의 내용에 해당하는 경우'를 의미하며, 문장 1에 대한 추가 정보를 주고 있으므로 의미 관계는 '첨가'에 해당한다.

[1]만약 어떤 상품의 가격의 변화율과 수요량의 변화율이 같다면 수요 탄력성은 1이 된다. [2]이 경우 수요는 '단위 탄력적'이라고 불린다.

+ '가격의 변화율=수요량의 변화율' → 수요 탄력성 1

예문 4

[1]현대인들은 행복을 물질적인 것을 통해 느끼는 안락이나 단순한 쾌감과 동일시하는 경향이 있다. [2]그러나 아리스토텔레스는 행복을 현대인들이 생각하는 것과는 다르게 설명한다. [3]그는 행복을 인간 고유의 기능인 이성을 발휘하여 그것을 완전하게 실현한 상태라고 규정하였다.

Step 1 각 문장에서 지시어나 접속어를 찾는다.

➜ 문장 2에 접속어 '그러나'가 쓰였으며, 문장 3에는 사람을 나타내는 지시어 '그'가 쓰였다.

Step 2 지시어가 어떤 내용을 가리키는지 찾고, 접속어의 기능에 주목하여 문장 간 의미 관계를 파악한다.

➜ 문장 1과 문장 2는 대조의 연결 표지인 '그러나'로 연결되어 있으므로 의미 관계는 '대조'이다. 즉 문장 1의 '현대인들'과 문장 2의 '아리스토텔레스'가 '행복'을 서로 다르게 생각하고 있다는 것이다.
또한 문장 3의 '그'는 문장 2의 '아리스토텔레스'를 의미하며, 문장 3에서 '아리스토텔레스가 설명한 행복'에 대한 설명을 덧붙이고 있으므로 문장 2–3의 의미 관계는 '첨가'이다.

[1]현대인들은 행복을 물질적인 것을 통해 느끼는 안락이나 단순한 쾌감과 동일시하는 경향이 있다. [2]그러나 아리스토텔레스는 행복을 현대인들이 생각하는 것과는 다르게 설명한다. [3]그는 행복을 인간 고유의 기능인 이성을 발휘하여 그것을 완전하게 실현한 상태라고 규정하였다.

'행복'에 대한 '현대인'들의 생각
↔
아리스토텔레스
'행복'에 대한 '아리스토텔레스'의 생각

바로 콕 문제

2 〈보기〉에서 ㉠이 가리키는 바를 찾아 쓰시오.

보기
경제학에서는 디지털화되어 있는 상품과 아날로그 형태로 존재하나 디지털화될 수 있는 상품, 이 모두를 '정보재'라 일컫는다. 예를 들어 각종 컴퓨터 소프트웨어뿐만 아니라 영화, 방송 등의 콘텐츠 및 이들을 디지털화한 것 등이 ㉠이에 해당된다.

3 문장 간 의미 관계를 파악한 것으로 알맞은 것은?

㉠ 발음 형태대로 적으면 표기할 때 편하지. ㉡ 그런데 뜻이 얼른 파악되지 않는 경우도 있어. ㉢ 그래서 어법에 맞도록 한다는 또 하나의 원칙이 붙게 되었지.

① ㉠–㉡: 분류
② ㉠–㉡: 예시
③ ㉠–㉡: 정리
④ ㉡–㉢: 인과
⑤ ㉡–㉢: 전환

콕 정답과 해설 4쪽

100人 각 문장에 반복적으로 나타나는 단어를 찾고, 생략된 지시어나 접속어를 추론하여 문장 간 의미 관계를 파악해 보자.

예문 5

[1]모래를 용기 윗부분에 위치하도록 모래시계를 뒤집어 놓으면 중력에 의해 윗부분에 있던 모래가 아래로 떨어진다. [2]모래가 떨어지는 시간이 일정하도록 조절해 놓았기 때문에, 모래시계는 모래가 다 떨어지는 데 걸리는 시간이 항상 같다.

Step 각 문장에서 반복되고 있는 단어를 확인하고, 문장과 문장 사이에 생략된 지시어나 접속어를 추론하여 문장 간 의미 관계를 파악한다.

➔ 문장 1, 2에서 반복되는 단어는 '모래', '모래시계'이다. 문장 2는 문장 1의 현상이 일어날 때 "모래시계는 모래가 다 떨어지는 데 걸리는 시간이 항상 같다."라는 정보를 추가로 전달하고 있는데 문장 1과 문장 2 사이에 '이때'라는 지시어를 넣어 보면 그 흐름이 자연스럽게 이어진다. 따라서 두 문장 사이에 지시어 '이때'가 생략되어 있음을 추론할 수 있다. '이때 = 문장 1의 상황일 때'이므로, 문장 1–2의 의미 관계는 '첨가'이다.

[1]모래를 용기 윗부분에 위치하도록 모래시계를 뒤집어 놓으면 중력에 의해 윗부분에 있던 모래가 아래로 떨어진다. ↓(이때) + [2]모래가 떨어지는 시간이 일정하도록 조절해 놓았기 때문에, 모래시계는 모래가 다 떨어지는 데 걸리는 시간이 항상 같다.

예문 6

[1]열에너지는 온도가 높은 곳에서 낮은 곳으로 전달되는데, 온도가 다른 물체들은 서로 접촉하면 '열적 평형'을 이루려고 한다. [2]열적 평형은 접촉한 물체들의 열이 똑같아져 서로 어떠한 영향도 주거나 받지 않는 상태이다. [3]3℃인 냉장고 속에 얼음이 든 냉수를 오랜 시간 동안 두면, 냉수와 얼음의 온도는 모두 3℃가 되어 얼음이 모두 녹아 버릴 것이다.

Step 각 문장에서 반복되고 있는 단어를 확인하고, 문장과 문장 사이에 생략된 지시어나 접속어를 추론하여 문장 간 의미 관계를 파악한다.

➔ 문장 1~3에서 반복되는 단어는 '온도(열)', '열적 평형'이다. 문장 1은 '열적 평형'이라는 개념을 소개하고 있다. 이때 '열적 평형'의 정의를 문장 2에서 추가로 설명하고 있으므로, 문장 1–2의 의미 관계는 '정의'이자 '첨가'이다. 또 문장 3에서는 '얼음이 든 냉수'라는 구체적인 사례가 나오고 있는데, 문장 2와 문장 3 사이에 접속어 '예를 들면'을 넣어 보면 그 흐름이 자연스럽다. 따라서 문장 2–3의 의미 관계는 '예시'이다.

[1]열에너지는 온도가 높은 곳에서 낮은 곳으로 전달되는데, 온도가 다른 물체들은 서로 접촉하면 '열적 평형'을 이루려고 한다. =, + [2]열적 평형은 접촉한 물체들의 열이 똑같아져 서로 어떠한 영향도 주거나 받지 않는 상태이다. ↑(예를 들면) [3](3℃인 냉장고 속에 얼음이 든 냉수를 오랜 시간 동안 두면, 냉수와 얼음의 온도는 모두 3℃가 되어 얼음이 모두 녹아 버릴 것이다.)

문장 간 의미 관계 파악하기 (2) – 지시어나 접속어가 없는 경우

바로 콕 문제

4 다음을 읽고 물음에 답하시오.

> [1]D램은 컴퓨터의 주메모리로, D램에 사용되는 물질의 극성은 지속적으로 전원을 공급해야만 유지된다. [2]D램은 읽기나 쓰기 작업을 하지 않아도 전력이 소모되며, 전원이 꺼지면 데이터가 모두 사라진다는 문제점을 안고 있다.

(1) 문장 1–2에서 반복되는 단어를 찾아 쓰시오.

____

(2) 문장 1과 문장 2 사이에 생략된 접속어로 적절한 것에 ○표 하시오.

(그래서 / 그렇지만)

5 다음을 읽고 빈칸에 들어갈 알맞은 말을 쓰시오.

> [1]보통 '만기 1년의 연리 6%'는 돈을 12개월 동안 예치할 경우 6%의 이자가 붙는다는 의미이다. [2]정기예금은 목돈인 100만 원을 납입하고 1년 뒤에 이자로 6만원을 받는다. [3]매월 일정액을 불입해 목돈을 만드는 정기적금은 계산법이 다르다.

➔ 문장 1~3은 ㉠____에 대한 내용을 전달하고 있다. 이때 문장 2–3의 의미 관계는 ㉡____이며, 문장 3의 '계산법'은 정기적금의 ㉢____에 대한 계산법을 의미한다.

콕 정답과 해설 4쪽

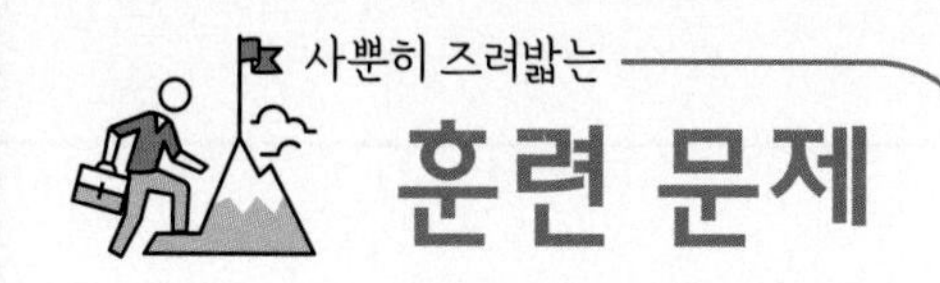

훈련 문제

정답과 해설 4쪽

01 〈보기〉에서 파악할 수 있는 의미 관계에 적절한 기호 표시를 하시오.

(1)

보기

클라우드는 이러한 웹하드의 장점을 수용하면서 콘텐츠를 사용하기 위한 소프트웨어까지 함께 제공한다.

(2)

보기

고전주의 범죄학에서는 범죄를 포함한 인간의 모든 행위는 자유 의지에 입각한 합리적 판단에 따라 이루어지므로, 범죄에 비례해 형벌을 부과할 경우 개인의 합리적 선택에 의해 범죄가 억제될 수 있다고 보았다.

(3)

보기

[1]바이러스성 벡터는 세포막과 잘 결합하고 유전자의 발현 효율이 매우 높다. [2]그러나 바이러스는 원래 질병을 유발하는 물질이기 때문에 이를 벡터로 활용하기 위해서는 질병을 일으키는 기능을 최대한 억제시켜야 한다.

(4)

보기

[1]마셜은 지대를 순전히 자연의 혜택으로 인한 것으로 한정하면서 리카도의 차액지대론을 비판하였다. [2]그러는 한편 그는 토지 이외의 요소에도 지대 개념을 확장하여 적용할 수 있는 가능성을 열었다. [3]이를테면 마셜은 고가의 자본 설비의 경우에는 그것을 이용하는 대가가 지대와 유사한 성격을 가지고 있어 '준지대'라고 하였다.

개념+ 의미 관계를 나타내는 기호

의미 관계	기호
정의, 재진술	=
예시, 유추	( )
첨가	+
나열	①, ②, ③
원인-결과, 가정-결과, 과정, 이유/근거-주장, 목적-수단	→, ←
대조	↔
전환	▽

02 다음은 〈보기〉를 읽은 학생의 생각이다. ㉠~㉢에 들어갈 알맞은 말을 쓰시오.

보기

[1]소도시에 위치한 마트는 대도시의 마트와 규모 면에서 큰 차이가 없는 경우가 많다. [2]왜 이런 현상이 생기는 것일까? [3]이는 '전략적 공약'이라는 경제학적 개념을 통해 답을 찾을 수 있다.

문장 2의 '이런 현상'은 ㉠____________________ 현상을 의미하겠네. 문장 3이 문장 2의 물음에 답하기 위해 ㉡__________이라는 개념을 소개하려고 하는 것을 보면, 문장 2-3의 의미 관계는 ㉢__________이 가장 적절하겠어.

I 지문 독해

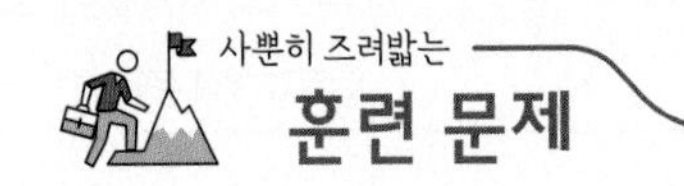

훈련 문제

03 〈보기〉에 쓰인 지시어를 찾고, 그 지시어가 가리키는 바를 찾아 밑줄을 치시오.

(1)
보기
[1]그리고 코나투스는 타자와의 관계에 영향을 받으므로 인간에게는 타자와 함께 자신의 기쁨을 증가시킬 수 있는 공동체가 필요하다고 말한다.[2]그 안에서 자신과 타자 모두의 코나투스를 증가시킬 수 있는 기쁨의 관계를 형성하라는 것이 스피노자의 윤리학이 우리에게 하는 당부이다.

(2)
보기
[1]똑같은 장소를 걸어서 지나친 여행자와 기차를 타고 지나친 여행자를 생각해 보자. [2]장소는 동일하지만 두 여행자가 그 장소를 바라봤던 경험은 분명 다를 것이다. [3]그런 점에서 경험의 세계는 절대적으로 확신하기가 어려운 것이다.

(3)
보기
[1]이와 같이 셸러는 인간이 '자아의식'을 통해 자신을 대상화할 수 있다는 점에서, 플레스너는 인간이 '탈중심성'을 가지고 있어 스스로를 반성할 수 있다는 점에서, 겔렌은 인간이 여러 '행위'를 통해 결핍된 부분을 보완한다는 점에서 다른 생명체와 차별화된 인간의 본질을 규명하고자 했다.[2]결국 이들이 말하는 인간이라는 존재는 끊임없이 외부 환경이나 자기 스스로를 변화시키며 나아가는 존재라고 볼 수 있다.

04 〈보기〉를 읽고 문장 사이에 들어갈 수 있는 연결 표지로 적절한 것을 고르시오.

(1)
보기
[1]우리 사회에는 이윤 추구를 목적으로 하는 일반적 기업이 있는 반면, 사회적 가치 추구를 목적으로 하는 비영리기관이 있다. (왜냐하면 / 이와 달리) [2]사회적 가치 추구를 위해 이윤을 창출하는 기업이 있는데, 이를 '사회적 기업'이라 한다.

(2)
보기
[1]한 물체가 다른 물체에 힘을 작용하면 그 힘을 작용한 물체에도 크기가 같고 방향은 반대인 힘이 동시에 작용한다는 것이 작용 반작용 법칙이다. (예를 들어 / 특히) [2]바퀴가 달린 의자에 앉아 벽을 손으로 밀면 의자가 뒤로 밀리는데, 사람이 벽을 미는 작용과 동시에 벽도 사람을 미는 반작용이 있기 때문이다.

(3)
보기
[1]혈액 순환을 통해서 간에서는 단백질 합성이 일어난다. (그리고 / 먼저) [2]식사를 통해 몸으로 들어온 단백질은 위나 장에서 아미노산의 형태로 분해되어 혈액과 함께 간으로 이동된다. (둘째로 / 하지만)[3]간세포는 시누소이드를 통해 공급된 아미노산을 분해하여 혈액 응고에 관여하는 새로운 단백질을 합성한다.

05 다음 중 문장을 두 부분으로 나누었을 때, 앞뒤의 의미 관계를 파악했을 때, 의미 관계가 〈보기〉와 같은 것은?

(1)

> 보기
>
> 앞의 세 이론들은 의미를 문화의 차원을 중심으로 설명하려 하지만, 들뢰즈는 자연과 문화의 차원을 포괄하는 좀 더 근원적인 차원에서 의미의 개념을 규정한다.

① 저해제는 효소 반응을 방해하는 방식에 따라 경쟁적 저해제와 비경쟁적 저해제로 나누어진다.
② 이이가 조선 사회의 변화를 위한 여러 가지 개혁론을 펼칠 수 있었던 것은 이러한 사고가 바탕을 이루고 있었기 때문이다.
③ 가면극에 사용된 한국의 가면은 지역에 따라 그 종류가 다양했으며, 극의 내용을 풍자하기 위해 익살스러운 모습으로 묘사된 것들이 많았다.
④ 그는 기술이 더 이상 인간을 위한 도구가 아니라, 인간으로 하여금 세계를 특정한 방식으로 보도록 압박하는 존재일 수 있음을 경고하고 있다.
⑤ 도덕적 판단은 어떤 행위나 의도를 기준에 따라 좋은 것 혹은 정당한 것으로 판단하는 것을 의미하는데, 도덕적 판단의 기준은 사람이 성장하면서 달라질 수 있다.

(2)

> 보기
>
> 자동차가 상대 차량 또는 장애물 등과 정면충돌하게 되면 운전자는 핸들이나 유리 등 차체 내부에 부딪히게 된다.

① 신라 종의 용뉴는 쌍용 형태인 중국 종이나 일본 종의 용뉴와는 달리 한 마리 용의 모습을 하고 있다.
② 신장 기능에 이상이 생기면 노폐물이 걸러지지 않고 농도가 높아짐으로써 세포가 제대로 작용을 하지 못하게 되는 문제가 생긴다.
③ 이때 컴퓨터가 인지하고자 하는 대상이 3차원 공간 좌표에서 얼마나 멀리 있는지에 대한 정보가 필수적인데 이를 '깊이 정보'라 한다.
④ 18세기 말부터 음악수사학에 대한 관심은 점차 줄어들게 되었지만, 음악수사학자들이 체계화한 음형은 오늘날까지 음악에 대한 상식으로 남아 있다.
⑤ 죄수가 늘 자신을 보고 있다고 생각하는 간수 때문에 매사의 행동에 조심하는 것처럼, 정보가 수집되는 사람은 자신에 대한 정보가 언제, 어떻게 열람될지 확신할 수 없기 때문에 자신의 행동에 주의를 기울인다.

궁금해요 여러 개의 의미 관계가 동시에 나타나는 경우도 있나요?

100人 물론이야. 때에 따라 앞에 나온 개념을 '정의'하는 방식으로 앞 내용에 대한 내용을 '첨가'하는 경우도 있고, 앞 내용이 '결과'를 설명하는 뒤 내용의 '원인'이자 '가정'이기도 한 경우 등이 있어. 그러니까 여러 개의 의미 관계로 이해할 수 있는 예시가 나와도 당황하지 마.^^

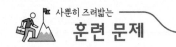

06 다음 중 〈보기〉의 문장 간에 나타나는 의미 관계와 동일한 의미 관계를 보이는 것은?

(1)

보기

[1]동일한 환경에서 야구공과 고무공을 튕겨 보면, 고무공이 훨씬 민감하게 튀어 오르는 것을 볼 수 있다. [2]즉 고무공은 야구공에 비해 탄력이 좋다.

① 두 나라가 자발적으로 무역을 하기 위해서는 두 나라 모두 이익을 얻을 수 있어야 한다. 만일 무역 당사국이 이익을 전혀 얻지 못하거나 손실을 본다면, 이 나라는 무역을 하지 않을 것이기 때문이다.

② 콩나물의 가격 변화에 따라 콩나물의 수요량이 변하는 것은 일반적인 현상이다. 그러나 콩나물 가격은 변하지 않는데도 콩나물의 수요량이 변할 수 있다.

③ 공감으로 인해 사람은 소외감을 극복할 수 있고, 서로 협력할 수 있으며, 이타적인 행위를 할 수 있기 때문이다. 그렇다면 공감은 어떻게 이루어지는 것일까?

④ 우선, 면적과 부피의 관계를 살펴볼 필요가 있다. 예를 들어, 각 변의 길이가 1m인 주사위의 표면적은 1m×1m×6(개)=6㎡, 부피는 1m×1m×1m=1㎥이다.

⑤ 케이지는 이 곡을 작곡할 때 작품 전체의 형식 구조만을 정해 놓고 세 개의 동전을 던져 음의 고저와 장단, 음가 등을 결정하였다. 다시 말해서 곡의 전체 구조는 합리적 사고에 의해, 세부적인 요소는 비합리적인 우연성에 의해 선택된 것이다.

(2)

보기

[1]연소 후 포집 기술은 흡수, 재생, 압축, 수송, 저장 등의 다섯 공정으로 나뉘어 진행된다. [2]이를 위해서는 흡수탑, 재생탑, 압축기, 수송 시설, 저장조 등이 마련되어야 한다.

① '범주화'란 우리가 접하는 사물, 개념, 현상을 분류하여 이해하는 방식이다. 예컨대, 우리는 우리가 접하는 대상들 가운데 특정한 대상들을 '나무'로 묶어 이해한다.

② 이에 대해 과학적 시간관에서는 현재는 과거나 미래와 단절된 점(點)과 같은 순간이므로 과거라고 답할 것이다. 반면 체험적 시간관에서는 '현재의 지평'이라는 개념을 바탕으로 현재라고 답한다.

③ 우기가 있는 지역이나 폭포가 있는 계곡에 서식하는 웅화반 식물은 지름 3~5mm의 원뿔형 꽃 속에 작고 가벼운 씨앗이 있다. 이 식물은 평균 높이가 10cm 정도로 작지만 놀랍게도 그 10배의 거리까지 씨앗을 퍼트린다.

④ 행정기관의 작용이 개인의 권리와 이익을 침해한다면 당연히 그에 대한 구제가 이루어져야 한다. 이러한 권익의 구제를 가능하게 하는 제도가 행정구제제도이다.

⑤ 그런데 모방 효과가 널리 퍼져 더 이상 과시적 소비가 차별 효용을 상실하게 될 때 일부 사람들은 평범한 사람들이 접근할 수 있는 상품 대신 더욱 진귀한 물건을 찾는다. 이로 인해 기존 상품의 수요가 줄어들게 되는데 이를 '스놉 효과'라고 한다.

07 문장의 의미 관계를 고려하여 〈보기〉의 내용을 파악하고, ㉠~㉢의 진술이 적절한지 판단해 보자.

(1)

보기

[1]알레고리는 상징을 통해 어떠한 현상이나 상황, 사건에 대해 이야기하는 기법이다. [2]상징은 연상이나 유사성 등의 상관관계에 기대어 추상적인 사물이나 개념 따위를 구체적인 사물로 나타내는 일이나 그 대상물을 가리킨다.[3]그래서 알레고리는 겉으로 드러나는 이야기와 그 이야기를 통해 전달하고자 하는 또 다른 이야기의 이중 메시지 구조를 갖게 된다.

㉠ 알레고리는 연상이나 유사성 등의 상관관계에 기대어 어떠한 현상이나 상황, 사건에 대해 이야기하는 기법이다. ○ ×

㉡ 구체적 사물을 추상적 사물을 통해 나타내면 상징이라고 할 수 있다. ○ ×

㉢ 알레고리가 이중 메시지 구조를 갖게 되는 이유는 알레고리가 이야기를 전달하기 때문이다. ○ ×

(2)

보기

[1]시인과 음악가들의 문예 모임인 피렌체의 카메라타는 고대 그리스 비극에서처럼 연극과 음악이 결합된 예술을 지향했다. [2]이를 위해서는 음악이 가사의 내용을 잘 전달할 수 있어야 했다.[3]그래서 이전까지의 여러 성부가 동시에 서로 다른 리듬으로 노래하는 다성음악 양식은 그에 적합하지 않다고 여겼다.[4]그 대신 그들은 가사를 잘 전달할 수 있는 단선율 노래인 모노디 양식을 고안하였다.

㉠ 카메라타는 음악이 가사의 내용을 잘 전달할 수 있어야 한다고 생각했을 것이다. ○ ×

㉡ 카메라타는 가사를 잘 전달하기 위해서는 다성음악 양식이 적합하다고 여겼다. ○ ×

㉢ 카메라타가 단선율 노래를 고안한 이유는 기존의 양식으로는 연극과 음악이 결합된 예술을 지향하기 어려웠기 때문이다. ○ ×

(3)

보기

[1]인지 부조화 상태를 겪고 있는 소비자는 이를 해소하기 위해 선택하지 않은 제품의 단점을 찾아내거나 그 제품의 장점을 무시하기도 한다.[2]하지만 일반적으로는 자신의 구매 행동을 지지하는 부가 정보들을 찾아냄으로써 현명한 선택을 했다는 것을 스스로에게 확신시킨다.[3]특히 자동차나 아파트처럼 고가의 재화를 구매했을 경우에는 구매 직후의 인지 부조화가 심화되므로 이를 해소하려는 노력도 더 크게 나타난다.

㉠ 인지 부조화 상태를 겪고 있는 소비자는 이를 해소하기 위해 노력한다. ○ ×

㉡ 소비자가 선택하지 않은 제품의 단점을 찾아내는 것은 일반적인 인지 부조화 해소 방법이다. ○ ×

㉢ 고가의 재화를 구매한 소비자는 자신이 현명한 선택을 했다는 것을 스스로에게 확신시키려고 할 것이다. ○ ×

03 문단 읽기

중심 화제와 중심 내용을 파악하며 읽기

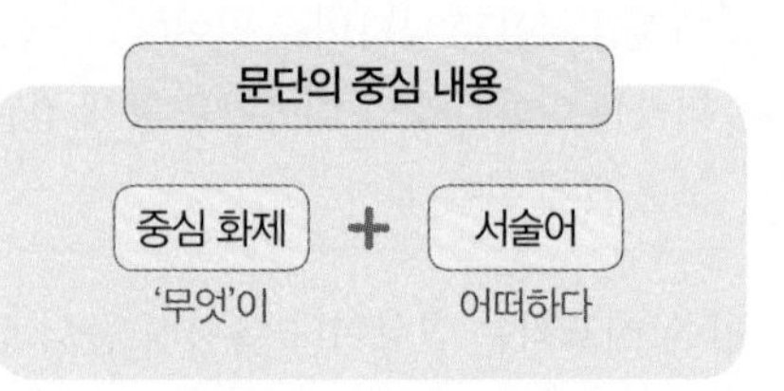

문단은 여러 개의 문장이 모여서 통일된 하나의 중심 생각을 표현하는 글의 단위로, 들여쓰기와 행 바꿈을 통해 구분된다.

문단은 문장과 마찬가지로 '무엇에 관한 어떤 내용'인지 파악하는 것이 중요하다. 이때 문단에서 다루고 있는 대상('무엇')을 '화제'라고 하고, 그중에서도 가장 핵심이 되는 화제를 '중심 화제'라고 한다. 또 하나의 문단이 표현하고자 하는 중심 생각을 '중심 내용'이라고 하는데, 중심 내용은 '무엇(중심 화제)이 어떠하다.'라고 간략히 정리될 수 있다. 결국 문단을 잘 읽는다는 것은 빠르게 중심 화제를 찾고, 중심 화제를 위주로 하여 중심 내용을 정확히 파악하는 것이라 할 수 있다.

'무엇'에 대해 말하고 있는 걸까? – 문단의 중심 화제 찾기

(1) 많이, 넓은 범위에 걸쳐 나타나는 화제를 찾자!

문단은 강조하고 싶은 '중심 화제'를 여러 번 언급한다. 따라서 어떤 화제가 문단 내에 많이 나타나는 동시에 넓은 범위에 걸쳐 나타난다면 그 화제는 '중심 화제'일 확률이 높다.

(2) 첫 문장이나 끝 문장에 주목하자!

문단의 첫 문장은 앞으로 '어떤' 내용에 대해 설명할 것이라는 단서를 주는 경우가 많고, 끝 문장은 앞의 내용을 정리·요약하는 진술일 가능성이 높다. 따라서 첫 문장이나 끝 문장에 '중심 화제'가 포함되어 있을 확률이 높다.

(3) 대조·전환 다음에 등장하는 화제에 주목하자!

문단 내에서 전환이나 대조의 의미 관계가 나타나면 그 다음에 등장하는 내용은 문단의 흐름을 바꾸거나 주목해야 할 내용인 경우가 많다. 따라서 이러한 의미 관계를 나타내는 표지가 있다면 그 다음에 나오는 화제는 '중심 화제'일 가능성이 높다.

예문

[1]17세기 초부터 유입되기 시작한 서학 서적에 담긴 서양의 과학 지식은 당시 조선의 지식인들에게 적지 않은 지적 충격을 주며 사상의 변화를 이끌었다. [2]하지만 19세기 중반까지 서양 의학의 영향력은 천문, 지리 지식에 비해 미미하였다. [3]일부 유학자들이 서양 의학 서적들을 읽었지만, 이에 대해 논평을 남긴 인물은 극히 제한적이었다.

➲ '서학', '서양의 과학 지식' 등에 대한 내용으로 시작하였지만 문장 2의 '하지만'을 통해 흐름을 바꾸어 '서양 의학'이라는 화제에 주목하고 있다. 더해서 문장 3이 '서양 의학'에 대한 추가 정보를 덧붙이고 있으므로, 이 문단의 중심 화제는 '서양 의학'이다.

'무엇'에 대한 '어떤' 내용을 말하고 있는 걸까? – 문단의 중심 내용 파악하기

문단의 중심 화제('무엇')를 찾았다면 중심 내용을 정리하는 것은 어려운 일이 아니다. 문단에서 그 중심 화제에 관한 '어떤' 정보를 전달하는지 한 문장으로(때로는 명사구 형태로) 요약하면 되기 때문이다. 문단 요약에는 다양한 방법이 있지만, 다음에 제시한 두 가지 방법을 활용하면 효과적으로 문단을 요약하고 중심 내용을 파악할 수 있다.

1 문단에서 가장 중요한 문장 찾기

문단 내 문장들의 중요도를 판단하여 가장 중요한 문장 하나를 찾는 방법이다.

문단을 이루는 문장들은 그 중요도에 따라 '중심 문장'과 '뒷받침 문장'으로 구분할 수 있는데, '중심 문장'은 문단에서 의미상 가장 중요한 문장이며 '뒷받침 문장'은 중심 문장의 내용을 보충해 주는 문장이다.

중심 문장은 주로 다음 중 하나에 해당할 확률이 높다.

중심 문장일 확률이 높은 문장	• 중심 화제를 정의하는 문장 • 대조·전환이 나타난 부분의 뒤 문장 • 물음이나 물음에 대한 답을 말하는 문장 • 분류의 기준이나 각각의 분류 내용을 담은 문장 • 중심 화제에 대한 내용을 정리하거나(재진술), '결과, 결론, 주장'을 담은 문장

문장의 중요도를 판단하려면 결국 문장 간 의미 관계를 파악해야 한다. 의미 관계 속에서 어떤 문장이 더 중심이 되는지 드러나기 때문이다.

예문

[1]옳지 않은 결론을 내릴 가능성을 항상 안고 있음에도 불구하고 유추는 필요하다. [2]우리 인간은 모든 것을 알고 태어나지 않을 뿐만 아니라 어느 한 순간에 모든 것을 알아내지는 못한다. [3]그런데도 인간이 많은 지식을 갖게 된 것은 유추와 같은 사고법을 가지고 있기 때문이다.

➲ 이 문단의 중심 화제는 첫 문장과 끝 문장에 언급되는 '유추'이다. 문장 1은 '유추'가 필요하다는 주장, 문장 2는 인간의 지식 습득 능력에 대한 한계 지적, 문장 3은 인간이 많은 지식을 갖게 된 것은 유추를 통해 가능했다는 내용이다. 문장 2와 3은 서로 상반되는 '대조'의 의미 관계를 보이지만, 두 문장은 문장 1의 주장을 뒷받침하고 있다. 따라서 문장 1을 이 문단의 중심 문장으로 파악하는 것이 적절하다.

그리고 문단의 중심 내용을 정리할 때는 중심 문장의 내용이 포함되어야 한다.

➲ 위 예문의 중심 내용은 '인간은 유추를 통해 많은 지식을 갖게 되므로, 옳지 않은 결론을 내릴 가능성이 있음에도 불구하고 유추는 필요하다.'로 정리할 수 있다.

독해 원리

❷ 화제 연결하기 – 연결 도식 그리기

문단에는 여러 화제가 나타날 수 있는데 그 가운데 가장 중요한 것이 '중심 화제'이다. 문단을 읽으면서 이러한 화제들에 모두 표시한 뒤, 그들의 관계를 선으로 연결해 보면 문단 내용을 구조화하여 한눈에 파악할 수 있다. 특히 정보량이 많은 문단일 경우 내용 전체를 이해하는 데 효과적이고 중심 내용을 찾는 데 도움이 된다.

Step 1 문단에 등장하는 화제를 적고, 그것이 '어떠하다'는 특성을 옆에 쓴다. → 문장의 서술어를 살피면 '어떠하다'의 구체적인 내용을 찾을 수 있다.

Step 2 화제들끼리의 의미 관계를 따져 연결 선을 그리고, 기호로 표시한다.

Step 3 연결한 내용을 한 문장으로 간단히 요약한다. → '중심 화제가 어떠하다'를 문장의 기본 구조로 하여 중심 내용을 정리한다.

예문

[1]어떤 상품의 가격은 기본적으로 수요와 공급의 힘에 의해 결정된다. [2]시장에 참여하고 있는 경제 주체들은 자신이 갖고 있는 정보를 기초로 하여 수요와 공급을 결정한다. [3]이들이 똑같은 정보를 함께 갖고 있으며 이 정보가 아주 틀린 것이 아닌 한, 상품의 가격은 어떤 기본적인 수준에서 크게 벗어나지 않을 것이라고 예상할 수 있다.

➲ 이 문단의 화제는 '상품의 가격', '수요와 공급', '경제 주체들=이들'인데, 이 가운데 중심 화제는 '상품의 가격'이다.
문장 1은 '상품의 가격'과 '수요와 공급'의 관계를 소개하고 있으며, 문장 2는 '수요와 공급'이 어떻게 결정되는지를 설명하므로 문장 1의 내용에 대한 '첨가'로 볼 수 있다. 문장 3 또한 '상품의 가격'에 대한 설명으로, 문장 1~2에 대한 '첨가'이다. 이를 참고하여 각 화제 사이의 관계를 연결하면 오른쪽과 같이 나타낼 수 있다.
연결 도식을 바탕으로 이 문단의 중심 내용을 정리하면, '경제 주체들이 결정하는 수요와 공급의 힘에 의해 결정되는 상품의 가격은, 기본적인 수준에서 벗어나지 않는다고 예상할 수 있다.'가 된다.

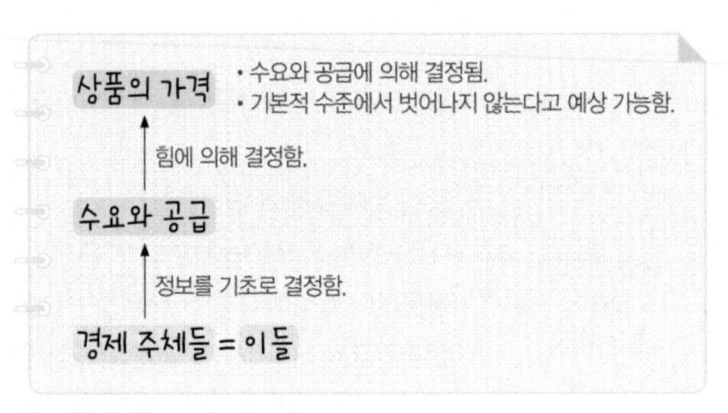

짚고 가요

요약의 기본 원리

문단의 중심 내용 파악하기의 방법 ❶, ❷는 '요약'과 관련이 깊어. 중요한 부분과 비교적 덜 중요한 부분을 구분하고, 중요한 부분을 중심으로 내용을 남기거나 재구성하는 과정이 바로 요약이거든. 요약은 내용을 체계적이고 쉽게 이해하는 방법이기도 하지만, 중요 내용만 간추리기 때문에 내용을 오래 기억하는 데에도 도움이 돼. 그럼 일반적으로 알려진 요약의 기본 원리 다섯 가지를 알려 줄게.

① **삭제하기**: 중복되는 내용이 나타날 경우 하나만 남기고 나머지는 삭제하도록 한다.
② **묶어 두기**: 추가되는 내용, 나열되는 내용, 예시로 제시된 내용들은 묶어 두어 뒷받침 내용으로 활용한다.
③ **선택하기**: 많은 내용이 연결되는 대상이나 초점이 모아지는 대상(화제, 중심 화제)과 직접 관련 있는 내용을 선택한다.
④ **바꾸기**: '묶어 두기'를 한 것들이나, 여러 내용이 같이 나올 때에는 이들을 대체할 수 있는 상위어를 찾아 바꾼다.
⑤ **재구성하기**: 정리한 내용을 바탕으로 최종 결과, 목적이나 의도, 결론적인 내용을 중심으로 재구성한다.

앞서 소개한 방법대로 문단을 읽으면 시간이 오래 걸리기 때문에, 실전에서 모든 문단을 이러한 방식대로 읽는 것은 불가능해. 다만, 우리는 독해 방법을 연습하는 단계이기 때문에 기초적인 원리부터 공부하는 거야. 이렇게 연습하다 보면 나중에는 문단을 읽어 내려가는 동시에 문단의 중심 내용을 머릿속에 정리할 수 있게 될 거야.

예문으로 원리 확인

100人 다음 문단의 중심 화제와 중심 내용을 파악해 보자.

예문 1

[1]자동차가 상대 차량 또는 장애물 등과 정면충돌하게 되면 운전자는 핸들이나 유리 등 차체 내부에 부딪히게 된다.[2]이때 발생한 큰 충격력에 의해 운전자는 부상을 입거나 생명을 잃기도 한다.[3]물론 안전벨트가 있지만, 그것만으로는 운전자의 안전을 완벽하게 보장하기는 어렵다.[4]이에 따라 운전자의 안전성을 보다 높일 수 있는 장치를 고안하게 되었는데 그것이 바로 에어백이다.

Step 1 문단의 화제와 중심 화제를 찾는다.

➔ 이 문단의 화제는 '자동차', '운전자', '안전(성)'이고, 중심 화제는 '에어백'이다.

Step 2 문장 간 의미 관계를 확인한다.

[1]자동차가 상대 차량 또는 장애물 등과 정면충돌하게 되면(→) 운전자는 핸들이나 유리 등 차체 내부에 부딪히게 된다.[2]이때(+) 발생한 큰 충격력에 의해(→) 운전자는 부상을 입거나 생명을 잃기도 한다.[3]물론 안전벨트가 있지만(▽), 그것만으로는 운전자의 안전을 완벽하게 보장하기는 어렵다.[4]이에 따라(→) 운전자의 안전성을 보다 높일 수 있는 장치를 고안하게 되었는데 그것이 바로 에어백이다.

➲ 문장 1은 '자동차가 정면충돌하여 운전자가 차체 내부에 부딪히는 상황'을 소개하고, 문장 2는 이 상황에서 '운전자가 부상을 입거나 생명을 잃기도' 한다는 내용으로 문장 1의 내용에 대해 '첨가'하고 있다. 문장 3은 '안전벨트'를 언급하면서 내용을 전환하고, 이것만으로는 운전자의 안전 보장이 어렵다고 설명한다. 문장 4는 문장 1~3의 내용을 원인으로 하여 '에어백'이 고안되었다는 결과를 언급하고 있다.

Step 3 중심 문장과 뒷받침 문장을 구분하여 문단의 중심 내용을 파악한다.

중심 문장일 확률이 높은 문장	• 중심 화제를 정의하는 문장 • 대조·전환이 나타난 부분의 뒤 문장 • 물음이나 물음에 대한 답을 말하는 문장 • 분류의 기준이나 각각의 분류 내용을 담은 문장 • 중심 화제에 대한 내용을 정리하거나(재진술), '결과, 결론, 주장'을 담은 문장

➔ 이 문단은 문장 4에서 문장 1~3의 내용 때문에 에어백이 고안되었다는 '결과'를 설명하고 있으므로, 문장 4가 중심 문장이 된다.
따라서 문장 4의 내용 즉, '운전자의 안전성을 높이기 위해 고안된 장치는 에어백이다.'라는 것이 문단의 중심 내용이 된다.

문단의 중심 내용 파악하기 (1) – 문단에서 가장 중요한 문장 찾기

I 지문 독해

궁금해요 **문단의 중심 내용은 꼭 하나의 답으로만 정리되는 건가요?**

100人 그렇지 않아. 사람마다 내용을 정리하는 방법이 다르고, 문장을 구성하는 방식도 다르기 때문이지. 따라서 스스로 파악한 중심 내용이 우리 책에서 제시하는 중심 내용과 조금 달라도, '중심 화제'나 그 중심 화제가 '어떠한지'에 대한 내용이 크게 벗어나지 않는다면 그것도 답이 될 수 있어.

바로 콕 문제

1 다음 문단의 중심 화제를 찾아 쓰고, 중심 문장의 문장 번호를 쓰시오.

[1]분무기는 물이나 살충제와 같은 액체 물질을 뿜어내는 기구이다.[2] 아이들이 가지고 노는 물총도 분무기의 일종이라고 할 수 있다.[3]우리는 분무기를 사용하여 화초에 수분을 보충하거나, 유리창을 닦기 위한 세제를 뿌리기도 한다.

(1) 중심 화제: ______________

(2) 중심 문장: ______________

콕 정답과 해설 7쪽

예문 2

[1]맹자는 인간의 욕망이 혼란한 현실 문제의 근본 원인이라고 보았다. 욕망이 과도해지면 사람들 사이에서 대립과 투쟁이 생기기 때문이다.[2]맹자는 인간이 본래 선한 본성을 갖고 태어나지만, 살면서 욕망이 생겨나게 되고, 그 욕망에서 벗어날 수 없다고 하였다. [3]반면 맹자보다 후대의 인물인 순자는 욕망의 불가피성을 인정하면서, 그것이 인간의 본성에서 우러나오는 것이라고 하였다.[4]인간은 태생적으로 이기적이고 질투와 시기가 심하며 눈과 귀의 욕망에 사로잡혀 있을 뿐만 아니라 만족할 줄도 모른다는 것이다.

문단의 중심 내용 파악하기 (2) – 연결 도식 그리기

Step 1 문단의 화제와 중심 화제를 찾는다.

➡ 이 문단의 화제는 '인간', '본성' 등이고, 중심 화제는 '맹자', '순자', '욕망'이다. '맹자'와 '순자'의 '욕망'에 대한 생각을 중점으로 하고 있으므로, 세 단어를 중심 화제로 보아야 한다.

Step 2 문장 간 의미 관계를 확인한다.

[1]맹자는 인간의 욕망이 혼란한 현실 문제의 근본 원인이라고 보았다. (←) [2]욕망이 과도해지면 사람들 사이에서 대립과 투쟁이 생기기 때문이다. (+) [3]맹자는 인간이 본래 선한 본성을 갖고 태어나지만, 살면서 욕망이 생겨나게 되고, 그 욕망에서 벗어날 수 없다고 하였다. (↔) [4]반면 맹자보다 후대의 인물인 순자는 욕망의 불가피성을 인정하면서, 그것이 인간의 본성에서 우러나오는 것이라고 하였다. (=) [5]인간은 태생적으로 이기적이고 질투와 시기가 심하며 눈과 귀의 욕망에 사로잡혀 있을 뿐만 아니라 만족할 줄도 모른다는 것이다.

➲ 문장 1은 '인간의 욕망이 현실 문제의 원인이라고 본 맹자'를 소개하고, 문장 2는 맹자가 그렇게 생각한 이유를 뒷받침하고 있다. 또 문장 3은 '인간의 욕망에 대한 맹자의 생각'에 대한 내용으로 문장 1~2에 대한 내용을 '첨가'하고 있다. 문장 4는 '반면'이라는 접속어를 통해 내용 흐름을 바꾸면서, 맹자와 대조되는 생각을 가진 '순자'의 '인간의 욕망에 대한 생각'을 소개하고 있다. 또 문장 5는 문장 4에 소개된 순자의 생각에 대한 재진술이다. 따라서 이 문단은 서로 다른 생각을 가진 두 인물을 비교(대조)하여 전개하고 있다.

Step 3 연결 도식을 그린다.

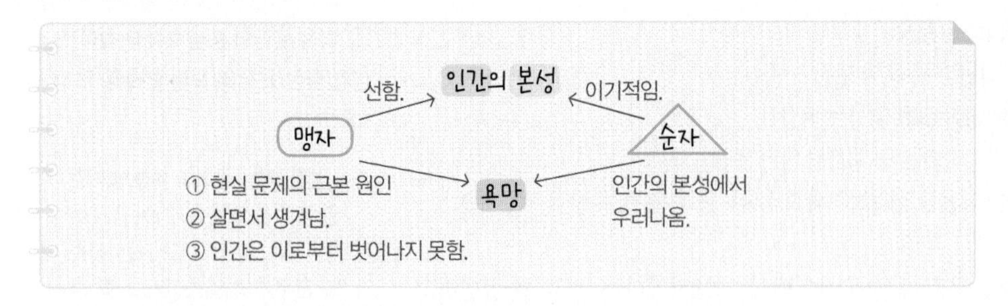

100人 연결 도식 그리는 방법을 떠올려 보자.

- '화제, 중심 화제'가 '어떠하다'라고 설명하는 내용을 찾아 덧붙인다.
- 화제와 중심 화제를 중심으로 하여, 이들 간의 관계를 연결 선으로 그린다.
- 기호를 활용하여 정보 간 의미 관계를 나타낸다.

Step 4 연결 도식의 내용을 하나의 문장으로 요약하여 문단의 중심 내용을 파악한다.

➡ 연결 도식을 참고하면 이 문단이 '맹자가 생각하는 인간의 본성과 욕망', '순자가 생각하는 인간의 본성과 욕망'을 비교(대조)하고 있음을 알 수 있다. 따라서 중심 내용도 이를 중심으로 정리할 수 있다.

➲ 맹자는 '인간이 선한 본성을 가지고 태어나지만 살면서 욕망을 갖게 되고 그것으로부터 벗어날 수 없다.'라고 주장하였고, 반면 순자는 '욕망은 인간의 본성에서 우러나오는 것으로 인간은 태생적으로 욕망에 사로잡혀 있다.'라고 하였다.

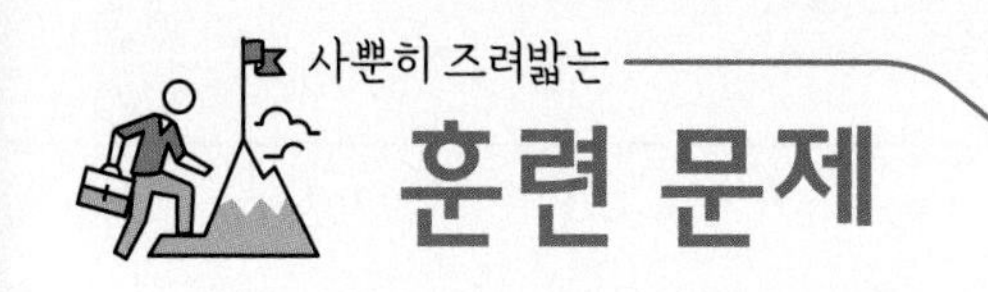

훈련 문제

01 다음 문단을 읽고 물음에 답하시오.

2016학년도 3월 고2 학력평가

[1]시장에서 독점적 지위를 가지고 있는 판매자가 동일한 상품에 대해 소비자에 따라 다른 가격을 책정하여 판매하기도 하는데, 이를 '가격 차별'이라 한다. [2]가격 차별이 성립하기 위해서는 첫째, 판매자가 시장 지배력을 가지고 있어야 한다.[3]시장 지배력이란 판매자가 시장 가격을 임의의 수준으로 결정할 수 있는 힘을 말한다. [4]둘째, 시장이 분리 가능해야 한다.[5]즉, 상품의 판매 단위나 구매자의 특성에 따라 시장을 구분할 수 있어야 한다.[6]셋째, 시장 간에 상품의 재판매가 불가능해야 한다. [7](만약 가격이 낮은 시장에서 상품을 구입하여 가격이 높은 시장에 되팔 수 있다면 매매 차익을 노리는 구매자들로 인해 가격 차별이 이루어지기 어렵기 때문이다.)

(1) 위 문단의 중심 화제를 찾아 쓰시오. (　　　　　　)

(2) 문장 간의 의미 관계를 다음과 같이 정리할 때, 빈칸을 채우시오.

구분	내용	의미 관계
문장 1	~를 '가격 차별'이라 한다.	개념 정의
문장 2	'가격 차별'이 성립하려면 첫째, (　　　　　　)이 있어야 한다.	조건 나열 ①
문장 3	'시장 지배력'이란 ~ 힘을 말한다.	정의, 첨가
문장 4	둘째, 시장이 (　　　　) 가능해야 한다.	(　　　　　　)
문장 5	즉, ~에 따라 시장을 구분할 수 있어야 한다.	앞 문장에 대한 (　　　　)
문장 6	셋째, 시장 간에 상품의 재판매가 (　　　　)해야 한다.	조건 나열 ③
문장 7	만약 ~ 되팔 수 있다면 ~ 어렵기 때문이다.	앞 문장에 대한 (　　　　)

02 다음 문단을 읽고 물음에 답하시오.

2012학년도 11월 고1 학력평가

[1]음성피드백이란 일정한 상태로 몸을 유지하기 위해 최종 산물의 양이 많아지면 화학 반응 경로의 초기 단계에 작용하는 효소가 억제되고, 반대로 그 양이 적어지면 화학 반응 경로의 초기 단계에 작용하는 효소가 활성화되는 것을 말한다. [2]예를 들어, 세포는 화학 반응을 통해 당을 분해하여 에너지원인 ATP를 얻는다. [3]그런데 ATP가 지나치게 생산되어 축적되면 피드백을 통해 화학 반응의 초기 단계에 작용하는 효소를 억제하여 ATP의 생산 속도를 늦춰 ATP의 양을 줄이게 된다.

(1) 위 문단의 중심 화제를 찾아 쓰시오. ＿＿＿＿＿＿

(2) '문장 1'과 '문장 2, 3'의 의미 관계가 무엇인지 쓰시오. ＿＿＿＿＿＿

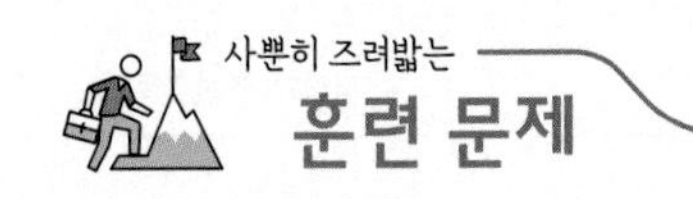

03 다음 문단을 읽고 물음에 답하시오.

2017학년도 11월 고1 학력평가

[1]수요 측면의 특성으로 정보재를 사용하는 소비자에게서 나타나는 '잠김효과'를 들 수 있다. [2]잠김효과란 어떤 정보재를 사용하기 시작한 소비자가 그것에 익숙해지면 다른 정보재보다 이미 사용하던 것을 계속 사용하려는 경향을 말한다. [3]이러한 경향은 새로운 정보재를 이용하려면 그것에 익숙해지기 위해 많은 돈, 노력, 시간 등의 '전환비용'이 필요하기 때문에 발생한다. [4]가령 일부 소프트웨어 프로그램의 경우 의무 사용 기간을 지키지 않았을 때 지불해야 하는 위약금과 같은 것까지도 전환비용에 포함된다.

(1) 위 문단의 중심 화제를 찾아 쓰시오. ________

(2) 위 문단의 중심 문장을 찾아 문장 번호를 쓰시오. 문장 ____

(3) 위 문단의 중심 내용을 정리한 다음 내용의 빈칸에 알맞은 말을 쓰시오.

> ㉠________란 정보재를 사용하기 시작한 소비자가 다른 정보재보다 이미 사용하던 것을 계속 사용하려는 경향으로, ㉡________ 때문에 발생한다.

연결 도식

잠김효과 (   ) 사용 소비자에게 나타남.
어떤 정보재를 사용하기 시작한 소비자가 그것에 익숙해지면, 이미 사용하던 정보재를 계속 사용하려는 경향

↑ 유발

(   ): 돈, 노력, 시간 등
예 소프트웨어 프로그램의 의무 사용 기간 위반 위약금

어휘 풀이

- **정보재:** 담고 있는 정보에서 시장 가치가 파생되는 재화. 예를 들어 노래를 담은 음악 CD, 영화를 담은 DVD 따위가 있다.

04 다음 문단을 읽고 물음에 답하시오.

2014학년도 11월 고2 학력평가 Ⓐ

[1]기판 내부에 들어 있는 원자는 상하좌우 모든 방향으로 대칭이어서 힘의 균형이 이루어진 안정된 상태이지만, 기판 표면에 있는 원자는 아래쪽에 결합할 원자가 없는 불안정한 상태이다. [2]불안정한 상태인 기판 표면에 있는 원자는 기체 분자와 결합하여 안정화하려고 한다. [3]이 과정에서 기판 표면에 기체 분자가 달라붙는 현상인 흡착이 이루어지게 되는 것이다.

(1) 다음은 위 문단에 대한 설명이다. 빈칸에 들어갈 알맞은 말을 쓰시오.

> ㉠______ 표면에 ㉡______ 분자가 달라붙는 ㉢______이 일어나는 이유를 설명하고 있다.

(2) 위 문단의 중심 문장을 찾아 문장 번호를 쓰시오. 문장 ____

(3) 위 문단의 내용과 일치하면 ○표, 일치하지 않으면 ×표 하시오.

① 기판 내부에 있는 원자는 기체 분자와 결합하여 안정화를 하려고 한다. (   )

② 기판 표면에 있는 원자는 불안정한 상태를 벗어나기 위해 흡착을 한다. (   )

연결 도식

기판 내부 원자 — (   )된 상태

기판 표면 원자 — (   )한 상태
↓
기체 분자와 결합하여 (   )하려는 과정에서 흡착이 일어남.

05 다음 문단을 읽고 물음에 답하시오.

2015학년도 3월 고2 학력평가

[1]마테존은 음형을 '선율 음형'과 '장식 음형'으로 나누었다. [2]선율 음형은 단어 및 문장 차원에서의 수사법을 작곡 과정에 적용한 음형이다.[3]그리고 장식 음형은 악곡을 실제 연주할 때 연주자의 재량에 의해 결정되는 음형이다. [4]마테존은 같은 내용이라도 웅변가가 상황에 따라 웅변술을 달리한다는 점에 착안하여 연주자도 실제 연주할 때에는 이미 만들어진 악보에 장식을 더해야 한다고 생각하였다.

(1) 위 문단에 대한 설명으로 일치하는 것을 고르시오.

㉠ 문단의 중심 화제는 '마테존', '선율 음형', '장식 음형'이다.
㉡ 문장 2와 문장 3은 문장 1의 내용과 대조된다.
㉢ 문장 4는 문장 2에 대한 보충 설명이다.
㉣ 문단의 중심 문장은 문장 2이다.

(2) 위 문단의 화제를 연결한 아래 도식을 완성하시오.

<마테존이 구분한 음형의 두 종류>

음형

(3) 다음은 위 문단의 중심 내용을 정리한 것이다. 빈칸에 들어갈 알맞은 말을 쓰시오.

㉠______은 음형을 두 종류로 나누었는데, ㉡_________은 수사법을 ㉢______ 과정에 적용한 음형이고 장식 음형은 실제 ㉣______할 때 결정되는 음형이다.

I 지문 독해

어휘 풀이

- **음형:** 연속한 몇 개의 음이 특징 있는 형태를 이루고 있는 모양.

06 ㉠에 들어갈 기사의 부제로 가장 적절한 것은?

2011학년도 3월 고1 학력평가

난방의 신개념, 지역난방

㉠ ________________

[1]지역난방은 난방을 위해 별도의 연료를 사용하는 것이 아니라 전기를 생산하거나 쓰레기를 소각하는 과정에서 발생하는 열을 이용하기 때문에 경제적이면서 친환경적이다.[2]또한 아파트나 개별 세대에 보일러와 같은 개별 난방 시설을 따로 설치할 필요가 없기 때문에 안전하고 편리하다.[3]따라서 지역난방은 에너지 원료의 97%를 수입에 의존하고 있는 우리나라의 효율적인 난방 방식이라고 할 수 있다.

① 효율적인 에너지 활용이 가능해져
② 온도 조절이 획기적으로 편리해져
③ 다양한 분야에 널리 활용되고 있어
④ 개별 난방 시설의 개선이 선행되어야
⑤ 상용화를 위한 기반 시설을 마련해야

연결 도식

지역난방
① 별도 연료 사용 X (전기 생산 · 쓰레기 소각 시 발생 열 이용) → (   ), 친환경적
② (   ) 설치 필요 X → 안전하고 편리함.
따라서 효율적 난방 방식

[07~08] 다음 문단을 읽고 물음에 답하시오.

2017학년도 9월 고2 학력평가

[1]국내 사물 인터넷 산업을 활성화하기 위한 방안은 무엇일까? [2]ⓐ정부에서는 사물 인터넷 산업의 기반을 구축하는 데 필요한 정책과 제도를 정비하고, 관련 기업에 경제적 지원책을 마련해야 한다.[3]ⓑ수익성이 불투명하다고 느끼는 기업으로 하여금 투자를 하도록 유도하여 사물 인터넷 산업이 발전할 수 있도록 해야 한다.[4]ⓒ기업들은 이동 통신 기술 및 차세대 빅 데이터 기술 개발에 집중하여 사물 인터넷으로 인해 발생하는 대용량의 데이터를 원활하게 수집하고 분석할 수 있는 기술력을 확보해야 할 것이다.

연결 도식

국내 사물 인터넷 산업 (   ) 방안
정부 ① 기반 구축에 필요한 정책, 제도 정비
② 관련 기업에 (   ) 마련
③ 기업에게 투자 유도
(   ) ④ 이동 통신 기술, 빅 데이터 기술 개발에 집중
→ 대용량 데이터를 수집, 분석할 수 있는 기술력 확보

07 위 문단이 전달하고자 하는 바로 가장 적절한 것은?

① 사물 인터넷의 개념
② 사물 인터넷의 의의
③ 사물 인터넷의 문제점
④ 사물 인터넷 산업의 폐해
⑤ 사물 인터넷 산업의 활성화 방안

08 ⓐ~ⓒ에 대한 이해로 적절하지 않은 것은?

① ⓐ~ⓒ는 모두 첫 문장의 물음에 대한 답이다.
② ⓐ~ⓒ에서 전체적으로 내용이 나열되고 있다.
③ ⓐ/ⓑ, ⓒ로 구분하여 내용을 살펴볼 수도 있다.
④ ⓑ와 ⓒ에는 첨가를 나타내는 접속어를 쓸 수 있다.
⑤ ⓐ~ⓒ 사이에 대조를 나타내는 접속어가 들어가면 어색하다.

100人 문단에 '물음'이 보이면 뒤에서 '답'이 제시되거나, '답'을 이끌어내기 위한 내용이 이어서 나온다는 사실, 알고 있니? 그러니까 '물음'을 보면 꼭 '답'을 찾아봐.

[09~11] 다음 문단을 읽고 물음에 답하시오.

2016학년도 11월 고1 학력평가

[1]그리스어인 '에우다이모니아(eudaimonia)'는 일반적으로 '행복'이라고 번역된다. [2]현대인들은 행복을 물질적인 것을 통해 느끼는 안락이나 단순한 쾌감과 동일시하는 경향이 있다. [3]㉠___ 아리스토텔레스는 에우다이모니아를 현대인들이 생각하는 행복과는 다르게 설명한다. [4]그는 에우다이모니아를 인간 고유의 기능인 이성을 발휘하여 그것을 완전하게 실현한 상태라고 규정하였다. [5]막스 뮐러는 아리스토텔레스가 말한 에우다이모니아에 시간적 속성을 부여하여 이를 세 가지 측면으로 나누어 설명하였다.

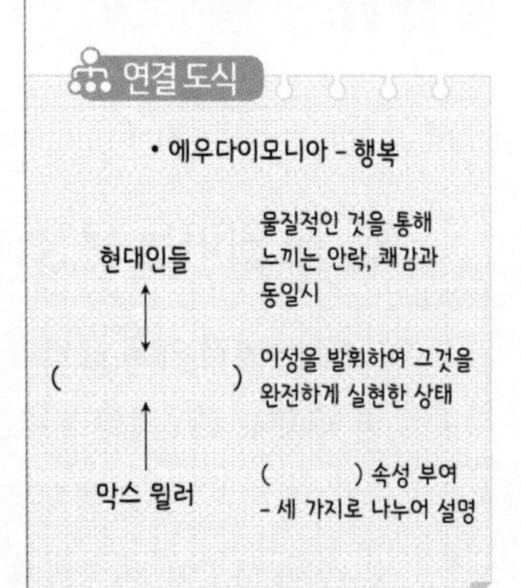

09 위 문단의 ㉠에 들어갈 말로 가장 적절한 것은?

① 예를 들어　② 그러나　③ 이처럼
④ 또한　⑤ 왜냐하면

10 위 문단을 통해 파악할 수 있는 내용으로 적절하지 <u>않은</u> 것은?

① 현대인들은 행복을 물질적 안락, 쾌감과 동일시하는 경향이 있다.
② 행복에 대한 아리스토텔레스의 생각은 현대인들의 생각과 다르다.
③ 현대인들은 에우다이모니아가 실현되려면 이성을 발휘해야 한다고 본다.
④ 막스 뮐러는 시간적 속성을 부여하여 에우다이모니아를 설명하였다.
⑤ 아리스토텔레스의 에우다이모니아 개념은 타인에 의해 심화되었다.

11 위 문단의 제목으로 가장 적절한 것은?

① 그리스인의 행복에 대한 생각
② 현대인과 에우다이모니아의 상관관계
③ 현대에서 구현되는 에우다이모니아의 양상
④ 에우다이모니아에 대한 아리스토텔레스의 반박
⑤ 에우다이모니아에 대한 아리스토텔레스와 막스 뮐러의 생각

100人 '제목'은 그 글의 '중심 내용'을 요약적으로 보여 주는 문구라고 볼 수 있어. 연결 도식을 그리면서 중심 내용을 잘 파악했다면 제목도 쉽게 찾을 수 있을 거야.

04 글 읽기

글 읽기는 문장, 문단 읽기와 무엇이 다를까?

글은 여러 개의 문단이 모여 이루어진다. 물론 하나의 문단으로 된 글도 있지만, 비문학 시험에 제시되는 지문은 대체로 4~6개의 문단으로 되어 있다. 글을 읽을 때에는 글의 중심 화제와 글 전체의 중심 내용을 파악하는 것이 중요하다. 중심 화제는 보통 설명하는 글에서는 '설명 대상'(개념, 이론, 인물, 원리, 방법 등), 논증적인 글에서는 '증명하고자 하는 과제'인 경우가 많다.

글 전체의 중심 화제와 중심 내용을 파악하려면 각 문단에서 찾은 여러 화제와 중심 내용 가운데 어떤 것이 더 중요하고 덜 중요한가를 비교해야 하며, 각각의 화제들과 문단들이 어떤 관계인지를 따져야 한다.

글의 '처음-중간-끝' 읽기

일반적으로 글은 '처음-중간-끝'으로 나뉜다. 이와 같은 구성을 알면 각 단계에서 주로 어떤 내용이 전개될지 예측할 수 있으며, 그 단계에서 독자로서 해야 할 일이 무엇인지도 가늠해 볼 수 있다.

단계	주요 내용	읽기의 방법
처음	상황, 배경, 예화, 일화, 물음, 문제 제기, 화제 제시 등	화제 찾기
중간	정보, 원리, 과정, 근거-주장, 비교, 대조, 반박-재반박 등 화제에 대한 세부 내용	개념 설명, 내용 흐름 등을 파악하기
끝	요약-정리, 의의, 평가, 한계, 전망 등	정리, 평가하기

글의 처음 부분에서는 '화제'를 찾는 것이 중요한 과제이다. 글 전체의 화제가 처음 부분에 제시되는 경우가 많기 때문이다. 글 전체의 중심 내용(주제)은 중간과 끝 부분에서 파악할 수 있다. 중간 부분은 글의 주요 정보가 본격적으로 제시되므로, 정보들 간의 관계를 꼼꼼히 따져가면서 읽어야 한다. 중심 화제를 찾고 그와 관련된 가장 핵심적인 내용을 찾으면 그것이 곧 글 전체의 중심 내용(주제, 논지)이 된다.

▲ 처음과 끝만 보고 문제를 풀다가는 큰 코 다친다!

100人 시험에 나오는 글이 대부분 처음-중간-끝의 구조를 갖고 있지만 필자의 의도나 글의 구성에 따라 내용 전개가 달라질 수 있어. 결국 글의 이해는 각 문단에 대한 이해의 종합임을 잊지 마!

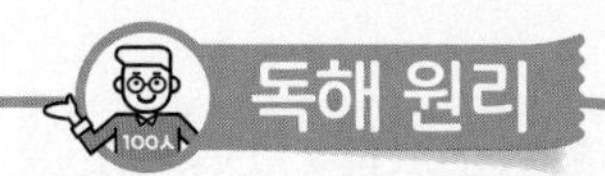

글 전체의 중심 내용 파악하기 ❶ – 문단별 중심 내용 요약하기

글 전체의 중심 내용(주제, 논지)을 파악하려면 해당 글이 가장 중점적으로 다루는 '중심 화제'를 찾고, 각각의 문단들이 '중심 화제'에 대한 어떤 내용을 말하고 있는지 그 핵심을 먼저 파악해야 한다. 그리고 각 문단이 말하고 있는 내용 사이의 위계나 순서 등을 고려하여 이를 종합하면 된다.

예를 들어 어떤 글이 다음과 같은 문단별 중심 내용으로 이루어졌다고 할 때, 글 전체의 '중심 내용'을 찾는 방법은 아래와 같다.

예문

[문단 1] 인간이 사고를 통해 세계를 인식하고 올바른 지식을 얻을 수 있다는 견해를 소개함.

[문단 2] 인간이 세계를 인식하는 방법: 감각을 바탕으로 관찰·경험을 통해 세계를 인식함.

[문단 3] 인간이 지식을 얻는 방법: 감각으로 얻은 세계에 대한 인식을 추상화(관념화)해 지식을 얻음.

[문단 4] 인간의 인식과 지식의 특징: 세계는 변화하지만 추상화된 지식은 고정되어 버림.

[문단 5] 인간의 사고는 변화하는 세계를 총체적으로 인식할 수 없어 온전한 지식을 얻을 수 없음.

Step 1 각 문단의 화제를 살펴 글 전체의 '중심 화제'를 찾는다.

➲ 인간의 사고, 인식, 지식 등에 대해 말하고 있으므로 모두를 포괄하는 '인간의 사고'가 이 글의 중심 화제이다.

Step 2 문단 간 내용 전개 흐름에 주목하여 '중심 내용'을 파악한다.

➲ ❶에서 '인간이 사고를 통해 세계를 인식하고 올바른 지식을 얻을 수 있다.'는 견해를 소개하고 ❷~❹에서 '인간이 사고를 통해 지식을 얻는 과정'과 '지식의 특징'을 구체적으로 살피고 있으므로, ❷~❹는 중심 화제에 대한 세부 내용을 제시하는 문단임을 알 수 있다. ❺에서는 앞서 말한 내용을 종합하여 결론을 내리고 있으므로 '인간의 사고(중심 화제)를 통해서는 온전한 지식을 얻을 수 없다.'(결론)가 중심 내용이 된다.

또는 문단의 중심 내용을 모아 하나의 문단을 구성하고 이를 요약하는 방법을 통해 글의 중심 내용을 파악할 수도 있다. 이 과정에서도 문단 독해와 마찬가지로 중심 문장과 뒷받침 문장의 구별이 필요하고, 요약의 기본 원리를 적용할 수 있다.

└'03 문단 읽기'의 36쪽 참고!

예문

1 인간이 사고를 통해 세계를 인식하고 올바른 지식을 얻을 수 있다는 견해가 있다. 새로운 '견해' 소개 – 중요(남김!)

~~2 인간은 감각을 바탕으로 관찰·경험을 통해 세계를 인식한다.~~

~~3 인간은 감각으로 얻은 세계에 대한 인식을 추상화(관념화)함으로써 지식을 얻는다.~~

(2, 3: ❶의 견해를 뒷받침하는 내용 – 덜 중요(삭제!))

~~4 세계는 변화하지만 추상화된 지식은 고정되어 버린다.~~ ❷, ❸의 내용에 대해 첨가, 다음 내용의 근거 – 덜 중요(삭제!)

5 (따라서) 인간의 사고는 변화하는 세계를 총체적으로 인식할 수 없어 온전한 지식을 얻을 수 없다.
❶의 견해와는 다른 생각, 글쓴이의 결론 – 중요(남김!)

➲ 중요한 문장과 덜 중요한 문장을 구분하여 중요한 문장만을 남긴 뒤, 이를 정리하여 중심 내용을 파악하면 된다.
따라서 이 글은 (❶에서 소개한 견해와 달리) '인간의 사고를 통해서는 온전한 지식을 얻을 수 없다.'를 중심 내용으로 하는 글이다.

100人 다음은 어느 글의 '처음' 단계에 해당하는 문단이다. 이 문단을 읽고 다음으로 전개될 내용을 예측해 보자.

글의 처음 부분 읽기

지문 1 (2018학년도 9월 고1 학력평가)

[1]열차 운행의 중요한 과제는 열차를 신속하게 운행하면서도 열차끼리의 충돌 사고를 방지하는 것이다. [2]열차를 운행할 때는 일반적으로 역과 역 사이에 일정한 간격으로 구간을 설정하고 하나의 구간에는 한 대의 열차만 운행하도록 하는데, 이러한 구간을 '폐색구간'이라고 한다. [3]폐색구간을 안전하게 관리하면서도 열차 운행의 속도를 높이는 데 도움을 주기 위해서 열차나 선로에는 다양한 안전장치들이 설치되어 있다.

Step 1 처음 단계 문단임을 고려하여 앞으로 이어질 이 글의 '중심 화제'를 파악한다.

➜ 문장 1에서는 열차 운행의 과제가 사고 방지임을, 문장 2에서는 역과 역 사이에 설정한 간격을 '폐색구간'이라고 한다는 것을 설명하고 있다.
문장 3에서는 폐색구간의 안전한 관리와 열차 운행의 속도를 높이는 데 도움을 주기 위해 '다양한 안전장치'가 설치되어 있다고 하였으므로, 문장 3은 문장 1, 2를 종합한 것이다.
따라서 이 글의 중심 화제는 문장 3의 '다양한 안전장치'가 된다.

맥락	중심 화제
폐색구간을 안전하게 관리하고 열차 운행 속도 상승에 도움을 주기 위해 열차나 선로에 설치되는	다양한 안전장치

'맥락'에 대해서는 하단의 '짚고가요'를 참고해.

Step 2 앞으로 전개될 내용이 무엇일지 추론해 본다.

➜ '다양한 안전장치'가 설치되어 있는 이유는 이미 제시되었으므로, 다음 내용에서는 '다양한 안전장치'의 종류나 그 작동 원리 등이 이어질 것으로 추측할 수 있다.

짚고 가요

화제의 맥락을 정리하며 읽자!

'맥락'이란 화제를 제한해 주는 내용이야. 예를 들어, '하늘에 대한 관점'이 아니라 '고대 중국 사람인 순자의 하늘에 대한 관점'이라고 하면, 전자보다 후자가 화제를 이해하는 데 도움이 되지. 그러니까 화제를 찾으면 화제에 대한 맥락도 함께 살펴보는 것이 좋아. 주로 화제 앞의 보충 부분에서 확인할 수 있단다.

바로 콕 문제

1 다음은 어떤 글의 첫 문단이다. 글 전체의 중심 화제와 맥락을 파악해 보자.

[1]일반적으로 사람들은 정서와 감정을 동일한 것으로 여긴다. [2]그런데 오늘날의 심리 철학에서는 '정서'라는 개념을 특정 시점에서의 주관의 정신 상태라고 정의하면서 정서와 감정을 개념적으로 구분하고, 정서의 본질에 대해 이전부터 계속되어 온 철학적 탐구를 이어가고 있다.

맥락	화제

콕 정답과 해설 12쪽

100人 다음 글을 읽고 문단별 중심 내용과 글 전체의 중심 내용을 파악해 보자.

지문 2 (2013학년도 3월 고1 학력평가)

1 [1]우리는 한 분의 조상으로부터 퍼져 나온 단일 민족일까? [2]고대부터 고려 초에 이르기까지 대규모로 인구가 유입된 사례는 수없이 많다. [3]또 거란, 몽골, 일본, 만주족 등의 대대적인 외침 역시 무시할 수 없다.

2 [1]고조선의 건국 시조로서의 단군을 인정할 수는 있지만, 한민족 전체의 공통 조상으로서의 단군을 받드는 것은 옳지 않다. [2]각 성씨의 족보를 보더라도 자기 조상이 중국으로부터 도래했다고 주장하는 귀화 성씨가 적지 않다. [3]또 한국의 토착 성씨인 김 씨나 박 씨를 보더라도 그 시조는 알에서 태어났지 단군의 후손임을 표방하지는 않는다. [4]이는 대부분의 족보가 처음 편찬된 조선 중기나 후기까지는 적어도 '단군'이라는 공통의 조상을 모신 단일 민족이라는 의식이 별로 없었다는 증거가 된다. [5]또 엄격한 신분제가 유지된 전통 사회에서 천민과 지배층이 같은 할아버지의 자손이라는 의식은 존재할 여지가 없다.

3 [1]공통된 조상으로부터 뻗어 나온 단일 민족이라는 의식이 처음 출현한 것은 우리 역사에서 아무리 올려 잡아도 구한말(舊韓末) 이상 거슬러 올라갈 수 없고, 이런 의식이 전 국민적으로 보편화된 것은 1960년대에 들어와서일 것이다.

4 [1]제국주의의 침탈과 분단을 겪은 20세기에 단일 민족 의식은 민족의 단결을 고취하고, 신분 의식 타파에 기여하는 등 긍정적인 역할을 수행했다. [2]그래서 아직도 단일 민족을 내세우는 것의 순기능이 필요하다고 생각할지도 모른다. [3]특히 이주 노동자들보다 나은 대접을 받고 있다고 할 수 없는 조선족 동포들의 처지를 보면, 그리고 출신에 따라 편을 가르고 차별하는 지역 감정을 떠올리면 같은 민족끼리 왜 이러나 하는 생각을 하게 된다. [4]갈라진 민족의 통일을 생각하면 우리는 한겨레라고 외치고 싶어진다. [5]그러나 우리는 지난 수십 년간 단일 민족임을 외쳐 왔지만 이런 문제들은 오히려 더 악화돼 왔다는 것을 기억해야 할 것이다.

5 [1]이제 우리는 좀 다른 식으로 생각해야 한다. [2]같은 민족이기 때문에 차별해서는 안 된다는 논리는 유감스럽게도 다른 민족이라면 차별해도 괜찮다는 길을 열어 두고 있다. [3]하나의 민족, 하나의 조국, 하나의 언어를 강하게 내세운 나치 독일은 600여 만 명의 유대인 학살과 주변 국가에 대한 침략으로 나아갔다. [4]물론 이런 가능성들이 늘 현재화되는 것은 아니지만, 단일 민족의식 속에는 분명 억압과 차별과 불관용이 숨어 있다.

Step 1 **문단 독해를 통해 각 문단의 중심 내용을 정리한다.**

➔ 오른쪽 '바로 콕 문제'를 풀면서 정리해 보자.

Step 2 **정리한 중심 내용들을 모아 하나의 문단을 구성하고 이를 요약하며 글 전체의 중심 내용(논지)을 파악한다.**

➔ 요약된 문단 내용들 중에서 중심 문장과 뒷받침 문장을 구분하고, '중심 화제'를 위주로 하여 중심 내용을 정리할 수 있다.

➲ 이 글은 우리 민족이 단일 민족이 아니라는 근거(1, 2, 3)와 단일 민족의식이 우리 사회에 순기능을 하지 못한다는 점(4)을 바탕으로 하여, '우리는 단일 민족의식에서 벗어나야 한다.'(5)를 중심 내용으로 하는 글이다.

글의 중심 내용 파악하기 (1) – 문단별 중심 내용 요약하기

어휘 풀이
- **외침(外侵):** 다른 나라나 외부로부터의 침입.
- **구한말:** 조선 말기에서 대한 제국까지의 시기.

바로 콕 문제

2 **이 글의 내용을 다음과 같이 요약할 때, 빈칸에 들어갈 알맞은 말을 쓰시오.**

1 대규모의 인구 유입과 외침을 겪은 우리 민족은 (   ) 이 아니다.
2 여러 사례를 볼 때 단군이 민족 전체의 공통 조상이라는 인식은 옳지 않다.
3 단일 민족의식은 (   ) 에 시작되어 1960년대에 보편화되었으므로 역사가 깊지 않다.
4 단일 민족의식이 긍정적 역할을 했던 시기가 있었지만, 지난 수십 년간 단일 민족의식은 민족 간 차별 등의 문제를 점점 더 (   )시켰다.
5 단일 민족의식 속에는 (   )이 숨어 있으므로, 우리는 단일 민족의식에서 벗어나야 한다.

콕 정답과 해설 12쪽

100人 글 전체의 중심 화제를 찾는 방법은 '03 문단 읽기'에서 배운 '문단의 중심 화제'를 찾는 방법과 같아. 이 글의 경우 모든 문단에서 '우리 민족'이나 '단일 민족'이라는 단어가 반복되고 있으므로, 이 단어들을 중심 화제로 볼 수 있지.

글 전체의 중심 내용 파악하기 ❷ – 글의 구조도 그리기

글의 내용을 이해·기억·회상할 때 글의 구조는 매우 중요한 역할을 한다. 글을 잘 읽는 사람은 글의 구조를 파악하여 내용과 의미를 구성할 뿐만 아니라 글에 나타난 정보들의 중요도를 판단한다. 따라서 구조를 얼마나 잘 파악하고 활용하는지에 따라 독해의 깊이가 좌우된다고 볼 수 있다.

그런데 글의 구조란 결국 문단들의 연결 관계이므로 각 문단들이 어떤 의미 관계를 맺고 있는지 살핀 뒤에야 전체 글의 구조를 이해할 수 있다. 문단 간의 관계는 문장 간의 관계와 마찬가지로 다양하게 전개되지만, 크게 보면 '종속적 의미 관계'와 '대등적 의미 관계'로 나눌 수 있다.

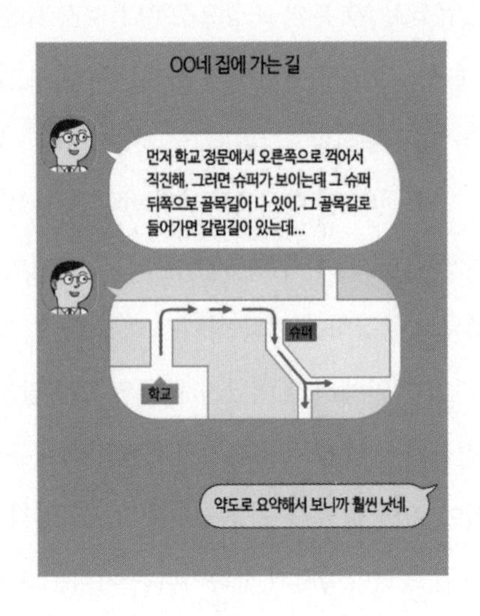

(1) 종속적 의미 관계 (상·하위로 파악되는 관계)

- **개념/주지–상세화(첨가)**: 앞 문단이 개념이나 주지를 제시하고, 뒤 문단이 그 내용을 구체적으로 설명하며 뒷받침하는 관계를 말한다.
  (주지: 주장이 되는 요지나 근본이 되는 중요한 뜻)
- **주장–근거/이유**: 한 문단이 특정 인물이나 학파 등의 주장, 다른 문단이 주장의 근거가 되는 관계를 말한다.
- **전제–결론**: 앞에서 전제를 제시하고, 뒤 문단에서 이에 따른 결론을 제시하는 관계를 말한다.
- **원리–적용**: 원리를 설명하고 적용 방법이나 단계를 예시를 통해 보여 주는 관계이다. 또는 구체적 사실을 예로 든 뒤 이를 통해 원리를 설명하기도 한다.

(2) 대등적 의미 관계 (직렬/병렬로 파악되는 관계)

- **원인–결과**: 한 문단이 원인이 되고 다른 문단이 그 결과인 관계이다. 결과가 되는 문단이 먼저 제시되기도 한다.
- **문제(과제)–해결**: 한 문단이 어떤 현상이나 대상에 대해 문제를 제기하거나 해결해야 할 과제를 제시하고 다른 문단이 그 해결 방안을 제시하는 관계를 말한다.
- **비교/대조**: 서로 비교되거나 대조되는 둘 이상의 내용을 제시하는 관계를 말한다.
- **열거**: 중심 화제에 대하여 대등한 둘 이상의 내용을 나열하는 관계를 말한다.
- **통시**: 시대의 흐름, 시간적 순서에 따라 배열된 관계를 말한다.

짚고 가요

문단 간의 관계를 나타내는 도구

❶ '선'으로 관계 표시하기	❷ '기호'로 관계 표시하기
• 상·하위 관계: 한 문단이 다른 문단의 하위 관계(종속적 의미 관계)에 있다면 'ㄴ'와 같이 표시한다. • 직렬 관계: 각기 다른 문단은 '—'으로 잇는다. • 병렬 관계: 대등한 내용과 기능을 하는 문단끼리는 'ㅌ'로 묶어서 표시한다.	※ '02 문맥 읽기'에서 배웠던 기호들(화살표, 더하기, 세모 등)을 문단 간의 관계 표시에서도 활용할 수 있다. 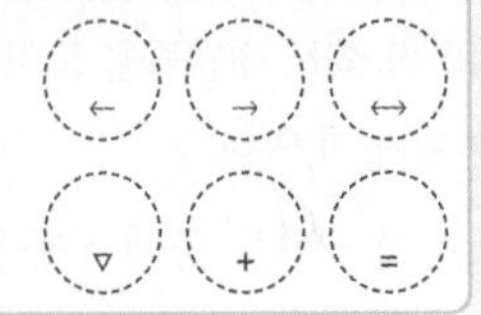

글의 구조는 필요에 따라 간략하게 도식화할 수도 있고 상세하게 도식화할 수 있다. 예를 들어 문단 수보다 적은 수의 요소로 구조화할 수도 있고, 문단 내부의 정보까지 상세화하여 나타내는 것도 가능하다.

Step 1 **각 문단의 중심 내용을 바탕으로, 문단의 기능(역할) 파악하기**

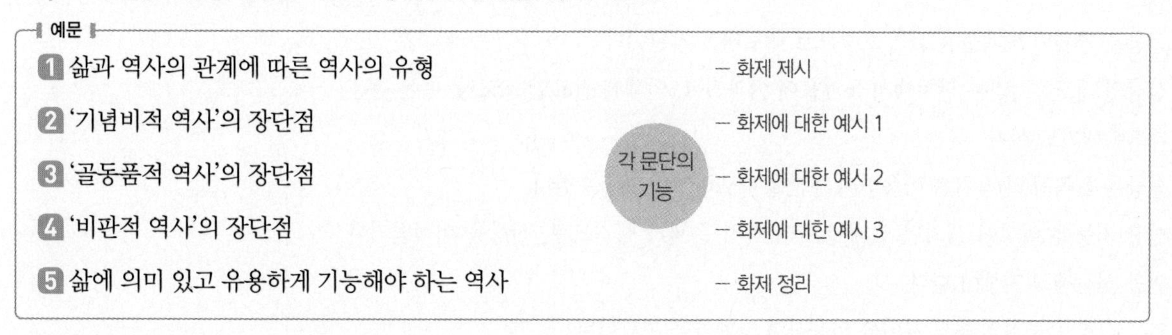

예문
1 삶과 역사의 관계에 따른 역사의 유형
2 '기념비적 역사'의 장단점
3 '골동품적 역사'의 장단점
4 '비판적 역사'의 장단점
5 삶에 의미 있고 유용하게 기능해야 하는 역사
각 문단의 기능
— 화제 제시
— 화제에 대한 예시 1
— 화제에 대한 예시 2
— 화제에 대한 예시 3
— 화제 정리

Step 2 **문단의 기능과 의미 관계를 고려하여 구조도 그리기**

→ 의미 관계 파악이 가장 쉬운 문단부터 생각해 보면 2, 3, 4이다. 모두 역사의 유형을 하나씩 들어 장단점을 설명하고 있으므로 문단 간의 관계가 대등하다는 것을 알 수 있다. ➲ 각각은 대등하게 나열된 대상이면서, 비교를 통해 차이점이 드러난다.

→ 그럼 1과 2, 3, 4의 관계는 어떨까? 2, 3, 4는 모두 1에서 언급한 '역사의 유형'에 종속되는 내용들이다. 따라서 이들이 모두 1의 하위 항목이라는 것을 표시해 주면 된다.

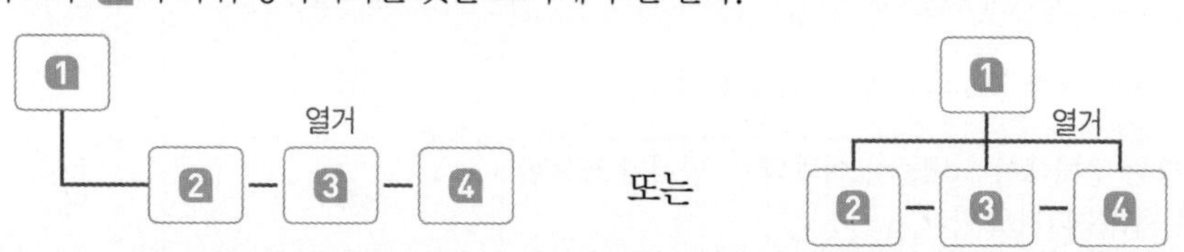

→ 남은 5는 어디에 연결해야 하는지 살펴보자. '역사'가 삶에서 어떤 역할을 해야 하는지 밝히는 내용으로 1에서 던진 화제를 정리하고 마무리하는 문단으로 볼 수 있다. 2, 3, 4에서 상술했던 역사 유형들의 장단점을 모두 수렴하는 내용으로 볼 때 구조도는 다음과 같이 그릴 수 있다.

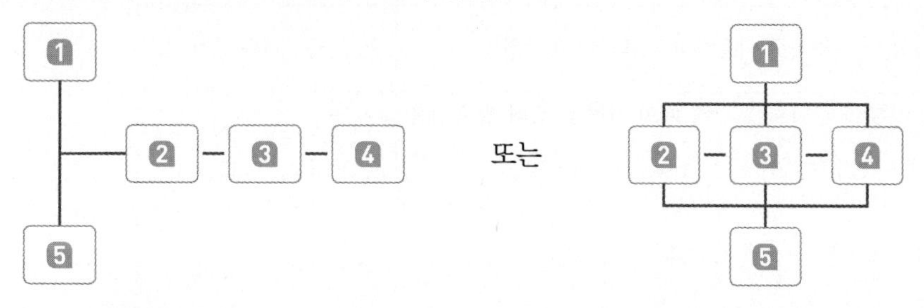

100人 구조도를 그리는 방식에 정답이 있는 건 아니야. 문단끼리 대등한가, 종속적인가를 우선적으로 판단해서 선을 어떤 식으로 연결할지 자기 나름대로의 규칙을 만들면 돼.

다음은 어떤 글에서 요약한 문단들의 중심 내용이다. 이를 바탕으로 문단 간의 관계를 파악하여 구조도를 그려 보자.

글의 중심 내용 파악하기 (2) – 글의 구조도 그리기

지문 3 (2017학년도 6월 고1 학력평가)

1 신장은 인체의 노폐물을 걸러 오줌으로 내보내는 기관이다.
2 신장의 네프론이라는 장치에서 노폐물이 여과되고, 인체에 필요한 포도당, 수분 등은 재흡수되기도 한다.
3 신장은 혈액의 압력 차를 이용하여 성분을 배출하거나 재흡수한다.
4 신장 기능에 이상이 생기면 인체에 여러 가지 문제가 생기므로, 신장을 이식받거나 인공 신장에 의지해야 한다.
5 인공 신장은 물질의 농도 차이를 이용하여 노폐물을 여과한다.
6 병원에서는 인공 신장의 투과관을 수백 개의 다발로 묶어 효율성을 높인다.

지문의 문단별 중심 내용이 위와 같이 요약되었다면, 문단끼리의 의미 관계를 도식으로 표현함으로써 구조화할 수 있다.
독해 원리에서 설명한 단계를 떠올리며 구조도를 그려 보자.

Step 1 각 문단의 중심 내용을 바탕으로, 문단의 기능(역할) 파악하기

➔ 중심 내용을 정리하면서 이 글의 중심 화제가 '신장(신장의 작용 원리)'임을 알 수 있었을 것이다. 중심 화제와 관련된 중심 내용의 기능(역할)을 파악하면 다음과 같다.

	문단의 중심 내용	기능(역할)
1	신장은 인체의 노폐물을 걸러 오줌으로 내보내는 기관이다.	개념
2	신장의 네프론이라는 장치에서 노폐물이 여과되고, 인체에 필요한 포도당, 수분 등은 재흡수되기도 한다.	작용
3	신장은 혈액의 압력 차를 이용하여 성분을 배출하거나 재흡수한다.	작용 원리
4	신장 기능에 이상이 생기면 인체에 여러 가지 문제가 생기므로, 신장을 이식받거나 인공 신장에 의지해야 한다.	인공 신장의 필요성
5	인공 신장은 물질의 농도 차이를 이용하여 노폐물을 여과한다.	인공 신장의 작용 원리
6	병원에서는 인공 신장의 투과관을 수백 개의 다발로 묶어 효율성을 높인다.	인공 신장의 실제

Step 2 **문단의 기능(역할)을 고려하여 문단 간 의미 관계 파악하기**

➜ 문단 간의 관계가 대등한지 종속적인지 살펴본다.

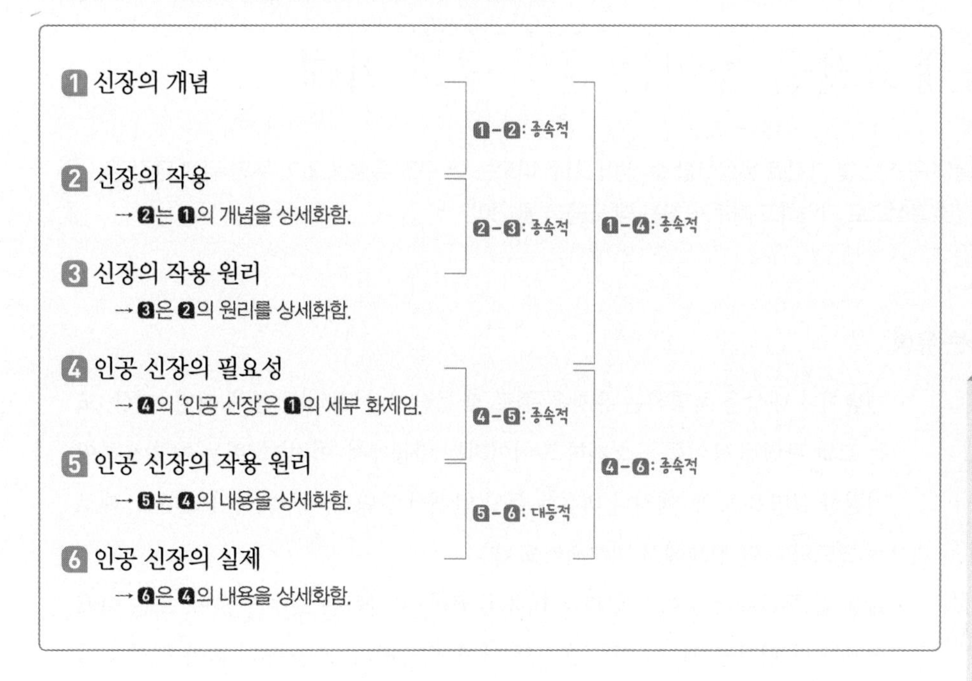

1 신장의 개념
2 신장의 작용
→ 2는 1의 개념을 상세화함.
3 신장의 작용 원리
→ 3은 2의 원리를 상세화함.
4 인공 신장의 필요성
→ 4의 '인공 신장'은 1의 세부 화제임.
5 인공 신장의 작용 원리
→ 5는 4의 내용을 상세화함.
6 인공 신장의 실제
→ 6은 4의 내용을 상세화함.
1-2: 종속적
2-3: 종속적
1-4: 종속적
4-5: 종속적
4-6: 종속적
5-6: 대등적

Step 3 **문단 간의 관계를 생각하며 구조도 그리기**

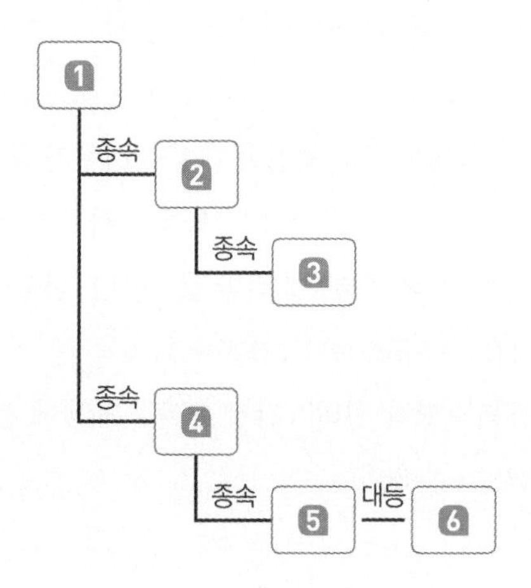

이와 같이 글의 구조를 파악하면 정보 간의 관계 파악을 효과적으로 할 수 있기 때문에 글 전체를 이해하는 데 도움이 된다.

100人 지문 구조 파악은 연습을 하면 할수록 독해력을 높일 수 있는 좋은 방법이야. 이제부터 보조단에 지문 구조도 가 나오면, 글을 읽고 나서 그 글의 구조도를 간략하게 그려 보자.

바로 콕 문제

3 다음은 문단의 중심 내용을 정리한 것이다. 이를 바탕으로 글의 구조를 그려 보자.

1 기술 발달과 인간 삶의 변화 – 사색적 삶과 활동적 삶을 대비하여 사회 변화를 이해하는 방식으로 알 수 있음.
2 근대 이전 – 사색적 삶의 영역이 활동적 삶의 영역보다 상위에 있음.
3 근대 – 사색적 삶과 활동적 삶이 대등한 위상을 갖게 됨.
4 산업 혁명 이후 – 활동적 삶의 중요성이 사색적 삶보다 커지게 됨.
5 산업 혁명 이후 – 활동적 삶이 지나치게 강조된 것에 대한 비판의 목소리로 사색적 삶의 중요성이 역설되기도 함.
6 20세기 말 – 설 자리를 잃은 사색적 삶과, 폭주하게 된 활동적 삶

지문 구조도

콕 정답과 해설 12쪽

알아 두면 쓸데 있는 100인의 지혜 1

독해 효율을 높이는 글의 구조 이해

비문학 시험에 나오는 글의 구조는 몇 가지로 유형화할 수 있어. 자주 나오는 글 구조 유형을 알아 두면 글에 담긴 정보들의 내용과 위치를 더 효과적으로 기억하고 빠르게 찾는 데 도움이 될 거야.

1 개념·대상을 설명하는 유형

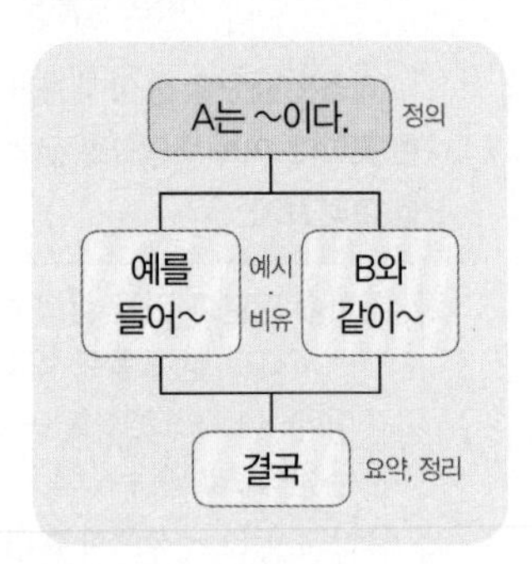

- 개념이나 대상을 설명하는 유형은 주로 첫 문단에서 '정의'를 통해 개념·대상, 또는 그와 관련된 용어들을 소개하고 이어지는 내용에서 '예시'나 '비유'를 활용하여 친절한 설명을 도와. 예시나 비유는 문단 안에서 간단히 이루어지기도 하고, 때로는 별도의 문단 전체에서 제시되기도 해.
- 글의 끝 문단에서는 이전에 다룬 내용을 정리·요약하는 경우가 많아. 또는 화제의 의의나 평가를 제시하여 글을 마무리 짓기도 하지. 조선 후기 화가 정선과 김홍도를 소개한 다음, '진경산수화'의 의의로 마무리하는 글이 바로 그 예야. (2017학년도 9월 고1 학력평가)

2 내용 요소를 구체화하는 유형

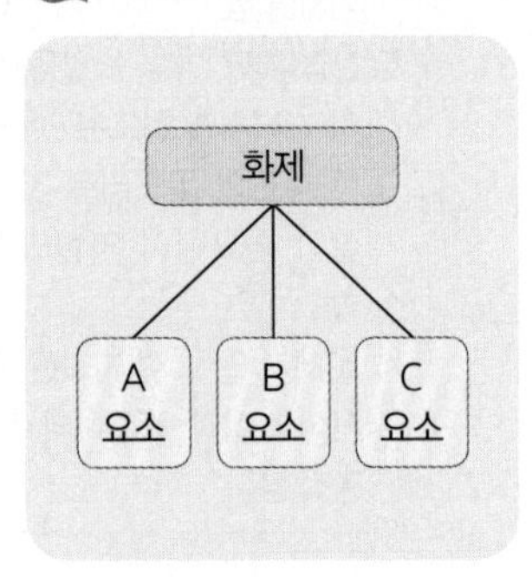

- 비문학 지문에 나오는 화제는 크고 복잡한 대상인 경우가 많아. 그래서 첫 문단에서 화제를 제시하고, 이어지는 문단에서 이 화제를 하위 화제로 분석하여 자세히 다루게 되지. 예를 들어 '신장(콩팥)'에 관한 글이라면 '신장의 작용'과 '신장의 작용 원리'에 대해서 다룰 수 있고,(2017학년도 6월 고1 학력평가) '키네틱 아트'에 관한 글이라면 이 예술의 '개념', '창작 원리', '감상 효과', '의의'에 관해서 문단을 전개할 수 있어.(2016학년도 3월 고1 학력평가)

3 대상을 비교/대조하는 유형

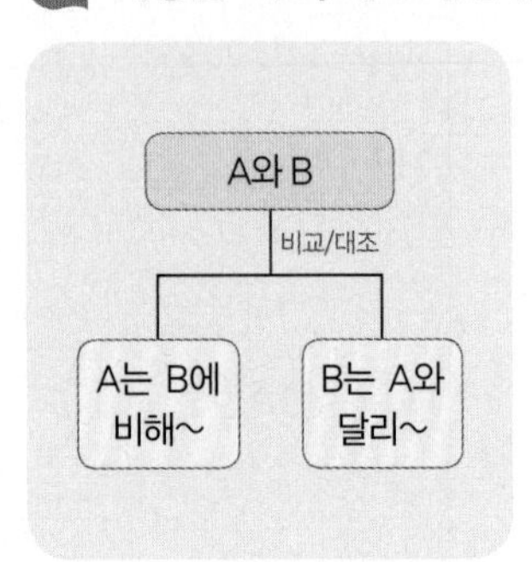

- 둘 이상의 대상이 나올 때는 비교·대조하는 구조를 보이는 경우가 많아. 이 유형이 내용 요소를 구체화하는 유형과 다른 점은, 각각의 대상이 서로 대등하다는 점이야. 서로 대등하기 때문에 특성을 견주는 것이 가능하지. '나라에서 세금을 매기는 원리'에 관한 글이 있다고 해 보자. 그 원리에 해당하는 '효율성'과 '공평성'에 대해 서술하다 보면 '효율성'과 '공평성'의 같고 다른 점이 견주어지기 마련이야. (2018학년도 3월 고1 학력평가)

4 과정/순서를 밝히는 유형

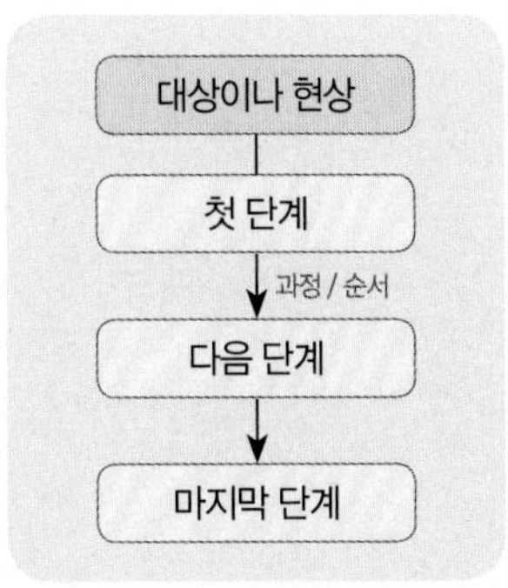

- **과정/순서**: 어떤 대상의 기능을 단계적으로 설명하는 글이 이런 구조에 해당해. 단계적으로 이루어지는 작용이 '간에서의 혈액 순환'(2018학년도 9월 고1 학력평가)이라는 글에서는 한 문단 안에서 상세히 서술되기도 했고, '디지털 통신 시스템의 전송 과정'(2018학년도 수능)이라는 글에서는 각 단계를 여러 문단에 걸쳐 제시하기도 했어.
- **통시**: 어떤 대상이 시간의 흐름에 따라 변화를 겪는 과정을 설명하는 것도 이런 구조 유형으로 볼 수 있어. 같은 대상이나 현상이지만 시간적 변화를 겪으면서 차이가 생기기 때문에, 그 차이를 따져볼 수 있는 거지. '공감에 관한 이론의 변천'(2017학년도 11월 고1 학력평가), '범죄학의 발전 과정'(2018학년도 9월 고1 학력평가)에 관한 지문이 이러한 예에 해당해.

5 '원인-결과', '문제-해결'의 유형

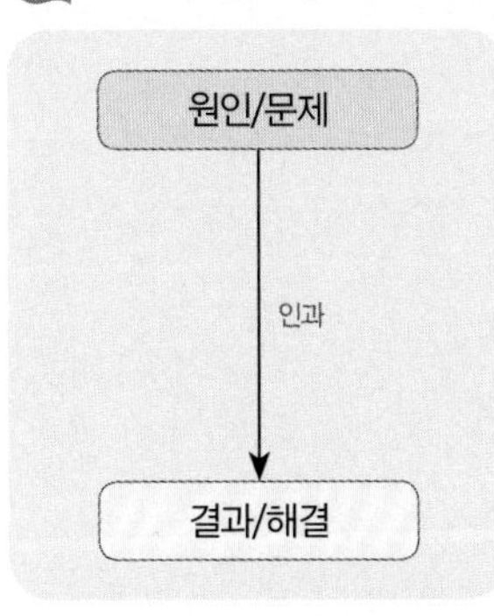

- 비문학 지문으로 현상의 원인과 결과, 문제의 발견과 해결에 관한 글도 자주 제시돼. '어떤 두 나라가 두 상품에 대한 비교 우위가 다르게 나타난다'는 내용이 '원인'이 되고, '각국은 특정 상품을 특화하여 무역함으로써 이익을 얻을 수 있다'가 '결과'가 될 수 있는데, 이들 두 문단은 '따라서'라는 접속어를 사용하여 원인과 결과의 관계를 맺지.(2017학년도 3월 고1 학력평가)

  또한 조선 초기 국가가 어떤 문제를 해결하기 위해 특정한 신분 체계를 수립하였다는 글(2017학년도 6월 고1 학력평가)은 '문제-해결'의 내용 구조를 이룬 예라 할 수 있어.

6 '전제-결론', '주장-근거'의 유형

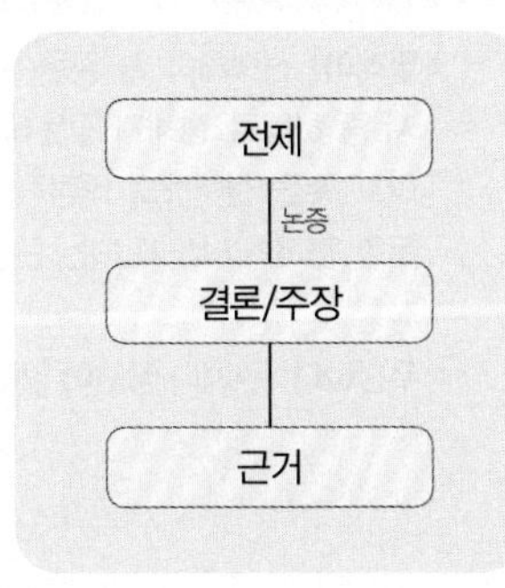

- 주장과 근거는 별도의 문단을 이루기보다 하나의 문단 안에서 함께 제시되는 경우가 많아. 예를 들어, 하늘의 뜻을 종교적으로 해석할 필요가 없다는 순자의 주장과 그 근거가 한 문단 안에서 제시된 바 있지.(2018학년도 6월 고1 학력평가)
- 하나의 대상에 대한 두 주장을 제시하고, 이를 비교·대조하는 글도 있어. 이 경우, 문단 내에서는 '주장-근거'의 구조를 이루고, 문단 간에는 '비교/대조'의 구조를 이룬다고 볼 수 있어. 지문에 두 대상이 나오면 비교/대조하는 문제가 많이 출제되는데, 차이점을 묻는 문제는 빠지지 않고 나온단다.

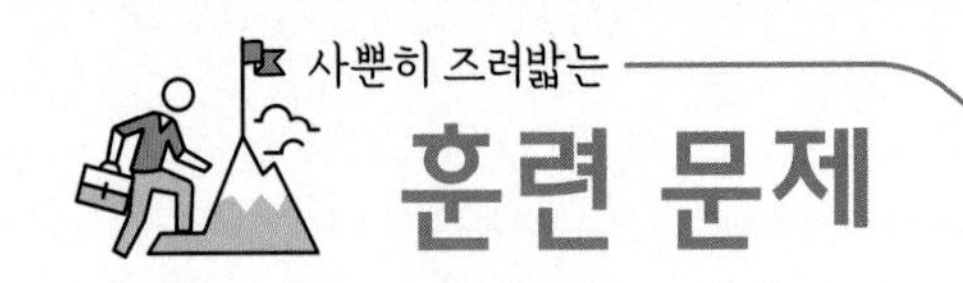

훈련 문제

[01 ~ 03] 다음 글을 읽고, 글의 중심 내용과 글 전체의 구조를 파악해 보자.

2016학년도 6월 고1 학력평가

1 [1]다음 상황을 생각해 보자. A가 등교하는 길에 다리가 불편한 할머니가 횡단보도 건너는 것을 도와 달라고 하였다. [2]지금 학교에 가지 않으면 지각을 하여 벌점을 받게 된다. A는 할머니를 도와야 할까, 아니면 학교에 가야 할까? [3]이런 상황을 도덕적 딜레마라 한다. [4]이런 상황에서 개인 행위의 옳고 그름을 판단하는 기준이 필요하다. [5]이러한 기준을 우리는 크게 두 가지 관점에서 제시할 수 있다. [6]하나는 의무론적 관점이고 다른 하나는 목적론적 관점이다.

2 [1]의무론적 관점은 행위에 대한 도덕적 판단이 도덕 법칙에 따라 이루어져야 한다고 보았다. [2]이 관점은 도덕 법칙을 지키려는 의지를 의무로 보았으며 결과와 무관하게 행위 자체의 옳고 그름에 주목하였다. [3]도덕 법칙은 언제나 타당하고 보편적인 것이기에 '왜'라는 질문은 성립하지 않는다. [4]따라서 좋지 않은 결과를 초래하더라도 도덕 법칙은 지켜야 한다. [5]이런 의미에서 의무론적 관점을 법칙론이라고도 한다.

3 [1]그러나 의무론적 관점에는 한계가 있다. [2]두 개의 옳은 도덕 법칙이 충돌할 때 의무론적 관점에 따르면 결정을 내릴 수 없다. [3]예를 들어 1번 철로에는 3명의 인부가, 2번 철로에는 5명의 인부가 일을 하고 있을 때 브레이크가 고장 난 기차의 기관사는 어떤 길을 선택해야 할까? [4]의무론적 관점은 이 상황에서 어떤 철로를 선택해야 할지 결정을 내릴 수 없다.

4 [1]한편, 목적론적 관점은 행복이나 쾌락을 인간이 추구해야 할 목적으로 보았다. [2]이 관점은 오로지 최선의 결과를 가져오는 행위가 옳은 행위이며, 경험을 통하여 도덕을 얻을 수 있다고 생각하였다. [3]도덕은 '보다 많은 사람들에게 보다 많은 행복을 가져오는 행위'이다. [4]따라서 어떤 행위를 결정할 때는 미래에 있을 결과를 고려해야 한다. [5]이런 의미에서 목적론적 관점을 결과론이라고도 한다.

5 [1]그러나 목적론적 관점도 한계가 있다. [2]똑같은 결과라도 사람마다 판단이 달라질 수 있기 때문이다. [3]위의 예에서 1번 철로를 선택하는 것이 목적론적 관점에서는 옳은 선택이지만 1번 철로에 있던 인부의 가족에게 물었을 경우 대답은 달라질 것이다. [4]이런 문제 때문에 목적론적 관점은 도덕 법칙에 대해 많은 예외를 허용할 우려가 있다.

어휘 풀이

- **딜레마:** 선택해야 할 길은 두 가지 중 하나로 정해져 있는데, 그 어느 쪽을 선택해도 바람직하지 못한 결과가 나오게 되는 곤란한 상황.
- **무관하다:** 관계나 상관이 없다.

01 각 문단의 중심 화제와 중심 내용을 정리해 보자.

문단	중심 화제	중심 내용	기능/역할
1	행위의 옳고 그름을 판단하는 기준	도덕적 딜레마 상황에서 개인 행위의 옳고 그름을 판단하는 기준 필요 - 의무론적 관점과 목적론적 관점	화제 제시
2	의무론적 관점	의무론적 관점(법칙론)에서는 (　　　　　)에 따라 (　　　　　)를 판단하며, (　　　　　)와 상관없이 행위 자체의 옳고 그름을 중시함.	세부 화제 ①의 특징
3			
4	목적론적 관점	(　　　　　)(결과론)은 (　　　　　)에게 (　　　　　)(행복)를 가져오는 것을 중시함.	
5			

02 문단 간의 관계를 고려하여 윗글 전체의 구조를 그려 보자.

03 윗글의 중심 내용을 한 문장으로 정리해 보자.

100人 글 전체에서 어떤 화제를 다룬다고 할 때, 그 화제를 다시 세부 화제로 나누어서 논의를 진행하는 경우가 많아. 그리고 세부 화제는 각 문단의 중심 화제일 확률이 높지.

예를 들어, '지구'와 같이 어마어마하게 큰 화제를 대상으로 과학적인 글을 쓴다면, 지구의 '내부 구조', '태양계 안에서의 위치', '대기 상태' 등 세부적인 요소로 나누어 논의를 할 수밖에 없겠지. 그래서 중심 화제와 세부 화제만을 엮어서 글의 중심 내용을 정리하기도 해.

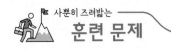

[04~07] **다음 글을 읽고 물음에 답하시오.**

2013학년도 3월 고1 학력평가

가 [1]1970년대 이후부터 세계적으로 '적정기술'에 대한 활발한 논의가 있어 왔다. [2]넓은 의미로 적정기술은 인간 사회의 환경, 윤리, 도덕, 문화, 사회, 정치, 경제적인 측면들을 두루 고려하여 인간의 삶의 질을 향상시킬 수 있는 기술이다. [3]좁은 의미로는 가난한 자들의 삶의 질을 향상시키는 기술이다.

나 [1]적정기술이 사용된 대표적 사례는 아바가 고안한 항아리 냉장고이다. [2]아프리카 나이지리아의 시골 농장에는 전기, 교통, 물이 부족하다. [3]이곳에서 가장 중요한 문제 중의 하나는 곡물을 저장할 시설이 없다는 것이다.

다 [1]이를 해결하기 위해 그는 항아리 두 개와 모래흙 그리고 물만 있으면 채소나 과일을 장기간 보관할 수 있는 저온조를 만들었다. [2]이것은 물이 증발할 때 열을 빼앗아 가는 간단한 원리를 이용했다. [3]한여름에 몸에 물을 뿌리고 시간이 지나면 시원해지는데, 이는 물이 증발하면서 몸의 열을 빼앗아 가기 때문이다. [4]항아리의 물이 모두 증발하면 다시 보충해서 사용하면 된다.

라 [1]토마토의 경우 항아리 냉장고 없이 2~3일 정도 저장이 가능하지만, 항아리 냉장고를 사용하면 21일 정도 저장이 가능하다. [2]이 덕분에 이 지역 사람들은 신선한 과일을 장기간 보관해서 시장에 판매해 많은 수익을 올릴 수 있었다.

마 [1]적정기술은 새로운 기술이 아니다. 우리가 알고 있는 여러 기술 중의 하나로, 어떤 지역의 직면한 문제를 해결하는 데 적절하게 사용된 기술이다. [2]1970년 이후 적정기술을 기반으로 많은 제품이 개발되어 현지에 보급되어 왔지만 그 성과에 대해서는 여전히 논란이 있다. [3]이는 기술의 보급만으로는 특정 지역의 빈곤 탈출과 경제적 자립을 이룰 수 없기 때문이다. [4]빈곤 지역의 문제 해결을 위해서는 기술 개발 이외에도 지역 문화에 대한 이해와 현지인의 교육까지도 필요하다.

100人 이제부터 지문이 나올 때, 보조단의 지문 이해 에 문단의 중심 내용을 요약해 보자.
그리고 더 중요하거나 핵심적인 정보는 글의 핵심 파악 으로 따로 메모해 두자.('Ⅱ 문제 독해'부터 본격적으로 나올 거야.)

지문 이해

가 적정기술의 개념
- 넓은 의미: 인간의 삶의 질을 향상시킬 수 있는 기술
- 좁은 의미: (　　　　)의 삶의 질을 향상시키는 기술

나 적정기술의 대표적 사례: (　　　　)

다 항아리 냉장고의 원리 – 물이 (　　　　) 할 때 열을 빼앗아 가는 원리 이용

라 항아리 냉장고의 효과

마 적정기술의 (　　　　) 극복 방안

어휘 풀이
- **고안하다:** 연구하여 새로운 안을 생각해 내다.
- **저온조:** 낮은 온도를 유지하도록 만든 통(저장고).
- **직면하다:** 어떠한 일이나 사물을 직접 당하거나 접하다.

지문 구조도

04 '지문 이해'를 바탕으로 하여, 윗글의 중심 내용을 한 문장으로 정리해 보자.

05 가~마의 중심 내용으로 적절하지 않은 것은?

① 가: 적정기술의 개념
② 나: 적정기술이 적용된 사례 - 항아리 냉장고
③ 다: 항아리 냉장고에 적용된 원리
④ 라: 항아리 냉장고의 효과
⑤ 마: 적정기술의 전망

06 윗글 전체의 구조 유형으로 볼 수 있는 것은?

① 대상을 비교/대조하는 유형

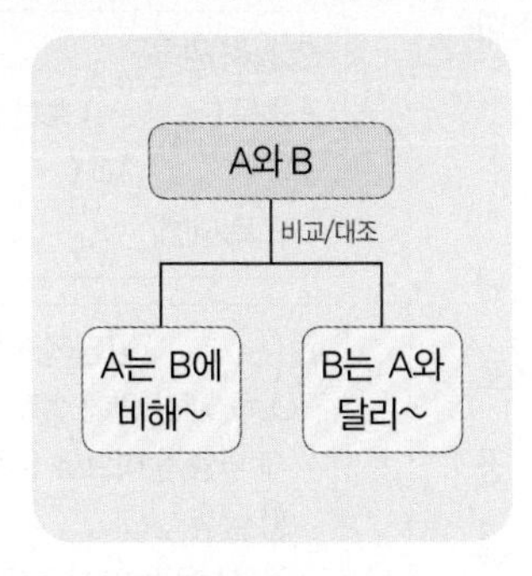

② 개념 · 대상을 설명하는 유형

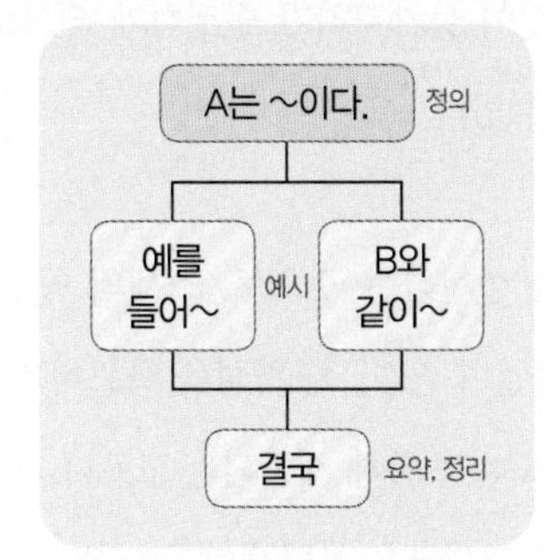

③ 과정이나 순서를 밝히는 유형

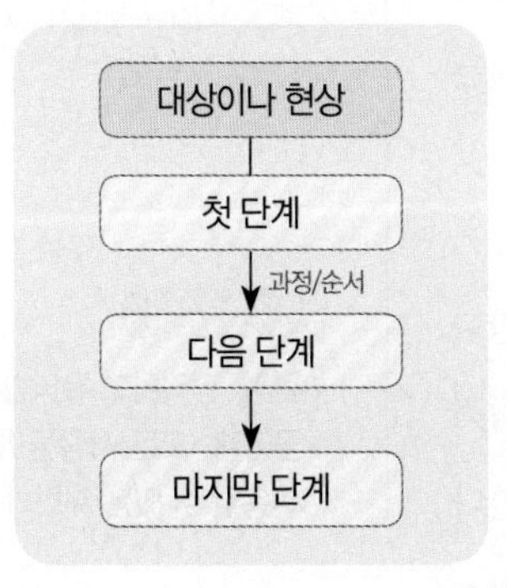

④ '원인-결과', '문제-해결'의 유형

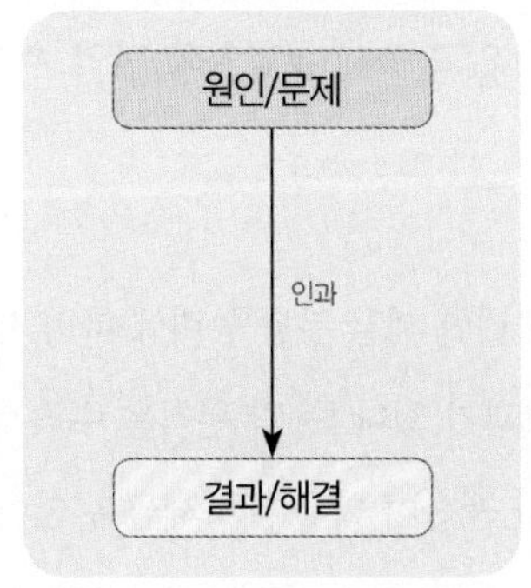

100人 글의 구조 유형에 관한 내용은 52~53쪽의 '알아 두면 쓸데 있는 100인의 지혜'에서 자세히 설명했어.

07 윗글에 대한 설명으로 가장 적절한 것은?

① 구체적인 사례를 통해 대상의 특성을 설명하고 있다.
② 대립하는 견해를 각각의 관점에서 살핀 후 비판하고 있다.
③ 문제에 대한 다양한 해결 방안을 제시한 후 평가하고 있다.
④ 논리적인 근거를 들어 자신의 견해가 타당함을 주장하고 있다.
⑤ 어떤 현상이 일어나는 원리를 단계별로 살핀 후 그 대안을 제시하고 있다.

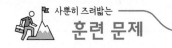

[08~10] **다음 글을 읽고 물음에 답하시오.**

2018학년도 3월 고1 학력평가

1 [1]조세는 국가의 재정을 마련하기 위해 경제 주체인 기업과 국민들로부터 거두어들이는 돈이다.[2]그런데 국가가 조세를 강제로 부과하다 보니 경제 주체의 의욕을 떨어뜨려 경제적 순손실을 초래하거나 조세를 부과하는 방식이 공평하지 못해 불만을 야기하는 문제가 나타난다. [3]따라서 조세를 부과할 때는 조세의 효율성과 공평성을 고려해야 한다.

2 [1]우선 ㉠조세의 효율성에 대해서 알아보자. [2]상품에 소비세를 부과하면 상품의 가격 상승으로 소비자가 상품을 적게 구매하기 때문에 상품을 통해 얻는 소비자의 편익이 줄어들게 되고, 생산자가 상품을 팔아서 얻는 이윤도 줄어들게 된다. [3]소비자와 생산자가 얻는 편익이 줄어드는 것을 경제적 순손실이라고 하는데 조세로 인하여 경제적 순손실이 생기면 경기가 둔화될 수 있다.[4]이처럼 조세를 부과하게 되면 경제적 순손실이 불가피하게 발생하게 되므로, 이를 최소화하도록 조세를 부과해야 조세의 효율성을 높일 수 있다.

3 [1]㉡조세의 공평성은 조세 부과의 형평성을 실현하는 것으로, 조세의 공평성이 확보되면 조세 부과의 형평성이 높아져서 조세 저항을 줄일 수 있다.[2]공평성을 확보하기 위한 기준으로는 편익 원칙과 능력 원칙이 있다. [3]편익 원칙은 조세를 통해 제공되는 도로나 가로등과 같은 공공재를 소비함으로써 얻는 편익이 클수록 더 많은 세금을 부담해야 한다는 원칙이다.[4]이는 공공재를 사용하는 만큼 세금을 내는 것이므로 납세자의 저항이 크지 않지만, 현실적으로 공공재의 사용량을 측정하기가 쉽지 않다는 문제가 있고 조세 부담자와 편익 수혜자가 달라지는 문제도 발생할 수 있다.

4 [1]능력 원칙은 개인의 소득이나 재산 등을 고려한 세금 부담 능력에 따라 세금을 내야 한다는 원칙으로 조세를 통해 소득을 재분배하는 효과가 있다.[2]능력 원칙은 수직적 공평과 수평적 공평으로 나뉜다.[3]수직적 공평은 소득이 높거나 재산이 많을수록 세금을 많이 부담해야 한다는 원칙이다.[4] 이를 실현하기 위해 특정 세금을 내야 하는 모든 납세자에게 같은 세율을 적용하는 비례세나 소득 수준이 올라감에 따라 점점 높은 세율을 적용하는 누진세를 시행하기도 한다.

5 [1]수평적 공평은 소득이나 재산이 같을 경우 세금도 같게 부담해야 한다는 원칙이다. [2]그런데 수치상의 소득이나 재산이 동일하더라도 실질적인 조세 부담 능력이 달라, 내야 하는 세금에 차이가 생길 수 있다.[3]예를 들어 소득이 동일하더라도 부양가족의 수가 다르면 실질적인 조세 부담 능력에 차이가 생긴다.[4]이와 같은 문제를 해결하여 공평성을 높이기 위해 정부에서는 공제 제도를 통해 조세 부담 능력이 적은 사람의 세금을 감면해 주기도 한다.

지문 이해

1 조세를 부과할 때 고려해야 할 기준
- (   )과 (   )

2 조세의 효율성
- (   )이 최소화되도록 조세를 부과해야 조세의 효율성이 높아짐.

3 조세의 공평성
- 조세 부과의 형평성 실현으로 조세 (   )이 줄어듦.
- 공평성 확보 기준: (   )과 (   )

4 능력 원칙
- 소득 (   ) 효과 있음.
- (   )과 (   )으로 나뉨.

5 (   ) 공평의 보완책
- 소득, 재산 외에 실질적인 조세 부담 능력으로 인한 불공평 발생
- 공평성을 높이기 위해 (   ) 제도 실시

어휘풀이
- **편익:** 편리하고 유익함.
- **공공재:** 모든 사람들이 공동으로 이용할 수 있는 재화나 서비스.

지문 구조도

08 문단 2, 3의 문장들을 다음과 같이 분석해 보자.

2의 문장 요약	문장의 의미 관계
1 조세의 □□□에 대해 알아보자.	… 화제 제시
2 상품에 소비세를 부과하면 → 소비자와 생산자의 □□이 줄어듦.	… 1의 예시, 상황 가정
3 2의 현상(경제적 순손실)이 생기면 → 경기 □□	… 2의 결과
4 조세를 부과하면 경제적 순손실이 불가피하게 발생하므로, 이를 □□□하도록 부과해야 조세의 효율성이 높아짐.	… 1, 2, 3의 □□

3의 문장 요약	문장의 의미 관계
1 조세의 □□□은 조세 부과의 형평성 실현, 조세 저항을 줄일 수 있음.	… 화제의 의의, 효과
2 공평성 확보 기준: □□ 원칙과 □□ 원칙	… 1의 내용 구체화(분류)
3 편익 원칙은 공공재를 소비하여 얻는 편익이 클수록 더 많은 □□을 부담해야 한다는 원칙이다.	… 2의 내용 상세화(□□)
4 이는 공공재 사용량을 □□하기가 쉽지 않다는 문제가 있고, 조세 부담자와 편익 수혜자가 □□□□ 문제도 발생할 수 있다.	… 3의 내용 첨가, 3의 한계

09 ㉠과 ㉡에 대한 설명으로 적절하지 않은 것은?

① ㉠은 조세가 경기에 미치는 영향과 관련되어 있다.
② ㉡은 납세자의 조세 저항을 완화하는 데 도움이 된다.
③ ㉠은 ㉡과 달리 소득 재분배를 목적으로 한다.
④ ㉡은 ㉠과 달리 조세 부과의 형평성을 실현하는 것이다.
⑤ ㉠과 ㉡은 모두 조세를 부과할 때 고려해야 하는 요건이다.

10 윗글의 구조를 파악한 것으로 가장 적절한 것은?

① 상반된 두 입장을 비교, 분석한 후 이를 절충하고 있다.
② 대상을 기준에 따라 구분한 뒤 그 특성을 설명하고 있다.
③ 대상의 개념을 그와 유사한 대상에 빗대어 소개하고 있다.
④ 통념을 반박하며 대상이 가진 속성을 새롭게 조명하고 있다.
⑤ 시간의 흐름에 따라 대상이 발달하는 과정을 서술하고 있다.

화제 특성에 따른 지문 분석법

비문학 지문에서 다루는 화제는 그 특성에 따라 몇 가지 유형으로 정리할 수 있어. 지금부터 비문학 지문에 나오는 화제의 특성과, 화제에 따라 달라지는 효과적인 지문 분석 방법을 알려 줄게.

비문학 지문에서 다루는 화제는 다음에 소개하는 세 가지 유형으로 나눌 수 있어. 그동안 출제된 비문학 지문들을 살펴보면 구체적인 내용의 소재나 대상만 달라질 뿐, 글의 화제는 결국 이 세 가지 유형에서 벗어나지 않는다는 것을 확인할 수 있을 거야.

지문에 따라 세 가지 유형이 적절하게 섞여서 구성되는 경우도 있으니 주의해. 이때 지문 자체가 잘 이해가지 않는다면 지문 분석 노트를 활용하는 것도 좋은 방법이야. 지문 분석 노트는 일종의 지문 요약 노트라고 생각하면 돼.(내용을 요약하는 방법은 '03 문단 읽기'와 '04 글 읽기'의 독해 원리를 참고하렴.)

각 유형에 해당하는 글을 어떻게 읽어야 효과적인지 살펴보자.

1. 개념이나 정보를 전달하는 글 분석법 → 인문/사회/과학 · 기술/예술 등 전 영역에 고루 출제됨!

어떤 특정 대상이나 현상, 개념 등을 소개하고 이를 설명하는 글이다. 대체로 낯선 대상이나 개념을 소개하기 때문에 독해에 어려움을 느끼기 쉽다. 이러한 글은 제시된 개념·대상을 중심으로 정보들을 요약하며 읽어야 하는데, 어려운 개념을 쉽게 설명하기 위해 예시나 비유를 덧붙이는 경우가 많으므로 이것을 활용하면 내용 파악에 도움이 된다.

예문 (2017학년도 3월 고1 학력평가)

[1]과학에서 관심을 갖는 대상을 '계(system)'라고 하고, 계를 제외한 우주의 나머지 부분은 '주위(surroundings)', 계와 주위 사이는 '경계(boundary)'라고 한다. [2]계는 주위와 에너지나 물질의 교환이 모두 일어나지 않는 '고립계', 주위와 물질 교환 없이 에너지 교환만 일어나는 '닫힌계', 주위와 물질 및 에너지 교환이 모두 일어나는 '열린계'로 나눌 수 있다. ·

➲ '계'라는 개념을 소개하고 있으므로, 중심 화제인 '계'를 중심으로 정보를 요약하고 정리하며 읽어야 함.

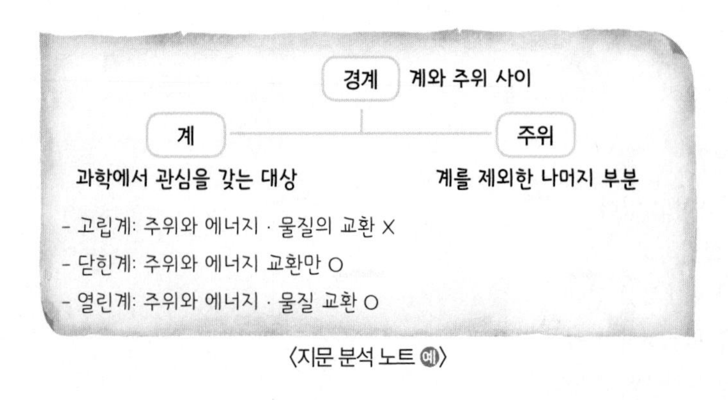

〈지문 분석 노트 예〉

문단의 중심 화제가 '계'임을 파악했으니, '계'를 중심으로 정보를 정리하는 것이 좋아. 지문에 제시되는 여러 가지 정보들의 중심이 '계'가 되는 거거든.

2. 원리나 방법을 설명하는 글 분석법 → 주로 과학 · 기술 영역에 출제됨!

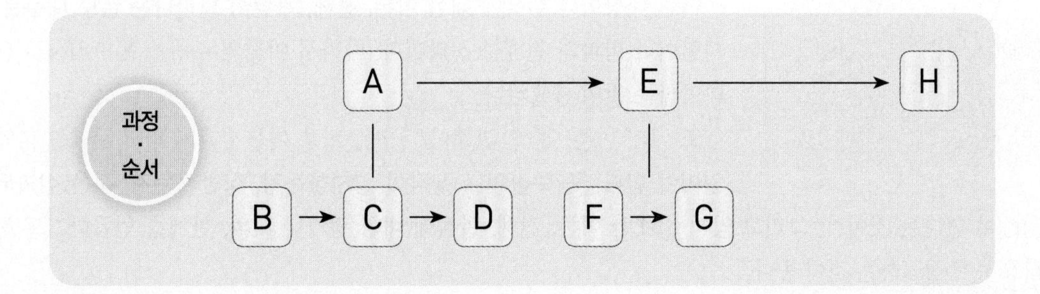

어떤 현상이 일어나는 과정을 순차적으로 설명하거나, 원리를 살핀 후 이것이 적용되는 과정·방법을 살피는 글이다. 이러한 글은 원리나 방법이 이루어지는 과정·순서 파악이 중요하므로 그림이나 도식을 통해 내용을 시각적으로 요약하면 효과적이다. 이때, 지문이나 〈보기〉에 제시되는 그림을 적극 활용하도록 한다. 또한 구성 요소별로 설명이 이루어지기도 하므로 '분석'의 표지를 확인하여 요소 특징을 정리하는 것이 좋다.

예문 (2014학년도 6월 고1 학력평가)

[1]M램은 두 장의 자성 물질 사이에 얇은 절연막을 끼워 넣어 접합한 구조로 되어 있다. [2]절연막은 일반적으로 전류의 흐름을 막는 것이지만 M램에서는 절연막이 매우 얇아 전류가 통과할 수 있다. [3]그리고 자성 물질은 자석처럼 일정한 자기장 방향을 가지는데, 아래 위 자성 물질의 자기장 방향에 따라 저항이 달라진다. [4]자기장 방향이 반대일 경우 저항이 커져 전류가 약해지지만 자기장 방향이 같을 경우 저항이 약해져 상대적으로 강한 전류가 흐르게 된다. [5]M램은 이 전류의 강도 차이를 감지해 전류가 상대적으로 약할 때 0, 강할 때 1로 읽게 된다. [6]자성 물질은, 강한 전기 자극을 가하면 자기장 방향이 바뀌는데 이를 이용해 한쪽 자성 물질의 자기장 방향만 바꿈으로써 쓰기 작업도 할 수 있다.

➲ 'M램'이 읽기 작업과 쓰기 작업을 하는 원리를 설명하는 글이므로, 'M램이 읽기 작업과 쓰기 작업을 하는 과정'을 파악하는 것이 중요함.

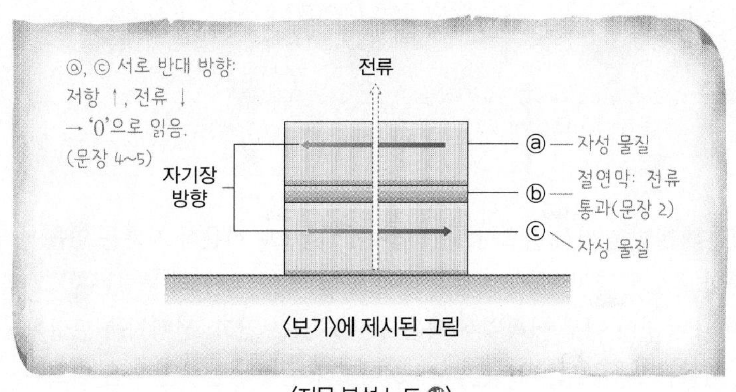

〈지문 분석 노트 예〉

〈보기〉에 그림이 제시되었으니 이 그림을 활용해서 정보를 정리하는 것이 좋아. 따로 그릴 필요가 없으니 훨씬 편하고, 지문 내용을 이해하는 데도 도움이 되지. 만약 복잡하고 긴 과정이 제시된 지문이라면 과정마다 번호를 붙여서 정리하고, 비례나 반비례 관계가 나타난다면 화살표로 정리해 두는 것이 좋겠지?(예 '저항 ↑ 전류 ↓', '저항 ↓ 전류 ↑')

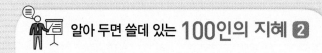

3. 이론이나 견해, 관점이 드러나는 글 분석법 → 주로 인문/사회 영역에 출제됨!

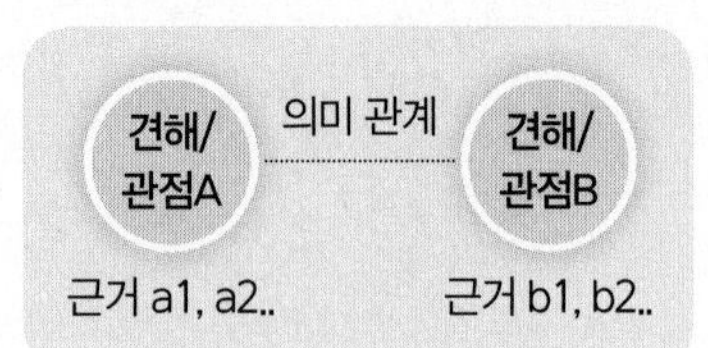

어떤 대상이나 현상에 대한 이론, 견해, 관점이 드러나는 글로 대부분 특정 사람이나 학파의 견해를 전달한다. 따라서 이들의 주장을 뒷받침하는 근거를 파악하는 것이 중요하다.

또 여러 이론, 견해, 관점이 나오는 경우 이들끼리의 의미 관계를 파악하며 읽어야 한다. 즉 주장이나 생각이 일치하는지, 상반되는지, 혹은 심화되는지를 파악해야 한다는 것이다. 그리고 앞서 소개한 이론, 견해, 관점에 대한 평가나 의의, 한계를 언급하기도 하므로 표를 활용하여 정리하는 것이 좋다.

예문 (2016학년도 9월 고2 학력평가)

1 [1]칸트는 인간이란 이성을 바탕으로 자신이 지켜야 할 도덕 법칙을 인식하고 이를 실천할 수 있는 '실천 능력'을 가진 존재라고 생각하였다. [2]그리고 이러한 도덕적 인간성을 '인격(人格)'이라 불렀고, 이는 인간이라면 누구나 동일하게 가지고 있는 보편적인 것이라 보았다.

2 [1]셸러는 칸트의 이러한 견해가 인간의 감정은 배제하고 이성만을 강조하였으며, 인간의 개별성을 간과하고 인간을 몰개성적인 존재로 보았다는 점을 비판하면서 새로운 인격 개념을 제시하였다. [2]셸러는 인간의 감정을 강조하면서 인격은 인간으로 하여금 어떠한 가치를 지향하게 하는 감정작용의 통일체라고 주장했다.

➲ '인격'에 대한 칸트와 셸러의 서로 다른 견해를 소개하고 있으므로, 각 인물의 주장-근거와, 그들의 견해가 서로 어떤 관계를 가지는지를 살펴야 함.

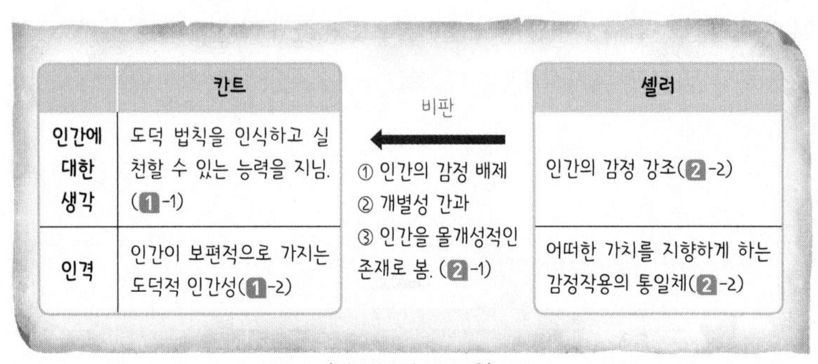

	칸트		셸러
인간에 대한 생각	도덕 법칙을 인식하고 실천할 수 있는 능력을 지님. (1-1)	비판 ← ① 인간의 감정 배제 ② 개별성 간과 ③ 인간을 몰개성적인 존재로 봄. (2-1)	인간의 감정 강조(2-2)
인격	인간이 보편적으로 가지는 도덕적 인간성(1-2)		어떠한 가치를 지향하게 하는 감정작용의 통일체(2-2)

〈지문 분석 노트 예〉

두 가지 이상의 견해('칸트', '셸러'의 견해)가 나왔으니, 표를 사용해서 두 사람의 생각이 어떻게 다른지 비교하기 좋게 정리하면 돼. 이렇게 하면 모호하고 복잡했던 부분도 명확하게 구분할 수 있을 거야.

어때? 화제에 맞는 적절한 방법을 써서 읽으니 훨씬 쉽지?^^ 앞으로 비문학 지문을 읽을 때 활용해 봐.

마지막으로 하나 덧붙이고 싶은 말이 있어! 비문학 공부를 할 때는 '내가 왜 틀렸는지' 그 과정을 짚어 보는 것이 매우 중요하단다. 지문이나 문항이 너무 어려워서 찍은 경우도 있을 거고, 선택지를 판단할 근거를 적절하게 찾지 못한 경우도 있을 거야. 찍어서 맞히거나, 지문을 제대로 이해하지 못해 틀린 문항은 반드시 시간을 들여서 선택지의 근거를 지문에서 찾아보도록 하자!

선택지의 근거를 찾을 때에도 위에서 언급한 세 가지 방법을 활용하면 좋아. 실전에서 어떤 지문을 만나도 당황하지 않을 수 있도록, 연습 단계에서 확실하게 준비해 두자.
자, 이제 시험에는 어떤 문항들이 나오는지 살펴볼 차례야. 그럼 'Ⅱ 문제 독해' 단원에서 만나자!

II
문제 독해

문제 독해가 필요한 이유

비문학 시험은 주어진 지문에 대한 답을 자유롭게 적는 시험이 아니다. '문제'라는 틀을 통해 지문을 바라보고, 답을 찾아야 하는 시험이다. 따라서 지문을 독해하는 것처럼 문제를 독해하는 공부가 필요하다. 지문을 잘 읽었더라도 이러한 '문제'의 틀을 정확하게 이해해야 정답으로 가는 길을 안내받을 수 있기 때문이다. 즉 답만 찾는 문제 풀이가 아닌, 답을 찾기 위한 문제의 틀을 파악하는 문제 독해를 공부해야 한다.

출제자의 의도를 읽자!

문제 독해는 문제를 구성하는 발문·보기·선택지의 논리를 꼼꼼하게 분석하는 것이다. 이 공부가 중요한 이유는 발문·보기·선택지의 구성을 살펴봄으로써 출제자의 치밀한 사고과정을 엿볼 수 있기 때문이다.

(2020학년도 6월 모의평가)

윗글과 〈보기〉에 대한 이해로 적절하지 않은 것은? — **발문**: 출제 의도 파악

보기
현실에서 통화 정책 효과는 경기에 대해 비대칭적인 것으로 알려져 있다. 통화 정책은 경기 과열을 억제하는 데는 효과적이지만 경기 침체를 벗어나는 데는 효과가…

〈보기〉: 지문–〈보기〉의 관계 파악 ⇨ 문제 풀이에 〈보기〉를 활용하는 방법을 익히기

① '끈 밀어올리기'를 통해 경기 침체기에 자산 가격 버블… — **선택지**: 지문, 〈보기〉에서 변형된 진술 ⇨ 진술의 적절성 파악하기

발문에 제시된 조건이나 용어를 분석하면, 지문에서 주로 어떤 부분을 읽어야 하는지 어떤 사고과정을 거쳐서 문제를 풀어야 하는지 가늠할 수 있다. 〈보기〉에서 제시된 정보의 성격 및 〈보기〉와 지문 사이의 관계를 파악하는 과정을 통해 문제 풀이에 〈보기〉를 활용하는 방법을 터득할 수 있다.

선택지는 답을 고를 때 최종적으로 살펴보는 가장 중요한 요소이다. 선택지는 지문, 〈보기〉의 진술을 변형하여 만들어지며 때로는 추리나 판단의 내용이 더해지기도 한다. 문제를 독해할 때에는 이 선택지가 지문이나 〈보기〉의 어떤 진술에서 변형된 것인지, 얼마나 유사하거나 다른지 하나하나 따져 보아야 한다.

수능은 오랫동안 출제되면서 몇 가지 문제 유형과 그에 따른 풀이 방법이 어느 정도 정해진 시험이다. 지금부터 기출 문제를 유형별로 살펴보면서 정답과 오답을 가려내는 방법을 함께 공부해 보자.

PART Ⅱ

05 내용을 파악하는 문제

모든 비문학 문제는 사실적 이해를 묻는 문제다?

비문학 독해의 기본은 글의 내용을 사실적으로 이해하고, 이를 바탕으로 하여 중심 내용을 파악하는 것이다. 그래서 비문학 지문 다음에는 일치하는 내용을 찾거나, 주제·논지·제목 등 중심 내용을 파악하는 문제가 매번 등장한다. 이 유형의 문제를 풀지 못한다면, 글의 내용을 제대로 이해하지 못한 것이므로 이어지는 문제들도 풀지 못할 확률이 높다. 〈보기〉를 활용하여 추론적·비판적 이해를 묻는 문제도 우선은 지문, 〈보기〉, 선택지의 내용을 사실적으로 이해해야 한다. 그래서 비문학 영역의 모든 문제는 결국 '사실적 이해'를 바탕으로 하여 푸는 문제라고 할 수도 있다. 따라서 다른 유형의 문제를 풀기 위해서도 이 유형은 철저하게 이해하고 익혀 두어야 한다.

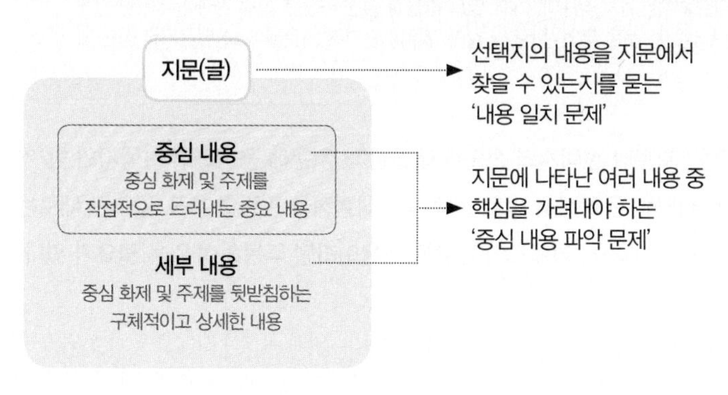

[유형 1] 내용 일치 문제

A	B
• 윗글의 내용과 일치하지 않는 것은? • 윗글을 읽고 알 수 있는 내용이 아닌 것은? • 윗글을 읽고 해결할 수 있는 질문으로 적절하지 않은 것은? • 윗글에서 언급한 내용으로 적절하지 않은 것은? ➲ 글에 언급된 내용을 어구 형태로 바꾸어 선택지를 제시함. 예 엑스레이 아트의 개념, 전략적 공약의 목적	• 윗글의 ○○에 대한 설명으로 적절한 것은? 예 윗글에 나타난 서양의 우주론에 대한 설명으로 가장 적절한 것은? • 윗글의 ㉠에 대한 이해로 가장 적절한 것은? • 윗글을 이해한 내용으로 적절한 것은? ➲ 중심 화제를 주어로 하여 그것의 특징이나 기능을 설명하는 선택지를 제시함.

A와 B는 모두 글의 내용을 서술한 선택지의 진술이 맞는지 틀린지를 파악하는 '내용 일치 문제'이다. A는 지문 전체에 퍼져 있는 내용을, B는 지문 속 특정 정보(주로 중심 화제)를 콕 집어서 물었다는 차이만 있을 뿐, 지문과 선택지의 진술이 얼마나 일치하는지를 비교한다는 점에서 '틀린 그림 찾기'를 하는 것과 비슷하다.

A를 풀 때에는 지문에서 선택지의 근거가 되는 세부 내용을 빠르고 정확하게 찾아야 한다. B를 풀 때에는 지문에서 특정 정보가 나타난 부분의 내용들을 근거로 삼아 애매한 선택지들의 '일치/불일치'를 세심하게 파악해야 한다.

내용 일치 문제는 어떻게 풀까?

Step 1 내용과 '일치하는 것'을 찾는 문제인지, '일치하지 않는 것'을 찾는 문제인지 확인한다.

> 100人 일치하는 내용을 찾는 문제에서는 지문에서 언급된 내용인 것 같은 '매력적인 오답'이 더 많이 섞여 있지. 그래서 조금 더 어렵게 느껴질 수 있어!

Step 2 선택지나 발문에서 언급한 '키워드(대상, 소재, 화제)'를 찾는다. 지문에서도 이 키워드가 포함된 문장, 문단을 찾아야 하기 때문에 키워드는 일종의 '검색어'의 역할을 한다.

예시

선택지	명목 환율과 실질 환율은 국제 거래에서 의사 결정을 조절하는 역할을 한다.
키워드	'명목 환율', '실질 환율', '역할'
찾을 내용	'명목 환율과 실질 환율의 역할'이 나타난 부분을 지문에서 찾는다. 이때 '명목 환율과 실질 환율은 국제 거래에서 어떤 역할을 할까?' 또는 '국제 거래에서 의사 결정을 조절하는 것은 무엇일까?'와 같이 질문을 던지며 지문을 읽으면 근거를 찾는 데 도움이 된다.

Step 3 '키워드'가 언급된 부분을 지문에서 찾은 다음, 지문과 선택지의 진술을 대조한다. 지문에 근거하여 선택지의 참/거짓, 일치/불일치를 판단하면 된다. 키워드가 나타난 문장에서 바로 선택지의 적절성을 판단할 수도 있지만 때로는 그 근거를 여러 문장에 걸쳐 찾아야 할 수도 있다. 따라서 키워드와 관련된 내용이라면 주목하여 읽을 필요가 있다.

> 100人 지문을 읽기 전에 선택지를 먼저 훑어보면 어떤 정보에 주목하고 어떤 화제를 찾으면서 글을 읽어야 하는지 미리 알 수 있어. 지문을 읽는 중에 미리 살펴본 키워드가 발견되면, 해당 문제로 잠깐 가서 그 선택지의 일치 여부를 확인하고, 다시 지문 읽기로 돌아가는 거지. 이렇게 하면 문제 풀이 시간을 줄일 수 있어.

천릿길도 한 걸음부터 – 꾸준한 연습이 필요해

이 유형은 정보를 찾아 비교하면 쉽게 풀 수 있다는 오해를 받는다. 그렇지만 찾아야 할 정보가 많거나 복잡하게 섞인 경우, 선택지가 지문에서 크게 변형된 경우에는 수험생들의 발목을 잡는 문제로 둔갑한다.

따라서 이 유형의 문제를 꾸준히 풀어 보아야 한다. 단, 답만 찾고 넘어가지 말고 선택지의 내용을 지문의 어느 부분에서 확인할 수 있는지 표시하는 연습을 꾸준히 해야 한다. 그러다 보면 하나의 선택지를 판단하는 근거가 지문의 여러 부분에 걸쳐서 나타나기도 하며, 지문의 진술을 그대로 옮긴 선택지보다 지문의 표현을 교묘하게 바꾼 선택지가 훨씬 많다는 것도 알 수 있다. 이때 지문의 표현이 선택지에서는 어떻게 바뀌었는지를 파악하는 게 중요하다. 같은 듯 다른, 또는 다른 듯 같은 말의 미세한 차이를 구별하는 것이 결국 비문학 문제 풀이의 핵심이기 때문이다.

[유형 2] 중심 내용 파악 문제 – 화제, 논지, 제목 등

지문 내용과의 일치·불일치를 파악하는 것만큼, 글쓴이가 지문을 통해 독자에게 궁극적으로 전달하고 싶은 내용이 무엇인지 파악하는 것도 중요하다. 이것이 바로 'I 지문 독해'에서 배운 '중심 내용'인데, 다음의 A~C는 모두 중심 내용을 묻는 발문이라는 공통점이 있다.

A	B	C
• 윗글의 중심 화제로 가장 적절한 것은? • (가)~(마)의 중심 내용으로 적절하지 않은 것은?	• 윗글의 취지로 가장 적절한 것은? • 윗글의 글쓴이가 독자에게 전달하고자 하는 핵심 논지로 알맞은 것은? • 윗글을 통해 이끌어 낸 내용으로 가장 적절한 것은?	• 윗글의 제목으로 가장 적절한 것은? • 윗글의 표제와 부제로 가장 적절한 것은?

A는 문단이나 글이 '무엇(화제)'에 대한 '어떤' 내용을 중점적으로 다루는지를 묻는 문제이다. 보통 글이나 문단의 내용을 요약한 어구가 답이 되며, 발문에서는 이를 '중심(핵심) 화제, 중심(핵심) 내용'이라고 표현한다.

B는 글의 취지와 논지를 묻는 문제이다. 보통 중심 화제와 글을 쓴 구체적인 목적(고찰, 대책, 분석, 제안, 비판, 옹호, 반박 등)이 드러난 명시적인 문장이 답이 된다.

C는 글의 제목을 묻는 문제이다. '제목'은 글의 중심 내용을 반영해야 하므로, 중심 화제 및 글의 취지나 논지를 가장 압축적으로 잘 표현한 것이 답이 된다.

중심 내용 파악 문제는 어떻게 풀까?

매우 간단하다. 문단, 글 수준에서 지문을 잘 읽는 것! 이것이 전부다.

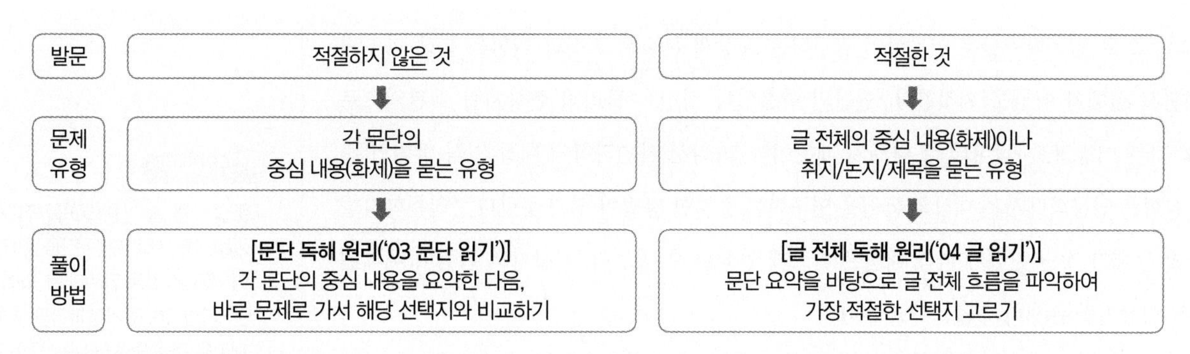

이렇게 쉽게 말했지만, 사실 이 유형은 문단 및 글 독해를 해야 하므로 수준 높은 읽기가 필요하다. 이 유형에 대비하려면 'I 지문 독해'에서 배웠던 독해 연습(예 문단 요약하기, 글 구조도 그리기 등)을 꾸준히 해야 한다. 그러나 어쩌랴? 지루하고 고될지라도, 이러한 독해 연습이 바로 '국어 좀 한다'는 사람들이 공통적으로 추천하는 비문학 풀이의 '해법'인 것을! 앞으로는 이 유형의 문제가 실리지 않았더라도, 지문을 읽으면서 중심 내용을 스스로 찾는 습관을 키워야 한다.

다음 글을 읽고, 사실적 이해를 묻는 문제를 풀어 보자.

지문 1 (2015학년도 6월 고2 학력평가)

1 [1]생물학자인 윌슨은 21세기 과학 기술의 시대에 인류가 당면한 여러 문제들은 복합적인 성격을 띠고 있어서 어느 한 가지 학문만으로는 그것을 해결할 수 없다고 보았다. [2]이에 그는 다양한 학문 간 '통섭(統攝)'을 대안으로 제시하였다. [3]그가 말한 통섭이란 (물리학, 화학, 생물학 등) 자연과학과 (철학, 심리학 등 인간을 연구 대상으로 삼는) 인문학을 통합하여 하나의 지식 체계를 형성하는 것을 의미한다.

통섭의 정의

2 [1]인문학과 자연과학이 어떻게 만날 수 있을까? [2]윌슨의 통섭을 지탱해 주는 것은 바로 ㉠ 환원주의이다. [3]이는 복잡한 대상을 구성하는 근본적 요소를 밝히려는 노력으로, 윌슨은 모든 존재의 근본적 요소는 관찰과 실험을 통한 자연과학적 법칙으로 설명이 가능하다고 주장한다. [4]그에 의하면 인간 역시 자연과학으로 환원이 가능하기 때문에 인문학은 자연과학으로 완벽히 포섭될 수 있다. [5](예를 들어 물체의 운동을 물체와 땅 사이의 마찰력으로 설명하는 것과 같이 인간의 고유한 특성인 사랑이나 사회조직의 작동을 호르몬이나 유전자와 같은 자연과학적 법칙에 의한 결과로 설명할 수 있다는 것이다.)

환원주의의 도입 목적 / 환원주에 바탕을 둔 윌슨의 관점 – 통섭

3 [1]이러한 윌슨의 주장은 많은 학자들의 관심을 끌었지만 동시에 인문학자들로부터 비판을 받기도 하였다. [2]인문학자들은 인문학의 대상과 자연과학의 대상은 동일하게 취급할 수 없음을 지적하며 통섭이 불가능함을 설명한다. [3]인간은 자연물과 달리 자연과학적 법칙의 지배를 받기만 하는 존재가 아니라 동시에 어떤 의도와 목적을 가지고 선택하며 살아가는 존재이기 때문이다. [4](예를 들어 물체의 낙하는 중력이라는 자연과학적 법칙으로 충분한 설명이 가능하지만, 번지 점프와 같은 인간의 낙하는 중력보다는 신체 단련이나 즐거움 등 개인의 특별한 목적이 더 중요한 원인으로 작용한다는 것이다.)

인문학자들의 비판 ①

4 [1]다음으로 인문학자들은 인문학이 탐구하는 대상의 본질은 관찰과 실험을 통해 파악되는 객관적 실체가 아님을 지적한다. [2]인간의 마음이나 정신은 물리적 현상처럼 객관적으로 관찰하기가 어렵고, 사람마다 다 다르기 때문이다. [3]따라서 자연과학의 대상 인식 방법인 관찰과 실험은 인문학에서는 대상의 본질을 연구하는 충분한 방법이 되지 못한다. [4]인문학자들은 관찰 주체가 지닌 관점에 따라 대상은 다르게 인식될 수 있으며, 관찰자의 관점이 배제된 객관적 대상이란 존재하지 않는다고 본다.

인문학자들의 비판 ②

5 [1]이처럼 자연과학과 명백한 경계선을 갖는 인문학적 관점이 윌슨의 생각처럼 자연과학으로 완전히 포섭되기란 어렵다는 것이 인문학자들의 주장이다. [2]현실의 문제 해결을 위해 인문학적 지식과 자연과학적 지식이 소통하여야 한다는 윌슨의 지적에는 동의하지만 그 소통의 방법이 통일된 지식 체계를 세우는 것이라면 이는 불가능한 꿈에 지나지 않는다는 것이다. [3]이들은 학문 간의 균형 잡힌 시각이 필요함을 강조하면서 인문학의 고유한 정체성은 더욱 중시되어야 한다고 주장한다.

지문 이해

1 (　　)이 통섭을 제기한 배경과 통섭의 개념
- 통섭: (　　　)+(　　　)
→ 하나의 지식 체계 형성

2 (　　) 이 말한 (　　　)
- 인문학은 (　　　)에 완벽히 포섭 가능함.

3 (　　　)들의 비판 ①
- (　　　)과 (　　　)의 대상은 동일하지 않음.

4 (　　　)들의 비판 ②
- 인문학의 탐구 대상은 (　　　) 이지 않음.

5 (　　　)들의 주장
- (　　　)의 고유한 정체성 중시

어휘 풀이

- **통섭**: '큰 줄기[통(統)]를 잡다[섭(攝)]', 즉 '서로 다른 것을 한데 묶어 새로운 것을 잡는다'는 의미. 인문·사회과학과 자연과학을 통합해 새로운 것을 만들어 내는 범학문적 연구 방법을 가리킴.
- **환원**: '본디의 상태[원(元)]로 되돌아감[환(環)]'을 의미. 수학, 과학, 철학 등에서 복잡하고 추상적인 사상이나 개념을 단일하고 더 기본적인 요소로 설명하려는 입장을 가리킴.
- **포섭**: 상대를 자기편으로 끌어들임 또는 어떤 개념이 보다 일반적인 개념으로 종속됨.

예제 1

윗글을 이해한 내용으로 적절하지 않은 것은?

① 윌슨은 현상의 원인을 일관된 관점으로 설명하고자 하였다.
② 윌슨은 학문 간 통섭을 통해 현실의 문제를 해결하고자 하였다.
③ 인문학자들은 인문학의 정체성이 더욱 중시되어야 한다고 주장한다.
④ 인문학자들은 물체의 낙하와 인간의 낙하를 동일하게 설명하고자 한다.
⑤ 인문학자들은 인문학과 자연과학의 통섭은 실현이 불가능하다고 전망한다.

글에 대한 전체적인 '이해'를 묻는 이 발문은 선택지의 내용이 지문과 일치하느냐 아니냐를 파악하는 내용 일치 문제에 해당한다. 지문 속 특정한 정보를 '콕 짚어서' 묻지 않았기 때문에 전체 지문에서 선택지의 근거가 되는 내용을 빠르고 정확하게 찾는 것이 중요하다.

이때 선택지의 내용이 지문에서 직접적·구체적으로 언급되지 않고, 지문 속 여러 문장을 근거로 삼아 변형될 수 있기 때문에 선택지와 지문이 일치하는지를 신중하게 비교하여야 한다.

그럼 '독해 원리'에서 말한 다음의 순서를 적용해서 답을 찾아보자.

Step 1 선택지에서 검색어가 될 만한 키워드를 찾는다.

Step 2 키워드를 바탕으로 하여 지문에서 근거가 되는 내용을 찾는다.

➔ ①~②의 공통 키워드는 '윌슨'
⇨ 윌슨의 입장이 제시된 1~2가 주된 근거
③~⑤의 공통 키워드는 '인문학자들'
⇨ 인문학자들의 입장이 제시된 3~5가 주된 근거!

Step 3 선택지와 지문의 진술을 비교해서 일치 여부를 파악한다.

➔ 이를 바탕으로 하여 각각의 선택지에서 찾은 키워드(밑줄)와 지문의 근거를 비교하면 다음과 같다.

① 윌슨은 현상의 원인을(㉠) 일관된 관점으로(㉡) 설명하고자 하였다.
➲ [찾을 내용] 윌슨이 현상을 어떻게 바라보았나?

2 [3]… 윌슨은 모든 존재의 근본적 요소는(㉠) … 자연과학적 법칙으로(㉡) 설명이 가능하다고 주장한다. [5]예를 들어 물체의 운동을 … 마찰력으로(㉡의 예) 설명하는 것과 같이 인간의 고유한 특성 … 자연과학적 법칙에 의한 결과로(㉠+㉡) 설명할 수 있다는 것이다.

①은 지문의 어휘나 표현을 유사하게 바꾼 내용 일치 선택지(오답)이다. '존재의 근본적 요소'(대상이 발생한 근원)를 '현상의 원인'으로, 물체뿐 아니라 인간에게도 적용한 '자연과학적 법칙'을 '일관된 관점'으로 바꾸어 내용 일치 선택지를 구성하였다.

일치하는 내용 찾기

선택지의 키워드에 밑줄, 네모와 같은 표시를 하고 지문을 읽으면, 판단 근거를 좀 더 쉽게 찾을 수 있겠지?

문단별로 중심 화제와 중심 내용을 정리하면, 글의 흐름을 기억할 수 있게 되어 지문의 정보를 좀 더 쉽게 찾을 수 있고 내용 일치 여부도 빠르게 파악할 수 있어.

바로 콕 문제

1 윗글을 읽고 해결할 수 있는 질문으로 적절하지 않은 것은?

① 윌슨이 통섭을 제시한 이유는?
② 윌슨이 제시한 통섭의 특징은?
③ 자연과 인간에 대한 윌슨의 관점은?
④ 인문학자들의 관점에 대한 윌슨의 비판은?
⑤ 윌슨과 인문학자들의 견해가 지닌 공통점은?

콕 정답과 해설 17쪽

② 윌슨은 학문 간 통섭을 통해 현실의 문제를 해결하고자 하였다.

➲ [찾을 내용] 윌슨이 통섭을 제기한 목적은? 통섭은 현실 문제를 해결할 수 있나?

1 [1]… 윌슨은 … 인류가 당면한 여러 문제들은 … 한 가지 학문만으로는 그것을 해결할 수 없다 … [2]이에 그는 다양한 학문 간 통섭을 대안으로 제시하였다. → 통섭을 통해 해결하고자 하였다

= 윌슨

②번도 지문의 어휘나 표현을 유사하게 바꾼 내용 일치 선택지(오답)이다. '인류가 당면한 여러 문제들'을 '현실의 문제'로 바꾸고, 두 문장의 내용을 요약하였다.

③ 인문학자들은 인문학의 정체성이 더욱 중시되어야 한다고 주장한다.

➲ [찾을 내용] 인문학자들은 인문학의 정체성을 어떻게 생각하는가?

5 [3]이들은 … 인문학의 고유한 정체성은 더욱 중시되어야 한다고 주장한다.

= 인문학자들

③은 지문의 내용을 그대로 옮긴 내용 일치 선택지(오답)이다. ①, ②에 비해 쉽게 내용 일치의 여부를 판단할 수 있다.

④ 인문학자들은 물체의 낙하와 인간의 낙하를 동일하게 설명하고자 한다.

➲ [찾을 내용] 인문학자들은 물체와 인간의 낙하를 어떻게 바라보았는가?

3 [4]… 물체의 낙하는 중력이라는 자연과학적 법칙으로 충분한 설명이 가능하지만, … 인간의 낙하는 … 신체 단련이나 즐거움 등 개인의 특별한 목적이 더 중요한 원인으로 작용한다는 것이다.

④는 지문의 내용과 반대로 진술한 내용 불일치 선택지(정답)이다. 지문에서는 인문학자들이, '물체의 낙하'는 그 원인을 '자연과학적 법칙'으로 설명이 가능하다고 보지만 '인간의 낙하'는 '개인의 특별한 목적이 더 중요한 원인'으로 작용하기 때문에 '물체의 낙하'와 다르게 본다고 하였다. 그러나 선택지에서는 인문학자들이 두 대상을 '동일하게 설명하고자 한다.'고 적절하지 않은 진술을 하였다.

⑤ 인문학자들은 인문학과 자연과학의 통섭은 실현이 불가능하다고 보았다.

➲ [찾을 내용] 인문학자들은 통섭이 가능하다고 보았는가?

3 [2]인문학자들은 인문학의 대상과 자연과학의 대상은 동일하게 취급할 수 없음을 지적하며 통섭이 불가능함을 설명한다.

⑤는 지문을 그대로 옮긴 내용 일치 선택지(오답)임을 알 수 있다.

짚고 가요

선택지의 근거는 지문의 여러 부분에서 나타날 수 있어. ②는 윌슨에 대한 인문학자들의 비판이 나타난 **5**-2도 근거가 될 수 있지. 윌슨을 비판한 사람들의 입장을 들어보면, 윌슨의 입장이 무엇인지 역으로 파악할 수 있겠지?

이처럼 내용 간의 관계를 파악하는 것도 내용 일치 문제를 푸는 데 도움이 돼.

5 [2]현실의 문제 해결을 위해 인문학적 지식과 자연과학적 지식이 소통하여야 한다는 윌슨의 지적…

= 통섭

바로 콕 문제

2 윗글의 ㉠에 대한 설명으로 적절한 것은?

① 인문학과 자연과학의 공통점을 밝혀 내려는 이론이다.
② 존재하는 모든 것의 본질은 쉽게 변화한다는 인식이다.
③ 대상을 추상적이고 관념적인 존재로 인식하는 경향이다.
④ 모든 대상을 자연과학의 입장에서 이해하려는 태도이다.
⑤ 동물과 구별되는 인간의 고유한 특성을 찾기 위한 방법이다.

콕 정답과 해설 17쪽

예제 2

윗글의 중심 화제로 가장 적절한 것은?

① 현실 문제 해결을 위한 학문의 역할
② 인문학적 지식과 자연과학적 지식의 차이
③ 인문학적 법칙으로 대상을 설명하는 통섭
④ 하나의 지식 체계를 형성하는 통섭의 의의
⑤ 통섭에 대한 윌슨의 주장과 인문학자들의 비판

발문에서 '중심 화제'를 묻고 있으므로 글 전체를 통해 글쓴이가 궁극적으로 말하고자 하는 중심 내용을 파악할 수 있는지를 묻는 문제이다. 따라서 글 전체의 내용을 반영한 어구를 찾아야 한다.

이 유형의 문제를 풀려면 다음과 같은 순서에 따라 글을 전체적으로 독해해야 한다.

Step 1 문단 독해를 통해 각 문단의 중심 화제와 중심 내용을 파악한다.
Step 2 문단의 흐름을 정리하여, 글 전체의 중심 내용을 파악한다.

윗글의 문단 간의 관계와 글의 전체적 흐름을 정리하면, 다음과 같다.

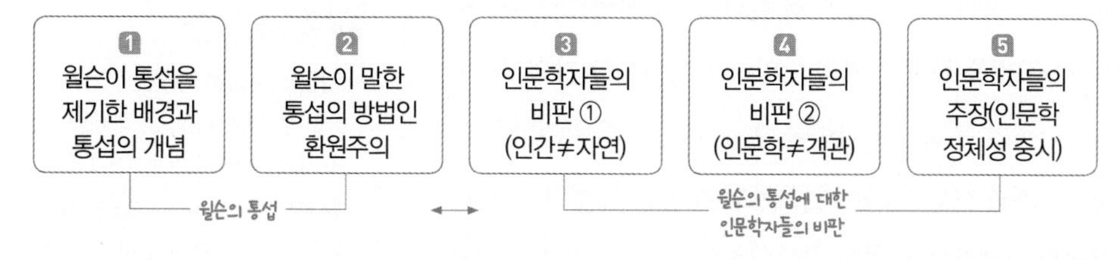

윗글의 1~2에서는 윌슨이 주장한 '통섭'에 대해 설명하고, 3~5에서는 그 내용에 대한 인문학자들의 비판을 제시하고 있다. 따라서 윌슨이 주장한 통섭의 내용과 인문학자들의 비판을 모두 아우른 ⑤가 정답이 된다.

그렇다면, 나머지 선택지들은 왜 중심 화제로 보기 어려울까?

①, ③은 지문의 내용과 불일치하기 때문이다. ①은 지문에서 언급되지 않은 내용이며, ③은 지문의 내용(2-3)을 반대로 진술하였다.

②, ④는 지문의 일부 내용만을 진술하여 글 전체 내용을 포괄하기에 미흡하기 때문이다. ②는 인문학자들의 주장을 뒷받침하는 근거(4-2~4), ④는 윌슨이 주장하는 내용(1-1~2)에 해당하므로 글의 중심 화제와는 거리가 멀다.

중심 내용 파악하기

개념+ '중심 내용'과 관련된 개념어

- 화제: 이야기의 제목, 이야기할 만한 재료나 소재.
- 취지: 글을 쓴 근본적인 목적이나 의미.
- 논지: 주장하는 글의 취지.
- 관점: (글쓴이가) 사물이나 대상을 바라보는 입장, 시각.
- 주제: 글의 취지와 논지를 바탕으로 글쓴이가 궁극적으로 말하고자 하는 바를 명시적으로 드러낸 문장.

100人 실제로 문제를 풀 때에는, 다음과 같은 오답 선택지를 하나씩 제외하면서 답을 찾으면 돼.

- 내용 불일치 선택지
- 지나치게 포괄적인 진술로 글의 내용을 벗어난 선택지
- 글의 일부(문장, 문단)에만 적용되어 글 전체 내용을 포괄하기에 미흡한 선택지

바로 콕 문제

3 윗글의 집필 의도로 가장 적절한 것은?

① 한 이론의 성립 과정을 설명하기 위해
② 인문학과 자연과학의 차이점을 소개하기 위해
③ 두 이론의 장점을 취해 새 이론을 세우기 위해
④ 통섭이 적용된 사례를 소개해 윌슨을 옹호하기 위해
⑤ 한 학자의 이론과 그에 대한 비판을 소개하기 위해

콕 정답과 해설 17쪽

II 문제 독해

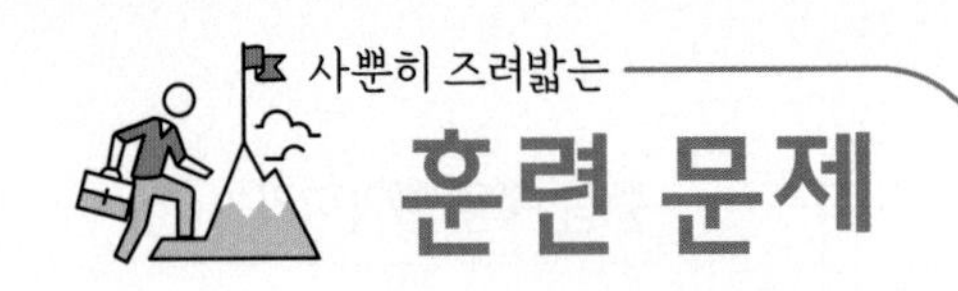

[01~02] 다음 글을 읽고 물음에 답하시오.

(2014학년도 9월 고2 학력평가)

1 [1]과거 수도 시설이 보편화되기 이전에는 가정마다 수동 펌프로 물을 끌어올려 사용했는데, 펌프질만으로는 물을 끌어올리기 어려워 물 한 바가지를 넣어 펌프질을 했다.[2]이때 펌프에서 물이 나오게끔 도움을 주는 소량의 물이 바로 마중물이다.[3]이렇게 마중물과 같이 작은 자극이 원인이 되어 더 큰 효과를 일으키는 것을 마중물 효과라 한다.

2 [1]처음 정부의 마중물 효과는 경제 불황의 극복을 위해 일시적으로 재정 지출을 확대하거나 재정 수입을 감소하는 등의 자극을 주어 경제 활동을 활성화시켜 침체된 경기가 회복되도록 하는 것이었다.[2]이런 마중물 효과는 정부의 경제 활성화 정책을 넘어 장학 사업 같은 사회사업 분야 및 기업의 마케팅 활동 등 우리 생활 전반에까지 그 영역이 확대되었다.[3]특히 기업은 마중물 효과를 마케팅 전략으로 활발히 사용하게 되었다.

3 [1]기업이 마중물 효과를 통해 도달해야 하는 목표는 단순한 단기간의 이윤 증대가 아니다. [2]기업은 다양한 종류의 마중물을 이용해 타사 제품에 비해 자사 제품이 가지고 있는 제품의 가치를 홍보하여 자사 제품에 대한 소비자의 긍정적 평가를 높이려 한다.[3]이를 바탕으로 마중물의 제공이 중단되더라도 소비자의 꾸준한 구매를 통해 기업의 이익이 장기적으로 지속되도록 하는 것이 마중물을 활용한 마케팅의 궁극적인 목표이자 마중물 효과이다.[4]그래서 기업은 적지 않은 자금을 투입하여 제품 체험 행사, 1개를 사면 1개를 더 주는 덤 마케팅, 대형 마트의 시식 행사, 할인 쿠폰 제공 등 다양한 형태의 마중물로 소비자의 구매를 유도한다.[5]이때 소비자가 마중물을 힘들이지 않고 거저 얻은 것으로 생각하여, 지나친 소비 활동을 하는 °공돈 효과를 일으킨다면 기업은 더 큰 이윤 창출을 기대할 수도 있다.

4 [1]하지만 기업의 마중물 마케팅이 항상 성공적인 결과를 얻는 것은 아니다. [2]기업의 의도가 소비자에게 제대로 전달되지 못하여 마중물을 제공하지 않자 제품에 대한 구매가 원상태로 돌아가거나 오히려 하락했다면, 마중물 효과는 단지 광고나 판매 촉진 활동과 같은 일시적인 매출 증대 행위에 그칠 수밖에 없다.[3]또한 마중물에 투입한 비용이 과도하여 매출은 증가하였지만 이윤이 남지 않는 경우와, 마중물을 투입하였는데도 기업의 매출에 변화가 없어서 오히려 기업의 이윤이 감소하는 경우가 있다.[4]뿐만 아니라 마중물이 일반 소비자들에게 골고루 혜택을 주지 못하고 일부 °체리피커들에게 독점된다면 기업의 이윤 창출은 더욱 어려워질 수도 있다.

5 [1]그러나 이런 위험을 알면서도 지금도 많은 기업에서는 소비자의 지갑이 열리기를 기대하며 다양한 마중물을 동원하여 이익을 극대화하는 데에 총력을 기울인다.[2]그러므로 소비자는 할인이나 끼워주기와 같은 기업의 °조삼모사(朝三暮四)식 가격 정책에 흔들리기보다는 합리적인 소비를 해야 한다.[3]단순하게 마중물이 주는 혜택에 집중하기보다는 자신에게 꼭 필요한 상품을 꼭 필요한 만큼만 구매하려는 소비자의 현명한 선택이 필요한 것이다.

지문 이해

- **1** (　　　) 효과의 개념
- **2** 마중물 효과가 쓰이는 영역의 확대
- **3** (　　　)의 마중물 마케팅의 목표와 효과
- **4** 기업이 마중물 마케팅에 실패하는 경우
- **5** 기업의 마중물 마케팅에 대응하는 (　　　)의 바람직한 태도 – 합리적 소비 필요

글의 핵심 파악

- **기업의 마중물 마케팅**
  기업은 제품 체험, 덤 마케팅, 시식 행사, 할인 쿠폰과 같은 다양한 종류의 (　　　)을 이용해 (　　　)의 꾸준한 (　　　)를 유도한다.
  ▶ 근거 문단 **3**
- **마중물 마케팅에 대응하는 소비자의 바람직한 태도**
  (　　　)이 주는 혜택에 집중하기보다 자신에게 (　　　)한 상품을 (　　　)한 만큼만 구매하는 (　　　)소비를 해야 한다.
  ▶ 근거 문단 **5**

어휘 풀이

- **공돈 효과**: 기대하지 않았던 이익(공돈)을 얻게 되면 전보다 더 위험을 감수하려는 현상.
- **체리피커**: 상품의 구매 실적은 낮으면서 제공되는 다양한 부가 혜택이나 서비스를 최대한 활용하는 소비자.
- **조삼모사**: 간사한 꾀로 남을 속여 희롱함을 이르는 말.

01 윗글의 집필 의도로 가장 적절한 것은?

중심 내용 파악하기

① 대상에 대한 통념의 반박을 통해 기업의 의식 개선을 유도하기 위해
② 효과적인 마케팅 방법의 안내를 통해 기업의 이익을 극대화하기 위해
③ 마중물 효과 이론의 변천사를 구체적 사례 제시를 통해 설명하기 위해
④ 다양한 경제 현상의 소개를 통해 경제 활동의 부작용에 대한 소비자의 관심을 촉구하기 위해
⑤ 대상이 지닌 특성에 대한 설명을 통해 소비자가 갖추어야 할 바람직한 태도를 당부하기 위해

02 윗글을 이해한 내용으로 가장 적절한 것은?

일치하는 내용 찾기

① 마중물 효과는 기업의 마케팅 전략으로 처음 시작되었다.
② 마중물 효과로 기업이 이익을 높이는 데 체리피커들은 큰 기여를 한다.
③ 마중물로 제공되는 혜택이 크면 클수록 마중물 효과는 더욱 잘 일어난다.
④ 마중물 효과는 상품 구매에 대한 소비자의 심리 변화를 기반으로 발생한다.
⑤ 마중물 마케팅을 실시하는 기업의 최종 목표는 소비자의 현명한 소비를 촉구하는 것이다.

짚고 가요

문제를 먼저 살펴보는 것이 낫다 vs 지문을 먼저 읽는 것이 낫다

지문을 읽기 전에 문제(발문, 〈보기〉, 선택지)를 훑어보는 것도 좋은 방법이라고 했지? 그런데 이와 반대로 지문을 먼저 읽는 것이 낫다고 보는 관점도 많아. 이건 어쩌면 '닭이 먼저냐, 달걀이 먼저냐'의 문제처럼 보이기도 해.
하지만 책을 읽기 전에 목차를 보면 책의 내용과 흐름을 예상할 수 있듯, 문제를 훑어보면 중요한 부분이나 집중해서 살펴볼 부분이 무엇인지 알 수 있으니까 마음의 준비를 할 수 있다는 점에서 도움이 돼. 그러니까 길고 어려운 지문일수록 문제를 훑어보며 내용을 예측하는 게 좋아. 실제 출제자들도 이런 전략적인 독해를 바라고 있어. 단, 모든 문제를 꼼꼼하게 기억하면서 봐야 한다는 부담은 버려. 문제를 통해 지문의 내용과 흐름을 대략 짐작해 보는 것만으로도 충분히 의미가 있거든.

문제에서 살펴봐야 할 것	⇒	• 발문에 직접 또는 기호로 제시된 키워드 • 선택지의 주어부나 서술부에 있는 키워드 • 〈보기〉의 핵심어, 핵심 내용 등

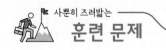

[03~05] 다음 글을 읽고 물음에 답하시오.

2018학년도 9월 고2 학력평가

1 [1]우리가 섭취한 영양소로부터 생활에 필요한 에너지를 얻거나 몸에 필요한 물질을 합성하는 과정은 모두 화학 반응에 의해 이루어진다.[2]이 화학 반응의 속도를 변화시키는 물질이 촉매이다.[3]촉매는 정촉매와 부촉매로 구분되는데, 활성화 에너지와 반응 속도를 통해 설명할 수 있다.[4]활성화 에너지란 어떤 물질이 화학 반응을 일으키기 위해 필요한 최소한의 에너지이다.[5]활성화 에너지가 낮아지면 반응 속도가 빨라지고, 활성화 에너지가 높아지면 반응 속도가 느려지게 된다.[6]이러한 활성화 에너지를 낮추는 것이 정촉매이고, 활성화 에너지를 높이는 것이 부촉매이다.

2 [1]우리 몸속에도 이러한 촉매가 존재하는데, 효소가 그러하다. [2]대부분의 효소는 생체 내에서 화학 반응을 빠르고 쉽게 일어나게 한다.[3]예를 들어 소화 효소인 펩신이 분비되어 우리는 음식물을 오랫동안 위장에 담고 있지 않고 소화시킬 수 있는 것이다.[4]효소를 구성하는 주성분은 단백질이며 각 효소는 고유의 입체 구조를 갖는다.[5]효소는 촉매로 작용하는 과정에서 반응물과 일시적으로 결합한다.[6]효소에서 반응물과 결합하여 화학 반응이 일어나게 하는 특정 부분을 활성 부위라고 하며, 활성 부위와 결합하는 반응물을 기질이라고 한다.[7]효소에 의한 촉매 과정에서 효소의 활성 부위와 기질의 3차원적 입체 구조가 맞으면 효소·기질 복합체가 일시적으로 형성되는데 이처럼 한 종류의 효소가 한 종류의 기질에만 작용하는 것을 효소의 기질 특이성이라 한다.[8]촉매 과정이 끝나면 기질은 생성물로 바뀌며, 효소·기질 복합체로부터 분리된 효소는 처음과 동일한 화학적 상태로 복귀하여 다음 반응을 준비한다.

3 [1]그런데 어떤 화학 물질은 효소와 결합하여 효소의 작용을 방해하는데, 이러한 물질을 저해제라고 한다.[2]저해제는 효소 반응을 방해하는 방식에 따라 경쟁적 저해제와 ⓐ비경쟁적 저해제로 나누어진다.[3]먼저 경쟁적 저해제는 기질과 유사한 3차원적 입체 구조를 지니고 있어, 기질이 결합할 효소의 활성 부위에 기질 대신에 경쟁적 저해제가 결합하여 효소·기질 복합체의 형성을 저해한다.[4]경쟁적 저해제는 기질의 농도가 증가하면 저해 효과는 감소한다. [5]다음으로 비경쟁적 저해제는 효소의 활성 부위가 아닌 효소의 다른 부위에 결합하여 효소의 입체 구조를 변형시킴으로써 효소의 활성 부위에 기질이 결합하지 못하게 한다.[6]그 결과 효소·기질 복합체가 형성되지 않아 효소의 작용을 저해한다.[7]비경쟁적 저해제가 작용하는 경우에는 기질의 농도가 증가해도 저해 효과는 감소하지 않는다.

지문 이해

1 (   )의 개념과 구분
: 화학 반응의 (   )를 변화시키는 물질
• 정촉매: 활성화 에너지를 낮춤.
• 부촉매: 활성과 에너지를 높임.

2 우리 몸속의 촉매인 (   )의 역할과 작용 과정

3 효소의 작용을 방해하는 (   )의 구분과 작용 과정

글의 핵심 파악

● 효소의 역할과 작용 과정
- 효소의 역할: (   )을 빠르고 쉽게 일어나게 함.
- 효소의 작용 과정

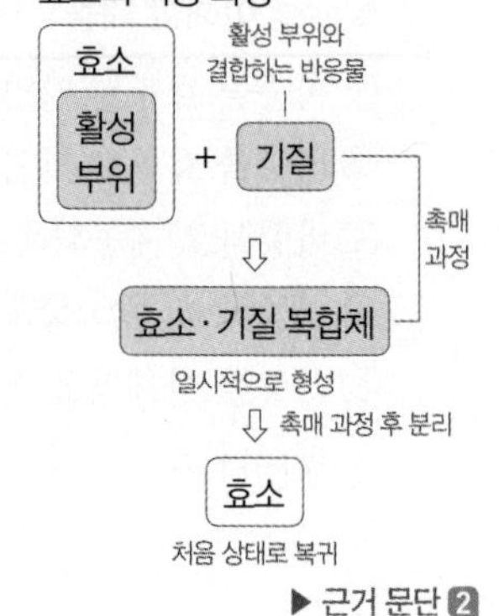

▶ 근거 문단 **2**

● 저해제의 종류와 작용

저해제	
효소 작용을 ( )하는 물질.	
경쟁적 저해제	비경쟁적 저해제
효소의 활성 부위에 기질 대신 결합함.	효소의 활성 부위가 아닌 다른 부위에 결합함.
→ 효소·기질 복합체 형성 방해.	

▶ 근거 문단 **3**

어휘 풀이

• **효소**: 생물의 세포 안에서 합성되어 생체 속에서 행하여지는 거의 모든 화학 반응의 촉매 구실을 하는 고분자 화합물을 통틀어 이르는 말.
• **저해**: 막아서 못 하도록 해침.

03 윗글의 표제와 부제로 가장 적절한 것은?

중심 내용 파악하기

'표제'는 글의 중심 화제, 주제 및 논지를 포괄적으로 드러내는 제목이고, '부제'는 목적, 관점, 방식 등을 추가로 드러내 표제를 구체적으로 뒷받침하는 제목이야.

① 촉매의 개념과 종류
- 활성화 에너지와 반응의 방향성을 중심으로
② 생체 내 효소의 촉매 반응
- 효소의 작용과 저해제의 기능을 중심으로
③ 촉매와 효소의 화학적 정의
- 반응 전후의 상태 및 기질 특이성을 중심으로
④ 효소가 관여하는 화학 반응의 속도
- 주변 온도와 기질의 농도가 미치는 영향을 중심으로
⑤ 효소가 우리 몸속에서 하는 여러 가지 역할
- 정촉매와 부촉매의 특성을 중심으로

04 윗글에 대한 이해로 적절하지 않은 것은?

일치하는 내용 찾기

① 효소는 생체 내의 화학 반응에서 활성화 에너지를 조절하는 역할을 한다.
② 촉매는 몸에 필요한 물질을 합성하는 화학 반응에서 반응 속도에 영향을 미친다.
③ 기질의 구조와 효소의 활성 부위의 구조가 다르면 효소 촉매 반응은 일어나지 않는다.
④ 촉매 과정에서 반응물과 일시적으로 결합하는 효소는 고유의 입체 구조를 가지고 있다.
⑤ 효소·기질 복합체에서 분리된 효소는 다른 종류의 기질에 맞는 입체 구조로 변형되어 다음 반응을 준비한다.

05 윗글의 ⓐ에 대한 설명으로 적절한 것은?

일치하는 내용 찾기

① ⓐ는 효소의 활성 부위가 아닌 곳에 결합한다.
② ⓐ는 기질과 유사한 입체 구조를 지니고 있다.
③ ⓐ는 기질의 입체 구조를 변형시키는 역할을 한다.
④ ⓐ는 기질의 농도가 증가하면 저해 효과가 떨어지게 된다.
⑤ ⓐ는 효소가 여러 기질과 복합체를 형성할 수 있도록 작용한다.

Ⅱ 문제 독해

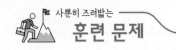

[06~08] **다음 글을 읽고 물음에 답하시오.**

2015학년도 9월 고2 학력평가

1 [1]독일의 철학자 후설(Edmund Husserl)이 말하는 '의식 주체'는 서양 근대 철학의 형이상학적 사고방식을 잘 보여 준다.[2]후설에 의하면 의식 주체는 다른 것의 도움 없이 스스로 존재하는 것, 즉 현존하는 것이며, 사유의 대상인 객체에 비해 우월하며 본질적이다.[3]이와 같은 맥락에서 의식 주체인 정신은 곧 '나'의 본질로, 그 자체로 완전하고 절대적이며 어떤 상황에서도 변하지 않는 자기 동일성을 지닌 것으로 ㉠간주된다. [4]그런데 이러한 관점은 이원 대립적 사고방식을 바탕으로 주체와 객체가 우열 관계 내지 착취 관계에 있다고 보아 객체에 대한 주체의 지배를 정당화한다는 데 문제가 있다.[5]주체 개념의 정립이 17, 18세기 자본주의의 소유 이론과 맞물려 있다는 것은 우연이 아니다.

2 [1]이와 같은 이원 대립과 위계의 가치 질서를 만들어 낸 후설의 의식 주체를 비판하는 입장에서, 데리다(Jacques Derrida)는 차연이라는 개념을 ㉡개진한다. [2]'차연'을 뜻하는 신조어 '디페랑스(différance)'는 '차이(差異)'와 '연기(延期)'의 의미를 지닌다.[3]예를 들어 사전에서 어떤 단어(A)의 의미를 설명하기 위해 또 다른 단어(B)를 사용하는 경우가 있는데, 이때 단어의 의미는 고정되는 것이 아니라 또 다른 단어와의 차이에 의해 그 의미가 ㉢구별되면서 끊임없이 연기된다.[4]이와 마찬가지로 데리다에게 주체란 그 자체로 완전하고 절대적인 의미를 갖고 있는 것이 아니라, 다른 대상들과의 차이에 의해 의미가 드러나고 그 의미에 대한 최종 해석은 계속 연기되는 것이다.

3 [1]데리다가 말하는 차연은 단순히 의식 주체에 대한 대립 개념이 아니라, 의식 주체의 절대적 위상 속에 ㉣은폐되어 있는 객체의 가치를 밝히는 새로운 개념이다.[2]데리다가 의식 주체 개념에 문제를 제기하는 이유는 형이상학적 전통 철학에서는 주체가 다른 것들과의 관계 속에서 그 의미가 드러난다는 것을 은폐하고 그 자체로 고정 불변의 가치를 지닌다고 믿었기 때문이다.[3]또한 그 믿음으로 인해 형이상학적 전통 철학은 차이와 다양성으로 이루어진 세계를 절대 주체를 중심으로 재편하려는 욕망을 합리화했기 때문이다.

4 [1]이러한 차연 개념을 통해 데리다가 주장하는 바는 자기 동일성을 지닌 주체란 허구이자 환상에 불과하므로 이를 해체해야 한다는 것이다.[2]데리다는 절대적 진리나 절대적 주체의 부재를 확인하고, 주체는 다른 것들과의 차이에 의해 구성되는 것이지 자기 동일성을 지닌 우월한 대상이 아니라는 것을 강조한다.[3]데리다는 그 어느 것에도 특권을 부여하지 않음으로써 형이상학적 전통 철학에서 전제하고 있는 절대적 진리의 '있음'을 '없음'으로 ㉤대체했다.[4]그의 사상은 대상마다 나름의 가치를 지니고 있다는 것을 강조함으로써 닫힌 세계에서 열린 세계로 나아가는 계기를 마련해 주며 다원적 사고에 대한 가능성을 제시해 준다는 점에서 그 의의를 찾을 수 있다.

지문 이해

1 후설의 (　　　) 개념

2 데리다의 (　　) 개념과 그에 따른 주체 개념

3 차연 개념을 통해 (　　　) 개념에 문제를 제기한 데리다

4 데리다의 주장과 의의

글의 핵심 파악

● **후설과 데리다의 관점 차이**

	후설	데리다
주체	그 자체로 완전하고 (　　　)임.	다른 대상과의 의미 (　　)에 의해 드러남.
객체	사유의 대상. 주체보다 (　　)함.	대상은 각자 나름의 가치를 지님.

▶ 근거 문단 **1**, **2**, **4**

● **데리다의 주장**

이유	형이상학적 전통 철학의 은폐와 합리화 때문에
	⇩
주장	① (　　)를 해체하자. ② 절대적 진리의 있음을 (　　)으로 교체하자.

▶ 근거 문단 **3**, **4**

어휘 풀이

● **형이상학적:** 사물의 본질, 존재의 근본 원리를 경험이 아닌 사유나 직관에 의하여 탐구하는 학문에 관련되거나 바탕을 둔 것.

● **위계:** 지위나 계층 따위의 등급.

● **합리화:** 사건이나 행위를 기존 체계의 다른 부분과 연관하여 수용할 만한 논리를 추구하거나 찾음. 또는 그런 태도.

06 윗글에서 언급된 내용으로 적절하지 않은 것은?

일치하는 내용 찾기

① 정신에 대한 후설의 인식
② 데리다의 사상이 갖는 의의
③ 의식 주체 개념이 지닌 문제점
④ 형이상학적 사고방식의 정립 계기
⑤ 주체의 자기 동일성에 대한 데리다의 견해

07 윗글의 '차연'에 대한 이해로 가장 적절한 것은?

일치하는 내용 찾기

① 주체의 의미는 고정되지 않으며 다른 것들과의 관계 속에서 구성된다.
② 주체가 그 자체로 완전해지기 위해서는 어떤 상황에서도 변하지 않아야 한다.
③ 주체가 지닌 절대적 지위는 나머지 다른 것들을 구별하는 확고한 기준이 된다.
④ 객체는 주체로부터 비롯되고 주체와의 본질적인 차이에 의해 의미가 결정된다.
⑤ 주체의 의미를 변별하기 위해서는 의미의 모호성을 유발하는 요소들을 제거해야 한다.

08 ㉠~㉤의 사전적 의미로 적절하지 않은 것은?

어휘의 의미 파악하기

100人 '어휘'와 관련한 문제 풀이법은 우리 책 138쪽의 '알아 두면 쓸데 있는 100인의 지혜'를 참고하도록 해.

① ㉠: 상태, 모양, 성질 따위가 그와 같다고 봄.
② ㉡: 주장이나 사실 따위를 밝히기 위하여 의견이나 내용을 드러내어 말하거나 글로 씀.
③ ㉢: 사물의 가치나 수준 따위를 평함.
④ ㉣: 덮어 감추거나 가리어 숨김.
⑤ ㉤: 다른 것으로 대신함.

알아 두면 쓸데 있는 100인의 지혜 3

매력적인 오답 선택지의 정체

내용 일치 문제를 푸는 원칙은 매우 간단하지만 문제를 풀다 보면, 이 선택지가 지문과 일치하는지 불일치하는지 판단하기 애매하지. 왜냐하면 지문의 말을 바꾸어 선택지를 구성하는 경우가 많기 때문이야. 그러니 지금부터 선택지가 어떻게 바뀌는지 함께 살펴보면서 매력적인 오답 선택지를 피하는 방법을 알아보자.

1. 어휘나 표현을 바꾸는 경우

선택지를 만들 때, 지문에 쓰인 말을 비슷한 뜻의 다른 말로 바꾸는 경우가 있어. 예를 살펴볼까?

지문 하늘은 인간의 모든 일을 책임지고 처리하는 존재로, 행운과 불운(㉠)을 가져다 줄 수 있는 힘을 갖고 있었다.

➡ **선택지** 하늘은 인간의 길흉화복(㉠)을 결정짓는 주체였다.

➲ '행운과 불운'을 '길흉화복'이라는 유사한 어휘로 바꾼 내용 일치 선택지이다. '길흉화복'이 지문에서 쓰이지 않은 표현이기 때문에, 선택지가 지문에서 언급되지 않은 내용이라고 착각하기 쉽다.

지문 국제 가격도 국제 거래에서 수요자와 공급자들의 의사결정을 조절하는 역할을 한다. 여러 국제 가격 중에서 대표적인 것으로 명목환율과 실질환율을 들 수 있다.
국제 가격 ⊃ 명목환율, 실질환율

➡ **선택지** 명목환율과 실질환율은 국제 거래에서 수요자와 공급자들의 의사결정을 조절하는 역할을 한다.

➲ '국제 가격'이라는 상위어 대신 '명목환율'과 '실질환율'이라는 하위어를 사용한 내용 일치 선택지이다. 두 단어가 있을 때, 상위어는 다른 단어의 의미까지 포함하는 단어이고, 하위어는 상위어의 의미를 구성하는 단어에 해당한다.

'개는 포유류다.'라는 진술이 있다고 하자. 이때 '개'의 하위어인 '진돗개'를 써서 '진돗개는 포유류다.'라고 말할 수 있지만, '개'의 상위어인 '동물'을 사용해 '동물은 포유류다.'라고 말할 수는 없어. 당장 '새'만 해도 동물이지만 '포유류'가 아닌 '조류'잖아. 이처럼 상위어-하위어의 관계를 기억해 두면, 내용 일치 문제를 푸는 데 도움이 될 거야.

2. 진술의 방식을 바꾸는 경우

지문 (운전자가 신호를 잘못 인식하거나 확인하지 못해(㉠) 사고가 나는 경우(㉡))가 많은데, (이)를 방지하기(㉢) 위한 장치가 / 자동열차정지장치이다.

➡ **선택지** 자동열차정지장치는 / 운전자가 신호를 오인하여(㉠) 발생하는 사고(㉡)를 막아준다(㉢).

➲ 어미 '~은데'와 지시어 '이'로 연결된 문장이 요약되면서, 선택지의 문장 구조가 바뀌었다. 지문에서는 전체 서술어(자동열차정지장치이다)의 일부였던 '자동열차정지장치'가 선택지에서는 전체 주어가 되었다.

지문 개인의 재산에 대한 지배는 보장되지만(㉠) / 공공복리에 적합하도록 행사해야 한다(㉡)는 원칙이 적용되었다.

➡ **선택지** 공공복리에 적합하지 않을 경우(㉡의 반대) / 개인의 재산권 행사를 제한할 수 있게 되었다(㉠의 반대).

➲ 어미 '~지만'과 '~도록'으로 이어진 서술어(㉠:보장되다[결과], ㉡:행사해야 한다[조건])가 선택지에서는 부정된 형태(㉡의 반대: 적합하지 않다[조건], ㉠의 반대: 제한한다[결과])로 제시되었다.

3. 조사·어미 등을 바꾸는 경우

조사나 어미처럼 다른 말과 함께 쓰여 뜻을 더해 주는 말들을 바꿈으로써 지문의 내용과 전혀 다른 선택지를 만들기도 해. 조사는 체언에, 어미는 어간에 붙어 함께 쓰이기 때문에, 어휘나 표현을 바꿀 때보다 눈에 띄지 않을 수 있어. 하지만 조사나 어미가 바뀜으로써 문장의 의미가 완전히 달라지니 주의해야 해.

지문 타인에게 끼친 손해는 그 행위가 위법이고 동시에 고의나 과실에 의한 경우에 책임진다는 원칙이 있다. ➡ **선택지** 위법한 행위가 발생했을 때에는 의도적으로 잘못을 한 경우에만 책임을 물을 수 있다.

'고의나 과실에 의한 경우'를 조사 '만'을 사용해 '고의'인 경우로만 한정하였으므로, 내용 불일치 선택지이다.

지문 범죄 혐의가 인정되면 검사는 피의자의 나이, 환경, 동기 등을 참작해 기소 여부를 결정하게 된다. ➡ **선택지** 검사는 피의자의 범죄 혐의가 인정되는 대로 피의자를 기소해야 한다.

'인정되면'처럼 어떤 상황을 가정하는 어미 '~면'을 '그 즉시'라는 뜻을 지닌 의존 명사 '대로'로 바꾼, 내용 불일치 선택지이다.

4. 논리 관계(인과·과정·상관관계)를 바꾸는 경우

인과(원인-결과)나 과정(순서에 따른 진행)은 앞에서 배웠지? 상관관계는 두 가지 가운데 한쪽이 변화하면 다른 한쪽도 따라서 변화하는 관계를 의미해. 이때 각각의 요소들이 어떤 관계를 맺고 있는지 논리적으로 접근할 수 있어야겠지? 그래서 출제자는 논리 관계를 이용해 매력적인 오답을 만드는 경우가 많아.

지문 간소엽의 중심부에는 중심 정맥이 놓여 있어 간을 거친 혈액을 간정맥으로 보내 심장으로 흐르게 한다 ➡ **선택지** 간정맥에서 나온 혈액은 간을 거쳐 심장으로 흘러간다.

'간→간정맥'이란 순서를 '간정맥→간'으로 뒤바꾼 내용 불일치 선택지이다.

지문 법적 의사 능력이 없는 '행위무능력자'의 예로 만 20세 미만의 사람인 미성년자를 들 수 있다. ➡ **선택지** 나이는 법적인 의사 능력 유무의 판단과 상관이 없다.

지문에서는 '만 20세'라는 나이를 기준으로, 미성년자는 '법적 의사 능력이 없는' 행위무능력자의 예로 들 수 있다고 하였다. 그러나 선택지에서는 나이가 법적인 의사 능력 유무의 판단과 상관이 없다고 하였으므로 내용 불일치 선택지이다.

'만', '뿐', '항상', '반드시', '상관(관계)없이'처럼 단정적인 표현이 사용되었다면, 대상이나 상황의 범위를 매우 한정시키기 때문에 내용 불일치 선택지일 확률이 높아. 만약 선택지에 이런 표현이 있다면, 이 선택지부터 꼼꼼하게 살펴보렴!

마지막으로 한 가지만 더 짚고 가자. 지문의 진술을 일정하게 변형한 내용 일치 선택지이든, 불일치 선택지이든 항상 변하지 않고 반복하여 등장하는 부분(　　, 　　)이 있지? 이 부분이 바로 우리가 '05 내용을 파악하는 문제'에서 배웠던 키워드에 해당해! 내용 불일치 선택지도 지문에서 등장하는 키워드는 그대로 활용한다는 거, 기억해 두자.

PART Ⅱ

06 전개 방식을 파악하는 문제

글은 '내용'뿐만 아니라 '형식'도 읽어야 한다

글을 읽을 때 우리는 대체로 글의 내용에만 주목하는 경향이 있다. 하지만 글쓴이는 그 글을 쓸 때 내용적인 측면뿐만 아니라 형식적인 측면, 즉 내용을 어떤 순서나 구조로 조직하고 전개할지를 치열하게 고민한다. '구슬이 서 말이어도 꿰어야 보배'라는 말이 있는 것처럼, 문장과 문장, 문단과 문단을 어떻게 조직하고 전개하는가에 따라 의도와 주제가 잘 드러날 수도, 그렇지 않을 수도 있기 때문이다. 그러므로 글이 어떻게 구성되고 전개되는지를 살펴보면 내용을 더 명확하게 이해할 수 있으며 글쓴이의 의도에 더 가까이 다가갈 수 있다.

100人 '전개 방식을 파악하는 문제'는 글의 형식적 측면만을 다루는 문제 유형이 아니야. 글의 내용과 형식은 별개가 아니라 유기적으로 연결되어 있거든. 익숙한 주제의 글은 그 형식을 파악하기 쉽고, 익숙한 구조로 쓰인 글은 그 내용을 이해하기가 좀 더 수월하지. 그러니 글의 전개 방식에 관한 기본 지식이 탄탄하다면, 다양한 글의 내용을 좀 더 쉽게 파악할 수 있겠지?

비문학 시험에 나오는 내용 전개 방식 문제

비문학 시험에서는 발문이나 선택지에 '내용 전개 방식' 또는 '서술상의 특징'과 관련된 용어를 직접적으로 사용하여, 내용 전개 방식을 파악할 수 있는지를 묻는다. 다음 A, B의 발문들을 살펴보자.

A	B
• 윗글의 내용 전개 방식에 대한 설명으로 가장 적절한 것은? • 윗글의 서술(설명, 논지 전개) 방식으로 가장 적절한 것은? • 윗글의 글쓰기(서술) 전략으로 적절한 것은?	• (가)~(마)의 서술 방식으로 적절하지 않은 것은? • (가)~(마)에 대한 설명으로 적절하지 않은 것은? • 윗글의 내용 전개 방식으로 적절하지 않은 것은? • 윗글의 글쓰기(서술) 전략으로 적절한 것끼리 짝지은 것은?

A는 '가장 적절한' 전개 방식에 관해 묻는 발문들로, 지문(글) 전체의 흐름을 나타내는 전개 방식이나 가장 핵심적인 전개 방식이 무엇인지 묻는다. 따라서 지문의 전반부와 후반부가 어떻게 전개되는지 확인하고, 이를 선택지와 비교하면 문제를 쉽게 풀 수 있다.

반면 B는 선택지에 제시된 여러 전개 방식 중 '이 글에서 쓰이지 않은' 것이 무엇인지를 묻는다. 즉, 지문(글) 곳곳에 부분적으로 쓰인 전개 방식들을 모두 파악할 수 있어야 풀 수 있는 문제이다. '(가)~(마)의 서술 방식…'과 같이 범위를 제시해 주는 친절한 발문도 있지만, '윗글의 내용 전개 방식…'과 같이 특정한 범위를 정해 주지 않은 경우에는 선택지에 제시된 전개 방식들이 지문의 어느 부분에 사용되었는지 지문 구석구석에서 모두 확인해 보아야 한다.

그렇다면 이 유형의 선택지는 어떻게 구성될까? 일단 전개 방식만 주로 진술한 선택지와 전개 방식과 내용 요소(문단 또는 글의 화제)를 함께 진술한 선택지로 나눌 수 있다. 내용 요소까지 있는 선택지가 더 어려워 보이지만, 오히려 '내용 일치' 여부를 확인하는 것만으로 답을 쉽게 고르도록 도와주기도 한다.

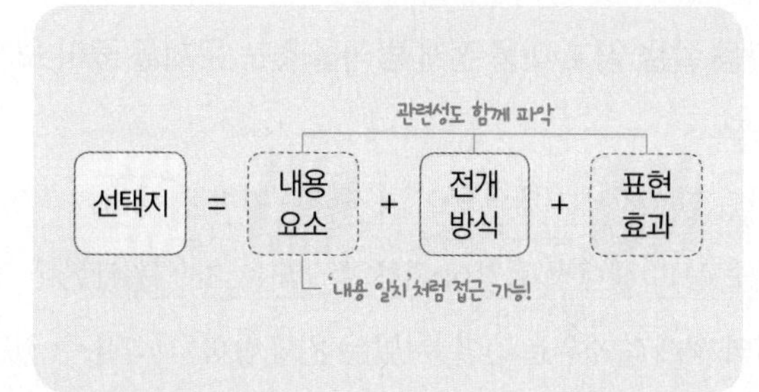

전개 방식만 진술한 선택지	• 이론에 대해 문제를 제기하고, 그 문제를 해결하기 위한 방안들을 평가하고 있다. • 서로 대비되는 견해를 절충한 후 결론을 도출하고 있다.
내용 요소까지 진술한 선택지	• 양성 평등의 개념을 정의하고 양성 평등에 대한 인식 변화를 밝히고 있다. • 개체화 현상에 대한 서로 다른 두 견해의 공통점과 차이점을 설명하고 있다.

전개 방식과 내용 요소가 함께 진술된 선택지는, 다음과 같이 '전개 방식 + 그 방식을 통해 드러내려는 내용 요소(또는 그 방식의 표현 효과)'의 구성으로 진술되기도 한다. 이 경우 전개 방식과 내용 요소(또는 표현 효과) 각각의 적절성 여부뿐만 아니라, 둘 사이의 관련성도 함께 판단해야 한다.

예문

관련성 파악

• 상반된 성격의 작품을 사례로 들어 / 예술의 대중화 과정을 밝히고 있다.

전개 방식 / 내용 요소

• 질문을 던지는 형식을 사용해 / 독자의 관심을 이끌어 내고 있다.

전개 방식 / 표현 효과

관련성 파악

내용 전개 방식을 내용 일치 문제처럼 푸는 전략

전개 방식을 묻는 문제를 풀 때에는 다음과 같은 풀이 순서를 따라가면 된다.

Step 1 글 전체를 관통하는 가장 핵심적인 내용 전개 방식을 골라야 하는지, 글에 쓰인 내용 전개 방식이 '아닌' 것을 골라야 하는지 파악한다.

Step 2 선택지에 언급된 전개 방식과 내용 요소(또는 표현 효과)를 나누어 파악한다.

Step 3 발문의 요구에 따라, 다음에 해당하는 선택지를 하나씩 가려내면서 정답을 고른다.

- 글에 쓰이지 않은 전개 방식이 언급된 선택지
- (내용 요소가 있는 경우) 글과 일치하지 않는 내용이거나 전개 방식과 내용 요소가 서로 관련이 없는 선택지
- ('전개 방식 + 표현 효과'로 구성된 경우) 전개 방식과 표현 효과가 서로 관련이 없는 선택지

100人 전개 방식과 내용 요소가 명확히 나누어지지 않는 선택지도 있지만, 이 유형의 문제에 내용 일치 문제의 성격이 있다는 점을 알고 나면 문제 풀이가 쉬워지기 때문에 내용 요소를 나누어 살펴보는 거야.

다음 글을 읽고 내용 전개 방식을 찾는 문제를 풀어 보자.

지문 1 (2014학년도 3월 고1 학력평가)

1 [1]어떤 환경에서 개개의 종이 차지하는 위치를 '생태적 지위'라고 하는데, 이는 서식 장소, 먹이사슬 등의 생태적 환경에 의해 형성되는 지위를 말한다. [2](예를 들어, 열대 지역의 나무 도마뱀의 생태적 지위는 견딜 수 있는 온도 범위, 서식할 수 있는 나뭇가지의 크기, 먹이가 되는 곤충의 종류 등 많은 요소들로 이루어진다.) [3]생태적 지위가 유사한 종들이 지리적으로 멀리 떨어진 채 서식하고 있는 경우 이들을 '이소성 개체군'이라고 하고, 반대로 동일한 지리적 영역을 차지하고 있는 경우에는 이들을 '동소성 개체군'이라 한다.

생태적 지위의 정의 / 이소성 개체군의 정의 / 동소성 개체군의 정의

2 [1]이소성 개체군의 경우 지리적으로 격리되어 있기 때문에 자원을 둘러싼 종들 간의 경쟁은 존재하지 않을 것이다. [2]그럼 동소성 개체군의 경우 어떤 일이 발생할까? [3][생태학자 가우스는 원생생물인 '아우렐리아'와 '카우다툼'에 대한 실험으로 종간 경쟁의 결과를 조사했다. [4]이 두 종을 각각 배양했을 때에는 각각의 개체군은 모두 잘 살지만, 두 종을 함께 기르자 한 종이 사라지는 결과를 얻었다. [5]이처럼 동소성 개체군 사이에서는 필연적으로 경쟁이 일어나게 되는데, 그 경쟁의 결과 어떤 종이 군집 내에서 사라지게 되는 경우, 이를 '경쟁적 배제'라고 한다.]

질문 - [ ]: 답변 / 권위 있는 학자 / 경쟁적 배제의 정의

3 [1]그런데 실제의 자연 생태계를 보면 동소성 개체군이 공존하기도 하는데, 이는 이들이 제한된 자원을 둘러싼 경쟁을 피했기 때문에 가능한 일이다. [2](예를 들어 주행성 동물과 야행성 동물은 서로 활동하는 시간을 달리하여 경쟁을 줄임으로써 공존할 수 있다.) [3]이와 같이 생존에 꼭 필요한 자원을 여러 가지 방법을 통해 나누어 갖는 것을 '분서'라고 한다. [4]분서의 방식에는 장소를 나누어 서식하는 방식, 먹이를 먹는 활동 시간대를 달리하는 방식 등이 있다.

인과 연결 표지 / 분서의 정의 / ① ②

4 [1]제한된 자원을 둘러싼 경쟁의 결과는 동소성 개체군과 이소성 개체군의 체형 구조를 비교함으로써도 확인할 수 있다. [2](예를 들어 A섬과 B섬에 각각 살고 있는 이소성 개체군인 조류의 경우 종간 경쟁이 없기 때문에 동일한 먹이를 먹고, 이로 인해 부리의 크기가 유사하다. [3]그런데 이들이 동일한 지리적 영역을 이룬 채 살게 되면 서로 다른 크기의 씨앗을 먹도록 부리의 크기가 달라지는 체형의 변화가 일어나게 된다.) [4]이처럼 동소성 개체군의 경우 같은 자원을 두고 다툼을 벌이는 일이 없도록 서로 체형의 구조가 달라지기도 한다. [5]이러한 체형 구조의 변화를 '형질치환'이라고 한다.

형질치환의 정의

5 [1]현재 생태계에 존재하는 모든 생물종들은 필연적으로 발생할 수밖에 없는 경쟁에 적응하면서, 경쟁적 배제와 분서, 형질치환 등의 과정을 거친 존재들이라고 할 수 있다.

지문 이해

1 이소성 개체군과 동소성 개체군의 개념

→ 1-1, 1-3에서는 (　　), 1-2에는 (　　)의 내용 전개 방식을 사용하고 있다.

2 동소성 개체군이 종간 경쟁에 적응하는 유형 ① - 경쟁적 배제

→ 2-2를 통해 (　　)의 전개 방식으로 내용을 강조하고 있음을 알 수 있다.

→ 권위 있는 학자의 연구 결과를 제시하고 있다. (○ , ×)

3 동소성 개체군이 종간 경쟁에 적응하는 유형 ② - 분서

→ 3-2는 3-1을 뒷받침하기 위해 (　　)의 내용 전개 방식을 사용하고 있다.

4 동소성 개체군이 종간 경쟁에 적응하는 유형 ③ - 형질치환

→ 인과와 예시의 전개 방식을 통해 동소성 개체군과 이소성 개체군의 체형 구조의 차이를 밝히고 있다. (○ , ×)

5 생태계의 모든 생물종이 거쳐 온 종간 경쟁의 과정

어휘 풀이

- **원생**: 발생한 후에 진화하지 않고 원시 상태로 있음.
- **배양**: 미생물, 식물, 동물의 알이나 조직 등을 영양이 풍부한 조건에서 기름.
- **형질**: 모양, 크기, 색 등 고유한 동식물이 지닌 고유한 성질.

예제 1

윗글에 대한 설명으로 적절하지 않은 것은?

① 예시를 통해 독자의 이해를 돕고 있다.
② 용어의 개념을 밝히면서 내용을 전개하고 있다.
③ 질문을 던지는 형식으로 독자의 관심을 유발하고 있다.
④ 권위자의 주장을 인용하여 통념의 오류를 지적하고 있다.
⑤ 차이점을 중심으로 대상을 두 종류로 나누어 설명하고 있다.

위 '예제 1'에는 일반적인 내용 일치 문제의 발문이 사용되었지만, 선택지의 구성을 볼 때 내용 전개 방식을 묻는 문제임을 알 수 있다. 적절하지 않은 내용 전개 방식이 무엇인지 묻기 때문에 글 곳곳에 부분적으로 쓰인 내용 전개 방식들을 모두 파악해야 문제를 해결할 수 있다.

다음과 같은 순서를 적용하여 이 문제를 풀어 보자.

Step 1 선택지에 언급된 전개 방법과 내용 요소가 지문의 어느 부분에 쓰였는지 찾는다.

Step 2 다음에 해당하는, 적절하지 않은 선택지를 가려낸다.

- 글에 쓰이지 않은 전개 방식이 언급된 선택지
- 글과 일치하지 않는 내용이거나 전개 방식과 내용 요소가 서로 관련이 없는 선택지
- 전개 방식과 표현 효과가 서로 관련이 없는 선택지

위 순서를 적용해 선택지를 분석해 보자.

	선택지 분석		지문에서 근거 찾기		적절성 판단
①	전개 방식: 예시 표현 효과: 독자의 이해를 도움. ➲ 관련성이 적절함.	➡	1-2, 3-2, 4-2 ➲ 연결 표지: '예를 들어'	➡	적절한 선택지 (오답)
②	전개 방식: 용어의 개념을 밝힘. ➲ 정의	➡	1-1, 1-3, 2-5, 3-3, 4-5 ➲ 연결 표지: '~(이)라고 한다.'	➡	적절한 선택지 (오답)
③	전개 방식: 질문을 던짐. 표현 효과: 독자의 관심 유발 ➲ 관련성이 적절함.	➡	2-2 ➲ 연결 표지: '~발생할까?'	➡	적절한 선택지 (오답)
④	전개 방식: 권위자의 주장 인용, 통념의 오류 지적 (통념: 일반적으로 널리 통하는 개념)	➡	2-3 ➲ '생태학자 가우스(권위자)'의 실험 결과를 제시할 뿐, 통념의 오류를 지적하지 않음.	➡	적절하지 않은 선택지 (정답)
⑤	전개 방식: 차이점 중심으로 대상을 두 종류로 나누어 설명 ➲ 대조와 분류	➡	1-3 ➲ 서식 지역의 지리적 차이(멂↔가까움)를 기준으로 이소성 개체군, 동소성 개체군으로 분류함. (연결 표지: '반대로')	➡	적절한 선택지 (오답)

내용 전개 방식 파악하기

100人 선택지에 나온 '예시', '질문', '인용' 등과 같은 전개 방식이 지문의 어느 부분에 쓰였는지 하나하나 다시 확인하기보다는 처음 지문을 읽을 때부터 자연스럽게 전개 방식을 파악하는 것이 좋아. 내용 전개 방식을 알려 주는 표지를 찾으면서 지문을 읽는 습관을 들이자. 지문을 읽기 전에 선택지를 미리 훑어보는 것도 좋은 방법이야.

바로 콕 문제

1 윗글에 쓰인 글쓰기 전략으로 가장 적절한 것은?

① 종간 경쟁의 변화 과정을 통시적으로 제시하고 있다.
② 동소성 개체군의 종류를 생태적 지위를 기준으로 구분하고 있다.
③ 구체적인 사례를 통해 종간 경쟁의 다양한 양상들을 설명하고 있다.
④ 동소성 개체군과 이소성 개체군의 공통점과 차이점을 제시하고 있다.
⑤ 종간 경쟁이 일어나는 원인을 다양한 관점에서 비교해 설명하고 있다.

콕 정답과 해설 23쪽

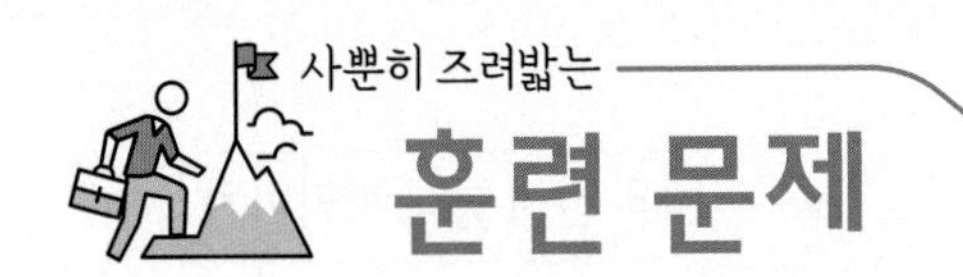

[01~02] **다음 글을 읽고 물음에 답하시오.**

2014학년도 6월 고2 학력평가Ⓑ

1 [1]기보(記譜)에서 음의 높낮이를 정확히 표기하기 위해 5개의 가로줄을 사용하는데 이를 오선이라고 한다. [2]오선은 아래에서부터 1번 줄, 1번 칸이라 부른다. [3]음은 대개 알파벳 음이름이나 계명으로 읽는다. [4]C는 도(do), D는 레(re), E는 미(mi), F는 파(fa), G는 솔(sol), A는 라(la), B는 시(si)이다. [5]일반적으로 피아노 건반은 A0부터 C8까지 88개가 있다. [6]같은 알파벳이라도 옆의 숫자가 커질수록 옥타브도 올라간다.

2 [1]오선의 범위를 벗어나는 음은 어떻게 표기할까? [2]덧줄과 음자리표를 사용하면 된다. [3]덧줄을 사용하면 오선의 위 또는 아래로 그 범위를 넓힐 수 있다. [4]그런데 덧줄을 그리는 것만으로는 한계가 있기 때문에 음자리표를 사용하여 특정한 악기나 인성(人聲)의 음역을 나타낸다. [5]음자리표는 어떤 것들이 있을까? [6]음자리표는 음역에 따라 낮은음자리표, 가온음자리표, 높은음자리표로 나뉘는데, 이러한 음자리표는 반드시 오선의 맨 앞에 표기해야 한다.

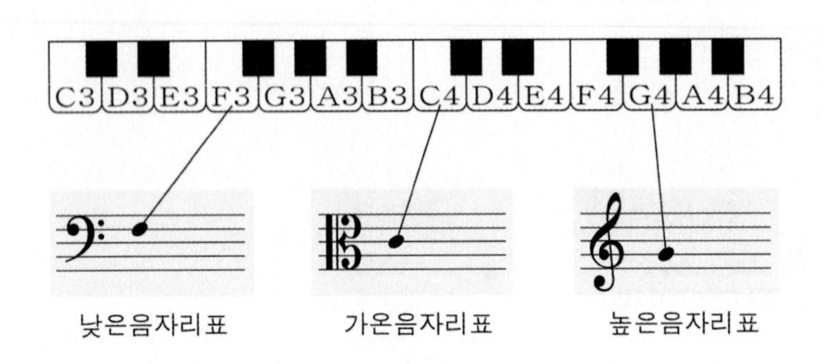

3 [1]가장 오래된 음자리표인 낮은음자리표는 C4(가온 도) 아래의 저음 영역을 표기하기 위한 것이다. [2]이 음자리표는 F3의 자리인 4번 줄에서 시작하여 F의 모양을 변형하여 그린다. [3]그런 다음 F3의 위치를 기준으로 음표를 표기한다.

4 [1]가온음자리표는 낮은음자리표와 더불어 가장 보편적으로 사용하던 음자리표인데, 오선 상에서 C4를 자유롭게 표기하기 위해 음자리표를 고정하지 않고 사용한다. [2]오선에 겹세로줄을 그은 뒤 C의 모양을 변형하여 중앙 부분만 세로줄 쪽으로 당겨 오선의 줄에 걸리도록 그린다. [3]C의 중앙 부분이 1번 줄에 걸리면 1번 줄이 C4가 되는데, 이를 인성 소프라노 음자리표라고 부른다. [4]줄이 하나씩 올라갈수록 인성 메조소프라노, 알토, 테너, 바리톤 음자리표가 된다.

5 [1]높은음자리표는 가장 나중에 생겼지만 현재 가장 널리 쓰이는 음자리표이다. [2]C4 위의 고음 영역을 표기하기 위해 이것을 사용한다. [3]음자리표는 G4의 자리인 2번 줄에서 시작하여 G의 모양을 변형하여 그린다. [4]음표는 G4의 위치를 기준으로 표기한다.

지문 이해

- **1** 기보와 관련된 (　　)과 (　)의 개념 및 특성
- **2** (　　)의 기능 및 종류
- **3** 낮은음자리표의 특성
- **4** 가온음자리표의 특성
- **5** 높은음자리표의 특성

글의 핵심 파악

● **음자리표의 기능**

(　　)의 범위를 벗어나는 특정한 악기나 인성의 음역을 나타내기 위해 쓰인다.

▶ 근거 문단 **2**

● **음자리표의 종류**

	낮은 음자리표	가온 음자리표	높은 음자리표
생긴 순서	첫 번째	(　　) 번째	(　　) 번째
기능	C4 아래 (　　) 영역을 표기.	(　　)를 표기.	C4 위 (　　) 영역을 표기.
모양	(　　)의 모양을 변형하여 그림.	(　　)의 모양을 변형하여 그림.	(　　)의 모양을 변형하여 그림.

▶ 근거 문단 **3**, **4**, **5**

어휘 풀이

- **기보**: 악보를 기록함.
- **인성**: 인간의 목소리를 이용하는 성악.
- **가온 도**: 피아노 건반의 중앙에 자리한 도(do).

01 윗글에 대한 설명으로 적절하지 않은 것은?

내용 전개 방식 파악하기

① 기보와 관련된 용어의 개념을 정의하였다.
② 음자리표의 기준이 되는 음이름을 소개하였다.
③ 문답 방식으로 음자리표의 필요성을 서술하였다.
④ 음자리표를 구분하여 각각의 특성을 드러내었다.
⑤ 시대의 흐름에 따른 오선의 변화 양상을 다루었다.

02 윗글의 전개 방식으로 가장 적절한 것은?

내용 전개 방식 파악하기

① 대상이 지닌 한계점을 나열한 후, 새로운 방식의 필요성을 제기하고 있다.
② 대상을 일정한 기준에 따라 나눈 후, 각각의 특성을 병렬적으로 제시하고 있다.
③ 대상의 개념을 정의한 후, 대상의 변화 과정을 시간 순서에 따라 서술하고 있다.
④ 대상을 바라보는 관점의 분화 과정을 제시한 후, 각각의 장단점을 분석하고 있다.
⑤ 문답 방식으로 대상을 소개한 후, 그 특성을 비유적 표현을 사용하여 설명하고 있다.

짚고 가요

기출 문제로 내용 전개 방식 공부하기

이 유형은 '정의, 유추, 예시'와 같은 전개 방식의 종류와 선택지에서 자주 쓰이는 개념어들을 알아야만 적절한 선택지를 고를 수 있어. 그런데 전개 방식의 종류를 나타내는 용어를 사전적 정의로만 익히는 건 문제 풀이에 크게 도움이 되지 않는 경우가 많아. 그러니 기출 문제를 풀면서 선택지에서 쓰인 전개 방식 관련 용어를 정리하고, 이 용어들이 지문에서는 어떻게 나타나는지 확인하며 공부해 보자.

- **시대의 흐름**: 시간적 추이에 따라 진술되었을 때 쓰이는 표현이다. 비슷한 말로는 '통시적'이라는 용어가 있다.
  - ➲ 통시적: 논의 대상의 진행 과정이나 변화 과정을 시대 순서나, (대체로 긴) 시간 순서에 따라 제시할 때 쓰이는 용어이다.
    ↔ 공시적: 동시대·동시간 내에서
- **양상**: '진행되는 모습이나 상태'를 의미한다.
  - ➲ 이론·개념이나 인식·관점 등이 어떻게 진행되고 변화했는지를 제시할 때 이 용어가 쓰인다. 이 문제 유형에서는 '과정', '단계' 등이 '양상'과 비슷한 의미로 쓰인다.
- **병렬적**: '나란히 늘어놓는'이라는 의미이다.
  - ➲ 서로 대등한 관계에 있는 내용들이 나열되어 제시될 때 이 용어가 쓰인다.
- **분화**: '단순하거나 공통된 특성이 있었던 것이 복잡하거나 이질적인 것으로 나누어지다.'라는 뜻이다.
  - ➲ 하나의 이론이나 견해에서 비롯된 여러 이론이나 견해들을 제시할 때 이 용어가 쓰인다.

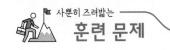

[03~04] **다음 글을 읽고 물음에 답하시오.**

2015학년도 11월 고2 학력평가

1 [1]행정기관의 작용이 개인의 권리와 이익을 침해한다면 당연히 그에 대한 구제가 이루어져야 한다. [2]이러한 권익의 구제를 가능하게 하는 제도가 행정구제제도이다. [3]대표적인 유형으로 '행정상 손해전보'와 '행정쟁송'이 있다.

2 [1]행정상 손해전보는 행정작용 때문에 개인에게 손해나 손실이 발생하면 국가나 자치단체가 이를 금전적으로 갚아 주는 제도이다.[2]이는 배상 및 보상의 원인에 따라 '행정상 손해배상(損害賠償)'과 '행정상 손실보상(損失補償)'으로 구분된다.

3 [1]행정상 손해배상은 위법한 행정작용 때문에 발생한 손해를 구제하는 것이다. [2]이러한 배상은 공무원의 위법한 직무행위로 인해 발생한 손해와 영조물의 설치·관리 하자로 인해 발생한 손해에 대해 이루어진다.[3]손해배상을 받고자 할 때에는 배상심의회에 배상금 지급을 신청하거나 법원에 소송을 제기해야 한다.[4]배상심의회에 지급 신청을 한 경우, 배상심의회의 결정을 신청자가 받아들이지 않는다면 법원에 소송을 제기할 수도 있다.[5]이와 달리 행정상 손실보상은 공공을 위한 적법한 행정작용 때문에 발생한 국민의 재산상 손실을 구제하는 것이다.[6]이는 사회 전체가 그 손실을 공평하게 부담해야 한다는 입장에서 마련된 제도이다.[7]행정상 손실보상은 현금보상을 원칙으로 하지만 물건으로 보상하기도 한다.[8]보상액을 결정할 때에는 대개 당사자 간의 협의에 의하기도 하고, 협의가 성립되지 않을 때에는 행정기관에 결정을 내려줄 것을 요청할 수 있다.[9]만약 행정기관의 결정 절차를 거치고도 보상 문제가 해결되지 않는다면 이의 신청을 하거나 바로 법원에 소송을 제기할 수 있다.

4 [1]행정쟁송은 당사자의 청구에 의해 행정작용의 효력의 유무나 부당성을 심판하는 제도이다. [2]이는 소송을 행정기관에 제기하느냐 법원에 제기하느냐에 따라 '행정심판'과 '행정소송'으로 구분된다.

5 [1]행정심판은 행정작용 때문에 권익을 침해 받은 자가 행정기관에 제기하는 소송을 말한다.[2]이는 당사자가 정해진 기간 내에 행정심판위원회나 해당 행정기관에 청구서를 제출해야 한다.[3]행정심판위원회가 당사자의 청구 내용이 타당하다고 인정하면 행정작용을 취소·변경하거나 각종 처분을 내린다.[4]이러한 행정심판은 행정기관에 심판을 청구하는 것이므로 법원의 심판에 따르는 것에 비해 개인의 소송 비용과 법원의 업무 부담을 줄일 수 있다.[5]행정심판과 달리 행정소송은 권익을 침해 받은 자가 법원에 제기하는 소송을 말한다.[6]이는 행정심판을 거치지 않고 제기할 수도 있으며, 행정심판에서 기각결정을 받은 경우에도 제기가 가능하다.[7]행정소송은 사건과 관련하여 자격이 있는 당사자가 소송을 제기하고, 당사자가 소송을 통해 보호 받을 실질적인 이익이 있으며, 급박한 사안일 때에 가능하다.[8]당사자의 청구 내용이 타

지문 이해

1 (　　　　)의 개념 및 두 가지 대표 유형

2 행정상 (　　　)의 개념과 구분

3 행정상 손해배상과 행정상 손실보상의 개념과 차이

4 (　　　)의 개념과 구분

5 행정심판과 행정소송의 개념과 차이

글의 핵심 파악

● **행정구제제도의 유형**

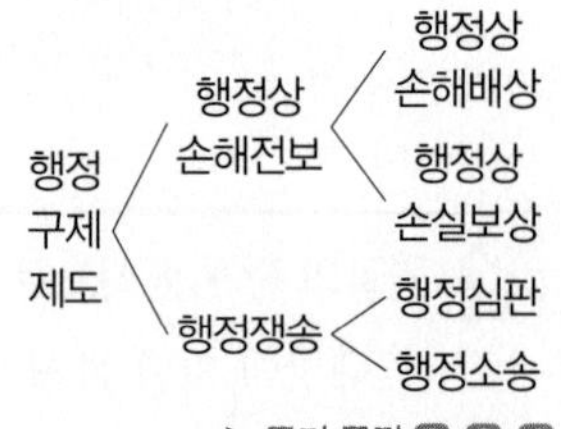

▶ 근거 문단 1, 2, 4

● **행정상 손해배상/손실보상**

	행정상 손해배상	행정상 손실보상
개념	(　　)한 행정작용 때문에 발생한 손해를 구제하는 것.	(　　)한 행정작용 때문에 발생한 손해를 구제하는 것.
방법	배상심의회에 지급 신청.	당사자 간 협의, 행정 기관에 결정 요청, 이의 신청.
	(　　)에 소송 제기.	

▶ 근거 문단 3

● **행정심판/행정소송**

	행정심판	행정소송
개념	권익을 침해 받은 자가 (　　)에 제기하는 소송.	권익을 침해 받은 자가 (　　)에 제기하는 소송.
방법	행정심판위원회나 행정기관에 청구서 제출.	자격이 있는 당사자가 급박한 사안을 소송 제기.

▶ 근거 문단 5

당하다고 인정되면 법원은 행정작용의 무효를 확인하거나 행정작용의 일부 또는 전부를 취소하는 판결을 내린다.[9]그러나 청구 내용이 타당하더라도 행정작용의 취소 등이 공공 복리를 현저히 해친다면 기각판결을 내릴 수 있다.[10]이는 공익 추구를 위해 예외적으로 인정되는 것이다.

어휘 풀이
- **전보**: 부족한 것을 메워서 채움.
- **쟁송**: 서로 송사(소송)로 다툼.
- **영조물**: 국가 또는 공공단체에 의해 공공의 목적에 공용되는 인적 · 물적 시설.
- **기각**: 소송을 검토한 결과 이유가 없거나 적법하지 않아서 물리침.

03 윗글의 내용 전개 방식으로 적절한 것은?

내용 전개 방식 파악하기

① 행정쟁송의 개념을 사례를 들어 설명하고 있다.
② 행정구제제도의 유형을 구분하여 설명하고 있다.
③ 행정상 손해배상의 문제점을 밝히며 대안을 제시하고 있다.
④ 행정구제제도의 변천 과정을 시대적 흐름에 따라 제시하고 있다.
⑤ 행정구제제도에 대한 다양한 관점을 소개하고 이를 절충하고 있다.

04 윗글의 서술 전략에 해당하는 것을 〈보기〉에서 골라 바르게 묶은 것은?

내용 전개 방식 파악하기

보기
ㄱ. 두 대상의 차이점을 중심으로 대상의 특성을 제시하고 있다.
ㄴ. 현행 제도의 문제점을 지적하고 이의 해결책을 모색하고 있다.
ㄷ. 현상을 설명할 수 있는 이론을 바탕으로 사례를 분석하고 있다.
ㄹ. 화제를 단계적으로 구분한 뒤, 각각의 절차에 대해 설명하고 있다.

① ㄱ, ㄷ ② ㄱ, ㄹ ③ ㄴ, ㄷ
④ ㄴ, ㄹ ⑤ ㄷ, ㄹ

PART Ⅱ

07 추론하는 문제

말하지 않아도 알아 …

'행간의 의미를 파악하라'는 말이 있다. 글을 읽을 때 겉으로 드러난 내용뿐 아니라 사이사이에 숨어 있는 내용이나 맥락까지 파악해야 한다는 뜻이다. 여기에서 알 수 있는 것은 글에 '드러난' 내용과 '숨겨진' 내용이 있다는 점이다. 글쓴이는 굳이 말하지 않아도 독자들이 알 수 있거나 알고 있는 내용들을 슬쩍 감추어 둔다.

이렇게 숨어 있는 내용을 추리해 내는 것이 '추론'이다. 숨어 있는 내용을 추리한다는 것이 어렵게 느껴지겠지만, 추리에는 항상 단서가 있기 마련이다. 추리의 단서는 이미 지문에서 제시된 내용이다. 추론은 내용을 사실적으로 이해하는 것을 넘어선, 능동적이면서도 수준 높은 사고라 할 수 있다. 그래서 비문학의 고난도 문제는 대부분 추론과 관련되어 있다.

추론이 사실적 이해와 어떻게 다른지 살피기 위하여 다음 예시를 보자.

"BTS의 노래는 내 삶이 가치 있고 소중하며 더 나아질 수 있다고 말한다. 그들의 당당하면서도 부드럽고 겸손한 말과 행동은 우리에게 밝고 선한 기운을 불어넣어 준다. 대중음악을 하는 젊은 친구들 중 이렇게 밝고 착하고 긍정적인 에너지로 채워진 이들이 있었나? 이것이 세계인들이 BTS에게서 신선한 충격을 받는 이유이다."

⬇ ⬇

글을 사실적으로 이해한 내용 [가]

- BTS의 노래는 긍정적인 메시지를 담고 있다.
- BTS의 언행은 당당하면서도 부드럽고 겸손하다.
- BTS는 음악을 밝고 착하고 긍정적인 에너지로 채운다.
- 사람들은 BTS의 음악에서 신선한 충격을 받고 있다.

글에서 추론한 내용 [나]

- BTS는 기존의 대중음악에서 느낄 수 없었던 새로움을 보여 주고 있다.
- 그동안 대중음악을 하는 젊은 사람들 사이에서 밝고 긍정적인 기운으로 채워진 이들을 찾아보기 어려웠다.
- 사람들은 바른 성품과 긍정적인 삶의 자세가 담긴 음악에 더 큰 감동을 받기도 한다.

위 예시를 보면, '글을 사실적으로 이해한 내용[가]'과 '글에서 추론한 내용[나]'에 차이가 있음을 알 수 있다. [가]는 BTS에 초점을 맞춘 글의 내용을 거의 그대로 반영하고 있지만, [나]는 원래 글의 내용을 바탕으로 하되 다른 관점에서 유추할 수 있는 진술로 구성되었다. 즉 BTS 자체가 아니라 그와 관련해서 떠올릴 수 있는 다른 대중음악가나 관객에게 초점을 맞춘 진술도 있다. 이처럼 추론은 주어진 내용을 해석하여, 글에 명시적으로 나타나지 않았던 내용을 찾아내는 것이다.

[유형 1] 글의 내용, 관점, 의미를 추론하는 문제

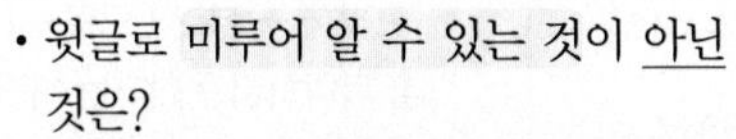
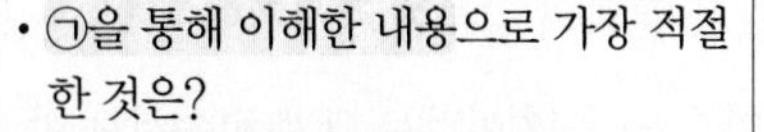

A	B	C
• 윗글로 미루어 알 수 있는 것이 아닌 것은? • 윗글을 읽고 추론(추측)한 내용으로 적절하지 않은 것은? • ㉠(또는 중심 화제)에 대한 추론으로 적절하지 않은 것은?	• ㉠을 통해 이해한 내용으로 가장 적절한 것은? • ㉠을 중심으로 윗글을 이해한 것으로 가장 적절한 것은? ※이때 ㉠은 특정 관점임.	• ㉠의 의미로 가장 적절한 것은? • ㉠을 이해한 내용으로 가장 적절한 것은? • ㉠에 들어갈 내용으로 가장 적절한 것은? ※이때 ㉠은 특정 문장이거나 빈칸임.

A는 지문의 내용으로부터 추론해 낸 진술의 적절성을 파악하는 문제이다. 내용 일치 문제와 유사하지만, 선택지가 추론한 진술이기 때문에 판단 근거가 지문에 명시적으로 나타나지 않는다. 따라서 지문의 내용으로 미루어 선택지의 적절성을 판단할 수 있어야 한다.

B는 관점에 대해 추론하는 문제이다. 관점은 '대상이나 현상을 바라보는 입장이나 시각'을 의미하는데, 특정한 관점에서 제시된 상황을 어떻게 생각할지 유추해야 한다.

C는 빈칸에 들어갈 내용을 추론하거나 지정된 부분의 문맥적 의미를 추론하는 문제이다. 이러한 문제는 앞뒤 문맥을 파악하는 것이 중요하다.

이 유형들은 글의 내용을 바탕으로 하여 새롭게 진술하거나 숨겨진 내용을 이끌어 낸다는 점에서 대표적인 추론 문제라고 할 수 있다.

내용 일치처럼 풀되, 근거를 확실히 찾자!

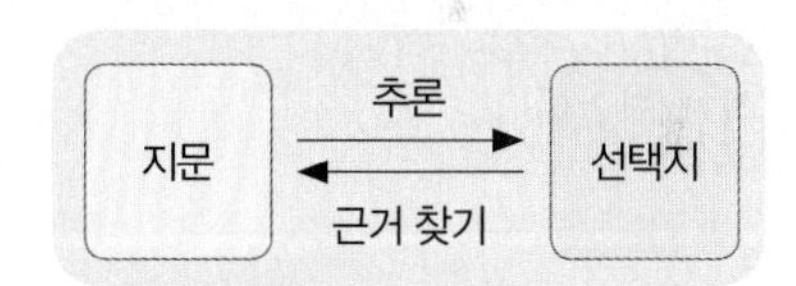

내용을 추론하는 문제(A)를 풀 때에는 내용 일치 문제처럼 선택지에서 키워드를 찾은 뒤, 지문에서 근거를 찾아 진술의 적절성을 파악해야 한다. 그러나 선택지가 추론의 과정을 거쳐 재진술되었기 때문에 지문에서 키워드들이 잘 보이지 않을 수도 있다. 이럴 때에는 상위어·하위어 등 선택지의 단어와 유사한 성격의 키워드를 찾고, 어휘나 표현이 달라도 내용 면에서 가장 근접한 근거를 찾아 적절한 추론을 거친 진술인지 확인해야 한다.

또한 관점에 대해 물을 경우(B)에는 글에서 문제시하거나 집중적으로 다루는 대상 또는 현상이 무엇인지를 파악하고, 그에 대한 주관적인 진술(입장·태도·견해 등)이 드러난 부분을 찾아내야 한다. 이러한 부분이 선택지의 적절성을 판단하는 근거가 되기 때문이다.

문맥적 의미를 추론해야 하는 경우(C)에는 앞뒤에 위치한 문장의 의미 관계를 근거로 삼아 적절하지 않은 선택지를 가려낼 수 있다. 그러나 문장의 의미 관계만으로 근거가 충분하지 않다면, 발문에서 지정한 빈칸이나 문장이 포함된 문단의 흐름과 중심 내용을 살펴보아야 한다.

선택지가 어떻게 재진술되는지 78~79쪽에서 설명하였어. '추론'이라고 해서 자신의 주관과 배경 지식만을 근거로 답을 고르면 절대로 안 돼! 꼭 근거가 되는 내용을 지문에서 찾고, 그 내용으로부터 이끌어 낼 수 있는 내용인지를 판단해야 해.

다음 글을 읽고 글의 내용을 추론하는 문제를 풀어 보자.

지문 1 (2012학년도 11월 고1 학력평가)

1 [1]19세기 일부 인류학자들은 결혼이나 가족 등 문화의 일부에 주목하여 문화 현상을 이해하고자 하였다. [2]그들은 모든 문화가 '야만 → 미개 → 문명'이라는 단계적 순서로 발전한다고 설명하였다.(19세기 일부 인류학자들의 관점) [3]그러나(↔) 이 입장은 20세기에 들어서면서 어떤 문화도 부분만으로는 총체를 파악할 수 없다는 비판을 받았다. [4]문화를 이루는 인간 생활의 거의 모든 측면은 서로 관련을 맺고 있기 때문이다.

2 [1]20세기 인류학자들은 이러한 사실에 주목하여 문화 현상을 바라보았다. [2]어떤 민족이나 인간 집단을 연구할 때에는 그들의 역사와 지리, 자연환경은 물론, 사람들의 체질적 특성과 가족제도, 경제체제, 인간 심성 등 모든 측면을 서로 관련지어서 고찰해야 한다는 것이다.(20세기 인류학자들의 관점) [3]이를 총체적 관점이라고 한다.

3 [1]오스트레일리아의 여요론트 부족의 이야기는 총체적 관점에서 인간과 문화를 이해해야 하는 이유를 잘 보여 준다. [2]20세기 초까지 수렵과 채집 생활을 하던 여요론트 부족 사회에서 돌도끼는 성인 남성만이 소유할 수 있는 가장 중요한 도구였다. [3]돌도끼의 제작과 소유는 남녀의 역할 구분, 사회의 위계 질서 유지, 부족 경제의 활성화에 큰 영향을 미쳤다.(돌도끼가 여요론트 부족에게 미친 영향) [4]그런데(▽) 백인 신부들이 여성과 아이에게 선교를 위해 선물한 쇠도끼는 성(性) 역할, 연령에 따른 위계와 권위, 부족 간의 교역에 혼란을 초래하였다.(쇠도끼가 여요론트 부족에게 미친 영향 ①) [5]이로 인해(→) 여요론트 부족 사회는 엄청난 문화 해체를 겪게 되었다.(쇠도끼가 여요론트 부족에게 미친 영향 ②)

4 [1]쇠도끼로 인한 여요론트 부족 사회의 문화 해체 현상은 인간 생활의 모든 측면이 서로 밀접한 관계가 있음을 잘 보여 준다. [2]만약 문화의 발전이 단계적으로 이루어진다는 관점(19세기 인류학자들의 관점)에서 본다면 쇠도끼의 유입은 미개 사회에 도입된 문명사회의 도구이며, 문화 해체는 [㉠] [3]하지만(↔) 이러한 관점으로는 쇠도끼의 유입이 여요론트 부족에게 가지는 의미와 그들이 겪은 문화 해체를 제대로 이해하고 그에 대한 올바른 해결책을 제시하기가 매우 어렵다.

5 [1]총체적 관점은 인간 사회의 다양한 문화 현상을 이해하는 데 매우 중요한 공헌을 했다. [2]여요론트 부족 사회의 이야기에서 알 수 있듯이, 총체적 관점은 사회나 문화에 대해 객관적이고 깊이 있는 통찰을 가능하게 한다.(총체적 관점의 의의 ①) [3]이러한 관점을 가지고 인간이 처한 여러 가지 문제를 바라볼 때, 우리는 보다 바람직한 해결 방향을 모색할 수 있을 것이다.(총체적 관점의 의의 ②)

지문 이해

1 19세기 인류학자들의 문화 연구 방식 ← 부분만으로는 (　　) 를 파악하지 못한다는 비판

2 20세기 인류학자들이 문화를 연구한 방식: 인간 문화를 이루는, 인간을 둘러싼 모든 것을 (　　)지어서 고찰함.
= (　　) 관점

3 여요론트 부족의 사례 : 쇠도끼의 유입으로 (　　)를 겪음.

4 여요론트 부족의 사례가 주는 시사점: 인간 생활의 모든 측면이 서로 밀접한 관계가 있음.

5 총체적 관점의 의의: 사회나 문화에 대한 통찰, 여러 가지 문제에 대한 바람직한 (　　)의 모색을 가능하게 함.

어휘 풀이

- **총체**: 사물을 구성하는 전체.
- **고찰**: 어떤 것을 깊이 생각하고 연구함.
- **교역**: 주로 나라와 나라 사이에서 물품을 사고 팖.
- **통찰**: 관찰하여 사물을 훤히 꿰뚫어 봄.

예제 1

글의 흐름을 고려할 때, ㉠에 들어갈 내용으로 가장 적절한 것은?

① 문화 발전을 퇴보시키는 원인으로 이해할 것이다.
② 사회 발전을 위해 필요한 과도기로 이해할 것이다.
③ 사회 질서를 유지하기 위한 과정으로 이해할 것이다.
④ 사회가 혼란해져 문화 발전이 지연되는 단계로 이해할 것이다.
⑤ 현재 문화를 미개 사회의 문화로 회귀시킨 현상으로 이해할 것이다.

글의 내용을 바탕으로 하여 빈칸(㉠)에 들어갈 내용을 추론하는 유형으로 주어진 빈칸의 앞뒤 문맥을 파악하여 문제를 풀면 된다.

Step 1 발문에서 지정한 빈칸의 앞뒤 문맥이 무엇인지를 파악한다.

➜ 빈칸 바로 앞에 있는 문장을 통해서 '문화의 발전이 단계적으로 이루어진다는 관점'에서 '쇠도끼의 유입으로 인한 문화 해체'를 어떻게 이해하는지를 찾아야 함을 알 수 있다. 형식은 빈칸 추론 문제이지만, 내용으로 볼 때에는 특정 관점을 추론하는 문제의 성격을 띠고 있다. 따라서 '문화의 발전이 단계적으로 이루어진다는 관점'에 대한 내용을 찾아 빈칸에 들어갈 내용을 추론하면 된다.

Step 2 문맥을 바탕으로, 빈칸에 들어갈 내용을 추론한다. 반드시 지문의 내용을 바탕으로 하여 빈칸의 내용을 추론해야 한다.

➜ 이 관점은 19세기 일부 인류학자들의 입장으로, 1과 4에서 그 내용을 찾을 수 있다.

1 ²그들은 모든 문화가 '야만 → 미개 → 문명'이라는 단계적 순서로 발전한다고 설명하였다.

4 ²만약 문화의 발전이 단계적으로 이루어진다는 관점에서 본다면 쇠도끼의 유입은 미개 사회에 도입된 문명사회의 도구이며, 문화 해체는 [㉠].

➲ 이 관점에서는 돌도끼는 미개 사회를, 쇠도끼는 문명사회를 상징하는 도구로 보고 있음.

이 관점에서는 '돌도끼 → 쇠도끼'로의 변화가 '미개 → 문명'의 단계를 거치는 과정이라고 해석할 것이다. 그러므로 '문명사회의 도구'인 쇠도끼의 유입 때문에 여요론트 족이 문화 해체를 겪는 것은 이 부족이 미개 사회에서 벗어나 문명사회로 나아가는 과정이라고 이해할 것이다. 따라서 이와 가장 가까운 ②가 정답이 된다.

이러한 추론 과정이 어려울 때에는 지문의 내용을 근거로 적절하지 않은 선택지를 제외하여 문제를 풀면 된다.

➲ ①번, ④번, ⑤번: 이 관점에서 쇠도끼는 '문명사회를 상징하는 도구'이기 때문에 쇠도끼 유입으로 인한 문화 해체를 '퇴보, 지연, 미개 사회로의 회귀'로 본다는 설명은 적절하지 않다.

③번: 이 관점에서 문화 현상을 '사회 질서 유지'와 관련지어 설명한 내용은 언급되지 않았다. 지문에서 언급하지 않은 내용이면 항상 내용 불일치 선택지이다.

글의 내용 추론하기

100人 문맥을 파악하는 방법은 '02 문맥 읽기'에서 살펴봤어. 연결 표현이나 지시어, 접속어 등을 통해 빈칸 앞뒤에 있는 문장 간의 의미를 잘 살펴보면 돼. 그리고 문단별 중심 내용을 통해 글의 흐름을 이해하고 있다면 빈칸을 추론할 때 더 유리해.

바로 콕 문제

1 이 글에서 미루어 알 수 있는 내용이 아닌 것은?

① 백인 신부들은 쇠도끼 유입이 여요론트 부족의 문화에 미치는 파급력을 예상치 못했다.
② 돌도끼는 여요론트 부족의 문화는 물론 사회·경제적 질서를 유지하는 데 중요한 요소였다.
③ 여요론트 부족의 문화 해체는 성인 남성 중심의 사회 질서가 전복된 것이 가장 큰 요인이다.
④ 문화를 이루는 요소들이 긴밀한 관계를 맺고 있다는 인식은 인류학자들이 문화를 바라보는 방식에 근본적 변화를 일으켰다.
⑤ 문화의 단계적 발전을 옹호하는 관점은 문화 현상을 이해하는 데 한계를 지니고 있다.

콕 정답과 해설 26쪽

독해 원리

[유형 2] 이유·근거·전제·결론을 추론하는 문제

A – 이유	B – 근거	C – 전제	D – 결론
• ㉠의 이유로 가장 적절한 것은?	• ㉠의 근거로 가장 적절한 것은? • ㉠을 뒷받침하는 정황으로 가장 적절한 것은?	• ㉠의 전제로 가장 적절한 것은? • ㉠을 도출하는 과정에서 생략된 전제로 가장 적절한 것은?	• ㉠의 답으로 가장 적절한 것은? • 윗글에서 이끌어 낼 수 있는 내용으로 가장 적절한 것은?

비문학 시험에서는 논리적 사고력을 갖추었는지 평가하는 것을 중시하기 때문에, 문장이나 글의 일부분을 지정해 주고 그것의 이유, 근거, 전제, 결론을 발문에서 직접 묻기도 한다. 이러한 문제를 풀기 위해서는 결론·주장·판단이 되는 내용과 그것을 뒷받침하는 이유·근거·전제의 관계를 파악할 수 있어야 한다.

결론·주장·판단
↑ 뒷받침
이유·근거·전제

개념+ **이유, 근거, 전제**

- **이유**: 좀 더 직접적으로 결론·주장·판단과 인과 관계를 맺는 진술.
- **근거**: 결론·주장·판단을 입증할 수 있는 사례, 경험, 배경, 자료를 의미함.
- **전제**: '먼저 제시함[前提]'이라는 의미처럼, 결론·주장·판단이 성립하기 위해서 깔려 있어야 하는 진술.

문제 풀이의 사고 과정 – 인과 관계가 성립되는지 따져 보자

실제 문제를 풀 때에는 이유·근거·전제의 차이를 중요하게 고려하지 않아도 된다. 이 세 가지 모두 결론으로 제시된 진술과 '인과 관계'로 이어지기 때문이다. 즉, 이유·근거·전제로 제시된 진술은 '~때문에', '–아서/어서', '그래서' 등의 말로 결론·주장·판단의 진술과 이어진다. 그런데 학생들은 생략된 전제를 파악하는 것을 가장 어려워한다. 하지만 예시와 같이 논리 관계를 꼼꼼히 정리하면 전제를 쉽게 찾을 수 있다.

예시

전제(원인) 사람은 죽는다.
생략된 전제 (아리스토텔레스는 사람이다.)
결론(결과) 아리스토텔레스는 죽을 것이다.

➲ 전제를 추론할 때에는 주어진 문장과 결론이 어떻게 이어질 수 있는지를 사고해야 한다. 이때 결론과 무관한 내용(예 아리스토텔레스는 철학자이다)이거나 결론을 뒷받침하지만 주어진 전제나 원인과 이어질 수 없는 진술(예 아리스토텔레스의 부모님도 죽었다)은 생략된 전제가 될 수 없다.

이 문제 유형은 다음의 순서에 따라 발문에서 제시한 문장과 선택지 사이의 인과 관계를 따져 보면 된다.

Step 1 발문에서 주어진 문장(㉠, ⓐ 등)의 논리 관계를 도식화하여 정리한다.

Step 2 문맥을 바탕으로 이유·근거·전제 또는 결론과 관련된 구체적인 내용(근거, 사례, 재진술 등)을 찾는다.

➲ 이때 지문에서 찾은 이유·근거·전제 또는 결론과 일치하는 선택지가 있다면, 답일 확률이 높다!

Step 3 선택지와 주어진 문장을 "(이유/원인)이다. 따라서 (결과/결론)이다."의 형식에 대입한다.

➲ 선택지와 주어진 문장 사이의 인과 관계를 찾는 절차이다. 선택지나 주어진 문장이 복잡할수록 눈으로 풀지 말고 이와 같이 형식에 대입하여 인과 관계를 확인해야 한다.

다음 글을 읽고 이유를 추론하는 문제를 풀어 보자.

지문 2 (2017학년도 6월 고2 학력평가)

[1]국내총생산과 국민총생산은 일부의 생산량을 포함하지 못한다는 한계가 있다. [2]㉠시장에서 거래되지 않거나 돈으로 계산하기 어려운 재화나 용역은 제외될 수밖에 없다는 것이다. [3]개발도상국의 영세한 자급농이나 주부의 가사 노동이 그(사례)에 해당한다. [4]개발도상국의 영세한 자급농은 자기가 생산한 농산물 대부분을 자체 소비하고 시장에 내다팔지 않아서 그들의 농산물은 총생산량에 포함되지 않는다. [5]또한 주부의 가사 노동은 시장 밖에서 생산될 뿐만 아니라 돈으로 계산하기도 어렵기 때문에 국내총생산이나 국민총생산 어디에도 포함되지 않는다.

(사례 ① / 사례 ② / 사례 ① – 이유 / 사례 ② – 이유)

어휘 풀이
- **재화:** 바라는 바를 충족시켜 주는 모든 물건. 특히 획득하는 데 대가가 필요한 것을 경제재라고 함.
- **용역:** 생산과 소비에 필요한 노동과 사무를 제공하는 일.
- **자급농:** 자기에게 필요한 것을 자기가 만들어 쓰는 농민.

예제 2

문맥을 고려할 때, ㉠의 이유로 가장 적절한 것은?

① 생산물을 소비할 수 있는 시장이 한정되어 있기 때문에
② 생산량의 가치는 시장 가격으로만 계산하기 때문에
③ 생산량이 일정하지 않고 수시로 변하기 때문에
④ 생산물이 거래되는 구조가 복잡하기 때문에
⑤ 생산량이 매우 미미한 수준이기 때문에

이유 추론하기

주어진 문장(㉠)의 이유를 추론하는 문제이다. 특정한 주장·견해의 이유를 찾는 것이 아니라 경제와 관련된 사실·현상의 이유를 파악하는 문제이기 때문에 문맥을 활용하여 이유에 해당하는 부분을 찾으면 문제를 쉽게 풀 수 있다. 다음과 같은 순서로 문제를 풀어 보자.

Step 1 발문에서 주어진 문장 ㉠의 논리 관계를 도식화하여 정리한다.

시장에서 거래되지 않는 / 돈으로 계산하기 어려운	재화·용역	➡	'국내·국민총생산'에서 제외

'01 문장 읽기'와 '02 문맥 읽기'에서 문장을 끊어 읽고 두 문장 사이의 의미 관계를 파악하는 연습을 했었지? 이를 알아보기 쉽게 표나 도식으로 정리해 보라는 뜻이야.

Step 2 문맥을 바탕으로 하여 이유와 관련된 구체적인 내용(근거, 사례, 재진술 등)을 찾는다.

➡ ㉠의 바로 뒤에 이어지는 2~5문장에서 이유와 관련된 근거(개발도상국의 영세한 자급농, 주부의 가사노동의 사례)가 구체적으로 제시되었다. 영세한 자급농은 생산한 것을 시장에 내다팔지 않고 자체적으로 소비하기 때문에, 주부의 가사 노동은 시장 밖에서 생산되고 돈으로 계산하기 어렵기 때문에 생산량 산출에서 제외된다. 즉 두 사례는 시장 밖에서 생산된다는 공통점이 있다.

이를 통해, 생산한 재화나 용역이 '시장 안에 있지 않으면' 국내총생산과 국민총생산에 포함되지 않는다는 것을 알 수 있다. 이 '시장 안에 없다'는 말은, 시장 내에서 일정한 '가격'이 매겨져 계산되거나 '거래'되지 않음을 뜻한다는 것도 추론할 수 있다.

이를 '~이기 때문에 생산량에서 제외된다.'와 같은 인과 관계로 정리해 보자.

자급농과 주부가 생산한 것은	시장에 참여하지 않기 때문에 = 계산되지 않기 때문에(가격이 매겨지기 않기 때문에) = 거래되지 않기 때문에	➡	국민·국내 총생산에 포함되지 않는다.

Step 3 '선택지[이유] 때문에 ㉠[결과]이다.'의 형식에 대입하여 인과 관계가 성립하는지 확인한다.

➔ ② 생산량의 가치는 시장 가격으로만 계산하기 때문에 – ㉠이다. (○)–가장 적절함.

Step 2에서 파악한, 자급농과 주부가 생산한 재화나 용역이 '시장에 없어서 가격이 매겨져 계산되거나 거래되지 않는다.'라는 내용을 '생산량의 가치가 시장 가격으로만 계산된다.'로 재진술한 선택지이므로 정답이다.

100人 Step 2를 거쳐 가장 적절한 답을 바로 고를 수도 있지만, 그게 너무 어려울 때에는 내용 일치 여부를 확인해서 오답 선택지를 먼저 골라낼 수도 있지. ③, ④의 경우 글에 전혀 언급되지 않은 내용이지? 윗글 어디에서도 '생산량의 변화'나 '거래 구조'에 대해서 언급하고 있지 않으므로 내용 불일치 선택지이며 ㉠의 이유가 될 수 없어. ①, ⑤의 경우 관련된 내용이 살짝 나오는 것 같지만, 직접적으로 명시된 정보는 아니야. 이뿐만 아니라 Step 2에서 파악했던, '생산량에 포함되지 않는 이유'와도 거리가 멀어.

100人 다음 글을 읽고 전제를 추론하는 문제를 풀어 보자.

지문 3 2007학년도 6월 모의평가

[1]도덕적 선택의 순간에 직면했을 때 상대방에게 개인적 선호(選好)를 드러내는 행동이 과연 도덕적으로 정당할까?

[2](철수는 근무 중 본부로부터 긴급한 연락을 받았다. [3]동해안 어떤 항구에서 혐의자 한 명이 일본으로 밀항을 기도한다는 첩보가 있으니 그를 체포하라는 것이었다. [4]철수가 잠복 끝에 혐의자를 체포했더니, 그는 하나밖에 없는 친형이었다. [5]철수는 고민 끝에 형을 놓아주고 본부에는 혐의자를 놓쳤다고 보고했다.)

[6]철수의 행동은 도덕적으로 정당화될 수 있는가? [7]㉠혐의자가 자신의 형임을 알고 놓아주었으므로 그의 행동은 형에 대한 개인적 선호를 표현한 것이다. [8]따라서 그는 모든 사람의 복지와 행복을 동일하게 간주해야 하는 공평성의 기준을 지키지 않았다.

어휘 풀이

- **선호:** 여럿 가운데서 특별히 가려서 좋아함.
- **혐의자:** 범죄를 저질렀을 것으로 의심을 받는 사람.
- **기도:** 어떤 일을 이루도록 꾀함. 또는 그런 계획이나 행동.

전제 추론하기

예제 3

㉠의 추론 과정에서 생략되어 있는 전제는?

① 철수가 형을 놓아주었다면 그는 누구라도 놓아줄 수 있을 것이다.
② 철수가 체포한 사람이 모르는 사람이었다면 철수는 그를 놓아주지 않았을 것이다.
③ 철수가 놓아준 사람이 모르는 사람이었다면 철수는 거짓 보고를 하지 않았을 것이다.
④ 철수가 공평한 사람이었다면 그는 개인적 선호를 표현하는 행동을 하지 않았을 것이다.
⑤ 철수가 형을 놓아주지 않았다면 비인간적인 사람이라는 비난을 피할 수 없었을 것이다.

주어진 문장(㉠)의 전제를 추론하는 문제이다. 특히 주어진 문장에 이미 전제-결론의 관계가 드러나 있기 때문에 이를 먼저 파악한 뒤에, 이 논리 관계에 부합하는 선택지를 찾아야 한다.

Step 1 발문에서 주어진 문장(㉠)의 논리 관계를 도식화하여 정리한다.

전제		결론
철수는 혐의자가 자신의 형이라는 것을 알고 놓아줌.	➡	철수는 형에 대한 개인적 선호를 표현함.

Step 2 '선택지[전제]이다. 따라서 ㉠[결론]이다.'의 형식에 대입하여 인과 관계가 성립하는지 확인한다.

➡ 위에서 파악한 결론이 성립하기 위해 필요한 명제를 찾으면 된다. 이를 위해 철수가 보일 만한 행동들을 경우의 수로 정리하면, 다음과 같다.

철수의 행동(전제)		결론
체포한 사람이 형인 경우	놓아줌.	형에 대한 개인적 선호 표현. → 형이 혐의자임을 알고 놓아준 것.
	놓아주지 않음.	형에 대한 개인적 선호 표현이 아님. → 형이 혐의자임에도 일반 혐의자와 똑같이 대한 것.
체포한 사람이 형이 아닌 경우 (모르는 사람인 경우)	놓아줌.	형에 대한 개인적 선호 표현이 아님. → 누구든 놓아준 것.
	놓아주지 않음.	형에 대한 개인적 선호 표현. → 형이기 때문에 놓아준 것.

지문에서는 체포한 사람이 형인 경우에 대해 이미 설명하였으므로, 철수가 형이 아닌 모르는 사람을 체포했을 때 어떻게 행동할지를 생각하면 된다. 이때 철수가 모르는 사람인데도 혐의자를 놓아준다면, 개인적 선호에 따라서 행동하였다고 볼 수 없다. 따라서 ㉠의 논리 관계를 잘 뒷받침하는 전제로는 ②가 가장 적절하다.

100人 생략된 전제를 찾을 때에도 항상 지문의 내용에서 판단 근거를 찾아야 해. 문맥상 철수의 행동은 문장 1에서 언급된 '도덕적 선택의 순간에 직면했을 때 상대방에게 개인적 선호를 드러내는 행동'의 사례임을 알 수 있어. '개인적 선호'는 문장 8에서 다시 언급되는데, 이는 '공평성을 지키지 않은 행동'에 해당하지.

바로 콕 문제

2 윗글의 글쓴이의 관점으로 가장 적절한 것은?

① 개인적 선호를 드러내는 행동은 공평하다.
② 개인적 선호는 도덕적 선택에 도움을 준다.
③ 개인적 선호를 드러내는 행위는 도덕적으로 정당하지 않다.
④ 개인적 선호는 상대방에게 도덕적으로 정당한 평가를 내리게 한다.
⑤ 개인적 선호는 모든 사람의 복지와 행복을 동일하게 간주하게 만들어 준다.

콕 정답과 해설 26쪽

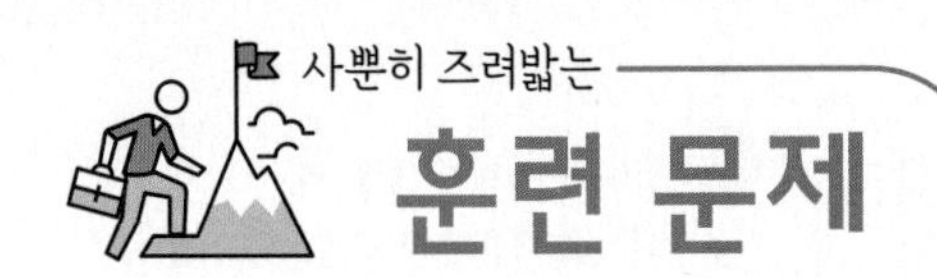

훈련 문제

[01~03] 다음 글을 읽고 물음에 답하시오.

2009학년도 6월 모의평가

1 [1]현대인은 타인의 고통을 주로 뉴스나 영화 등의 매체를 통해 경험한다. [2]타인의 고통을 직접 대면하는 경우와 비교할 때 그와 같은 간접 경험으로부터 연민을 갖기는 쉽지 않다. [3]더구나 현대 사회는 사적 영역을 침범하지 않도록 주문한다. [4]이런 존중의 문화는 타인의 고통에 대한 지나친 무관심으로 변질될 수 있다. [5]그래서인지 현대 사회는 소박한 연민조차 느끼지 못하는 불감증 환자들의 안락하지만 황량한 요양소가 되어 가고 있는 듯하다.

2 [1]연민에 대한 정의는 시대와 문화, 지역에 따라 가지각색이지만, 다수의 학자들에 따르면 연민은 두 가지 조건이 충족될 때 생긴다. [2]먼저 타인의 고통이 그 자신의 잘못에서 비롯된 것이 아니라 우연히 닥친 비극이어야 한다. [3]다음으로 그 비극이 언제든 나를 엄습할 수도 있다고 생각해야 한다. [4]이런 조건에 비추어 볼 때 현대 사회에서 연민의 감정은 무뎌질 가능성이 높다. [5]현대인은 타인의 고통을 대부분 그 사람의 잘못된 행위에서 비롯된 필연적 결과로 보며, 자신은 그러한 불행을 예방할 수 있다고 생각하기 때문이다.

3 [1]그러나 현대 사회에서도 연민은 생길 수 있으며 연민의 가치 또한 커질 수 있다. [2]그 이유를 세 가지로 제시할 수 있다. [3]첫째, 현대 사회는 과거보다 안전한 것처럼 보이지만 실은 도처에 위험이 도사리고 있다. [4]둘째, 행복과 불행이 과거보다 사람들의 관계에 더욱 의존하고 있다. [5]친밀성은 줄었지만 사회·경제적 관계가 훨씬 촘촘해졌기 때문이다. [6]셋째, 교통과 통신이 발달하면서 현대인은 이전에 몰랐던 사람들의 불행까지도 의식할 수 있게 되었다. [7]물론 간접 경험에서 연민을 갖기가 어렵다고 치더라도 고통을 대면하는 경우가 많아진 만큼 연민의 필요성이 커져 가고 있다. [8]이런 정황에서 볼 때 ㉠<u>연민은 그 어느 때보다 절실히 요구되며 그만큼 가치도 높다.</u>

4 [1] 진정한 연민은 대부분 연대로 나아간다. [2]연대는 고통의 원인을 없애기 위해 함께 행동하는 것이다. [3]연대는 멀리하면서 감성적 연민만 외치는 사람들은 은연중에 자신과 고통받는 사람들이 뒤섞이지 않도록 두 집단을 분할하는 벽을 쌓는다. [4]이 벽은 자신의 불행을 막으려는 방화벽이면서, 고통받는 타인들의 진입을 차단하는 성벽이다. [5]㉡<u>'입구 없는 성'에 출구도 없듯, 이들은 성 바깥의 위험 지대로 나가지 않는다.</u> [6]이처럼 안전지대인 성 안에서 가진 것의 일부를 성벽 너머로 던져 주며 자족하는 동정도 가치 있는 연민이다. [7]그러나 진정한 연민은 벽을 무너뜨리며 연대하는 것이다.

지문 이해

1 현대 사회 속의 현대인은 (　　)을 느끼지 못하고 살아감.

2 연민이 생길 수 있는 두 가지 조건
① 타인의 고통이 (　　)히 생긴 비극일 것.
② 그 비극이 언제든 (　　) 에게도 올 수 있다고 생각해야 함.

3 현대 사회에서 연민의 가치가 높아져야 하는 이유

4 진정한 연민의 의미

감성적 연민	진정한 연민
벽을 쌓음.	벽을 무너뜨림.
동정함.	(　　)함.

글의 핵심 파악

● 글쓴이의 관점

이유	• 현대 사회는 도처에 (　　) 이 도사림. • 행복·불행이 사람들의 (　　)에 의존함. • 이전에 몰랐던 사람들의 (　　)도 의식할 수 있음.
주장	현대 사회에서 (　　)이 요구되며, 타인과 (　　)하는 모습으로 나아가야 함.

▶ 근거 문단 **3**, **4**

어휘 풀이

• **요양소**: 환자들을 수용하여 요양할 수 있도록 시설을 갖추어 놓은 보건 기관.
• **엄습**: 뜻하지 아니한 사이에 습격함.
• **은연중**: 남이 모르는 가운데.

01 윗글을 이해한 내용으로 적절하지 않은 것은?

글의 내용 추론하기

① 사회가 위험해지면 연민은 많아진다.
② 동정으로 끝나는 연민도 가치가 있다.
③ 현대인은 타인의 고통에 무관심한 경향이 있다.
④ 연민은 가까운 사람에게만 느끼는 것은 아니다.
⑤ 연민은 동양과 서양에서 다르게 규정할 수 있다.

02 ㉠의 주장을 뒷받침하는 정황으로 제시할 수 없는 것은?

근거 추론하기

① 자연 환경이 파괴되면서 피부암 환자가 많아졌다.
② 행위 결과에 스스로 책임지지 않는 사람이 많아졌다.
③ 뉴스를 통해 이주민의 고통을 알게 된 사람이 많아졌다.
④ 사람들 간의 이해관계가 이전보다 복잡하게 연결되어 있다.
⑤ 공장 이전으로 직장을 얻는 사람이 있으면 잃는 사람도 있다.

03 ㉡의 의미를 이해한 것으로 적절한 것은?

글의 의미 추론하기

① 말로만 연대를 외치고 고통을 나누려는 시도를 하지 않는다면, 이 사회의 고통의 총합은 더욱 커지게 된다.
② 타인과 직접 대면하여 마음을 나누는 것을 피하게 되면, 소박한 연민을 표현할 감수성조차 잃어버리게 된다.
③ 감성적 연민의 수준에 머물게 되면, 연민을 나눔으로써 고통의 근원을 해소할 수 있는 가능성은 줄어들게 된다.
④ 적극적인 연대를 통해 고통의 원인을 없애 나간다면, 소극적이고 자족적인 연민의 단계에서 벗어날 수 있게 된다.
⑤ 사적 영역에 타인이 들어오는 것을 허용하지 않으면, 타인의 고통에 연민을 느낄 수 있는 가능성이 사라지게 된다.

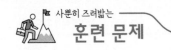

[04~06] **다음 글을 읽고 물음에 답하시오.**

2018학년도 9월 고2 학력평가

1 [1]국가는 자국의 힘이 외부의 군사적 위협을 견제하기에 충분치 않다고 판단할 때나, 역사와 전통 등의 가치가 위협받는다고 느낄 때 다른 나라와 동맹을 맺는다.[2]동맹 결성의 핵심적인 이유는 동맹을 통해서 확보되는 이익이며 이는 동맹 관계 유지의 근간이 된다.

2 [1]동맹의 종류는 그 형태에 따라 방위조약, 중립조약, 협상으로 나눌 수 있다. [2]먼저 방위조약은 조약에 서명한 국가들 중 어느 한 국가가 침략을 당했을 경우, 다른 모든 서명국들이 공동방어를 위해서 참전하기를 약속하는 것이다. [3]다음으로 중립조약은 서명국들 중 한 국가가 제3국으로부터 침략을 받더라도, 서명국들 간에 전쟁을 선포하지 않고 중립을 지킬 것을 약속하는 것이다. [4]마지막으로 협상은 서명국들 중 한 국가가 제3국으로부터 침략을 당했을 경우, 서명국들 간에 공조체제를 유지할 것인지에 대해 차후에 협의할 것을 약속하는 것이다. [5]정리하면 세 가지 유형 중 방위조약의 경우는 동맹국의 전쟁에 개입해야 한다는 강제성이 있기에 동맹국 간의 정치·외교적 관계의 정도가 매우 가깝다.[6]또한 조약의 강제성으로 인해 전쟁 발발 시 동맹관계 속에서 국가가 펼칠 수 있는 정치·외교적 자율성은 매우 낮다.[7]즉 방위조약이 동맹국 간의 자율성이 가장 낮고, 다음으로 중립조약, 협상 순으로 자율성이 높아진다.[8] ㉠<u>한 연구에 따르면, 1816년부터 1965년까지 약 150년 간 맺어진 148개의 군사동맹 중에서 73개는 방위조약, 39개는 중립조약, 36개는 협상의 형태인데, 평균 수명은 방위조약이 115개월, 중립조약이 94개월, 협상은 68개월 정도였다.</u>

3 [1]위와 같이 동맹 관계는 고정되어 있지 않다. [2]그 이유에 대해 현실주의자들과 구성주의자들은 서로 다른 견해를 보이는데, 이는 국제 사회를 바라보는 시각의 차이에서 기인한다.[3]우선 현실주의자들은 ㉡<u>국제 사회는 국가 이상의 단위에서 작동하는 중앙 정부와 같은 존재가 부재하는 일종의 무정부 상태라고 본다.</u>[4]따라서 개별 국가는 스스로를 지켜야 하는 것이다. [5]그래서 각 나라는 군사적 동맹을 통해 세력 균형을 이루어 패권 안정을 취하려 한다. [6]특정한 패권 국가가 출현하면 그 힘을 견제하기 위한 국가들 간의 동맹이 형성되기도 하고, 그 힘에 편승하는 동맹이 형성되기도 한다.[7]이렇듯 힘의 균형점이 이동함에 따라 세력의 균형을 끊임없이 찾는 과정에서 동맹 관계는 변할 수 있다고 보는 것이다.

4 [1]구성주의자들 역시 현실주의자들처럼 동맹 관계가 고정된 약속이 아니라, 상황에 따라 변할 수 있는 약속이라고 본다.[2]구성주의자들은 무정부적 국제 사회를 힘의 분배와 균형 등의 요소로 분석할 수 없다고 비판하며, 관계에 주목한다.[3]구성주의자들은 국제 사회의 구성원들이 상호 작용을 하여 상호 간 역할과 가치를 형성하면서 국제 사회 환경의 변화를 만들어 낸다고 본다.[4]상호 작용의 변화에 따라 동맹은 달라질 수 있는데, 타국이나 국제 사회에 대한 인식이 긍정적이고 국제 사회에서의 구성원들의 역할이 가치가 있다고 판단될 때, 긍정적인 동맹 관계를 맺고 평화로울 수 있지만, 그렇지 않으면 동맹은 파기될 수 있다고 본 것이다.

지문 이해

1 국가는 이익이 확보될 때 동맹을 결성함.

2 동맹의 종류와 특징
- (　　　　): 동맹국 전쟁에 개입해야 함.
- (　　　　): 동맹국이 침략을 당해도 중립을 지킬 것을 약속함.
- (　　): 동맹국이 침략을 당했을 때 어떻게 할 것인지 차후에 협의함.

3 동맹 관계가 변하는 이유 - 현실주의자들의 입장
: (　　　　)이 이동하면서 세력의 균형을 찾기 위해 동맹 관계가 변함.

4 동맹 관계가 변하는 이유 - 구성주의자들의 입장
: 국제 사회 구성원들의 (　　)와 상호 작용의 변화에 따라 동맹이 변함.

글의 핵심 파악

- **동맹의 종류에 따른 특성**

	정치외교적 관계	정치외교적 자율성
방위조약	가까움.	낮음.
중립조약	↕	↕
협상	멂.	높음.

▶ 근거 문단 2

어휘 풀이

- **공조:** 여러 사람이 함께 도와주거나 서로 도와줌.
- **패권:** 어떤 분야에서 우두머리나 으뜸의 자리를 차지하여 누리는 공인된 권리와 힘.

04 윗글에 대한 이해로 적절하지 않은 것은?

글의 내용 추론하기

① 동맹으로 자국의 이익이 보장되지 않으면 동맹은 맺어지지 않을 수 있다.
② 협상은 전쟁 발발 이후의 공조체제 유지 여부를 사전에 결정하지 않는다.
③ 동맹은 국제 사회에서 개별 국가의 행동이나 선택에 제약을 주기도 한다.
④ 패권 국가가 출현하기 위해서는 그 힘에 편승한 세력들의 동맹이 필요하다.
⑤ 국제 정세나 환경의 변화에 따라 국가 간의 동맹의 양상은 달라질 수 있다.

05 ㉠을 통해 이끌어 낸 결론으로 가장 적절한 것은?

결론 추론하기

① 동맹 관계가 멀고 자율성이 높을수록 동맹의 수명이 연장되었음을 알 수 있다.
② 동맹 관계가 멀고 자율성이 낮을수록 동맹의 수명이 단축되었음을 알 수 있다.
③ 동맹 관계가 가깝고 자율성이 높을수록 동맹의 수명이 연장되었음을 알 수 있다.
④ 동맹 관계가 가깝고 자율성이 낮을수록 동맹의 수명이 단축되었음을 알 수 있다.
⑤ 동맹 관계가 가깝고 자율성이 낮을수록 동맹의 수명이 연장되었음을 알 수 있다.

06 ㉡의 전제로 가장 적절한 것은?

전제 추론하기

① 국가는 힘의 논리로부터 스스로를 지키려고 한다.
② 국가는 힘의 분배와 균형을 유지하기 위해 노력한다.
③ 국가는 국가 간의 관계를 조절하는 국제 사회의 질서에 순응하려 한다.
④ 국가는 국제 사회에서 자신의 이익만 추구하는 이기적인 모습을 보인다.
⑤ 국가는 가치에 따라 다른 국가와의 동맹을 유지하기도 하고 파기하기도 한다.

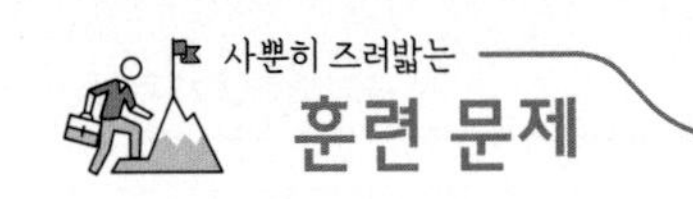

[07~09] **다음 글을 읽고 물음에 답하시오.**

2014학년도 3월 고2 학력평가Ⓐ

1 [1]생태계에서 개체군이란 동일한 지역에 살고 있는 한 종에 속하는 개체들의 집단을 말한다. [2]생태학자들은 이러한 개체군의 성장 과정을 연구하기 위해서 기하급수적 성장 모델과 로지스틱(logistic) 성장 모델을 활용한다.

2 [1]먼저 먹이, 번식지, 포식자 등과 같은 아무런 환경적인 제한 요인이 없는 실험 환경에서 한번 발생한 박테리아가 매 20분마다 두 배로 지속적으로 분열해서 증식한다고 가정하자. [2]이 박테리아는 36시간 후에는 전 지구를 30㎝의 두께로 덮을 수 있는 수로 증가하게 된다. [3]이처럼 이상적인 환경이라면, 개체군의 성장률(G)은 그 개체군이 갖고 있는 선천적 번식능력을 의미하는 상수 값인 '내재성 증가율(r)'과 그 개체군의 '개체수(N)'에 의해 결정되며, 이는 $G=rN$이라는 방정식으로 표현된다. [4]그래서 시간이 지날수록 성장률이 점점 더 커지게 되고, 그만큼 개체군 또한 기하급수적으로 성장하게 된다. [5]이와 같이 이상적인 환경에서 개체군이 일정한 세대기간이 거듭될수록 기하급수적으로 성장하기 때문에 기하급수적 성장 모델이라고 하는데, 이는 〈그림〉의 (가)와 같은 곡선으로 그려진다.

3 [1]그러나 ⓐ자연계에서 개체군이 성장 초기에는 기하급수적으로 성장하더라도, 나중에는 〈그림〉의 (가)처럼 성장할 수는 없다. [2]이를 고려한 것을 로지스틱(logistic) 성장 모델이라고 하며, 이는 〈그림〉의 (나)와 같은 곡선으로 그려진다. [3]이 모델은 제한 요인들의 영향에 따라 개체군이 최대로 성장할 수 있는 개체수인 '환경수용력(K)'을 고려한 것으로, 환경수용력에서 개체수를 뺀 값을 환경수용력으로 나눈 값인 $\frac{(K-N)}{K}$을 기하급수적 성장 모델 방정식에 포함하여 다음과 같이 표현된다.

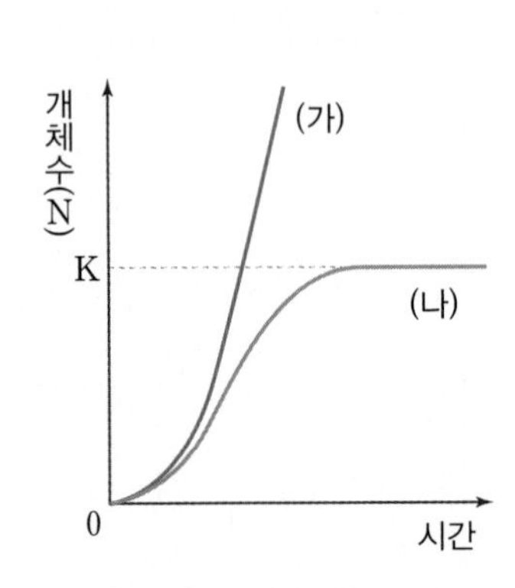

$$G=rN\frac{(K-N)}{K}$$

4 [1]성장 초기에 개체군의 개체수는 환경수용력에 비해 매우 작기 때문에, $\frac{(K-N)}{K}$은 거의 1과 같게 된다. [2]이처럼 개체군의 성장 초기의 성장률은 〈그림〉에서 보는 것처럼 기하급수적 성장 모델에 가깝게 나타난다. [3]이후 개체군이 커지고 개체수가 환경수용력에 가까워질수록 $\frac{(K-N)}{K}$은 0에 가까워져서 개체군의 성장은 둔화된다. [4]이론적으로 어떤 개체군의 개체수가 환경수용력의 1/2일 때 성장률은 최대가 된다. [5]그리고 개체수와 환경수용력이 같아지면

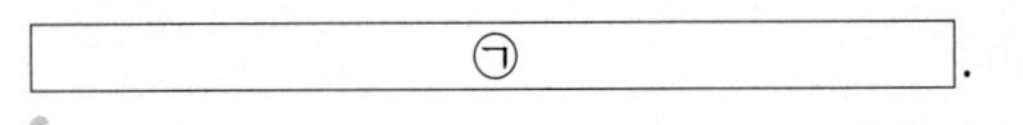

.

지문 이해

- **1** 개체군의 정의와 개체군 성장 연구 모델 소개
- **2** (   ) 소개
- **3** (   ) 소개
- **4** 개체수와 환경수용력의 관계

글의 핵심 파악

● **개체군과 환경수용력**
개체군은 동일한 (   )에서 살고 있는 한 종에 속하는 개체들의 집합으로, 개체군이 (   )로 성장할 수 있는 개체수가 환경수용력이다.
▶ 근거 문단 1, 3

● **개체군의 성장 과정 연구 모델**

( ) 성장 모델	환경적인 제한 요인이 없는 이상적인 환경 ↓ 기하급수적으로 성장 = (가)
( ) 성장 모델	제한 요인들의 영향력 고려 ↓ 후에 성장이 둔화 = (나)

▶ 근거 문단 2, 3

어휘 풀이

- **번식지**: 동물들이 새끼를 치면서 번식하는 장소.
- **포식자**: 다른 동물을 먹이로 하는 동물.
- **세대기간**: 한 개체군이 증식하는 일정한 시간 간격.
- **둔화**: 느리고 무디어짐.

07 ⓐ의 이유로 가장 적절한 것은?

이유 추론하기

① 자연계에서는 개체군의 성장률이 일정하기 때문에
② 자연계에서는 개체군의 환경수용력이 더 커지기 때문에
③ 자연계에서는 개체군의 선천적 번식 능력이 더 커지기 때문에
④ 자연계에서는 제한 요인이 개체군의 성장에 영향을 주기 때문에
⑤ 자연계에서는 이상적인 환경보다 개체수가 더 빨리 증가하기 때문에

08 로지스틱 성장 모델의 관점으로 적절한 것끼리 묶인 것은?

글의 내용(관점) 추론하기

보기

ㄱ. 개체수가 증가할수록 개체군은 기하급수적으로 성장하게 된다.
ㄴ. 성장 초기에는 개체수가 많을수록 개체군의 성장 속도는 빨라지게 된다.
ㄷ. 개체군의 세대기간이 거듭될수록 개체군의 성장률은 커지게 된다.
ㄹ. 개체군의 개체수가 환경수용력의 1/2을 넘으면 개체군의 성장률은 감소하기 시작한다.
ㅁ. 환경수용력과 관련된 요소를 기하급수적 성장 모델의 방정식에 반영하여 개체군의 성장률을 산정하였다.

① ㄱ, ㄴ, ㄷ　② ㄱ, ㄷ, ㅁ　③ ㄴ, ㄷ, ㄹ
④ ㄴ, ㄹ, ㅁ　⑤ ㄷ, ㄹ, ㅁ

09 ㉠에 들어갈 내용으로 가장 적절한 것은?

글의 내용(결론) 추론하기

① 개체군의 성장률은 0이 되고, 개체수는 서서히 줄어들게 된다.
② 개체군의 성장률은 0이 되고, 개체수에는 변동이 없게 된다.
③ 개체군의 성장률은 환경수용력과 같아지고, 개체수의 증가는 멈추게 된다.
④ 개체군의 성장률은 음의 값으로 전환되고, 개체수는 안정되기 시작한다.
⑤ 개체군의 성장률은 양의 값으로 전환되고, 개체수의 증가는 멈추게 된다.

100人 지문에서 그래프 자료가 나오면, 무엇이 증가하고 감소하는지를 살펴봐야 해.

08 정보 간의 관계를 파악하는 문제

비문학 지문은 정보가 촘촘히 이어진 그물

비문학 지문은 하나의 화제나 정보를 다루기보다는 여러 화제나 정보를 다루는 경향이 있다. 보통 대상의 특성을 여러 측면으로 나누어서 설명하거나, 원리나 방법을 단계별로 제시하기도 하며, 관점이나 개념을 나열·비교하기도 한다.

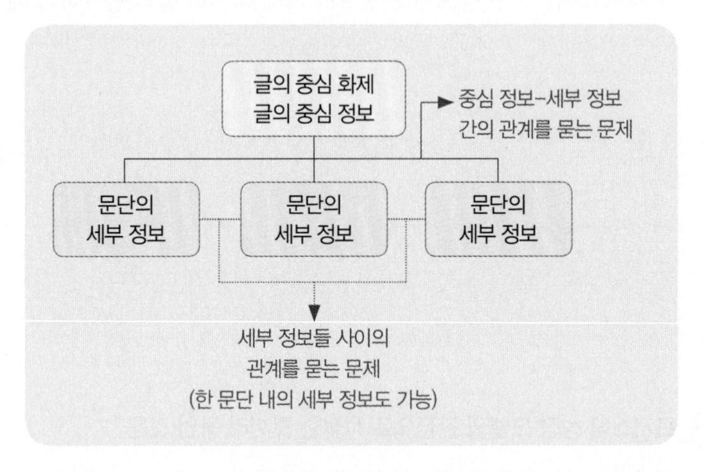

그렇기에 비문학 지문은 글의 중심 화제나 중심 정보를 각 문단에서 다양한 방식으로 설명하면서 세부 정보를 추가로 제시한다. 세부 정보들은 글의 중심 화제와 관련한 이론이나 관점, 주장, 원인, 대책, 원리, 방법 등 다양한 성격을 지니지만 모두 글의 중심 화제와 유기적으로 연결된다는 공통점이 있다. 그렇기에 글이 전개되는 과정에서 문단의 세부 정보들 간에도 자연스럽게 논리적 관계(예 비교·대조, 선후, 인과 등)를 맺게 된다.

따라서 시험에서는 글의 화제와 세부 정보들의 관계를 묻거나 세부 정보들 사이의 관계를 물음으로써 글을 전체적으로 독해하였는지를 점검한다. 정보 간의 관계를 파악하는 문제는 결국 글의 전체 맥락에서 세부 정보들이 어떤 위상을 차지하는지를 파악하는 문제이기 때문이다.

> 100人 한편 출제자는 〈보기〉를 활용해 정보를 추가적으로 제시한 뒤, 지문과 〈보기〉 사이의 관계를 파악했는지 묻기도 해. 이러한 문제 유형은 '09 〈보기〉를 활용하는 문제'에서 자세히 설명할 거야. 여기에서는 지문에서 제시한 정보 간의 관계를 파악하는 데 집중해 보자.

문제 형태는 단순! 질문 대상은 다양!

정보 간의 관계를 묻는 문제는 아주 간단하고 정형화되어 있다. 글 전체 또는 특정 문단에서 중점적으로 설명하는 대상을 기호로 지정한 뒤, 이러한 대상들을 연관 지어 이해할 수 있는지를 묻는다.

이때 기호로 지정된 대상은 글의 중심 화제 또는 문단의 중심 화제와 관련이 깊은 개념이나 대상일 때가 많다. 설명 부분 역시 기호로 지정될 수 있다. 다음의 예를 통해 이 문제 유형이 어떻게 출제되는지 살펴보자.

발문 예

㉠, ㉡ ⓐ~ⓒ	에 대한 (의)	이해 / 설명 공통점	(으)로 적절한 것은? (으)로 적절하지 않은 것은?
질문 대상		질문 내용(관계)	

선택지 예

㉠은	㉡	에 비해 과 달리	어떠어떠하다.
질문 대상		질문 내용(관계)	

예문

지문 위성의 궤도와 자세를 조절할 때는 모두 작용–반작용 법칙을 이용한다. 가장 간단한 방법은 추력기를 다는 것인데, 위성에는 궤도를 수정하기 위한 주추력기 이외에 ㉠소형의 추력기가 각기 다른 세 방향(x, y, z축)으로 여러 개가 설치되어 있다. 하지만 이 방법은 추력기가 사용할 연료를 함께 실어야 되기 때문에 위성의 무게가 증가한다는 단점이 있다. 그래서 최근에는 연료 없이 태양 전지로 움직이는 ㉡반작용 휠을 이용하여 위성의 자세를 수정하는 방법이 이용되고 있다. 위성에는 추력기처럼 세 방향으로 설치된 3개의 반작용 휠이 있고, 회전수를 조절해 위성의 자세를 원하는 방향으로 조절한다.

발문 **㉠과 ㉡에 대한 설명으로 적절하지 않은 것은?**

선택지 ㉠과 ㉡은 모두 작용–반작용을 이용해 위성의 자세를 제어한다. (○)

㉡과 달리 ㉠은 x, y, z 축의 세 방향으로 설치되어 있다. (×)

➲ 이 글의 중심 화제는 '위성의 궤도와 자세를 조절하는 방법'인데, ㉠, ㉡은 그 방법으로 제시된 대상이다. 이 문제를 풀려면 ㉠과 ㉡에 대한 정보를 사실적으로 이해하는 것이 바탕이 되어야 한다. ㉠과 ㉡이 모두 작용–반작용 법칙을 이용하며, 세 방향으로 구조물을 설치한다는 공통점이 있음을 파악하면 문제를 효율적으로 풀 수 있다.

100人 기호로 지정된 대상은 중심 화제와 관련이 깊다고 했지? 어떤 원리나 방법을 설명하는 지문에서는 과정·단계·구조의 일부나 주요 사례 등이 기호로 지정돼. 그리고 관점이나 이론 등이 화제인 지문에서는 사상가나 이론을 기호로 지정한 뒤, 둘 사이의 관계를 묻는 경우가 많아.

사실적 이해는 기본, 관계 파악으로 효율적으로 문제를 풀자!

이 문제를 풀려면 기본적으로 여러 세부 정보들을 사실적으로 이해하는 과정을 거쳐야 한다. 그렇기 때문에 '내용 일치 문제'와 '추론하는 문제'에 접근하는 방식을 적용하면 문제를 풀 수 있다. 지문에서 근거를 찾아 선택지와 대조하되, 지문에서 언급하지 않은 새로운 진술처럼 보일 경우에는 글에서 추론이 가능한지 판단하면 된다.

이 문제는 두 가지 이상의 대상을 견주어 파악해야 하는 만큼 판단해야 할 정보의 양이 많은 편이다. 따라서 효율적인 독해가 필요하다. 이때 필요한 것이 글의 구조나 문맥에 관한 지식이다. 이를 활용하여 정보 간의 관계를 예측하며 문제에 접근하자.

Step 1 **문제와 선택지를 먼저 훑어보면서, 지문에서 어떤 내용을 찾아야 하는지 파악한다. 이때 판단의 근거가 되는 부분에 기호·메모·도식 등을 활용해 표시하면 답을 쉽게 찾을 수 있다.**

- ㉠, ㉡이 가리키는 대상이 무엇이고 그것들이 지문의 어느 부분에 위치하는지를 살핀다.
- 선택지를 참고하여, 대상의 어떤 점(예 정의, 방법, 기준, 특징, 순서, 인과 등)이 진술되는지 살핀다.
- ㉠, ㉡이 서로 비교·대조되는 대상이라면, 비교·대조의 기준이 되는 요소에 표시를 하며 읽거나 그러한 요소를 기준으로 표를 그리는 것이 효과적이다.

Step 2 **지문에서 근거를 찾아 선택지와 대조한다. 이때 선택지가 지문에서 언급되지 않은 새로운 진술처럼 보일 경우 지문의 근거를 바탕으로 하여 추론이 가능한지를 판단한다.**

다음 글을 읽고, 정보 간의 관계를 파악하는 문제를 풀어 보자.

지문 1 (2016학년도 3월 고1 학력평가)

1 [1]인간을 흔히 망각의 동물이라고 한다. [2]망각이란 기억과 반대되는 개념으로 일종의 기억 실패에 해당한다. [3]기억은 외부의 정보를 기억 체계에 맞게 부호로 바꾸어 저장 및 인출하는 것으로 부호화 단계, 저장 단계, 인출 단계로 나뉜다. [4]심리학에서는 기억 실패가 기억의 세 단계 중 어느 단계에서 일어난다고 보느냐에 따라 망각 현상을 각기 다르게 설명한다.

2 [1]㉠ 부호화 단계와 관련하여 망각을 설명하는 입장에서는 외부 정보가 부호화되는 과정에서 정보의 일부가 생략되거나 왜곡되어 망각이 일어난다고 본다. [2]부호화란 외부 정보를 기억의 체계에 맞게 변환하는 과정으로, 부호에는 음운 부호와 의미 부호 등이 있다. [3]음운 부호는 외부 정보가 발음될 때 나는 소리에 초점을 둔 부호이고, 의미 부호는 외부 정보의 의미에 초점을 둔 부호이다. [4](가령 '8255'라는 숫자를 부호화할 때, [팔이오오]라는 소리로 부호화하는 것은 전자에 해당하고, '빨리 오오.'와 같이 의미로 부호화하는 것은 후자에 해당한다.) [5]의미 부호는 외부 정보가 갖는 의미에 집중하여 부호화하는 것이므로, 음운 부호에 비해 정교화가 잘 일어난다. [6]정교화는 외부 정보를 배경지식이나 상황 맥락 등의 부가 정보와 밀접하게 관련시키는 것이다. [7]부호화 단계에서 망각을 설명하는 학자들은 정교화가 잘된 정보가 그렇지 않은 정보보다 기억에 유리하여 망각이 잘 일어나지 않는다고 주장한다.

3 [1]㉡ 저장 단계에서 망각이 일어난다고 보는 입장에서는 망각을 부호화 단계에서의 문제가 아니라, 저장 단계에서 정보가 사라지는 현상으로 설명한다. [2]즉 망각은 부호화가 되어 저장된 정보 중 사용하지 않는 정보가 시간의 경과에 따라 상실된다는 것이다. [3](독일의 심리학자 에빙하우스는 학습을 통해 저장된 단어가 시간의 경과에 따라 망각되는 양상을 알아보는 실험을 하였다. [4]그 결과 학습이 끝난 직후부터 망각이 일어나기 시작해서 1시간이 지나자 학습한 단어의 약 44% 정도가 망각되었다.) [5]이를 근거로 저장 단계에서 망각을 설명하는 학자들은 망각은 저장 단계에서 일어나는 현상이며 시간의 흐름에 비례하여 나타난다고 주장하였다. [6]그리고 학습 직후 복습을 해야 학습 효과가 높다는 것을 강조하였다.

4 [1]㉢ 인출 단계에서 망각이 일어난다고 보는 입장에서는 망각을 저장된 정보가 제대로 인출되지 못하여 나타나는 현상으로 설명한다. [2]즉 망각은 저장된 정보가 사라지는 것이 아니라, 이를 밖으로 끄집어내지 못해서 나타난다는 것이다. [3]저장된 정보를 인출해 내기 위해서는 적절한 인출 단서가 필요하다. [4]일반적으로 저장된 정보와 인출 단서가 밀접할 경우 인출이 잘 되지만, 그렇지 않으면 인출 실패로 망각이 일어날 가능성이 크다. [5](가령 '사랑'이라는 단어를 인출할 때 이와 의미상 연관이 큰 '애인'이라는 단어를 인출 단서로 사용하면 인출이 잘 되지만, 이와 관련이 먼 '책상'이라는 단어를 인출 단서로 사용하면 인출이 잘 되지 않는다.) [6]인출 단계에서의 망각은 저장된 정보를 인출할 만한 단서가 부족하거나 부적절해서 나타나는 현상이므로, 시간이 흐르더라도 적절한 인출 단서만 제시되면 저장된 정보가 떠오를 수 있다.

(주석: 망각의 정의 / 기억의 정의 / 입장 분류의 기준 / 망각의 원인 / 부호화의 정의 / 정교화의 정의)

지문 이해

1 기억의 세 단계와 망각의 원인
- 기억: 외부의 정보를 기억 체계에 맞게 부호로 바꾸어 저장, 인출하는 것 ↔ (　　)
- 기억의 단계: 부호화 → (　　) → 인출

2 부호화 단계와 관련하여 망각을 설명하는 입장 (㉠)
- 망각은 외부 정보가 부호화되는 과정에서 정보의 일부가 (　　)되거나 (　　)되어 일어남.
- (　　)가 잘된 정보일수록 기억에 유리

3 저장 단계와 관련하여 망각을 설명하는 입장 (㉡)
- 망각은 저장된 정보 중 사용하지 않는 정보가 (　　)의 경과에 따라 사라지는 것

4 인출 단계와 관련하여 망각을 설명하는 입장 (㉢)
- 망각은 저장된 정보가 제대로 인출되지 못하여 나타나는 현상
- 적절한 (　　)가 제시되면 기억 가능

어휘 풀이
- **망각**: 어떤 사실을 잊어버림.
- **인출**: 끌어서 빼냄.

예제 1

이 글의 ㉠~㉢에 대한 이해로 가장 적절한 것은?

① ㉠과 ㉡은 정보를 기억할 때 생략되거나 왜곡되는 정보가 있을 수 있다고 여긴다.
② ㉡과 ㉢은 정보를 저장한 후 그 정보를 사용하는지 안 하는지가 망각에 영향을 미친다고 여긴다.
③ ㉠은 ㉡과 달리 정보의 저장 이후에 시간이 얼마나 지났는지가 망각에 중요한 영향을 준다고 여긴다.
④ ㉡은 ㉢과 달리 시간이 흐르더라도 저장된 정보가 저장 장치에서 없어지지는 않다고 여긴다.
⑤ ㉢은 ㉡과 달리 정보의 사용 여부가 아니라 정보를 떠올리는 방식이 망각에 중요한 영향을 미친다고 여긴다.

㉠~㉢은 2~4 문단의 중심 화제이자 기억의 단계에 따라 망각 현상을 설명하는 서로 다른 입장에 해당한다. ㉠~㉢은 글 전체의 구조상 대등하게 나열된 화제들로 차이점을 중심으로 비교·대조되고 있다.

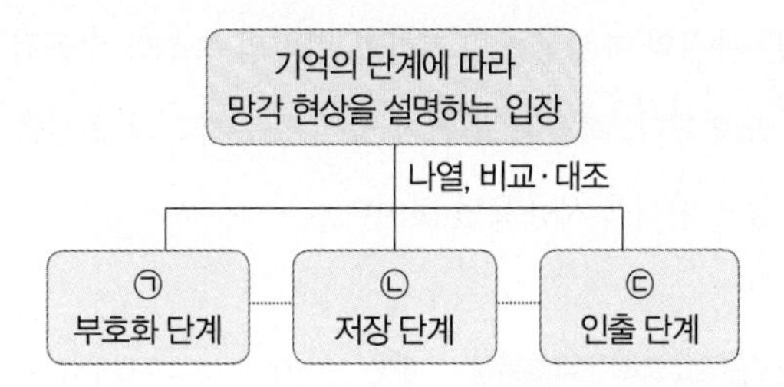

Step 1 **발문과 선택지를 참고하여 어떤 내용을 집중적으로 찾아야 하는지 파악한다. 이때 판단 근거가 되는 부분을 중심으로 메모를 하면, 답을 쉽게 찾을 수 있다.**

➜ 선택지를 살펴보면 ㉠~㉢의 관점에서 망각과 기억을 어떻게 바라보는지 비교·대조하는 문제임을 알 수 있다. 따라서 2~4에서 이에 대한 정보를 찾아 정리한다.

㉠	[망각의 원인] 부호화 과정에서 정보의 일부가 생략, 왜곡되어서 ▶ 근거 2-1 ➡ 정교화가 잘된 정보일수록 기억에 유리함. ▶ 근거 2-7
㉡	[망각의 원인] 저장된 정보 중 사용하지 않는 정보가 시간이 지나며 사라져서 ▶ 근거 3-2 ➡ 시간의 흐름에 비례하여 정보가 사라짐. ▶ 근거 3-5
㉢	[망각의 원인] 저장된 정보가 제대로 인출되지 못해서 ▶ 근거 4-1 ➡ 시간이 흐르더라도 적절한 인출 단서가 제시되면 저장된 정보가 떠오를 수 있음. ▶ 근거 4-6

⑤는 4-6의 내용을 재진술한 내용 일치 선택지이므로 정답이다.

> ⑤ ㉢은 ㉡과 달리 정보의 사용 여부가 아니라 정보를 떠올리는 방식이 망각에 중요한 영향을 미친다고 여긴다.
> (적절한 인출 단서가 제시 → 저장된 정보가 떠오를 수 있음.)

Step 2 **지문에서 근거를 찾아 선택지와 대조한다. 이때 선택지가 새로운 진술처럼 보일 경우 지문의 근거를 바탕으로 하여 추론이 가능한 진술인지를 판단해야 한다.**

➜ 적절하지 않은 나머지 선택지와 그 판단 근거도 분석해 본다.

① 정보를 기억할 때 생략되거나 왜곡되는 정보가 있을 수 있다고 보는 것은 ㉠의 관점(2-1)이다.
②, ③ 정보의 사용 여부와 시간의 경과가 망각에 영향을 미친다고 보는 것은 ㉡의 관점(3-2, 5)이다.
④ 시간이 흘러도 적절한 인출 단서가 제시되면 정보를 떠올릴 수 있다고 보는 것은 ㉢의 관점(4-6)이다.

정보 간의 관계 파악하기

100人 이처럼 선택지에서 여러 대상이 비교될 때에는 ㉠~㉢ 중 근거를 파악하기 조금 더 쉬운 대상을 하나 골라서, 그 대상의 특성을 제대로 진술하지 못한 선택지를 먼저 제거하는 것도 괜찮은 방법이야.

바로 콕 문제

1 '음운 부호'와 '의미 부호'에 대한 설명으로 적절한 것은?

① '음운 부호'는 외부 정보를 배경지식이나 맥락에 따라 수정한 것이다.
② '음운 부호'는 외부 정보를 그것에서 연상되는 의미로 처리하는 부호이다.
③ '의미 부호'는 외부 정보를 기억의 체계에 맞게 전환하는 데 필요한 부가 정보이다.
④ '음운 부호'와 달리 '의미 부호'로 입력된 정보는 망각되지 않는다.
⑤ '의미 부호'는 '음운 부호'에 비해 부호화 과정에서 정교화가 잘 이루어진다.

콕 정답과 해설 33쪽

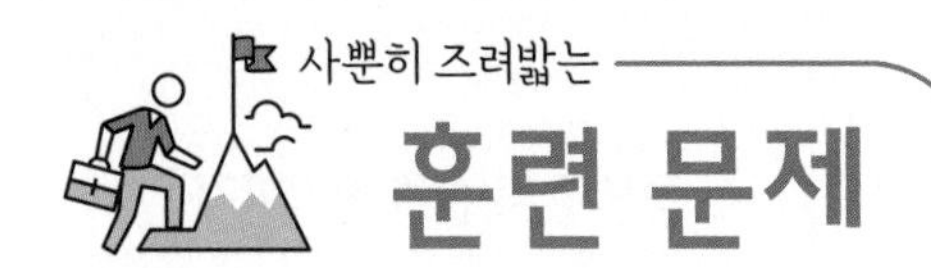

훈련 문제

[01~02] 다음 글을 읽고 물음에 답하시오.

2013학년도 7월 고3 학력평가Ⓑ

1 [1]19세기 초에 등장한 ⓐ사진은 2차원 평면 위에 현실을 재현한다는 점에서 ⓑ회화와 비슷하지만 광학과 화학 등 기술적 특성을 지니기에 예술과 기술의 모호한 경계선상에 위치하였다.[2]처음의 사진은 회화의 보조적 역할을 하는 정도로 인식되었으나, 19세기 후반에 '픽토리얼리즘'이 등장하면서 사진으로서 독자적 예술성을 추구하려는 경향을 보이게 된다.

2 [1]㉠픽토리얼리즘은 사진도 회화와 같은 예술적 표현이 가능하다는 점에서 출발하였다. [2]픽토리얼리즘을 추구하는 작가들은 사진의 복제성을 포기하고 회화의 속성인 수공적 방법을 끌어들여 예술적 가치를 높이려고 노력했다.[3]회화적 구현의 방식으로 사진의 초점을 흐리게 하거나 인화 방식을 다양하게 하는 등의 방식을 사용했던 것이다.

3 [1]20세기 초, 사진이 갖는 기술적 특성인 기록성에 더 중점을 두고자 했던 ㉡'스트레이트 포토'가 등장한다.[2]'직접적인 사진' 또는 '순수 사진'으로 불리는 스트레이트 포토를 추구하는 작가는 앵글이나 셔터, 프레임 등의 사진이 갖는 고유한 기능에 치중하려 했다. [3]즉, 사진에 어떠한 조작도 가하지 않고, 작가의 의도를 표현하려 했다. [4]미국의 폴 스트랜드는 그의 작품 「월 스트리트, 뉴욕」에서 프레임의 설정만으로 자본주의의 부정적 속성을 드러내고자 하였다.[5]대형의 직사각형 창이 있는 육중한 석조 건물과 출근하는 왜소한 사람들의 모습의 대비만을 프레임에 넣어 거대한 자본의 논리에 작아지는 사람들을 표현한 것이다.

4 [1]20세기 후반에 들어오면서 디지털 기술을 통해 보다 다양한 표현이 가능해짐으로써 ㉢'디지털 픽토리얼리즘'이 등장하게 된다.[2]디지털 기술은 이미지의 합성 및 변조와 실재하지 않는 대상의 구현 등 다양한 표현을 가능하게 했고, 이러한 가능성으로 인해 작가들은 자신들의 주제 의식을 효과적으로 표현할 수 있게 되었다.[3]이는 단순히 보자면 픽토리얼리즘과 차이가 없어 보이나, 작가의 주제 의식을 보다 자유롭게 표현할 수 있게 되었다는 점에서 새로운 예술적 가능성을 발견했다고도 할 수 있다.

지문 이해

1 사진의 등장과 그 예술적 위상

2 19세기 후반 등장한 픽토리얼리즘의 특징

3 20세기 초반 등장한 스트레이트 포토의 특징

4 20세기 후반에 등장한 디지털 픽토리얼리즘의 특징

글의 핵심 파악

● 사진의 예술성에 대한 관점

㉠	등장 계기	( )의 예술적 표현 지향.
	특징	- 사진의 ( ) 포기. - 초점 흐릿하게 하거나, 인화 방식을 다양하게 함.
㉡	등장 계기	사진의 ( )에 중점.
	특징	- 사진의 고유한 기능에 치중. - 사진에 ( )을 가하지 않음.
㉢	등장 계기	( )을 통해 다양한 표현이 가능해짐.
	특징	- 이미지 ( ), 변조로 실재하지 않는 대상을 구현. - ( )과 유사하나 작가의 주제 의식을 더 자유롭게 표현.

▶ 근거 문단 **2**, **3**, **4**

어휘 풀이

- **광학**: 빛의 성질과 현상을 연구하는 학문.
- **앵글(angle)**: 각도나 입장. 사진 분야에서는 피사체를 향한 카메라 위치를 가리킴.
- **프레임(frame)**: 자동차, 자전거 등 건조물의 뼈대. 사진 분야에서는 사진 이미지를 둘러싸고 있는 테두리를 가리킴.

01 **㉠~㉢에 대해 이해한 내용으로 가장 적절한 것은?**

정보 간의 관계 파악하기

① ㉠과 ㉡은 사진의 기록성을 추구했다는 점에서 공통적이다.
② ㉠과 ㉢은 사진의 복제성을 이용했다는 점에서 공통적이다.
③ ㉠과 ㉢은 사진의 사실적 재현성에서 벗어나려 했다는 점에서 공통적이다.
④ ㉡과 ㉢은 합성된 이미지를 사진에 표현했다는 점에서 공통적이다.
⑤ ㉡과 ㉢은 회화적 속성을 중시하여 사진을 찍었다는 점에서 공통적이다.

02 **ⓐ와 ⓑ에 대한 이해로 가장 적절한 것은?**

정보 간의 관계 파악하기

① ⓐ는 ⓑ를 대체하여 현실 재현의 기능을 수행하기 위해 등장하였다.
② ⓐ는 기술적인 속성이 강하다는 이유로 ⓑ로부터 오랫동안 배척당했다.
③ '픽토리얼리즘' 작가들은 ⓑ의 기법과 속성을 적극 수용해 ⓐ의 예술적 가치를 드러내고자 하였다.
④ '스트레이트 포토' 작가들은 ⓐ의 현실 비판 기능을 살려 ⓑ와의 단절을 시도하고자 하였다.
⑤ '디지털 픽토리얼리즘' 작가들은 보다 자유로운 표현을 시도함으로써 ⓐ와 ⓑ의 경계를 허물고자 하였다.

[03~04] 다음 글을 읽고 물음에 답하시오.

2018학년도 3월 고1 학력평가

1 [1]초고층 건물은 높이가 200미터 이상이거나 50층 이상인 건물을 말한다. [2]이런 초고층 건물을 지을 때는 건물에 작용하는 힘을 고려해야 한다.[3]건물에 작용하는 힘에는 수직 하중과 수평 하중이 있다.[4]수직 하중은 건물 자체의 무게로 인해 땅 표면에 수직 방향으로 작용하는 힘이고, 수평 하중은 바람이나 지진 등에 의해 건물에 가로 방향으로 작용하는 힘이다.

2 [1]수직 하중을 견디기 위해서 고안된 가장 단순한 구조는 ㉠보기둥 구조이다. [2]보기둥 구조는 기둥과 기둥 사이를 가로 지르는 수평 구조물인 보를 설치하고 그 위에 바닥판을 놓은 구조이다.[3]보기둥 구조에서는 설치된 보의 두께만큼 건물의 한 층당 높이가 높아지지만, 바닥판에 작용하는 하중이 기둥에 집중되지 않고 보에 의해 분산되기 때문에 수직 하중을 잘 견딜 수 있다.

3 [1]위에서 아래 방향으로만 작용하는 수직 하중과 달리 수평 하중은 사방에서 작용하는 힘이기 때문에 초고층 건물의 안전에 미치는 영향이 수직 하중보다 훨씬 크다. [2]수평 하중은 초고층 건물의 안전을 위협하는 주요 요인인데, 바람은 건물에 작용하는 수평 하중의 90% 이상을 차지한다.[3]건물이 많은 도심에서는 넓은 공간에서 좁은 공간으로 바람이 불어오면서 풍속이 빨라지는 현상이 발생해 건물에 작용하는 수평 하중을 크게 만든다.[4]그리고 바람에 의해 공명 현상이 발생하면 건물이 매우 크게 흔들리게 되어 건물의 안전을 위협하게 된다.

4 [1]건물이 수평 하중을 견디기 위해서는 기본적으로 뼈대에 해당하는 보와 기둥을 아주 단단하게 붙여야 하지만, 초고층 건물의 경우 이것만으로는 수평 하중을 견디기 힘들다.[2]그래서 등장한 것이 ㉡코어 구조이다. [3]ⓐ코어는 빈 파이프 모양의 철골 콘크리트 구조물을 건물 중앙에 세운 것으로, 코어에 건물의 보와 기둥들을 강하게 접합한다.[4]이렇게 하면 외부에서 작용하는 수평 하중에도 불구하고 코어로 인해 건물이 크게 흔들리지 않게 된다.[5]그런데 초고층 건물은 그 높이가 높아질수록 수평 하중이 커지고 그에 따라 코어의 크기도 커져야 한다.[6]코어 구조는 가운데 빈 공간이 있어 공간 활용의 효율성이 떨어지기 때문에 현대의 초고층 건물은 코어에 승강기나 화장실, 계단, 수도, 파이프 같은 시설을 설치하는 경우가 많다.

5 [1]그런데 초고층 건물의 높이가 점점 높아지면 코어 구조만으로는 수평 하중을 완벽하게 견뎌 낼 수 없다.[2]그래서 ㉢아웃리거-벨트 트러스 구조를 사용하여 코어 구조를 보완한다.[3]아웃리거-벨트 트러스 구조에서 벨트 트러스는 철골을 사용하여 건물의 외부 기둥들을 삼각형 구조의 트러스로 짜서 벨트처럼 둘러 싼 것으로 수평 하중을 지탱

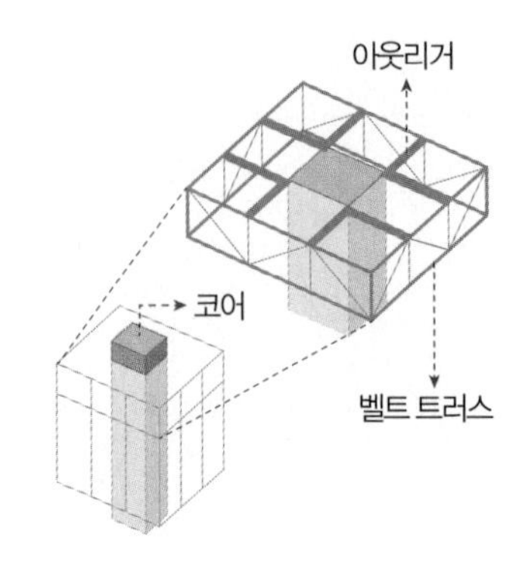

지문 이해

1 초고층 건물에 작용하는 (　　) 하중과 (　　) 하중

2 (　　) 하중을 견디기 위해 고안된 보기둥 구조

3 (　　) 하중을 크게 만드는 원인인 바람

4 수평 하중을 견디기 위해 고안된 (　　　　)

5 (　　　　)를 보완하는 아웃리거-벨트 트러스 구조

글의 핵심 파악

● 하중을 견디는 건축 구조

㉠	목적	(　　) 하중을 견딤.
	특징	-(　　): 기둥과 기둥 사이를 가로지르는 수평 구조물 - 바닥판: 보 위에 얹은 구조물
	원리	바닥판에 작용하는 하중이 기둥에 집중되지 않고 (　　)에 의해 분산됨.
㉡	목적	(　　) 하중을 견딤.
	특징	-(　　): 건물 중앙에 세운 빈 파이프 모양의 철골 콘크리트 구조물. 건물 (　　)에 비례.
	원리	코어에 보, 기둥을 강하게 접합함.
㉢	목적	코어 구조를 보완하여 (　　) 하중을 견딤.
	특징	-(　　　　): 건물 외부의 기둥을 삼각형 구조의 트러스로 짜 벨트처럼 둘러싼 것 -(　　　　): 코어와 벨트 트러스를 견고하게 연결한 것
	원리	(　　　　)가 외부의 힘을 분산 → 코어에 무리한 힘이 가해지는 것을 예방함.

▶근거 문단 2, 4, 5

하는 역할을 한다. [4]삼각형 구조의 트러스로 외부 기둥들을 연결하면 외부에서 작용하는 힘이 철골 접합부를 통해 전체적으로 분산되기 때문에 코어에 무리한 힘이 가해지는 것을 예방할 수 있다. [5]그리고 ⓑ아웃리거는 콘크리트를 사용하여 건물 외벽에 설치된 벨트 트러스를 내부의 코어와 견고하게 연결한 것으로, 아웃리거와 벨트 트러스는 필요에 따라 건물 중간중간에 여러 개가 설치될 수 있다. [6]그런데 아웃리거는 건물 내부를 가로지를 수밖에 없어서 효율적인 공간 구성에 방해가 된다. [7]이런 단점을 극복하기 위해 아웃리거를 기계 설비층에 설치하거나 층과 층 사이, 즉 위층 바닥과 아래층 천장 사이에 설치하기도 한다.

어휘 풀이

- **공명 현상** : 진동체가 그 고유 진동수와 같은 진동수를 가진 외부의 힘을 받아 진폭이 뚜렷하게 증가하는 현상.

03 ㉠~㉢을 설명한 내용으로 적절하지 않은 것은?

정보 간의 관계 파악하기

① ㉠은 기둥과 기둥 사이에 설치한 수평 구조물 위에 바닥판을 놓는 구조이다.
② ㉠에서 보는 건물에 작용하는 수직 하중이 기둥에 집중되는 것을 예방한다.
③ ㉡에서 코어는 건물의 높이가 높아짐에 따라 그 크기가 커져야 한다.
④ ㉢에서 트러스는 아웃리거와 코어의 결합력을 높여 수평 하중을 덜 받게 한다.
⑤ ㉡과 ㉢을 함께 사용하면 건물에 작용하는 수평 하중을 견디는 힘이 커진다.

04 ⓐ와 ⓑ에 대해 설명한 내용으로 가장 적절한 것은?

정보 간의 관계 파악하기

① ⓐ와 ⓑ는 모두 건물 외벽과 내부 구조를 단단하게 연결해 주는 역할을 하고 있다.
② ⓐ와 ⓑ는 모두 공간의 비효율성을 해소하기 위한 별도의 방안이 마련되어 있다.
③ ⓐ는 ⓑ와 달리 건물에 작용하는 하중의 크기를 고려해 건물 중간중간에 여러 개를 추가로 설치할 수 있다.
④ ⓐ는 ⓑ와 달리 초고층 건물에 작용하는 수직 하중과 수평 하중을 동시에 줄일 수 있다.
⑤ ⓑ는 ⓐ와 달리 건물에 작용하는 수평 하중을 수직 하중으로 바꾸어 분산시킬 수 있다.

PART Ⅱ

09 〈보기〉를 활용하는 문제

〈보기〉를 반갑게 대하는 날까지

비문학 지문마다 학생들이 부담스러워 하는 〈보기〉가 있는 문제가 한두 개씩은 꼭 나온다. 즉 〈보기〉를 이해하지 못하면 비문학을 정복할 수 없다!

그런데 시험에서는 왜 〈보기〉 문제가 자주 나올까? 비문학 지문 독해에서 매우 중요한 것 중 하나가 정보 간의 관계를 파악하는 것이다. 〈보기〉는 바로 이러한 독해 능력을 측정하기 위한 핵심 장치라 할 수 있다. 마치 글의 내용을 그때그때 바꾸어 문제로 만드는 '변속 기어'와 같은 존재인 것이다. 그렇다고 해서 〈보기〉에 지문과 동떨어진 별개의 내용이 제시되지는 않는다. 비문학 문제는 철저하게 '지문'을 근거로 삼기 때문이다. 〈보기〉는 항상 일정한 방식으로 글을 뒷받침해 주는 역할을 수행하며, 이 때문에 '〈보기〉의 내용', '〈보기〉와 지문이 맺는 관계'는 어느 정도 그 유형이 정해져 있다.

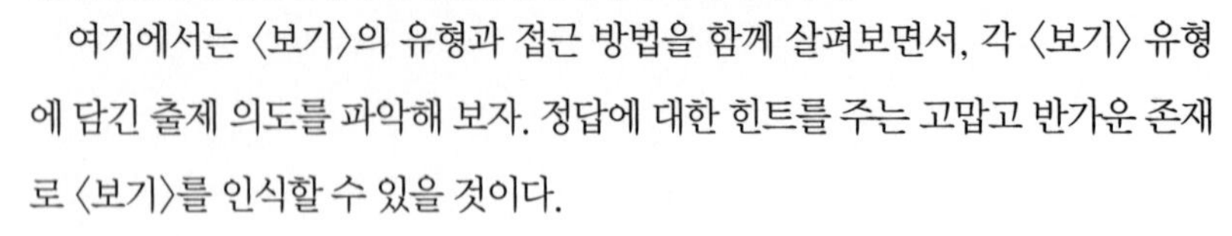

여기에서는 〈보기〉의 유형과 접근 방법을 함께 살펴보면서, 각 〈보기〉 유형에 담긴 출제 의도를 파악해 보자. 정답에 대한 힌트를 주는 고맙고 반가운 존재로 〈보기〉를 인식할 수 있을 것이다.

[유형 1] 사례·상황을 제시하는 〈보기〉 – 여기에 적용해 봐!

대부분의 비문학 지문에는 개념·원리·관점을 전달하는 부분이 있다. 이러한 부분은 추상적이고 관념적인 표현으로 서술되기 마련이다. 그래서 이해를 돕는 구체적인 사례나 상황이 제시되는데 이를 〈보기〉에서 제시하고, 지문에 있는 개념·원리·관점과 대응되는지를 묻는 것이다. 이 유형은 사실적 이해를 묻는 문제 다음으로 시험에 자주 출제되는 단골 문제로 다음과 같은 방법을 따라가면 이 유형의 문제를 해결할 수 있다.

Step 1 **지문을 읽으면서, 개념·원리·관점을 구성하는 핵심 요소가 무엇인지를 분석한다.**

- 핵심 요소들 사이에 인과 관계나 선후 관계가 있다면, 이러한 관계도 기억해 둔다.

Step 2 **〈보기〉의 사례·상황에서, 이러한 핵심 요소가 어떻게 구체화되었는지를 파악한다.**

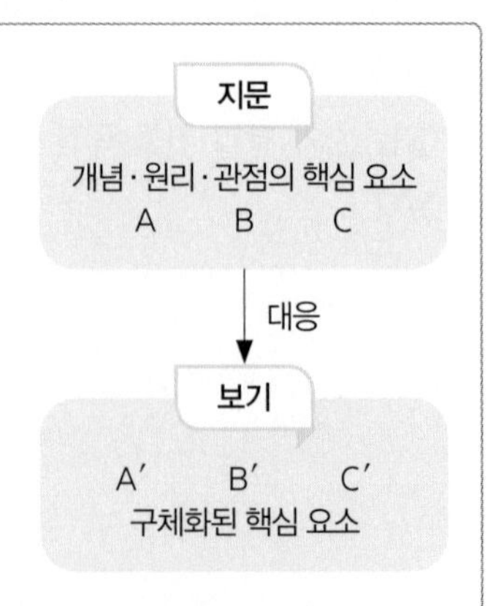

예문

리버먼은, 타인의 행위가 '무엇'인지 질문을 던지면 '거울 체계'가, 타인의 신념, 동기에 대해 '왜'라는 질문을 던지면 '심리화 체계'가 작동한다고 보았다. 또 '거울 체계'가 관찰을 통해 무의식적으로 작동하면 그 후에 '심리화 체계'가 의식적인 노력과 몰입을 통해 작동한다고 보았다.

⬇

Step 1 지문의 핵심 요소 분석하기

〈거울 체계〉
- 타인의 행위–'무엇인지 질문'
- 관찰을 통해 무의식적으로 작동

〈심리화 체계〉
- 타인의 신념, 동기–'왜인지 질문'
- 의식적인 노력, 몰입으로 작동

➡

Step 2 〈보기〉에서 핵심 요소 찾기

보기

A씨는 일요일마다 복지시설을 방문하는 동료를(타인의 행위) 보면서(관찰), 그가 열심히 봉사를 하는 이유와 신념(타인의 신념, 동기)이 무엇일까('왜'라는 질문) 깊이 고민해(의식적인 노력·몰입) 보았다.

이 문제 유형의 선택지는 '지문을 바탕으로 하여 〈보기〉의 사례를 분석한 진술'로 구성된다. 출제자는 선택지에 〈보기〉의 사례를 제시할 때 그 표현을 지문과 달리함으로써, 마치 선택지에 지문의 핵심 요소가 반영되지 않은 것처럼 보이게 하여 문제의 난도를 올린다. 따라서 선택지에 언급된 지문의 핵심 요소, 그와 연결된 사례의 관련성을 신중하게 판단해야 한다.

[유형 2] 관점을 제시하는 〈보기〉 – 이렇게도 생각해 봐!

발문 예

- 윗글의 ○○와 〈보기〉의 △△를 비교하여 이해한 것~
- 윗글의 ○○가 〈보기〉의 △△에 대해 보일 반응~

➲ 첫 번째 예는 지문의 관점과 〈보기〉의 관점을 비교하는 문제로, 이 유형의 대표적인 발문이다. 두 번째 예는 선택지들이 지문의 입장에서 〈보기〉의 입장을 재진술한 내용으로 구성되는데, 선택지의 적절성을 판단하기 위해서는 지문과 〈보기〉의 관점을 비교할 수 있어야 한다.

관점·견해·이론을 다룬 지문의 경우, 중심 화제를 바라보는 또 다른 관점을 〈보기〉에 추가로 제시하기도 한다. 이런 경우는 대부분 왼쪽의 발문 예와 같이, 지문의 관점과 〈보기〉의 관점을 비교해야 정답을 고를 수 있는 문제가 출제된다.

이러한 문제를 푸는 사고 과정은 앞에서 배운 '08 정보 간의 관계를 파악하는 문제'와 크게 다르지 않다. 이 문제 유형을 풀 때에는 정보가 상대적으로 풍부한 지문을 기준으로 삼아 〈보기〉에 접근하는 지혜를 발휘할 필요가 있다. 예를 들어, 지문에서 특정 관점을 어떻게 설명했는지 먼저 살펴보고 나서 〈보기〉의 내용을 파악하는 것이다. 또는 선택지를 먼저 훑어본 뒤에 '지문의 관점이 〈보기〉의 관점과 대체로 유사한지, 상반되는지, 어떤 측면에서 비교가 되는지'를 확인할 수도 있다.

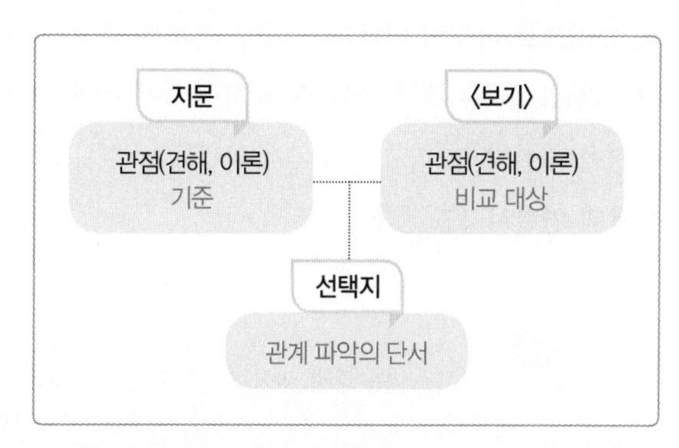

Ⅱ 문제 독해

독해 원리

[유형 3] 시각 자료를 제시하는 <보기> – 자료를 참고하며 읽자

과학·기술·경제·예술 분야 지문은 〈보기〉에서 시각 자료를 제시하는 경우가 많다. 〈보기〉에서 제시되는 시각 자료는 크게 다음과 같이 분류할 수 있다.

A	B	C
• 예술 제재의 그림, 조각, 사진, 건축물 사진, 단면도 등 • 과학·기술 제재의 각종 기기, 장치, 설비 등	• 글의 일부분(이론의 전개 과정, 실험 단계, 기계의 작동 과정 등)을 요약한 표 또는 순서도, 구조도, 흐름도	• 경제·과학 제재의 그래프, 벤다이어그램, 좌표 등 • 과학 제재의 분자식, 원자 모형

A는 지문에서 다루었거나 그와 관련된 대상을 직접 그림, 사진으로 보여 주는 유형이다. 그림·사진 자료는 보통 실물 그대로의 모습을 전달하려는 목적으로 쓰이기 때문에, 그 내용을 쉽게 파악할 수 있다. 자료의 제목이나 명칭이 함께 제시되는 경우에는 이를 지문 이해에 활용하면 된다. 따라서 이 유형은 자료가 나타내는 대상을 파악한 뒤에 이를 키워드로 삼아 지문에서 관련 정보를 찾으면 된다.

A의 예

쿠넬리스, 「무제」 코수스, 「하나, 그리고 세 개의 의자」

➲ 미술 작품을 제시한 자료이다. 주어진 제목과 내용을 활용해 지문에서 다뤄진 작품과 이 작품들의 관계를 비교하는 문제에 활용되었다.

B는 지문에서 언급한 과정·단계를 도식화한 자료로 과학·기술 제재와 일부 인문·사회 제재 등에서 출제된다. 이와 같은 자료가 나오면, 먼저 〈보기〉를 훑어보며 이것이 어떤 대상의 과정·단계인지, 자료에 제시된 단계별 세부 정보는 무엇인지 확인한 뒤에 지문을 읽는 것이 효율적이다. 지문에서 과정·단계에 해당되는 부분을 찾으면 〈보기〉에 나타난 것과 똑같이 단계를 나눈 뒤 선택지에 나타난 세부 정보와 비교하여 답을 찾으면 된다.

B의 예

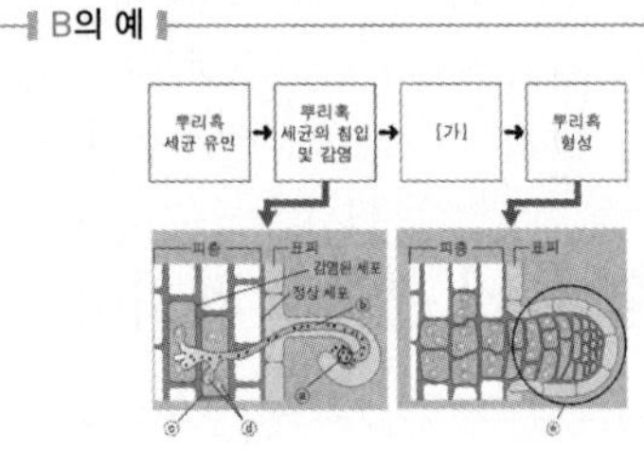

➲ '뿌리혹 형성 과정'을 도식한 자료이다. 지문에서 자료와 관련된 문단을 찾아 이를 네 단계로 나눈 뒤, 각 단계에 나타난 ⓐ~ⓔ의 양상을 파악하는 문제에 활용되었다.

C는 지문에 나타난 현상·원리를 수치화·통계화하여 표나 그래프 따위로 나타낸 자료이다. 지문에서 〈보기〉의 자료에 관해 설명해 주는 친절한 경우도 있지만 그렇지 않은 경우에는 지문의 내용을 그래프로 바꾸어 이해해야 한다. 문제를 풀 때에는 자료에서 x축, y축(표에서는 구분 항목 등)을 확인한 뒤 이에 해당하는 지문의 설명을 찾는다. 그리고 자료에서 나타내는 수치의 변화를 지문의 내용과 연관시키면 된다.

C의 예

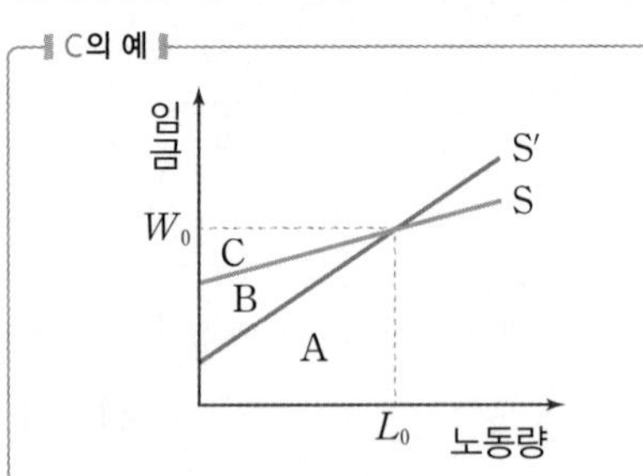

➲ 노동시장의 공급곡선(S)에 대한 자료로, 지문에 제시된 W_0–L_0 및 A~C 영역이 의미하는 바를 바탕으로 하여 두 개의 공급곡선(S, S′)의 차이를 파악하는 문제에 활용되었다.

100人 최근 수능에는 경제, 과학 지문이 어렵게 나오므로, 평소에 이 분야의 기출 개념이나 시각 자료들을 공부해 둘 필요가 있어. 기출 시각 자료를 살펴볼 때에는 특히, 어떤 수치나 조건의 변화에 따라 자료가 나타내는 정보가 어떻게 변화하는지에 주목해서 봐야 해. 또한 익숙한 자료라 할지라도 이를 해석할 때에는 지문을 근거로 해야 함을 잊지 말자.

예문으로 원리 확인

100人 다음 글을 읽고 <보기>를 활용한 문제를 풀어 보자.

지문 1 (2015학년도 11월 고1 학력평가)

1 [1]20세기 초 막스 셀러는 이전의 경험과학이 인간에 대해서 창출한 개별적인 과학적 지식들만으로는 '인간이란 무엇인가'라는 질문에 대해 충분히 답할 수 없다고 보았다. [2]그래서 그는 인간에 대한 총체적인 이해의 기틀을 마련하기 위해 '철학적 인간학'을 탄생시켰다. [3]철학적 인간학은 경험과학적 연구 성과와의 밀접한 관련성을 바탕으로 다른 생명체와 차별화된 인간의 본질을 규명하고자 한 학문으로('철학적 인간학'의 개념(정의)), 대표적인 학자로는 셀러① 이외에 헬무트 플레스너②, 아놀드 겔렌③ 등이 있다.

2 [1]셀러①는 동물학자 쾰러의 연구 결과를 바탕으로 인간과 동물 사이에 본질적인 차이가 있음을 밝히고자 하였다(셀러의 연구 목적). [2]그는 인간이 동물과 달리 '정신'을 가지고 있고(셀러의 견해 ①), '정신' 작용의 하나인 '자아의식'에 의해 외부 대상뿐만 아니라 자신의 내면까지도 대상화할 수 있다고 보았다(셀러의 견해 ②). [3]그는 '자아의식'이라는 것이 인간이 보고 듣고 생각한다는 것을 스스로 의식하는 '정신' 작용이며, 이런 '자아의식'에 의해서 인간은 충동적인 욕구에 따라 행동하지 않고 스스로를 반성할 수도 있다고 보았다.

3 [1]한편 플레스너②는 생명체가 자신을 둘러싼 환경과 상호작용하는 방법을 중심으로 인간의 본질을 규명하고자 했다(플레스너의 연구 목적). [2]그에 의하면 독립성이 없어 주변 환경에 대해 능동적으로 적응할 수 없는 식물과 달리, 독립성이 있는 인간과 동물은 자신의 상황에 따라 환경에 적응해 갈 수 있다고 보았다(플레스너의 견해 ①). [3]그런데 플레스너는 동물이 자신만을 중심으로 환경에 적응해 간다면, 인간은 자기중심적인 삶과 일정한 거리를 둘 수 있는 '탈중심성'을 가진다고 강조했다(플레스너의 견해 ②). [4]그리고 이러한 '탈중심성'이라는 인간만의 특성으로 인해 인간은 스스로를 반성하고 항상 새로운 자신을 발견하고 변화시킬 수도 있다고 보았다.

4 [1]철학적 인간학의 또 다른 학자인 겔렌③은 동물학자 포르트만의 이론에 근거를 두고 인간의 본질을 밝히고자 했다(겔렌의 연구 목적). [2]그는 인간을 동물과 달리 신체적인 한계를 갖고 태어나 자연에 적응하기 어려운 결핍된 존재로 보았다(겔렌의 견해 ①). [3]이러한 결핍을 보완하기 위해 인간은 일정한 '행위'를 하게 되며(겔렌의 견해 ②), 나아가 그런 '행위'를 통해 자신의 생존에 적합한 문화를 창조한다고 보았다(겔렌의 견해 ③). [4]㉠그에 따르면 인간은 자신이 창조한 문화에 다시 영향을 받아 특정한 '행위'를 하기도 한다(겔렌의 견해 ④). [5](예를 들면, 문화의 한 형태인 여러 가지 사회적 제도의 영향으로 인간은 충동을 억제하는 '행위'를 하고, 인간다운 삶을 보장받기 위해 자신이 만든 제도의 틀 안에서 어느 정도 타율적 삶을 감수하는 '행위'를 하기도 하는 것이다.)

5 [1]이와 같이 셀러는 인간이 '자아의식'을 통해 자신을 대상화할 수 있다는 점에서, 플레스너는 인간이 '탈중심성'을 가지고 있어 스스로를 반성할 수 있다는 점에서, 겔렌은 인간이 여러 '행위'를 통해 결핍된 부분을 보완한다는 점에서 다른 생명체와 차별화된 인간의 본질을 규명하고자 했다. [2]결국 그들이 말하는 인간이라는 존재는 끊임없이 외부 환경이나 자기 스스로를 변화시키며 나아가는 존재라고 볼 수 있다.

지문 이해

- **1** (　　　) 인간학의 개념
  - 다른 생명체와 (　　　)된 인간 본질을 규명하고자 한 학문.
- **2** 셀러의 철학적 인간학
- **3** 플레스너의 철학적 인간학
- **4** 겔렌의 철학적 인간학
- **5** 세 관점의 특징 및 공통점
  - 인간을 외부 환경이나 스스로를 변화시키며 나아가는 존재로 파악함.

글의 핵심 파악

- **셀러의 견해**
  인간은 (　　　　　)이 있어, 내면을 대상화하고 스스로를 반성할 수 있음.
- **플레스너의 견해**
  - 인간과 동물은 (　　　)이 있어 상황에 따라 환경에 적응할 수 있음.
  - 특히 인간은 (　　　　　)을 가짐으로써, 스스로를 반성하고 변화시킬 수 있음.
- **겔렌의 견해**
  인간은 결핍을 보완하기 위해 일정한 (　　　)를 하며, 이를 통해 생존에 적합한 (　　　)를 창조함.

▶ 근거 문단 2, 3, 4

어휘 풀이

- **창출**: 처음으로 만들어 내거나 지어냄.
- **총체**: 사물을 구성하는 전체.
- **타율**: 자신의 의지와 관계없이 정해진 원칙이나 규율에 따라 움직이는 것.
- **감수**: 책망이나 괴로움 따위를 달갑게 받아들임.

예제 1

윗글을 바탕으로 〈보기〉를 이해한 내용으로 적절하지 않은 것은?

보기

[1]희수는 습관처럼 학교 앞 횡단보도에서 신호를 무시하고 건넜다. [2]희수가 건너고 나서 뒤를 돌아보니 유치원 아이들이 안전하게 길을 건너기 위해 신호를 지켜 손을 들고 횡단보도를 건너고 있었다. [3]그 순간 희수는 아이들보다도 못한 자신의 모습에 부끄러움을 느꼈고, 그날 이후부터 무단 횡단을 하지 않기 위해 교통 규칙을 잘 지키려고 노력하고 있다.

① 셸러의 입장에서는 희수가 부끄러움을 느낀 것은 무단 횡단했던 자신의 모습을 스스로 의식할 수 있었기 때문이라고 볼 수 있겠군.
② 셸러의 입장에서는 희수가 무단 횡단을 한 것과 아이들이 신호를 지킨 것의 차이는 '자아의식'의 존재 유무 때문이라고 볼 수 있겠군.
③ 플레스너의 입장에서는 희수가 무단 횡단을 하지 않으려고 노력하게 된 것은 스스로 자기 자신을 반성하는 것이 가능했기 때문이라고 볼 수 있겠군.
④ 겔렌의 입장에서는 교통 규칙이 인간다운 삶을 보장받기 위해 인간들이 만든 사회적 제도라고 볼 수 있겠군.
⑤ 겔렌의 입장에서는 유치원 아이들이 교통 신호를 잘 지키는 행위는 인간이 스스로 만든 문화에 다시 영향을 받은 것으로 볼 수 있겠군.

〈보기〉 문제 – 사례·상황 제시

100人 발문에 'A를 바탕으로 B를 이해한~'과 같은 표현이 나오면, 비교의 기준은 어떤 쪽일까? 맞아! A가 기준이고 B가 대상이야. 이럴 때 A는 이론, 관점, 원리와 같은 추상적 내용이고, B는 구체적인 대상, 즉, 사례에 해당하는 경우가 많아.

지문에 제시된 '셸러, 플레스너, 겔렌'의 관점을 바탕으로 하여 〈보기〉의 사례를 분석하는 문제이다. 다음의 과정에 따라 접근한다.

Step 1 지문을 읽으면서, 개념·원리·관점을 구성하는 핵심 요소가 무엇인지를 찾는다.

→ 셸러, 플레스너, 겔렌이 파악한 인간의 본질을 정리한다.

셸러	• '자아의식'이 있음. → 내면 대상화, 스스로를 반성
플레스너	• '독립성' → 상황에 따라 환경에 적응. • '탈중심성' → 스스로를 반성하고 변화시킴.
겔렌	• '결핍'(예 인간다운 삶 보장 X) → 결핍 보완하는 일정한 '행위'(예 자신의 충동 억제)를 함. → 생존에 적합한 '문화'(예 사회적 제도) 창조 → 자신이 창조한 '문화'의 영향을 받아 특정한 '행위'를 하기도 함.

Step 2 〈보기〉의 사례·상황을 앞에서 파악한 핵심 요소와 관련지어 본다.

〈보기〉의 사례·상황		핵심 요소
희수가 부끄러움을 느낌.	⇨	셸러 '자아의식'에 따라 자신의 내면을 대상화하고 반성한 것. (선택지 ①)
희수가 무단횡단을 하지 않으려 노력함.	⇨	플레스너 '탈중심성'에 따라 스스로를 반성한 것. (선택지 ③)
무단 횡단을 금지하는 교통 규칙	⇨	겔렌 • '교통 규칙'은 인간다운 삶을 보장받기 위해 만든 사회적 제도임.(선택지 ④)
유치원 아이들이 교통 규칙을 잘 지킴.	⇨	겔렌 • '교통 규칙을 지키려는 노력'은 인간이, 스스로 만든 문화의 영향을 받는 '행위'임. (선택지 ⑤)

①, ③, ④, ⑤는 적절한 선택지이다. 정답은 ②로, 셸러는 인간의 특징을 '자아의식'을 가진 것으로 규정하였으므로 희수가 자아의식이 없다는 진술은 적절하지 않다.

바로 콕 문제

1 윗글의 ㉠을 뒷받침하는 사례로 가장 적절한 것은?

① 도현이는 교실에서 공놀이를 하려다가 안전을 위해 교실에서의 공놀이를 금지한 학급 규칙이 생각나 밖에 나가 공놀이를 했다.
② 희진이는 학교 축제 때 유명한 걸그룹이 추는 춤의 안무를 바꾸어 공연함으로써 친구들에게 큰 호응을 얻었다.
③ 현우는 두발과 복장에 대한 학교의 규제가 과도하다고 여겨 친구들과 함께 두발과 복장 자율화의 필요성을 알리는 캠페인을 벌이기로 했다.
④ 수현이는 문학 시간에 배운 사회 풍자시를 패러디해 학생들에 대한 어른들의 억압과 통제를 비판하는 시를 지어 발표했다.
⑤ 명아는 학교에서 실시하는 단체 봉사 활동이 시간만 때우는 무의미한 활동이라고 여겨 활동의 폐지를 학교 측에 제안하였다.

콕 정답과 해설 37쪽

다음 글을 읽고 〈보기〉를 활용한 문제를 풀어 보자.

지문 2 (2016학년도 3월 고1 학력평가)

1 [1]바이러스란 스스로는 증식할 수 없고 숙주 세포에 기생해야만 증식할 수 있는 감염성 병원체를 일컫는다. [2]바이러스는 자신의 존속을 위한 최소한의 물질만을 가지고 있기 때문에 거의 모든 생명 활동에서 숙주 세포를 이용한다. [3]바이러스를 구성하는 기본 물질은 유전 정보를 담은 유전 물질과 이를 둘러싼 단백질 껍질이다.

바이러스의 개념(정의)

2 [1]1915년 영국의 세균학자 트워트는 포도상 구균을 연구하던 중, 세균 덩어리가 녹는 것처럼 투명하게 변하는 현상을 관찰했다. [2]뒤이어 1917년 프랑스에서 활동하던 데렐은 이질을 연구하던 중 환자의 분변에 이질균을 녹이는 물질이 포함되어 있다는 것을 발견하고, 이 미지의 존재를 '박테리오파지'라고 불렀다. [3]박테리오파지는 바이러스의 일종으로 '세균을 잡아먹는 존재'라는 뜻이다.

박테리오파지의 뜻

3 [1]박테리오파지는 머리와 꼬리, 꼬리 섬유로 구성되어 있다. [2]머리는 다면체로 되어 있고, 그 밑에는 길쭉한 꼬리가, 꼬리 밑에는 갈고리 모양의 꼬리 섬유가 붙어 있다. [3]머리에는 박테리오파지의 핵심이라 할 수 있는 유전 물질이 있는데, 이 유전 물질은 단백질 껍질로 보호되어 있다. [4]꼬리는 머릿속의 유전 물질이 세균으로 이동하는 통로 역할을 하며, 꼬리 섬유는 세균에 단단히 달라붙는 기능을 한다.

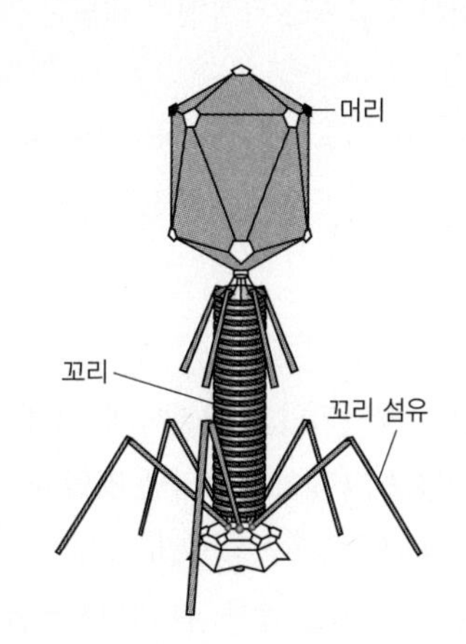

4 [1]박테리오파지는 증식을 위해 세균을 이용한다. [2]박테리오파지가 세균을 만나면 우선 꼬리 섬유가 세균의 세포막 표면에 존재하는 특정한 단백질, 다당류 등을 인식하여 복제를 위해 이용할 수 있는 세균인지의 여부를 확인한다.① [3]그리고 이용이 가능한 세균일 경우 갈고리 모양의 꼬리 섬유로 세균의 표면에 단단히 달라붙는다.② [4]세균 표면에 자리를 잡은 박테리오파지는 머리에 들어 있는 유전 물질만을 세균 내부로 침투시킨다.③ [5]세균 내부로 침투한 박테리오파지의 유전 물질은 세균 내부의 DNA를 분해한다.④ [6]그리고 세균의 내부 물질과 여러 효소 등을 이용하여 새로운 박테리오파지를 형성할 유전 물질과 단백질을 만들어 낸다.⑤ [7]이렇게 만들어진 유전 물질과 단백질이 조립되면 새로운 박테리오파지가 복제되는 것이다.⑥

5 [1]박테리오파지에는 '독성 파지'와 '용원성 파지'가 있다. [2]'독성 파지'는 충분한 양의 박테리오파지가 복제되면 복제를 중단하고 세균의 세포벽을 파괴하는 효소를 만든다. [3]그리고 그 효소로 세균의 세포벽을 터뜨리고 외부로 쏟아져 나온다. [4]이와 달리 '용원성 파지'는 세균을 이용하는 것은 독성 파지와 같지만 세균을 파괴하지는 않는다. [5]대신 세균 속에서 계속 기생하여 세균이 분열함에 따라 같이 늘어난다.

지문 이해

1 바이러스의 개념과 특성
2 박테리오파지의 발견과 뜻
3 박테리오파지 구성과 각 부분의 기능
4 박테리오파지의 복제 과정
5 박테리오파지의 두 유형

글의 핵심 파악

● 박테리오파지의 구성

머리	다면체. 단백질 껍질로 보호된 유전 물질이 있음.
꼬리	길쭉함. 유전 물질이 이동하는 (　　)
꼬리 섬유	갈고리 모양. 세균에 달라붙는 역할.

▶ 근거 문단 3

● 박테리오파지의 유형

독성 파지	용원성 파지
세균의 (　　)을 파괴해 외부로 나옴.	세균에 기생하며 세균 (　　) 시 증가.

▶ 근거 문단 5

어휘 풀이

- **증식**: 생물이나 조직 세포 따위가 세포 분열을 하여 그 수를 늘려 감. 또는 그런 현상.
- **숙주**: 기생 생물에게 영양을 공급하는 생물.

II 문제 독해

예제 2

윗글을 바탕으로 〈보기〉의 [A]~[E]를 이해한 것으로 적절하지 않은 것은?

보기

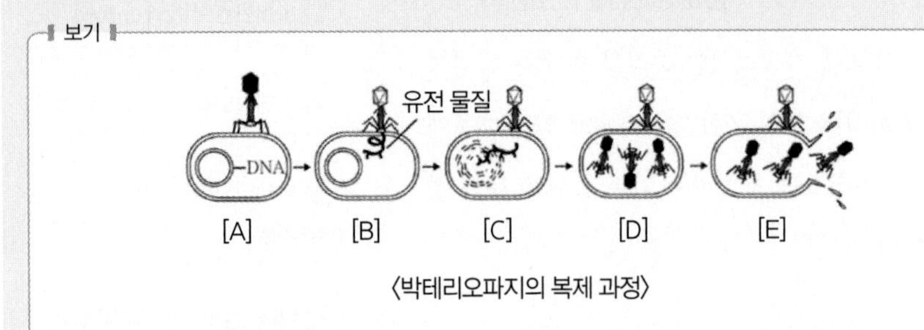

〈박테리오파지의 복제 과정〉

① [A]: 꼬리 섬유가 세포막 표면의 단백질, 다당류 등을 인식한 결과에 따라 유전 물질의 침투 여부가 결정되겠군.
② [B]: 박테리오파지의 머릿속에 있는 유전 물질은 꼬리를 통해 세균 안으로 유입되겠군.
③ [C]: 세균에 침투한 유전 물질은 세균의 내부 물질과 효소 등을 이용해 복제에 필요한 유전 물질과 단백질을 만들겠군.
④ [D]: 세균 속에서 기생하다 세균이 분열하는 과정에서 새로운 박테리오파지가 복제되겠군.
⑤ [E]: 복제된 박테리오파지가 세포 밖으로 터져 나오는 것을 보니 독성 파지가 증식된 것이겠군.

〈보기〉 문제 – 시각 자료 제시

100人 어떤 현상이 일어나는 과정이나 원리의 적용 과정을 파악해야 할 때에는 지문의 내용을 순서도로 정리하는 것이 좋다고, 60쪽의 '알아 두면 쓸데 있는 100인의 지혜'에서 설명했었어. 이 문제는 친절하게도 〈보기〉에 그림이 제시되었으니 이 그림을 활용해서 정보를 정리해 보자.

〈보기〉에는 순서를 나타내는 그림이 제시되었고 친절하게 '박테리오파지의 복제 과정'이라는 제목이 붙어 있다. 즉 지문의 설명을 그림으로 나타낸 것임을 알 수 있다. 따라서 이 문제는 〈보기〉의 시각 자료를 참고하여 글의 내용을 파악하는 문제이다. 〈보기〉를 통해 글에 대한 이해도를 높일 수 있기 때문에 시각 자료를 먼저 살피고 나서 글을 읽는 것이 좋다.

Step 1 〈보기〉와 선택지를 훑어보며, 지문의 어떤 부분이 시각화되었는지를 판단한다.

➔ 〈보기〉에 나타난 박테리오파지의 복제 과정은 4에서 주로 다루고 있으므로, 4의 문장들을 다시 살펴보며 〈보기〉의 [A]~[E]에 해당하는 내용을 찾아 정리한다.

4 [2](박테리오파지가 세균을 만나면 우선 꼬리 섬유가 세균의 세포막 표면에 존재하는 특정한 단백질, 다당류 등을 인식하여 복제를 위해 이용할 수 있는 세균인지의 여부를 확인한다.[3]그리고 이용이 가능한 세균일 경우 갈고리 모양의 꼬리 섬유로 세균의 표면에 단단히 달라붙는다.)[4]세균 표면에 자리를 잡은 박테리오파지는 머리에 들어 있는 유전 물질만을 세균 내부로 침투시킨다.[5][세균 내부로 침투한 박테리오파지의 유전 물질은 세균 내부의 DNA를 분해한다.[6]그리고 세균의 내부 물질과 여러 효소 등을 이용하여 새로운 박테리오파지를 형성할 유전 물질과 단백질을 만들어 낸다.] [7]이렇게 만들어진 유전 물질과 단백질이 조립되면 새로운 박테리오파지가 복제되는 것이다.

( ): [A]에 해당
[B]에 해당
[ ]: [C]에 해당
[D]에 해당

5 [2]('독성 파지'는 충분한 양의 박테리오파지가 복제되면 복제를 중단하고 세균의 세포벽을 파괴하는 효소를 만든다. [3]그리고 그 효소로 세균의 세포벽을 터뜨리고 외부로 쏟아져 나온다.)

( ): [E]에 해당

Step 2 지문에서 찾은 내용을 바탕으로 선택지의 적절성을 판단한다.

➔ 선택지는 [A]~[E] 각각에 대해 설명하고 있다. 따라서 각 단계에 해당하는 내용이 맞는지를 확인하면 된다.

〈보기〉 그림에 다음과 같이 메모를 했다면 선택지의 적절성을 판단하기가 더 쉽다.

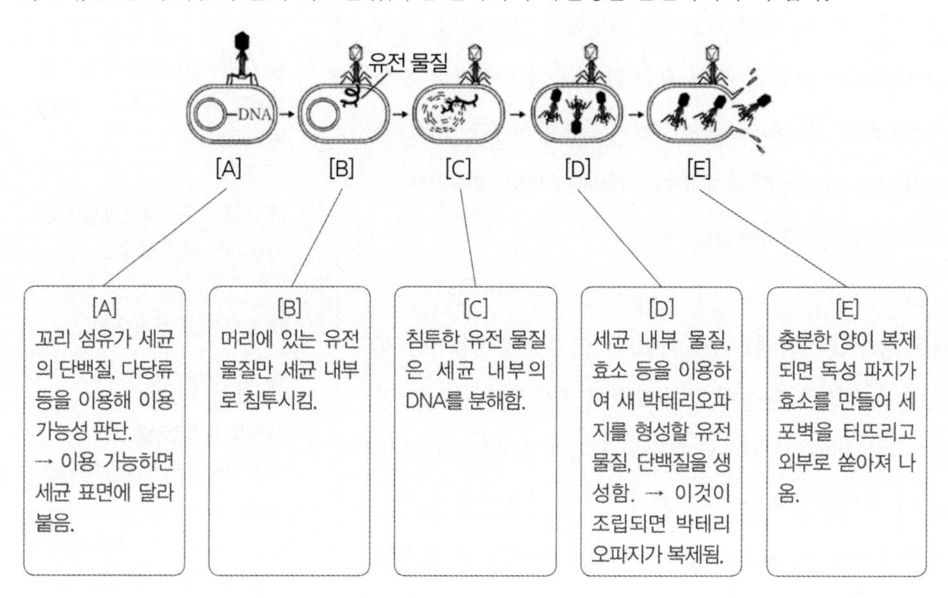

유전 물질
DNA
[A]
[B]
[C]
[D]
[E]
[A] 꼬리 섬유가 세균의 단백질, 다당류 등을 이용해 이용 가능성 판단. → 이용 가능하면 세균 표면에 달라붙음.
[B] 머리에 있는 유전 물질만 세균 내부로 침투시킴.
[C] 침투한 유전 물질은 세균 내부의 DNA를 분해함.
[D] 세균 내부 물질, 효소 등을 이용하여 새 박테리오파지를 형성할 유전 물질, 단백질을 생성함. → 이것이 조립되면 박테리오파지가 복제됨.
[E] 충분한 양이 복제되면 독성 파지가 효소를 만들어 세포벽을 터뜨리고 외부로 쏟아져 나옴.

선택지를 하나씩 살펴보며 정답을 확인해 보자.

> ① [A]: 꼬리 섬유가 세포막 표면의 단백질, 다당류 등을 인식한 결과에 따라 유전 물질의 침투 여부가 결정되겠군.

➲ 지문 내용과 일치함.

> ② [B]: 박테리오파지의 머릿속에 있는 유전 물질은 꼬리를 통해 세균 안으로 유입되겠군.

➲ 지문에서 추론 가능함. 유전 물질이 꼬리를 통해 세균에 유입되는지에 대한 근거는 ❸-4에서 찾을 수 있음.

> ③ [C]: 세균에 침투한 유전 물질은 세균의 내부 물질과 효소 등을 이용해 복제에 필요한 유전 물질과 단백질을 만들겠군.

➲ 지문 내용과 일치함.

> ④ [D]: 세균 속에서 기생하다 세균이 분열하는 과정에서 새로운 박테리오파지가 복제되겠군.

➲ 밑줄 친 내용은 '용원성 파지'의 특징임.(❺-4~5) 따라서 적절하지 않은 내용으로 정답!

> ⑤ [E]: 복제된 박테리오파지가 세포 밖으로 터져 나오는 것을 보니 독성 파지가 증식된 것이겠군.

➲ 지문 내용과 일치함.

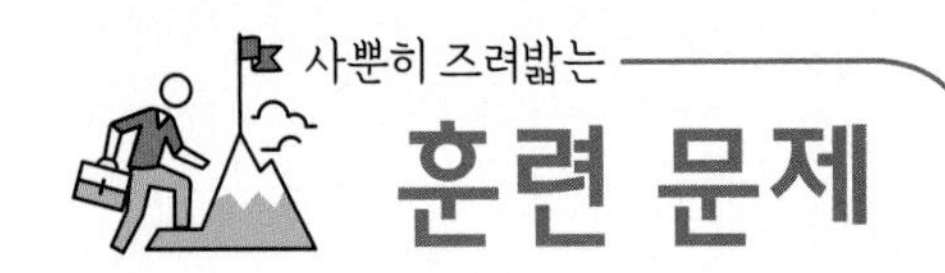

훈련 문제

[01~02] 다음 글을 읽고 물음에 답하시오.

2016학년도 11월 고1 학력평가

1 [1]다양한 요인들을 분석하여 공장이 어디에 위치해야 하는가를 설명하는 것을 산업 입지론이라 한다.[2]고전적 산업입지론에는 비용이나 수요 중 특정 요인 한 가지에 주목하여 가장 효율적인 입지를 설명하려는 최소비용이론과 최대수요이론이 있다.[3]하지만 비용과 수요 중 어느 한 요소만으로 공장의 입지를 설명하는 것에는 한계가 있다는 점에 주목한 데이비드 스미스는 이 둘의 통합을 추구하며 준최적입지론을 제시하였다.

2 [1]스미스는 자신의 이론을 총비용과 총수입의 관계로 설명하였다. [2]여기서 총비용이란 제품 생산 활동에서 발생하는 모든 비용으로 인건비, 운송비 등의 요소에 의해 결정된다.[3]그렇기 때문에 비용을 최소화할 수 있는 지점인 최적 입지로부터 공장의 위치가 멀어질수록 총비용은 증가하게 되는 것이다.[4]총수입이란 재화를 공급하여 생산자가 벌어들인 총액을 말한다. [5]그렇기 때문에 수요가 최대화되는 지점인 최적 입지로부터 공장의 위치가 멀어질수록 총수입은 감소하게 되는 것이다.[6]총비용과 총수입을 모두 고려할 때, 총비용이 총수입보다 크면 손실이 발생하고 총수입이 총비용보다 크면 이윤이 발생하게 되는데, 스미스는 총수입이 총비용과 같아서 더 이상 이윤을 획득할 수 없는 지점들을 이윤의 공간적 한계라고 하였다.[7]그리고 이 공간적 한계의 범위 안쪽에서는 이윤이 최대가 되는 최적 지점이 아니더라도 이윤이 발생하는 곳이라면 공장은 어디든지 입지할 수 있다는 것이 준최적입지론의 핵심이다.

3 [1]그는 이윤의 공간적 한계가 다음과 같은 요인들에 의해 달라질 수 있다고 보았다. [2]첫 번째 요인은 경영자의 경영 수완으로, 경영자가 효율적인 경영을 통해 생산비를 낮춘다면 이윤의 공간적 한계는 그 전보다 넓어질 수 있다.[3]다음으로 재정적 보조금이나 세금 등의 요인을 들었다.[4]공장이 보조금을 받으면 총비용을 감소시키는 효과를 가져올 수 있다. [5]반면에 특정 지역에서 공장에 세금을 추가로 부과한다면 총비용이 증가하게 되어 공장이 입지하는 데 어려움이 발생할 수 있다.[6]마지막 요인은 같은 종류의 제품을 생산하는 공장들이 한곳에 모이는 것이다.[7]이로 인해 생산 규모가 커지면 원료의 공동 구입, 제품의 공동 판매 등으로 총비용을 절감하여 이윤을 발생시킬 수 있다.

4 [1]결국 스미스의 이론은 비용과 수요를 통합적으로 고려했다는 점과, 이윤의 공간적 한계 내에서 최적입지 외에도 실제로 공장이 입지해 있는 것을 설명할 수 있다는 점에서 이전의 산업입지론들이 가진 한계를 극복하려 했다는 데 의의가 있다.

지문 이해

1 준최적입지론의 등장 배경

2 준최적입지론의 핵심 – 총비용과 총수입의 (　　)에 바탕을 둠.

3 이윤의 공간적 한계를 달라지게 하는 세 가지 요인

4 준최적입지론의 의의

글의 핵심 파악

- **고전적 산업입지론**
  - 최소비용이론, 최대수요이론이 있음.
  - (　　)과 (　　) 중 어느 한 요소만 고려하는 한계를 지님.

▶ 근거 문단 **1**

- **준최적입지론**
  - 최소비용이론, 최대수요이론의 통합 추구.
  - '이윤의 공간적 한계'의 범위 안쪽에서는 최적 입지가 아니더라도 이윤이 발생한다면 어디든지 입지 가능.

총비용 > 총수입	총비용 (　) 총수입	총비용 (　) 총수입
손실 발생	이윤 발생	이윤의 공간적 한계

▶ 근거 문단 **2**

- **이윤의 공간적 한계가 달라지는 요인**

① (　　　)의 경영 수완
② 재정적 보조금 및 (　　)
③ 같은 종류의 제품을 생산하는 공장의 밀집

▶ 근거 문단 **3**

어휘 풀이

- **입지:** 인간이 경제 활동을 하기 위하여 선택하는 장소.
- **준최적:** 최적의 상태에 가장 가까움.
- **수완:** 일을 꾸미거나 치러 나가는 재간.
- **절감:** 아끼어 줄임.

01 〈보기〉는 거리에 따른 총수입과 총비용의 관계를 나타낸 그래프이다. 이를 통해 스미스의 이론을 이해한 것으로 적절하지 않은 것은?

〈보기〉 문제
– 시각 자료 제시

보기

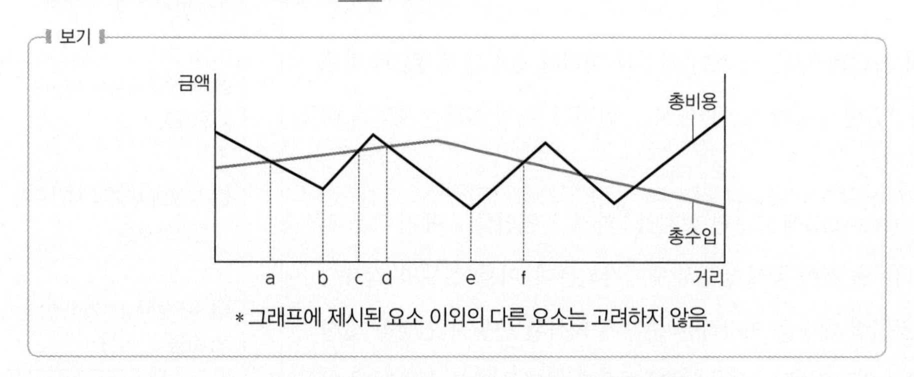

＊그래프에 제시된 요소 이외의 다른 요소는 고려하지 않음.

① a와 c사이 어느 곳에 공장을 세우더라도 손실이 발생하지 않겠군.
② a에 공장을 세운다면, 이윤의 공간적 한계 지점에 공장을 세웠다고 할 수 있겠군.
③ d에 공장을 세운다면, c에 세웠을 때보다 총비용이 크기 때문에 이윤이 더 적겠군.
④ e에 공장을 세운다면, b에 공장을 세웠을 때보다 총수입과 총비용의 차이가 더 크겠군.
⑤ e에 세우려던 공장을 e와 f사이에 세우려고 할 때 f에 가까워질수록 총비용은 늘어나겠군.

02 윗글을 바탕으로 〈보기〉를 분석한 내용으로 적절하지 않은 것은?

〈보기〉 문제
– 사례·상황 제시

보기

가구를 생산하는 A공장이 위치한 지역에서는 환경 오염 문제로 인해 지역 내 공장에 추가 부담금을 징수하기로 했다. 그래서 이전을 고민하던 A공장은 현재와 수요가 동일한 ㉮지역 내에 공장을 설립할 경우 지역 자치 단체에서 공장 부지 매입 보조금을 지원해 준다는 점과 가구를 생산하는 공장들이 밀집해 있다는 점을 고려하여 공장을 이전하기로 결정했다. 또한 경영자는 A공장을 이전하면서 경영 수완을 발휘하여, 생산 비용의 5%를 절감할 수 있는 새로운 시스템을 도입하기로 했다.

① A공장이 이전하려고 하는 것은 추가 부담금 때문에 총비용이 증가했기 때문일 것이다.
② A공장이 ㉮지역으로 이전하려는 것은 경영 수완을 발휘하여 수요를 증가시키기 위해서라고 할 수 있다.
③ A공장이 ㉮지역으로 이전하여 보조금을 지원받는 것은 세금 감면을 받는 것과 유사한 효과를 기대할 수 있을 것이다.
④ A공장이 총수입이 동일한 상황에서 새로운 시스템을 도입하면 이윤을 얻을 수 있는 공장의 입지 범위는 달라질 것이다.
⑤ A공장이 같은 업종이 밀집하는 곳으로의 이동을 결정한 것은 원료 등을 공동 구입하여 비용을 줄이기 위한 목적이 반영되었을 것이다.

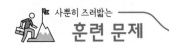

[03~04] **다음 글을 읽고 물음에 답하시오.**

2016학년도 11월 고2 학력평가

1 [1]음악을 듣는다고 가정해 보자. [2]제2음이 울릴 때 직전에 제1음이 울렸던 순간은 과거일까?[3]현재일까? [4]이에 대해 과학적 시간관에서는 현재는 과거나 미래와 단절된 점(點)과 같은 순간이므로 과거라고 답할 것이다. [5]반면 체험적 시간관에서는 '현재의 지평'이라는 개념을 바탕으로 현재라고 답한다.

2 [1]체험적 시간관을 확립한 후설(Husserl)에 따르면 현재가 '파지 – 원인상 – 예지'라는 지평을 갖게 됨으로써 지나간 것과 다가올 것이 함께 생생하게 지각되는데, 이를 '현재화' 작용이라고 한다. [2]원인상은 음을 듣는 것처럼 대상을 지각하는 순간에 의식된 근원적 인상을 말한다. [3]그런데 제2음을 듣는 순간 직전에 들은 제1음은 변양된 형태로 여전히 의식 속에 남아 있다. [4]이처럼 원인상을 의식 속에 계속 붙들고 있는 것이 파지이다. [5]또한 제2음을 들을 때 아직 듣지 않은 음을 예측하듯이 원인상을 바탕으로 미래를 즉각적으로 예측하는 것이 예지이다. [6]예지는 충족될 수도, 어긋날 수도 있다. [7]이처럼 과거가 현재로 다시 당겨지고 미래가 현재로 미리 당겨지면서 현재의 지평이 형성된다. [8]따라서 제2음을 들을 때 제1음이 들렸던 순간도 현재라고 할 수 있는 것이다.

3 [1]현재의 지평 형성에는 '현전화' 작용도 영향을 미친다. [2]현재화가 자아의 의지와 무관하게 자동적으로 진행되는 것이라면 현전화는 자아의 능동적 작용으로 일어난다. [3]현전화에는 우선 회상이 있다. [4]파지된 것은 시간이 흐르면서 의식에서 사라지기 마련인데, 이렇게 사라진 것을 현재에 불러오는 것이 회상이다. [5]또한 미래의 일을 현재에 떠올리기도 하는데 이를 기대라고 한다. [6]현전화는 현재화를 기반으로 일어나며, 현재화와 융합되어 현재의 지평을 새롭게 할 수 있는 것이다. [7]다만 현재화가 원인상과의 감각적 연속성이 있는 것과 달리, 현전화는 원인상과의 감각적 연속성이 없어 생생함이 사라진다.

4 [1]이러한 논의는 현재가 유기체처럼 변한다는 것을 보여준다. [2]먼저 개인의 관심이나 주의력에 따라 파지와 예지, 회상과 기대의 정도가 달라져 현재의 지평도 변한다. [3]예컨대 프로듀서가 휴양지에서 휴식을 위해 음악을 들을 때보다 음반 출시를 위해 음악을 들을 때 현재의 지평은 더 넓어질 것이다. [4]또한 현재화는 현재의 지평에 대한 통일적 인상을 변화시킨다. [5]제1, 2음을 들으며 제3음의 높낮이를 예측할 때, 그 세 음들에 대한 나름의 통일적 인상을 갖는다. [6]그런데 예측하지 않은 제3음이 들려 예지가 충족되지 못하면 제1, 2, 3음에 대한 이전의 인상도 달라져, 그 세 음들에 대한 통일적 인상도 다른 양상으로 변하게 된다.

5 [1]체험적 시간관을 통해 인간은 항상 경험을 통일성 있는 구조로 파악하려 한다는 것을 알 수 있다. [2]고정된 사물을 보거나 '삑'하는 소리를 들을 때조차 그 순간만을 지각하지 않고, 과거와 미래를 함께 지각하거나 회상과 기대를 함으로써 그 대상과 관련한 스토리를 만들려 하는 인간의 속성을 설명해 주는 것이다.

지문 이해

- **1** 과학적 시간관과 체험적 시간관의 (　　)
- **2** 후설의 체험적 시간관 ① – 현재화 작용
- **3** 후설의 체험적 시간관 ② – 현전화 작용
- **4** 유기체처럼 변하는 (　　)의 지평
- **5** 체험적 시간관의 의의

글의 핵심 파악

● **후설의 체험적 시간관**

현재화	현전화
현재가 '파지 – (　　) – 예지'의 지평을 갖게 됨으로써 지나간 것, 다가올 것이 함께 생생하게 지각됨.	– 회상, 기대. – 현재화와 융합되어 (　　)을 새롭게 만듦.
자동적으로 진행됨.	자아의 능동적인 작용으로 이루어짐.
(　　)과의 감각적 연속성이 있음.	(　　)과의 감각적 연속성이 없어 생생함이 사라짐.

▶ 근거 문단 **2**, **3**

어휘 풀이

- **지평:** 사물의 전망이나 가능성 따위를 비유적으로 이르는 말.
- **파지:** 경험에서 얻은 정보를 유지하고 있는 작용.
- **변양:** 모양을 바꿈.
- **현전:** 앞에 나타남.

03 윗글과 〈보기〉를 바탕으로 (가)~(라)를 듣는 청자에 대해 이해한 내용으로 적절하지 않은 것은?

┃보기┃

나모의 '함축-실현' 이론에 따르면 청자들은 음의 진행 방향에 따라 다음 음정이 어떻게 이어질지 예측한다. 한 예로 세 음을 연속해서 들을 때, 앞의 음정이 '미'와 '솔', '파'와 '라' 사이처럼 완전 4도 이하의 좁은 음정일 경우, 앞 음정이 상행이면 뒤 음정도 상행, 앞 음정이 하행이면 뒤 음정도 하행될 것으로 예측한다. 반면 '파'와 높은 '레' 사이처럼 앞의 음정이 완전 5도 이상의 넓은 음정이라면 앞 음정과 반대의 방향으로 뒤 음정이 나올 것으로 예측한다.

● **음정:** 높이가 다른 두 음 사이의 간격

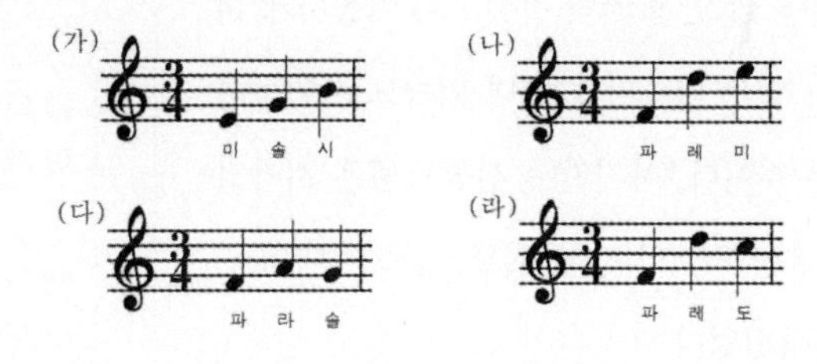

① (가)의 제2음을 듣는 순간에도 제1음과 제3음을 함께 지각할 수 있을 것이다.
② (가)의 제3음을 듣는 순간, 직전에 가졌던 통일적 인상을 그대로 유지할 것이다.
③ (나)의 제2음을 듣는 순간 일어난 예지가 제3음을 들을 때 충족되지 못해 제1음에 대한 인상이 달라질 것이다.
④ (다)의 제3음을 듣는 순간, 직전에 가졌던 통일적 인상이 변화되는 경험을 할 것이다.
⑤ (라)의 제2음을 듣는 순간에 미리 당겨진 음에 대한 인상이 제3음을 들을 때 느낀 인상과 다르다고 느낄 것이다.

〈보기〉 문제
- 관점 제시
- 사례·상황 제시
- 시각 자료 제시

100人 지문의 관점과 〈보기〉의 관점을 비교하는 유형과, 지문의 관점을 〈보기〉의 사례에 적용하는 유형이 결합된 문제야. 구성이 복잡하여 읽기 부담스러울 수 있지만 관점 파악과 사례 적용이라는 기본적인 접근 방법을 잊지 않았다면 문제를 쉽게 풀 수 있을 거야.

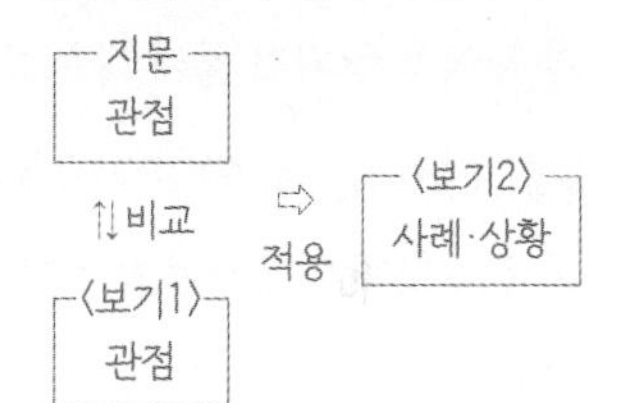

04 윗글의 '후설'과 〈보기〉의 '브렌타노'에 대한 이해로 적절한 것은?

┃보기┃

브렌타노는 직전에 지각한 것이 사라지더라도 적극적인 상상을 통해 그것에 대한 이미지가 변양된 상태로 떠오르는데, 이는 지각이 아니라고 말한다. 때문에 사람들은 직전에 본 장면을 여전히 보고 있다고 여기지만 이는 상상의 생생함으로 인해 생겨나는 가상일 뿐이라고 설명한다.

① '후설'과 '브렌타노'는 모두 미래에 대한 기대가 이미지의 변양에 영향을 미친다고 보았다.
② '후설'과 '브렌타노'는 모두 시간은 단절되어 있기 때문에 근원적 연상은 생생할 수 없다고 보았다.
③ '후설'은 '브렌타노'와 달리 직전에 본 장면을 떠올리는 것을 지각에 의한 것이라고 보았다.
④ '후설'은 '브렌타노'와 달리 직전에 본 장면을 떠올릴 때는 변양이 일어나지 않는다고 보았다.
⑤ '브렌타노'는 '후설'과 달리 인간의 사고 과정에서 상상이 지각보다 우위에 있다고 보았다.

〈보기〉 문제 – 관점 제시

Ⅱ 문제 독해

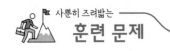

[05~06] 다음 글을 읽고 물음에 답하시오.

2016학년도 11월 고2 학력평가

1 [1]도시에서 업무, 상업, 주거, 공업 등 각종 기능 지역이 나름의 질서를 가지고 배치되어 있는 것을 '도시내부구조'라고 한다.[2]그렇다면 이러한 도시내부구조는 어떻게 형성될까? [3]20세기 전반에 이를 설명하기 위해 동심원모델과 선형(扇形)모델이 제시되었다.

2 [1]먼저 동심원모델은 1920년대 시카고를 대상으로 도시내부구조를 모형화한 것으로, 도시가 도심을 중심으로 동심원을 이루며 커진다고 보았다.[2]즉 도심의 인접 지역에 인구가 유입되면 점차 이곳이 과밀화되고 여기에 거주하던 사람들이 도심 인접 지역 바깥으로 이동하게 된다.[3]한편 쾌적한 환경을 찾아 도심으로부터 벗어나려는 일부 거주자들이 더 외곽으로 이동하게 되면서 동심원의 형태를 띤 도시가 이루어졌다고 본 것이다.[4]하지만 동심원모델은 시카고만의 특성을 반영한 모형이기 때문에 도시의 일반적인 구성 요소인 지형, 철도, 공업 지대의 위치 등이 반영되지 않아 다른 도시에 적용하기에는 한계가 있었다.

3 [1]이에 지대(地代)와 교통로에 따라 도시가 도심을 중심으로 부채꼴 모양처럼 형성된다고 본 선형모델이 등장하게 된다.[2]이 모델은 도심에서 외곽으로 부챗살 모양의 간선 교통로가 생기게 되면 이를 중심으로 지대가 상승하여 고급 주거 지구가, 여기에 인접하여 중급 주거 지구가 형성된다고 보았다. [3]또한 철도나 수로(水路)와 같이 화물을 운반할 수 있는 대규모 교통시설이 입지하는 곳에는 경공업 지구가, 그 주변은 지대가 싼 저급 주거 지구가 형성된다고 보았다.

4 [1]하지만 교통이 발달하고 도시 내부가 더욱 복잡해지면서 이전의 두 모델로는 도시내부구조를 설명할 수 없게 되었다.[2]이에 등장한 것이 도시가 여러 개의 핵심을 중심으로 형성된다는 다핵심모델이다.[3]도시가 커지면서 핵심을 중심으로 여러 기능 지구가 분화하게 된다. [4]다핵심모델에서는 이러한 기능 지구가 다음의 4가지 양상으로 분화한다고 보았다.

[A] **5** [1]첫째, 활동마다 유리한 입지 지점에 따라 분화한다. [2]예를 들어 교통이 편리한 지점에 도매업 지구가 입지하고, 수륙 교통 관계가 좋은 곳에 공업 지구가 입지한다. [3]둘째, 어떤 활동은 유리한 입지 지점의 높은 지대를 지불할 능력이 없는 경우 다른 지점에 입지한다.[4]예를 들어 도매업이나 창고업은 도심 주변에 입지하는 것이 유리하지만, 넓은 토지를 필요로 하기 때문에 도심 주변은 지대가 비싸서 입지하기가 어렵다.[5]셋째, 동종의 활동은 집적의 이익을 볼 수 있기 때문에 집중하여 분화한다.[6]그래서 금융기관, 도매업, 소매업 등은 각기 일정한 장소에 집단화하여 상권을 유지하게 된다.[7]넷째, 상이한 활동은 집적하면 불이익이 발생하기 때문에 서로 분리되어 위치한다. [8]그래서 주택 지구는 공업 지구와, 소매업 지구는 공업 지구와 서로 분리된다.

6 [1]최근에는 경제적, 사회적, 행정적 요인을 바탕으로 도시내부구조를 분석하는 다양한 모델들이 등장하고 있다.[2]이러한 모델들을 적용하여 도시내부구조를 이해하는 것은 도시의 각종 기능 지역들이 배치된 질서와 논리를 규명하여 도시의 변화를 예측하고 도시 계획을 수립하는 데 도움을 줄 수 있다.

지문 이해

- **1** 도시내부구조의 개념과 분석 모델
- **2** 동심원 모델 / **3** 선형 모델
- **4** 동심원모델 및 선형모델의 한계와 다핵심모델의 등장
- **5** 다핵심모델 – 기능 지구의 네 가지 분화 양상
- **6** 다양한 도시내부구조 분석 모델의 등장과 그 의의

글의 핵심 파악

● **도시내부구조 분석 모델**

동심원모델	선형모델
도시가 (　　) 을 중심으로 동심원을 이루며 커짐.	도시가 도심을 중심으로 부채꼴 모양처럼 형성됨.

다핵심모델
도시가 여러 개의 (　　)을 중심으로 커지고, 여러 기능 지구로 분화함. – 활동마다 유리한 입지 지점에 분화하되, (　　)를 감당하지 못하면 다른 지점에 입지함. – 집적 이익/불이익에 따라 동종 활동은 집중하여 분화하고 상이한 활동은 분리되어 위치함.

▶ 근거 문단 **2**~**5**

어휘 풀이

- **과밀**: 인구, 건물, 산업 따위가 한 곳에 지나치게 집중되어 있음.
- **지대**: 지료(地料). 지상권자가 토지 사용의 대가로 토지 소유자에게 지급하는 금전이나 그 외의 물건.
- **간선**: 도시, 철도, 전신 등의 주요한 선.
- **집적**: 모아서 쌓음.

05 윗글을 읽고 〈보기〉를 설명한 내용으로 적절하지 않은 것은?

〈보기〉 문제
– 시각 자료 제시

보기

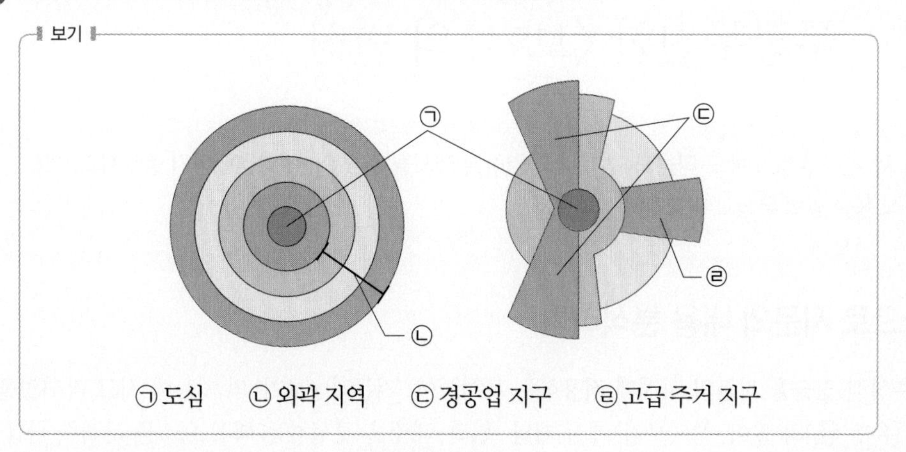

① 도시내부구조는 ㉠을 중심으로 형성되었겠군.
② 인구 유입과 환경 요인 등으로 ㉡이 형성되었겠군.
③ 대규모 교통 시설이 입지하는 곳에 ㉢이 형성되었겠군.
④ 간선 교통로를 중심으로 지대가 상승하여 ㉣이 형성되었겠군.
⑤ 지대가 싼 저급 주거 지구는 ㉣의 인접 지역에 형성되었겠군.

06 [A]를 통해 〈보기〉를 이해한 것으로 적절하지 않은 것은?

〈보기〉 문제
– 사례·상황 제시

보기

- ○○시의 공업 지구인 ㉮는 수륙 교통 관계가 좋고, 창고업이 발달한 곳에 위치해 있다.
- ○○시의 ㉯에는 여러 금융기관이 밀집되어 있다.
- ○○시의 ㉰는 도심 주변의 주택 지구이다.

① ㉮는 ㉰와 집적하면 불이익이 발생하기 때문에 분리되어 형성된 것이겠군.
② ㉮에 수륙 교통 관계가 좋기 때문에 공업 지구가 형성될 수 있었겠군.
③ ㉮는 창고업이 입지한 것으로 보아 도심 주변보다 낮은 지대를 지불하는 곳이겠군.
④ ㉯는 금융기관이 밀집되어 있는 것으로 보아 집적의 이익을 얻을 수 있는 곳이겠군.
⑤ ㉰는 도심 주변에 있기 때문에 도매업이 입지하는 것이 쉽겠군.

알아 두면 쓸데 있는 100인의 지혜 ④

무궁무진한 〈보기〉의 변신

〈보기〉는 앞에서 배운 세 가지 유형 외에도 다음과 같이 더 다양하게 제시될 수 있어. 〈보기〉에 담긴 출제자의 의도, 〈보기〉를 활용하는 방식 등을 앞의 유형과 비교하여 살펴보자.

1. 〈보기〉의 관점으로 지문의 내용 분석하기

이 유형은 〈보기〉의 추상적 진술을 지문의 사례에 적용하는 유형이야. 지문과 〈보기〉의 기능이 서로 바뀌었을 뿐, 문제를 푸는 방법은 [유형 ❶]과 같아. 즉 〈보기〉에서 개념·원리·과정을 구성하는 핵심 요소를 분석한 다음, 지문에서 이러한 핵심 요소가 어떻게 구체화되었는지 파악하면 돼.

110쪽

(2013학년도 3월 고1 학력평가)

● 〈보기〉를 참고하여 지문을 이해한 내용으로 적절하지 않은 것은?

보기

인간은 이성적 사고를 통하여 대상들의 동일성을 추구해 왔다. 그 결과 나타난 것이 인간, 동물, 생물, 여성, 남성, 백인, 흑인 등과 같이 다양한 개체들을 분류하고 규정하는 개념들이다. 대상의 개념을 정의하게 되면, 개체들이 가진 복잡성과 차이는 없어지고 획일화된다. 반면에 그 개념에 포함되지 않은 다른 대상과는 차별화가 더 두드러지게 된다.

(핵심 요소 A: 동일성 / 핵심 요소 B: 개체들을 분류하고 규정하는 개념 / 핵심 요소 C: 획일화 / 핵심 요소 D: 차별화)

➡

지문

하나의 민족, 하나의 조국, 하나의 언어를 강하게 내세운 나치 독일은 600여 만 명의 유대인 학살과 주변 국가에 대한 침략으로 나아갔다. 물론 이런 가능성들이 늘 현재화되는 것은 아니지만, 단일 민족의식 속에는 분명 억압과 차별과 불관용이 숨어 있다.

('동일성 추구'(핵심 요소 A) / '차별화'(핵심 요소 D) / '동일성 추구'(핵심 요소 A) / '차별화'(핵심 요소 D))

선택지 ❶ 나치 독일이 하나의 민족을 세운 것은 그 구성원을 획일화하는 효과가 있겠군. ('동일성 추구'(핵심 요소 A)) ○ ×

선택지 ❷ 독일인과 유대인의 분류는 독일인과 유대인 사이의 차이를 없애는 것이겠군. ('개체들을 분류하고 규정하는 개념'(핵심 요소 B)) ○ ×

2. 심화·확장·추가 정보를 제시하는 〈보기〉

〈보기〉로 지문의 내용과 관련된 새로운 정보가 제시될 수도 있어. 지문에서 상세하게 다루어지지 않았던 내용을 〈보기〉로 제시하는 거지. 예를 들면 지문에 언급된 화제/대상의 근원, 배경, 원리 또는 그와 관련된 탐구 및 실험, 보충·부연 설명 등이 있지. 이 유형은 다른 〈보기〉 유형을 풀 때처럼 〈보기〉와 글의 관련성을 파악하는 것이 문제 풀이의 핵심이야.

지문: 내용
+
〈보기〉: 새로운 내용

(2018학년도 3월 고2 학력평가)

● 지문과 〈보기〉를 관련지어 이해한 내용으로 가장 적절한 것은?

지문

[1]근대 이전의 조각은 고유한 미술 영역의 독립적인 작품으로서가 아니라 신전이나 사원, 왕궁과 같은 장소의 일부로서 존재했다.[2]이러한 조각은 그것이 놓여 있는 장소의 성격에 따라 종교적인 분위기를 조성하거나 왕의 권력을 상징함으로써 사람들을 감화시키는 기능을 수행하였다.[3]그런데 조각이 장소와 긴밀

(근대 이전 조각의 기능 ① – 사회적 기능 / 근대 이전 조각의 기능 ② – 정치적 기능)

한 관련성을 지니고 그 장소의 맥락과 의미를 강조하는 수단으로 활용되는 경향은 근대에 들어서면서 큰 변화를 맞이했다.[4]종교의 영향력 및 왕권이 약화되면서 관련 장소가 지녔던 권위도 퇴색하여, 그 장소에 놓인 조각에 부여되었던 종교적, 정치적 의미도 약해진 것이다.[5]이러한 상황이 전시 및 교육을 목적으로 하는 박물관, 미술관 등 근대적 장소가 출현하는 상황과 맞물리면서 조각에 대한 새로운 관점이 부각되기 시작했다.[6]조각이 박물관이나 미술관에 놓이면서 미적 감상의 대상인 '작품'으로서의 성격이 강조된 것이다.[7]사람들은 조각을 예술적인 기법이나 양식 등 순수한 미적 현상이 구현된 독립적인 작품으로 감상하게 되었다.

근대 시기 조각의 변화 ①

근대 시기 조각의 변화 ②

보기

근대 이전

중세 시대에 조각은 독자적인 예술 분야가 아닌 기술이나 수공업의 영역으로 인식되었으며, 정치, 사회적 기능에 전적으로 의존하였다. 근대에 이르러 미술의 개념이 확립되고 미가 인간 행위를 지배하는 하나의 독립적 원리로 여겨지면서, 사람들은 종교적 신비감이 시들해진 상태에서 순수한 미적 체험을 추구하기 시작했다. 미술관을 포함한 박물관의 건립은 이러한 변화와 맞물린 근대적 현상이었다.

새로운 정보

지문 2와 일치

선택지 ❶ 근대의 박물관은 작품이 가진 수공업으로서의 가치를 강화하는 데 초점을 두었겠군. ○ | ×

〈보기〉에서 제시된 새로운 정보

선택지 ❷ 조각상을 감상 대상인 작품으로 여기는 것은 정치, 사회적 기능을 부여한다는 뜻이겠군. ○ | ×

지문의 내용 / 〈보기〉의 내용

선택지에 사용된 용어나 선택지의 구성 방식을 훑어보면, 〈보기〉와 글의 관련성을 파악하는 데 도움이 돼. 그래도 〈보기〉의 성격을 파악하기 어렵다면, 다음의 네 가지 질문을 던져 보며 〈보기〉의 성격을 가늠해 봐.

- 〈보기〉는 글과 유사한가? / 글과 상반되는가? / 글을 구체화하는가? / 글을 일반화하는가?

3. 지문의 내용을 추론하게 하는 <보기>

최근에는 지문의 내용을 요약한 〈보기〉가 제시되기도 해. 〈보기〉에 빈칸을 뚫은 뒤, 여기에 들어갈 적절한 말을 찾을 수 있는지 묻는 식이지. 빈칸에 들어갈 적절할 말을 찾을 수 있다는 것은, 자신의 이해를 바탕으로 하여 지문의 내용을 새로운 진술로 요약할 수 있다는 것을 의미해. 그렇다면 출제자가 이러한 유형의 〈보기〉 문제를 내는 이유는? 맞아. 지문 내용의 추론적 이해를 평가하려는 것이지.

지문 내용 ⇩ 요약 〈보기〉 빈칸 채우기

(2019학년도 6월 고2 학력평가)

● **지문을 바탕으로 할 때, 〈보기〉의 ㉮~㉯에 들어갈 말로 적절한 것은?**

지문

해밀턴은 아래와 같은 '해밀턴 규칙'을 도출하였다.

rb > c (단, b>c>0으로 가정함.)

즉, 이타적 행동은 그로 인해 상대방이 얻는 이득(b)이 충분히 커서 1보다 작은 유전적 근연도(r)를 가중하더라도 개체가 감수하는 손실(c)보다 클 때 선택된다는 것을 확인할 수 있다.

요약 ➡

보기

두 개체 사이의 유전적 근연도가 (㉮ 낮을수록 , 높을수록), 손실에 비해 이득이 (㉯ 작을수록 , 클수록) 이타적 행동은 선택되기 쉽다.

➲ 지문에 있는 수식을 참고하여 조건들의 관계를 정리하면 답을 쉽게 찾을 수 있다. 이타적 행동이 선택되려면, rb의 값이 크고 c의 값은 이보다 작아야 한다.

• 답: 1. ❶○ ❷× 2. ❶× ❷× 3. ㉮ 높을수록 ㉯ 클수록

PART Ⅱ

10 비판하는 문제

독해의 끝판왕, 비판적 독해!

우리는 누군가와 대화를 나눌 때 상대방의 말을 듣기만 하지 않는다. 상대방의 말이 옳고 그른지 판단하며, 말의 허점을 지적하고 되묻기도 한다. 글을 읽을 때도 마찬가지다. 글에 담긴 내용이나 글쓴이의 생각이 적절한지 확인하고 따지며 읽어야 한다. 이러한 읽기를 '비판적 읽기'라고 하는데, 논리적 사고력과 정확한 판단력이 필요하기 때문에 상당히 수준이 높은 독해 능력을 필요로 한다.

앞에서 살펴본 문제 유형들이 지문(글)의 내용을 잘 받아들이는 것과 관련되었다면, 이번 강에서는 지문 내용의 타당성, 논리성, 적절성을 따지는 비판적 이해와 관련된 문제를 공부할 것이다.

100人 시험에 나오는 '비판하는 문제'는 반드시 '객관성'을 확보해야 하기 때문에 지문이나 〈보기〉에서 비판의 기준을 제시하는 경우가 많아. 그래서 문제 형식이나 문제 해결 과정에서 일정한 패턴이 생기게 되지. 이 패턴을 분석하면 어려워 보이는 비판 문제도 자신 있게 풀 수 있을 거야!

국어 시험에서 '비판'한다는 것은?

'비판'이 성립하려면 상반되거나 서로 다른 두 관점(주장, 견해, 입장)이 있어야 한다. 비판은 하나의 관점을 기준으로 하여 다른 관점이 가지고 있는 문제점, 한계를 지적하는 것이기 때문이다.

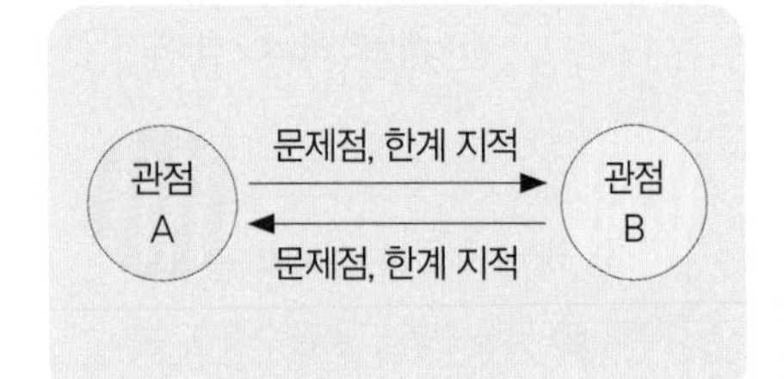

'비판'을 이렇게 규정한다면, 우리가 그동안 만난 국어 시험에서 실제로 비판적 이해를 묻는 문제는 생각보다 많이 출제되지 않았다. 상반된 두 관점이 제시되고, 발문에서 '비판', '평가' 등의 용어를 사용했더라도 자세히 들여다보면 관점 간의 관계를 추론하는 문제인 경우가 많다.

참고로 글에 대한 비판은 글의 내용뿐만 아니라 형식, 표현, 어휘 등에 대한 비판까지도 포함한다. 그러나 비문학에서는 대부분 내용에 대한 비판을 묻는 문제가 출제된다. 따라서 비판하는 문제를 풀 때에는 입장·관점이 드러난 글의 내용을 파악하고, 이를 바탕으로 한 주장이나 견해의 적절성을 판단해야 한다.

비판의 기준이 있는지 파악하자!

A	B
• ㉠의 관점에서 ㉡의 생각을 비판한 것으로 가장 적절한 것은? • 윗글을 바탕으로 〈보기〉의 사례를 비판한 내용으로 적절하지 않은 것은? • 〈보기〉의 ㉠이 윗글에 대해 보인 반응으로 적절하지 않은 것은?	• ㉠~㉢에 대한 비판의 내용으로 적절하지 않은 것은? • 윗글을 읽고 비판적으로 떠올린 질문으로 적절하지 않은 것은? • 윗글에 반박하기 위한 근거로 적절한 것은? • 윗글에 대한 반응으로 적절하지 않은 것은?

먼저 A는 비판의 기준(관점)이 제시된 문제이다. 비판할 때 기준이 되는 관점은 지문에 있을 수도 있고, 〈보기〉에서 제시될 수도 있다. 비판의 대상도 마찬가지로 지문이나 〈보기〉에서 제시된다. 이 유형은 비판의 기준과 대상이 어떻게 제시되든 다음과 같은 순서에 따라 문제를 풀면 된다.

Step 1 발문의 조건을 파악하여 비판의 '기준'이 되는 것과 비판의 '대상'이 되는 것을 정확하게 구분한다.

Step 2 지문이나 〈보기〉에서 두 관점의 핵심을 파악한다. 핵심을 파악할 때는 두 관점의 차이점, 특히 대립되는 점이 무엇인지 찾는 것이 중요하다.

Step 3 선택지의 내용이 비판의 '기준'이 되는 입장에서 비판의 '대상'이 지닌 문제점이나 한계를 정확하게 지적하고 있는지 판단한다.

예문

(아리스토텔레스의 관점)

'범주화'란 사물, 개념, 현상을 분류하여 이해하는 방식이다. 아리스토텔레스는 범주는 해당 범주를 정의하는 필요충분 속성의 집합으로 결정된다고 보았다. 예를 들어 '사각형'은 [네 개의 변], [폐쇄 도형], [평면 도형]이라는 필요충분 속성을 지녔다고 보았다. 모든 사각형은 이 세 가지 속성을 반드시 필요로 하기 때문이다.

(비트겐슈타인의 관점)

이에 대해 ㉠비트겐슈타인은 근본적인 의문을 제기하였다. 수많은 개별 대상은 필요충분 속성의 집합으로 범주화되지는 않으며, 범주의 구성원들은 일부 속성만 공유한다는 것이다. '나, 동생, 아버지'로 이루어진 가족이 있을 때, '나'는 '아버지'와 부분적으로 닮고, '동생'도 '아버지'와 부분적으로 닮았다. 하지만 구성원 전체가 모든 속성을 공유하지 않더라도 '가족'이 될 수 있다는 것이다.

➡

예제

㉠의 관점에서 〈보기〉를 적절히 비판한 것은? (㉠의 관점: 비판의 기준 / 〈보기〉: 비판의 대상)

보기

아리스토텔레스는 '인간'의 필요충분 속성을 [동물], [두 다리]로 보았다.

⬇

① 범주는 필요충분 속성의 집합으로 결정되지 않으므로 '인간'을 [동물], [두 다리]의 집합으로 범주화할 수 없다.

➲ ○ – '개별 대상은 필요충분 속성의 집합으로 범주화되지 않는다.': 비트겐슈타인의 관점에서 아리스토텔레스와 대립되는 지점

② [동물], [두 다리] 이외에 필요충분 속성을 더 추가해야 '인간'을 분명하게 범주화할 수 있다.

➲ × – 상식적으로 맞는 진술이지만, 비트겐슈타인의 관점이 반영되지 않았다.

B는 비판의 기준이 제시되지 않은 문제이다. 따라서 상식적이고 논리적인 수준에서 다음과 같은 경우들을 비판해야 한다.

- 여러 측면을 살피지 않고 문제를 한 가지 측면에서만 살펴보는 경우
- 대립하는 두 입장 가운데 어느 한쪽의 입장에만 치우친 경우
- 성급한 일반화의 오류를 범하는 경우
- 인과 관계나 논리 관계에 오류가 있는 경우

즉 누구나 문제가 있다고 판단할 수 있는 범위 안에서 비판할 것을 요구한다.

예문

전통적 공리주의는 최대한 다수의 사람들에게 최대한 많은 만족과 행복을 가져다주는 행동을 가장 선한 행동이라고 여긴다. 이때, 행복은 계산 가능한 대상으로, 공리주의자들은 산출된 행복의 '양'이 가장 큰 상태를 바람직하다고 여겼다.

예제

전통적 공리주의자의 관점을 비판한다면?

① 어떤 행동이 많은 사람들에게 행복을 주더라도 그 행동이 정의롭지 않은 행동일 수 있다.

② 행복은 양으로만 측정되는 것이 아니며, 누군가는 측정하기 어려운 종류의 행복을 느낄 수 있다.

때로는 지문에서 간접적으로 비판의 기준이 제시될 수 있다. 예를 들어 지문에서 진리를 탐구하는 세 가지 방법(a, b, c)을 소개하고 각각의 장단점과 상호 보완 관계를 설명한 뒤, 비판의 기준이 되는 관점을 별도로 제시하지 않고 각각의 방법을 비판하는 문제가 나올 수 있다. 이때 a는 'b와 c'의 입장에서, b는 'a와 c'의 입장에서, c는 'a와 b'의 입장에서 각각 어떤 한계가 있는지 파악하면 문제를 쉽게 해결할 수 있다.

100人 비판할 때 활용할 수 있는 근거나 사례를 찾는 문제가 출제되기도 해. 이때는 적절한 비판의 내용을 떠올리고 그것을 뒷받침하는 근거까지 생각해야 하니까 좀 더 주의해야겠지? 근거를 추론하는 문제의 풀이 방법은 '07 추론하는 문제'에서 살펴봤어.

제대로 비판한 선택지는?

비판적 이해를 묻는 문제의 선택지는 대체로 다음과 같이 구성된다.

❶ 비판 기준이 되는 관점의 내용 ❷ 비판 대상이 되는 관점의 내용 ❸ 한계나 문제점을 지적하는 비판 내용

다른 유형과 마찬가지로, 선택지 중에는 항상 글에서 언급되지 않았거나 사실 관계를 틀리게 진술한 선택지가 있다. ❶, ❷는 두 관점의 내용을 잘 파악했다면 내용 일치 여부로 오답 선택지를 가려내면 된다. ❸은 문제점과 한계를 지적한 내용이 정확하지 않거나 비판의 기준과 대상이 바뀌지 않았는지 유의하며 오답 선택지를 가려내야 한다.

물론 모든 선택지가 ❶~❸으로 구성되는 것은 아니다. ❷가 빠지는 경우도 있고, ❸이 없이 단순하게 관점을 비교하거나 내용을 추론하는 유형의 선택지가 있을 수도 있다. 그러나 ❶~❸은 선택지를 만드는 요소이자 답을 판단하는 요소이기 때문에 기억해 두는 것이 좋다.

예문으로 원리 확인

다음 글을 읽고 비판하는 문제를 풀어 보자.

지문 1 (2010학년도 9월 모의평가)

1 [1](기차 안에서처럼 두 개의 의자가 서로 마주 보고 있고, 그 옆에는 스크린이 창문처럼 설치되어 있다. [2]관람객들이 이 의자에 앉아 대화를 나누면 대화 속의 단어들에 상응하는 이미지들이 화면 가득히 나타나 입체적 영상을 만들어 낸다.) [3]이는 소머러와 미그노뉴의 디지털 아트 작품인 「인터넷 타기」에 대한 설명이다. [4]이와 같은 최근의 예술적 시도들은 작품과 수용자 사이의 경계를 넘어 작품의 생성과 전개에 수용자를 참여시킴으로써 작품과 수용자 사이의 상호 작용을 가능하게 한다.

2 [1]이는 분명 종래의 예술관에 대한 도전이다. [2]종래의 예술관은 수용자의 참여를 허락하지 않았을 뿐만 아니라 예술 감상을 미적 관조로 한정하고 있었기 때문이다. [3]즉 예술 작품에 대한 감상은 예술 이외의 모든 관심과 욕구로부터 초연한 상태에서 가능하다는 것이다. [4]더구나 이러한 관조적 태도와 함께 예술 작품 자체도 모든 것에서 벗어난 순수한 객체가 됨으로써 이제 예술은 그 어떤 권위도 침해할 수 없는 자율적 영역이 된다. [5]이 때문에 종종 예술은 쓸모없는 것으로 평가절하되기도 하지만, 현실의 모든 긴장과 갈등으로부터 벗어날 수 있는 해방 공간으로 승화되기도 한다.

3 [1]그렇다면 최근의 예술적 시도들이 예술을 상호 작용 공간으로 만들 경우 미적 해방 공간마저 일상적 삶의 긴장과 갈등, 그리고 예술 이외의 관심과 욕구로 얼룩지고 마는 것인가? [2]넓게 보자면 인간은 세상과의 상호 작용 속에서 살고 있기 때문에 인간의 경험이란 세상과의 부단한 상호 작용의 결과이다. [3]상호 작용이 외적 내적 요인으로 인해 긴장과 갈등을 낳을 때, 인간의 경험은 대립과 분열 속에 빠지며, 이것이 지속될 때 삶은 위기를 맞는다. [4]반면 각각의 상호 작용의 고유성이 보호되면서도 이것이 하나의 전체 속에서 통일될 때, 인간의 삶은 극치를 이룬다. [5]존 듀이는 이러한 통일성에 대한 체험을 미적 체험으로 간주한다. [6]물론 이러한 미적 체험은 현실적 삶에서 실현되기 어렵다. [7]오히려 이것은 예술 작품 속에서 상이한 요소, 행동, 사건, 주체들이 고유성을 상실하지 않으면서도 하나의 통일성을 이룰 때 가능하다.

4 [1]이런 점에서 듀이는 ⓐ 예술의 신성화가 아니라, 예술의 세속화를 원한다. [2]대립되고 분열된 일상의 수많은 상호 관계와 경험들은 이 세상 속에서 미적 체험으로 통합되어야 한다. [3]상호 작용을 강조하는 예술적 시도가 이러한 미적 체험을 실험하고 연습하는 장을 만든다면, 이는 예술 작품을 넘어 삶 속에서도 미적 체험을 성취하는 데 기여할 것이다.

지문 이해

1 새로운 예술적 시도들
– 작품과 수용자 간 (　　　　) 이 일어나게 함.

2 종래의 예술관
– 수용자의 참여를 허용하지 않고, 예술 감상을 미적 (　　) 행위로 한정함.

3 예술 작품을 통한 (　　　　) 을 강조한 존 듀이의 관점

4 예술에 대한 존 듀이의 시각
– 예술의 (　　　)를 통해 일상의 경험이 미적 체험으로 통합되어야 함.

글의 핵심 파악

● **존 듀이의 미적 체험**

인간과 세상의 상호 작용	
상호 작용이 긴장과 갈등을 낳을 때 삶은 위기를 맞음.	상호 작용이 고유성을 지키면서 전체 속에서 통일될 때 삶은 극치를 이룸.

⇩

이 통일성을 경험하는 것이 바로 미적 체험

▶ 근거 문단 3

어휘 풀이

- **상응**: 서로 응하거나 어울림.
- **관조**: 고요한 마음으로 사물이나 현상을 관찰하거나 비추어 봄.
- **초연**: 어떤 현실 속에서 벗어나 그 현실에 아랑곳하지 않고 의젓함.
- **승화**: 어떤 현상이 더 높은 상태로 발전하는 일.
- **부단**: 꾸준하게 잇대어 끊임이 없음.
- **극치**: 도달할 수 있는 최고의 정서나 경지.

II 문제 독해

예제 1

〈보기〉의 입장에서 '예술의 세속화'에 대해 비판적으로 반응할 때, 적절하지 않은 것은?

보기

[1]쇼펜하우어에 따르면 이 세상은 의지의 표현이며, 이 의지는 스스로를 보존하려는 맹목적 충동일 뿐이다.[2]이 충동은 하나가 만족되면 새로운 충동으로 이어지고, 결국 인간은 맹목적 충동의 사슬이 불러일으키는 불만족과 갈등에 시달린다.[3]미적 관조는 이러한 고통으로부터 벗어날 수 있는 길이며, 인간은 잠시나마 이를 통해 불교에서 말하는 해탈의 경지에 이르게 된다.

① 예술의 세속화는 자기 보존을 둘러싼 대립과 갈등 때문에 실현 불가능한 것은 아닐까?
② 예술의 세속화는 상호 관계를 강조함으로써 결국 예술의 순수성을 위협하는 것은 아닐까?
③ 예술의 세속화는 역으로 예술을 인간의 맹목적 충동에 종속시킬 위험성을 갖는 것은 아닐까?
④ 예술의 세속화는 오히려 인간이 현실적 고통에서 벗어날 수 있는 길을 차단하는 것은 아닐까?
⑤ 예술의 세속화는 미적 관조를 현실 세계로 확산시키므로 삶의 통일성에 대한 경험을 가로막는 것은 아닐까?

비판하기

발문에서 '비판적으로 반응'이라는 표현이 등장하였으므로 비판하는 문제 유형임을 알 수 있다. 그중에서도 특정 관점에서 다른 관점을 비판한 내용 중 적절하지 않은 것을 고르는 문제이다.

다음 순서에 따라 문제에 접근해 보자.

Step 1 발문의 조건을 통해 비판의 '기준'이 되는 것, 비판의 '대상'이 되는 것을 구분한다.

➜ 〈보기〉의 입장(비판의 기준)에서 '예술의 세속화'(비판의 대상)에 대해 비판적으로 반응할 때~

➲ 비판의 대상인 '예술의 세속화'는 지문에 제시된 존 듀이의 관점으로 '최근의 새로운 예술적 시도들'과 관련된 것이다.

100人 선택지 중 지문이나 〈보기〉에 언급되지 않았거나 사실 관계를 다르게 진술한 선택지를 가려내는 방식으로 답을 찾아낼 수도 있어. 그리고 선택지가 '예술의 세속화는 ~ 것은 아닐까?'라는 의문형으로 되어 있지만, 결국 '예술의 세속화는 ~ 것이다.'와 같은 말이니까 평서형으로 바꾸어 생각하면 이해하기 쉬울 거야.

Step 2 지문과 〈보기〉를 통해 두 관점의 핵심을 파악한다. 핵심을 파악할 때는 두 관점의 관계나 차이점, 특히 대립되는 점이 무엇인지 찾는 것이 중요하다.

〈보기〉 – 쇼펜하우어	예술의 세속화 – 존 듀이
인간은 맹목적 충동 때문에 불만족과 갈등에 시달림. ➡ (예술에 대한) 미적 관조를 통해 세상의 고통으로부터 벗어나 해탈의 경지에 들어갈 수 있음. ➲ '미적 관조를 통한 고통으로부터의 해방'이라는 예술의 기능을 강조함. 이는 '예술의 세속화'와 대립되는, ❷의 '종래의 예술관'과 일치함.	인간은 세상과 상호 작용하며 다양한 경험을 함. (▶ 근거 문단 ❸, ❹) ➡ 각각의 상호 작용이 전체 속에서 통일될 때 통일성에 대한 체험인 '미적 체험'이 가능함. ➡ '미적 체험'은 예술 작품 속에서 상이한 요소, 행동, 사건, 주체들이 고유성을 상실하지 않으면서도 하나의 통일성을 이룰 때 가능함. ➲ 대립되고 분열된 일상의 상호 관계와 경험들은 미적 체험으로 통합되어야 함.

Step 3 선택지의 내용이 적절한지 판단한다.

→ 선택지는 모두 '예술의 세속화'로 시작하였으므로, 비판의 대상과 기준을 뒤바꾼 오답 선택지는 없다. 따라서 앞에서 파악한 쇼펜하우어의 관점에서 '예술의 세속화'를 적절히 비판하였는지를 판단하면 된다.

① 예술의 세속화는 자기 보존을 둘러싼 대립과 갈등 때문에 실현 불가능한 것은 아닐까?

➲ 쇼펜하우어는 세상은 '스스로를 보존'하려는 충동과 의지로 인해 불만족과 갈등에 시달린다고 하였다. 이 때문에 '예술의 세속화'가 실현되기 어렵다고 비판할 수 있다.

② 예술의 세속화는 상호 관계를 강조함으로써 결국 예술의 순수성을 위협하는 것은 아닐까?

➲ 〈보기〉와 ❷-3을 참고할 때 쇼펜하우어는 예술 작품이 모든 것으로부터 벗어나야 순수한 객체가 되고, 미적 관조를 획득할 수 있다고 보았다. 그렇기 때문에 쇼펜하우어는 일상의 상호 관계와 경험들이 미적 체험으로 통합되어야 한다는 예술의 세속화가 예술의 순수성을 위협할 수 있다고 생각할 것이다.

③ 예술의 세속화는 역으로 예술을 인간의 맹목적 충동에 종속시킬 위험성을 갖는 것은 아닐까?

➲ 예술의 세속화는 예술을 통한 미적 체험이 일상으로 통합되는 것을 추구하며 작품과 수용자의 상호 작용을 강조한다. 쇼펜하우어는 이러한 시도가 오히려, 현실의 불만족과 갈등으로부터 분리되어 있던 예술을 그에 종속시키는 위험을 가져올 수 있다고 생각할 것이다.

④ 예술의 세속화는 오히려 인간이 현실적 고통에서 벗어날 수 있는 길을 차단하는 것은 아닐까?

➲ 〈보기〉-3에서 쇼펜하우어는 예술을 세상의 긴장, 고통으로부터 벗어나는 해방의 수단으로 여겼기 때문에, 예술이 세속화되면 이 길이 차단된다고 여길 것이다.

⑤ 예술의 세속화는 미적 관조를 현실 세계로 확산시키므로 삶의 통일성에 대한 경험을 가로막는 것은 아닐까?
('예술의 세속화'가 추구하는 것 / ×)

➲ 예술의 세속화는 예술 감상을 미적 관조(예술 작품에 대한 감상은 현실로부터 초연한 상태에서 가능하다는 것)에 한정하지 않고 현실로 확산시킴으로써, 삶의 통일성에 대한 경험을 예술뿐만 아니라 현실의 삶에서도 성취하고자 한다. 즉, 예술의 세속화는 오히려 '삶의 통일성에 대한 경험'을 강조하고 있으므로 적절하지 않은 진술인 ⑤가 정답이다.

바로 콕 문제

1 윗글을 읽은 학생들이 ⓐ에 대해 반박하는 내용으로 가장 적절한 것은?

① 경미: 예술 작품을 감상할 때에는 작품 이외의 모든 요소를 배제해야 해.
② 경석: 예술 작품은 예술가의 창작 결과이므로, 감상자는 작품의 창작 과정에 절대 참여해서는 안 돼.
③ 현상: 예술이 숭고하고 아름답게 느껴지는 건 현실에서 겪는 긴장과 갈등에서 벗어나게 해 주기 때문이야.
④ 유준: 예술 작품을 감상할 때에는 일상의 경험들을 적극적으로 반영함으로써 작품과의 통일성을 체험해야 해.
⑤ 주혁: 예술 작품을 감상할 때는 다른 관심과 욕구로부터 벗어난 상태라야 작품 세계에 집중할 수 있다고 생각해.

콕 정답과 해설 44쪽

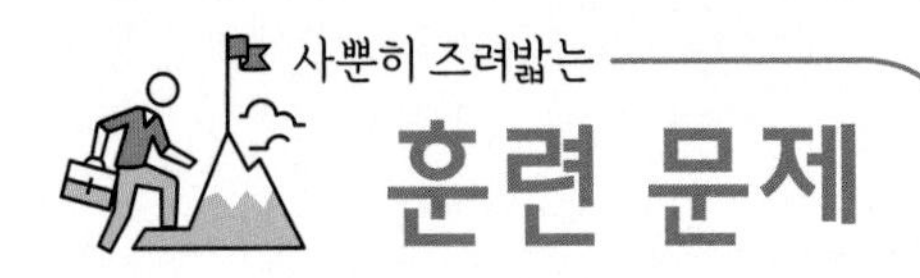

훈련 문제

[01~02] 다음 글을 읽고 물음에 답하시오.

2018학년도 3월 고1 학력평가

1 [1]18세기 경험론의 대표적인 철학자 흄은 '모든 지식은 경험에서 나온다.'라고 주장하면서, 이성을 중심으로 진리를 탐구했던 데카르트의 합리론을 비판하고 경험을 중심으로 한 새로운 철학 이론을 구축하려 하였다.[2]그러나 지나치게 경험만을 중시한 나머지, 그는 과학적 탐구 방식 및 진리를 인식하는 문제에 대해서도 비판하기에 이른다.[3]그 결과 흄은 서양 근대 철학사에서 극단적인 회의주의자로 평가받는다.

2 [1]흄은 지식의 근원을 경험으로 보고 이를 인상과 관념으로 구분하여 설명하였다. [2]인상은 오감(五感)을 통해 얻을 수 있는 감각이나 감정 등을 말하고, 관념은 인상을 머릿속에 떠올리는 것을 말한다.[3]가령, 혀로 소금의 '짠맛'을 느끼는 것은 인상이고, 머릿속으로 '짠맛'을 떠올리는 것은 관념이다.[4]인상은 단순 인상과 복합 인상으로 나뉘는데, 단순 인상은 단일 감각을 통해 얻은 인상을, 복합 인상은 단순 인상들이 결합된 인상을 의미한다.[5]따라서 '짜다'는 단순 인상에, '짜다'와 '희다' 등의 단순 인상들이 결합된 소금의 인상은 복합 인상에 해당한다. [6]그리고 단순 인상을 통해 형성되는 관념을 단순 관념, 복합 인상을 통해 형성되는 관념을 복합 관념이라 한다. [7]흄은 단순 인상이 없다면 단순 관념이 존재하지 않는다고 보았다. [8]그런데 '황금 소금'은 현실에 존재하지 않기 때문에 그 자체에 대한 복합 인상은 없지만, '황금'과 '소금' 각각의 인상이 존재하기 때문에 복합 관념이 존재할 수 있다.[9]따라서 복합 관념은 복합 인상이 없더라도 존재할 수 있다.[10]하지만 흄은 '황금 소금'처럼 인상이 없는 관념은 과학적 지식이 될 수 없다고 말하였다.

3 [1]흄은 과학적 탐구 방식으로서의 인과 관계에 대해서도 비판적 태도를 보였다. [2]그는 인과 관계란 시공간적으로 인접한 두 사건이 반복해서 발생할 때 갖는 관찰자의 습관적인 기대에 불과하다고 말하였다.[3]즉, '까마귀 날자 배 떨어진다'라는 속담이 의미하는 것처럼 인과 관계는 필연적 관계임을 확인할 수 없다는 것이다.[4]그는 '까마귀가 날아오르는 사건'과 '배가 떨어지는 사건'을 관찰할 수는 있지만, '까마귀가 날아오르는 사건이 배가 떨어지는 사건을 야기했다.'라는 생각은 추측일 뿐 두 사건의 인과적 연결 관계를 관찰할 수 없다고 주장한다. [5]결국 인과 관계란 시공간적으로 인접한 두 사건에 대한 주관적 판단에 불과하므로, 이런 방법을 통해 얻은 과학적 지식이 필연적이라는 생각은 적합하지 않다고 흄은 비판하였다.

4 [1]또한 흄은 진리를 알 수 있는가의 문제에 대해서도 회의적인 태도를 취했다. [2]전통적인 진리관에서는 진술의 내용이 사실(事實)과 일치할 때 진리라고 본다.[3]하지만 흄은 진술 내용이 사실과 일치하는지의 여부를 판단할 수 없다고 보았다.[4]예를 들어 '소금이 짜다.'라는 진술이 진리가 되기 위해서는 실제 소금이 짜야 한다.[5]그런데 흄에 따르면 우리는 감각 기관을 통해서만 세상을 인식할 수 있기 때문에 실제 소금이 짠지는 알 수 없다.[6]그러므로 '소금이 짜다.'라는 진술은 '내 입에는 소금이 짜게 느껴진다.'라는 진술에 불과할 뿐이다.[7]따라서 비록

지문 이해

- **1** (　　)의 대표 철학자 흄
- **2** 흄의 경험론 ① - 경험을 (　　)과 (　　)으로 구분함.
- **3** 흄의 경험론 ② - 과학적 탐구 방식으로서의 인과 관계를 비판함.
- **4** 흄의 경험론 ③ - 진리를 알 수 있는가의 문제에 대해서 (　　)인 태도를 취함.
- **5** 흄의 경험론에 대한 비판과 의의

글의 핵심 파악

● **흄이 생각한 경험의 종류**

인상	관념
오감을 통해 얻는 (　　)이나 (　　).	(　　)을 머릿속에 떠올리는 것.
단순 인상 → 단순 (　　)	
(　　) 인상 → 복합 관념	
인상이 없는 관념은 (　　)적 지식이 될 수 없음.	

▶ 근거 문단 **2**

● **과학과 진리에 대한 회의**
- 과학적 탐구 방식으로서의 인과 관계 비판 → 시·공간적으로 인접한 두 사건에 대한 (　　) 판단에 불과함.
- 인간은 (　　) 기관으로만 세상을 인식하므로 진술이 (　　)와 일치하는지 알 수 없음.

▶ 근거 문단 **3**, **4**

어휘 풀이

- **구축:** 어떤 일이나 조직, 체계의 기초를 닦아 쌓거나 마련함.
- **필연적:** 사물의 관련이나 일의 결과가 반드시 그렇게 될 수밖에 없는. 또는 그런 것.

경험을 통해 얻은 과학적 지식이라 하더라도 그것이 진리인지의 여부는 확인할 수 없다는 것이 흄의 입장이다.

5 [1]이처럼 흄은 경험론적 입장을 철저하게 고수한 나머지, 과학적 지식조차 회의적으로 바라보았다는 점에서 비판을 받기도 했다.[2]하지만 그는 이성만 중시했던 당시 철학 사조에 반기를 들고 경험을 중심으로 지식 및 진리의 문제를 탐구했다는 점에서 근대 철학에 새로운 방향성을 제시했다는 평가를 받는다.

- **회의적**: 어떤 일에 의심을 품는. 또는 그런 것. 특히 철학에서는 상식적으로 자명한 일이나 전통적인 권위를 긍정하지 아니하고, 부정적인 태도로 의심하여 보는 일을 뜻함.
- **고수**: 차지한 것이나 어떤 입장을 굳게 지킴.

01 〈보기〉의 사례를 통해 '흄'의 주장을 반박한다고 할 때, 그 내용으로 가장 적절한 것은?

비판하기

보기

아래 그림과 같이 무채색을 명도의 변화에 따라 나열한 도표가 있다고 가정하자. 도표의 한 칸을 비워 둔 채 어떤 사람에게 "5번 빈칸에 들어갈 색은 어떤 색인가요?"라고 질문하였다. 그 사람은 빈칸에 들어갈 색을 태어나서 한 번도 본 적이 없지만, 주변 색과 비교하여 그 색이 어떤 색인지 알아맞혔다.

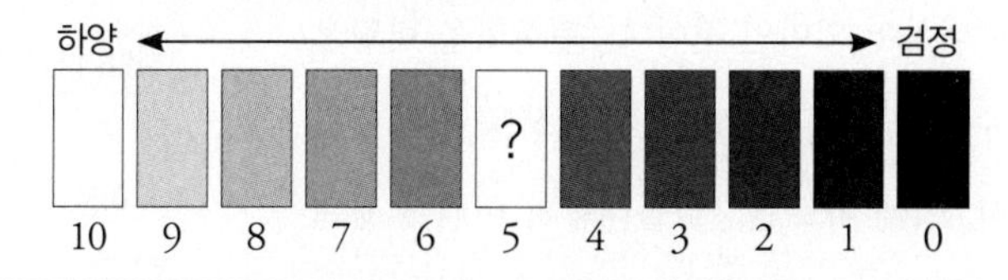

① 세계는 우리의 감각 기관과 독립하여 존재하지 않는다.
② 감각적으로 경험하지 않은 단순 관념이 존재할 수 있다.
③ 관찰과 경험을 통해서 얻은 지식은 필연성을 갖게 된다.
④ 관념을 단순 관념과 복합 관념으로 구분하는 기준은 없다.
⑤ 외부 세계가 어떤 모습인지를 객관적으로 확인할 수 있다.

02 윗글에서 언급된 '흄'의 관점에서 〈보기〉의 ㉠~㉢에 대해 비판한 내용으로 적절하지 않은 것은?

비판하기

보기

㉠ 사과의 맛이 달콤할 것 같아.
㉡ 이 사과는 빨개.
㉢ 매일 사과를 먹으니 피부가 고와졌어.

① ㉠: 보기만 하고 달콤한 맛을 떠올리는 것은 관념에 지나지 않기 때문에 경험이라고 할 수 없다.
② ㉡: 자신의 눈에는 빨갛게 보인다는 것일 뿐, 이 말이 사실과 일치하는지의 여부는 판단할 수 없다.
③ ㉡: 사과가 빨갛다는 판단은 시각을 통해서 인식한 결과일 뿐이므로 실제 사과가 빨간지는 알 수 없다.
④ ㉢: 매일 사과를 먹은 것과 피부가 고와진 것은 시간적으로 인접한 두 사건에 대한 주관적 판단일 뿐이다.
⑤ ㉢: 매일 사과를 먹어 피부가 고와졌다는 생각은 반복되는 경험을 통해 얻은 습관적 기대에 불과하다.

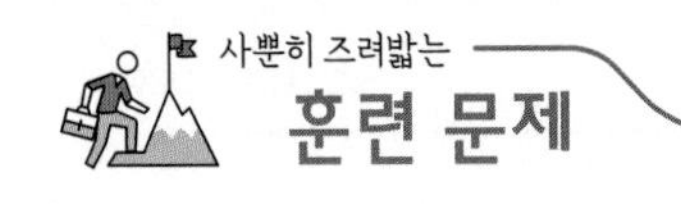

훈련 문제

[03~04] 다음 글을 읽고 물음에 답하시오.

2014학년도 11월 고2 학력평가Ⓑ

1 [1]나폴레옹의 대관식에 참석한 한 정치인이 "나폴레옹의 머리에 왕관이 얹혔다."라는 표현을 했을 때, 대관식에 참여한 누군가는 이를 나폴레옹의 머리 위에 왕관이 올라가는 물리적인 현상 그 자체로 받아들일 수도 있지만, 그 언어 표현을 여러 가지 의미로 판단할 수 있다. [2]인간은 자연 그대로의 현상이 아니라 언어와 그 의미 등 인위성이 개입된 모든 것들을 포괄하는 문화를 형성한다.[3]이것이 인간과 다른 자연물들의 결정적인 차이이다. [4]문화의 바탕이 되는 의미라는 것을 정의하는 이론은 다양하다.[5]하지만 자연과 문화를 모두 포괄하는 세계의 지속적인 변화와 생성을 전제로 이에 따른 다양한 양상을 탐구한 들뢰즈는, 일반적인 의미 이론들과는 다른 새로운 차원으로 의미의 개념을 규정한다.

2 [1]의미의 개념을 규정하는 일반적인 의미 이론들에는 다음과 같은 것들이 있다. [2]실증주의를 바탕으로 하는 지시 이론에 따르면, 의미는 언어 기호가 특정 대상을 지시할 때 성립한다. [3]앞의 예에서, '나폴레옹', '왕관' 등이 지시하는 외부 대상이 의미인 것이다. [4]현상학을 바탕으로 하는 현시 이론은, 언어를 표현하거나 수용하는 주체가 언어 기호의 지시 대상을 통해 주관적으로 뜻을 만들어내는데, 이를 의미라고 규정한다.[5]이에 따르면, "나폴레옹의 머리에 왕관이 얹혔다."라는 언어 표현의 의미는 그 말을 한 정치인의 생각에 따라 결정될 것이다.[6]구조주의를 바탕으로 하는 기호작용 이론은 언어 기호들의 구조 속에서 의미가 결정된다고 본다.[7]언어 기호들의 구조, 즉 문법적 체계가 언어 표현 이전에 이미 존재하고, 이 구조를 형성하는 요소들 사이의 관계에 의해서 의미가 규정된다. [8]이에 따르면, '왕관이'에서 주격 조사 '-이'가 '왕관'을 문장의 주어로 만들어주기 때문에 '왕관'은 얹히는 주체로 의미가 확정된다.

3 [1]들뢰즈의 의미 이론에서 '의미'는 이러한 일반적인 의미 이론에서 설명하는 것과는 다르다.[2]앞의 세 이론들은 의미를 문화의 차원을 중심으로 설명하려 하지만, 들뢰즈는 자연과 문화의 차원을 포괄하는 좀 더 근원적인 차원에서 의미의 개념을 규정한다. [3]들뢰즈가 말하는 '의미'를 이해하기 위해서는 그가 규정한 '사건'의 개념을 먼저 이해해야 한다. [4]'사건'이란, 인간이 세계에 존재한다는 것을 전제로 자연의 변화와 생성이라는 현상 그 자체에서 발생하는 그 무엇이고, 들뢰즈는 이를 '의미'라고 지칭한다. [5]들뢰즈는 이 '의미' 그 자체는 규정된 것이 아니지만 '문화적 장(場)'이 '의미' 규정의 기준이 된다고 말한다. [6]'문화적 장'이란 정치, 역사, 예법 등 인간의 삶에 이미 형성되어 있는 모든 것을 뜻하는데, '사건'으로서의 규정되지 않은 '의미'는 이 '문화적 장'에 편입될 때 비로소 규정된 '의미'가 된다.

4 [1]그렇다면 "나폴레옹의 머리에 왕관이 얹혔다."라는 언어 표현 및 그것이 드러내는 현상은 들뢰즈에게 어떻게 해석될 수 있을까?[2]나폴레옹의 머리에 왕관이 얹히면서 생기는 물리적인

지문 이해

1 새로운 차원에서 의미의 개념을 규정한 (　　)

2 의미의 개념을 규정한 일반적인 이론들 - 지시 이론, 현시 이론, 기호작용 이론

3 일반적 의미 이론과 차별화된 (　　)의 의미 이론

4 (　　)의 의미 이론에 따른 의미의 해석의 예

글의 핵심 파악

● 의미 이론

일반적인 의미 이론(문화의 차원)	
(　　) 이론	의미는 언어 기호가 특정 대상을 지시할 때 성립함.
(　　) 이론	의미는 언어의 표현·수용 주체가 언어 기호의 지시 대상을 통해 주관적으로 만든 것.
(　　) 이론	의미는 언어 기호들의 구조(문법적 체계) 속에서 결정됨.

⇕

들뢰즈의 의미 이론(근원적 차원)
(　　): 인간이 세계에 존재한다는 것을 전제로 자연의 변화·생성 현상 자체에서 발생하는 무엇.
↓
(　　)은 '(　　)'에 편입될 때 비로소 '의미'로 규정됨.

▶ 근거 문단 **2**, **3**

어휘 풀이

- **인위성**: 자연의 힘이 아닌 사람의 힘으로 이루어지는 성질.
- **실증주의**: 관찰이나 실험으로써 검증할 수 있는 지식만을 인정하려는 태도.
- **편입**: 끼어 들어감.

현상은 자연의 변화와 생성에 해당한다.[3]그 현상에서 발생하는 '사건'이자 규정되지 않은 '의미'는, 황제 즉위의 예법과 관련된 '문화적 장'을 기준으로 보면 "나폴레옹이 황제가 되었다."라는 '의미'로 규정된다.[4]그리고 유럽 정치라는 '문화적 장'을 기준으로 보면 "유럽의 정치적 질서가 재편되었다."라는 '의미'로 규정된다.

03 윗글의 '들뢰즈'의 관점에서 〈보기〉의 Ⓐ에 대해 보일 수 있는 반응으로 가장 적절한 것은?

비판하기

보기

구조주의 언어학자인 Ⓐ소쉬르는 언어가 외부 세계를 참조하지 않고도 의미를 가지고 있다고 본다. 언어 기호의 형식적 차이가 언어의 의미를 생겨나게 하고 이것은 사회적 약속에 의해서 통용된다.

① Ⓐ는 언어 기호가 '사건'과 유사하다는 것을 간과하고 있군.
② Ⓐ는 언어 기호 발생 이전의 자연의 변화와 생성을 중시하고 있군.
③ Ⓐ는 언어 기호보다 더 근원적인 차원으로서의 '의미'를 간과하고 있군.
④ Ⓐ는 언어 기호보다 그것을 사용하는 주체의 주관성을 중시하고 있군.
⑤ Ⓐ는 언어 기호의 문법적 체계가 언어 표현에서 갖는 중요성을 간과하고 있군.

04 윗글의 '들뢰즈'의 입장에서 〈보기〉의 밑줄 친 말에 대해 보일 반응으로 가장 적절한 것은?

〈보기〉 문제
글의 내용(관점) 추론하기

보기

콜럼버스의 배에 타고 있던 선원이 배에서 육지로 내려간 콜럼버스를 보고, "콜럼버스의 발이 신대륙의 해변에 최초로 닿았다."라고 말했다.

① 이 말의 의미를 규정하기 위해서는 '콜럼버스'와 '신대륙'이 지시하는 대상들이 무엇인지 알아야겠군.
② 부사격 조사 '에'가 '신대륙의 해변'을 '콜럼버스의 발'이 닿은 장소임을 나타내면서 의미를 확정하고 있군.
③ 이 말의 의미는 '콜럼버스의 발'이 '신대륙의 해변'에 닿으면서 생기는 물리적인 현상만으로 규정할 수 있겠군.
④ 이 말을 한 선원이 도전 정신을 중시하는 사람이었다면 '최초로'로 콜럼버스의 도전에 대한 경이로움을 표현한 것이겠군.
⑤ '콜럼버스의 발'이 '신대륙'에 '닿았다'는 것의 의미는 유럽의 대외 정책이라는 문화적 장(場)에 의해 규정될 수 있겠군.

궁금해요 반응의 적절성을 묻는 문제는 모두 비판적 이해를 묻는 문제인가요?

그렇지는 않아. 선택지의 내용이 지문을 바탕으로 하여 지문과 〈보기〉에 직접 제시되지 않은 내용을 추론해야 하는 것인 경우에는 '추론하기' 유형에 가깝다고 할 수 있지. 그래서 문제의 유형을 정확하게 파악하려면 발문과 선택지를 함께 확인해야 해.

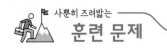

[05~06] 다음 글을 읽고 물음에 답하시오.

2014학년도 3월 고2 학력평가Ⓑ

1 [1]서울의 청계광장에는 '스프링(Spring)'이라는 다슬기 형상의 대형 조형물이 설치돼 있다. [2]이것을 기획한 올덴버그는 공공장소에 작품을 설치하여 대중과 미술의 소통을 이끌어내려 했다. [3]이와 같이 대중과 미술의 소통을 위해 공공장소에 설치된 미술 작품 또는 공공 영역에서 이루어지는 예술 행위 및 활동을 공공미술이라 한다.

2 [1]1960년대 후반부터 1980년대까지의 공공미술은 대중과 미술의 소통을 위해 작품이 설치되는 장소를 점차 확장하는 쪽으로 전개되었기 때문에 '장소' 중심의 공공미술이라 할 수 있다. [2]이전까지는 미술관에만 전시되던 작품을 사람들이 자주 드나드는 공공건물에 설치하기 시작했다. [3]하지만 이렇게 공공건물에 설치된 작품들은 한낱 건물의 장식으로 인식되어 대중과의 소통에 한계가 있었기 때문에, 작품이 설치되는 공간은 공원이나 광장 같은 공공장소로 확장되었다. [4]그러나 공공장소에 놓이게 된 작품 중에는 주변 공간과 어울리지 않거나, 미술가의 미학적 입장이 대중에게 수용되지 못하는 일들이 벌어졌다. [5]이는 소통에 대한 미술가의 반성으로 이어졌고 시간이 지남에 따라 공공미술은 점차 주변의 삶과 조화를 이루는 방향으로 발전하였다.

3 [1]1990년대 이후의 공공미술은 참된 소통이 무엇인가에 대해 진지하게 성찰하며 대중을 작품 창작 과정에 참여시키는 쪽으로 전개되었기 때문에 '참여' 중심의 공공미술이라 할 수 있다. [2]이때의 공공미술은 대중들이 작품 제작에 직접 참여하게 하거나, 작품을 보고 만지며 체험하는 활동 속에서 작품의 의미를 완성할 수 있도록 하여 미술가와 대중, 작품과 대중 사이의 소통을 강화하였다. [3]장소 중심의 공공미술이 이미 완성된 작품을 어디에 놓느냐에 주목하던 '결과 중심'의 수동적 미술이라면, 참여 중심의 공공미술은 작품의 창작 과정에 대중이 참여하여 작품과 직접 소통하는 '과정 중심'의 능동적 미술이라고 볼 수 있다.

[A]
4 [1]그런데 공공미술에서는 대중과의 소통을 위해 누구나 쉽게 다가가 감상할 수 있는 작품을 만들어야 하므로, 미술가는 자신의 미학적 입장을 어느 정도 포기해야 한다고 우려할 수 있다. [2]그러나 이러한 우려는 대중의 미적 감상 능력을 무시하는 편협한 시각이다. [3]왜냐하면 추상적이고 난해한 작품이라도 대중과의 소통의 가능성은 늘 존재하기 때문이다. [4]따라서 공공미술에서 예술의 자율성은 소통의 가능성과 대립하지 않는다. [5]공공미술가는 예술의 자율성과 소통의 가능성을 높이기 위해 대중의 예술적 감성이 어떠한지, 대중이 어떠한 작품을 기대하는지 면밀히 분석하며 작품을 창작해야 한다.

지문 이해

- **1** 공공미술의 정의
- **2** 1960년대 후반~1980년대 – (　　) 중심의 공공미술
- **3** 1990년대 이후 – (　　) 중심의 공공미술
- **4** 공공미술의 특성과 미술가의 태도

글의 핵심 파악

● **공공미술의 흐름**

[1960년대 후반~1980년대] (　　　) 중심의 공공미술

- 건물의 장식으로만 인식
- 주변 공간과 어울리지 않거나 대중에게 수용되지 못하기도 함.

→ '결과' 중심의 (　　　) 미술

⬇

[1990년대 이후] (　　　) 중심의 공공미술

- 대중을 작품 창작 과정에 참여시키거나 작품을 체험하게 함.
- 미술가와 대중, 작품과 대중 사이의 소통을 강화함.

→ '과정' 중심의 (　　　) 미술

▶ 근거 문단 **2**, **3**

● **공공미술의 특성**

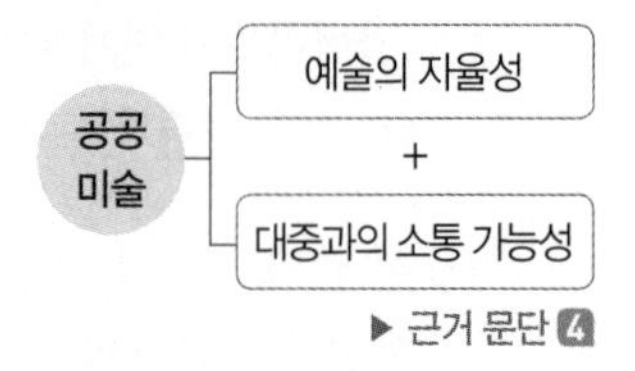

▶ 근거 문단 **4**

어휘 풀이

- **미학적**: 예술적으로 지향하는 바 또는 미적 가치에 대한 것.
- **편협**: 한쪽으로 치우쳐 도량이 좁고 너그럽지 못함.
- **난해**: 뜻을 이해하기 어려움.

05 [A]의 입장에서 〈보기〉의 견해를 비판한 것으로 가장 적절한 것은?

비판하기

보기

공원이나 광장 같은 공공장소에 주변의 공간과의 조화를 고려하지 않고 마치 던져 놓은 듯 만들어 놓은 공공미술 작품들은 대중들의 관심을 끌지 못했다. 이는 대중과의 소통을 염두에 두지 않았기 때문에 발생하는 것이다. 따라서 공공미술가는 대중과의 소통을 위해 때로는 자신의 미학적 입장을 포기할 수 있어야 한다.

① 공원이나 광장 같은 공공장소에 설치된 작품들은 대중에 의해 예술로 인정받을 수 없다.
② 공공미술 작품이 대중으로부터 호응을 받으려면 누구나 쉽게 다가갈 수 있도록 해야 한다.
③ 대중의 미적 감상 능력은 한계가 있으므로 작품에서 작가의 미학적 입장을 강조해서는 안 된다.
④ 공공미술에서 미술가가 자신의 미학적 입장을 포기하지 않아도 대중과의 소통 가능성은 열려 있다.
⑤ 미술가의 생각을 작품에 추상적으로 표현하여 대중이 난해하게 느끼면 이 작품은 외면을 받을 수밖에 없다.

06 윗글을 바탕으로 〈보기〉에 대해 보인 반응으로 가장 적절한 것은?

〈보기〉 문제 / 비판하기

보기

기존의 우뚝 솟은 기념 조형물과는 달리, 베트남 전쟁 재향 기념관에는 70미터 길이의 벽에 58,000명의 전쟁 희생자들의 이름을 새긴 '베트남 참전 기념비'가 설치되어 있다. 이곳에서 사람들은 벽에 새겨진 이름을 어루만지며 개인의 슬픔과 국가의 역사를 함께 되새기는 능동적 체험을 하게 된다. 이는 전쟁과 그 희생자에 대해 기억하도록 할 수 있어야 진정한 의미의 기념비이자 예술 작품이 된다는 작가의 의도에 의한 것이다.

마야 린, [베트남 참전 기념비]

① 관람객이 아픈 역사를 떠올린다는 점에서 수동적으로 감상에 임할 수밖에 없겠군.
② 베트남 전쟁 재향 기념관에 설치된 것으로 보아 작품이라기보다는 건물의 장식이겠군.
③ 관람객의 체험을 통해야만 작품이 완성된다는 점에서 참여 중심의 공공미술로 볼 수 있군.
④ 기존의 조형물을 탈피했다는 점에서 미술가의 미학적 입장이 관람객에게 수용되지 못하겠군.
⑤ 전쟁 희생자들의 이름을 새겨놓은 것은 현재를 살아가는 대중과의 소통에 장애물이 되었겠군.

알아 두면 쓸데 있는 100인의 지혜 5

단어의 의미를 묻는 문제 풀이법

비문학 영역에서 단어의 의미를 묻는 문제는 꼭 나와. 최근 평가원 기출에서는 2문항씩 출제되기도 했지. 지금부터 단어 문제가 어떻게 출제되는지, 어떻게 풀면 되는지를 알려 줄게.

봉착(逢着)하다	기인(起因)하다	회귀(回歸)하다	괴리(乖離)되다	도모(圖謀)하다	배제(排除)되다
전가(轉嫁)되다	진작(振作)하다	시사(示唆)되다	의거(依據)하다	부합(符合)하다	피력(披瀝)하다

최근 3~4년 간 수능 비문학 단어 문제에서 등장했던 어휘들이야. 혹 모르는 단어가 절반 이상이라면? 단어 공부를 제대로 해야 해. 겨우 한두 문제 때문에 공부하는 게 아깝다고? 아니야! 저 단어들은 지문, 〈보기〉, 선택지에서 자주 쓰이는 말들이니 그 뜻을 기억해 두는 게 좋아.

다행히 단어와 관련된 문제의 90%가 단어의 '의미'를 묻고 있어. 지금부터 어떤 유형이 있는지 살펴보자.

1. 사전적·문맥적 의미를 직접적으로 묻는 문제

2017학년도 6월 고2 학력평가

가 ⓐ~ⓓ의 사전적 의미로 적절하지 않은 것은?

> '이(理)'는 만물에 ⓐ내재하는 원리... '이'는 독립적으로 드러나거나 ⓑ작용하지 않는다... '이'를 중시한 이황은 서경덕의 논의를 단호하게 ⓒ비판하며... '이'와 '기'는 하나일 수 없으며 철저히 ⓓ구분되어야 한다.

① ⓐ: 내부적으로 미리 정함.
② ⓑ: 어떤 현상을 일으키거나 영향을 미침.
③ ⓒ: 옳고 그름을 판단해 밝히거나 잘못을 지적함.
④ ⓓ: 일정한 기준에 따라 갈라 나눔.

2016학년도 6월 고2 학력평가

나 ⓐ~ⓓ의 문맥적 의미로 적절하지 않은 것은?

> 재산을 타인에게 ⓐ이전하는 것에는... 상속과 증여에는 세금을 ⓑ부과하는데... 상속 의지를 알 수 없는 경우에 ⓒ대비해... 일부 재산을 미리 증여하는 ⓓ폐단이 있다.

① ⓐ: 권리 따위를 남에게 넘겨주거나 넘겨받음.
② ⓑ: 세금이나 부담금 따위를 매기어 부담하게 함.
③ ⓒ: 두 가지의 차이를 밝히기 위해 서로 맞대어 비교함.
④ ⓓ: 일이나 행동에서 나타나는 옳지 못한 현상.

사전적 의미는 단어가 지닌 가장 기본적이고 객관적인 의미를, 문맥적 의미는 그 단어가 쓰인 글의 앞뒤 내용이나 상황 속에서 정해지는 단어의 의미를 뜻해. 시험에서는 사전적 의미보다 문맥적 의미를 묻는 경우가 더 많지.

사전적 의미를 묻는 문제와 문맥적 의미를 묻는 문제는 사실상 같은 유형이야. 사전적 의미도 단어가 쓰인 맥락(문맥)을 바탕으로 풀 수밖에 없기 때문이야. 사전적 의미를 묻는 문제를 풀기 위해 사전의 뜻풀이를 외워야 된다고 생각하는 학생은 없겠지?

이제 문제를 풀어 볼까? 가의 답은 ①이야. 만물에 '이'가 깃들어 있다는 문맥을 고려할 때, ⓐ가 '존재·포함'을 뜻하는 말임을 추측할 수 있지? 그런데 ①에서 엉뚱하게 '내정(內定)'의 뜻을 풀이하고 있어. '내재(內在)'의 사전적 의미는 '어떤 것의 내부에 들어 있음.'이지만 이를 모를 때는 선택지의 내용을 해당 단어 자리에 넣어서 읽어 보렴. 이때 의미가 자연스럽게 읽힌다면 문맥이 적절하다는 뜻이란다.

나의 답은 ③이야. 부과해야 할 세금을 부과하지 못하는 경우를 미리 준비한다는 내용이니까 '서로 맞대어 비교함.'이 아니라, '앞일에 대응하기 위해 미리 준비함.'이란 뜻풀이가 적절해. 참고로 ③은 '대비(對比)'의 뜻이야. '대비(對備)(ⓒ)'의 동음이의어(同音異義語)를 활용해 매력적인 오답 선택지를 만들었어.

소리는 같지만 뜻이 다른 관계에 있는 단어 예 배[船]-배[梨]

이처럼 이 유형의 선택지는 헷갈리기 좋은 단어를 활용해서 함정을 파는 경우가 많아. 학생들은 왜 이런 함정에 넘어갈까? 문맥을 고려하지 않고 밑줄 친 단어만 얼핏 보고선 문제를 풀기 때문이야. 우린 절대 속지 말기로 해!

2. 고유어를 한자어로, 한자어를 고유어로 바꾸는 문제

문맥을 고려할 때 서로 바꾸어 쓸 수 있는 단어를 찾을 수 있는지 묻는 문제야. 고유어(순우리말)를 한자어(중국의 한자를 기반으로 하여 만들어진 단어)로 바꾸는 문제가 가장 많고, 한자어를 고유어나 다른 한자어로 바꾸는 문제도 있어. 이 유형에서는 선택지의 단어를 지문의 단어 자리에 넣어 보고, 문맥을 근거로 문장의 의미가 자연스러운지 점검해야 해. 뜻이 통하는 단어일지라도 그 단어가 문장에 들어가면 문장의 의미가 어색해지는 경우가 있기 때문이야.

2015학년도 9월 고2 학력평가

다 문맥상 ⓐ~ⓓ와 바꾸어 쓰기에 적절하지 않은 것은?

> 구성원 간의 사회적 합의를 ⓐ도출해 내기 위해... 시민의 활발한 참여와 관심이 ⓑ수반되어야 한다... 부정적인 결과를 ⓒ초래하기 때문에... 대표성과 중립성이 ⓓ담보되어야 한다.

① ⓐ: 이끌어 ② ⓑ: 뒤따라야
③ ⓒ: 가져오기 ④ ⓓ: 나누어져야

2014학년도 9월 고2 학력평가 Ⓐ

라 문맥상 ⓐ~ⓓ와 바꾸어 쓰기에 적절하지 않은 것은?

> 흰 나무를 ⓐ쓴 건축물로는... 누각을 ⓑ이루는 기둥 네 개에 모두 사용되었다... 기둥은 건축물에 율동감을 ⓒ주면서... 일부러 ⓓ꾸미지 않고 가공하지도 않은 것이 그것을 존중하는 것이다.

① ⓐ: 사용(使用)한 ② ⓑ: 구성(構成)하는
③ ⓒ: 부과(賦課)하면서 ④ ⓓ: 치장(治粧)하지

다는 한자어를 고유어로 바꾸는 문제야. ⓓ가 속한 문장은 문맥상 '대표성과 중립성'이 함께 지켜져야 한다는 내용이니까 '나누어져야'로 바뀌면 어색해지겠지? 그래서 답은 ④야. 참고로 '담보하다'는 금융, 법률 분야에서 '맡아서 보증하다.'를 뜻하는 말이야.

라는 고유어를 한자어로 바꾸는 문제야. 선택지의 단어를 밑줄 친 자리에 대신 넣어 보자. ③이 대신 들어갈 때 가장 어색한데, 느껴지니? '부과하다' 대신 '사물이나 일에 가치·의의 따위를 붙여 주다.'라는 뜻의 '부여(附與)하다'가 들어가는 게 더 자연스러워. '부과하다'는 '세금이나 책임 따위를 부담하게 하다.'란 뜻으로 쓰이거든. 이처럼 어떤 어휘가 대신 쓰였을 때 문장의 의미가 자연스러운가를 판단하는 것은 매우 중요해.

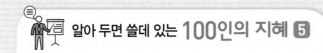

3. 의미를 구별·적용하는 문제 - 가장 가까운 의미로 쓰인 문장 찾기

이 문제는 다의어를 적극적으로 활용하는 문제야. 예제를 먼저 살펴볼까?
서로 연관성이 있는 여러 의미를 가지는 단어 예 손(① 신체의 일부분 ② 일손 ③ 어떤 사람의 영향력이나 권한이 미치는 범위)

2013학년도 4월 고3 학력평가

마 **밑줄 친 단어 중 ⓐ와 가장 가까운 뜻으로 쓰인 것은?**

어떤 상품을 소비할 때 소수만이 소유하기를 바라는 심리가 ⓐ깔려 있는 경우

① 빵이 가방에 깔려 납작해졌다.
② 마루에 돗자리가 깔려 있다.
③ 그의 말에는 좋은 의도가 깔려 있다.
④ 그에 대한 소문이 깔려 있었다.
⑤ 여기저기 깔려 있는 돈이 상당했다.

ⓐ '깔리다'는 다의어라서 사전을 찾아보면 여러 가지 의미가 있어. 그래서 문맥에 따라 서로 다른 의미로 쓰일 수 있지. 이렇게 다의어를 활용한 문장이 선택지를 이루면, 지문에 쓰인 것과 가장 가까운(같은) 의미로 그 단어를 사용한 문장을 찾아야 해. 선택지를 가려내는 몇 가지 방법을 알려 줄게.

방법 ❶

결합한 말의 성격을 따져 보는 방법!

'깔려(ⓐ)'는 앞에 심리/생각/감정 따위의 추상적 대상을 주어로 해. 그런데 선택지 ①, ②, ⑤는 구체적 대상을, ③, ④는 추상적인 대상을 주어로 하니까 ③, ④가 답이 될 가능성이 높아.

방법 ❷

비슷한 의미를 지닌 다른 단어로 바꾸어 보는 방법!

'깔려(ⓐ)'는 '담겨'로 바꿔 쓸 수 있지? ①의 '깔려'는 '눌려'로, ②는 그대로 쓰는 것이 좋겠고, ③은 '담겨'로, ④는 '퍼져'로, ⑤는 '내놓아진'으로 바꿀 수 있을 것 같아. 그럼 이제 답이 확실히 보이지? 정답은 ③!

선택지를 가려내는 방법이 한 가지 더 있어. 주어진 단어가 서술어인 경우, 서술어가 필요로 하는 문장 성분(문법 영역에서 '서술어의 자릿수' 배운 거 생각나지?)의 개수나 종류를 따져 보는 방법이야. 만약 부사어가 필요하다면, 어떤 종류의 부사어를 필요로 하는지(비교의 부사어, 장소를 나타내는 부사어 등)를 구별해야 해. 그 다음 선택지의 단어와 비교해 보면 되겠지?

옛날에는 비문학 시험의 단어 문제에서 한자성어의 의미를 묻기도 했지만 최근에는 위에서 언급한 세 가지 유형의 문제가 주로 나와. (단, 문학에서는 여전히 한자성어의 의미를 물으니 꾸준히 공부해야 해!) 그러니 100인 선생님이 알려 준 풀이 방법은 꼭 익히도록 하자. 세 유형 모두 '문맥'을 잘 살펴야 한다는 점, 기억해!

III

실전 독해

11 인문

인문 분야의 지문은?

인문 분야의 지문은 인문학을 제재로 다룬다. 인문학(人文學)은 인간과 관련된 근원적인 문제나 인간의 사상, 문화 등을 중점적으로 탐구하는 학문이다. 인문학의 세부 영역이라 하면 보통 '문사철(문학·역사·철학)'을 떠올리는데, 비문학에는 이 중에서도 철학(서양 철학과 동양 철학) 지문이 자주 출제된다. 철학은 사회탐구 선택 과목인 '윤리와 사상', '생활과 윤리'에서 배우는 내용이므로 이 과목들을 공부하면 배경지식을 쌓을 수 있을 것이다.

고등학교 2·3학년 때 접할 수 있음.

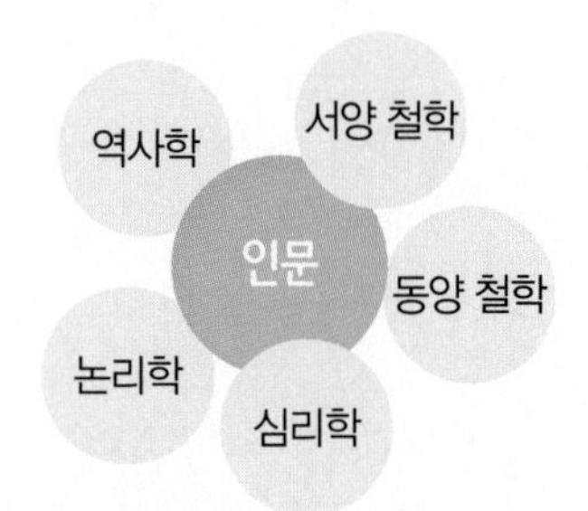

한편 논리학, 심리학, 역사학도 시험에 자주 나오는 비문학 인문 제재이다. '논리학'은 인간의 지적인 활동, 즉 추론과 증명에 대한 올바른 방법을 연구하고 제시하는 학문이며, '심리학'은 인간의 행동과 심리 과정을 과학적으로 연구하는 학문이다. '역사학'은 과거 사실에 대한 기록인 역사를 연구하는 학문이다.

인문 분야의 출제 경향

❶ 지문 출제 경향

인문 분야에서는 동·서양 철학자들의 이론을 다룬 지문이 가장 자주 출제된다. 서양 철학자 중에서는 '소크라테스, 플라톤, 아리스토텔레스, 데카르트, 베이컨, 벤담, 흄, 하이데거, 니체, 비트겐슈타인', 동양 철학자 중에서는 '공자, 맹자, 순자, 한비자, 장자, 노자, 정약용, 박제가, 이이' 등이 출제되었다. 한편 논리학에서의 사고 과정을 다룬 지문이나 역사학자들이 세계를 바라보는 관점이 담긴 지문도 종종 나오는 편이다.

최근에는 인문학과 사회나 과학 등의 다른 학문이 융·복합된 지문이 출제되는 경향을 보이고 있다.

여러 학문 분야의 내용을 연계하여 주제 통합적인 독해를 요하는 지문

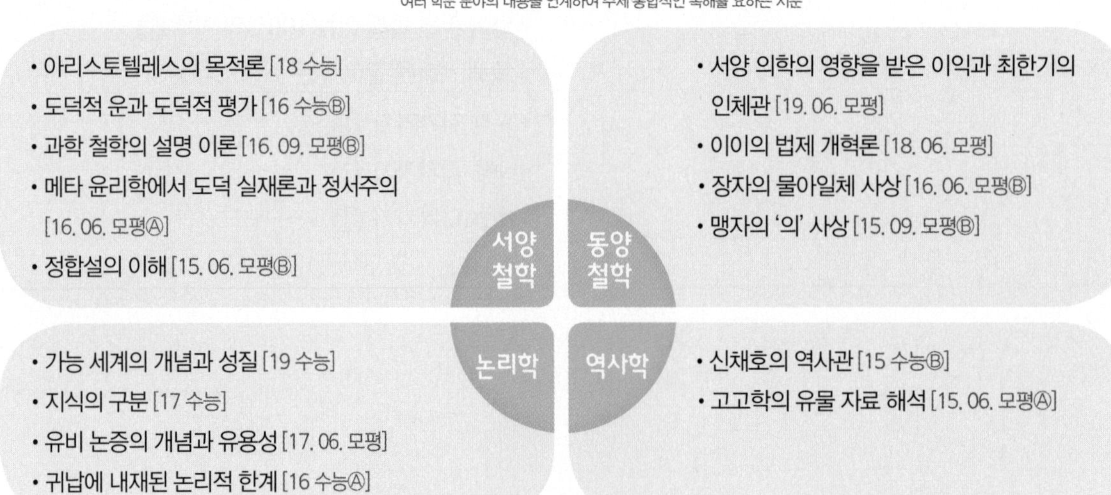

❷ 문제 출제 경향

인문 분야에서는 추론적 이해를 묻는 문제가 가장 많이 나왔다. 이와 같은 문제를 풀려면 견해, 주장이나 개념에 관한 정보를 구체적 상황에 적용해 추론할 수 있어야 한다. 한편 〈보기〉로 지문에 제시되지 않은 새로운 견해를 제시하기도 하는데, 이런 경우에는 지문과 〈보기〉에 나온 여러 견해들 간의 공통점과 차이점을 파악할 수 있어야 한다.

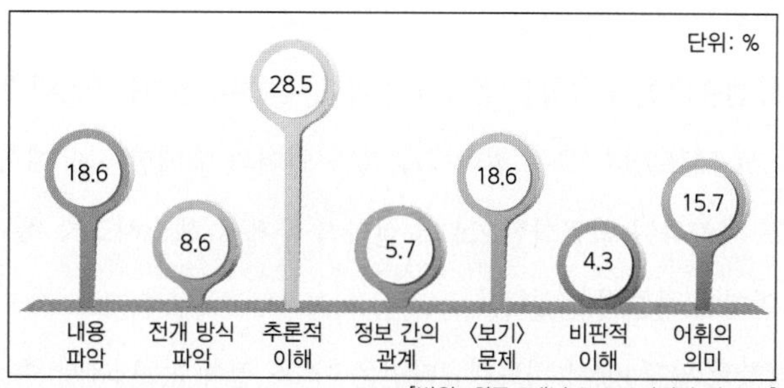

[범위: 최근 5개년 6·9 모의평가 및 수능]

인문 분야 Q&A

● 인문 영역 지문을 읽는 독해 팁을 알려 주세요.

인문 분야의 지문은 대부분 추상적인 이론·사상을 다루기 때문에 그 내용이 쉽게 와 닿지 않을 수 있다. 따라서 이론·사상의 '개념, 원리, 논증 과정' 등을 기준으로 내용을 정리하며 읽는 것이 좋다. 또한 내용 이해를 돕는 부연 설명이나 사례를 함께 제시하는 경우가 많으므로 '가령, 예를 들어'와 같은 표지에 주목하여 구체적인 사례를 훑어보면 내용 이해에 도움이 된다.

● 여러 이론이 나오는 지문을 효과적으로 읽는 방법을 알려 주세요.

대부분의 인문 지문에는 둘 이상의 견해나 이론이 함께 제시된다. 따라서 여러 이론, 견해, 관점들을 비교하며 읽어야 한다. 이때 대립적이거나 대응하는 요소끼리 짝을 지어 분류하면 지문 전체의 체계를 좀 더 쉽게 이해할 수 있다. 예를 들어 두 가지 견해가 주로 다루어질 때, 지문에서 중점적으로 설명하고자 하는 이론 부분에는 '○'를, 이와 대조되는 부분에는 '△'를 표시하며 읽으면 용어들을 두 종류로 나누어 한눈에 살필 수 있다.

[16~20] 다음을 읽고 물음에 답하시오.

비트겐슈타인의 철학은 전기와 후기로 나뉘며, 전기는 『논리 철학 논고』로 후기는 『철학적 탐구』로 대표된다. 그는 철학적 문제가 언어의 애매한 사용에서 비롯된다고 보고 언어를 분석하고 비판하여 명료화함으로써 철학적 문제를 해소하고자 했다. 이 때문에 그의 철학적 사유는 언어에 집중되어 있다.

『철학적 탐구』에서 비트겐슈타인은 『논리 철학 논고』에서 주장한 '그림 이론'에 대해 비판적 입장을 바탕으로 전기와 다른 주장을 펼친다. 그림 이론에서는 언어의 낱말들은 대상을 명명한 것이고, 문장들은 이러한 이름들이 결합한 것이라고 본다. 즉 낱말의 의미는 그 낱말이 지시하는 대상이다. 그런데 후기 철학에서 비트겐슈타인은 그림 이론과 달리 '한 낱말의 의미는 그것의 사용에 있다.'라고 주장한다. 낱말의 의미는 고

100人 둘 이상의 이론이나 견해, 관점이 드러나는 지문은 문제를 다 푼 뒤, 62쪽에 소개한 것처럼 내용을 표로 정리해 보는 것이 좋아.

● 낯선 철학자들의 이론을 다 공부해야 하나요?

그 많은 철학자의 사상을 따로 공부하는 것은 당연히 불가능하다. 하지만 시험에 자주 나오는 철학자들의 견해를 미리 알고 있으면 주어진 시간 내에 지문을 좀 더 쉽게 독해할 수 있으므로, 기출 문제를 다 푼 뒤 지문을 한두 번 더 꼼꼼히 읽으면서 주요 철학자들의 견해에 관한 배경지식을 쌓으면 좋다.

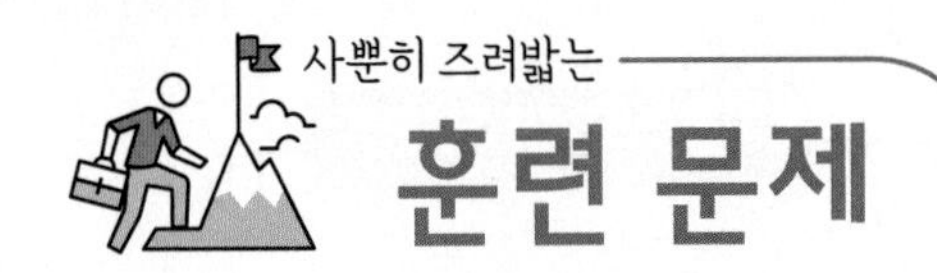

훈련 문제

[01 ~ 05] 다음 글을 읽고 물음에 답하시오.

2018학년도 3월 고3 학력평가

1 [1]비트겐슈타인의 철학은 전기와 후기로 나뉘며, 전기는 『논리 철학 논고』로 후기는 『철학적 탐구』로 대표된다.[2]그는 철학적 문제가 언어의 애매한 사용에서 비롯된다고 보고 언어를 분석하고 비판하여 명료화함으로써 철학적 문제를 해소하고자 했다.[3]이 때문에 그의 철학적 사유는 언어에 집중되어 있다.

2 [1]『철학적 탐구』에서 비트겐슈타인은 『논리 철학 논고』에서 주장한 '그림 이론'에 대해 비판적 입장을 바탕으로 전기와 다른 주장을 펼친다.[2]그림 이론에서는 언어의 낱말들은 대상을 명명한 것이고, 문장들은 이러한 이름들이 결합한 것이라고 본다.[3]즉 낱말의 의미는 그 낱말이 '지시하는 대상'이다.[4]그런데 후기 철학에서 비트겐슈타인은 그림 이론과 달리 '한 낱말의 의미는 그것의 사용에 있다.'라고 주장한다.[5]낱말의 의미는 고정되어 있는 것이 아니라, 낱말이 사용되는 맥락과 규칙에 따라 파악된다는 것이다.[6]이와 같은 주장은 언어의 낱말이 다양한 기능을 수행할 수 있다는 것인데, 그에 따르면 그러한 다양성은 확정되어 있는 것이 아니라 유동적인 것이다.

3 [1]낱말의 의미와 관련하여, 비트겐슈타인은 ㉠'가족 유사성'이라는 개념을 제시한다. [2]가족 유사성은 가족 구성원들 간의 닮음을 언어에 적용한 개념으로 '서로 겹치고 교차하는 유사성들의 복잡한 그물'을 의미한다.[3]예컨대 '놀이'라는 말은 카드놀이, 숨바꼭질, 끝말잇기, 축구, 야구 등 다양한 대상을 지칭할 수 있는데, 이것들 전부에 공통적으로 나타나는 성질은 없고 부분들 간에 겹치고 교차하는 성질들이 있을 뿐이다.[4]'놀이'라는 낱말이 지칭할 수 있는 대상들 모두에 공통되는 성질이 발견된다면 그것은 '놀이'의 본질로 고정적인 의미가 될 것이다. [5]하지만 그런 본질은 없고 부분들 간에 수없이 상이한 방식으로 관련되어 있는 관계들이 있는 것이기 때문에 '놀이'라는 낱말은 본질적인 하나의 의미로 사용되지 않고 맥락과 규칙에 따라 다양한 의미로 사용된다.

4 [1]비트겐슈타인은 언어를 놀이에 비유하여 '언어 놀이'라는 개념을 고안했는데, 그것은 '언어와 그 언어가 뒤얽혀 있는 행위들로 구성된 총체'를 의미한다.[2]그가 이와 같은 개념을 고안한 것은 언어를 말한다는 것이 어떤 활동의 일부이며 삶의 형식을 바탕으로 이루어지는 것임을 부각하기 위해서이다.[3]그에 따르면, 언어 놀이는 사라지기도 하고 새롭게 생겨나기도 하는 것으로 그 종류와 기능이 다양하며, 다양한 언어 놀이들은 공통적 본질을 갖고 있지 않지만 가족 유사성을 형성하며 언어와 그 언어에 연관된 행위로 구성되어 있다. [4]예컨대 건축 현장에서 누가 "망치!"라고 말했을 때, '망치'는 그냥 놓여 있는 망치를 지시하기 위해서가 아니라 망치를 건네 달라는 목적으로 사용된 말이다.[5]그는 이 상황에서 '망치'가 망치라는 대상을 지시한다는 것만 안다면 그 건축 현장의 상황 속에서 진행되는 언어 놀이를 할 수 없다고 말한다. [6]맥락과 규칙을 알고 그에 따른 행위가 전제되어야 언어 놀이가 가능하다는 것이다.

지문 이해

- **1** 언어에 집중된 비트겐슈타인의 사유
- **2** 낱말의 (　　　　)에 대한 전기와 후기 철학의 입장 차이
- **3** '(　　　　　)' 개념으로 본 낱말의 의미
- **4** '(　　　　　)'개념으로 본 낱말의 의미
- **5** '언어 놀이'가 불가능한 '사적 언어'
- **6** 언어 규칙이 작동하는 전제-(　　　　)의 일치
- **7** '사적 언어'가 존재할 수 없는 이유

글의 핵심 파악

● **비트겐슈타인의 언어 철학**

전기	낱말의 의미 = 그 낱말이 (　　　)하는 대상 → 고정된 의미
후기	낱말의 의미 = 낱말이 사용되는 (　　　)과 규칙에 따라 파악됨. → 유동적 의미

▶ 근거 문단 **2**

● **가족 유사성**
- 낱말이 지칭하는 대상들 모두에 (　　　)적으로 나타나는 성질은 없고, 부분들 간에 교차하는 성질들이 있을 뿐임.
  → 낱말이 맥락과 규칙에 따라 (　　　)한 의미로 사용됨.

▶ 근거 문단 **3**

● **언어 놀이**
- 건축 현장에서 "망치!"는 망치를 건네 달라는 의미임.
  → 언어 놀이는 맥락과 규칙을 알고 그에 따른 (　　　)가 전제되어야 가능함.

▶ 근거 문단 **4**

5 [1]비트겐슈타인은 언어의 규칙은 그 언어를 사용하는 사람들이 살아가는 양식 또는 방식이라 할 수 있는 삶의 형식에 기반한 것이기 때문에 공적인 것이며, 언어 놀이에서 규칙에 따르는 어떤 활동도 하지 않는다면 그것을 언어라고 할 수 없다고 본다.[2]그는 규칙성이 없는 언어를 '사적 언어'라고 규정한다.[3]그에 따르면, 사적 언어는 규칙성이 없는 것이기 때문에 다른 사람이 이해할 수 없는 것이며 '나' 자신 또한 정확하게 이해할 수 없어 언어 놀이가 불가능한 것이다.

[A]
6 [1]비트겐슈타인은 언어 사용 주체들의 '삶의 형식의 일치'가 언어 규칙이 작동하는 전제가 된다고 본다.[2]이는 언어가 의사소통의 도구일 수 있으려면 '정의의 일치'뿐만 아니라 '판단에서의 일치'도 요구된다는 것이다.[3]'정의의 일치'는 낱말에 대한 정의의 일치를 말하며, '판단에서의 일치'는 '낱말 적용 방식의 일치', 궁극적으로 '어떤 것에 반응하고 그것을 바라보는 방식에서의 일치'를 말한다.[4]가령 '붉다'가 의사소통의 도구가 되려면, 그 말의 정의를 알아야 하고 그 정의가 서로 일치해야 하며, '붉다'를 사용하면서 나타나는 반응도 일치해야만 한다.[5]어떤 사물의 색에 대해서 '붉다'라고 말하면서도 그 반응이 서로 일치하지 않는다면, '붉다'라는 말은 의사소통의 도구로 사용될 수 없다.[6]'삶의 형식의 일치'는 곧 정의와 판단에서도 일치함을 의미한다.[7]즉 언어 사용이 일치한다는 것은 동일한 삶의 형식을 공유함을 나타낸다.

7 [1]삶의 형식의 일치가 언어 규칙의 작동 가능성의 전제라는 것은 사적 언어가 존재할 수 없다는 것을 함축한다.[2]사적 언어는 '나의 의식'을 출발점으로 삼는 유아론적 세계의 언어이다. 언어의 규칙이 작동 가능한 영역은 '나의 의식'의 유아론적 세계가 아니라 너와 나 그리고 타인들을 포함한 공동체, 즉 '우리들의 삶'의 세계이다.[3]이것은 비트겐슈타인의 입장에서 ⓛ<u>사적 언어의 가능성을 함축하는, '나의 의식'을 출발점으로 삼는 철학적 제재들의 허구성을 시사한다</u>.

● **삶의 형식의 일치**

언어 사용의 일치
① (　　　)의 일치 : 낱말에 대한 정의의 일치 예 A와 B가 '붉다'의 정의를 알며 그것이 일치함. ② 판단에서의 일치 : 낱말 적용 방식의 일치. 어떤 것에 (　　　)하고 그것을 (　　　) 방식에서의 일치. 예 '붉다'를 사용하면서 나타나는 A와 B의 반응이 일치함(예를 들어, '붉다'고 하면서 파란색을 바라보지 않음).
॥
삶의 형식의 일치
정의와 판단에서 일치함을 의미.
↓
언어가 의사소통의 도구로 기능할 수 있음.

▶ 근거 문단 **6**~**7**

어휘 풀이
- **맥락:** 사물 따위가 서로 이어져 있는 관계나 연관.
- **총체:** 있는 것들을 모두 하나로 합친 전부 또는 전체.
- **허구성:** 사실에서 벗어나 만들어진 모양이나 요소를 가지는 성질.

01 윗글을 통해 '비트겐슈타인'에 대해 이해한 내용으로 적절하지 <u>않은</u> 것은?

일치하는 내용 찾기

① 전기 철학에서 낱말의 의미는 그 낱말이 '지시하는 대상'이라고 보았다.
② 전기 철학에서 문장에 사용되는 낱말들의 의미는 문장이 수행하는 기능에 따라 결정된다고 보았다.
③ 후기 철학에서 언어 놀이의 규칙이 공적인 성격을 지니고 있다고 보았다.
④ 후기 철학에서 '사적 언어'는 이해할 수 없어 언어 놀이가 불가능하다고 보았다.
⑤ 후기 철학에서 삶의 형식의 일치가 언어 놀이에서 규칙이 작동하는 전제가 된다고 보았다.

02 윗글의 '비트겐슈타인의 후기 철학'을 바탕으로 〈보기〉에 대해 설명한 내용으로 적절하지 않은 것은? [3점]

보기

(가) (건축가가 조수의 도움을 받아 건물을 짓고 있다.)
　　건축가: 벽돌!
　　조　수: (벽돌을 건축가에게 가져다준다.)
　　건축가: 석판!
　　조　수: (석판을 건축가에게 가져다준다.)
(나) (태권도 사범의 지시에 따라 훈련생이 격파 시범을 보여 주고 있다.)
　　사　범: 벽돌!
　　훈련생: (벽돌을 격파한다.)
　　사　범: 석판!
　　훈련생: (석판을 격파한다.)

① (가), (나)에서 '벽돌', '석판'이 각각의 목적에 따라 사용되는 것은 목적에 따라 규정된 언어 놀이의 기능이 맥락에 따라 달라지지 않음을 나타낸다고 할 수 있다.
② (가), (나)에서 '벽돌', '석판'을 사용해 의사소통이 이루어지는 것은 건축가와 조수가, 사범과 훈련생이 공유하고 있는 삶의 형식이 있기 때문이라고 할 수 있다.
③ (가), (나)에서 건축가와 조수, 사범과 훈련생의 의사소통은 언어 놀이로 언어가 행위와 밀접한 관련을 맺고 활동의 일부로 이루어짐을 보여 준다고 할 수 있다.
④ (가), (나)에서 '벽돌', '석판'이 발화되었을 때 조수와 훈련생이 서로 다른 행위를 한 것은 그들이 각각의 규칙에 따라 언어 놀이에 참여했기 때문이라고 할 수 있다.
⑤ (가), (나)에서 조수와 훈련생이 '벽돌'과 '석판'이란 말을 벽돌과 석판이라는 대상을 지시하는 것으로만 안다면 각각의 상황에서 언어 놀이가 이루어질 수 없다고 할 수 있다.

〈보기〉 문제
– 사례·상황 제시

● 〈보기〉 이해하기
• (가)의 경우
맥락: 건축 현장
'벽돌!' '석판!' → 가져오라는 의미
• (나)의 경우
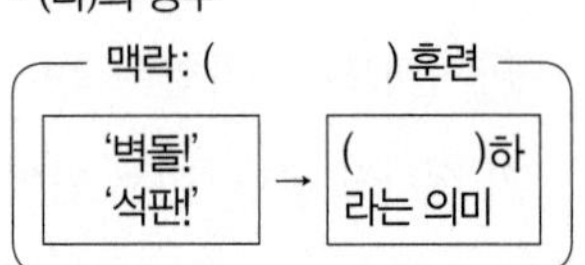

03 ㉠에 대한 설명으로 적절한 것은?

① 언어 표현들 간의 복잡한 관계를 유형에 따라 분류하는 기준이 된다.
② 언어가 그 쓰임새에 따라 다양한 의미로 사용될 수 있음을 나타낸다.
③ 언어 놀이의 규칙이 언어 놀이들 간의 유사성과 관련이 없음을 나타낸다.
④ 각각의 언어 놀이를 다른 언어 놀이와 뚜렷하게 구별시켜 주는 변별점이 된다.
⑤ 언어 표현이 지칭할 수 있는 모든 대상들이 지닌 공통된 성질이 그 표현의 의미가 됨을 나타낸다.

일치하는 내용 찾기

04 ㉡에 대해 이해한 내용으로 가장 적절한 것은?

① '나의 의식'에 기초한 사적 언어는 규칙을 따를 수 없기 때문에 의미가 없다는 것이로군.
② '사적 언어'는 '나의 의식'을 출발점으로 삼아 이루어져야 의미를 지니게 된다는 것이로군.
③ '나의 의식'의 유아론적 세계를 설명하는 언어의 규칙은 '사적 언어'의 규칙과 일치한다는 것이로군.
④ '사적 언어'에 규칙성이 없다는 것은 '나의 의식'에 관한 언어가 언어 놀이에 자유롭게 사용된다는 것이로군.
⑤ '나의 의식'이 '우리들의 삶의 세계'와 맺고 있는 관계가 언어의 규칙을 생성하는 토대가 될 수 있다는 것이로군.

글의 의미 추론하기

● 공적 언어와 사적 언어

공적 언어	사적 언어
• 언어 사용자들이 공유하는 ( )에 기반. • 언어 규칙이 작동함. • 공동체(우리들의 삶의 세계)의 언어	• 규칙성 x → 정확하게 이해할 수 x. • 언어 놀이가 ( )함, 언어라고 할 수 x. • '나의 의식'을 출발점으로 삼는 유아론적 세계의 언어

▶ 근거 문단 5, 7

05 〈보기〉와 [A]를 관련 지어 이해한 내용으로 가장 적절한 것은?

보기

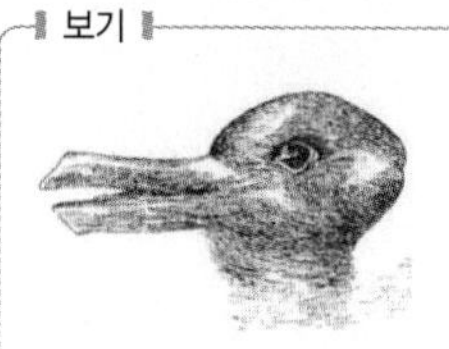
㉮

비트겐슈타인은 '삶의 형식'과 관련하여 ㉮에 대해 논의하였다. ㉮는 어떻게 보느냐에 따라 토끼로도, 오리로도 보이는 것이다.

① ㉮를 '오리'라고만 말하는 사람들끼리는 오리의 형상에 대한 '정의의 일치'는 이루어질 수 있으나 '판단에서의 일치'가 이루어지지 않을 것이다.
② ㉮는 대상을 보는 방식이 삶의 형식에 아무런 영향을 받지 않음을 나타내기 때문에 ㉮를 설명하는 언어는 삶의 형식과 무관하게 존재할 것이다.
③ '오리'나 '토끼'라는 낱말에 대한 '정의의 일치'가 이루어지지 않더라도 ㉮를 바라보는 방식이 일치하면 ㉮를 설명하는 언어 사용이 일치할 것이다.
④ 토끼나 오리의 형상에 관한 '삶의 형식의 일치'가 이루어진 사람들은 ㉮를 '토끼'나 '오리'라고 말하는 것에 대한 '판단에서의 일치'가 이루어질 것이다.
⑤ 동일한 낱말을 발화하면 필연적으로 그 낱말에 대한 '판단에서의 일치'가 이루어지므로 동일한 낱말의 사용 여부가 ㉮를 '오리'나 '토끼'로 규정하는 데 영향을 미칠 것이다.

〈보기〉 문제 – 사례·상황 제시, 시각 자료 제시

● 〈보기〉와 윗글의 연결 고리 찾기
• '삶의 형식'의 일치
① (   )의 일치: '오리'와 '토끼'라는 낱말에 대한 정의의 일치
② (   )에서의 일치: '오리'와 '토끼'라는 낱말에 반응하고 이들을 바라보는 방식에서의 일치

짚고 가요

배경지식 넓히기 ❶ – 비트겐슈타인의 전기 철학, '그림 이론'

다음 중 인공지능(AI)이 대답할 수 없는 문제는? '① 선생님은 정우성이랑 사귀는가?', '② 사람의 생명은 동물의 것보다 더 가치가 있는가?'
무슨 뜬금없는 소리냐고? 실은 비트겐슈타인의 '그림 이론'에 대해 이야기해 보려 해. 그림 이론은 쉽게 말해, '언어=그림'이라는 주장이야. 언어가 세계를 그리는 기능을 한다는 것이지. 비트겐슈타인은 이때의 '그림'이 실제 세상에 있는 것이어야 한다고 했어. 그래야 참·거짓이 될 논리적 가능성을 판별할 수 있기 때문이지. 이를 바탕으로 볼 때, ①은 '그림'이 있는, 즉 AI가 답할 수 있는 문제야. 다만 참이 될 논리적 가능성이 떨어질 뿐……. 그런데, 세상에는 논리만으로 따질 수 없는 문제도 있어. 신, 영혼, 윤리적 가치와 관련된 문제를 예로 들 수 있지. 비트겐슈타인은 이와 같이 '말할 수 없는' 영역이 있음을 인정하면서, 이 영역은 '언어=그림'과는 다른 세계관을 갖고 접근해야 한다고 주장했어. 즉, '말할 수 있는 것'만 학문의 대상으로 삼겠다는 것이지. 이러한 그의 생각은 현대 철학 및 다른 학문 분야에 큰 영향을 미쳤단다.
아마, AI는 ②에 대한 답을 내놓지 못할 거야. 그럼 누가 답을 할 수 있을까? 바로 인간이야. 인간은 논리 그 자체를 의심하는 비판적 사고를 할 수 있지. 그리고 독서는 비판적 사고를 기르는 가장 좋은 방법이란다.

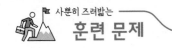

[06~09] **다음 글을 읽고 물음에 답하시오.**

2016학년도 7월 고3 학력평가

1 [1]세계관이란 인간과 세계를 이해하는 일관된 견해로 세계관의 차이에 따라 도덕적인 삶을 살아가는 방법을 달리 제시하는 경우가 많다.

2 [1]성리학은 이(理)와 기(氣)의 개념에 바탕을 둔 세계관을 통해 도덕적 삶의 방향을 제시한다. [2]이(理)는 인간을 포함한 만물에 내재된 보편적인 이치나 원리를 말한다. [3]이러한 이(理)는 모든 사물에 본성으로 내재한다. [4]특히 성리학에서는 모든 인간에게 보편적인 이치로서의 선한 본성이 선천적으로 내재되어 있다고 본다. [5]한편 성리학은 개개인의 도덕성을 현실에서 실현하는 데에 차이가 생겨나는 이유를 기(氣)에서 ⓐ찾는다. [6]기는 개인마다 차이가 있는 것으로, 악으로 흐를 가능성이 있다고 보았다. [7]따라서 개인의 도덕성을 완성하기 위해서는 자칫 악으로 흐를 수 있는 기를 다스리기 위한 부단한 수양을 통해 순수한 본성이 오롯이 발현되는 경지에 이르는 것을 강조하였다. [8]이것을 위해 성리학에서는 내면에 대한 관조를 통해 경건한 마음의 상태를 유지하여 악으로 흐를 수 있는 기를 통제하고자 하였다.

3 [1]실학자 정약용은 성선설에 바탕을 둔 기존의 성리학적 세계관을 비판하고, 인간의 본성을 선과 악을 구분하여 선을 좋아하고 악을 미워할 줄 아는 분별 능력을 갖춘 윤리적 욕구라고 말하며 ㉠새로운 인성론을 주창하였다. [2]인간에게는 선을 좋아하는 윤리적인 욕구만이 주어졌을 뿐이므로 선을 선택하고 지속적으로 선을 실천해야만 비로소 도덕성이 갖추어진다는 것이다. [3]즉 도덕성이란 선천적인 것이 아니라 구체적인 행위 속에서 이루어지는 것이며, 선에 대한 주체적인 선택과 지속적인 실천의 결과물이라는 것이다. [4]또한 이런 실천이 이루어질 때 선에 대한 욕구가 충족된다고 보았다. [5]그리고 정약용은 선의 실천이 나와 타인뿐만 아니라 외부 세계와의 관계에서도 이루어져야 한다고 생각했다.

4 [1]실학자 최한기는 세계의 모든 존재는 기(氣)라는 보편적인 요소에 의해 형성되어 있다고 보았다. [2]모든 존재의 본성인 기는 시간과 공간을 초월하여 영원불변하는 것이 아니고, 그 자체에 선악이 존재하지도 않는다. [3]기는 끊임없이 활동하고 변화하는 것으로 외부 세계와 소통하면서 선악이 나타난다. [4]인간의 윤리도 기의 운동과 변화에 합치되면 선하고 도덕적인 것이고, 그렇지 않으면 악이 된다. [5]인간은 감각 기관을 통해 외부 세계를 경험하여 이것을 바탕으로 지각을 형성하며 이런 지각은 추측에 의해 확장된다. [6]'추측'은 논리적인 추론뿐만 아니라 사회적 관계에서 이루어지는 다양한 윤리적 공부나 실천과 같은 경험적인 부분을 포괄하는 개념이다. [7]인간이 올바른 추측을 통해 외부 세계와 소통하게 될 때 그것이 선이 되고 그렇지 않으면 악이 된다. [8]추측을 바르게 하지 못해 외부 세계와 소통이 제대로 되지 않았을 때는 자기

지문 이해

1 세계관의 정의와 도덕적 삶과의 관계
2 (   )적 세계관과 도덕성 실현 방법
3 (   )의 세계관과 도덕성 실현 방법
4 (   )의 세계관과 도덕성 실현 방법
5 성리학적 세계관과 정약용, 최한기 사상의 차이점

글의 핵심 파악

● 성리학의 세계관과 도덕관

이(理)	기(氣)
만물에 내재된 보편적인 이치나 원리	악으로 흐를 수 있어 통제가 필요한 것
↓	↓
선한 ( )	개인마다 ( )에 차이가 생김.

▶ 근거 문단 2

● 성리학 vs 정약용 vs 최한기

	본성	도덕성 실현 방법
성리학	선천적으로 내재된 선한 본성인 '이'	부단한 수양, 내면에 대한 관조 → 본성의 발현
정약용	선을 좋아하는 윤리적인 욕구	'선'을 선택하고 지속적으로 ( )
최한기	그 자체에 선악이 존재하지 않으며 끊임없이 변화하는 '기'	외부 세계에 대한 올바른 추측과 부단한 ( )

후천적인 노력 강조
▶ 근거 문단 2~4

내면이 아니라 외부 세계의 운동과 변화를 제대로 파악해야 한다.[9]이처럼 최한기는 외부의 사물이나 사태에 대한 올바른 추측과 부단한 소통으로 도덕성이 실현되는 공동체의 세계를 지향했다고 볼 수 있다.

5 [1]결국 성리학은 형이상학적인 세계관을 바탕으로 내면적 수양을 강조하였으며, 정약용과 최한기는 실천과 소통을 중시하는 경험주의적 세계관을 토대로 후천적인 노력을 통해 도덕성을 실현하고자 하였다.

어휘 풀이
- **선천적:** 태어날 때부터 지니고 있는. 또는 그런 것.
- **관조:** 고요한 마음으로 사물이나 현상을 관찰하거나 비추어 봄.

06 윗글을 통해 알 수 있는 것은?

일치하는 내용 찾기

① 성리학은 경험주의적 세계관을 토대로 형성되었다.
② 성리학에서는 본성은 후천적으로 형성되는 것이라고 보았다.
③ 성리학에서와 달리 최한기는 본성을 절대 선한 것으로 보았다.
④ 성리학에서는 기는 악으로 흐를 수 있는 가능성이 있다고 보았다.
⑤ 성리학에서는 개개인의 도덕성의 차이가 이(理)의 개별적 속성 때문에 생긴다고 보았다.

07 ㉠의 관점에서 〈보기〉를 이해한 것으로 가장 적절한 것은?

〈보기〉 문제 – 사례·상황 제시

보기

선과 의로움을 지속적으로 실천한 사람은 하늘을 우러러보아도 부끄럽지 않고, 나아가 호연지기가 천지에 가득 차게 되어 모든 덕을 갖추게 된다. 반대로 날마다 양심을 저버리고 사는 사람은 이익으로 유혹하면 개나 돼지처럼 이리저리 끌려다니게 된다.

① 사람은 주체적인 선택과 지속적인 실천을 통해 도덕성을 갖추게 된다.
② 사람은 남으로부터 이익을 얻기 바라는 이기적인 본성을 지니고 있다.
③ 사람에게는 시간과 공간을 초월하는 선한 도덕성이 선천적으로 부여되어 있다.
④ 사람은 내면에 대한 관조를 통해 경건한 마음의 상태를 유지하면 선이 실현된다.
⑤ 사람은 감각을 통해 경험을 쌓고 추측을 통해 주변 사물과 소통하며 도덕성을 갖추게 된다.

08 윗글을 바탕으로 〈보기〉에 대해 반응한 내용으로 적절하지 않은 것은? [3점]

〈보기〉 문제 – 사례·상황 제시

보기

조선 후기에는 외부와 전쟁을 치르면서 나라는 어려움에 처했다. 이런 상황에서도 여러 관리들은 자신들의 본분을 망각하고 사리사욕에 집착해 백성은 어려움을 겪었고, 나라는 더욱 위기에 빠졌다. 이런 어려운 상황을 극복하기 위해 실학자들은 대안을 모색하려 했다.

① 정약용은 부정한 관리들이 사리사욕을 채웠다 하더라도 선에 대한 욕구가 충족된 것은 아니라고 생각했겠군.
② 정약용은 백성들을 어려움으로부터 구하기 위해서는 관리들이 백성과의 관계 속에서 선을 실천해야 한다고 생각했겠군.
③ 최한기는 여러 관리들이 타고난 악한 기로 인해 부정한 행동을 했다고 생각했겠군.
④ 최한기는 본분을 망각한 관리들의 모습은 기의 운동과 변화에 합치되지 않는 것이라고 생각했겠군.
⑤ 최한기는 나라의 위기를 극복하기 위해서는 관리들이 당대 현실에 대한 올바른 추측과 소통을 해야 한다고 생각했겠군.

09 ⓐ의 문맥적 의미와 가장 가까운 것은?

어휘의 의미 파악하기

① 그는 자기가 하는 일에서 삶의 의미를 찾는다.
② 감기로 병원을 찾는 환자가 부쩍 늘었다.
③ 나는 저금했던 돈을 은행에서 찾았다.
④ 어떤 손님은 항상 이 과자만 찾는다.
⑤ 어머니가 빗자루를 찾는다.

짚고 가요

배경지식 넓히기 ❷ – 세계와 만물을 구성하는 '이(理)'와 '기(氣)'

살아가면서 한 번쯤은, '이 세상은 무엇으로 이루어져 있을까?' 하는 의문을 가져 본 적이 있을 거야. 성리학은 이 물음에 이렇게 답했어. "세계와 만물은 '이'와 '기'로 이루어져 있다." 이때 '이(理)'는 세계와 만물의 근본 원리, 말하자면 설계 도면이라 할 수 있고, '기(氣)'는 세계와 만물을 구성하는 재료라 할 수 있지. '이'는 원리이기에 형태와 움직임이 없는 데 반해, 질료인 '기'는 형태도 있고 움직임도 있어. 어려운 말로 표현하면, '이'는 형이상학적, '기'는 형이하학적인 것을 의미하는 개념이야.

'이'는 사람·사물마다 차이가 없으나 '기'는 차이가 있어. 흥부는 착한데 놀부는 그렇지 않은 이유를 성리학의 관점에서 설명한다면, 흥부와 놀부가 하늘로부터 받은 본성인 '이'가 다르기 때문이 아니라, 그 둘의 '기'가 다르기 때문인 거지.

한편 '이'와 '기'는 개념적으로는 구분되나 현실에서는 분리되지 않는 특성을 지녀. 놀부에게는 하늘로부터 부여받은 순수하고 선한 본성과, 놀부의 기질에서 비롯된 못된 부분이 섞여 있지. 개념적으로는 그 둘을 분리할 수 있지만, 현실에서는 놀부의 기질을 떠나 순수한 본성만이 존재할 수는 없어.

– 출처: 고등학교 《윤리와 사상》, 천재교육

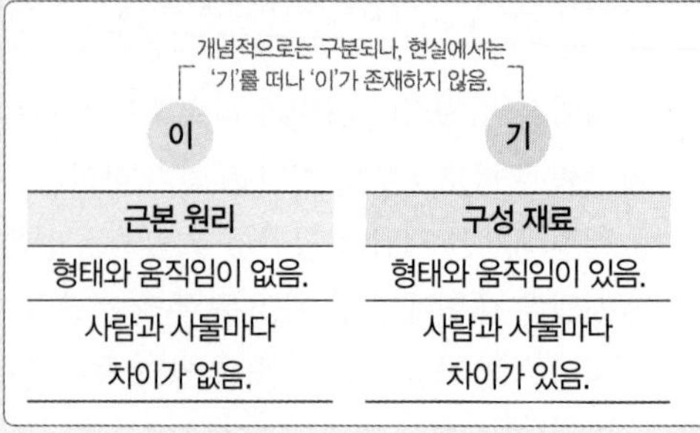

개념적으로는 구분되나, 현실에서는
'기'를 떠나 '이'가 존재하지 않음.
이
기
근본 원리
형태와 움직임이 없음.
사람과 사물마다 차이가 없음.
구성 재료
형태와 움직임이 있음.
사람과 사물마다 차이가 있음.

[10~13] **다음 글을 읽고 물음에 답하시오.**

2018학년도 수능

1 [1]자연에서 발생하는 모든 일은 목적 지향적인가? [2]자기 몸통보다 더 큰 나뭇가지나 잎사귀를 허둥대며 운반하는 개미들은 분명히 목적을 가진 듯이 보인다. [3]그런데 가을에 지는 낙엽이나 한밤중에 쏟아지는 우박도 목적을 가질까? [4]아리스토텔레스는 모든 자연물이 목적을 추구하는 본성을 타고나며, 외적 원인이 아니라 내재적 본성에 따른 운동을 한다는 목적론을 제시한다. [5]그는 자연물이 단순히 목적을 갖는 데 그치는 것이 아니라 목적을 실현할 능력도 타고나며, 그 목적은 방해받지 않는 한 반드시 실현될 것이고, 그 본성적 목적의 실현은 운동 주체에 항상 바람직한 결과를 가져온다고 믿는다. [6]아리스토텔레스는 이러한 자신의 견해를 "자연은 헛된 일을 하지 않는다!"라는 말로 요약한다.

2 [1]근대에 접어들어 모든 사물이 생명력을 갖지 않는 일종의 기계라는 견해가 강조되면서, 아리스토텔레스의 목적론은 비과학적이라는 이유로 많은 비판에 직면한다. [2]갈릴레이는 목적론적 설명이 과학적 설명으로 사용될 수 없다고 주장하며, 베이컨은 목적에 대한 탐구가 과학에 무익하다고 평가하고, 스피노자는 목적론이 자연에 대한 이해를 왜곡한다고 비판한다. [3]이들의 비판은 목적론이 인간 이외의 자연물도 이성을 갖는 것으로 의인화한다는 것이다. [4]그러나 이런 비판과는 달리 아리스토텔레스는 자연물을 생물과 무생물로, 생물을 식물·동물·인간으로 나누고, 인간만이 이성을 지닌다고 생각했다.

3 [1]일부 현대 학자들은, 근대 사상가들이 당시 과학에 기초한 기계론적 모형이 더 설득력을 갖는다는 일종의 교조적 믿음에 의존했을 뿐, 아리스토텔레스의 목적론을 거부할 충분한 근거를 제시하지 못했다고 비판한다. [2]이런 맥락에서 볼로틴은 근대 과학이 자연에 목적이 없음을 보이지도 못했고 그렇게 하려는 시도조차 하지 않았다고 지적한다. [3]또한 우드필드는 목적론적 설명이 과학적 설명은 아니지만, 목적론의 옳고 그름을 확인할 수 없기 때문에 목적론이 거짓이라 할 수도 없다고 지적한다.

4 [1]17세기의 과학은 실험을 통해 과학적 설명의 참·거짓을 확인할 것을 요구했고, 그런 경향은 생명체를 비롯한 세상의 모든 것이 물질로만 구성된다는 물질론으로 이어졌으며, 물질론 가운데 일부는 모든 생물학적 과정이 물리·화학 법칙으로 설명된다는 환원론으로 이어졌다. [2]이런 환원론은 살아 있는 생명체가 죽은 물질과 다르지 않음을 함축한다. [3]하지만 아리스토텔레스는 자연물의 물질적 구성 요소를 알면 그것의 본성을 모두 설명할 수 있다는 엠페도클레스의 견해를 반박했다. [4]이 반박은 자연물이 단순히 물질로만 이루어진 것이 아니며, 또한 그것의 본성이 단순히 물리·화학적으로 환원되지도 않는다는 주장을 내포한다.

지문 이해

- **1** 아리스토텔레스의 (　　　　　)
- **2** 근대 사상가들(갈릴레이, 베이컨, 스피노자)의 목적론(　　　)
  - 목적론이 인간 외의 자연물을 의인화했다고 봄.
- **3** (　　　) 사상가들에 대한 현대 학자들(볼로틴, 우드필드)의 비판
  - 목적론을 거부할 충분한 근거가 제시되지 않았음.
- **4** 물질론·환원론에 대한 반박을 내포한 아리스토텔레스의 주장
- **5** 아리스토텔레스의 목적론이 지니는 의의

글의 핵심 파악

● **아리스토텔레스의 목적론**

- 자연물은 목적을 추구하는 본성을 타고남.
- 자연물은 (　　　) 본성에 따라 운동함.
- 자연물은 목적을 실현할 (　　　)도 타고나므로 목적은 반드시 실현되며, 이는 항상 (　　　　) 결과를 가져옴.

"자연은 헛된 일을 하지 않는다!"

▶ 근거 문단 1

● **물질론, 환원론 vs 아리스토텔레스**

물질론	생명체를 비롯한 세상 모든 것은 물질로만 구성됨.
환원론	모든 생물학적 과정은 물리·화학 법칙으로 설명됨.

↕

아리스토텔레스	• 자연물은 물질로만 이루어진 것이 아님. • 자연물의 본성은 단순히 물리·화학적으로 환원되지 않음.

▶ 근거 문단 4

Ⅲ 실전 독해

5 [1]첨단 과학의 발전에도 불구하고 생명체의 존재 원리와 이유를 정확히 규명하는 과제는 아직 진행 중이다.[2]자연물의 구성 요소에 대한 아리스토텔레스의 탐구는 자연물이 존재하고 운동하는 원리와 이유를 밝히려는 것이었고, 그의 목적론은 지금까지 이어지는 그러한 탐구의 출발점이라 할 수 있다.

어휘 풀이

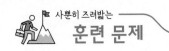

- **교조적:** 역사적 환경이나 구체적 현실과 관계없이 어떠한 상황에서도 절대로 변하지 않는 진리인 듯 믿고 따르는.
- **환원:** 잡다한 사물이나 현상을 어떤 근본적인 것으로 바꿈. 또는 그런 일.

10 윗글의 논지 전개 방식으로 가장 적절한 것은?

내용 전개 방식 파악하기

① 대립되는 두 이론을 소개하고 각 이론의 장단점을 비교하고 있다.
② 특정 이론에 대한 상반된 주장을 제시하여 절충 방안을 모색하고 있다.
③ 특정 이론에 대한 다양한 비판의 타당성을 검토한 후 새로운 이론을 도출하고 있다.
④ 특정 이론에 대한 비판들을 시대 순으로 제시하여 그 이론의 부당성을 주장하고 있다.
⑤ 특정 이론에 대한 비판들을 검토하고 그 이론에 대한 해석을 제시하여 의의를 밝히고 있다.

11 윗글에 나타난 아리스토텔레스의 견해에 대한 이해로 가장 적절한 것은?

일치하는 내용 찾기

① 개미의 본성적 운동은 이성에 의한 것으로 설명된다.
② 자연물의 목적 실현은 때로는 그 자연물에 해가 된다.
③ 본성적 운동의 주체는 본성을 실현할 능력을 갖고 있다.
④ 낙엽의 운동은 본성적 목적 개념으로는 설명되지 않는다.
⑤ 자연물의 본성적 운동은 외적 원인에 의해 야기되기도 한다.

12 윗글에 나타난 목적론에 대한 논의를 적절하게 진술한 것은?

글의 내용(관점) 추론하기

① 갈릴레이와 볼로틴은 목적론이 근대 과학에 기초한 기계론적 모형이라고 비판한다.
② 갈릴레이와 우드필드는 목적론적 설명이 과학적 설명이 아니라는 데 동의한다.
③ 베이컨과 우드필드는 목적론적 설명이 교조적 신념에 의존했다고 비판한다.
④ 스피노자와 볼로틴은 목적론이 자연에 대한 이해를 확장한다고 주장한다.
⑤ 스피노자와 우드필드는 목적론이 사물을 의인화하기 때문에 거짓이라고 주장한다.

13 윗글을 바탕으로 〈보기〉를 이해한 내용으로 가장 적절한 것은? [3점]

보기

생물학자 마이어는 생명체의 특징을 보여 주는 이론으로 창발론을 제시한다. 그는 생명체가 분자, 세포, 조직에서 개체, 개체군에 이르기까지 단계적으로 점점 더 복잡한 체계를 구성하며, 세포 이상의 단계에서 각 체계의 고유 활동은 미리 정해진 목적을 수행한다고 생각한다. 창발론은 복잡성의 수준이 한 단계씩 오를 때마다 구성 요소에 관한 지식만으로는 예측할 수 없는 특성들이 나타난다는 이론이다. 마이어는 여전히 생명체가 물질만으로 구성된다고 보지만, 물리·화학적 법칙으로 모두 설명되지는 않는다고 본다.

① 마이어는 아리스토텔레스처럼, 엠페도클레스의 물질론적 견해가 적절하다고 보겠군.

② 마이어는 아리스토텔레스처럼, 자연물이 물질만으로 구성된다는 물질론에 동의하겠군.

③ 마이어는 아리스토텔레스처럼, 생명체의 특성들은 구성 요소들에 관한 지식만으로 예측할 수 없다고 보겠군.

④ 마이어는 아리스토텔레스와 달리, 모든 자연물이 목적 지향적으로 운동한다고 보겠군.

⑤ 마이어는 아리스토텔레스와 달리, 모든 자연물의 본성에 대한 물리·화학적 환원을 인정하겠군.

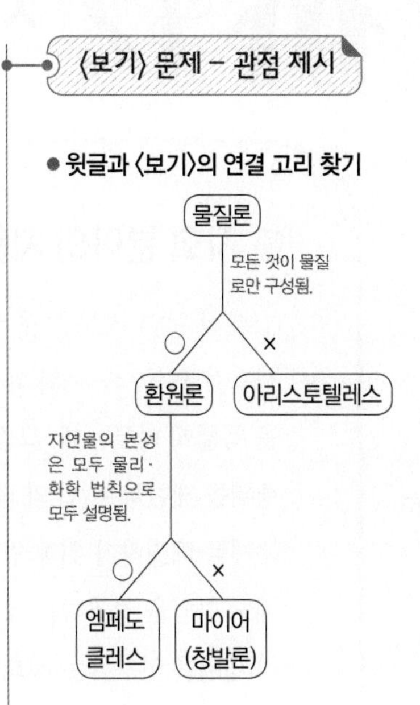

짚고 가요

배경지식 넓히기 ❸ – 아리스토텔레스의, 덕과 행복의 윤리학

무엇이 가장 좋을까?

아리스토텔레스에 따르면 모든 행동이나 기술에는 목적이 있는데, 인간은 궁극적으로 '좋은 것'을 목적으로 한다고 해. 따라서 '좋음'이 무엇이냐는 인간에게 매우 중요한 문제이지. 예를 들어 보자. 의술의 목적은 병을 치료하는 것인데, 왜냐면 그것이 '좋기' 때문이야. 나아가 병을 치료하는 목적은 건강해지기 위함으로, 이는 건강이 '좋기' 때문이지. 건강이 '좋은' 이유 역시, 건강해지는 것이 그보다 더 높고 좋은 목적을 달성하는 데 좋기 때문이야. 이런 식으로 가장 높고, 가장 좋은 목적을 찾아 올라가다 보면 무엇이 나올까? 아리스토텔레스는 그것이 바로 '행복'이라고 생각했어.

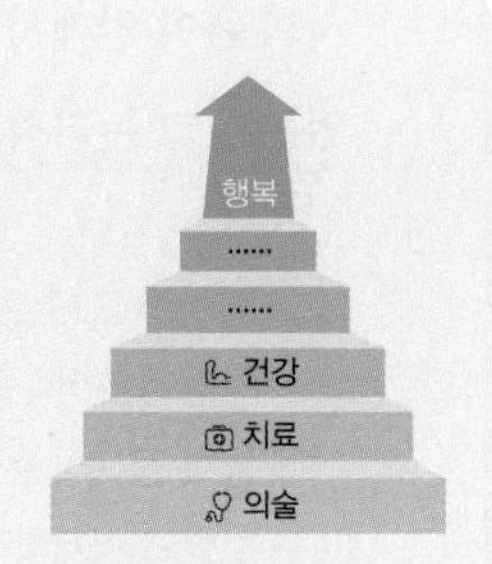

참된 행복은 어떻게 가능할까?

모든 사람이 행복을 추구한다는 것은 분명해. 그러나 어떻게 행복을 이룰 수 있는가에 대해서는 다양한 의견이 있을 거야. 어떤 이는 권력과 명예를, 또 어떤 이는 부를 누리면 행복에 이를 수 있다고 생각할 수 있겠지.

아리스토텔레스는, 참된 행복에 이르기 위해서는 인간의 고유한 덕을 따르며 살아야 한다고 주장했어. 그리고 참된 행복에 이르게 하는 인간의 덕을 '품성적 덕'과 '지성적 덕'의 두 종류로 제시했지. 이 둘을 이성에 따라 조화롭게 발휘하면 인간은 참된 행복에 이를 수 있다는 것이 아리스토텔레스의 생각이야. 어때, 그의 생각에 좀 공감이 가니?

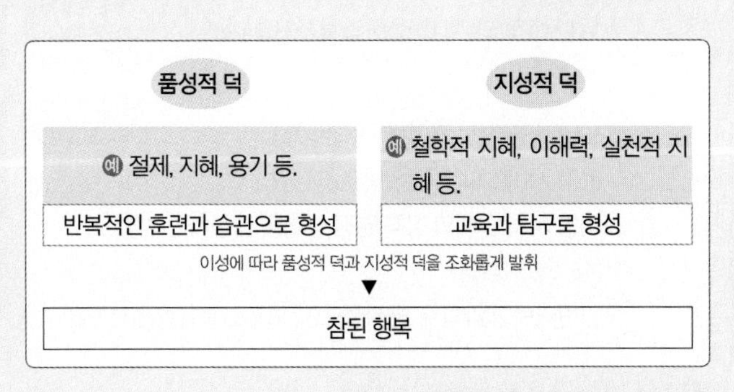

– 출처: 고등학교 《윤리와 사상》, 천재교육

12 사회

사회 분야의 지문은?

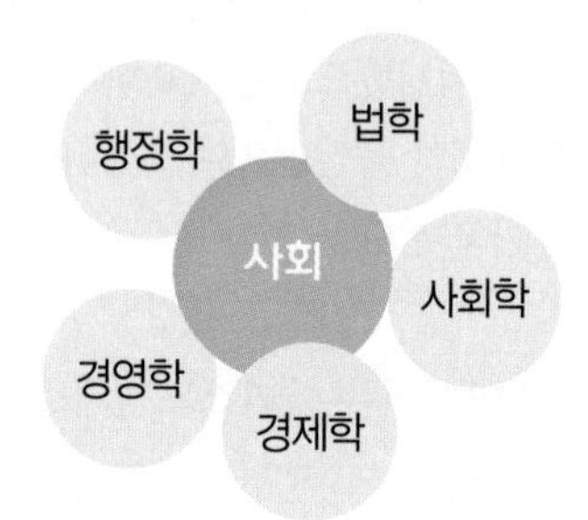

사회 분야 지문은 우리 사회를 구성하는 사람들 사이에서 이루어지는 다양한 사회적 활동, 즉 사회 현상을 제재로 다룬다. 사회 지문은 사회 분야의 여러 영역(예 법, 행정, 경제, 경영, 사회, 통계 등)을 폭넓게 다루는데, 그중에서도 '법학'과 '경제학'이 자주 출제된다. 법학은 인간의 행위를 제한하는 '법'의 적용과 해석을 연구하는 학문이고, 경제학은 자원의 희소성 문제를 해결하기 위해 인간의 경제 활동 및 경제 구조를 연구하는 학문이다. 이 밖에도 기업을 경영하는 데 필요한 지식을 다루는 '경영학', 인간 사회와 인간의 사회적 행위를 연구하는 '사회학', 국가의 정책 및 관리 활동을 연구하는 '행정학' 지문도 자주 등장한다.

사회 분야의 출제 경향

1 지문 출제 경향

최근에는 경제학 지문에서 문제가 어렵게 출제되는 경향이 있다. 경제학 지문에서는 주로 글에서 소개한 경제학 원리(예 환율, 통화 정책 등)를 구체적인 사례에 적용하거나 원리를 바탕으로 수치를 계산하는 문제가 자주 나오므로 기출 문제를 꼼꼼히 풀며 논리적 사고력을 키우는 것이 필요하다. 한편 법학 지문은 대부분 여러 세부 개념들을 제시한 뒤 이에 대한 이해를 전제로 하여 중심 개념에 접근하는 전개 방식을 취한다. 사회학 지문은 인문 지문과 비슷하게, 여러 학파나 학자들의 견해를 다루는 경우가 많다.

사회 분야와 인문, 과학 등 여러 분야가 융합된 지문이나, '경제+행정 정책', '경제 + 법', '경영학 + 법'과 같이 사회 분야 안에서 융합된 지문이 출제되는 경우도 있다. 두 경우 모두 어떤 내용 요소를 중심으로 하여 융·복합되었는지 그 논리적 연관 관계에 주목하며 읽는 것이 중요하다.

경제학
- 채권과 CDS 프리미엄 [19. 09. 모평]
- 환율의 오버슈팅 사례로 본 정부의 정책 수단 [18 수능]
- 통화 정책이 효과를 얻기 위한 요건 [18. 06. 모평]
- 보험의 경제학적 원리와 보험의 목적 실현을 위한 법적 의무 [17 수능] ➲ 융합(경제 + 법)

법학
- 매매 계약과 계약 당사자의 채권·채무 관계 [19 수능]
- 사법에서 적용되는 법률 규정과 그 제한 [19. 06. 모평]
- 사단 법인의 법인격과 법인격 부인론 [17. 09. 모평]
- 계약 시 '기한'과 '조건'이 갖는 법률적 효력 [16 수능]
- 징벌적 손해 배상 제도 [16. 06. 모평]

경영·행정학
- 노나카의 '지식 경영론' [16 수능Ⓑ]
- 공공 서비스의 민간 위탁 [15 수능Ⓐ]
- 지방 자치 단체의 정책 결정 방식을 개선하는 방향 [15. 09. 모평Ⓑ]
- 인센티브 계약의 두 방식 [15. 06. 모평Ⓐ] ➲ 융합(경영 + 법)

사회학
- 집합 의례에 대한 사회학자들의 견해 [18. 09. 모평]
- 기술의 발달에 따른 사회 변화 [16. 09. 모평Ⓑ]
- 벡과 바우만의 현대사회론 [16. 06. 모평Ⓑ]
- 시대 상황의 영향을 받는 사회 이론 [15 수능Ⓑ]

② 문제 출제 경향

사회 분야에서는 지문에 대한 사실적 이해를 묻는 내용 파악 문제의 비율이 가장 높다. 사실적 이해를 바탕으로 합리적인 추론 결과를 도출하는 추론적 이해 문제도 자주 나오는 편이다.

한편 사회 분야는 다른 분야보다 〈보기〉 문제가 차지하는 비율이 높은 편인데, 이런 문제는 대개 3점으로 배점이 높다. 주로 지문에 나온 개념이나 원리를 〈보기〉의 사례나 시각 자료에 적용하는 형식이다.

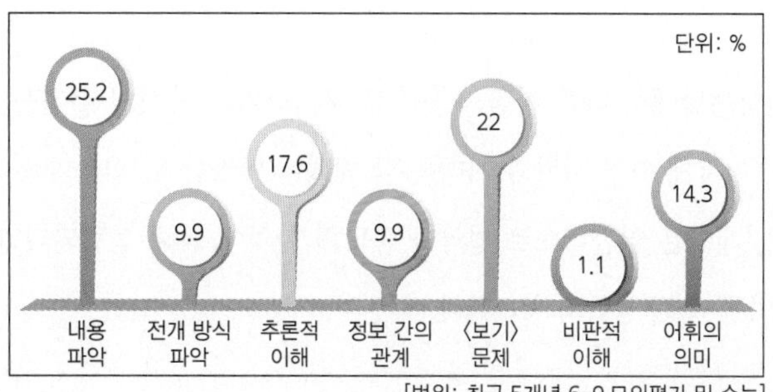

[범위: 최근 5개년 6·9 모의평가 및 수능]

사회 분야 Q&A

● 사회 용어가 많이 나오는 사회 지문, 어떻게 읽으면 좋을까요?

2019학년도 수능에 출제되었던 사회 영역 지문을 예로 들면, '매매 계약', '매도인', '채권', '민법', '실체법', '절차법' 등과 같은 법률 용어가 사용되었다. 이처럼 사회 지문에는 일상에서 잘 쓰지 않는 전문 용어가 많이 등장하므로, 지문을 읽을 때 용어의 개념이나 정의에 밑줄을 치거나 □로 표시하면 유용하다. 이러한 표시는 특히 내용 일치 문제를 풀 때, 내가 찾는 정보가 지문의 어디에 있는지 바로 찾아갈 수 있게 하는 이정표 역할을 한다.

그 뜻을 별도로 풀이하지 않은 용어도 많이 나오는데, 이들은 고교 교육과정을 이수한 학생이라면 기본적으로 알고 있어야 하는 개념이라고 생각하면 된다. 따라서 평소에 교과 학습을 통해 분야별로 기초적인 개념 정도는 배경지식으로 쌓아 두는 것이 필요하다. 이와 관련해서는 194쪽의 '독해 시간을 줄여 주는 배경지식 쌓기'를 참고하자.

● 〈보기〉 문제, 보기만 해도 어려워요. 효과적으로 푸는 방법이 있을까요?

해석해야 할 정보가 추가되는 것이 부담스럽겠지만, 알고 보면 〈보기〉 문제는 '09 〈보기〉를 활용하는 문제'에서 제시한 세 가지 유형을 벗어나는 경우가 거의 없다. 110쪽~112쪽의 유형별 접근 방법에 따라 꾸준히 훈련하자.

다만 학생들이 유독 어려워하는 것이 경제학 지문의 〈보기〉 문제이다. 주로 제시된 그래프에 지문 내용을 대입하여 내용을 종합적으로 이해할 수 있는지 묻는 유형이다. 이러한 문제는 다음과 같은 과정을 거쳐 푼다.

① 그래프의 x축과 y축을 확인한다.

② ①에 해당하는 정보를 지문에서 찾는다. 이때 지문에서 인과 관계가 드러나는 부분, 비례·반비례 관계가 드러나는 부분에 주목하면 좀 더 쉽게 찾을 수 있다.

③ 지문에서 찾은 정보와, 〈보기〉의 그래프에 나타난 수치의 변화를 연관 지어 이해한다.

사뿐히 즈려밟는

훈련 문제

[01~04] 다음 글을 읽고 물음에 답하시오.

2016학년도 4월 고3 학력평가

1 [1]일상생활에서 다른 사람의 물건을 구입하거나 자신의 물건을 판매하는 일은 흔히 있는 일이다.[2]이렇게 다른 사람과 거래를 할 때에는 일정한 합의나 약속이 필요한데, 이를 '계약'이라 한다.[3]계약은 일반적으로 청약과 승낙의 합치에 의해 성립되지만, 특수하게 의사실현이나 교차청약에 의해 성립되기도 한다.

2 [1]계약에서 계약의 성립을 제안하는 것은 '청약'이라고 하고, 청약을 받은 이가 그 청약을 그대로 수락하는 것은 '승낙'이라고 한다.[2]만약 청약을 받은 이가 청약 내용의 변경을 요구한다면 이는 새로운 청약을 한 것이 된다.[3]청약과 승낙의 합치에 의해 성립하는 계약이 실시간 의사소통에 의해 이루어질 때는 청약자가 청약을 받은 이에게서 승낙의 의사가 담긴 말을 ⓐ들은 시점에 계약이 성립한다.[4]그러나 실시간 의사소통이 불가능한 이들 간의 계약에서는 승낙의 의사표시가 청약자에게 발송된 시점에 계약이 성립하는 것으로 본다.[5]이때 승낙의 의사표시가 승낙기간 내에 청약자에게 도달하지 못한다면 계약의 효력은 발생하지 않는다.[6]승낙의 의사표시가 승낙자의 과실이 아닌 부득이한 사유로 기간 내에 도달하지 못하고 연착하는 경우가 있을 수 있다.[7]이때 승낙의 의사표시를 받은 청약자가 승낙자에게 연착 사실을 즉시 알리지 않으면, 승낙자는 승낙기간 내에 승낙의 의사표시가 청약자에게 전달된 것으로 간주할 것이므로 계약의 효력은 발생한다.

3 [1]일반적이지는 않지만 청약자의 의사표시의 특성이나 거래상의 관습 등에 의해 승낙의 의사표시를 통지하지 않아도 성립하는 계약이 있다.[2]예를 들어 인터넷을 통해 호텔 객실을 예약하는 청약이 있은 후, 호텔 측이 청약자에게 별도의 의사표시를 통지하지 않고 객실을 마련하는 경우가 이에 해당한다.[3]이처럼 승낙의 의사표시를 통지하지 않고 승낙의 의사표시로 인정되는 사실만 있어도, 그 사실이 발생한 때에 계약은 성립한다.[4]이를 의사실현에 의한 계약의 성립이라 한다.[5]또한 청약만 두 개가 존재하더라도 의사표시의 내용이 결과적으로 일치하면 계약이 성립하는데, 이를 교차청약에 의한 계약의 성립이라 한다.[6]가령 모임에서 A와 B는 각각 자동차를 팔고, 사고 싶다는 서로의 마음을 알게 된 후, A는 자동차를 천만 원에 팔겠다는 청약의 의사표시를 B에게 보냈다고 하자.[7]이것이 B에게 도착하기 전에 B가 A에게 자동차를 천만 원에 사겠다는 청약의 의사표시를 보낸다면, 계약은 양 청약의 의사표시가 A, B에게 모두 도달한 때에 성립한다.

4 [1]이러한 계약들이 성립되는 과정에서 매매 대상이 불에 타 없어진 것처럼 계약의 이행이 불가능한 상황이 발생할 수 있다.[2]만약 청약자가 매매 대상이 없어졌다는 사실을 계약 성립 당시에 알았거나 그 사실을 쉽게 확인할 수 있었음에도 확인하지 않았고, 승낙자는 매매 대상

지문 이해

1 (   )의 개념과 성립

2 (   )과 승낙의 합치에 의한 계약 성립(일반적 경우)

3 의사실현이나 (   )에 의한 계약 성립(특수한 경우)

4 계약의 이행이 (   )해진 경우의 손해 배상

글의 핵심 파악

● **청약자·승낙자**

'청약자'는 계약의 성립을 (   ) 하는 사람이며, '승낙자'는 계약 제안을 받고 이를 그대로 (   ) 하는 사람이다. ▶ 근거 문단 **2**

● **계약이 성립하는 시점**

① 청약과 승낙의 합치에 의해 성립된 계약

실시간 의사소통이 가능할 때	청약자가 승낙의 말을 ( ) 시점.
실시간 의사소통이 불가능할 때	승낙자의 의사표시가 청약자에게 ( )된 시점.

② 의사실현에 의해 성립된 계약
→ 승낙의 의사표시로 인정되는 사실이 (   )한 때.

③ 교차청약에 의해 성립된 계약
→ 양 청약의 의사표시가 서로에게 모두 (   )한 때.

▶ 근거 문단 **2**, **3**

● **매매 대상이 없어져 계약 이행이 불가능한 상황 발생 시**

청약자	승낙자
-매매 대상이 없어졌음을 알았음. -매매 대상이 없어졌음을 알 수 있었으나 확인하지 않음. ➔ 과실 ○	-매매 대상이 없어졌음을 몰랐음. -매매 대상이 없어졌음을 알 수 있는 방법이 없었음. ➔ 과실 ×

↓

청약자는 승낙자가 입은 손해를 배상해야 함.

▶ 근거 문단 **4**

이 없다는 것을 몰랐거나 알 수 없었다면 청약자는 계약의 유효를 전제로 한 경비나 이자 비용과 같이 승낙자가 그 계약이 유효하다고 믿음으로 인해 입은 손해를 배상해 주어야 한다.[3]이 때 그 배상액은 계약이 이행되었다면 승낙자에게 생길 이익, 이를테면 매매가와 시가 사이의 차액을 초과할 수 없다.

어휘 풀이

- **승낙기간:** 승낙을 할 수 있는 기간, 청약이 효력을 보유하는 기간.

01 윗글에 대한 설명으로 가장 적절한 것은?

내용 전개 방식 파악하기

① 대상의 장단점을 분석하여 대안을 제시하고 있다.
② 대상을 구분하고 사례를 활용하여 설명하고 있다.
③ 대상과 관련된 제도의 변천 과정을 보여주고 있다.
④ 대상을 비판적으로 바라보는 관점들을 소개하고 있다.
⑤ 대상이 지닌 문제점의 원인을 다각도로 기술하고 있다.

02 윗글을 바탕으로 〈보기〉를 이해한 내용으로 적절하지 않은 것은?

〈보기〉 문제 – 시각 자료 제시

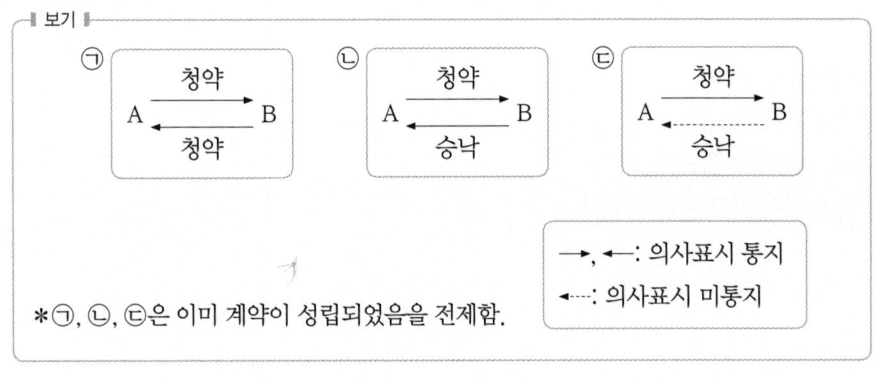

① ㉠의 경우, A가 B에게, B가 A에게 청약의 의사표시를 각각 발송했을 때 계약이 성립되었겠군.
② ㉠의 경우, 청약만 두 개가 존재하지만 두 청약의 내용이 결과적으로 합치했기 때문에 계약이 성립되었겠군.
③ ㉡의 경우, A와 B가 대화를 하고 있는 상황이라면 승낙의 의사가 담긴 B의 말을 A가 들었을 때 계약이 성립되었겠군.
④ ㉢의 경우, 승낙의 의사표시로 인정되는 사실이 발생했을 때 계약이 성립되었겠군.
⑤ ㉢의 경우, 청약자의 의사표시의 특성이나 거래상의 관습 등에 의해 승낙의 의사표시를 통지하지 않고도 계약이 성립되었겠군.

● 〈보기〉와 윗글의 연결고리 찾기

㉠	청약만 두 개가 존재하는데 계약이 성립되었음. → (　　　　)에 의한 계약의 성립
㉡	청약과 승낙의 의사표시가 양측에게 통보되어 계약이 성립됨. → 청약과 승낙의 합치에 의한 계약의 성립
㉢	승낙의 의사표시는 통지하지 않았으나 계약이 성립됨. → (　　　　)에 의한 계약의 성립

Ⅲ 실전 독해

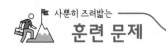

03 윗글을 바탕으로 〈보기〉의 사례를 분석한 내용으로 적절하지 않은 것은? [3점]

〈보기〉 문제 – 사례·상황 제시

보기

(가) 갑은 을에게 을이 소유한 토지를 사겠다는 내용의 편지를 4월 5일에 발송하면서 4월 20일까지 답장을 요구하였다. 을은 갑이 제시하는 가격에 토지를 팔겠다는 답장을 4월 12일에 발송했으나 배달이 지연되어 을의 답장은 4월 22일에 도착했다.

(나) 병은 정이 눈여겨본 고가의 골동품을 창고에 보관하던 중 도둑맞았지만 이를 확인하지 않고 정에게 3천만 원에 팔기로 했다. 이후 정은 이 골동품을 사기 위해 대출을 받고 이자로 30만 원을 은행에 지불했다.

① (가)에서, 을의 답장이 만약 4월 20일 이전에 도착했다면 계약은 4월 12일에 성립한다.

② (가)에서, 갑이 답장을 받자마자 을에게 연착 사실을 알리지 않는다면 이 계약은 효력이 발생한다.

③ (가)에서, 을이 갑이 제시한 가격보다 더 높은 가격에 팔겠다는 내용의 답장을 보냈다면 이는 새로운 청약이 된다.

④ (나)에서, 병이 팔려던 골동품의 시가가 매매가보다 100만 원이 높다면 정은 130만 원을 배상받을 수 있다.

⑤ (나)에서, 정이 골동품이 없어진 사실을 계약 성립 당시에 알았다면 병은 정이 입은 손해를 배상할 의무가 없다.

● 〈보기〉 이해하기

(가)	• 실시간 의사소통이 (　　)한 상황에서 청약과 승낙이 오감. • 승낙기간에 승낙 표시가 청약자 (　)에게 도착하지 못한 이유 → 승낙자 (　)의 과실이 아닌, 부득이한 사유 때문임.
(나)	• 병이 (　　　)이 없어졌다는 사실을 쉽게 확인할 수 있었음에도 확인하지 않음. → 병의 과실 • 정은 (　　)이 유효하다고 믿음으로써 금전적 손해를 입음. → (　)은 이를 배상해 주어야 함.

04 문맥상 ⓐ의 의미와 가장 가까운 것은?

어휘의 의미 파악하기

① 굵은 빗방울이 지붕에 듣는다.

② 그 약은 다른 약보다 내게 잘 듣는다.

③ 나는 아내에게서 그 소식을 듣고 기뻤다.

④ 그녀는 고지식해서 농담까지도 진담으로 듣는다.

⑤ 운전 중에 브레이크가 말을 듣지 않아 사고가 날 뻔했다.

짚고 가요

배경지식 넓히기 ❹ – '민법'의 개념과 기능

윗글은 계약을 다룬 법 지문이었어. 계약법은 민법에서 가장 핵심이 되는 부분이지. 여기에서는 민법의 개념과 기능을 알아보자.

법은 일반적으로 공법(公法)과 사법(私法)의 두 분야로 나누어져. 공법은 국가 또는 공공단체의 공권력 발동에 관한 법으로 '헌법, 형법, 행정법' 등이 여기에 속해. 만약 어떤 사람이 누군가를 폭행하여 피해를 입혔을 때, 이는 단순히 개인 간의 다툼을 넘어 사회 질서를 위반하는 행위로 볼 수 있기 때문에 국가의 공적 기관이 개입하게 되고, 공법을 통해 판단을 받게 돼.

공법에 반대되는 개념인 사법은 개개인 상호간의 권리와 의무 관계를 규율하는 법이야. 사법에 속하는 것은 '민법, 상법'인데, 이중 '민법'은 일반인 누구에게나 적용되는 법이지만 '상법'은 상인(商人)이라는 특수한 사람에게 적용되는 법이라는 점에서 차이가 있어. 그런데 이러한 민법상의 법률관계는 ① 사람들 사이에 합의에 따라 맺어지는 '계약'을 통해 만들어지거나, ② 타인에게 고의 또는 과실로 위법하게 손해를 가하는 과정에서 형성돼. 이것이 바로, '계약'과 '불법 행위'가 민법을 이해하는 데에 매우 중요한 개념인 이유란다.

공법(公法)	사법(私法)
헌법, 형법, 행정법 등	민법, 상법 등

– 출처: 고등학교 《정치와 법》, 천재교육

[05~09] **다음 글을 읽고 물음에 답하시오.**

2019학년도 3월 고3 학력평가

1 [1]주식회사는 오늘날 회사 기업의 전형이라고 할 수 있다. [2]이는 주식회사가 다른 유형의 회사보다 뛰어난 자본 조달력을 가지고 있기 때문인데, 주식회사의 자본 조달은 자본금, 주식, 유한책임이라는 주식회사의 본질적 요소와 관련된다.

2 [1]주식회사의 자본금은 회사 설립의 기초가 되는 것으로, 주식발행을 통해 조성된다. [2]현행 상법에서는 주식회사를 설립할 때 최저 자본금에 대한 제한을 두지 않고 있으며, 자본금을 정관의 기재사항으로도 규정하지 않고 있다. [3]대신 수권주식총수를 정관에 기재하게 하여 자본금의 최대한도를 표시하도록 하고 있다. [4]수권주식총수란 회사가 발행할 주식총수로, 수권주식총수를 통해 자본금의 최대한도인 수권자본금을 알 수 있다. [5]주식회사를 설립할 때는 수권주식총수 중 일부의 주식만을 발행해도 되는데, 발행하는 주식은 모두 인수되어야 한다. [6]여기서 주식을 인수한다는 것은 출자자를 누구로 하는지, 그 출자자가 인수하려는 주식이 몇 주인지를 확정하는 것을 말한다. [7]회사가 발행하는 주식을 출자자가 인수하고 해당 금액을 납입하면, 그 금액의 총합이 바로 주식회사의 자본금이 된다. [8]회사가 수권주식총수 가운데 아직 발행하지 않은 주식은 추후 이사회의 결의만으로 발행할 수 있는데, 이는 주식회사가 필요에 따라 자본금을 쉽게 조달할 수 있도록 하기 위한 것이다.

3 [1]주식은 자본금을 구성하는 단위로, 주식회사는 주식 발행을 통해 다수의 사람들로부터 대량의 자금을 끌어모을 수 있다. [2]주식은 주식시장에서 자유롭게 양도되는데, 1주의 액면주식은 둘 이상으로 나뉘어 타인에게 양도될 수 없다. [3]주식회사가 액면가액을 표시한 액면주식을 발행할 때, 액면주식은 그 금액이 균일하여야 하며 1주의 금액은 100원 이상이어야 한다. [4]주식회사가 발행한 액면주식의 총액은 주식회사 설립 시에 출자자가 주식을 인수하여 납입한 금액의 총합과 같다.

4 [1]주식의 소유주인 주주는 자기가 보유하고 있는 주식 금액의 비율에 따라 이익배당 등의 권리를 가지면서 회사에 대해 유한책임을 진다. [2]유한책임이란 주주가 회사에 대하여 주식의 인수가액을 한도로 하는 유한의 출자 의무를 부담하고 회사 채권자에 대해서는 직접적으로 아무런 책임도 부담하지 않는 것을 말한다. [3]주주의 유한책임은 정관이나 주주총회의 결의로도 가중시킬 수 없다. [4]이 때문에 주식회사에서는 회사가 현재 보유하고 있는 재산만이 회사 채권자를 위한 유일한 담보가 된다.

지문 이해

1 주식회사의 (   )과 관련된 본질적 요소
– '자본금, 주식, 유한책임'

2 '(   )'의 개념과 조달

3 '(   )'의 개념과 발행

4 주주가 지는 '(   )'

5 주식회사가 (   )를 초래하는 경우

6 주식회사가 경제적 폐해를 초래하는 것을 막기 위한 조치

글의 핵심 파악

● **수권주식총수·수권자본금**
회사가 발행할 (   )의 총수를 수권주식총수라 한다. 주식의 액면가액이 1,000원일 때, 수권주식총수가 1만 주라면 수권자본금은 (   ) 만 원이다.
▶ 근거 문단 2, 3

● **주주의 유한책임**

주주의 책임 ○	주주의 책임 ×
주식의 인수가액만큼의 출자에 대한 책임	회사 채권자에 대한 책임

➲ 1억 원의 채무가 있는 회사가 있다고 했을 때, 이 회사의 주식을 100주(1주: 1,000원) 인수한 주주는 (   )을 내놓을 책임은 있으나, 회사가 진 채무 1억 원에 대한 직접적 책임은 없다.
▶ 근거 문단 4

어휘 풀이

- **조달**: 자금이나 물자 따위를 대어 줌.
- **정관**: 회사를 운영하기 위한 규칙을 마련하여 기록한 문서.
- **출자**: 자금을 내는 일.
- **액면가액**: 화폐나 유가 증권 따위의 표면에 적힌 가격의 액수.
- **액면주식**: 액면주(액면 가격이 표시되어 있는 주식).

➲ '이익배당' 이하의 어휘 풀이는 다음 쪽에.

Ⅲ 실전 독해

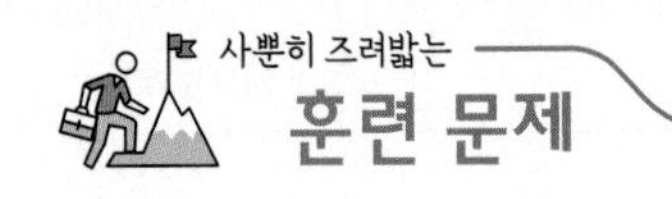

5 [1]주식회사는 자본금, 주식, 유한책임이라는 본질적 요소로 말미암아 자본 조달력을 가지기도 하지만 경제적 폐해를 초래하는 경우도 있다.[2]자본금이 큰 회사이지만 실제 회사가 보유하고 있는 재산이 터무니없이 적은 경우에 자본금의 크기로는 회사의 신용도를 제대로 파악할 수 없으며, 대주주가 권한을 남용하여 사익을 추구하고도 그로 인한 회사의 손해와 회사의 거래 상대방의 손해에 대해서는 책임을 부담하지 않는 경우가 발생하기도 한다.[3]또한 파산이나 부도 등 회사의 위기 상황에서 채권자, 근로자, 소비자 등 회사의 이해 관계자들이 피해를 보게 되는 상황이 벌어지기도 한다.

6 [1]이와 같은 문제를 방지하기 위해 주식회사에 대한 법 규정에서는 자본금에 관한 몇 가지 원칙을 마련하고 있다. [2]㉠<u>자본 유지의 원칙</u>은 자본금이 실제로 회사에 출자되어야 하고, 회사는 자본금에 해당되는 재산을 실질적으로 유지해야 한다는 것으로, 자본 충실의 원칙이라고도 한다.[3]만일 여러 회사끼리 돌려 가며 출자를 반복하는 상황이 벌어진다면 실제로 출자된 자본금은 늘어나지 않는데 서류상 가공의 자본금만 늘어나 회사는 부실화되고 외부의 위험에도 취약해진다.[4]㉡<u>자본 불변의 원칙</u>은 자본금을 임의로 변경하지 못하며 자본금의 변경을 위해서는 법적 절차를 ⓐ<u>거쳐야</u> 한다는 것이다.[5]우리나라의 법률에서 자본금의 증가는 이사회의 결의만으로 가능하도록 한 반면에 자본금의 감소는 엄격한 법적 절차를 요구하고 있다. [6]이 밖에도 주식회사에 관한 법률을 법에서 규정된 내용대로만 이행해야 하는 강행법으로 하고, 회사에 관한 중요 사항 및 정관의 변동 사항을 공고하도록 하는 등 주식회사의 폐해를 최소화하기 위한 조치도 시행하고 있다.

● **주식회사가 초래할 수 있는 경제적 폐해**

① 자본금의 크기로는 회사의 (　　　)를 제대로 파악할 수 없음.
② 대주주가 회사에 피해를 주고도, (　　　)을 이용하여 책임을 회피할 수 있음.
③ 자본 조달력으로 회사의 몸집이 커진 후 파산하면 회사의 여러 (　　　)들이 피해를 보게 됨.

▼

'(　　　)의 원칙', '(　　　)의 원칙'으로 피해 방지.

▶ 근거 문단 **5**, **6**

어휘 풀이

- **이익배당:** 회사나 조합 따위에서 주주나 조합원에게 순이익을 나누어 주는 일.
- **채권자:** 특정인에게 일정한 빚을 받아 낼 권리를 가진 사람.
- **주주총회:** 주식회사 및 주식 합자 회사의 주주들이 모여 회사에 대한 의사를 결정하는 최고 기관.
- **담보:** 채무자가 빚을 갚지 않을 때를 대비하여 채무의 변제를 확보하는 수단으로 채권자에게 제공하는 것.
- **이해 관계자:** 어떤 일이나 사건의 이익과 손해에 직접적 또는 간접적으로 관계가 있는 사람.
- **공고:** 국가 기관이나 공공 단체에서 일정한 사항을 일반 대중에게 광고, 게시, 또는 다른 공개적 방법으로 널리 알림.

05 윗글에서 알 수 있는 내용으로 적절하지 <u>않은</u> 것은?

일치하는 내용 찾기

① 액면주식 1주는 둘로 나뉘어 타인에게 양도될 수 없다.
② 주주는 주식의 인수가액을 한도로 하는 출자 의무를 가진다.
③ 주주는 소유한 주식 금액의 비율에 따라 주식회사의 이익을 배당받는다.
④ 주식회사는 수권자본금의 한도 내에서 채권자에게 채무 이행을 할 의무가 있다.
⑤ 주식회사의 정관에 변동 사항이 생기면 주식회사로 하여금 이를 공고하도록 하고 있다.

〈보기〉 문제
– 사례·상황 제시

06 〈보기〉는 갑이 주식회사를 설립하기 위해 작성한 정관의 일부이다. 윗글을 바탕으로 〈보기〉를 이해한 내용으로 적절하지 않은 것은?

보기

제2장 주식과 주권

제5조 당 회사가 발행할 주식의 총수는 1만 주로 한다.

제6조 당 회사가 발행하는 주식 1주의 금액은 금 5천 원으로 한다.

제7조 당 회사는 설립 시에 5천 주의 주식을 발행하기로 한다.

① 갑이 설립하려는 주식회사의 수권주식총수는 1만 주이며 수권자본금은 5천만 원이다.

② 갑이 주식 1주를 발행하는 것으로 정관의 제7조를 수정해도 주식회사의 설립은 가능하다.

③ 갑이 정관에 따라 주식회사를 설립하려면 주식 1만 주에 대한 출자자가 확정되어야 한다.

④ 갑이 정관에 따라 주식회사를 설립하였다면 이 회사의 주주가 인수하여 납입한 금액의 총합은 2천5백만 원이다.

⑤ 갑이 정관에 따라 주식회사를 설립한 이후, 이 회사의 미발행 주식을 발행하기 위해서는 이사회의 결의가 필요하다.

〈보기〉 문제
– 사례·상황 제시

07 윗글을 바탕으로 〈보기〉를 이해한 내용으로 적절하지 않은 것은? [3점]

보기

A 회사는 설립 시에 액면가액 5천 원의 주식을 1백만 주 발행하였고 홍길동은 이 주식의 80%를 인수하여 납입하였다. 이후 A 회사는 B 회사가 설립 시 발행한 주식 100%를 인수하여 25억 원을 납입하였으며, B 회사는 C 회사가 설립 시 발행한 주식 100%를 인수하여 15억 원을 납입하였다. 이후 C 회사는 A 회사의 주식 10억 원어치를 액면가액으로 사들였다. A, B, C 회사는 회사끼리 돌려 가며 출자를 반복하여 자본금에 관한 원칙을 위배했다.

① A 회사가 파산한다면 C 회사의 이해 관계자가 피해를 보게 되는 상황이 벌어질 수 있겠군.

② B 회사가 부도가 난다면 A 회사의 자본금이 손실을 입을 수 있겠군.

③ A 회사의 주주인 홍길동은 B 회사와 C 회사에 대해서도 영향력을 행사할 수 있겠군.

④ C 회사가 설립 시 발행한 주식의 80%를 B 회사가 인수하였더라도 C 회사의 설립 시 자본금은 달라지지 않겠군.

⑤ A, B, C 회사에 출자된 실제 자본금은 90억 원으로 서류상으로 드러난 A, B, C 회사의 자본금의 총합과 동일하겠군.

● 〈보기〉 이해하기

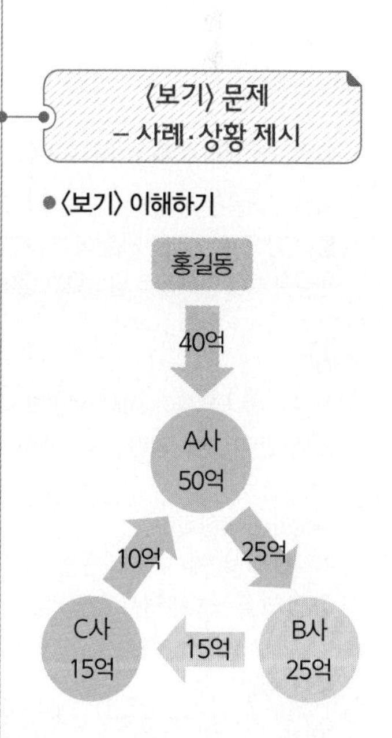

08 ㉠, ㉡을 이해한 내용으로 가장 적절한 것은?

정보 간의 관계 파악하기

① ㉠의 목적은 주주의 권한을 확대하는 데에 있다.
② ㉡을 통해 소액을 가지고 주식회사를 설립하는 것을 제한할 수 있다.
③ ㉡은 자본금 감소를 엄격하게 하여 채권자를 보호하는 기능이 있다.
④ ㉠, ㉡은 모두 채권자가 주식회사의 자금 운용 내역을 알 수 있게 한다.
⑤ ㉠, ㉡은 모두 주식회사의 정관 작성에 관한 원칙으로서 개인 간의 자유로운 주식 양도로 인한 폐해를 방지한다.

09 ⓐ와 문맥적 의미가 가장 유사한 것은?

어휘의 의미 파악하기

① 우리는 일본을 거쳐 미국으로 갔다.
② 돌멩이가 발길에 자꾸 거쳐 다니기가 불편하다.
③ 그는 매일 아침 학교 앞 사거리를 거쳐서 회사로 간다.
④ 그 일들은 우리가 합의한 과정을 거쳐서 진행된 것이다.
⑤ 가장 어려운 문제를 해결하여 마음에 거칠 것이 없어졌다.

짚고 가요

배경지식 넓히기 ❺ – 주식회사와 관련된 용어들

지문의 내용은 이해했는데, 이를 바탕으로 하여 〈보기〉를 분석하는 것이 어려웠다고 한 친구들이 많았던 세트야. 이런 경우, 해당 분야의 배경지식을 틈틈이 쌓아 두는 것은 지문 독해 시간을 더욱 줄이고 〈보기〉를 좀 더 쉽게 이해하게 해 주는 한 방법이 될 수 있지. 그런 의미에서, 여기에서는 주식회사와 관련한 다음 용어들을 알아보고 넘어가자.

법인

어떤 단체나 재산이, 마치 한 명의 사람과 같이 권리와 의무를 지니고 법적 활동을 할 수 있게 한 것을 말해. 법인은 목적에 따라 비영리법인과 영리법인으로 나뉘어. 영리법인은 구성원의 사익을 목적으로 하는 것으로 그 대표적인 형태가 바로 주식회사야.

주식회사, 유한회사

주식을 발행하여 모은 투자금으로 운영되는 기업을 주식회사라고 해. 윗글에서 보았듯, 주식회사는 유한책임 사원들로만 구성돼. 그리고 그 수에 제한이 없지. 유한회사 역시 유한책임 사원들로만 구성되는데, 그 수가 50인 이내로 제한되어 있다는 게 주식회사와 다른 점이야.

➔ 참고로, 영리회사의 다른 유형에는 무한책임 사원으로만 구성된 회사(합명회사)와, 1인 이상의 유한책임 사원과 1인 이상의 무한책임 사원이 만든 회사(합자회사)가 있단다.

주식, 채권

주식은 주식회사를 이루는 단위인 동시에, 회사의 주인(주주)이라는 증명서 또는 영수증 같은 것이기도 해. 보유한 주식 금액이 많을수록 권리와 이익이 커지지만, 회사가 잘못되었을 때 위험 부담도 그만큼 커지지. 그래서 좀 더 안전한 투자를 하고 싶은 사람은 채권(債券)에 투자하기도 해.

채권(債券)은 정부, 공공기관, 특수 법인과 주식회사가 오랫동안 쓸 큰돈을 마련하기 위해 일반인에게 돈을 빌리고 주는 일종의 차용 증서야. 채권을 판매한 기업은 만기일까지 반드시, 기업을 믿고 채권을 산 사람들에게 빌린 돈에 이자를 더해서 돌려 줘야해. 빌린 돈으로 투자한 것이 실패했다고 할지라도 말이야. 다 갚지 못한 돈은 기업의 부채로 남기 때문에 기업은 채권을 발행할 때 신중해야 한단다.

주의 빚을 받을 권리를 의미하는 채권(債權)과는 다른 말임.

– 출처: 〈천재학습백과〉, 천재교육

[10~13] **다음 글을 읽고 물음에 답하시오.**

2018학년도 6월 모의평가

1 [1]통화 정책은 중앙은행이 물가 안정과 같은 경제적 목적의 달성을 위해 이자율이나 통화량을 조절하는 것이다.[2]대표적인 통화 정책 수단인 '공개 시장 운영'은 중앙은행이 민간 금융 기관을 상대로 채권을 매매해 금융 시장의 이자율을 정책적으로 결정한 기준 금리 수준으로 접근시키는 것이다.[3]중앙은행이 채권을 매수하면 이자율은 하락하고, 채권을 매도하면 이자율은 상승한다.[4]이자율이 하락하면 소비와 투자가 확대되어 경기가 활성화되고 물가 상승률이 오르며, 이자율이 상승하면 경기가 위축되고 물가 상승률이 떨어진다.[5]이와 같이 공개 시장 운영의 영향은 경제 전반에 ⓐ파급된다.

2 [1]중앙은행의 통화 정책이 의도한 효과를 얻기 위한 요건 중에는 '선제성'과 '정책 신뢰성'이 있다.[2]먼저 통화 정책이 선제적이라는 것은 중앙은행이 경제 변동을 예측해 이에 미리 대처한다는 것이다.[3]기준 금리를 결정하고 공개 시장 운영을 실시하여 그 효과가 실제로 나타날 때까지는 시차가 발생하는데 이를 '정책 외부 시차'라 하며, 이 때문에 선제성이 문제가 된다. [4]예를 들어 중앙은행이 경기 침체 국면에 들어서야 비로소 기준 금리를 인하한다면, 정책 외부 시차로 인해 경제가 스스로 침체 국면을 벗어난 다음에야 정책 효과가 ⓑ발현될 수도 있다.[5]이 경우 경기 과열과 같은 부작용이 ⓒ수반될 수 있다. [6]따라서 중앙은행은 통화 정책을 선제적으로 운용하는 것이 바람직하다.

3 [1]또한 통화 정책은 민간의 신뢰가 없이는 성공을 거둘 수 없다. [2]따라서 중앙은행은 정책 신뢰성이 손상되지 않게 ⓓ유의해야 한다. [3]그런데 어떻게 통화 정책이 민간의 신뢰를 얻을 수 있는지에 대해서는 견해 차이가 있다.[4]경제학자 프리드먼은 중앙은행이 특정한 정책 목표나 운용 방식을 '준칙'으로 삼아 민간에 약속하고 어떤 상황에서도 이를 지키는 ㉠'준칙주의'를 주장한다.[5]가령 중앙은행이 물가 상승률 목표치를 민간에 약속했다고 하자. 민간이 이 약속을 신뢰하면 물가 불안 심리가 진정된다.[6]그런데 물가가 일단 안정되고 나면 중앙은행으로서는 이제 경기를 ⓔ부양하는 것도 고려해 볼 수 있다.[7]문제는 민간이 이 비일관성을 인지하면 중앙은행에 대한 신뢰가 훼손된다는 점이다.[8]준칙주의자들은 이런 경우에 중앙은행이 애초의 약속을 일관되게 지키는 편이 바람직하다고 주장한다.

4 [1]그러나 민간이 사후적인 결과만으로는 중앙은행이 준칙을 지키려 했는지 판단하기 어렵고, 중앙은행에 준칙을 지킬 것을 강제할 수 없는 것도 사실이다.[2]준칙주의와 대비되는 ㉡'재량주의'에서는 경제 여건 변화에 따른 신축적인 정책 대응을 지지하며 준칙주의의 엄격한 실천은 현실적으로 어렵다고 본다. [3]아울러 준칙주의가 최선인지에 대해서도 물음을 던진다. [4]예상보다 큰 경제 변동이 있으면 사전에 정해 둔 준칙이 장애물이 될 수 있기 때문이다.[5]정책 신뢰성은 중요하지만, 이를 위해 중앙은행이 반드시 준칙에 얽매일 필요는 없다는 것이다.

지문 이해

1 '통화 정책'의 개념과 대표적 통화 정책 수단인 '(　　)'

2 통화 정책이 효과적이기 위한 요건 (1) – (　　)

통화 정책이 효과적이기 위한 요건 (2) – 정책 신뢰성

3 정책 신뢰성에 대한 견해 ① –(　　) ↔ **4** 정책 신뢰성에 대한 견해 ② –(　　)

글의 핵심 파악

● **공개 시장 운영**

중앙은행의 채권(　　)	중앙은행의 채권 매도
▼	▼
이자율 하락	이자율(　　)
▼	▼
물가상승률 (　　) (경기 활성화)	물가상승률 하락 (경기 위축)

▶ 근거 문단 **1**

● **선제성과 정책 신뢰성**

① 선제성: (　　　　　　)를 고려하여 선제적으로 정책을 시행해야 함.

➲ 만약 정책 외부 시차가 한 달이고 2020년 12월부터 정책 효과가 나타나야 하면, 정책을 2020년 11월부터 시행해야 함.

② 정책 신뢰성: 민간이 중앙은행의 정책을 (　　　)하는 것.

▶ 근거 문단 **2**, **3**

어휘 풀이

● **중앙은행:** 한 나라의 금융과 통화 정책의 주체가 되는 은행. 은행권을 발행하고 국고의 출납을 다루며 금융 정책을 시행한다. 우리나라의 중앙은행은 '한국은행'이다.

● **기준 금리:** 금리 체계의 기준이 되는 중심 금리. 매달 중앙은행의 금융 통화 위원회에서 결정하는 것으로, 한 나라의 금리를 대표하고 금융 정세의 변화에 따라 표준적으로 변동한다.

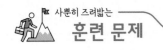

10 윗글에서 사용한 설명 방식에 해당하지 않는 것은?

① 통화 정책의 목적을 유형별로 나누어 제시하고 있다.
② 통화 정책에서 선제적 대응의 필요성을 예를 들어 설명하고 있다.
③ 공개 시장 운영이 경제 전반에 영향을 미치는 과정을 인과적으로 설명하고 있다.
④ 관련된 주요 용어의 정의를 바탕으로 통화 정책의 대표적인 수단을 설명하고 있다.
⑤ 통화 정책의 신뢰성 확보를 위해 준칙을 지켜야 하는지에 대한 두 견해의 차이를 드러내고 있다.

내용 전개 방식 파악하기

11 윗글을 바탕으로 〈보기〉를 이해할 때 '경제학자 병'이 제안한 내용으로 가장 적절한 것은? [3점]

보기

어떤 가상의 경제에서 20◯◯년 1월 1일부터 9월 30일까지 3개 분기 동안 중앙은행의 기준 금리가 4%로 유지되는 가운데 다양한 물가 변동 요인의 영향으로 물가 상승률은 아래 표와 같이 나타났다. 단, 각 분기의 물가 변동 요인은 서로 관련이 없다고 한다.

기간	1/1~3/31	4/1~6/30	7/1~9/30
	1분기	2분기	3분기
물가 상승률	2%	3%	3%

경제학자 병은 1월 1일에 위 표의 내용을 예측할 수 있었고 국민들의 생활 안정을 위해 물가 상승률을 매 분기 2%로 유지해야 한다고 주장하였다. 이를 위해 다음 사항을 고려한 선제적 통화 정책을 제안했으나 받아들여지지 않았다.

[경제학자 병의 고려 사항]
기준 금리가 4%로부터 1.5%p*만큼 변하면 물가 상승률은 위 표의 각 분기 값을 기준으로 1%p만큼 달라지며, 기준 금리 조정과 공개 시장 운영은 1월 1일과 4월 1일에 수행된다. 정책 외부 시차는 1개 분기이며 기준 금리 조정에 따른 물가 상승률 변동 효과는 1개 분기 동안 지속된다.

* %p는 퍼센트 간의 차이를 말한다. 예를 들어 1%에서 2%로 변화하면 이는 1%p 상승한 것이다.

① 중앙은행은 기준 금리를 1월 1일에 2.5%로 인하하고 4월 1일에도 이를 2.5%로 유지해야 한다.
② 중앙은행은 기준 금리를 1월 1일에 2.5%로 인하하고 4월 1일에는 이를 4%로 인상해야 한다.
③ 중앙은행은 기준 금리를 1월 1일에 4%로 유지하고 4월 1일에는 이를 5.5%로 인상해야 한다.
④ 중앙은행은 기준 금리를 1월 1일에 5.5%로 인상하고 4월 1일에는 이를 4%로 인하해야 한다.
⑤ 중앙은행은 기준 금리를 1월 1일에 5.5%로 인상하고 4월 1일에도 이를 5.5%로 유지해야 한다.

〈보기〉 문제 – 사례·상황 제시

● 〈보기〉와 윗글의 연결 고리 찾기

〈보기〉의 내용 ①: 기준 금리가 1.5%p만큼 변하면 물가 상승률은 1%p 달라진다.

→ 윗글의 ❶-4를 통해 볼 때, 기준 금리가 1.5%p만큼 (떨어지면, 오르면) 물가 상승률은 1%p 떨어진다.

〈보기〉의 내용 ②: 정책 외부 시차는 1개 분기이다.

→ 윗글의 ❷-3을 통해 볼 때, 2분기의 물가 상승률을 떨어뜨리려면 (　　)월 (　　)일에, 3분기의 물가 상승률을 떨어뜨리려면 (　　)월 (　　)일에 정책을 실시해야 한다.

12 윗글의 ㉠과 ㉡에 대한 설명으로 가장 적절한 것은?

① ㉠에서는 중앙은행이 정책 운용에 관한 준칙을 지키느라 경제 변동에 신축적인 대응을 못해도 이를 바람직하다고 본다.
② ㉡에서는 중앙은행이 스스로 정한 준칙을 지키는 것은 얼마든지 가능하다고 본다.
③ ㉠에서는 ㉡과 달리, 정책 운용에 관한 준칙을 지키지 않아도 민간의 신뢰를 확보할 수 있다고 본다.
④ ㉡에서는 ㉠과 달리, 통화 정책에서 민간의 신뢰 확보를 중요하게 여기지 않는다.
⑤ ㉡에서는 ㉠과 달리, 경제 상황 변화에 대한 통화 정책의 탄력적 대응이 효과적이지 않다고 본다.

정보 간의 관계 파악하기

● 내용 이해하기

㉠ 준칙주의
민간의 (   )를 얻기 위해서 중앙은행이 민간에 약속한 정책 목표나 운용 방식을 준칙으로 삼아 어떤 상황에서도 이를 (   ) 한다.

↕

㉡ 재량주의
경제 여건 변화에 따른 (   )적인 정책 대응을 지지하며 준칙주의의 주장이 (   )이 없다고 본다.

▶ 근거 문단 3, 4

13 ⓐ~ⓔ의 문맥적 의미를 활용하여 만든 문장으로 적절하지 않은 것은?

① ⓐ : 그의 노력으로 소비자 운동이 전국적으로 파급되었다.
② ⓑ : 의병 활동은 민중의 애국 애족 의식이 발현한 것이다.
③ ⓒ : 이 질병은 구토와 두통 증상을 수반하는 경우가 많다.
④ ⓓ : 기온과 습도가 높은 요즘 건강관리에 유의해야 한다.
⑤ ⓔ : 장남인 그가 늙으신 부모와 어린 동생들을 부양하고 있다.

어휘의 의미 파악하기

짚고 가요

배경지식 넓히기 ❻ – 경기 변동과 '금리, 통화량'의 관계

경기가 안 좋을 때 경기 부양 정책이 필요하다는 건 다들 상식으로 알고 있을 거야. 그렇다면 호황기에도 경기를 진정하기 위한 정책이 필요할까? 답은 '그렇다'야. 호황이었던 경제 활동의 거품이 갑자기 꺼지면 가계, 기업, 정부와 같은 경기 주체들이 시장 변화에 미리 대처하지 못해 큰 충격을 받을 수 있거든. 그래서 정부 또는 중앙은행은 경기 침체 시에도, 과열 시에도 경기를 안정화하기 위한 정책을 펼쳐. 윗글의 제재인 '통화 정책'은 그러한 정책 중 하나인 거지. 이과 관련하여, 여기에서는 경기 변동과 '금리, 통화량'의 관계를 이해해 보자.

경기가 침체되면…

우리나라의 중앙은행인 한국은행은 경기 침체가 심하거나 앞으로 경기가 안 좋아질 것 같으면 금리를 인하하여 경기를 부양시키려고 하지. 금리 인하는 곧 '시중에 돈을 풀겠다'는 의미야. 가계나 기업이 싼 이자로 대출을 받을 수 있으니 시장에 도는 돈의 양, 즉 통화량이 늘어나게 되거든. 이에 따라 돈은 그만큼 '흔한 것'이 되어 화폐 가치는 내려가지. 소비는 증가하고 투자가 활성화되어 경기가 살아날 가능성이 높아지게 돼.

경기가 과열되면…

반면 금리를 인상하면? 돈 빌리기가 예전보다 어려워지니 시중에 도는 돈의 양, 즉 통화량이 줄 거야. 돈이 없으니 소비나 투자도 줄겠지. 이에 따라, 호황기에 천정부지로 치솟던, 물가상승률과 부동산 가격이 주춤하는 것도 기대해 볼 수 있어. 경기가 너무 과열되었을 때 정부는 이렇게 금리 인상을 통해 경기를 진정시키고자 하는 정책을 펼친단다.

– 출처: 고등학교 《경제》, 천재교육

	경기 침체 시 – 경기 부양 정책	경기 과열 시 – 경기 진정 정책
금리	↓	↑
통화량	↑	↓

[14~18] **다음 글을 읽고 물음에 답하시오.**

2019학년도 4월 고3 학력평가

1 [1]타인의 권리를 침해하여 손해를 야기하는 것을 불법행위라고 하는데, 불법행위법은 불법행위로 발생한 손해를 피해자와 가해자에게 배분함으로써 불법행위를 억제하는 기능을 한다.[2]그런데 법원이 어떠한 책임원칙을 적용하느냐에 따라서 불법행위에 따른 손해가 다르게 배분되며 불법행위 억제 효과도 다르게 나타난다.[3]그래서 법경제학에서는 법원이 적용 가능한 책임원칙들을 분석하여 효율적으로 불법행위를 억제할 수 있는 책임원칙을 찾고자 한다.

2 [1]불법행위에 대한 책임원칙을 분석하는 데 있어 중요한 개념이 '주의 수준'과 '주의 기준'이다.[2]주의 수준이란 가해자 혹은 피해자가 불법행위 억제를 위해 기울이는 주의의 정도를 의미한다.[3]주의 수준이 높아질수록 주의를 기울이는 데 드는 시간이나 노력 등과 같은 주의 비용은 커지지만, 불법행위 발생 확률이 줄어 불법행위로 인한 손해는 줄어든다.[4]주의 기준은 불법행위로 인한 손해를 피해자와 가해자에게 배분하기 위해 법원이 정한 주의 수준을 의미한다.[5]일반적으로 불법행위 억제를 위한 주의 비용과 불법행위로 인한 손해의 합이 최소화되는 지점이 사회적 효율성이 달성되는 최적의 주의 수준이다.[6]그리고 이것이 불법행위를 효율적으로 억제할 수 있는 주의 수준이므로 법원은 이를 주의 기준으로 정한다.[7]이를 바탕으로 불법행위에 대한 책임원칙의 효율성을 분석해 보면 다음과 같다.

3 [1]불법행위에 대해 피해자의 책임 여부는 고려하지 않고 가해자의 책임 여부만을 고려하는 책임원칙들을 살펴보자.[2]㉠ 비책임원칙은 불법행위는 발생했으나 피해자의 손해에 대해서 가해자가 어떠한 배상 책임도 지지 않는 원칙이다.[3]반면 엄격책임원칙은 손해에 대해서 가해자가 모든 배상 책임을 지는 원칙이다.[4]이 두 원칙은 가해자에게 손해 배상의 책임이 있는지 여부를 판단할 때 가해자의 주의 수준을 고려하지 않는다는 점에서 공통적이다.[5]이와 달리 ㉡ 과실원칙은 가해자의 과실 여부에 따라 가해자의 배상 책임 여부를 판단하는 원칙이다.[6]이때 과실이란 법원이 부여한 주의 기준을 지키지 않은 것을 의미한다. [7]과실원칙에서는 가해자에게만 주의 기준이 부여되므로 가해자에게 과실이 있으면 가해자가 전적으로 배상 책임을 지고, 과실이 없으면 배상 책임을 지지 않는다.

4 [1]법원이 불법행위에 대해 비책임원칙을 적용하면 가해자에게 책임이 없어 피해자가 모든 손해를 부담하게 되므로, 비책임원칙하에서 가해자의 주의 수준은 매우 낮아진다.[2]그러므로 이 원칙은 불법행위 억제에 효율적이라 할 수 없다.[3]반면 엄격책임원칙을 적용하면 가해자가 항상 모든 손해를 배상해야 하므로 가해자의 주의 수준은 높아진다.[4]이때 가해자의 주의 수준은 불법행위 억제를 위한 주의 비용과 불법행위로 인한 손해의 합이 최소화되는 지점, 즉 사회적 효율성이 달성되는 최적의 주의 수준으로 유도된다.[5]그리고 법원이 과실원칙을 적용하면

지문 이해

1 책임원칙 분석의 필요성 – 책임원칙의 적용에 따라 불법행위 억제 효과가 달라짐.

2 책임원칙 분석의 중요 개념 – '주의 수준'과 '주의 기준'

(　　　)의 책임 여부만 고려하는 책임원칙들

3 '비책임원칙, 엄격책임원칙, 과실원칙'의 개념

4 '비책임원칙, 엄격책임원칙, 과실원칙'의 효율성 분석

(　　　)의 책임 여부도 고려하는 책임원칙들

5 기여과실의 개념과 효율성 분석

6 비교과실의 개념과 효율성 분석

글의 핵심 파악

● **주의 수준·주의 기준**
가해자나 피해자가 불법행위 억제를 위해 기울이는 (　　　　)를 '주의 수준'이라 하며, 불법행위로 인한 손해를 가해자와 피해자에게 배분하기 위해 법원이 정한 (　　　　)이 '주의 기준'이다.
▶ 근거 문단 2

● **가해자의 책임 여부만을 고려하는 책임원칙**

비책임원칙	가해자에게는 어떠한 배상 책임도 없음.
엄격책임원칙	가해자가 모든 배상 책임을 짐.
과실원칙	• 가해자 과실 ○ → 모든 배상 책임 • 가해자 과실 × → 배상 책임 ×

(비책임원칙·엄격책임원칙: 가해자의 주의 수준 고려 ×)
(엄격책임원칙·과실원칙: 불법행위 억제에 효율적)

▶ 근거 문단 3, 4

가해자는 손해 배상의 책임에서 벗어나기 위해 법원이 정해 놓은 주의 기준을 지키려 한다. [6]ⓐ결국 엄격책임원칙과 과실원칙은 모두, 불법행위를 효율적으로 억제할 수 있는 책임원칙이 된다.

5 [1]한편 불법행위에 대해 가해자의 책임 여부만을 고려하는 책임원칙과 결합하여 피해자의 책임 여부까지 고려하는 책임원칙들이 있다.[2]먼저 ⓒ기여과실은 법원이 피해자에게 주의 기준을 부여하고 피해자가 이를 지키지 않은 것을 피해자의 과실로 정의하여, 피해자의 과실을 가해자가 손해 배상 책임에서 벗어나는 항변 수단으로 사용할 수 있도록 한다.[3]과실원칙에 기여과실이 결합된 경우, 우선 과실원칙이 적용되므로 가해자에게 과실이 있으면 가해자가 손해를 전적으로 배상해야 한다.[4]그런데 가해자의 항변이 인정되면, 즉 피해자의 과실이 입증되면 가해자에게 과실이 있더라도 가해자는 배상 책임에서 벗어나게 되고 피해자가 손해를 전적으로 부담하게 된다.[5]결국 가해자에게만 최적의 주의 수준이 유도되는 과실원칙에 기여과실이 결합되면 피해자에게도 최적의 주의 수준이 유도된다는 점에서 기여과실은 불법행위를 효율적으로 억제할 수 있는 책임원칙이라고 할 수 있다.

6 [1]다음으로 비교과실은 기본적으로 과실원칙을 적용하되, 피해자에게도 주의 기준을 부여한다는 특징이 있다.[2]가해자에게 과실이 없으면 배상 책임이 없고, 가해자에게 과실이 있고 피해자에게 과실이 없으면 가해자에게는 배상 책임이 있다.[3]그리고 피해자와 가해자 모두에게 과실이 있는 경우에는 과실의 크기에 비례하여 손해에 대한 책임을 분담한다.[4]이 원칙하에서 가해자와 피해자는 각각의 주의 기준을 지키고자 한다.[5]비교과실은, 양측에 과실이 있다고 하더라도 과실이 큰 쪽이 더 많은 손해를 부담해야 하므로 양측을 조금이라도 더 높은 주의 수준으로 이끌 수 있다.[6]그래서 비교과실은 불법행위를 효율적으로 억제하는 책임원칙이라 할 수 있다.[7]이는 기여과실 원칙하에서 피해자의 과실이 가해자의 과실보다 작아도 가해자가 항변을 통해 배상의 책임에서 벗어날 수 있다는 것과 구별된다.

글의 핵심 파악

● 피해자의 책임 여부까지 고려하는 책임원칙

기여 과실	• ( )에게 주의 기준 부여 → 피해자가 이를 지키지 않으면 피해자의 과실임. • 과실원칙 + 기여과실 – 가해자 과실 ○ → 모든 배상 책임. – 가해자 과실 ○, 피해자 과실 ○ → 피해자가 모든 책임 부담.
비교 과실	• 가해자 과실 × → 배상 책임 × • 가해자 과실 ○, 피해자 과실 × → 가해자에게 배상 책임. • 가해자 과실 ○, 피해자 과실 ○ → 과실의 크기에 비례하여 책임을 ( ).

▶ 근거 문단 5, 6

어휘 풀이

- **법경제학**: 법 규정을 경제학의 방법론을 통해서 설명하려는 학문이다. 구체적으로는 법이 경제에 미치는 효과를 비교하여 어떤 법이 바람직한지 등을 주로 분석한다.
- **여부**: 그러함과 그러하지 아니함.
- **과실**: 부주의나 태만 따위에서 비롯된 잘못이나 허물.
- **항변**: 대항하여 변론함. 또는 그런 변론.

14 윗글에서 언급되지 않은 것은?

일치하는 내용 찾기

① 비교과실의 한계
② 불법행위의 개념
③ 불법행위법의 기능
④ 주의 수준에 대한 정의
⑤ 비교과실과 기여과실의 차이점

III 실전 독해

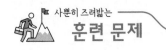

15 ㉠~㉢에 대한 설명으로 가장 적절한 것은?

① ㉠은 불법행위의 억제에 효율적이다.
② ㉡은 피해자의 책임 여부만 고려한다.
③ ㉢은 가해자의 책임 여부만 고려한다.
④ ㉠은 ㉡과 달리 가해자의 과실 여부를 판단한다.
⑤ ㉢은 ㉡과 달리 피해자의 과실 여부를 판단한다.

정보 간의 관계 파악하기

16 윗글을 바탕으로 ⓐ의 이유를 추론한 내용으로 가장 적절한 것은?

① 불법행위로 인한 손해를 가해자와 피해자에게 동일하게 배분하는 지점으로 가해자의 주의 수준이 유도되기 때문이다.
② 불법행위 억제를 위한 가해자의 주의 비용이 발생하지 않는 최적의 주의 수준으로 가해자의 주의 수준이 유도되기 때문이다.
③ 불법행위로 인한 손해를 피해자가 부담하게 하여 사회적 효율성이 달성되는 지점으로 가해자의 주의 수준이 유도되기 때문이다.
④ 불법행위 억제를 위한 주의 비용과 불법행위로 인한 손해의 합이 최소화되는 지점으로 가해자의 주의 수준이 유도되기 때문이다.
⑤ 불법행위 억제를 위해 법원이 가해자에게 주의 기준을 부여해서 불법행위의 발생 확률이 최대화되는 지점으로 가해자의 주의 수준이 유도되기 때문이다.

이유 추론하기

● **2**의 내용과 ⓐ의 이유 연결 지어 생각하기

'불법행위로 인한 (　　　)+ 불법행위로 인한 (　　　)'가 최소화되는 지점

=

(　　　　　)이 달성되는 최적의 주의 수준

=

(　　　)를 효율적으로 억제할 수 있는 주의 수준

↓

따라서 법원은 이 지점을 (　　　)으로 정함.

17 윗글을 바탕으로 〈보기〉의 '영화를 본 학생의 반응'에 대해 이해한 내용으로 적절하지 <u>않은</u> 것은?

보기
ㅇ영화 속 장면 갑은 을이 제조한 변압기를 구입하여 공장에 설치했는데, 한 달 후 변압기에 갑자기 화재가 발생했고, 소화기로 진화하려는 순간 변압기가 폭발하여 갑은 큰 화상을 입었다. 이에 대해 을은 변압기에는 아무런 문제가 없다고 주장했다. ㅇ영화를 본 학생의 반응 여기서 갑은 피해자이고, 을은 가해자야. 그리고 변압기 폭발로 갑에게 화상을 입게 만든 것에 대해 엄격책임원칙을 적용해야 한다고 생각해.

① 학생은 갑에게 화상을 입게 만든 것을 불법행위로 보고 있군.
② 학생은 갑이 입은 화상에 대한 모든 배상 책임은 을에게 있다고 생각했겠군.
③ 학생은 변압기가 폭발한 것과 관련하여 을의 주의 수준은 고려하지 않았겠군.
④ 학생은 갑이 화상을 입게 된 것과 관련하여 갑의 책임 여부를 고려하지 않았겠군.
⑤ 학생은 을이 변압기 폭발에 대한 자신의 과실이 없다는 것을 증명한다면 배상 책임에서 벗어날 수 있다고 생각했겠군.

〈보기〉 문제 – 사례·상황 제시

● 엄격책임원칙
• (　　　)가 모든 배상 책임을 짐(피해자의 책임 여부는 고려하지 않음).
• 가해자의 배상 책임 여부 판단 시, 가해자의 주의 수준을 고려하지 않음.

▶ 근거 문단 **3**

18 윗글을 바탕으로 〈보기〉를 이해한 내용으로 적절하지 않은 것은? [3점]

보기

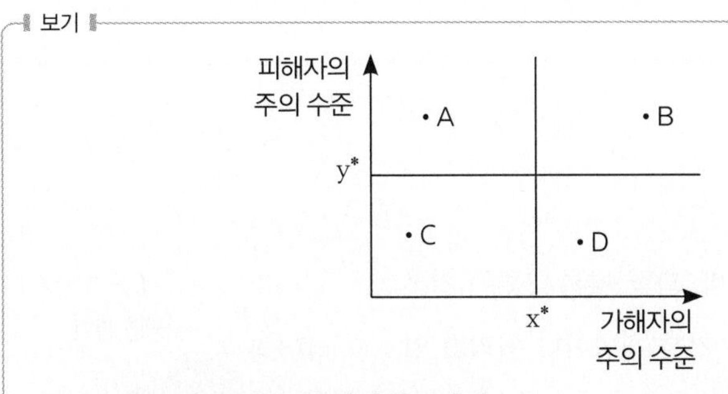

• A~D는 서로 다른 불법행위들이다.
• x^*는 가해자의 주의 기준이고, y^*는 피해자의 주의 기준이다.

① A의 경우 가해자는 x^*를 지키지 않았고 피해자는 y^*를 지켰으므로, 비교과실을 적용하면 가해자에게 배상 책임이 있다.
② B의 경우 가해자는 x^*를 지켰으므로, 과실원칙을 적용하면 가해자에게 배상 책임이 없다.
③ C의 경우 가해자도 x^*를 지키지 않았고 피해자도 y^*를 지키지 않았으므로, 과실원칙에 기여과실이 결합된 원칙을 적용하여 가해자의 항변이 인정되면 피해자가 손해를 부담한다.
④ A와 C의 경우 가해자가 x^*를 지키지 않았으므로, 과실원칙을 적용하면 가해자에게 배상 책임이 있다.
⑤ B와 D의 경우 가해자가 x^*를 지켰으므로, 비교과실을 적용하면 피해자와 가해자가 과실에 비례하여 손해에 대한 책임을 분담한다.

〈보기〉 문제
– 시각 자료 제시

● **과실원칙 VS 과실원칙+기여과실 VS 비교과실**

과실 원칙	• 가해자 과실 → 모든 배상 책임 • 가해자 과실 × → 배상 책임 ×
과실 원칙 + 기여 과실	• 가해자 과실 → 가해자가 모든 배상 책임. • 가해자 과실 ○, 피해자 과실 ○ → ( )가 모든 책임 부담.
비교 과실	• 가해자 과실 X → 배상 책임 X • 가해자 과실 O, 피해자 과실 X → 가해자에게 배상 책임 O • ( ) 과실 O, 피해자 과실 O → 과실의 크기에 비례하여 책임 분담.

▶ 근거 문단 3, 4, 5

짚고 가요

배경지식 넓히기 ❼ – '과실 책임의 원칙'의 수정

근대에 성립된 민법의 세 원칙이 있어. 오늘날까지도 민법의 기본 원리로 중요하게 여겨지는 내용들이지. 그것은 '① 사유재산권 존중의 원칙, ② 계약 자유의 원칙, ③ 과실 책임의 원칙'이야. 그 내용이 너무나 당연하게 느껴진다고? 지금 우리의 눈으로 볼 땐 그렇지만, 근대 이전의 사회에서는 신분의 차이에 따라 권리에 차별이 있었거든. 하지만 근대 시민 혁명을 통해 비로소 모든 사람이 평등한 권리를 지닌 법적 주체로 존중받게 되면서, 이러한 기본 원칙들이 만들어지게 된 거야. 여기에서는 '책임원칙'에 관해 다루었던 앞의 지문과 관련하여, 세 원칙 중 '과실 책임의 원칙'을 자세히 알아보자.

사유재산권 존중의 원칙	개인은 자신이 소유하는 자산을 배타적으로 사용하거나 처분할 수 있는 권리를 가지며 다른 사람이나 국가가 이 권리를 침해해서는 안 된다.
계약 자유의 원칙	법률관계를 형성하는 것은 개인의 자유로운 의사에 맡겨야 하며 국가가 이에 개입해서는 안 된다.
과실 책임의 원칙	어떤 사람이 다른 사람에게 위법 행위로 손해를 입혔을 때 자신에게 고의나 과실이 인정되는 경우에만 책임을 지고, 그렇지 않으면 책임을 지지 않는다.

▲ 근대 민법의 기본 원리

'과실 책임의 원칙'은 기업의 경제적 자유를 보장하면서 자본주의 경제 발전에 공헌했어. 그런데 점차 산업이 발전하면서 이 원칙만으로는 손해 배상 책임을 묻기 어려운 경우들이 생겼지. 예를 들어 어떤 공장에서 배출한 폐수가 멀리 떨어진 양식장에 피해를 입혔을 때, 고의가 없었다고 해서 이 공장은 아무런 책임이 없는 걸까? 이런 경우 때문에 '무과실 책임의 원칙'이 대두되었어. 즉 폐수를 배출한 공장이 양식장의 피해를 배상하도록 한 것이지.
하지만 '과실 책임의 원칙'은 여전히 민법의 기본 원리로 작용해. 다만 이것만으로 손해 배상 책임을 물을 수 없는 경우, 예외적으로 무과실 책임 원칙을 적용한다고 보면 돼.

과실 책임의 원칙	+ 원칙 추가	무과실 책임의 원칙
고의나 과실이 없으면 책임 X!		예외의 경우에 적용!

▲ 과실 책임 원칙의 수정

– 출처: 고등학교 《정치와 법》, 천재교육

PART Ⅲ

13 과학·기술

과학·기술 분야의 지문은?

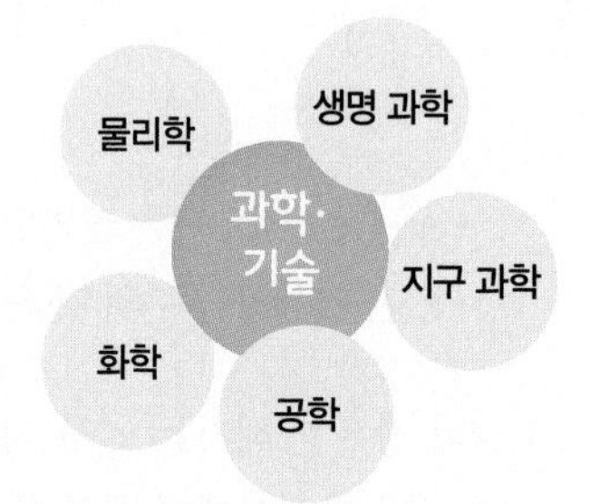

과학 지문은 과학 교과인 '물리학, 생명 과학, 지구 과학, 화학'에서 다루는 기본 원리를 바탕으로 구성된다. 그래서 과학 시간에 배우는 기본 개념이나 원리를 알고 있으면 지문을 조금 더 쉽게 독해할 수 있다. 주로 특정 과학 이론을 심층적으로 다룬 글, 탐구 및 실험 과정, 일상생활에서 발견할 수 있는 과학 현상을 설명하는 글이 출제된다. 기술 지문은 컴퓨터, 산업 기술, 기계·전기 등의 분야를 제재로 다룬다. 즉 학생들이 수업으로 접하기 어려운 '공학' 관련 내용이기 때문에 다소 생소하게 느껴질 수 있다. 주로 어떤 장치나 시스템의 작동 원리나 그것의 전체 구조를 설명하는 지문이 자주 출제된다.

과학·기술 분야의 출제 경향

1 지문 출제 경향

최근에는 과학·기술 지문과 문제의 난도가 상당히 높아진 편이다. 과학을 인문(철학) 영역과 엮어서 융합 지문으로 출제하는 경우도 늘어났다. 이 경우 철학과 관련된 내용을 큰 틀이나 기준이라고 생각하고 그 기준에 맞추어 과학 현상을 구분하며 독해하는 것이 필요하다.

과학

- 서양 우주론의 발전과 이에 영향을 받은 중국의 우주론 [19 수능]
- 상호 배타적 상태가 공존하는 양자 역학과 비고전 논리 [18. 09. 모평]
- 반추 동물의 탄수화물 분해 과정 [17 수능]
- 열역학에 대한 과학자들의 탐구 과정 [17. 09. 모평]
- 알짜 돌림힘의 작용에 따른 물체의 회전 속도 및 회전 운동 에너지 [16 수능Ⓐ]
- 유체 속에서 운동하는 물체에 작용하는 힘과 종단 속도 [16 수능Ⓑ]
- 산화 작용에 의한 지방질의 산패 [16. 09. 모평Ⓐ]
- 암 치료에 사용되는 항암제 [16. 09. 모평Ⓑ]
- 원자 모형에 대한 탐구 [16. 06. 모평Ⓐ]
- 우주의 암흑 물질 [16. 06. 모평Ⓑ]

기술

- 주사 터널링 현미경이 작동하기 위한 조건 [19. 09. 모평]
- LFIA 키트에 적용된 과학적 원리 [19. 06. 모평]
- 디지털 데이터의 부호화 과정을 중심으로 본 디지털 통신 시스템의 전송 과정 [18 수능]
- 인터넷 프로토콜(IP)과 DNS 스푸핑이 이루어지는 과정 [18. 06. 모평]
- 콘크리트의 특성과 발전 과정 및 건축 미학과의 연관성 [17. 09. 모평]
- 인공 신경망의 학습과 판정의 과학적 원리 [17. 06. 모평]
- 애벌랜치 광다이오드의 작동 과정 [16 수능Ⓐ]
- 해시 함수의 특성과 이용 [16. 09. 모평Ⓐ]
- 지문 인식 시스템의 원리와 종류 및 인식 과정 [16. 06. 모평Ⓐ]

❷ 문제 출제 경향

과학·기술은 사실적 이해를 묻는 문제의 비율이 가장 높았던 분야이다. 따라서 용어의 개념을 정확하게 이해해야 하며, 특히 원리·과정·방법에 관한 정보에 주목하여 독해하는 것이 필요하다. 제재 특성상 '과정'의 전개 방식이 주를 이루기 때문에 전개 방식을 묻는 문제는 잘 출제되지 않는 편이다. 〈보기〉 문제로는 지문에 제시된 원리나 과정을 적용할 수 있는 도식이나 현실 사례를 제시한 뒤, 사실적 이해나 추론적 이해를 묻는 유형이 자주 출제된다.

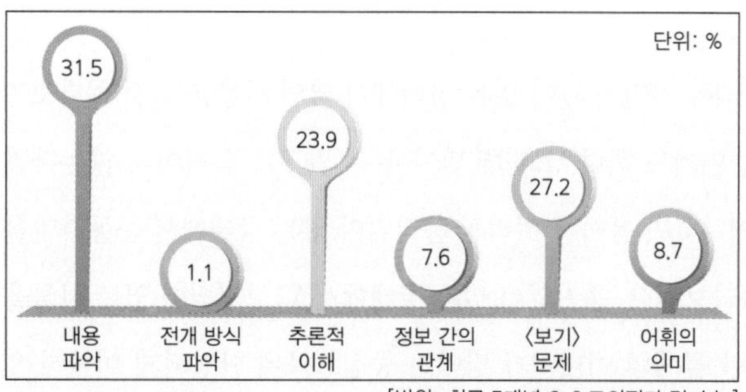

[범위: 최근 5개년 6·9 모의평가 및 수능]

과학·기술 분야 Q&A

● 과학·기술 지문, 어떻게 읽어야 효율적인가요?

과학·기술 지문은 개념과 개념 사이의 관계(인과, 비례, 반비례)에 관한 정보가 집중적으로 제시되는 부분이 출제 포인트이므로 핵심 용어 간의 관계를 찾으며 읽는 것이 좋다. '~ㄹ수록 ~한다', '~면 ~된다' 등의 표지를 참고하여 어떤 현상이 일어나기 위한 조건이나 원인을 찾으면 핵심 용어 간의 관계를 쉽게 찾을 수 있다.

과학·기술 분야는 원리나 방법을 설명하는 지문이 많이 나온다. 주로 어떤 현상이 일어나는 과정을 순차적으로 설명하거나, 원리를 설명하고 나서 이것이 적용되는 과정·방법을 살피는 글이다. 이러한 글은 원리나 과정·방법이 이루어지는 순서를 파악하는 것이 중요하다. 따라서 '제일 먼저, 다음 단계는'과 같은 표지를 잘 활용해 읽고, 각 단계에 ①, ②, ③으로 번호를 매기며 읽는 것이 좋다.

지문이나 〈보기〉로 시각 자료가 제시되었다면 이를 활용하여 정보를 정리한다. 시각 자료 없이 글만 주어진 경우는 오른쪽 예와 같이 전체 장치나 시스템을 간단히 그려 보며 이해하는 것이 좋다.

100人 과학 지문에 나오는 개념들은 과학 시간에 배운 기초 개념이 많은 반면, 기술 분야는 대부분 낯선 개념이 나오고 그 수준도 고등학생의 배경지식을 뛰어넘어. 그래서 지문에서 개념을 다 정의해 주고, 개념끼리의 관계도 명확하게 밝혀 주지. 따라서 기술 분야는 기출 지문을 꾸준히 독해하는 것이 효과적이야.

사뿐히 즈려밟는

훈련 문제

[01 ~ 04] 다음 글을 읽고 물음에 답하시오.

2017학년도 4월 고3 학력평가

1 [1]우리는 가만히 앉아 있는 상태에서 옆의 사물을 힐끗 쳐다보기도 하고, 흔들리는 차 안에서 책을 읽기도 한다.[2]그런데 만약 눈의 안구가 움직이지 않는다면 사물을 ㉠선명하게 볼 수 없다.[3]왜냐하면 몸이나 머리의 움직임이 없는 상태에서 눈동자만을 움직여 일정 범위 내의 사물을 바라보거나, 움직임이 있는 상태에서 ㉡고정되어 있는 사물을 계속 바라볼 때 안구가 움직여야만 물체의 이미지가 망막의 중심오목에 안정되게 머물러 있기 때문이다.[4]이때 안구의 움직임을 '안구 운동'이라고 한다.

2 [1]안구 운동을 이해하기 위해서는 눈돌림근육의 수축과 이완에 대해 이해해야 한다.[2][그림]에서처럼 머리를 똑바로 하고 정면을 주시하는 경우 눈돌림근육 6개가 1개의 안구를 동일한 힘으로 잡아당기고 있다.[3]그런데, 머리나 몸의 움직임이 없는 상태에서 눈만 위로 치켜뜨게 되면 위곧은근이 수축되고 이에 ㉢상응하여 수축된 정도만큼 아래곧은근은 이완된다.

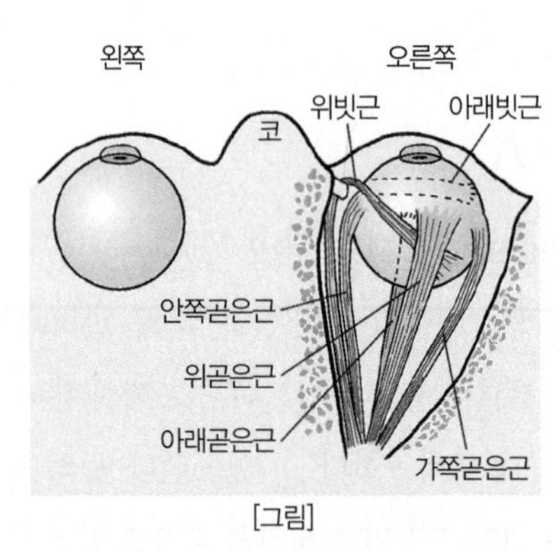

[그림]

[4]또한 머리나 몸의 움직임이 없는 상태에서 한쪽으로 눈을 흘겨 볼 때, 흘기는 방향과 같은 쪽 눈의 가쪽곧은근이 수축되고 그 수축된 정도만큼 그 눈의 안쪽곧은근은 이완된다.

3 [1]한편 몸이나 머리가 움직이는 상태에서 어떤 사물을 바라볼 때, 머리나 몸이 움직이는 방향과 반대로 안구가 움직이는데 이를 '전정안반사'라고 한다. [2]예를 들어 정면에 거울이 있다고 하자. 거울에 비친 얼굴을 ㉣응시하면서 고개를 위로 살짝 들어도 우리는 자신의 얼굴을 선명하게 볼 수 있다.[3]왜냐하면 고개를 든 각도만큼 안구가 아래쪽으로 움직이는 전정안반사가 일어나기 때문이다.[4]이 경우에도 눈돌림근육의 수축과 이완은 발생하는데, 고개를 위로 들면 전정안반사에 의해 두 눈의 안구의 아래곧은근이 수축되고 수축된 만큼 위곧은근은 이완되는 것이다.[5]거울을 바라보며 고개를 살짝 옆으로 돌리면, 고개를 돌리는 방향과 같은 쪽의 눈은 안쪽곧은근이 수축되고 반대쪽 눈은 가쪽곧은근이 수축된다.

4 [1]그렇다면 전정안반사는 어떤 과정을 거쳐 발생하게 되는 것일까? [2]먼저 우리 몸의 전정기관에서 머리나 몸의 움직임을 감지한다.[3]우리 몸이나 머리가 중력과 나란한 수직 방향이나 지면과 나란한 수평 방향으로 움직이면 귓속의 둥근주머니는 수직 방향, 타원주머니는 수평 방향으로의 움직임을 ㉤감지한다.[4]또한 귓속 수평반고리관은 머리를 가로저을 때 발생하는 회전 운동을, 전반고리관과 후반고리관은 고개를 끄덕일 때 발생하는 회전 운동을 감지한다.[5]이

지문 이해

1 안구의 움직임인 '(   )'

2 머리나 몸이 움직이지 않을 때 일어나는 (   )의 수축과 이완

3 머리나 몸이 움직일 때 일어나는 (   )와 그에 따른 눈돌림근육의 수축과 이완

4 전정안반사가 일어나는 (   )

글의 핵심 파악

● 안구가 움직여야 하는 이유

- 안구가 움직여야만 물체가 망막의 (   )에 안정되게 머물러 있기 때문이다.

▶ 근거 문단 **1**

● 눈돌림근육의 수축과 이완

① 머리나 몸의 움직임이 없는 상태

눈만 위쪽으로 치켜뜸.	→	위곧은근이 ( )됨.
		아래곧은근이 ( )됨.

② 머리나 몸이 움직이는 상태

고개를 위로 듦.	→	위곧은근이 ( )됨.
		아래곧은근이 ( )됨.

▶ 근거 문단 **2**, **3**

어휘 풀이

- **중심오목:** 망막의 가운데에 있는 누르스름한 반점의 한 부분.
- **전정기관:** 속귀에서 평형감각을 담당하는 기관.

후 운동이 감지된 전정기관에서는 신호가 생성되는데, 생성된 신호는 눈돌림근육을 지배하는 신경에 전달된다. [6][그림]에서 위빗근은 도르래신경, 가쪽곧은근은 갓돌림신경, 나머지 근육은 눈돌림신경의 지배를 받는데, 흥분 신호는 신경을 통해 눈돌림근육을 수축하게 만들고, 억제 신호는 눈돌림근육을 이완하게 만들면서 안구가 움직이게 된다.

● 각 눈돌림근육을 지배하는 신경

눈돌림근육	신경
위빗근	(　　　　)
가쪽곧은근	갓돌림신경
아래빗근, 안쪽 곧은근, 위곧은근, 아래곧은근	눈돌림신경

01 윗글의 내용과 일치하지 않는 것은?

일치하는 내용 찾기

① 전정안반사는 안구 운동 중 하나이다.
② 사람의 한쪽 눈에는 6개의 눈돌림근육이 있다.
③ 사람이 움직이며 고정된 사물을 바라볼 때 전정안반사가 나타난다.
④ 타원주머니는 수평 방향으로 움직이는 머리의 움직임을 감지한다.
⑤ 수평반고리관과 전반고리관이 감지하는 머리의 운동 방향은 동일하다.

02 〈보기〉는 '전정안반사'의 과정을 도식화한 것이다. 이에 대한 설명으로 적절하지 않은 것은? [3점]

〈보기〉 문제 – 시각 자료 제시

보기

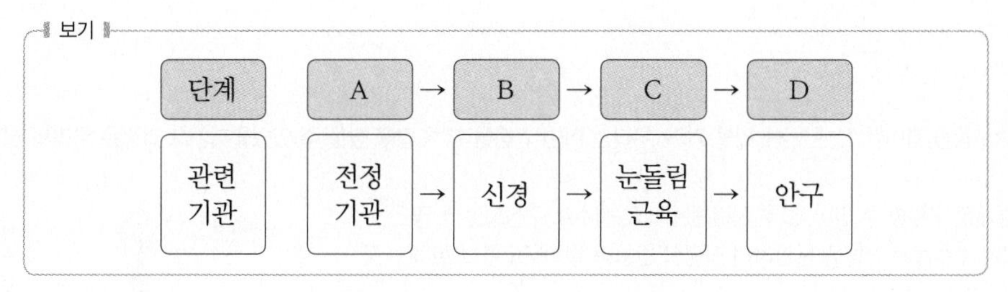

① A단계에서 흥분 신호가 생성된다면, C단계에서는 눈돌림근육 중 일부가 수축되겠군.
② 몸이나 머리가 수직 방향으로 움직인다면, A단계에서 신호를 발생시키는 전정기관은 둥근주머니이겠군.
③ 머리를 위아래로 끄덕인다면, A단계에서 흥분 신호와 억제 신호가 생성되어 B단계의 신경에 전달되겠군.
④ 머리를 아래로 숙이면, C단계에서 아래곧은근이 수축하여 D단계에서 물체의 상이 망막의 중심오목에 맺힐 수 있겠군.
⑤ C단계에서 위빗근이 작용하여 D단계의 안구 운동이 발생했다면, 도르래신경이 전정기관으로부터 신호를 전달받았겠군.

● 전정안반사의 과정

전정기관에서 머리나 몸의 움직임을 감지함.
↓
전정기관에서 (　　　)가 생성됨.
↓
신호가 (　　　)에 전달되어 눈돌림 근육을 수축·이완시킴.

흥분 신호 → 눈돌림 근육 수축
억제 신호 → 눈돌림 근육 이완
↓
안구가 움직임.

▶ 근거 문단 4

Ⅲ 실전 독해

03 윗글을 바탕으로 〈보기〉의 ⓐ~ⓓ에 들어갈 말로 적절한 것은?

보기

그림과 같이 의자에 앉은 상태에서 정면의 눈높이에 있는 작은 공을 계속 보면서 머리를 화살표가 가리키는 수평 방향으로 약간 회전하였을 때, 오른쪽 눈에서는 (ⓐ)이 수축을 하고, (ⓑ)이 이완을 하며, 왼쪽 눈에서는 (ⓒ)이 수축을 하고 (ⓓ)이 이완한다. (단, 오른쪽과 왼쪽의 기준은 의자에 앉은 사람을 기준으로 한다.)

	ⓐ	ⓑ	ⓒ	ⓓ
①	가쪽곧은근	안쪽곧은근	가쪽곧은근	안쪽곧은근
②	가쪽곧은근	안쪽곧은근	안쪽곧은근	가쪽곧은근
③	안쪽곧은근	가쪽곧은근	가쪽곧은근	안쪽곧은근
④	안쪽곧은근	가쪽곧은근	안쪽곧은근	가쪽곧은근
⑤	가쪽곧은근	가쪽곧은근	안쪽곧은근	안쪽곧은근

〈보기〉 문제
– 사례·상황 제시

● 윗글과 〈보기〉의 연결고리 찾기

'거울을 바라보며 고개를 살짝 옆으로 돌리면, 고개를 돌리는 방향과 같은 쪽의 눈은 (   )이 수축되고 반대쪽 눈은 (   )이 수축된다.' (3-5)

↓

공을 바라보며 오른쪽으로 고개를 돌리면, 오른쪽 눈은 (   )이 수축되고 왼쪽 눈은 (   )이 수축된다.

04 ㉠~㉤의 사전적 의미로 바르지 않은 것은?

① ㉠: 산뜻하고 뚜렷하여 다른 것과 혼동되지 아니하게
② ㉡: 한곳에 꼭 붙어 있거나 붙어 있게 되어
③ ㉢: 서로 응하거나 어울리어
④ ㉣: 눈길을 모아 한 곳을 똑바로 바라보면서
⑤ ㉤: 어떤 기회나 정세를 알아차린다

어휘의 의미 파악하기

짚고 가요

배경지식 넓히기 ❽ – 신경계의 구성

떨어지는 유리컵을 보고 재빠르게 움직여 컵을 잡아본 적, 한번쯤 있을 거야. 우리는 어떤 과정을 거쳐 컵을 잡을 수 있었을까? 그 과정은 우리의 신경계와 관련이 있어.

신경계는 크게 중추 신경계와 말초 신경계로 구분할 수 있어. 중추 신경계는 뇌와 척수로 구성되는데, 많은 뉴런(신경세포)이 밀집되어 있지. 체내 외에서 수용한 정보를 통합하여 적절한 반응이 일어나도록 조절하는 곳이야.

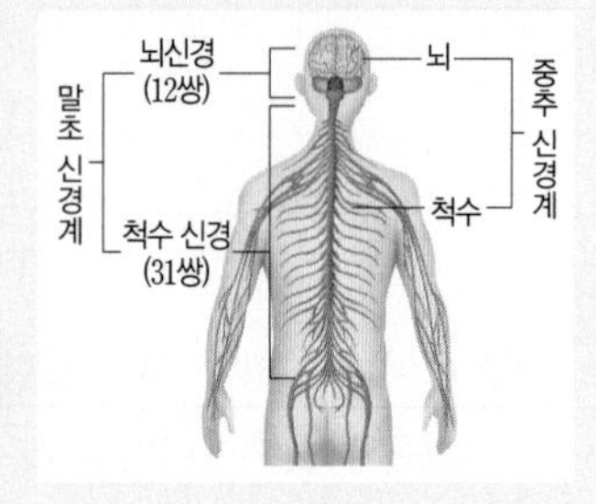

말초 신경계는 뇌와 척수에서 뻗어 나온 신경들로 구성돼. 온몸에 나뭇가지처럼 뻗어 있지. 말초 신경계는 피부와 같은 감각기에서 받아들인 자극을 중추 신경계에 전달하고, 중추 신경계의 명령을 근육과 같은 반응기에 전달하는 기능을 한단다.

자, 다시 컵 이야기로 돌아가 보자. 떨어지는 컵을 본 우리의 눈은 빠르게 뇌로 정보를 보내. 그러면 뇌가 위험 여부를 판단한 뒤, 말초 신경에 명령하여 근육을 움직이게 하지. 우리의 신체가 운동할 수 있는 것은 이렇게 신경계를 통해 그 명령과 신호가 전달되기 때문이야.

● **뉴런**: 뉴런은 신경계를 구성하는 세포로, 신경계에서 꼭 알아야 할 개념이야. 뉴런은 자극을 받아들이고 다른 세포로 전달하는 기능을 하며, 이러한 기능에 적합한 구조로 생겼어. 오른쪽과 같이 신경 세포체, 가지 돌기, 축삭 돌기로 구분된단다. 축삭 돌기의 말단은 다른 뉴런의 가지 돌기나 신경 세포체와 아주 좁은 간격을 두고 가깝게 접해 있는데, 이 부분을 시냅스라고 해. 바로 이 시냅스에서 신호의 전달이 이루어진단다.

– 출처: 고등학교 《생명과학 I》, 천재교육

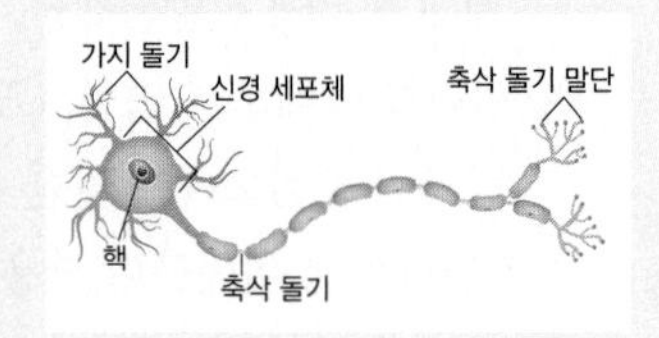

[05~08] **다음 글을 읽고 물음에 답하시오.**

2016학년도 3월 고3 학력평가

1 [1]파동은 공간이나 물질의 한 부분에서 생긴 ⓐ주기적 진동이 시간의 흐름에 따라 주위로 멀리 퍼져 나가는 현상을 의미한다.[2]호수에 돌을 던졌을 때 사방으로 퍼져 나가는 수면파, 공기 등을 통해 전달되는 음파 등은 매질을 통하여 진동이 전달되는 역학적 파동의 대표적인 예이다.[3]이러한 역학적 파동의 에너지는 진동하는 매질의 ⓑ입자가 옆의 입자를 진동시키는 방법으로 매질을 따라 전달된다.

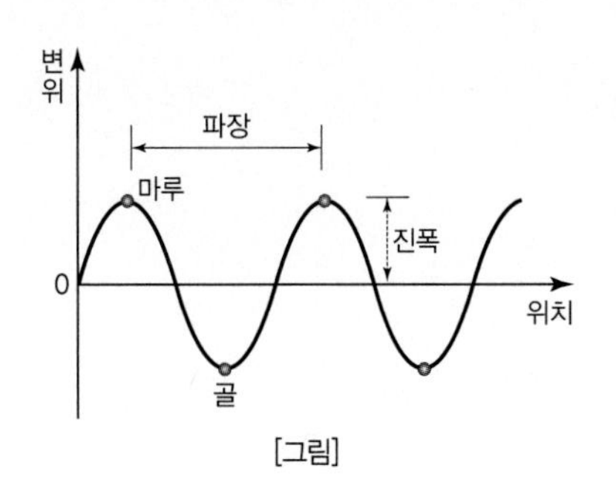

[그림]

2 [1]파동은 [그림]과 같이 나타낼 수 있는데, 평형점 0을 기준으로 가장 높은 지점을 마루, 가장 낮은 지점을 골이라고 한다. [2]그리고 평형점 0에서 마루나 골까지의 높이, 즉 진동하는 입자가 평형점에서 최대로 벗어난 거리를 진폭, 마루와 마루 또는 골에서 골까지 거리를 파장이라고 하며, 파동이 1초 동안 진동한 횟수를 주파수라고 한다.

3 [1]파동의 진행 속도는 파장과 주파수의 곱으로 나타내며, 파동의 ⓒ속도가 일정하면 주파수가 높을수록 파장이 짧다는 특성이 있다.[2]역학적 파동은 진행하면서 매질에 흡수되어 에너지를 잃기도 하는데, 음파의 경우 주파수가 높을수록 매질에 더 잘 흡수되어 멀리 진행하지 못한다.[3]그리고 매질을 따라 진행하는 역학적 파동이 다른 매질을 만나게 되면 파동의 일부는 반사되어 돌아오고, 일부는 다른 매질로 투과하는 현상을 보인다.

4 [1]먼저, 반사는 ㉠한 끝이 벽에 고정된 줄을 따라 파동이 전달되는 상황을 통해 설명할 수 있다. [2]이 파동이 매질인 줄을 따라 진행하다가 고정단에 ⓓ도달하면 진행해 온 반대 방향으로 줄을 따라 다시 돌아가게 되는데, 이처럼 매질이 급격하게 변하는 경계에서 파동이 반대 방향으로 되돌려지는 것을 반사라고 한다.

5 [1]다음으로 ㉡다른 조건은 모두 같을 때, 밀도가 낮은 줄이 밀도가 높은 줄에 연결되어 있고, 이 줄을 따라 파동이 진행하는 상황을 통해 투과를 설명할 수 있다. [2]이 경우 파동이 밀도가 낮은 줄을 지나 밀도가 높은 줄과 연결된 경계에 도달하면 파동의 일부가 반사된다. [3]하지만 일부는 밀도가 높은 줄로 계속 진행하는데, 이를 투과라고 한다.[4]이때 파동이 투과되거나 반사되는 정도는 매질들의 물리적 특성 차이에 의해 결정된다. [5]가령 줄에서 진행하는 파동의 경우 매질 간의 밀도 차가 클수록, 음파의 경우 매질의 밀도와 음속을 곱한 값인 음파 저항이 클수록 반사 정도가 큰 경계를 형성하기 때문이다.

지문 이해

- **1** (　　　)의 개념과 전달 방식
- **2** 파동의 표시와 관련된 개념들
- **3** 파동의 (　　　)와 매질과의 관계
- **4** 반사의 개념과 원리
- **5** 투과의 개념과 원리
- **6** 파동의 에너지와 진폭과의 관계

글의 핵심 파악

● **파동의 진행 속도**

파동의 속도=파장×(　　　)
• 파장: (　　　)와 (　　　), 골에서 골까지의 거리 • 주파수: 파동이 1초 동안 진동한 횟수

↓

파장이 길수록(주파수 일정 시), 주파수가 높을수록(파장 일정 시) 파동의 진행 속도는 (　　　).

▶ 근거 문단 **2**, **3**

● **반사와 투과**

- 반사: 매질이 급격하게 변하는 경계에서 파동이 (　　　) 방향으로 (　　　) 것.
- 투과: 밀도 차이가 나는 매질과 매질의 (　　　)에서 파동의 일부가 밀도가 (　　　) 매질로 계속 (　　　)하는 것.

➜ 파동이 투과되거나 반사되는 정도는 매질들의 물리적 특성 차이에 의해 결정됨.

▶ 근거 문단 **4**, **5**

어휘 풀이

- **매질:** 어떤 파동 또는 물리적 작용을 한 곳에서 다른 곳으로 옮겨 주는 매개물.
- **고정단:** 파동이 반사될 때, 파동의 위상이 180° 변하는 매질의 경계를 이르는 말.

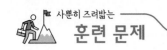

6 [1]한편, 입사한 하나의 파동이 매질의 물리적 저항이 다른 경계에서 반사파와 투과파로 나누어질 때, 별도의 에너지 ⓔ손실이 없다고 가정하면, 에너지 보존 법칙에 따라 두 파동이 갖는 에너지의 합은 원래 입사한 파동의 에너지와 같게 된다. [2]다만 파동의 에너지는 진폭의 제곱에 비례하므로, 입사한 파동의 에너지 중에서 일부분만 포함하는 반사파의 진폭은 줄어들게 된다.

어휘 풀이
- **입사**: 하나의 매질(媒質) 속을 지나가는 소리나 빛의 파동이 다른 매질의 경계면에 이르는 일. ≒들이쏨 · 투사(投射).

05 윗글의 내용과 일치하지 않는 것은?

일치하는 내용 찾기

① 파동의 진행 속도가 동일하다면 낮은 주파수의 파동일수록 파장이 짧다.
② 파동의 진폭은 진동하는 입자가 평형점에서 최대로 벗어난 거리이다.
③ 파동은 진동이 주위로 퍼져 나가는 현상을 의미한다.
④ 역학적 파동의 에너지는 매질을 통하여 전달된다.
⑤ 파동의 에너지는 진폭의 제곱에 비례한다.

06 윗글을 바탕으로 〈보기〉에 대해 이해한 내용으로 적절하지 않은 것은? [3점]

〈보기〉 문제 – 사례·상황 제시

보기

초음파를 이용한 비파괴 검사는 음파 중에서 주파수가 20,000㎐ 이상인 초음파를 시험체에 입사한 후 반사파를 감지하여, 시험체 내부의 결함 유무 등을 확인하는 방법이다. (가)는 이러한 검사 방법을 도식화한 것이다. (나)는 검사 결과를 보여 주는 화면으로, 세로축은 입사파의 세기를 기준으로 한 반사파의 상대적인 세기를 비율로 보여 주고, 가로축은 반사파가 감지된 시간을 거리로 환산하여 보여 준다. Ⓐ는 결함 부위에서의 반사, Ⓑ는 바닥에서의 반사를 나타낸 것이다.

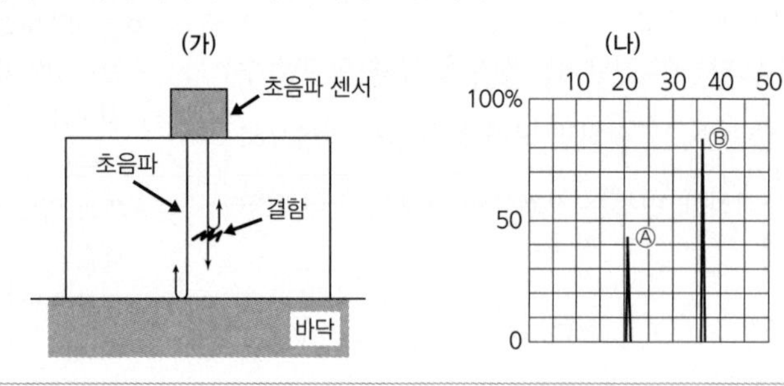

① (가)에서 결함 부위에서 반사된 초음파는 입사파보다 진폭이 작겠군.
② (가)에서 시험체의 두께가 두꺼울수록 높은 주파수의 초음파를 이용해야겠군.
③ (나)에서 Ⓐ와 Ⓑ를 비교하면, 결함 부위의 음파 저항과 그 주변의 음파 저항의 차이보다 시험체의 음파 저항과 바닥의 음파 저항의 차이가 크다고 볼 수 있겠군.
④ (나)에서 결함 부위가 초음파 센서와 더 가까웠다면, Ⓐ는 현재보다 왼쪽에 나타났겠군.
⑤ (나)에서 Ⓑ가 100%가 되지 않은 것은, 초음파의 에너지 일부가 시험체에 흡수된 것이 원인이라고 할 수 있겠군.

- **〈보기〉와 윗글의 연결고리 찾기**
- 윗글의 **3**–2에서, 음파의 경우 주파수가 (높을수록 , 낮을수록) 매질에 잘 흡수되어 멀리 진행하지 못한다고 하였다.
- 따라서 〈보기〉의 시험체의 두께가 두껍다면 초음파가 더 멀리 나아갈 수 있도록 (높은 , 낮은) 주파수의 초음파를 이용해야 한다.

07 ㉠과 ㉡에 대해 이해한 내용으로 가장 적절한 것은?

① ㉠과 ㉡은 모두 역학적 파동으로 인한 매질의 특성 변화를 보여 준다.
② ㉠과 ㉡은 모두 역학적 파동의 진행에 따른 에너지의 증가를 보여 준다.
③ ㉠과 ㉡은 모두 매질의 경계에서 생겨나는 역학적 파동의 변화를 보여 준다.
④ ㉠은 파동의 진폭이 커지는 요인을, ㉡은 파동의 진폭이 작아지는 요인을 보여 준다.
⑤ ㉠은 파동이 매질에 입사되는 양상을, ㉡은 파동이 매질에서 흡수되는 양상을 보여 준다.

정보 간의 관계 파악하기

● ㉠과 ㉡ 이해하기

파동의 전달
벽
경계
〈㉠의 경우〉 – 반사

파동의 전달
경계
〈㉡의 경우〉 – 투과

08 ⓐ~ⓔ의 사전적 의미로 적절하지 않은 것은?

① ⓐ: 일정한 간격을 두고 되풀이하여 진행하거나 나타나는.
② ⓑ: 물질을 구성하는 미세한 크기의 물체.
③ ⓒ: 물체가 나아가거나 일이 진행되는 빠르기.
④ ⓓ: 목적한 곳이나 수준에 다다름.
⑤ ⓔ: 일을 잘못하여 뜻한 대로 되지 아니하거나 그르침.

어휘의 의미 파악하기

Ⅲ 실전 독해

짚고 가요

배경지식 넓히기 ❾ – 파동

윗글이 어렵게 느껴졌던 친구들은 파동과 그와 관련한 개념들에 관해 좀 더 알아보자.

파동, 매질

파동은 에너지 전달 방식의 하나야. 예를 들어 볼게. A가 B에게 공을 던졌다 하자. B는 공을 받으면서 힘, 즉 에너지를 받아. 공 자체가 이동하면서 에너지를 전달한 거지. 이번에는 A와 B가 굵은 새끼줄을 잡고 있다고 생각해 봐. A가 줄을 출렁이면 B가 잡은 줄까지 출렁, 하고 전달되겠지. 이때도 에너지는 전달되었지만 새끼줄은 공과 달리 제자리에서 진동할 뿐 이동하지는 않았어. 이렇게 어느 한 곳의 에너지가 다른 곳으로 이동할 때, 주변 물질을 통해 에너지만 전달되는 에너지 전달 방식을 '파동'이라고 하고, 새끼줄과 같이 파동을 전달하는 물질을 '매질'이라고 해. 그런데 파동은 꼭 매질이 있어야만 이루어지는 것은 아니야. 매질을 통해 진동이 전달되는 '역학적 파동'(대표적 예 소리)과, 매질이 없이 진동이 전달되는 '전자기파'가 있어. 빛은 매질이 없는 상태인 진공에서도 진행할 수 있는, 전자기파의 대표적 예지.

굴절, 굴절률

윗글에서 본 '반사'와 지금 살펴볼 '굴절'은 모두, 서로 다른 종류의 매질이 만나는 경계면에서 일어나는 현상이야. '반사'가 서로 다른 매질의 경계면에서 파동이 튕겨 나오는 현상이라면, '굴절'은 매질의 경계면에서 파동의 진행 방향이 바뀌는 현상이야. 파동이 방향을 살짝 바꾸면서 다른 매질을 비집고 들어가는 거지. 젓가락을 물에 넣었을 때 꺾여 보이는 것을 예로 들 수 있어. 빛과 공기의 경계면에서 빛이 꺾인 거지. 그런데 빛은, 물 같은 방해물이 없는 진공 상태에서는 직진밖에 모르는 녀석이야. 아까 빛은 매질이 없는 진공 상태에서도 진행할 수 있는 전자기파라고 했지? 빛은 진공 상태에서 가장 빠른 속력으로 진행하고, 물질을 만나 굴절되면 속력이 느려지지. '굴절률'은 빛이 어떤 물질을 만났을 때 그 속력이 진공 상태에서보다 얼마나 감소하는지를 나타내는 숫자를 말해. 물질의 굴절률이 클수록 빛의 속력은 느려져.

공기
물
▲ 굴절의 예

전반사

원래 굴절은 파동이 진행하던 쪽으로 살짝 방향만 꺾이는 것을 말해. 그런데 파동이 굴절할 때, 어떤 상황에서는 꺾이는 정도가 너무 커서 반사처럼 튕겨 나오기도 하는데, 이런 현상을 '전반사'라고 해. 전반사는 몇 가지 조건(① 빛이 '굴절률 큰 매질 → 굴절률 작은 매질'로 진행. ② 입사각>임계각)을 갖춘 상황에서만 일어나. 전반사는 우리의 인터넷 생활과 관련이 깊어. 광케이블이란 말 들어 봤지? 우리가 초고속 인터넷을 사용할 수 있는 것은 광섬유를 이용한 광케이블 덕분이야. 광섬유는 마치 전선처럼 신호를 전달해 주는 유리 섬유인데, 전반사의 원리를 이용해 신호를 전달해. 광케이블은 구리 도선보다 신호의 전달 속도가 빠르고 많은 양의 신호를 한꺼번에 보낼 수 있단다.

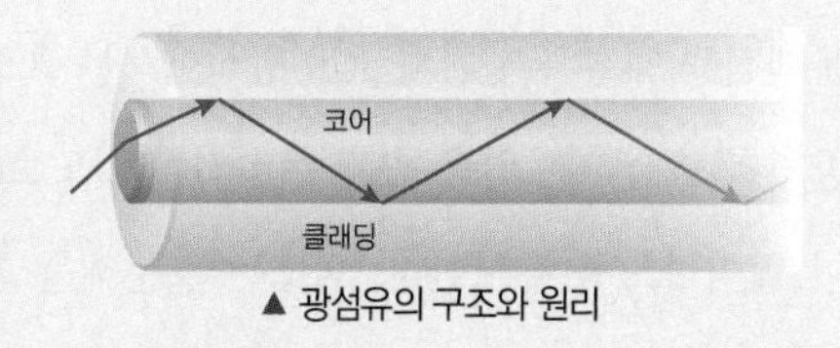

▲ 광섬유의 구조와 원리

– 출처: 고등학교 《물리학 Ⅰ》, 천재교육

[09~12] 다음 글을 읽고 물음에 답하시오.

2018학년도 10월 고3 학력평가

1 [1]디젤 엔진은 가솔린 엔진에 비해 일반적으로 이산화 탄소의 배출량이 적고 열효율이 높으며 내구성이 좋다. [2]하지만 디젤 엔진은 미세 먼지로 알려져 있는 입자상 물질과, 일산화 질소나 이산화 질소와 같은 질소 산화물을 많이 발생시킨다. [3]이런 물질들은 기관지염이나 폐렴 등 각종 호흡기 질환, 광화학 스모그나 산성비의 주요 원인이 된다. [4]이에 따라 디젤 엔진이 배출하는 오염 물질을 저감하기 위한 기술이 계속 개발되고 있다.

2 [1]입자상 물질을 처리하는 대표적인 기술로는 DPF 방식이 있다. [2]이 방식은 배기가스에서 발생하는 입자상 물질을 필터로 포집하고, 필터에 쌓인 물질들을 일정 시점에 연소시켜 제거함으로써 필터의 기능을 회복한다. [3]포집된 입자상 물질을 연소시키기 위해서는 포집 필터까지 연료가 흘러 들어갈 수 있게 엔진 실린더에 연료를 공급해야 한다. [4]연료가 공급이 되면 배기가스에 연료가 섞여 필터에서 연소가 이루어진다. [5]DPF 방식은 엔진을 특별히 개선할 필요 없이 연료를 추가적으로 공급하면 되기 때문에 제작이 용이한 반면 연비가 떨어진다. [6]또한 질소 산화물을 저감하기 어렵기 때문에 별도의 기술이 필요하다.

3 [1]질소 산화물을 저감하는 기술로는 ㉠EGR 방식이 있다. [2]이 방식은 배기가스를 엔진으로 재순환시킨 다음, 연료를 배기가스와 함께 연소시켜 연소 온도를 낮추는 기술이다. [3]배기가스를 엔진으로 재순환시켜 연소 온도를 낮추는 까닭은 연료가 낮은 온도에서 연소될 때 질소 산화물의 발생이 감소되기 때문이다. [4]하지만 연소 온도를 낮추면 입자상 물질이 많이 배출되므로 EGR 방식은 DPF 방식과 함께 쓰인다. [5]EGR 방식은 엔진에 불순물이 쌓일 수 있고, 출력이 저하될 수 있는 단점이 있다.

4 [1]최근에는 EGR 방식보다 질소 산화물의 저감 효율이 높은 SCR 방식이 개발되어 EGR 방식을 대체하고 있다. [2]㉡SCR 방식은 배기가스를 재순환시키지 않기 때문에 EGR 방식보다 엔진에서의 연소 온도가 높다. [3]이렇게 하면 입자상 물질이 적게 발생하는 대신 질소 산화물이 더 많이 발생하게 된다. [4]이때 SCR 방식은 암모니아를 이용하여 질소 산화물을 저감한다. [5]그런데 암모니아는 폭발의 위험이 있고 금속을 부식시킬 수도 있으며 상온에서는 특유의 자극적인 냄새를 풍겨 불쾌감을 유발한다. [6]그래서 사용에 제약이 있으며 취급 시 주의를 요한다. [7]이러한 문제점을 해결하기 위해 SCR 방식에서는 요소를 물에 녹인 요소수를 공급하는 요소수 탱크와 공기를 공급하는 압축 공기 주입기를 별도로 사용하여 SCR 장치에서 다음과 같이 화학 반응이 일어나도록 유도한다. [8]요소는 열분해를 통해 암모니아와 아이소사이안산으로 분해되고, 아이소사이안산은 가수 분해되어 이산화 탄소와 암모니아를 생성한다. [9]일산화 질소는 이렇게

지문 이해

1 디젤 엔진의 (　　　　) 저감 기술이 개발되고 있음.

2 '입자상 물질'을 처리하는 (　　) 방식

3 '질소 산화물'을 처리하는 (　　) 방식

4 EGR 방식보다 질소 산화물 저감 효율이 높은 (　　) 방식

5 SCR 장치의 효율을 높이는 방법

6 SCR 방식에서 해결해야 할 (　　)

글의 핵심 파악

● 디젤 엔진이 배출하는 오염 물질

(　　　　)	(　　　　)
미세 먼지	일산화 질소, 이산화 질소

▶ 근거 문단 1

● 오염 물질 저감 기술들

	방식	문제점
DPF 방식	(　　)을 필터로 포집하여 연소시킴.	-연비 떨어짐. -(　　) 저감은 어려움.
EGR 방식	연료를 배기가스와 함께 연소 → 연소 온도를 낮추어, (　　)을 줄임.	-엔진에 불순물이 쌓임. -엔진 출력이 저하됨.
SCR 방식	EGR 방식보다 연소 온도가 (　　). → (　　)를 이용해 질소 산화물 저감.	-(　　) 슬립 현상. -배관 내부나 장치 표면에 불순물 고착.

▶ 근거 문단 2~4, 6

얻어진 암모니아와 함께 공기 중의 산소와 반응하여 질소와 물로 바뀐다. [10]그리고 이산화 질소는 일산화 질소와 함께 암모니아와 반응하여 역시 질소와 물로 바뀐다.

[A]
5 [1]화학 반응이 일어나는 SCR 장치 내부는 반응 물질을 흡착시키는 백금이나 바나듐 등을 이용한 금속 촉매로 만들어져 있다. [2]SCR 방식에서는 이러한 촉매의 표면에 배기가스가 오래 머물도록 해 주어야 저감 효율을 높일 수 있다. [3]즉 공간 속도를 느리게 하여 화학 반응이 일어날 수 있는 시간을 충분히 확보해야 한다. [4]여기서 공간 속도란 단위 시간당 공급되는 배기가스의 양을 SCR 장치의 촉매의 부피로 나눈 값이다.

6 [1]SCR 방식은 저감 효율이 높아 이용이 점차 확대되고 있으나 해결해야 할 문제도 안고 있다. [2]암모니아가 배기가스와 함께 배출되는 암모니아 슬립 현상이 발생할 수 있으며, 요소의 분해가 낮은 온도에서 일어나면 고체 형태의 아멜린이나 멜라민 등이 생성되어 배관 내부나 장치 표면에 고착될 수 있다.

어휘 풀이
- **포집**: 여러 가지 방법으로 일정한 물질 속에 있는 미량 성분을 분리하여 잡아 모으는 일.
- **실린더**: 증기 기관이나 내연 기관 따위에서 피스톤이 왕복 운동을 하는, 속이 빈 원통 모양의 장치.
- **상온**: 가열하거나 냉각하지 않은 자연 그대로의 기온. 보통 20±5℃
- **가수 분해**: 큰 분자가 물과 반응하여 몇 개의 이온이나 분자로 분해되는 반응.
- **촉매**: 자신은 변화하지 아니하면서 다른 물질의 화학 반응을 매개하여 반응 속도를 빠르게 하거나 늦추는 일. 또는 그런 물질.

09 윗글을 이해한 내용으로 적절하지 않은 것은?

일치하는 내용 찾기

① 암모니아 슬립 현상으로 배출되는 암모니아는 배관 내부나 장치 표면에 아멜린이나 멜라민 등을 고착시킨다.
② 디젤 엔진이 배출하는 오염 물질을 저감하는 데 DPF 방식과 EGR 방식이 복합적으로 사용될 수 있다.
③ DPF 방식에서는 필터에 포집된 입자상 물질을 배기가스에 섞인 연료와 함께 연소시켜 제거한다.
④ 디젤 엔진은 가솔린 엔진에 비해 이산화 탄소가 적게 배출되고 열효율이 높다.
⑤ SCR 방식에서 이산화 질소가 저감될 때 일산화 질소가 함께 저감될 수 있다.

10 ㉠과 ㉡을 비교한 내용으로 적절한 것은?

정보 간의 관계 파악하기

① ㉠과 ㉡은 모두 배기가스를 엔진으로 재순환시켜 질소 산화물의 저감 효율을 높인다.
② ㉠은 ㉡과 달리 질소 산화물을 저감하는 과정에서 엔진에 불순물이 쌓일 수 있다.
③ ㉠은 ㉡과 달리 불쾌감을 유발할 수 있는 암모니아를 배출한다.
④ ㉠은 ㉡에 비해 질소 산화물의 저감 효율이 높다.
⑤ ㉠은 ㉡에 비해 높은 온도에서 연료가 연소된다.

100人 선택지의 주어에 ○표시를 하며 읽어 봐. 헷갈리지 않게 말이야.

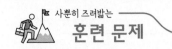

11 윗글을 바탕으로 〈보기〉를 이해한 내용으로 적절하지 않은 것은? [3점]

보기

다음 표는 연소 온도에 따라 배기가스 온도가 높아지고, 저감 장치를 통과하는 과정에서 배기가스에 포함된 질소 산화물의 농도가 달라지는 것을 나타낸 것이다.

배기가스 온도(℃)	㉯에서의 질소 산화물 농도(ppm)	㉰에서의 질소 산화물 농도(ppm)	저감률 (%)
190	151	37.7	75
362	176	0.89	99.4
388	355	0.44	99.8

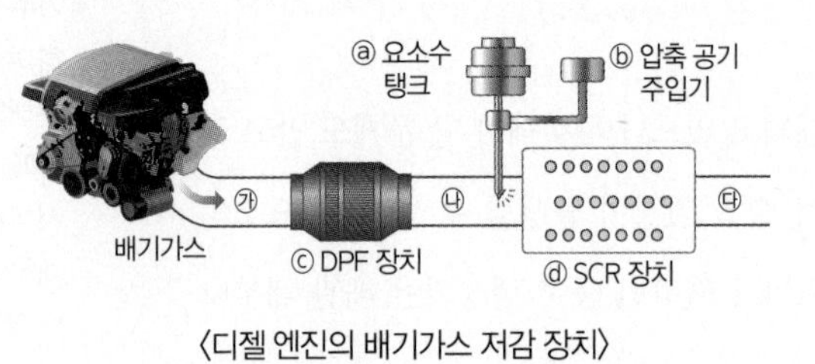

〈디젤 엔진의 배기가스 저감 장치〉

① 배기가스 온도가 190℃일 때 ㉮로 배출된 입자상 물질은 ⓒ를 거치면서 저감되겠군.

② ⓐ에서 ⓓ로 공급된 요소가 ⓓ에서 열분해와 가수 분해되면 암모니아가 생성될 수 있겠군.

③ ⓒ를 거치고 남아 있는 입자상 물질은 ⓓ를 거치게 되면서 저감되기 때문에 ㉯에 비해 ㉰의 입자상 물질이 적겠군.

④ ⓓ에서 일산화 질소가 암모니아와 반응하여 물과 질소가 만들어지기 위해서는 ⓑ를 통해 공급된 공기가 필요하겠군.

⑤ 배기가스 온도가 388℃일 때 ㉯에서의 질소 산화물 농도가 높은 것은 연료가 높은 온도에서 연소될수록 질소 산화물이 많이 생성되기 때문이겠군.

〈보기〉 문제
– 사례·상황 제시
– 시각 자료 제시

● 각 장치의 역할

ⓐ	(　　　)를 공급함.(4-7)	→ ⓓ에서 화학 반응이 일어나게 유도함.
ⓑ	(　　　)를 공급함.(4-7)	
ⓒ	(　　　　　)을 저감함.	
ⓓ	(　　　　　)을 저감함.	

100人 기술 지문의 중심 화제는 주로 우리가 널리 사용하고 있는 기술이나 그 기술을 활용해 만들어진 장치야. 기술 지문의 〈보기〉 문제는 대부분, 이러한 기술이나 장치의 작용을 구체화한 자료를 주고 선택지의 적절성을 판단하게 하지. 따라서 지문에 제시된 작동 원리나 순서, 과정을 정확하게 파악하고, 이를 바탕으로 하여 〈보기〉의 내용을 이해할 수 있어야 해.

12 [A]를 바탕으로 추론한 내용으로 가장 적절한 것은?

① 공간 속도가 빠르면 장치 내에서 배기가스의 체류 시간이 짧아져 저감 효율이 감소할 것이다.

② 금속 촉매의 표면에 단위 시간당 흡착되는 배기가스의 양이 많을수록 저감 효율은 감소할 것이다.

③ SCR 장치 내부에 백금이나 바나듐을 이용하는 것은 공간 속도를 빠르게 하여 저감 효율을 높이기 위한 것이다.

④ 단위 시간당 공급되는 배기가스의 양이 일정할 때 SCR 장치의 촉매의 부피가 클수록 공간 속도는 빨라질 것이다.

⑤ SCR 장치의 촉매의 부피가 일정할 때 공간 속도가 빨라졌다면 단위 시간당 공급되는 배기가스의 양이 줄어든 것이다.

글의 내용 추론하기

● [A]의 내용 이해하기

① SCR 방식에서는 촉매의 표면에 배기 가스가 오래 머물도록 해 주어야 저감 효율을 (높일 수 , 낮출 수) 있다.

②

$$공간\ 속도 = \frac{단위\ 시간당\ 공급되는\ 배기가스의\ 양}{SCR\ 장치의\ 촉매의\ 부피}$$

'단위 시간당 공급되는 배기가스의 양↑' 또는 '촉매의 부피 ↓' 하면, 공간 속도가 (빨라진다 , 느려진다)

배경지식 넓히기 ⑩ – 촉매

촉매는 '화학' 분야의 중요 개념이고, 그리 어렵지 않은 개념이니 촉매와 그와 관련한 개념들에 관한 내용을 한번 읽어 두면 좋을 거야.

반응 속도

우리 주변에서 일어나는 화학 반응에는 변화가 급격하게 일어나는 빠른 반응과, 변화가 일어나는지조차 알기 어려울 만큼 천천히 일어나는 느린 반응이 있어. 예를 들어, 화약의 폭발은 빠른 반응이고, 풍화 작용으로 바위 모양과 성분이 변하는 반응은 느린 반응이지. 반응 속도는 일반적으로, 일정한 시간 동안에 변화한 반응물이나 생성물의 농도를 측정하여 나타낸단다. $반응\ 속도 = \frac{농도\ 변화}{시간\ 변화}$

활성화 에너지

어떤 화학 반응이 일어나려면 반응물 입자들이 반응이 일어나기에 적합한 방향으로 충분히 빠르게 충돌해야 해. 반응물이 빠른 속도로 충돌할 때 전달되는 에너지는 반응물의 입자들 사이의 결합을 끊는 데 사용되는데, 결합이 끊어지면 입자들이 재배열되어 새로운 생성물이 된단다. 이렇게 반응이 일어나는 데에 필요한 최소한의 에너지를 활성화 에너지라고 해. 비유하자면, 골프공을 홀 가까이로 보내려면 공이 언덕을 넘길 수 있을 정도로는 쳐야 한다는 것이지. 활성화 에너지가 높아지면 반응 속도가 느려지고 반대로 활성화 에너지가 낮아지면 반응 속도가 빨라져.

촉매, 정촉매, 부촉매

촉매는 바로 이 활성화 에너지를 조절해서 반응 속도를 조절하는 거야. 정촉매는 활성화 에너지를 낮아지게 해서 반응 속도를 빠르게 하고, 부촉매는 활성화 에너지를 높아지게 해서 반응 속도를 느리게 하는 거지. 참, 촉매는 반응 속도에만 영향을 줄 뿐, 화학 반응 과정에 직접 참여하지는 않는다는 것은 잘 알고 있지?

윗글에서 나온 SCR 장치 내부가 바로, 촉매가 실생활에서 사용되는 대표적인 예야. 이러한 촉매 변환기에 사용되는 '백금(Pt), 로듐(Rh)'과 같은 금속은, 자동차 배기가스에 포함된 '일산화 탄소, 일산화 질소'와 같은 해로운 물질이 '이산화 탄소, 수증기, 질소, 산소' 등으로 변하는 반응 속도를 빠르게 하는 촉매 역할을 해. 예를 들어 일산화 탄소가 산소와 반응하여 이산화 탄소가 되는 반응은, 산소 분자의 강한 결합을 끊어 내야 하기 때문에 활성화 에너지가 매우 커. 그러나 촉매 변환기를 사용하면 산소 분자가 금속 표면에 흡착되면서 결합이 약해져 산소 원자로 쉽게 분해되지. 그 결과 전체 반응의 활성화 에너지가 낮아지고 반응 속도가 빨라지는 것이란다.

▲ 자동차의 촉매 변환기

–출처: 고등학교 《화학 II》, 천재교육

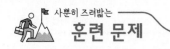

[13~16] 다음 글을 읽고 물음에 답하시오.

2019학년도 6월 모의평가

1 [1]건강 상태를 진단하거나 범죄의 현장에서 혈흔을 조사하기 위해 검사용 키트가 널리 이용된다.[2]키트 제작에는 다양한 과학적 원리가 적용되는데, 적은 비용으로 쉽고 빠르고 정확하게 검사할 수 있는 키트를 제작하는 것이 요구된다. [3]이러한 필요에 따라 항원–항체 반응을 응용하여 시료에 존재하는 성분을 분석하는 다양한 형태의 키트가 개발되고 있다.[4]항원–항체 반응은 항원과 그 항원에만 특이적으로 반응하는 항체가 결합하는 면역반응을 말한다.[5]항체 제조 기술이 발전하면서 휴대성이 높고 분석 시간이 짧은 측면유동면역분석법(LFIA)을 이용한 다양한 종류의 키트가 개발되고 있다.

2 [1]LFIA 키트를 이용하면 키트에 나타나는 선을 통해, 액상의 시료에서 검출하고자 하는 목표 성분의 유무를 간편하게 확인할 수 있다. [2]LFIA 키트는 가로로 긴 납작한 막대 모양인데, 시료 패드, 결합 패드, 반응막, 흡수 패드가 순서대로 나란히 배열된 구조로 되어 있다. [3]시료 패드로 흡수된 시료는 결합 패드에서 복합체와 함께 반응막을 지나 여분의 시료가 흡수되는 흡수 패드로 이동한다.[4]결합 패드에 있는 복합체는 금–나노 입자 또는 형광 비드 등의 표지 물질에 특정 물질이 붙어 이루어진다.[5]표지 물질은 발색 반응에 의해 색깔을 내는데, 이 표지 물질에 붙어 있는 특정 물질은 키트 방식에 따라 종류가 다르다.[6]일반적으로 한 가지 목표 성분을 검출하는 키트의 반응막에는 항체들이 띠 모양으로 두 가닥 고정되어 있는데, 그중 시료 패드와 가까운 쪽에 있는 가닥이 검사선이고 다른 가닥은 표준선이다.[7]표지 물질이 검사선이나 표준선에 놓이면 발색 반응에 의해 반응선이 나타난다.[8]검사선이 발색되어 나타나는 반응선을 통해서는 목표 성분의 유무를 판정할 수 있다.[9]표준선이 발색된 반응선이 나타나면 검사가 정상적으로 진행되었음을 알 수 있다.

3 [1]LFIA 키트는 주로 ㉠<u>직접 방식</u> 또는 ㉡<u>경쟁 방식</u>으로 제작되는데, 방식에 따라 검사선의 발색 여부가 의미하는 바가 다르다.[2]직접 방식에서 복합체에 포함된 특정 물질은 목표 성분에 결합할 수 있는 항체이다.[3]시료에 목표 성분이 포함되어 있다면 목표 성분은 이 항체와 일차적으로 결합하고, 이후 검사선의 고정된 항체와 결합한다.[4]따라서 검사선이 발색되면 시료에서 목표 성분이 검출되었다고 판정한다.[5]한편 경쟁 방식에서 복합체에 포함된 특정 물질은 목표 성분에 대한 항체가 아니라 목표 성분 자체이다.[6]만약 시료에 목표 성분이 포함되어 있으면 시료의 목표 성분과 복합체의 목표 성분이 서로 검사선의 항체와 결합하려 경쟁한다.[7]이때 시료에 목표 성분이 충분히 많다면 시료의 목표 성분은 복합체의 목표 성분이 검사선의 항체와 결합하는 것을 방해하므로 검사선이 발색되지 않는다. [8]직접 방식은 세균이나 분자량이 큰 단백질 등을 검출할 때 이용하고, 경쟁 방식은 항생 물질처럼 목표 성분의 크기가 작은 경우에 이용한다.

지문 이해

1 측면유동면역분석법(LFIA)을 이용한 검사용 키트의 개발

2 LFIA 키트의 (   )와 원리

3 LFIA 키트의 검사 방식 – 직접 방식과 (   )

4 LFIA 키트의 결과 분석

5 LFIA 키트의 정확도 – (   )와 특이도

글의 핵심 파악

● **LFIA 키트의 구조**

→ 시료의 진행 방향

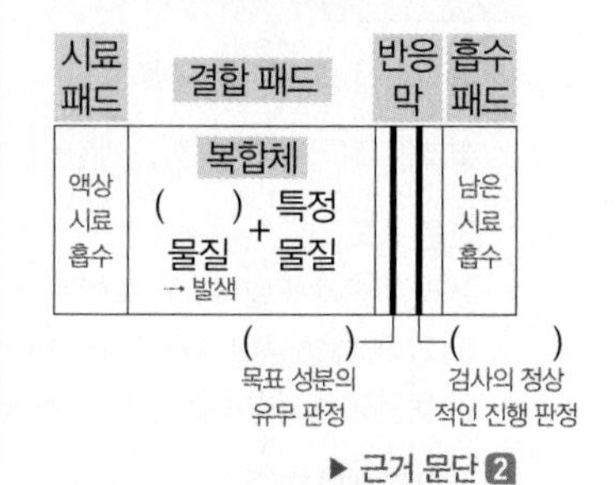

▶ 근거 문단 2

● **직접 방식과 경쟁 방식 비교**

	직접 방식	경쟁 방식
목표 성분	항원	항원
특정 물질	목표 성분에 결합할 수 있는 항체	목표 성분(항원) 자체 → 시료의 목표 성분과 복합체의 목표 성분이 경쟁
검사선	발색 ○ → 목표 성분 검출 판정	발색 × → 목표 성분 검출 판정
이용	세균이나 분자량이 큰 단백질이 목표 성분일 때	항생 물질처럼 크기가 작은 목표 성분일 때

▶ 근거 문단 3

4 [1]한편, 검사용 키트는 휴대성과 신속성 외에 정확성도 중요하다. [2]키트의 정확성을 측정하기 위해서는 키트를 이용해 여러 번의 검사를 실시하고 그 결과를 분석한다. [3]키트가 시료에 목표 성분이 들어있다고 판정하면 이를 양성이라고 한다. [4]이때 시료에 목표 성분이 실제로 존재하면 진양성, 시료에 목표 성분이 없다면 위양성이라고 한다. [5]반대로 키트가 시료에 목표 성분이 들어 있지 않다고 판정하면 음성이라고 한다. [6]이 경우 실제로 목표 성분이 없다면 진음성, 목표 성분이 있다면 위음성이라고 한다. [7]현실에서 위양성이나 위음성을 배제할 수 있는 키트는 없다.

5 [1]여러 번의 검사 결과를 통해 키트의 정확도를 구하는데, 정확도란 시료를 분석할 때 올바른 검사 결과를 얻을 확률이다. 정확도는 민감도와 특이도로 나뉜다. [2]민감도는 시료에 목표 성분이 존재하는 경우에 대해 키트가 이를 양성으로 판정한 비율이다. [3]특이도는 시료에 목표 성분이 없는 경우에 대해 키트가 이를 음성으로 판정한 비율이다. [4]민감도와 특이도가 모두 높아 정확도가 높은 키트가 가장 이상적이지만 현실에서는 그렇지 않은 경우가 많아서 상황에 따라 민감도나 특이도를 고려하여 키트를 선택해야 한다.

● **LFIA 키트의 검사 결과**

양성	시료에 목표 성분이 들어 있다고 판정한 경우
↓	
시료에 목표 성분이 실제로 존재	시료에 목표 성분이 없음.
↓	↓
(　　)	(　　)

음성	시료에 목표 성분이 들어 있지 않다고 판정한 경우
↓	
시료에 목표 성분이 실제로 없음.	시료에 목표 성분이 있음.
↓	↓
(　　)	(　　)

▶ 근거 문단 **4**

어휘 풀이

- **항원**: 생체 속에 침입하여 항체를 형성하게 하는 단백성 물질. 세균이나 독소 따위가 있다. ≒면역원.
- **항체**: 항원의 자극에 의하여 생체 내에 만들어져 특이하게 항원과 결합하는 단백질. 응집소 · 침강소 · 항독소의 작용을 가지며, 생체에 그 항원에 대한 면역성이나 과민성을 준다. ≒면역 항체.

13 윗글을 읽고 알 수 있는 내용으로 적절하지 <u>않은</u> 것은?

일치하는 내용 찾기

① LFIA 키트에서 시료 패드와 흡수 패드는 모두 시료를 흡수하는 역할을 한다.
② LFIA 키트를 통해 검출하려고 하는 목표 성분은 항원-항체 반응의 항원에 해당한다.
③ LFIA 키트를 사용할 때 정상적인 키트에서 검사선이 발색되지 않으면 표준선도 발색되지 않는다.
④ LFIA 키트에 표지 물질이 없다면 시료에 목표 성분이 있더라도 이를 시각적으로 확인할 수 없다.
⑤ LFIA 키트를 이용하여 검사할 때, 시료에 목표 성분이 포함되어 있지 않더라도 검사선이 발색될 수 있다.

Ⅲ 실전 독해

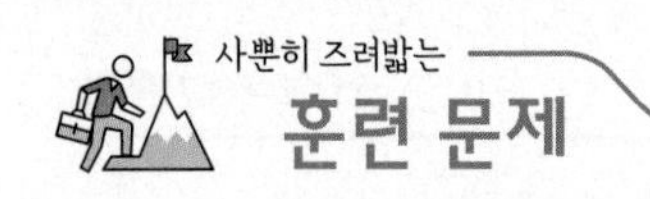

정보 간의 관계 파악하기

14 ㉠과 ㉡에 대한 이해로 가장 적절한 것은?

① ㉠은 ㉡과 달리, 시료에 들어 있는 목표 성분은 검사선에 도달하기 이전에 항체와 결합을 하겠군.
② ㉠은 ㉡과 달리, 시료에서 목표 성분을 검출했다면 검사선에서 항체와 목표 성분의 결합이 존재하지 않겠군.
③ ㉡은 ㉠과 달리, 시료가 표준선에 도달하기 이전에 검사선에 먼저 도달하겠군.
④ ㉡은 ㉠과 달리, 정상적인 검사로 시료에서 목표 성분을 검출했다면 반응막에 아무런 반응선도 나타나지 않았겠군.
⑤ ㉠과 ㉡은 모두 시료에 들어 있는 목표 성분이 표지 물질과 항원-항체 반응으로 결합하겠군.

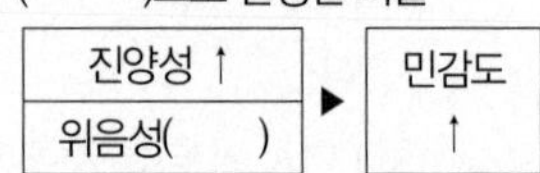

15 윗글을 참고할 때, 〈보기〉의 A와 B에 들어갈 말을 올바르게 짝지은 것은?

보기

검사용 키트를 가지고 여러 번의 검사를 실시하여 키트의 정확성을 측정하였을 때, 검사 결과 (A)인 경우가 적을수록 민감도는 높고, (B)인 경우가 많을수록 특이도는 높다.

	A	B
①	진양성	진음성
②	진양성	위음성
③	위양성	위음성
④	위음성	진음성
⑤	위음성	위양성

● 민감도와 특이도

• 민감도: 시료에 목표 성분이 (　　)하는 경우 키트가 이를 (　　)으로 판정한 비율

진양성 ↑	▶	민감도 ↑
위음성(　)		

• 특이도: 시료에 목표 성분이 (　　) 경우 키트가 이를 (　　)으로 판정한 비율

진음성(　)	▶	특이도 ↑
위양성(　)		

▶ 근거 문단 5

16 윗글을 바탕으로 〈보기〉를 이해한 반응으로 적절하지 않은 것은? [3점]

보기

살모넬라균은 집단 식중독을 일으키는 대표적인 병원성 세균이다. 기존의 살모넬라균 분석법은 정확도는 높으나 3~5일의 시간이 소요되어 질병 발생 시 신속한 진단 및 예방에 어려움이 있었다. 살모넬라균은 감염 속도가 빠르므로 다량의 시료 중 오염이 의심되는 시료부터 신속하게 골라낸 후에 이 시료만을 대상으로 더 정확한 방법으로 분석하여 오염 여부를 확정 짓는 것이 효과적이다. 최근에 기존 방법보다 정확도는 낮으나 저렴한 비용으로 살모넬라균만을 신속하게 검출할 수 있는 ⓐLFIA 방식의 새로운 키트가 개발되었다고한다.

① ⓐ를 개발하기 전에 살모넬라균과 결합하는 항체를 제조하는 기술이 개발되었겠군.
② ⓐ의 결합 패드에는 표지 물질에 살모넬라균이 붙어 있는 복합체가 들어 있겠군.
③ ⓐ를 이용하여 음식물의 살모넬라균 오염 여부를 검사하려면 시료를 액체 상태로 만들어야겠군.
④ ⓐ를 이용하여 현장에서 살모넬라균 오염 의심 시료를 선별하기 위해서는 특이도보다 민감도가 높은 것이 더 효과적이겠군.
⑤ ⓐ를 이용하여 살모넬라균이 검출되었다고 키트가 판정한 경우에도 기존의 분석법으로는 균이 검출되지 않을 수 있겠군.

〈보기〉 문제
– 사례·상황 제시

● 직접 방식과 경쟁 방식
• (   )은 세균이나 분자량이 큰 단백질 등을 검출할 때 이용하고, (   )은 항생 물질처럼 목표 성분의 크기가 작은 경우에 이용한다.
• '복합체에 포함된 특정 물질'은 '직접 방식'에서는 목표 성분에 결합할 수 있는 (   )이고, '경쟁 방식'에서는 (   ) 자체이다.

▶ 근거 문단 3

짚고 가요

배경지식 넓히기 ⑪ – 백신의 원리

해마다 가을이 되면 많은 사람들이 독감에 걸릴 확률을 낮추기 위해 백신을 맞지. 백신은 어떤 원리로 질병을 예방하는 것일까? 백신의 작용은 항원 항체 반응과 관련이 있어.
항원은 외부에서 침입한 물질 중, 면역 반응을 일으키는 이물질이나 병원체를 말해. 그런데 우리 몸은 훌륭하게도, 이전에 감염되었던 항원과 같은 항원에 감염될 때 더 강력한 방어 작용을 일으켜. 이 점을 이용한 것이 백신이야.
백신에는 약화하거나 죽인 병원체 또는 병원체의 일부분이 담겨 있어. 백신을 투여하면 우리 몸의 면역 체계는 백신이 포함된 항원을 공격하고, 항원의 특성을 기억하는 기억 세포(항원의 특성을 기억하는 세포)를 형성하지. 그러면 나중에, 백신으로 예방한 병원체에 정말로 감염이 되었을 때 기억 세포가 빠르게 형질 세포(항체를 생성하는 세포)로 분화하여 다량의 항체를 생성할 수 있게 돼. 이 항체들이 항원과 결합하여 효과적으로 병원체를 제거하는 거지.

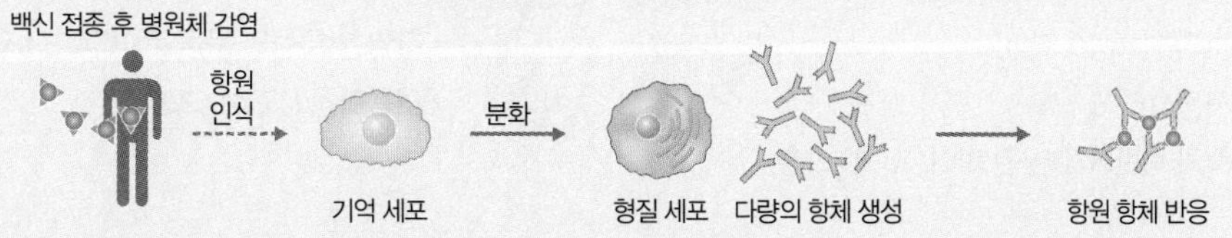

이러한 백신의 원리로 결핵, 간염, 소아마비, 홍역 등 여러 가지 질병을 예방할 수 있어. 하지만 모든 질병을 예방할 수 있는 건 아냐. 병원체 감염이 아닌 유전이나 생활 습관으로 발생하는 질병은 예방할 수 없지. 그리고 감염성 질병이라 해도 아직은 여러 가지 이유로 백신을 개발하지 못한 질병도 많단다.

– 출처: 고등학교 《생명과학 Ⅰ》, 천재교육

14 예술

예술 분야의 지문은?

예술 영역에서는 '미(美)' 자체를 탐구하는 학문인 '미학(美學)'과, '건축, 미술, 음악, 영화, 만화, 사진' 등 매우 다양한 분야의 예술 장르를 제재로 한 글들이 출제된다. 미학은 쉽게 말해 자연이나 인생, 예술 따위에 담긴 미의 본질과 구조를 탐구하는 철학이라고 생각하면 된다.

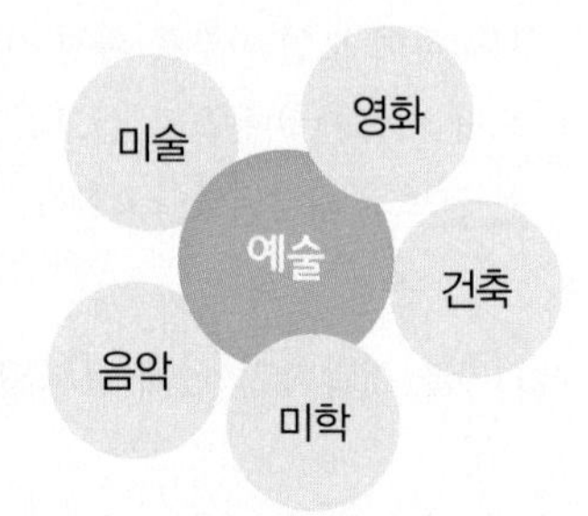

예술 지문은 주로 특정 작품이나 예술가, 예술 사조를 소개하거나, 특정 예술가나 유파의 견해·주장을 다른 이의 것과 대비하는 것이 다수를 차지한다. 특정 예술 이론의 변화 과정을 통시적으로 설명하는 내용도 자주 나온다.

예술 분야 출제 경향

1 지문 출제 경향

예술 영역에서는 예술의 다양한 하위 갈래 중에서도 '미술, 건축, 음악'과 관련한 지문이 많이 출제된 편이다. 최근 예술 지문들은 과학이나 기술과 같은 다른 영역과의 융합 지문으로 출제되는 경향이 있으며, 지문 길이도 점점 길어지고 있다. 근래 들어 수능 국어 시험의 난도가 높아지면서 최근 몇 년 간 수능에서는 예술 지문이 출제되지 않았다. 그러나 6·9월 평가원 모의고사에서는 다양한 분야의 예술 융합 지문이 출제되었으므로, 이를 풀면서 고난이도 융합 지문에 대비해 둘 필요가 있다.

영화
- 영화에 드러난 근대 도시의 복합적 양식 [19. 09. 모평]
- 작가주의 영화 비평 [15. 06. 모평]

미학
- 칸트의 취미 판단의 원리와 의의 [15 수능]
- 콘크리트의 특성과 발전 과정 및 건축 미학과의 연관성 [17. 09. 모평]

미술·사진
- 하이퍼리얼리즘 [18. 09. 모평]
- 회화주의 사진 [16. 09. 모평]
- 추사 김정희의 묵란화에 담긴 의미 [15. 09. 모평]

음악
- 다양한 특성의 음들로 이루어진 음악의 아름다움 [17. 06. 모평]

2 문제 출제 경향

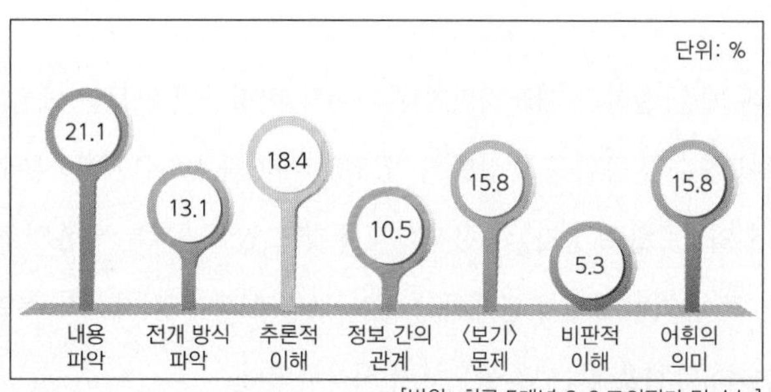

[범위: 최근 5개년 6·9 모의평가 및 수능]

지문에 제시된 '예술의 하위 갈래, 작품, 작가, 사조' 등에 대한 사실적 이해를 확인하는 문제의 비중이 가장 높다. 추론적 이해 문제로는 지문에 제시된 예술에 대한 견해를 바탕으로 하여 지문에 나오지 않은 내용이나 관점을 추론하는 유형이 자주 출제된다. 〈보기〉 문제로는 지문에 언급된 대상을 시각 자료로 제시하는 유형, 지문과 반대되는 견해가 담긴 글을 제시하는 유형이 자주 출제된다. 한편 예술 분야는 비판적 이해를 묻는 문제의 비중이 다른 분야에 비해 비교적 높은 편이다.

예술 분야 Q&A

● 저는 과학·기술보다 예술 지문 독해가 더 어려워요.

예술 지문은 과학·기술 지문처럼 정보 간의 관계를 명확하게 제시하기보다는 '한쪽은 이렇게 보는데 다른 쪽은 이렇게 보기도 한다', '시간이 흘러 사람들의 생각이 이렇게 변화하였다'는 진술 방식을 취하는 경우가 많다. 이런 글은 서로 다른 견해들의 공통점과 차이점을 비교해 가며 내용을 파악하는 것이 필요하다. 또한 어떤 대상에 대한 사람들의 관점은 다양할 수 있음을 염두에 두고 독해하는 것이 좋다.

● 예술 영역의 〈보기〉 문제는 어떻게 나오나요? 어떻게 풀어야 하나요?

예술 분야에서 가장 자주 출제되는 〈보기〉 문제는 지문에 언급된 대상을 시각 자료로 제시하는 유형이다. 〈보기〉가 실물 대상을 직접 보여 주기 때문에 대체로 그 내용을 쉽게 파악할 수 있는 편이다. 작품 제목이나 작가에 대한 정보가 함께 주어지기도 하는데, 이것이 지문 이해에 참고가 되기도 한다. 이 유형은 〈보기〉의 자료가 가리키는 대상을 파악한 뒤, 이를 키워드로 삼아 지문에서 관련 정보를 찾으면 된다.

그림, 사진, 조각, 건축물 사진, 단면도 등 중심 제재와 관련 깊은 경우가 많음.

특정 예술 작품을 감상하거나 비평하는 내용의 지문은 그와 반대되는 견해를 담은 글이 〈보기〉로 제시되기도 한다. 이 경우는 주로, 어느 한쪽의 입장에서 상대방의 관점에 대해 보일 수 있는 반응들을 선택지로 제시한 뒤 이들의 적절성을 따지게 하는 문제가 출제된다. 이런 유형을 풀기 위해서는 먼저 지문이나 〈보기〉의 입장·관점을 파악한 뒤에, 이를 바탕으로 하여 선택지로 제시된 주장·견해의 적절성을 판단해야 한다. 이때 선택지의 주장·견해가 비판하는 '대상'과 그 대상을 비판하는 '기준'을 명확히 구분하여 파악하는 것이 필요하다. 또한 제시된 주장·견해가 과연 대상이 지닌 문제점을 정확하게 지적하고 있는지, 타당성을 갖추었는지 비판적으로 접근할 수 있어야 한다.

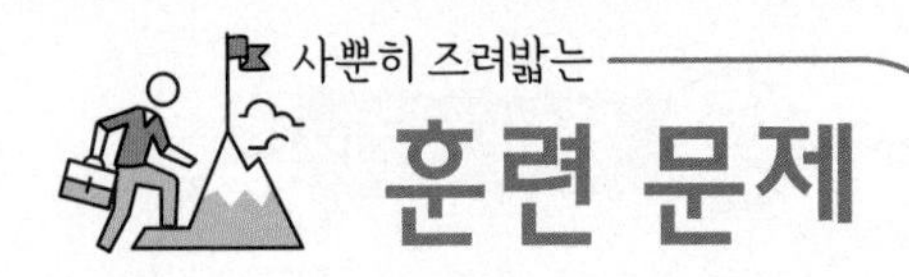

[01 ~ 03] 다음 글을 읽고 물음에 답하시오.

(2016학년도 3월 고3 학력평가)

1 [1]현대 예술 철학의 대표적인 이론가이자 비평가인 단토는 예술의 종말을 선언하였다. [2]그는 자신이 예술의 종말을 주장할 수 있었던 계기를 1964년 맨해튼의 스테이블 화랑에서 열린 앤디 워홀의 〈브릴로 상자〉의 전시회에서 찾고 있다. [3]그는 워홀의 작품 〈브릴로 상자〉가 일상의 사물, 즉 슈퍼마켓에서 판매하고 있는 브릴로 상자와 지각적 측면에서 차이가 없음에 주목하여 예술의 본질을 찾는 데 몰두하기 시작하였다.

2 [1]워홀의 〈브릴로 상자〉를 통해, 그는 동일하거나 유사한 두 대상이 있을 때, 하나는 일상의 사물이고 다른 하나는 예술 작품인 이유를 탐색하였다.[2]그 결과 어떤 대상이 예술 작품이 되기 위해서는 그것이 '무엇에 관함(aboutness)'과 '구현(embody)'이라는 두 가지 요소를 필수적으로 갖추고 있어야 한다는 결론에 이르렀다.[3]여기서 '무엇에 관함'은 내용 또는 의미, 즉 예술가가 의도한 주제를 가지고 있어야 함을 가리키며, '구현'은 그것을 적절한 매체나 효과적인 방식을 통해 나타내는 것을 말한다.[4]따라서 그에 따르면 예술 작품은 해석되어야 할 주제를 가질 수 있어야 한다.

3 [1]이후 단토는 예술의 역사에 대한 성찰을 통해 워홀의 〈브릴로 상자〉가 1964년보다 훨씬 이른 시기에 등장했다면 예술 작품으로서의 지위를 부여받지 못했을 것이라고 주장하면서, '예술계(artworld)'라는 개념을 도입하였다.[2]그가 말하는 '예술계'란 어떤 대상을 예술 작품으로 식별하기 위해 선행적으로 필요한 것으로, 당대 예술 상황을 주도하는 지식과 이론 그리고 태도 등을 포괄하는 체계를 가리킨다.[3]1964년의 〈브릴로 상자〉가 예술 작품으로서의 지위를 갖는 것은, 일상의 사물과 유사하게 보이는 대상도 예술 작품으로 인정할 수 있다는 새로운 믿음 체계가 있었기에 가능했다는 것이다.

4 [1]단토는 예술의 역사를 일종의 '내러티브(이야기)'의 역사로 파악해야 한다고 주장하였다. [2]역사가 그러하듯이 예술사도 무수한 예술적 사건들 중에서 중요하다고 여기는 사건들을 선택하고 그 연관성을 질서화하는 내러티브를 가진다는 것이다.[3]르네상스 시대부터 인상주의에 이르기까지 지속된 이른바 '바자리의 내러티브'는 대표적인 예이다.[4]모방론을 중심 이론으로 삼았던 바자리는 생생한 시각적 경험을 가져다주는 정확한 재현이 예술의 목적이자 추동 원리라고 보았는데, 이러한 바자리의 내러티브는 사진과 영화의 등장, 비서구 사회의 문화적 도전 등의 충격으로 뿌리째 흔들리기 시작하였다.[5]이러한 상황에서 당대의 예술가들은 예술은 무엇인가, 예술은 무엇을 해야 하는가에 대한 질문을 던지게 되고, 그에 따라 예술은 모방에서 벗어나 철학적 내러티브로 변하게 되었다.[6]이러한 상황에서 예술사를 예술이 자신의 본질을 찾

지문 이해

- **1** 단토가 예술의 종말을 선언한 계기
- **2** 단토가 본, 예술 작품이 필수적으로 갖추어야 할 두 요소
- **3** '(　　　)'라는 개념을 도입한 단토
- **4** 예술의 역사를 내러티브(이야기)의 역사로 파악한 단토
- **5** '예술 해방기'의 도래를 의미하는 예술 종말론

글의 핵심 파악

● 예술 작품이 가져야 하는 요소

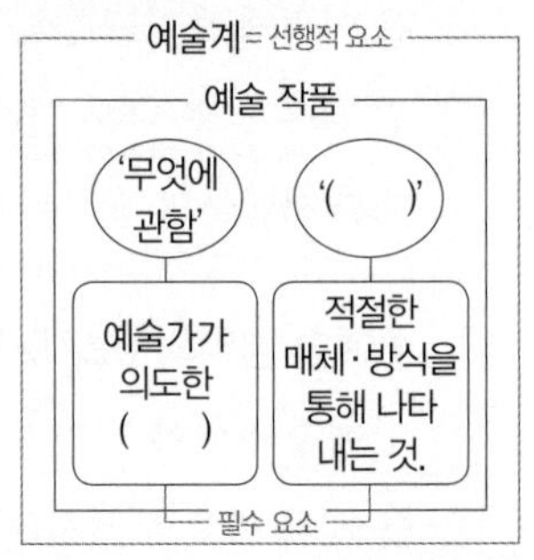

▶ 근거 문단 **2**, **3**

● 단토의 예술사('내러티브'의 역사)

바자리의 내러티브
모방론을 중심으로 한 (　　　)한 재현을 중시함.

↓

- 사진과 영화(그림보다 훨씬 재현이 뛰어남)의 등장
- 비서구 사회의 문화적 도전

↓

(　　　) 내러티브
예술은 무엇인가, 예술은 무엇을 해야 하는가를 탐구함.

- 단토는 이러한 내러티브의 역사에서 예술의 (　　　)을 발견함.

▶ 근거 문단 **4**

아 진보해 온 발전의 역사로 보는 단토는, 워홀의 〈브릴로 상자〉에서 예술의 종말을 발견하게 되었던 것이다.

5 [1]〈브릴로 상자〉로 촉발된 단토의 예술 종말론은 더 이상 예술이 존재할 수 없게 되었다는 주장이 아니라, 예술이 철학적 단계에 이름에 따라 그 이전의 내러티브가 종결되었음을 의미하는 것이라 할 수 있다.[2]그런 점에서 그의 예술 종말론은 비극적 선언이 아닌 낙관적 전망으로 해석할 수 있다.[3]단토는 예술 종말론을 통해 예술이 추구해야 할 특정한 방향이 없는 시기, 예술이 성취해야 하는 과업에 대해 고민할 필요가 없는 시기, 즉 예술 해방기의 도래를 천명한 것이기 때문이다.

어휘 풀이

- **지각**: 감각 기관을 통하여 대상을 인식함.
- **추동**: 어떤 일을 추진하기 위하여 고무하고 격려함.
- **촉발**: 어떤 일을 당하여 감정, 충동 따위가 일어남. 또는 그렇게 되게 함.
- **과업**: 꼭 하여야 할 일이나 임무.
- **천명**: 진리나 사실, 입장 따위를 드러내어 밝힘.

01 윗글에서 다루고 있는 내용이 아닌 것은?

일치하는 내용 찾기

① 단토가 파악한 내러티브로서의 예술사
② 단토가 예술 종말론을 주장하게 된 계기
③ 단토의 예술 종말론이 지닌 긍정적 함의
④ 단토가 제안한 예술계의 지위 회복 방법
⑤ 단토가 제시한 예술 작품이 갖추어야 할 필수 조건

02 윗글의 내용으로 보아 '단토'의 견해에 부합하기 어려운 진술은?

글의 내용(관점) 추론하기

① 오늘날의 예술이 무엇인가 알기 위해서는 감각으로 경험하는 것을 넘어 철학적으로 사고하는 접근이 필요하다.
② 예술 작품의 본질을 정의하려던 과거의 시도가 결국 실패한 것은 그것을 근본적으로 정의할 수 없기 때문이다.
③ 실제 사물과 달리, 예술 작품은 그것을 예술로 존재하게 하는 지식과 이론 등에 의해 예술 작품으로 인정받는다.
④ 예술의 종말 이후에도 시각적 재현을 위주로 하는 그림은 그려지겠지만, 그것이 재현의 내러티브를 발전시키지는 않는다.
⑤ 특정한 사고는 특정한 발전 단계에 이르러서야 생각될 수 있으므로 한 시기에 예술 작품일 수 있는 것이 다른 시기에는 예술 작품으로 간주되지 않을 수도 있다.

Ⅲ 실전 독해

03 윗글을 바탕으로 〈보기〉를 이해한 내용으로 적절하지 않은 것은? [3점]

보기

(A)

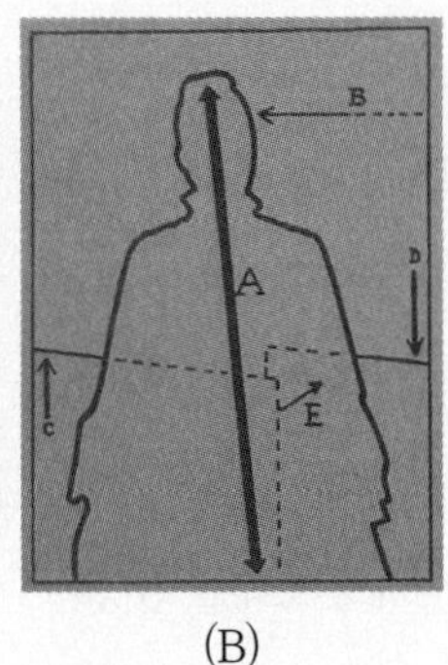

(B)

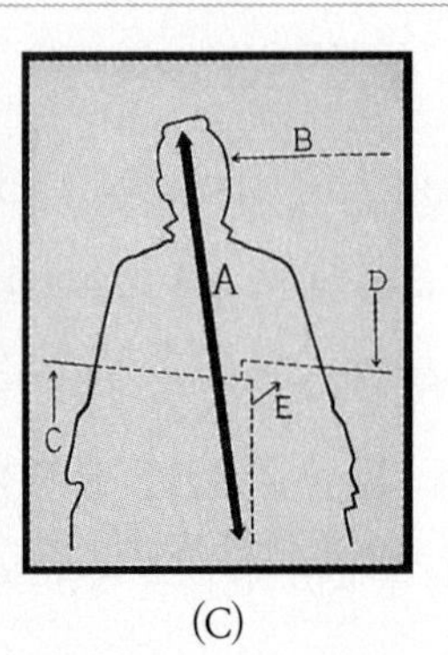

(C)

(A)는 인상주의 화가인 폴 세잔의 〈세잔 부인의 초상〉이다. (B)는 미술 평론가인 로랭이 자신의 책에서 (A)의 양감을 설명하기 위해 사용한 다이어그램이다. (C)는 로랭의 책이 출간된 이후에 리히텐슈타인이 그린 〈세잔 부인의 초상〉이다. 단토는 (B)는 (A)의 양감을 잘 보여 주고 있지만 미술 작품은 아니고, (C)는 세잔이 바라보는 세계를 위트 있게 표현한 미술 작품이라고 말했다.

① (A)는 대상의 외관을 재현한 것으로, '바자리의 내러티브'에 의해 미술 작품으로서의 지위를 가진다.
② (B)는 예술에 대한 철학적 의문을 드러내지 못하고 있다는 점에서 (A)와 다르다.
③ (C)를 미술 작품이라 한 것은 예술이 철학적 단계에 이르러 그 이전의 내러티브가 종결되었음을 보여 준다.
④ (A)와 (C)가 미술 작품이라는 것을 판단하기 위해서는 당대 예술 상황을 주도하는 믿음 체계에 대한 지식이 선행적으로 필요하다.
⑤ (B)와 (C)는 지각적으로 유사해 보이지만, (B)는 해석되어야 할 주제를 가지고 있지 않아서 미술 작품이라고 할 수 없다.

〈보기〉 문제
– 시각 자료 제시

● 윗글과 〈보기〉의 연결고리 찾기
• 윗글의 4

(　　　)과 (　　　)의 등장, 비서구 사회의 문화적 도전 등의 충격이 온 상황에서 예술가들은 예술에 대한 질문을 던지게 되고, 그에 따라 예술은 (　　　)에서 벗어나 (　　　) 내러티브로 변하게 됨.

● 〈보기〉 이해하기

(A)	인상주의 화가 폴 세잔느의 작품 → 재현을 중심으로 한 (　　　)의 내러티브에 해당함.
(B)	단토는 (B)는 (　　　)이 아니라고 함.
(C)	단토는 (C)는 세잔이 바라보는 세계를 위트 있게 표현한 (　　　)이라고 함.

짚고 가요

배경지식 넓히기 ⑫ – 서양 미술 사조 한눈에 보기

한 시대의 일반적인 사상의 흐름을 '사조(思潮)'라고 해. 분야별 사조의 흐름을 익혀 두면 예술 지문뿐만 아니라 인문과 사회 지문을 읽을 때에도 도움이 돼.

시대		
르네상스	• **르네상스 미술**: 사실적 아름다움, 형식미	• **매너리즘**: 인위적, 형식적, 몽상적 분위기
17~18세기	• **바로크 미술**: 르네상스의 고전주의적 표현에 반발, 과장되고 극적인 표현	• **로코코 미술**: 귀족의 여가 문화, 우아하고 섬세한 화풍

19세기	신고전주의	낭만주의	자연주의	사실주의	인상주의
	프랑스 혁명의 영향, 고전주의로 회귀	산업화에 반발, 감정을 극적으로 표출	자연 경관의 아름다움을 충실히 묘사	산업화에 따른 현실의 실제 문제에 집중, 현실을 객관적으로 표현	광학과 색채학의 발달 → 빛과 눈에 의해 형성된 미묘한 인상 포착

20세기	야수파	입체주의	표현주의	미래주의	다다이즘	초현실주의	극사실주의
	후기 인상주의의 영향, 작가의 주관에 따른 강렬한 색채 표현과 거친 붓질	복합적 시점에서 대상의 형태를 해체하고 재구성	후기 인상주의의 영향, 강렬한 색채와 형태 왜곡으로 작가의 주관 표현	전통과 관습 부정, 신문물의 역동성	1차 세계대전 후, 극단적이고 파괴적으로 무의미한 예술 지향	다다이즘에서 벗어나, 무의식과 초현실적 세계관 표현	사진처럼 대상을 완벽하게 묘사, 현대 사회의 획일적 모습 재현

➲ 서양 음악의 사조는 193쪽에!

[04~07] **다음 글을 읽고 물음에 답하시오.**

2016학년도 10월 고3 학력평가

1 [1]우리가 흔히 건반 악기라고 부르는 피아노는 정확하게 표현하자면 건반으로 연주하는 현악기이다.[2]건반과 연결된 해머가 현을 때리면 현이 진동하게 되고, 이 진동으로 생성된 음이 음향판에서 증폭되어 특유의 음색을 가진 소리를 내기 때문이다. [3]그랜드 피아노를 기준으로 피아노에서 특유의 소리가 나기까지 어떤 것들이 관여하는지 살펴보자.

2 [1]우선 피아노에서 핵심적 역할을 하는 '액션'을 살펴볼 필요가 있다. [2]각 건반마다 하나씩 있는 액션은 크게 세 가지 역할을 한다.[3]우선 액션은 건반을 누른 힘보다 더 큰 힘으로 액션에 있는 해머가 현을 때리도록 하는 지렛대 역할을 한다.[4]둘째, 건반을 누를 때에는 해당 현의 댐퍼가 현에서 떨어지게 했다가 손을 건반에서 뗄 때 댐퍼가 현에 다시 붙게 한다.[5]건반을 누르고 있는 동안에는 해머에 의해 진동을 시작한 현이 계속 진동할 수 있게 하고, 그 건반에서 손을 떼면 댐퍼가 다시 현에 붙도록 하여 다른 현이 진동할 때 공명하지 않게 만드는 것이다.[6]셋째, 해머가 현을 때리는 즉시 액션은 해머를 현에서 이탈하게 한다.[7]액션이 이처럼 작동하는 이유는 만약 해머가 현을 때리고 곧바로 떨어지지 않거나, 해머가 현을 때린 후 그 반동으로 인해 제멋대로 움직인다면 해머의 방해로 현이 자유롭게 진동하지 못하기 때문이다.

3 [1]건반 하나에 액션은 하나가 대응하지만 현은 그렇지 않다. [2]건반 하나에 같은 음높이로 조율된 여러 개의 현들이 대응하도록 제작되어 있다.[3]저음부에는 해머 하나에 같은 음높이의 현이 1~2개씩 대응되어 있고, 중고음부에는 2~3개씩 대응되어 있어 해머가 한 번에 여러 개의 현을 때릴 수 있다.[4]그에 따라 같은 음높이를 가진 현이 여러 개 진동하므로 더 큰 소리를 낼 수 있게 된다.[5]여기서 발생하는 진동은 현과 음향판을 잇는 역할을 하는 브리지를 거쳐 음향판으로 전달된다.[6]음향판은 현의 진동을 전달 받아 공기와의 접촉면을 넓혀 음량을 증폭하는 역할을 한다.[7]음향판에는 향봉이 부착되어 있어 음이 음향판 전체에 고루 퍼질 수 있도록 하는데, 음향판의 모양은 피아노 특유의 음색에 변화를 가져올 수 있다.

4 [1]피아노의 페달 역시 페달을 밟고 있는 동안 특정 역할을 수행하여 음색에 영향을 주기도 한다.[2]피아노의 세 페달 중 오른쪽에 있는 페달을 '댐퍼 페달'이라고 한다. [3]이 페달을 밟으면 모든 현에서 댐퍼가 일제히 떨어지게 된다.[4]만약 댐퍼 페달을 밟고 건반을 누른다면 현의 진동은 건반을 누르지 않은 다른 현에도 공명을 일으킬 것이다.[5]또한 건반에서 손을 떼도 이 같은 현상이 어느 정도 지속될 것이다.[6]그러므로 댐퍼 페달은 연주된 음을 지속적으로 울리게 하여 음향을 풍부하게 하고 음과 음 사이를 부드럽게 연결하는 효과를 낸다.[7]왼쪽 페달은 '소프트 페달'이라고 하는데, 이 페달을 밟으면 해머가 한쪽으로 조금씩 움직여서 해당 건반의 해머가 때리는 현의 수를 3현은 2현으로, 2현은 1현으로 감소시킨다.[8]이를 통해 음량을 감소

지문 이해

1 건반으로 연주하는 현악기인 ( )

2 '( )'의 세 가지 역할

3 피아노에서 '( )', '음향판', '향봉'이 하는 역할

4 세 가지 ( )의 역할

글의 핵심 파악

● **'액션'의 역할**

① 해머가 현을 때릴 때 ( )의 역할을 함.

② ( )를 현에서 떨어지거나 붙게 하여 공명을 조절함.

③ ( )가 현을 때리자마자 ( )를 현에서 떨어지게 함.

▶ 근거 문단 **2**

● **피아노 페달의 역할**

	역할	효과
댐퍼 페달	해머가 때리지 않은 현의 ( )도 현에서 떨어뜨림.	• 음향이 풍부 • 음과 음 사이가 부드러워짐.
소프트 페달	해머가 때리는 현의 수를 줄임.	음량이 ( )함.
소스테누토 페달	해머가 때린 현의 댐퍼만 현에서 떨뜨림.	건반에서 손을 떼도 해당 음이 ( )됨.

▶ 근거 문단 **4**

어휘 풀이

● **증폭:** 사물의 범위가 늘어나 커짐. 또는 사물의 범위를 넓혀 크게 함.

● **음색:** 음을 만드는 구성 요소의 차이로 생기는, 소리의 감각적 특색.

● **공명:** 진동하는 계의 진폭이 급격하게 늘어남.

● **음향:** 물체에서 나는 소리와 그 울림.

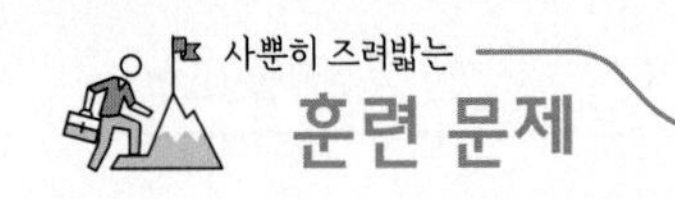

시킬 수 있다.[9]가운데 페달은 '㉠소스테누토 페달'이라고 하는데, 이를 밟은 채 건반을 누르면 해머가 때린 현의 댐퍼만이 현에서 떨어지게 된다. [10]이로 인해 음색에 변화를 줄 수 있다.

04 윗글에 대한 설명으로 가장 적절한 것은?

내용 전개 방식 파악하기

① 피아노의 종류와 그 차이점을 소개하고 있다.
② 피아노의 주요 장치와 그 기능을 설명하고 있다.
③ 피아노의 제작 과정을 순차적으로 제시하고 있다.
④ 피아노의 작동 원리를 다른 대상과 비교하고 있다.
⑤ 피아노의 연주에서 유의해야 할 점을 부각하고 있다.

05 윗글에 대한 이해로 적절하지 않은 것은?

일치하는 내용 찾기

① 음향판의 모양은 피아노 특유의 음색에 변화를 가져올 수 있군.
② 건반 개수는 액션 개수와는 같지만, 현의 개수보다는 적겠군.
③ 건반을 세게 내려치면 액션은 그 힘을 자연스럽게 완화시키는 기능을 하는군.
④ 건반을 눌러도 소리가 나지 않는다면 해머가 현을 때리지 못하고 있을 가능성이 있겠군.
⑤ 해머가 현을 때린 후 곧바로 현에서 떨어지지 않으면 연주자가 의도한 대로 현이 울리지 않을 수 있겠군.

06 ㉠을 밟았을 때의 효과를 바르게 추론한 것은?

글의 내용 추론하기

① 건반에서 손을 떼도 해당 건반 음이 지속된다.
② 건반에서 손을 떼도 해당 건반 음 외의 다른 음이 공명한다.
③ 건반에서 손을 떼지 않아도 해당 건반 음을 멈춘다.
④ 건반을 누를 때 해당 건반 음의 음량을 감소시킨다.
⑤ 건반을 누를 때 해당 건반 음 외의 다른 음이 공명한다.

07 윗글을 참고하여 〈보기〉를 연주한다고 할 때, 이에 대한 설명으로 가장 적절한 것은? [3점]

보기

※단, ⓑ를 연주할 때부터 댐퍼 페달을 밟았다가, ⓓ를 연주하기 직전에 댐퍼 페달에서 발을 뗀다.

① ⓐ를 연주할 때, 건반을 손에서 뗀 후에도 현은 계속 진동하게 되므로 ⓑ의 연주 음과 부드럽게 연결된다.
② ⓑ를 연주할 때, 건반을 누르고 있는 동안 해당 현만 댐퍼에 붙지 않으므로 댐퍼 페달을 밟지 않을 때보다 음량이 커진다.
③ ⓑ를 연주할 때, 건반을 매우 강하게 누른다고 해도 ⓒ에서는 어떠한 현도 진동하지 않기 때문에 ⓒ에서는 소리가 나지 않는다.
④ ⓓ를 연주할 때에는 ⓐ, ⓑ와 달리 건반을 손에서 뗀 후에는 해당 건반의 현 외에는 울리지 않게 된다.
⑤ ⓓ를 연주할 때, 건반들을 누르고 있는 동안 해당 건반들의 댐퍼는 현에서 떨어져 있으므로 해당 음들이 서로 공명을 일으킨다.

〈보기〉 문제
– 시각 자료 제시
– 사례·상황 제시

● 윗글과 〈보기〉의 연결고리 찾기

• 윗글의 2

액션은 건반을 누를 때에 해당 현의 ( )가 ( )에서 떨어지게 하며, 건반을 누르고 있는 동안 해머에 의해 진동을 시작한 ( )은 계속 ( )을 함.

• 〈보기〉 이해하기

ⓓ를 연주하기 직전 댐퍼 페달에서 발을 뗌.

↓

ⓓ의 건반들을 누르고 있는 동안 해당 건반의 ( )들만 ( )에서 떨어지게 됨.

↓

ⓓ의 음들이 서로 ( )을 일으키게 됨.

짚고 가요

배경지식 넓히기 ⑬ – 서양 음악 사조 한눈에 보기

르네상스	• **르네상스 음악**: 교회 미사 음악과 세속 노래의 발달, 기악 음악의 등장, 악보의 광범위한 보급				
17세기	• **바로크 음악**: 귀족과 왕족을 위한 오페라와 관현악단 등장, 기악 형식의 음악 발전				
18~19세기	고전주의	낭만주의	민족주의		
	선율과 화성이 명확하고 균형 있는 음악의 형식미 중시, 교향곡, 소나타, 론도의 새 형식 발달	자유로운 형식을 통한 감정 표현에 초점, 관현악법과 오페라 발달, 악극과 교향시 등 창시	민족 고유의 전설, 설화, 자연, 리듬, 선율을 소재로 하여 음악 표현		
20세기	인상주의	표현주의	원시주의	미니멀리즘	불확정성 음악
	섬세한 음색을 표현하며 자극적이면서도 모호한 분위기를 형성하는 데 초점	자유로운 리듬, 협화음과 불협화음의 활용으로 주관적 감정 표출	낭만주의의 세련됨에 대한 반동으로 대담한 불협화음과 격렬한 리듬을 표현	고도의 사고과정을 요구하는 음악에 반발하여 단순하고 간결한 음악을 추구	정밀하게 구성된 음악에 반발하여 작곡이나 연주에 우연성을 가미

알아 두면 쓸데 있는 100인의 지혜 6

독해 시간을 줄여 주는 배경지식 쌓기

'뉴턴의 운동 법칙'을 다룬 글을 고등학생과 물리학 교수가 읽는다면 누가 더 빠르고 정확하게 이해할까? 당연히 물리학 교수일 거야. 왜냐하면 물리학 교수가 '뉴턴의 운동 법칙'에 관한 배경지식을 훨씬 더 많이 가지고 있기 때문이지. 이처럼 비문학 문제를 풀 때에는 관련 배경지식을 갖춘 학생이 그렇지 않은 학생보다 훨씬 유리해. 물론 그렇다고 해서 물리학이나 경제학 전공 서적들을 읽어 두라는 얘기는 아니야. 시험을 위한 공부 방법으로 그건 너무 비효율적이거든. 자, 그럼 시험 독해에 필요한 배경지식을 쌓는 방법을 알아보자.

배경지식을 쌓기 위해 지금부터 해야 할 일

당연한 말이지만 배경지식만 많이 쌓는다고 해서 비문학 독해에 강해지는 건 아니란다. '아는 것이 병'이라고, 지문을 읽으면서 주제와 관련성이 떨어지는 배경지식을 자꾸 떠올린다거나, 잘 아는 내용이 나왔다고 해서 그 부분에만 꽂혀 시간을 흘려보낸다면 좋은 성적을 기대하기 어렵지. 따라서 배경지식을 쌓는 일 못지않게 배경지식을 적절하게 활용하며 글을 읽는 훈련을 하는 것이 중요하다는 걸 잊지 말자.

따라서 지금부터 여러분이 해야 할 일은 다음의 두 가지라고 할 수 있어.

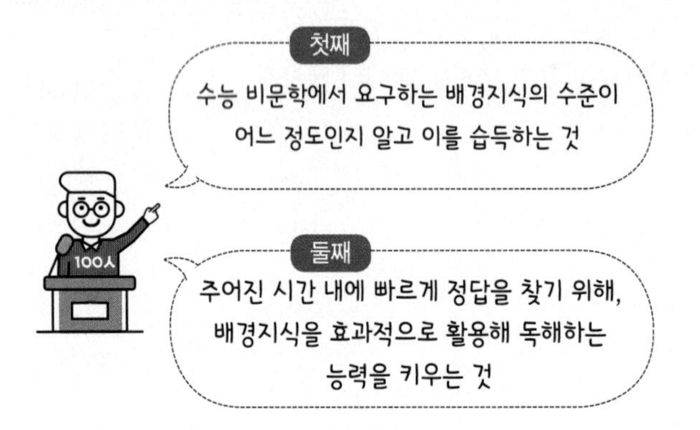

첫째
수능 비문학에서 요구하는 배경지식의 수준이 어느 정도인지 알고 이를 습득하는 것
100人
둘째
주어진 시간 내에 빠르게 정답을 찾기 위해, 배경지식을 효과적으로 활용해 독해하는 능력을 키우는 것

두 번째 것은 훈련이 좀 필요해. 지금까지 배운 것을 바탕으로 해서 기출 문제를 풀어 보면서 수능 시험에 대한 감을 익혀 나간다면 충분히 이룰 수 있을 거야. 여기에서는 첫 번째 사항에 관해 이야기해 볼게.

수능 비문학에서 요구하는 배경지식의 범위

수능 비문학 문제는 '지식'이 아닌 '독해력'을 측정하고자 하는 시험이야. 따라서 전문적인 개념은 지문 안에서 정의해 주고, 세부 정보 간의 관계도 명확하게 밝혀 줘. 하지만 수능 출제 기관인 한국교육과정평가원에서는 고등학생이라면 기본적으로 알 수 있는 배경지식(개념, 원리 등)은 지문에서 별도로 설명하지 않아. 예상 독자인 수험생이 이미 알고 있다고 전제하는 거지. 평가원이 기초라고 여기는 배경지식의 기준은 다음과 같아.

> 고등학교 교육과정은 중학교 교육의 성과를 바탕으로 하고 있으므로 공통 교육과정의 내용을 간접적으로 관련지어 출제할 수 있음.
>
> – 대학수학능력시험 시행기본계획 보도자료

'공통 교육과정'은 고등학교 1학년까지의 교육과정을 말해. 즉, 평가원은 중학교 때 공부를 충실히 한 학생들이라면 알고 있을 지식들을 포함하여, 우리가 고1 때까지 배운 내용들을 기초적인 배경 지식으로 보겠다는 거야.

그럼 지문을 보면서 기초적인 배경지식이 어떤 것인지 직접 확인해 보자. 다음을 읽어 보렴. (,   표시는 글을 읽고 나서 설명해 줄 테니, 신경 쓰지 말고 읽어 봐.)

2020학년도 6월 모의평가

전통적인 통화 정책은 정책 금리를 활용하여 물가를 안정시키고 경제 안정을 도모하는 것을 목표로 한다. 중앙은행은 경기가 과열되었을 때 정책 금리 인상을 통해 경기를 진정시키고자 한다. 정책 금리 인상으로 시장 금리도 높아지면 가계 및 기업에 대한 대출 감소로 신용 공급이 축소된다. 신용 공급의 축소는 경제 내 수요를 줄여 물가를 안정시키고 경기를 진정시킨다. 반면 경기가 침체되었을 때는 반대의 과정을 통해 경기를 부양시키고자 한다.

금융을 통화 정책의 전달 경로로만 보는 전통적인 경제학에서는 금융감독 정책이 개별 금융 회사의 건전성 확보를 통해 금융 안정을 달성하고자 하는 미시 건전성 정책에 집중해야 한다고 보았다. 이러한 관점은 금융이 직접적인 생산 수단이 아니므로 단기적일 때와는 달리 장기적으로는 경제 성장에 영향을 미치지 못한다는 인식과, 자산 시장에서는 가격이 본질적 가치를 초과하여 폭등하는 버블이 존재하지 않는다는 효율적 시장 가설에 기인한다. 미시 건전성 정책은 개별 금융 회사의 건전성에 대한 예방적 규제 성격을 가진 정책 수단을 활용하는데, 그 예로는 향후 손실에 대비하여 금융 회사의 자기자본 하한을 설정하는 최저 자기자본 규제를 들 수 있다.

      로 표시된 '미시 건전성 정책, 버블, 최저 자기자본 규제'라는 개념어들은 밑줄 친 것과 같이 정의가 함께 제시되고 있어. 이를 통해, 출제자가 예상 독자인 수험생들이 이 개념어들을 모를 것이라 전제하고(이미 용어 자체에서 전문적인 느낌이 확 풍기지?) 글을 구성했다는 것을 알 수 있지. 물론 이미 알고 있다면 글을 더 빠르게 이해할 수 있겠지만 모른다고 해도 지문의 내용을 이해할 수 있게 정보를 준 거지.

반면   로 표시된 '통화, 금리, 경기, 수요, 물가, 금융'에는 별다른 정의도 붙어 있지 않고, 맥락을 통해서 의미를 추론할 수 있는 단서도 없어. 즉, 이 개념어들은 한국교육과정평가원에서 고등학교 수험생들이 이미 알고 있다고 전제한 기초 지식이라는 거야. 이 개념들을 모르고 있던 친구들은, 기초 배경지식을 좀 쌓을 필요가 있어.

배경지식 공부법 – 나만의 '기초 개념어 사전' 만들기

기초 배경지식을 쌓는 데에는 여러 방법이 있겠지만, 다음과 같이 나만의 '기초 개념어 사전'을 만들어 정리하는 것을 추천해. 자신이 어떤 개념을 모르고 있는지 한번에 확인할 수 있어 효율적이거든. '기초 개념어 사전'을 만들 때는 국어사전을 참고해서, 자신이 알아보기 편한 설명을 덧붙이거나 관련 개념을 함께 정리하면 돼.

☆〈사회(경제) 영역〉☆

통화	유통 수단이나 지불 수단으로서 기능하는 화폐 =돈!!
금리	이자를 원금으로 나눈 비율 =이자율 　 *금리= $\frac{이자}{원금}$ ×100
경기	매매나 거래에 나타나는 호황·불황 따위의 경제 활동 상태
물가	물건의 값, 여러 가지 상품이나 서비스의 가치를 종합적이고 평균적으로 본 개념

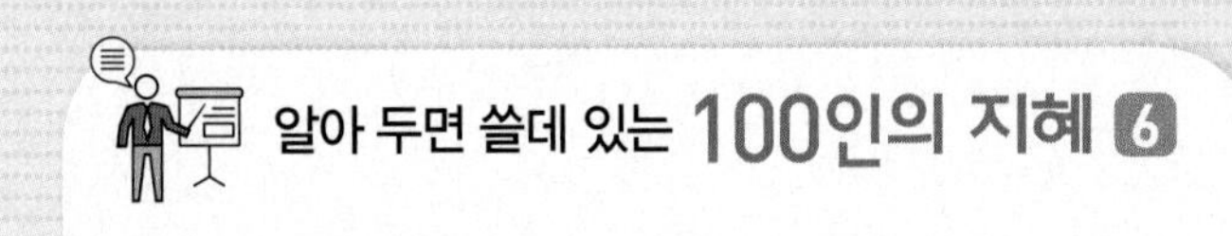

시험에 자주 나오는 기초 개념어 정리

아래 내용은 이미 시험에 등장한 개념어들이니만큼 꼭 익혀 두길 바라. 그리고 앞으로 기출 문제를 풀면서 자신이 미처 몰랐던 기초 개념어들을 덧붙여 정리해 나간다면 시험을 위한 배경지식을 효율적으로 쌓을 수 있을 거야.

1. 인문

명제		참인지 거짓인지 판단할 수 있는 의미 있는 평서문. 예 • 고래는 포유류이다. (참인 명제) • 대한민국은 유럽에 속한다. (거짓인 명제) • 장미꽃은 아름답다. (참, 거짓을 판단할 수 없음. → 명제가 아님.)
논증		어떤 명제의 참과 거짓을 밝히는 것. 전제와 결론으로 구성된다. 대표적인 논증 방식에는 연역, 귀납, 유추가 있다.
연역, 귀납, 유추	연역	일반적이고 보편적인 명제를 전제로 삼아 그것에 속하는 구체적인 명제가 참이라는 결론을 이끌어 내는 것. 전제가 참이면 결론이 확실하게 참이다. 예 모든 인간은 죽는다. → 소크라테스는 인간이다. → 소크라테스는 죽는다.
	귀납	개별적인 특수한 사실이나 원리로부터 일반적이고 보편적인 명제 및 법칙을 유도해 내는 것. 전제가 참이라 해도 결론이 확실하게 참이 되는 것은 아니다. 예 어떤 까마귀는 검다. → 모든 까마귀는 검다.: 어떤 까마귀를 관찰해서 얻은 사실로부터 보편적인 명제를 이끌어 냄.
	유추	두 개의 사물이 여러 면에서 비슷하다는 것을 근거로 다른 속성도 유사할 것이라고 추론하는 것이다. 예 '고인 물은 썩는 것처럼, 폐쇄적인 공동체는 여러 문제를 안게 될 것이다.'

2. 사회

수요, 공급	수요	• 수요: 어떤 재화나 용역을 일정한 자격으로 사려고 하는 욕구. • 수요량: 일정 기간 동안 어떤 재화나 서비스에 대해 특정 가격 수준에서 구매력을 갖춘 사람들이 구입하고자 하는 수량. 예 음료수의 가격이 1,000원일 때 서영이가 한 달 동안 30병을 사 먹는다. → 서영이의 음료수에 대한 수요량: 30병
	공급	• 공급: 교환하거나 판매하기 위하여 시장에 재화나 용역을 공급하는 일. • 공급량: 일정 기간 동안 어떤 재화나 서비스에 대해 특정 가격 수준에서 생산 능력을 갖춘 공급자들이 판매하고자 하는 수량. 예 음료수의 가격이 1,000원일 때 한 달 동안 기업들이 30만 병을 공급한다. → 음료수의 공급량: 30만 병
		• 수요와 공급의 법칙: (다른 조건이 일정할 경우) 가격이 오르면 수요량이 줄어들고 공급량이 늘어난다. 가격이 내리면 수요량이 늘어나고 공급량이 줄어든다. • 수요와 공급에 영향을 미치는 요인: [수요] 소득, 미래 가격에 대한 예상, 연관재의 가격, 기호, 수요자의 수 등. [공급] 생산 기술, 미래 가격에 대한 예상, 생산 요소의 가격, 날씨, 공급자의 수 등.
금융, 금리		• 금융: 경제생활을 영위하는 데 필요한 화폐를 충분하게 갖고 있지 못한 경우나, 반대로 여유 자금이 생기는 경우에 다른 사람에게 자금을 빌리거나 빌려주는 것. • 금리: 돈을 빌린 사람이 대가로 지급하는 것을 이자라고 한다. 이 이자를 원금으로 나눈 비율을 이자율, 또는 금리라고 한다. → 금리=(이자/원금)×100 예 은행에 100만 원을 예금하고 1년 후에 이자로 2만 원을 받을 때 → 예금 금리: 2%
환율		서로 다른 두 나라의 화폐의 교환 비율. 우리나라는 외국 화폐 한 단위와 교환할 수 있는 원화로 환율을 표시한다. *환율 ⬆ → 우리나라 원화의 가치 ⬇ / 환율 ⬇ → 우리나라 원화의 가치 ⬆ 예 1달러와 1,000원을 교환할 수 있다면, '달러 환율(원화의 대달러 환율)'은 '1,000원/달러'로 표기한다.
채권, 채무		• 채권(債權): 재산권의 하나. 특정인이 다른 특정인에게 어떤 행위를 청구할 수 있는 권리. → 주의! 자본금을 차입하기 위해 발생하는 유가 증권인 '채권(債券)'과는 다름! • 채무(債務): 재산권의 하나. 특정인이 다른 특정인에게 어떤 행위를 하여야 할 의무. 예 A가 B에게 돈을 빌려주고 나중에 이자를 받겠다는 계약을 체결함으로써 법률관계를 맺었을 때, A는 'B에게 원금과 이자를 받을 권리(채권)'를 지니고, B는 'A에게 원금과 이자를 갚을 의무(채무)'를 진다.
소송, 원고, 피고		• 소송: 재판에 의하여 원고와 피고 사이의 권리나 의무 따위의 법률관계를 확정하여 줄 것을 법원에 요구함. 또는 그런 절차. 민사 소송, 형사 소송, 행정 소송, 선거 소송 따위가 있다. • 원고: 법원에 민사 소송을 제기한 사람. • 피고: 민사 소송에서, 소송을 당한 측의 당사자 예 위의 예에서 만약 B가 돈을 갚지 않는다면, A는 민법에 근거해서 민사 소송을 제기할 수 있다. → 이때 A가 '원고', B가 '피고'.

3. 과학·기술

속력, 속도, 가속도	• 속력: 운동하고 있는 물체의 빠르기. 속도와는 달리, 운동 방향을 나타내지 않고 빠르기만을 의미한다. 단위 시간 동안 물체가 이동한 거리로 정의한다. 속력= $\frac{이동\ 거리}{시간}$ • 속도: 운동하고 있는 물체의 빠르기+운동 방향. 운동 방향을 표시할 때는 한쪽을 (+)라고 나타내면 반대 방향은 (–)로 나타낸다. 속도는 단위 시간 동안 물체의 변위로 정의한다. 속도= $\frac{변위}{시간}$ 처음 위치와 나중 위치 사이의 직선거리. 물체가 출발했다가 제자리로 돌아온 경우 변위는 0임. • 가속도: 물체의 속도가 변할 때, 정해진 시간 동안 속도가 변하는 정도. 가속도는 크기와 방향을 가진 값으로, 속도의 크기가 바뀌거나 속도의 방향이 바뀌면 발생한다. 가속도 = $\frac{속도\ 변화량}{시간}$ = $\frac{나중\ 속도 - 처음\ 속도}{시간}$
힘, 알짜힘, 관성	• 힘: 물체의 모양이나 운동 상태를 변화시키는 원인. 힘의 단위는 N(뉴턴)이다. • 알짜힘: 한 물체에 작용하는 모든 힘들을 합하여 하나의 힘으로 나타낸 것. 예 한 물체에 크기가 같은 두 힘이 반대 방향으로 작용 → 이때 알짜힘은 '0'(이를 '힘의 평형'이라고 표현함.) • 관성: 물체가 외부에서 힘을 받지 않을 때, 처음의 운동 상태를 계속 유지하려는 성질 예 정지해 있던 버스가 갑자기 출발하면 사람은 뒤로 넘어진다.(정지 관성) / 움직이던 버스가 갑자기 멈추면 사람은 앞으로 넘어진다.(운동 관성)
일, 에너지, 에너지 보존 법칙	• 일: 물체에 힘이 작용하여 물체가 힘의 방향으로 이동했을 때, '힘이 일을 하였다'고 한다. 일의 양은 물체에 작용한 힘의 크기와 물체가 힘의 방향으로 이동한 거리의 곱이다. 일= 힘의 크기 × 힘의 방향으로 이동한 거리 • 에너지: 일을 할 수 있는 능력. 물체는 가지고 있는 에너지만큼만 일을 할 수 있다. 에너지와 일은 서로 전환된다. 또한 어떤 형태의 에너지는 다른 형태의 에너지로 전환될 수 있다. 예 물체가 10의 에너지를 갖고 있다가 10만큼의 일을 하면 에너지는 0이 된다. 예 형광등에 불이 켜지는 것: 전기 에너지 → 빛 에너지 • 에너지 보존 법칙: 에너지가 다른 에너지로 전환될 때, 전환 전후의 에너지 총합이 일정하게 보존된다는 법칙.
질량, 부피, 밀도	• 질량: 물체를 이루고 있는 물질의 양. • 부피: 넓이와 높이를 가진 물건이 공간에서 차지하는 크기. • 밀도: 어떤 물질의 단위 부피만큼의 질량. 밀도= $\frac{질량}{부피}$ → 따라서 밀도는 질량과 비례, 부피와 반비례한다.
고전 역학, 양자 역학	**고전 역학**: 뉴턴의 운동 법칙을 기본으로 하는 역학. 질량이 일정한 입자의 어떤 시각에서의 위치와 속도를 정하면 그 앞뒤의 운동을 정할 수 있다고 보는 결정론적 해석이 바탕에 있다. 이러한 물리학을 일반적으로 뉴턴 물리학이라고 하며, 뉴턴 물리학과 상대성 이론을 합쳐서 고전 역학이라고 한다. 뉴턴 물리학의 거시적 해석이 설명할 수 없는, 물체의 속도가 빛에 가까울 때의 현상 설명. 아인슈타인이 제시. **양자 역학**: 양자론의 기초를 이루는 물리학 이론의 체계. 원자, 분자, 소립자 등의 미시적 대상에 적용되는 역학으로 거시적 현상에 보편적으로 적용되는 고전 역학과 상반되는 부분이 많다. 양자 역학의 등장으로 물리학 분야에서 큰 발전이 이루어졌다. • 고전 역학과 양자 역학의 차이: 고전 역학은 '결정론적 입장', 양자 역학은 '확률론적 입장' 현재의 상태를 정확하게 알고 있다면 미래에 일어날 사건을 정확하게 예측 가능 현재 상태에 대하여 정확하게 알 수 있더라도 미래에 일어나는 사건을 정확하게 예측하는 것은 불가능
자전, 공전, 위성	• 자전: 저절로 돎. 지구는 24시간을 주기로 자전한다. • 공전: 한 천체(天體)가 다른 천체의 둘레를 주기적으로 도는 일. 지구는 1년 주기로 태양을 공전한다. • 위성: 지구와 같은 '행성'을 공전하는 천체. '달'은 지구를 공전하는 위성이다.

4. 예술

객관주의 미 이론, 주관주의 미 이론	• 객관주의 미 이론: 이성으로 아름다움을 판단한다는 입장. 이성으로 판단할 수 있는 외적 속성(예 비례, 조화)은 누구에게나 동일하게 파악되는 것이기 때문에 객관적일 수 있다는 것이다. • 주관주의 미 이론: 개인의 경험으로 아름다움을 판단한다는 입장. 개인의 경험이나 느낌은 각기 다르기 때문에 아름다움에 대한 기준은 주관적일 수 있다는 것이다.
자연미, 예술미	• 자연미: 인간과 대립적인 대상의 미가 아니라, 자연에 순응하고 이를 존중하여 체험함으로써 받는 감동에 근원을 둔 미. • 예술미: 인간이 미적으로 가치 있는 것을 창조하려는 의도를 지니고 자연에서 주어진 재료를 가공함으로써 성립되는 미.

꿈엔들 잊힐리야

수능 다가가기 1회 2 3

100인 샘과 함께, 수능에 다가가는 올바른 자세

수능 문제라니, 머리가 하얘져요. ㅠㅠ

너무 겁먹지 말렴. 이제 막 비문학 공부를 시작한 너희가 수능과 평가원 모의고사 문제를 풀어 보는 이유는 정답을 맞히려는 것이 아니란다. 수능과 6, 9월 평가원 모의고사는 매우 정제된, 그야말로 '명품' 독해 훈련 재료이기 때문이지.

정답을 맞히려는 것이 아니라면, 수능과 평가원 모의고사 문제는 왜 풀어 보나요?

기출 분석은 단순히 답만 확인하고 끝내는 것이 아니야. 'Ⅰ 지문 독해'에서 배운 '지문 독해 원리'를 바탕으로 하여 수능에서 요구하는 지문 분석 능력을 기르고, 'Ⅱ 문제 독해'에서 배운 '문제 독해 원리'를 바탕으로 하여 정답의 근거를 명확하게 찾아내는 훈련을 하는 것이지.

아하, 중요한 것은 답을 맞히는 것이 아니라, 답을 도출하는 사고 과정을 연습하는 것이군요!

하하, 공부 자세가 1등급인 걸 보니, 국어 1등급의 그날이 머지않은걸? ^^

수능 비문학 출제 경향

- 국어 영역 총 45문항 중 비문학은 15문항!
- 최근에는 지문 길이가 길어지면서, 지문 수가 4개에서 3개로 줄어드는 경향을 보임.
- 3개의 지문 중 하나를 융합 지문으로 내는 것이 새로운 경향임.
- 최근 융합 지문은 난도가 높으므로, 과거에 출제된 것 중 조금 쉬운 기출을 먼저 풀어 기본기를 다진 후, 최신 기출을 푸는 것도 한 방법!

[01 ~ 05] **다음 글을 읽고 물음에 답하시오.**

2016학년도 수능 Ⓐ

귀납은 현대 논리학에서 연역이 아닌 모든 추론, 즉 전제가 결론을 개연적으로 뒷받침하는 모든 추론을 가리킨다. 귀납은 기존의 정보나 관찰 증거 등을 근거로 새로운 사실을 추가하는 지식 확장적 특성을 지닌다. 이 특성으로 인해 귀납은 근대 과학 발전의 방법적 토대가 되었지만, 한편으로 귀납 자체의 논리적 한계를 지적하는 문제들에 부딪히기도 한다.

먼저 흄은 과거의 경험을 근거로 미래를 예측하는 귀납이 정당한 추론이 되려면 미래의 세계가 과거에 우리가 경험해 온 세계와 동일하다는 자연의 일양성, 곧 한결같음이 가정되어야 한다고 보았다. 그런데 자연의 일양성은 선험적으로 알 수 있는 것이 아니라 경험에 기대어야 알 수 있는 것이다. 즉 "귀납이 정당한 추론이다."라는 주장은 "자연은 일양적이다."라는 다른 지식을 전제로 하는데 그 지식은 다시 귀납에 의해 정당화되어야 하는 경험적 지식이므로 귀납의 정당화는 순환 논리에 ⓐ<u>빠져</u> 버린다는 것이다. 이것이 귀납의 정당화 문제이다.

귀납의 정당화 문제로부터 과학의 방법인 귀납을 옹호하기 위해 라이헨바흐는 이 문제에 대해 현실적 구제책을 제시한다. 라이헨바흐는 자연이 일양적일 수도 있고 그렇지 않을 수도 있음을 전제한다. 먼저 자연이 일양적일 경우, 그는 지금까지의 우리의 경험에 따라 귀납이 점성술이나 예언 등의 다른 방법보다 성공적인 방법이라고 판단한다. 자연이 일양적이지 않다면, 어떤 방법도 체계적으로 미래 예측에 계속해서 성공할 수 없다는 논리적 판단을 통해 귀납은 최소한 다른 방법보다 나쁘지 않은 추론이라고 확언한다. 결국 자연이 일양적인지 그렇지 않은지 알 수 없는 상황에서는 귀납을 사용하는 것이 옳은 선택이라는 라이헨바흐의 논증은 귀납의 정당화 문제를 현실적 차원에서 해소하려는 시도로 볼 수 있다.

귀납의 또 다른 논리적 한계로 어떤 현대 철학자는 미결정성의 문제를 지적한다. 이 문제는 관찰 증거만으로는 여러 가설 중에 어느 하나를 더 나은 것으로 결정할 수 없다는 것이다. 가령 몇 개의 점들이 발견되었을 때 그 점들을 모두 지나는 곡선은 여러 개이기 때문에 어느 하나로 결정되지 않는다. 예측의 경우도 마찬가지이다. 다음에 발견될 점을 예측할 때, 기존에 발견된 점들만으로는 다음에 찍힐 점이 어디에 나타날지 확정할 수 없다. 아무리 많은 점들을 관찰 증거로 추가하더라도 하나의 예측이 다른 예측보다 더 낫다고 결정하는 것은 여전히 불가능하다는 것이다.

그러나 미결정성의 문제가 있다고 하더라도 대부분의 현대 철학자들은 귀납을 과학의 방법으로 인정하고 있다. 이들은 귀납의 문제를 직접 해결하려 하기보다 확률을 도입하여 개연성이라는 귀납의 특징을 강조하려 한다. 이에 따르면 관찰 증거가 가설을 지지하는 정도 즉 전제와 결론 사이의 개연성은 확률로 표현될 수 있다. 또한 하나의 가설이 다른 가설보다, 하나의 예측이 다른 예측보다 더 낫다고 확률적 근거에 의해 판단할 수 있다는 것이다. 이처럼 확률 논리로 설명되는 개연성은 일상적인 직관에도 잘 들어맞는다. 이러한 시도는 귀납의 문제를 근본적으로 해결하는 것은 아니지만, 귀납은 여전히 과학의 방법으로서 그 지위를 지킬 만하다는 사실을 보여 준다.

01

윗글의 내용 전개에 대한 설명으로 가장 적절한 것은?

① 귀납에 대한 흄의 평가를 병렬적으로 소개하고 있다.
② 귀납이 지닌 장단점을 연역과 비교하여 설명하고 있다.
③ 귀납의 위상이 격상되어 온 과정을 역사적으로 고찰하고 있다.
④ 귀납의 다양한 유형을 소개하고 각각의 특징을 상호 비교하고 있다.
⑤ 귀납에 내재된 논리적 한계와 그에 대한 해소 방안을 검토하고 있다.

02

윗글을 이해한 내용으로 적절하지 않은 것은?

① 많은 관찰 증거를 확보하면 귀납의 정당화에서 나타나는 순환 논리 문제는 해소된다.
② 직관에 들어맞는 확률 논리라 하더라도 귀납의 논리적 문제를 근본적으로 해결하지 못한다.
③ 관찰 증거가 가설을 지지하는 정도를 확률로 표현할 수 있다는 입장은 귀납을 옹호한다.
④ 흄에 따르면, 귀납의 정당화는 귀납에 의한 정당화를 필요로 하는 지식에 근거해야 가능하다.
⑤ 귀납의 지식 확장적 특성은 이미 알고 있는 사실을 근거로 아직 알지 못하는 사실을 추론하는 데에서 비롯된다.

03

라이헨바흐의 논증에 대한 평가로 적절하지 않은 것은?

① 귀납이 지닌 논리적 허점을 완전히 극복한 것은 아니라는 비판의 여지가 있다.
② 귀납을 과학의 방법으로 사용할 수 있음을 지지하려는 목적에서 시도하였다는 데 의미가 있다.
③ 귀납과 다른 방법을 비교하기 위해 경험적 판단과 논리적 판단을 모두 활용한 것이 특징이다.
④ 귀납과 견주어 미래 예측에 더 성공적인 방법이 없다는 판단을 근거로 귀납의 가치를 보여 주고 있다.
⑤ 귀납이 현실적으로 옳은 추론 방법임을 밝히기 위해 자연의 일양성이 선험적 지식임을 증명한 데 의의가 있다.

04

윗글을 바탕으로 할 때, 〈보기〉의 (ㄱ), (ㄴ)에 대한 A와 B의 입장을 추론한 것으로 적절하지 않은 것은? [3점]

보기

ㅇ 어떤 천체의 표면 온도를 매년 같은 날 관측했더니 100, 110, 120, 130, 140℃로 해마다 10℃씩 높아졌다. 이로부터 과학자들은 다음 두 가지 예측을 제시하였다.

(ㄱ) 1년 뒤 관측한 그 천체의 표면 온도는 150℃일 것이다.
(ㄴ) 1년 뒤 관측한 그 천체의 표면 온도는 200℃일 것이다.

ㅇ A와 B는 예측의 방법으로 귀납을 인정한다. 하지만 귀납의 미결정성의 문제에 대해 A는 확률 논리에 따라 해결할 수 있다는 입장인 반면, B는 어떤 방법으로도 해결할 수 없다는 입장이다.

① A와 B는 둘 다 과학자들이 예측한 (ㄱ)과 (ㄴ)이 모두 기존의 관찰 근거에 따른 것이라고 보겠군.
② A는 (ㄱ)과 (ㄴ) 중 하나가 더 나은 예측임을 결정할 수 있다고 하겠군.
③ A는 그 천체의 표면 온도가 100℃이기 1년 전에 90℃였다는 정보를 추가로 얻으면 (ㄱ)이 옳을 개연성이 더 높아진다고 판단하겠군.
④ B는 (ㄱ)에 대해서 가능한 예측이라고 할지언정 (ㄴ)보다 더 나은 예측이라고 결정하지는 않겠군.
⑤ B는 그 천체의 표면 온도가 100℃이기 1년 전에 60℃였다는 정보를 추가로 얻으면 (ㄴ)을 (ㄱ)보다 더 나은 예측으로 채택하겠군.

05

ⓐ의 문맥적 의미와 가장 가까운 것은?

① 혼란에 빠진 적군은 지휘 계통이 무너졌다.
② 그의 말을 듣자 모든 사람들이 기운이 빠졌다.
③ 그는 무릎 위까지 푹푹 빠지는 눈길을 헤쳐 왔다.
④ 그의 강연에 자신의 주장이 빠져 모두 아쉬워했다.
⑤ 우리 제품은 타사 제품에 빠지지 않는 우수한 것이다.

[06~10] 다음 글을 읽고 물음에 답하시오.

2019학년도 수능

사람은 살아가는 동안 여러 약속을 한다. 계약도 하나의 약속이다. 하지만 이것은 친구와 뜻이 맞아 주말에 영화 보러 가자는 약속과는 다르다. 일반적인 다른 약속처럼 계약도 서로의 의사 표시가 합치하여 성립하지만, 이때의 의사는 일정한 법률 효과의 발생을 목적으로 한다는 점에서 차이가 있다. 한 예로 매매 계약은 '팔겠다'는 일방의 의사 표시와 '사겠다'는 상대방의 의사 표시가 합치함으로써 성립하며, 매도인은 매수인에게 매매 목적물의 소유권을 이전하여야 할 의무를 짐과 동시에 매매 대금의 지급을 청구할 권리를 갖는다. 반대로 매수인은 매도인에게 매매 대금을 지급할 의무가 있고 소유권의 이전을 청구할 권리를 갖는다. 양 당사자는 서로 권리를 행사하고 서로 의무를 이행하는 관계에 놓이는 것이다.

이처럼 의사 표시를 필수적 요소로 하여 법률 효과를 발생시키는 행위들을 법률 행위라 한다. 계약은 법률 행위의 일종으로서, 당사자에게 일정한 청구권과 이행 의무를 발생시킨다. 청구권을 내용으로 하는 권리가 채권이고, 그에 따라 이행을 해야 할 의무가 채무이다. 따라서 채권과 채무는 발생한 법률 효과가 동전의 양면처럼 서로 다른 방향에서 파악되는 것이라 할 수 있다. 채무자가 채무의 내용대로 이행하여 채권을 소멸시키는 것을 변제라 한다.

갑과 을은 을이 소유한 그림 A를 갑에게 매도하는 것을 내용으로 하는 매매 계약을 체결하였다. ㉠을의 채무는 그림 A의 소유권을 갑에게 이전하는 것이다. 동산인 물건의 소유권을 이전하는 방식은 그 물건을 인도하는 것이다. 갑은 그림 A가 너무나 마음에 들었기 때문에 그것을 인도받기 전에 대금 전액을 금전으로 지급하였다. 그런데 갑이 아무리 그림 A를 넘겨달라고 청구하여도 을은 인도해 주지 않았다. 이런 경우 갑이 사적으로 물리력을 행사하여 해결하는 것은 엄격히 금지된다.

채권의 내용은 민법과 같은 실체법에서 규정하고 있고, 그것을 강제적으로 실현할 수 있도록 민사 소송법이나 민사 집행법 같은 절차법이 갖추어져 있다. 갑은 소를 제기하여 판결로써 자기가 가진 채권의 존재와 내용을 공적으로 확정받을 수 있고, 나아가 법원에 강제 집행을 신청할 수도 있다. 강제 집행은 국가가 물리적 실력을 행사하여 채무자의 의사에 구애받지 않고 채무의 내용을 실행시켜 채권이 실현되도록 하는 제도이다.

을이 그림 A를 넘겨주지 않은 까닭은 갑으로부터 매매 대금을 받은 뒤에 을의 과실로 불이 나 그림 A가 타 없어졌기 때문이다. ㉮결국 채무는 이행 불능이 되었다. 소송을 하더라도 불능의 내용을 이행하라는 판결은 ⓐ나올 수 없다. 그림 A의 소실이 계약 체결 전이었다면, 그 계약은 실현 불가능한 내용을 담고 있기 때문에 체결할 때부터 계약 자체가 무효이다. 이행 불능이 채무자의 과실 때문에 일어난 것이라면 채무자가 채무 불이행에 대한 책임을 져야 한다.

이때 채무 불이행은 갑이나 을의 의사 표시가 작용한 것이 아니라, 매매 목적물의 소실에 따른 이행 불능으로 말미암은 것이다. 이러한 사건을 통해서도 법률 효과가 발생한다. 채무 불이행에 대한 책임은 갑으로 하여금 계약을 해제할 수 있는 권리를 갖게 한다. 갑이 계약 해제권을 행사하면 그때까지 유효했던 계약이 처음부터 효력이 없는 것으로 된다. 이때의 계약 해제는 일방의 의사 표시만으로 성립한다. 따라서 갑이 해제권을 행사하는 데에 을의 승낙은 요건이 되지 않는다. 이러한 법률 행위를 단독 행위라 한다.

갑은 계약을 해제하였다. 이로써 그 계약으로 발생한 채권과 채무는 없던 것이 된다. 당연히 계약의 양 당사자는 자신의 채무를 이행할 필요가 없다. 이미 이행된 것이 있다면 계약이 체결되기 전의 상태로 돌려놓아야 한다. 이를 청구할 수 있는 권리가 원상회복 청구권이다. 계약의 해제로 갑은 원상회복 청구권을 행사할 수 있으며, 이러한 ㉡갑의 채권은 결국 을에게 매매 대금을 반환해 달라고 청구할 수 있는 권리가 된다.

06

윗글의 내용과 일치하지 않는 것은?

① 실체법에는 청구권에 관한 규정이 있다.
② 절차법에 강제 집행 제도가 마련되어 있다.
③ 법률 행위가 없으면 법률 효과가 발생하지 않는다.
④ 법원을 통하여 물리력으로 채권을 실현할 수 있다.
⑤ 실현 불가능한 것을 내용으로 하는 계약은 무효이다.

07

㉠, ㉡에 대한 이해로 가장 적절한 것은?

① ㉠은 매도인의 청구와 매수인의 이행으로 소멸한다.
② ㉡은 채권자와 채무자의 의사 표시가 작용하여 성립한 것이다.
③ ㉠과 ㉡은 ㉠이 이행되면 그 결과로 ㉡이 소멸하는 관계이다.
④ ㉠과 ㉡은 동일한 계약의 효과를 서로 다른 측면에서 바라본 것이다.
⑤ ㉠에는 물건을 인도할 의무가 있고, ㉡에는 금전의 지급을 청구할 권리가 있다.

08

㉮의 상황에 대한 설명으로 적절한 것은?

① '을'의 과실로 이행 불능이 되어 '갑'의 계약 해제권이 발생한다.
② '갑'은 소를 제기하여야 매매의 목적이 된 재산권을 이전받을 수 있다.
③ '갑'은 원상회복 청구권을 행사하여야 '그림 A'의 소유권을 회복할 수 있다.
④ '갑'과 '을'은 애초부터 실현 불가능한 내용의 계약을 체결하였기 때문에 이행 불능이 되었다.
⑤ '을'이 '갑'에게 '그림 A'를 인도하는 것은 불가능해졌지만 '을'은 채무 불이행에 대한 책임을 지지 않는다.

09

윗글을 바탕으로 할 때, 〈보기〉에 대한 분석으로 적절하지 않은 것은? [3점]

보기

증여는 당사자의 일방이 자기의 재산을 무상으로 상대방에게 줄 의사를 표시하고 상대방이 이를 승낙함으로써 성립하는 계약이다. 증여자만 이행 의무를 진다는 점이 특징이다. 유언은 유언자의 사망과 동시에 일정한 법률 효과를 발생시키려는 것을 목적으로 하는데, 유언자의 의사 표시만으로 유효하게 성립하고 의사 표시의 상대방이 필요 없다는 점에서 증여와 차이가 있다.

① 증여, 유언, 매매는 모두 법률 행위로서 의사 표시를 요소로 한다.
② 증여와 유언은 법률 효과를 발생시키려는 목적이 있다는 점이 공통된다.
③ 증여는 변제의 의무를 발생시키지 않는다는 점에서 매매와 차이가 있다.
④ 증여는 당사자 일방만이 이행한다는 점에서 양 당사자가 서로 이행하는 관계를 갖는 매매와 차이가 있다.
⑤ 증여는 양 당사자의 의사 표시가 서로 합치하여 성립한다는 점에서 의사 표시의 합치가 필요 없는 유언과 차이가 있다.

10

문맥상 의미가 ⓐ와 가장 가까운 것은?

① 오랜 연구 끝에 만족할 만한 실험 결과가 나왔다.
② 그 사람이 부드럽게 나오니 내 마음이 누그러졌다.
③ 우리 마을은 라디오가 잘 안 나오는 산간 지역이다.
④ 이 책에 나오는 옛날이야기 한 편을 함께 읽어 보자.
⑤ 그동안 우리 지역에서는 걸출한 인물들이 많이 나왔다.

[11~13] 다음 글을 읽고 물음에 답하시오.

2016학년도 수능 Ⓐ

광통신은 빛을 이용하기 때문에 정보의 전달은 매우 빠를 수 있지만, 광통신 케이블의 길이가 증가함에 따라 빛의 세기가 감소하기 때문에 원거리 통신의 경우 수신되는 광신호는 매우 약해질 수 있다. 빛은 광자의 흐름이므로 빛의 세기가 약하다는 것은 단위 시간당 수신기에 도달하는 광자의 수가 적다는 뜻이다. 따라서 광통신에서는 적어진 수의 광자를 검출하는 장치가 필수적이며, 약한 광신호를 측정이 가능한 크기의 전기 신호로 변환해 주는 반도체 소자로서 애벌랜치 광다이오드가 널리 사용되고 있다.

애벌랜치 광다이오드는 크게 흡수층, ㉠애벌랜치 영역, 전극으로 구성되어 있다. 흡수층에 충분한 에너지를 가진 광자가 입사되면 전자(−)와 양공(+) 쌍이 생성될 수 있다. 이때 입사되는 광자 수 대비 생성되는 전자−양공 쌍의 개수를 양자 효율이라 부른다. 소자의 특성과 입사광의 파장에 따라 결정되는 양자 효율은 애벌랜치 광다이오드의 성능에 영향을 미치는 중요한 요소 중 하나이다.

흡수층에서 생성된 전자와 양공은 각각 양의 전극과 음의 전극으로 이동하며, 이 과정에서 전자는 애벌랜치 영역을 지나게 된다. 이곳에는 소자의 전극에 걸린 역방향 전압으로 인해 강한 전기장이 존재하는데, 이 전기장은 역방향 전압이 클수록 커진다. 이 영역에서 전자는 강한 전기장 때문에 급격히 가속되어 큰 속도를 갖게 된다. 이후 충분한 속도를 얻게 된 전자는 애벌랜치 영역의 반도체 물질을 구성하는 원자들과 충돌하여 속도가 줄어들며 새로운 전자−양공 쌍을 만드는데, 이 현상을 충돌 이온화라 부른다. 새롭게 생성된 전자와 기존의 전자가 같은 원리로 전극에 도달할 때까지 애벌랜치 영역에서 다시 가속되어 충돌 이온화를 반복적으로 일으킨다. 그 결과 전자의 수가 크게 늘어나는 것을 '애벌랜치 증배'라고 부르며 전자의 수가 늘어나는 정도, 즉 애벌랜치 영역으로 유입된 전자당 전극으로 방출되는 전자의 수를 증배 계수라고 한다. 증배 계수는 애벌랜치 영역의 전기장의 크기가 클수록, 작동 온도가 낮을수록 커진다. 전류의 크기는 단위 시간당 흐르는 전자의 수에 비례한다. 이러한 일련의 과정을 거쳐 광신호의 세기는 전류의 크기로 변환된다.

한편 애벌랜치 광다이오드는 흡수층과 애벌랜치 영역을 구성하는 반도체 물질에 따라 검출이 가능한 빛의 파장 대역이 다르다. 예를 들어 실리콘은 300~1,100nm, 저마늄은 800~1,600nm 파장 대역의 빛을 검출하는 것이 가능하다. 현재 다양한 사용자의 요구와 필요를 만족시키기 위해 여러 종류의 애벌랜치 광다이오드가 제작되어 사용되고 있다.

• nm : 나노미터. 10억 분의 1미터.

11

윗글의 내용과 일치하는 것은?

① 애벌랜치 광다이오드는 전기 신호를 광신호로 변환해 준다.
② 애벌랜치 광다이오드의 흡수층에서 전자-양공 쌍이 발생하려면 광자가 입사되어야 한다.
③ 입사된 광자의 수가 크게 늘어나는 과정은 애벌랜치 광다이오드의 작동에 필수적이다.
④ 저마늄을 사용하여 만든 애벌랜치 광다이오드는 100nm 파장의 빛을 검출할 때 사용 가능하다.
⑤ 애벌랜치 광다이오드의 흡수층에서 생성된 양공은 애벌랜치 영역을 통과하여 양의 전극으로 이동한다.

12

㉠에 대한 이해로 적절하지 않은 것은?

① ㉠에서 전자는 역방향 전압의 작용으로 속도가 증가한다.
② ㉠에 형성된 강한 전기장은 충돌 이온화가 일어나는 데 필수적이다.
③ ㉠에 유입된 전자가 생성하는 전자-양공 쌍의 수는 양자 효율을 결정한다.
④ ㉠에서 충돌 이온화가 많이 일어날수록 전극에서 측정되는 전류가 증가한다.
⑤ 흡수층에서 ㉠으로 들어오는 전자의 수가 늘어나면 충돌 이온화의 발생 횟수가 증가한다.

13

윗글을 바탕으로 〈보기〉의 '본 실험' 결과를 예측한 것으로 적절하지 않은 것은? [3점]

보기

○ **예비 실험**: 일정한 세기를 가지는 800nm 파장의 빛을 길이가 1m인 광통신 케이블의 한쪽 끝에 입사시키고, 다른 쪽 끝에 실리콘으로 만든 애벌랜치 광다이오드를 설치하여 전류를 측정하였다. 이때 100nA의 전류가 측정되었고 증배 계수는 40이었다. 작동 온도는 0℃, 역방향 전압은 110V였다. 제품 설명서에 따르면 750~1,000nm 파장 대역에서는 파장이 커짐에 따라 양자 효율이 작아진다.
○ **본 실험**: 동일한 애벌랜치 광다이오드를 가지고 작동 조건을 하나씩 달리하며 성능을 시험한다. 이때 나머지 작동 조건은 예비 실험과 동일하게 유지한다.

① 역방향 전압을 100V로 바꾼다면 증배 계수는 40보다 작아지겠군.
② 역방향 전압을 120V로 바꾼다면 더 약한 빛을 검출하는 데 유리하겠군.
③ 작동 온도를 20℃로 바꾼다면 단위 시간당 전극으로 방출되는 전자의 수가 늘어나겠군.
④ 광통신 케이블의 길이를 100m로 바꾼다면, 측정되는 전류는 100nA보다 작아지겠군.
⑤ 동일한 세기를 가지는 900nm 파장의 빛이 입사된다면 측정되는 전류는 100nA보다 작아지겠군.

수능으로 체크하는 나의 독해력

지문 이해력 ▶ 정답과 해설에 있는 '지문 이해'와 비교해서 평가해 보세요.

	[01~05] 인문	[06~10] 사회	[11~13] 기술
내용 파악	☺😐☹	☺😐☹	☺😐☹
구조 파악	☺😐☹	☺😐☹	☺😐☹

문제 해결력 ▶ 틀린 문제에 표시하고, 취약한 문제 유형을 확인하세요.

일치 내용 찾기	02□ 06□ 11□	정보 간 관계	07□
중심 내용 파악		〈보기〉 문제	04□ 09□ 13□
내용 전개 방식	01□	비판하기	03□
추론하기	08□ 12□	어휘의 의미	05□ 10□

Ⅲ 실전 독해 수능 1회

[01~04] **다음 글을 읽고 물음에 답하시오.**

2015학년도 수능 Ⓑ

역사가 신채호는 역사를 아(我)와 비아(非我)의 투쟁 과정이라고 정의한 바 있다. 그가 무장 투쟁의 필요성을 역설한 독립 운동가이기도 했다는 사실 때문에, 그의 이러한 생각은 그를 투쟁만을 강조한 강경론자처럼 비춰지게 하곤 한다. 하지만 그는 식민지 민중과 제국주의 국가에서 제국주의를 반대하는 민중 간의 연대를 지향하기도 했다. 그의 사상에서 투쟁과 연대는 모순되지 않는 요소였던 것이다. 이를 바르게 이해하기 위해서는 그의 사상의 핵심 개념인 '아'를 정확하게 이해할 필요가 있다.

신채호의 사상에서 아란 자기 ㉠본위에서 자신을 ㉡자각하는 주체인 동시에 항상 나와 상대하고 있는 존재인 비아와 마주 선 주체를 의미한다. 자신을 자각하는 누구나 아가 될 수 있다는 상대성을 지니면서 또한 비아와의 관계 속에서 비로소 아가 생성된다는 상대성도 지닌다. 신채호는 조선 민족의 생존과 발전의 길을 모색하기 위해 『조선 상고사』를 저술하여 아의 이러한 특성을 규정했다. 그는 아의 자성(自性), 곧 '나의 나됨'은 스스로의 고유성을 유지하려는 항성(恒性)과 환경의 변화에 대응하여 적응하려는 변성(變性)이라는 두 요소로 이루어져 있다고 하였다. 아는 항성을 통해 아 자신에 대해 자각하며, 변성을 통해 비아와의 관계 속에서 자기의식을 갖게 되는 것으로 ㉢설정하였다. 그리고 자성이 시대와 환경에 따라 변화한다고 하였다.

신채호는 아를 소아와 대아로 구별하였다. 그에 따르면, 소아는 개별화된 개인적 아이며, 대아는 국가와 사회 차원의 아이다. 소아는 자성은 갖지만 상속성(相續性)과 보편성(普遍性)을 갖지 못하는 반면, 대아는 자성을 갖고 상속성과 보편성을 가질 수 있다. 여기서 상속성이란 시간적 차원에서 아의 생명력이 지속되는 것을 뜻하며, 보편성이란 공간적 차원에서 아의 영향력이 ㉣파급되는 것을 뜻한다. 상속성과 보편성은 긴밀한 관계를 가지는데, 보편성의 확보를 통해 상속성이 실현되며 상속성의 유지를 통해 보편성이 실현된다. 대아가 자성을 자각한 이후, 항성과 변성의 조화를 통해 상속성과 보편성을 실현할 수 있다. 만약 대아의 항성이 크고 변성이 작으면 환경에 순응하지 못하여 멸절(滅絶)할 것이며, 항성이 작고 변성이 크면 환경에 주체적으로 대응하지 못하여 우월한 비아에게 정복당한다고 하였다.

이러한 아의 개념을 통해 우리는 투쟁과 연대에 관한 신채호의 인식을 정확히 이해할 수 있다. 일본의 제국주의 침략에 ㉤직면하여 그는 신국민이라는 새로운 개념을 제시하고 조선 민족이 신국민이 될 때 민족 생존이 가능하다고 보았다. 신국민은 상속성과 보편성을 지닌 대아로서, 역사적 주체 의식이라는 항성과 제국주의 국가에 대응하여 생긴 국가 정신이라는 변성을 갖춘 조선 민족의 근대적 대아에 해당한다. 또한 그는 일본을 중심으로 서구 열강에 대항하자는 동양주의에 반대했다. 동양주의는 비아인 일본이 아가 되어 동양을 통합하는 길이기에, 조선 민족인 아의 생존이 위협받는다고 보았기 때문이다.

식민 지배가 심화될수록 일본에 동화되는 세력이 증가하면서 신채호는 아 개념을 더욱 명료화할 필요가 있었다. 이에 그는 조선 민중을 아의 중심에 놓으면서, 아에도 일본에 동화된 '아 속의 비아'가 있고, 일본이라는 비아에도 아와 연대할 수 있는 '비아 속의 아'가 있음을 밝혔다. 민중은 비아에 동화된 자들을 제외한 조선 민족을 의미한 것이었다. 그는 조선 민중을, 민족 내부의 압제와 위선을 제거함으로써 참된 민족 생존과 번영을 달성할 수 있는 주체이자 제국주의 국가에서 제국주의를 반대하는 민중과의 연대를 통하여 부당한 폭력과 억압을 강제하는 제국주의에 함께 저항할 수 있는 주체로 보았다. 이러한 민중 연대를 통해 '인류로서 인류를 억압하지 않는' 자유를 지향했다.

01

윗글에서 다룬 내용으로 적절하지 않은 것은?

① 신채호 사상의 핵심 개념에 대한 이해의 필요성
② 신채호 사상에서의 자성의 의미
③ 신채호가 밝힌 대아와 소아의 차이
④ 신채호 사상에서의 대아의 역사적 기원
⑤ 신채호가 지향한 민중 연대의 의의

02

윗글의 자성(自性)에 관한 이해로 가장 적절한 것은?

① 자성을 갖춘 모든 아는 상속성과 보편성을 갖는다.
② 소아의 항성과 변성이 조화를 이루면, 상속성과 보편성이 모두 실현된다.
③ 대아의 항성이 작고 변성이 크면, 상속성은 실현되어도 보편성은 실현되지 않는다.
④ 항성과 변성이 조화를 이루지 못하면, 대아의 상속성과 보편성은 실현되지 않는다.
⑤ 소아의 항성이 크고 변성이 작으면, 상속성은 실현되어도 보편성은 실현되지 않는다.

03

윗글에 대한 이해로 적절하지 않은 것은? [3점]

① 신채호가 『조선 상고사』를 쓴 것은, 대아인 조선 민족의 자성을 역사적으로 어떻게 유지·계승할 수 있는지 모색하기 위한 것이겠군.
② 신채호가 동양주의를 비판한 것은, 동양주의로 인해 아의 항성이 작아짐으로써 아의 자성을 유지하기 어렵게 될 것으로 보았기 때문이겠군.
③ 신채호가 신국민이라는 개념을 설정한 것은, 대아인 조선 민족이 시대적 환경에 대응하여 비아와의 연대를 통해 아의 생존을 꾀할 수 있다고 보았기 때문이겠군.
④ 신채호가 독립 투쟁을 한 것은, 비아인 일본 제국주의의 침략이 아의 상속성과 보편성 유지를 불가능하게 하기에 일본 제국주의와 투쟁해야 한다고 생각했기 때문이겠군.
⑤ 신채호가 제국주의 국가에서 제국주의를 반대하는 민중과 식민지 민중의 연대를 지향한 것은, 아가 비아 속의 아와 연대하여 억압을 이겨 내고 자유를 얻을 수 있다고 생각했기 때문이겠군.

04

㉠~㉤의 사전적 의미로 적절하지 않은 것은?

① ㉠: 판단이나 행동에서 중심이 되는 기준.
② ㉡: 자기의 처지나 능력 따위를 스스로 깨달음.
③ ㉢: 여럿 가운데서 어떤 것을 뽑아 정함.
④ ㉣: 어떤 일의 여파나 영향이 다른 데로 미침.
⑤ ㉤: 어떠한 일이나 사물을 직접 당하거나 접함.

[05~06] 다음 글을 읽고 물음에 답하시오.

2016학년도 수능 Ⓑ

어떤 물체가 물이나 공기와 같은 유체 속에서 자유 낙하할 때 물체에는 중력, 부력, 항력이 작용한다. 중력은 물체의 질량에 중력 가속도를 곱한 값으로 물체가 낙하하는 동안 일정하다. 부력은 어떤 물체에 의해서 배제된 부피만큼의 유체의 무게에 해당하는 힘으로, 항상 중력의 반대 방향으로 작용한다. 빗방울에 작용하는 부력의 크기는 빗방울의 부피에 해당하는 공기의 무게이다. 공기의 밀도는 물의 밀도의 1,000분의 1 수준이므로, 빗방울이 공기 중에서 떨어질 때 부력이 빗방울의 낙하 운동에 영향을 주는 정도는 미미하다. 그러나 스티로폼 입자와 같이 밀도가 매우 작은 물체가 낙하할 경우에는 부력이 물체의 낙하 속도에 큰 영향을 미친다.

물체가 유체 내에 정지해 있을 때와는 달리, 유체 속에서 운동하는 경우에는 물체의 운동에 저항하는 힘인 항력이 발생하는데, 이 힘은 물체의 운동 방향과 반대로 작용한다. 항력은 유체 속에서 운동하는 물체의 속도가 커질수록 이에 상응하여 커진다. 항력은 마찰 항력과 압력 항력의 합이다. 마찰 항력은 유체의 점성 때문에 물체의 표면에 가해지는 항력으로, 유체의 점성이 크거나 물체의 표면적이 클수록 커진다. 압력 항력은 물체가 이동할 때 물체의 전후방에 생기는 압력 차에 의해 생기는 항력으로, 물체의 운동 방향에서 바라본 물체의 단면적이 클수록 커진다.

안개비의 빗방울이나 미세 먼지와 같이 작은 물체가 낙하하는 경우에는 물체의 전후방에 생기는 압력 차가 매우 작아 마찰 항력이 전체 항력의 대부분을 차지한다. 빗방울의 크기가 커지면 전체 항력 중 압력 항력이 차지하는 비율이 점점 커진다. 반면 스카이다이버와 같이 큰 물체가 빠른 속도로 떨어질 때에는 물체의 전후방에 생기는 압력 차에 의한 압력 항력이 매우 크므로 마찰 항력이 전체 항력에 기여하는 비중은 무시할 만하다.

빗방울이 낙하할 때 처음에는 중력 때문에 빗방울의 낙하 속도가 점점 증가하지만, 이에 따라 항력도 커지게 되어 마침내 항력과 부력의 합이 중력의 크기와 같아지게 된다. 이때 물체의 가속도가 0이 되므로 빗방울의 속도는 일정해지는데, 이렇게 일정해진 속도를 종단 속도라 한다. 유체 속에서 상승하거나 지면과 수평으로 이동하는 물체의 경우에도 종단 속도가 나타나는 것은 이동 방향으로 작용하는 힘과 반대 방향으로 작용하는 힘의 평형에 의한 것이다.

05

윗글을 통해 알 수 있는 내용으로 가장 적절한 것은?

① 스카이다이버가 낙하 운동할 때에는 마찰 항력이 전체 항력의 대부분을 차지하게 된다.
② 물체가 유체 속에서 운동할 때 물체 전후방에 생기는 압력 차는 그 물체의 속도를 증가시킨다.
③ 낙하하는 물체의 속도가 종단 속도에 이르게 되면 그 물체의 가속도는 중력 가속도와 같아진다.
④ 균일한 밀도의 액체 속에서 낙하하는 동전에 작용하는 부력은 항력의 크기에 상관없이 일정한 크기를 유지한다.
⑤ 균일한 밀도의 액체 속에 완전히 잠겨 있는 쇠 막대에 작용하는 부력은 서 있을 때보다 누워 있을 때가 더 크다.

06

윗글을 바탕으로 〈보기〉에 대해 탐구한 내용으로 가장 적절한 것은? [3점]

보기

크기와 모양은 같으나 밀도가 서로 다른 구 모양의 물체 A와 B를 공기 중에 고정하였다. 이때 물체 A와 B의 밀도는 공기보다 작으며, 물체 B의 밀도는 물체 A보다 더 크다. 물체 A와 B를 놓아 주었더니 두 물체 모두 속도가 증가하며 상승하다가, 각각 어느 정도 시간이 지난 후 각각 다른 일정한 속도를 유지한 채 계속 상승하였다. (단, 두 물체는 공기나 다른 기체 중에서 크기와 밀도가 유지되도록 제작되었고, 물체 운동에 영향을 줄 수 있는 기체의 흐름과 같은 외적 요인들이 모두 제거되었다고 가정함.)

① A와 B가 고정되어 있을 때에는 A에 작용하는 항력이 B에 작용하는 항력보다 더 작겠군.
② A와 B가 각각 일정한 속도를 유지할 때 A에 작용하고 있는 항력은 B에 작용하고 있는 항력보다 더 작겠군.
③ A에 작용하는 부력과 중력의 크기 차이는 A의 속도가 증가하고 있을 때보다 A가 고정되어 있을 때 더 크겠군.
④ A와 B 모두 일정한 속도에 도달하기 전에 속도가 증가하는 것으로 보아 A와 B에 작용하는 항력이 점점 감소하기 때문에 일정한 속도에 도달하는 것이겠군.
⑤ 공기보다 밀도가 더 큰 기체 내에서 B가 상승하여 일정한 속도를 유지할 때 B에 작용하는 항력은 공기 중에서 상승하여 일정한 속도를 유지할 때 작용하는 항력보다 더 크겠군.

[07~12] 다음 글을 읽고 물음에 답하시오.

2017학년도 수능

보험은 같은 위험을 보유한 다수인이 위험 공동체를 형성하여 보험료를 납부하고 보험 사고가 발생하면 보험금을 지급받는 제도이다. 보험 상품을 구입한 사람은 장래의 우연한 사고로 인한 경제적 손실에 ⓐ대비할 수 있다. 보험금 지급은 사고 발생이라는 우연적 조건에 따라 결정되는데, 이처럼 보험은 조건의 실현 여부에 따라 받을 수 있는 재화나 서비스가 달라지는 조건부 상품이다.

[가] 위험 공동체의 구성원이 납부하는 보험료와 지급받는 보험금은 그 위험 공동체의 사고 발생 확률을 근거로 산정된다. 특정 사고가 발생할 확률은 정확히 알 수 없지만 그동안 발생된 사고를 바탕으로 그 확률을 예측한다면 관찰 대상이 많아짐에 따라 실제 사고 발생 확률에 근접하게 된다. 본래 보험 가입의 목적은 금전적 이득을 취하는 데 있는 것이 아니라 장래의 경제적 손실을 보상받는 데 있으므로 위험 공동체의 구성원은 자신이 속한 위험 공동체의 위험에 상응하는 보험료를 납부하는 것이 공정할 것이다. 따라서 공정한 보험에서는 구성원 각자가 납부하는 보험료와 그가 지급받을 보험금에 대한 기댓값이 일치해야 하며 구성원 전체의 보험료 총액과 보험금 총액이 일치해야 한다. 이때 보험금에 대한 기댓값은 사고가 발생할 확률에 사고 발생 시 수령할 보험금을 곱한 값이다. 보험금에 대한 보험료의 비율(보험료/보험금)을 보험료율이라 하는데, 보험료율이 사고 발생 확률보다 높으면 구성원 전체의 보험료 총액이 보험금 총액보다 더 많고, 그 반대의 경우에는 구성원 전체의 보험료 총액이 보험금 총액보다 더 적게 된다. 따라서 공정한 보험에서는 보험료율과 사고 발생 확률이 같아야 한다.

물론 현실에서 보험사는 영업 활동에 소요되는 비용 등을 보험료에 반영하기 때문에 공정한 보험이 적용되기 어렵지만 기본적으로 위와 같은 원리를 바탕으로 보험료와 보험금을 산정한다. 그런데 보험 가입자들이 자신이 가진 위험의 정도에 대해 진실한 정보를 알려 주지 않는 한, 보험사는 보험 가입자 개개인이 가진 위험의 정도를 정확히 ⓑ파악하여 거기에 상응하는 보험료를 책정하기 어렵다. 이러한 이유로 사고 발생 확률이 비슷하다고 예상되는 사람들로 구성된 어떤 위험 공동체에 사고 발생 확률이 더 높은 사람들이 동일한 보험료를 납부하고 진입하게 되면, 그 위험 공동체의 사고 발생 빈도가 높아져 보험사가 지급하는 보험금의 총액이 증가한다. 보험사는 이를 보전하기 위해 구성원이 납부해야 할 보험료를 ⓒ인상할 수밖에 없다. 결국 자신의 위험 정도에 상응하는 보험료보다 더 높은 보험료를 납부하는 사람이 생기게 되는 것이다. 이러한 문제는 정보의 비대칭성에서 비롯되는데 보험 가입자의 위험 정도에 대한 정보는 보험 가입자가 보험사보다 더 많이 갖고 있기 때문이다. 이를 해결하기 위해 보험사는 보험 가입자의 감춰진 특성을 파악할 수 있는 수단이 필요하다.

우리 상법에 규정되어 있는 고지 의무는 이러한 수단이 법적으로 구현된 제도이다. 보험 계약은 보험 가입자의 청약과 보험사의 승낙으로 성립된다. 보험 가입자는 반드시 계약을 체결하기 전에 '중요한 사항'을 알려야 하고, 이를 사실과 다르게 진술해서는 안 된다. 여기서 '중요한 사항'은 보험사가 보험 가입자의 청약에 대한 승낙을 결정하거나 차등적인 보험료를 책정하는 근거가 된다. 따라서 고지 의무는 결과적으로 다수의 사람들이 자신의 위험 정도에 상응하는 보험료보다 더 높은 보험료를 납부해야 하거나, 이를 이유로 아예 보험에 가입할 동기를 상실하게 되는 것을 방지한다.

보험 계약 체결 전 보험 가입자가 고의나 중대한 과실로 '중요한 사항'을 보험사에 알리지 않거나 사실과 다르게 알리면 고지 의무를 위반하게 된다. 이러한 경우에 우리 상법은 보험사에 계약 해지권을 부여한다. 보험사는 보험 사고가 발생하기 이전이나 이후에 상관없이 고지 의무 위반을 이유로 계약을 해지할 수 있고, 해지권 행사는 보험사의 일방적인 의사 표시로 가능하다. 해지를 하면 보험사는 보험금을 지급할 책임이 없게 되며, 이미 보험금을 지급했다면 그에 대한 반환을 청구할 수 있다. 일반적으로 법에서 의무를 위반하게 되면 위반한 자에게 그 의무를 이행하도록 강제하거나 손해 배상을 청구할 수 있는 것과 달리, 보험 가입자가 고지 의무를 위반했을 때에는 보험사가 해지권만 행사할 수 있다. 그런데 보험사의 계약 해지권이 제한되는 경우도 있다. 계약 당시에 보험사가 고지 의무 위반에 대한 사실을 알았거나 중대한 과실로 인해 알지 못한 경우에는 보험 가입자가 고지 의무를 위반했어도 보험사의 해지권은 ⓓ배제된다. 이는 보험 가입자의 잘못보다 보험사의 잘못에 더 책임을 둔 것이라 할 수 있다. 또 보험사가 해지권을 행사할 수 있는 기간에도 일정한 제한을 두고 있는데, 이는 양자의 법률관계를 신속히 확정함으로써 보험 가입자가 불안정한 법적 상태에 장기간 놓여 있는 것을 방지하려는 것이다. 그러나 고지해야 할 '중요한 사항' 중 고지 의무 위반에 해당되는 사항이 보험 사고와 인과 관계가 없을 때에는 보험사는 보험금을 지급할 책임이 있다. 그렇지만 이때에도 해지권은 행사할 수 있다.

보험에서 고지 의무는 보험에 가입하려는 사람의 특성을 검증함으로써 다른 가입자에게 보험료가 부당하게 ⓔ전가되는 것을 막는 기능을 한다. 이로써 사고의 위험에 따른 경제적 손실에 대비하고자 하는 보험 본연의 목적이 달성될 수 있다.

07

윗글에 대한 설명으로 가장 적절한 것은?

① 보험 계약에서 보험사가 준수해야 할 법률 규정의 실효성을 검토하고 있다.
② 보험사의 보험 상품 판매 전략에 내재된 경제학적 원리와 법적 규제의 필요성을 강조하고 있다.
③ 공정한 보험의 경제학적 원리와 보험의 목적을 실현하는 데 기여하는 법적 의무를 살피고 있다.
④ 보험금 지급을 두고 벌어지는 분쟁의 원인을 나열한 후 경제적 해결책과 법적 해결책을 모색하고 있다.
⑤ 보험 상품의 거래에 부정적으로 작용하는 법률 조항의 문제점을 경제학적인 시각에서 분석하고 있다.

08

윗글을 이해한 내용으로 가장 적절한 것은?

① 보험사가 청약을 하고 보험 가입자가 승낙해야 보험 계약이 해지된다.
② 구성원 전체의 보험료 총액보다 보험금 총액이 더 많아야 공정한 보험이 된다.
③ 보험 사고 발생 여부와 관계없이 같은 보험료를 납부한 사람들은 동일한 보험금을 지급받는다.
④ 보험에 가입하고자 하는 사람이 알린 중요한 사항을 근거로 보험사는 보험 가입을 거절할 수 있다.
⑤ 우리 상법은 보험 가입자보다 보험사의 잘못을 더 중시하기 때문에 보험사에 계약 해지권을 부여하고 있다.

09

[가]를 바탕으로 〈보기〉의 상황을 이해한 내용으로 적절한 것은? [3점]

보기

사고 발생 확률이 각각 0.1과 0.2로 고정되어 있는 위험 공동체 A와 B가 있다고 가정한다. A와 B에 모두 공정한 보험이 항상 적용된다고 할 때, 각 구성원이 납부할 보험료와 사고 발생 시 지급받을 보험금을 산정하려고 한다.

단, 동일한 위험 공동체의 구성원끼리는 납부하는 보험료가 같고, 지급받는 보험금이 같다. 보험료는 한꺼번에 모두 납부한다.

① A에서 보험료를 두 배로 높이면 보험금은 두 배가 되지만 보험금에 대한 기댓값은 변하지 않는다.
② B에서 보험금을 두 배로 높이면 보험료는 변하지 않지만 보험금에 대한 기댓값은 두 배가 된다.
③ A에 적용되는 보험료율과 B에 적용되는 보험료율은 서로 같다.
④ A와 B에서의 보험금이 서로 같다면 A에서의 보험료는 B에서의 보험료의 두 배이다.
⑤ A와 B에서의 보험료가 서로 같다면 A와 B에서의 보험금에 대한 기댓값은 서로 같다.

10

윗글의 고지 의무에 대한 설명으로 적절하지 않은 것은?

① 고지 의무를 위반한 보험 가입자가 보험사에 손해 배상을 해야 하는 근거가 된다.
② 보험사가 보험 가입자의 위험 정도에 따라 차등적인 보험료를 책정하는 데 도움이 된다.
③ 보험 계약 과정에서 보험사가 가입자들의 특성을 파악하는 데 드는 어려움을 줄여 준다.
④ 보험사와 보험 가입자 간의 정보 비대칭성에서 기인하는 문제를 줄일 수 있는 법적 장치이다.
⑤ 자신의 위험 정도에 상응하는 보험료보다 높은 보험료를 내야 한다는 이유로 보험 가입을 포기하는 사람들이 생기는 것을 방지하는 효과가 있다.

11

윗글을 바탕으로 〈보기〉의 사례를 검토한 내용으로 가장 적절한 것은?

보기

보험사 A는 보험 가입자 B에게 보험 사고로 인한 보험금을 지급한 후, B가 중요한 사항을 고지하지 않았다는 사실을 뒤늦게 알고 해지권을 행사할 수 있는 기간 내에 보험금 반환을 청구했다.

① 계약 체결 당시 A에게 중대한 과실이 있었다면 A는 계약을 해지할 수 없으나 보험금은 돌려받을 수 있다.
② 계약 체결 당시 A에게 중대한 과실이 없다 하더라도 A는 보험금을 이미 지급했으므로 계약을 해지할 수 없다.
③ 계약 체결 당시 A에게 중대한 과실이 있고 B 또한 중대한 과실로 고지 의무를 위반했다면 A는 보험금을 돌려받을 수 있다.
④ B가 고지하지 않은 중요한 사항이 보험 사고와 인과 관계가 없다면 A는 보험금을 돌려받을 수 없다.
⑤ B가 자신의 고지 의무 위반 사실을 보험 사고가 발생한 후 A에게 즉시 알렸다면 고지 의무를 위반한 것이 아니다.

12

ⓐ~ⓔ를 사용하여 만든 문장으로 적절하지 않은 것은?

① ⓐ: 지난해의 이익과 손실을 대비해 올해 예산을 세웠다.
② ⓑ: 일을 시작하기 전에 상황을 파악하는 것이 중요하다.
③ ⓒ: 임금이 인상되었다는 소식에 많은 사람들이 기뻐했다.
④ ⓓ: 이번 실험이 실패할 가능성을 전혀 배제할 수는 없다.
⑤ ⓔ: 그는 자신의 실수에 대한 책임을 동료에게 전가했다.

수능으로 체크하는 나의 독해력

지문 이해력

▶ 정답과 해설에 있는 '지문 이해'와 비교해서 평가해 보세요.

	[01~04] 인문	[05~06] 과학	[07~12] 융합
내용 파악	☺😐☹	☺😐☹	☺😐☹
구조 파악	☺😐☹	☺😐☹	☺😐☹

문제 해결력

▶ 틀린 문제에 표시하고, 취약한 문제 유형을 확인하세요.

일치 내용 찾기	01☐ 02☐ 05☐ 08☐ 10☐	정보 간 관계	
중심 내용 파악		〈보기〉 문제	06☐ 09☐ 11☐
내용 전개 방식	07☐	비판하기	
추론하기	03☐	어휘의 의미	04☐ 12☐

[01~04] 다음 글을 읽고 물음에 답하시오.

2016학년도 수능

변론술을 가르치는 프로타고라스(P)에게 에우아틀로스(E)가 제안하였다. "제가 처음으로 승소하면 그때 수강료를 내겠습니다." P는 이를 ⓐ받아들였다. 그런데 E는 모든 과정을 수강하고 나서도 소송을 할 기미를 보이지 않았고 그러자 P가 E를 상대로 소송하였다. P는 주장하였다. "내가 승소하면 판결에 따라 수강료를 받게 되고, 내가 지면 자네는 계약에 따라 수강료를 내야 하네." E도 맞섰다. "제가 승소하면 수강료를 내지 않게 되고 제가 지더라도 계약에 따라 수강료를 내지 않아도 됩니다."

지금까지도 이 사례는 풀기 어려운 논리 난제로 거론된다. 다만 법률가들은 이를 해결할 수 있는 사안이라고 본다. 우선, 이 사례의 계약이 수강료 지급이라는 효과를, 실현되지 않은 사건에 의존하도록 하는 계약이라는 점을 살펴야 한다. 이처럼 일정한 효과의 발생이나 소멸에 제한을 ⓑ덧붙이는 것을 '부관'이라 하는데, 여기에는 '기한'과 '조건'이 있다. 효과의 발생이나 소멸이 장래에 확실히 발생할 사실에 의존하도록 하는 것을 기한이라 한다. 반면 장래에 일어날 수도 있는 사실에 의존하도록 하는 것은 조건이다. 그리고 조건이 실현되었을 때 효과를 발생시키면 '정지 조건', 소멸시키면 '해제 조건'이라 ⓒ부른다.

민사 소송에서 판결에 대하여 상소, 곧 항소나 상고가 그 기간 안에 제기되지 않아서 사안이 종결되든가, 그 사안에 대해 대법원에서 최종 판결이 선고되든가 하면, 이제 더 이상 그 일을 다툴 길이 없어진다. 이때 판결은 확정되었다고 한다. 확정 판결에 대하여는 '기판력(旣判力)'이라는 것을 인정한다. 기판력이 있는 판결에 대해서는 더 이상 같은 사안으로 소송에서 다툴 수 없다. 예를 들어, 계약서를 제시하지 못해 매매 사실을 입증하지 못하고 패소한 판결이 확정되면, 이후에 계약서를 발견하더라도 그 사안에 대하여는 다시 소송하지 못한다. 같은 사안에 대해 서로 모순되는 확정 판결이 존재하도록 할 수는 없는 것이다.

확정 판결 이후에 법률상의 새로운 사정이 ⓓ생겼을 때는, 그것을 근거로 하여 다시 소송하는 것이 허용된다. 이 경우에는 전과 다른 사안의 소송이라 하여 이전 판결의 기판력이 미치지 않는다고 보는 것이다. 위에서 예로 들었던 계약서는 판결 이전에 작성된 것이어서 그 발견이 새로운 사정이라고 인정되지 않는다. 그러나 임대인이 임차인에게 집을 비워 달라고 하는 소송에서 임대차 기간이 남아 있다는 이유로 임대인이 패소한 판결이 확정된 후 시일이 흘러 계약 기간이 만료되면, 임대인은 집을 비워 달라는 소송을 다시 할 수 있다. 계약상의 기한이 지남으로써 임차인의 권리에 변화가 생겼기 때문이다.

이렇게 살펴본 바를 바탕으로 ㉠P와 E 사이의 분쟁을 해결하는 소송이 어떻게 전개될지 따져 보자. 이 사건에 대한 소송에서는 조건이 성취되지 않았다는 이유로 법원이 E에게 승소 판결을 내리면 된다. 그런데 이 판결 확정 이후에 P는 다시 소송을 할 수 있다. 조건이 실현되었기 때문이다. 따라서 이 두 번째 소송에서는 결국 P가 승소한다. 그리고 이때부터는 E가 다시 수강료에 관한 소송을 할 만한 사유가 없다. 이 분쟁은 두 차례의 판결을 ⓔ거쳐 해결될 수 있는 것이다.

01

윗글을 이해한 내용으로 적절하지 않은 것은?

① 승소하면 그때 수강료를 내겠다고 할 때 승소는 수강료 지급 의무에 대한 기한이다.
② 기한과 조건은 모두 계약상의 효과를 장래의 사실에 의존하도록 한다는 점이 공통된다.
③ 계약에 해제 조건을 덧붙이면 그 조건이 실현되었을 때 계약상 유지되고 있는 효과를 소멸시킬 수 있다.
④ 판결이 선고되고 나서 상소 기간이 다 지나가도록 상소가 이루어지지 않으면 그 판결에는 기판력이 생긴다.
⑤ 기판력에는 법원이 판결로 확정한 사안에 대하여 이후에 법원 스스로 그와 모순된 판결을 내릴 수 없다는 전제가 깔려 있다.

02

㉠에 대한 추론으로 적절한 것은?

① 첫 번째 소송에서 P는 계약이 유효하다고 주장하고, E는 계약이 유효하지 않다고 주장할 것이다.
② 첫 번째 소송의 판결문에는 E가 수강료를 내야 할 의무가 있다는 내용이 실릴 것이다.
③ 첫 번째 소송에서나 두 번째 소송에서나 P가 할 청구는 수강료를 내라는 내용일 것이다.
④ 두 번째 소송에서는 E가 첫 승소라는 조건을 달성하지 못한 상태이므로 P는 수강료를 받을 수 있을 것이다.
⑤ 첫 번째와 두 번째 소송의 판결은 P와 E 사이에 승패가 상반될 것이므로 두 판결 가운데 하나는 무효일 것이다.

03

윗글을 바탕으로 〈보기〉의 사례를 검토한 내용으로 적절하지 않은 것은? [3점]

> 보기
>
> 갑은 을을 상대로 자신에게 빌려 간 금전을 갚아 달라는 소송을 하는데, 계약서와 같은 증거 자료는 제출하지 못했다. 그 결과 (가) 또는 (나)의 경우가 생겼다고 하자.
>
> (가) 갑은 금전을 빌려 주었다는 증거를 제시하지 못하여 패소하였다. 이 판결은 확정되었다.
>
> (나) 법원은 을이 금전을 빌렸다는 사실을 인정하면서도, 갚기로 한 날은 2015년 11월 30일이라 인정하여, 아직 그 날이 되지 않았다는 이유로 갑에게 패소 판결을 내렸다. 이 판결은 확정되었다.

① (가)의 경우, 갑은 더 이상 상급 법원에 상소하여 다툴 수 있는 방법이 남아 있지 않다.
② (가)의 경우, 갑은 빌려 준 금전에 대한 계약서를 발견하더라도 그것을 근거로 하여 금전을 갚아 달라고 소송하는 것은 허용되지 않는다.
③ (나)의 경우, 을은 2015년 11월 30일이 되기 전에는 갑에게 금전을 갚지 않아도 된다.
④ (나)의 경우, 2015년 11월 30일이 지나면 갑이 을을 상대로 금전을 갚아 달라는 소송을 다시 하더라도 기판력에 저촉되지 않는다.
⑤ (나)의 경우, 이미 지나간 2015년 2월 15일이 갚기로 한 날임을 밝혀 주는 계약서가 발견되면 갑은 같은 해 11월 30일이 되기 전에 그것을 근거로 금전을 갚아 달라는 소송을 할 수 있다.

04

문맥상 ⓐ~ⓔ와 바꿔 쓰기에 가장 적절한 것은?

① ⓐ: 수취하였다
② ⓑ: 부가하는
③ ⓒ: 지시한다
④ ⓓ: 형성되었을
⑤ ⓔ: 경유하여

[05~08] **다음 글을 읽고 물음에 답하시오.**

2017학년도 수능

탄수화물은 사람을 비롯한 동물이 생존하는 데 필수적인 에너지원이다. 탄수화물은 섬유소와 비섬유소로 구분된다. 사람은 체내에서 합성한 효소를 이용하여 곡류의 녹말과 같은 비섬유소를 포도당으로 분해하고 이를 소장에서 흡수하여 에너지원으로 이용한다. 반면, 사람은 풀이나 채소의 주성분인 셀룰로스와 같은 섬유소를 포도당으로 분해하는 효소를 합성하지 못하므로, 섬유소를 소장에서 이용하지 못한다. ㉠소, 양, 사슴과 같은 반추 동물도 섬유소를 분해하는 효소를 합성하지 못하는 것은 마찬가지이지만, 비섬유소와 섬유소를 모두 에너지원으로 이용하며 살아간다.

위(胃)가 넷으로 나누어진 반추 동물의 첫째 위인 반추위에는 여러 종류의 미생물이 서식하고 있다. 반추 동물의 반추위에는 산소가 없는데, 이 환경에서 왕성하게 생장하는 반추위 미생물들은 다양한 생리적 특성을 가지고 있다. 그중 ⓐ피브로박터 숙시노젠(F)은 섬유소를 분해하는 대표적인 미생물이다. 식물체에서 셀룰로스는 그것을 둘러싼 다른 물질과 복잡하게 얽혀 있는데, F가 가진 효소 복합체는 이 구조를 끊어 셀룰로스를 노출시킨 후 이를 포도당으로 분해한다. F는 이 포도당을 자신의 세포 내에서 대사 과정을 거쳐 에너지원으로 이용하여 생존을 유지하고 개체 수를 늘림으로써 생장한다. 이런 대사 과정에서 아세트산, 숙신산 등이 대사산물로 발생하고 이를 자신의 세포 외부로 배출한다. 반추위에서 미생물들이 생성한 아세트산은 반추 동물의 세포로 직접 흡수되어 생존에 필요한 에너지를 생성하는 데 주로 이용되고 체지방을 합성하는 데에도 쓰인다. 한편 반추위에서 숙신산은 프로피온산을 대사산물로 생성하는 다른 미생물의 에너지원으로 빠르게 소진된다. 이 과정에서 생성된 프로피온산은 반추 동물이 간(肝)에서 포도당을 합성하는 대사 과정에서 주요 재료로 이용된다.

반추위에는 비섬유소인 녹말을 분해하는 ⓑ스트렙토코쿠스보비스(S)도 서식한다. 이 미생물은 반추 동물이 섭취한 녹말을 포도당으로 분해하고, 이 포도당을 자신의 세포 내에서 대사 과정을 통해 자신에게 필요한 에너지원으로 이용한다. 이때 S는 자신의 세포 내의 산성도에 따라 세포 외부로 배출하는 대사산물이 달라진다. 산성도를 알려 주는 수소 이온 농도 지수(pH)가 7.0 정도로 중성이고 생장 속도가 느린 경우에는 아세트산, 에탄올 등이 대사산물로 배출된다. 반면 산성도가 높아져 pH가 6.0 이하로 떨어지거나 녹말의 양이 충분하여 생장 속도가 빠를 때는 젖산이 대사산물로 배출된다. 반추위에서 젖산은 반추 동물의 세포로 직접 흡수되어 반추 동물에게 필요한 에너지를 생성하는 데 이용되거나 아세트산 또는 프로피온산을 대사산물로 배출하는 다른 미생물의 에너지원으로 이용된다.

그런데 S의 과도한 생장이 반추 동물에게 악영향을 끼치는 경우가 있다. 반추 동물이 짧은 시간에 과도한 양의 비섬유소를 섭취하면 S의 개체 수가 급격히 늘고 과도한 양의 젖산이 배출되어 반추위의 산성도가 높아진다. 이에 따라 산성의 환경에서 왕성히 생장하며 항상 젖산을 대사산물로 배출하는 ⓒ락토바실러스루미니스(L)와 같은 젖산 생성 미생물들의 생장이 증가하며 다량의 젖산을 배출하기 시작한다. F를 비롯한 섬유소 분해 미생물들은 자신의 세포 내부의 pH를 중성으로 일정하게 유지하려는 특성이 있는데, 젖산 농도의 증가로 자신의 세포 외부의 pH가 낮아지면 자신의 세포 내의 항상성을 유지하기 위해 에너지를 사용하므로 생장이 감소한다. 만일 자신의 세포 외부의 pH가 5.8 이하로 떨어지면 에너지가 소진되어 생장을 멈추고 사멸하는 단계로 접어든다. 이와 달리 S와 L은 상대적으로 산성에 견디는 정도가 강해 자신의 세포 외부의 pH가 5.5 정도까지 떨어지더라도 이에 맞춰 자신의 세포 내부의 pH를 낮출 수 있어 자신의 에너지를 세포 내부의 pH를 유지하는 데 거의 사용하지 않고 생장을 지속하는 데 사용한다. 그러나 S도 자신의 세포 외부의 pH가 그 이하로 더 떨어지면 생장을 멈추고 사멸하는 단계로 접어들고, 산성에 더 강한 L을 비롯한 젖산 생성 미생물들이 반추위 미생물의 많은 부분을 차지하게 된다. 그렇게 되면 반추위의 pH가 5.0 이하가 되는 급성 반추위 산성증이 발병한다.

05

윗글을 읽고 알 수 있는 내용으로 가장 적절한 것은?

① 섬유소는 사람의 소장에서 포도당의 공급원으로 사용된다.
② 반추 동물의 세포에서 합성한 효소는 셀룰로스를 분해한다.
③ 반추위 미생물은 산소가 없는 환경에서 생장을 멈추고 사멸한다.
④ 반추 동물의 과도한 섬유소 섭취는 급성 반추위 산성증을 유발한다.
⑤ 피브로박터 숙시노젠(F)은 자신의 세포 내에서 포도당을 에너지원으로 이용하여 생장한다.

06

윗글로 볼 때, ⓐ~ⓒ에 대한 이해로 적절하지 않은 것은?

① ⓐ와 ⓑ는 모두 급성 반추위 산성증에 걸린 반추 동물의 반추위에서는 생장하지 못하겠군.
② ⓐ와 ⓑ는 모두 반추위에서 반추 동물의 체지방을 합성하는 물질을 생성할 수 있겠군.
③ 반추위의 pH가 6.0일 때, ⓐ는 ⓒ보다 자신의 세포 내의 산성도를 유지하는 데 더 많은 에너지를 쓰겠군.
④ ⓑ와 ⓒ는 모두 반추위의 산성도에 따라 다양한 종류의 대사산물을 배출하겠군.
⑤ 반추위에서 녹말의 양과 ⓑ의 생장이 증가할수록, ⓐ의 생장은 감소하고 ⓒ의 생장은 증가하겠군.

07

윗글을 바탕으로 ㉠이 가능한 이유를 진술한다고 할 때, 〈보기〉의 ㉮, ㉯에 들어갈 말로 가장 적절한 것은? [3점]

보기

반추 동물이 섭취한 섬유소와 비섬유소는 반추위에서 (㉮), 이를 이용하여 생장하는 (㉯)은 반추 동물의 에너지원으로 이용되기 때문이다.

① ㉮: 반추위 미생물의 에너지원이 되고
㉯: 반추위 미생물이 대사 과정을 통해 생성한 대사산물
② ㉮: 반추위 미생물의 에너지원이 되고
㉯: 반추위 미생물이 대사 과정을 통해 생성한 포도당
③ ㉮: 반추위 미생물에 의해 합성된 포도당이 되고
㉯: 반추 동물이 대사 과정을 통해 생성한 포도당
④ ㉮: 반추위 미생물에 의해 합성된 포도당이 되고
㉯: 반추위 미생물이 대사 과정을 통해 생성한 대사산물
⑤ ㉮: 반추위 미생물에 의해 합성된 포도당이 되고
㉯: 반추위 미생물이 대사 과정을 통해 생성한 포도당

08

윗글로 볼 때, 반추위 미생물에서 배출되는 숙신산과 젖산에 대한 설명으로 적절하지 않은 것은?

① 숙신산이 많이 배출될수록 반추 동물의 간에서 합성되는 포도당의 양도 늘어난다.
② 젖산은 반추 동물의 세포로 직접 흡수되어 반추 동물의 에너지원으로 이용될 수 있다.
③ 숙신산과 젖산은 반추위가 산성일 때보다 중성일 때 더 많이 배출된다.
④ 숙신산과 젖산은 반추위 미생물의 세포 내에서 대사 과정을 거쳐 생성된다.
⑤ 숙신산과 젖산은 프로피온산을 대사산물로 배출하는 다른 미생물의 에너지원으로 이용되기도 한다.

[09~14] 다음 글을 읽고 물음에 답하시오.

2017학년도 9월 모의평가

'콘크리트'는 건축 재료로 다양하게 사용되고 있다. 일반적으로 콘크리트가 근대 기술의 ㉠산물로 알려져 있지만 콘크리트는 이미 고대 로마 시대에도 사용되었다. 로마 시대의 탁월한 건축미를 보여 주는 판테온은 콘크리트 구조물인데, 반구형의 지붕인 돔은 오직 콘크리트로만 이루어져 있다. 로마인들은 콘크리트의 골재 배합을 달리하면서 돔의 상부로 갈수록 두께를 점점 줄여 지붕을 가볍게 할 수 있었다. 돔 지붕이 지름 45 m 남짓의 넓은 원형 내부 공간과 이어지도록 하였고, 지붕의 중앙에는 지름 9 m가 넘는 ㉡원형의 천창을 내어 빛이 내부 공간을 채울 수 있도록 하였다.

콘크리트는 시멘트에 모래와 자갈 등의 골재를 섞어 물로 반죽한 혼합물이다. 콘크리트에서 결합재 역할을 하는 시멘트가 물과 만나면 ㉢점성을 띠는 상태가 되며, 시간이 지남에 따라 수화 반응이 일어나 골재, 물, 시멘트가 결합하면서 굳어진다. 콘크리트의 수화 반응은 상온에서 일어나기 때문에 작업하기에도 좋다. 반죽 상태의 콘크리트를 거푸집에 부어 경화시키면 다양한 형태와 크기의 구조물을 만들 수 있다. 콘크리트의 골재는 종류에 따라 강도와 밀도가 다양하므로 골재의 종류와 비율을 조절하여 콘크리트의 강도와 밀도를 다양하게 변화시킬 수 있다. 그리고 골재들 간의 접촉을 높여야 강도가 높아지기 때문에, 서로 다른 크기의 골재를 배합하는 것이 효과적이다.

콘크리트가 철근 콘크리트로 발전함에 따라 건축은 구조적으로 더욱 견고해지고, 형태 면에서는 더욱 다양하고 자유로운 표현이 가능해졌다. 일반적으로 콘크리트는 누르는 힘인 압축력에는 쉽게 부서지지 않지만 당기는 힘인 인장력에는 쉽게 부서진다. 압축력이나 인장력에 재료가 부서지지 않고 그 힘에 견딜 수 있는, 단위 면적당 최대의 힘을 각각 압축 강도와 인장 강도라 한다. 콘크리트의 압축 강도는 인장 강도보다 10배 이상 높다. 또한 압축력을 가했을 때 최대한 줄어드는 길이는 인장력을 가했을 때 최대한 늘어나는 길이보다 훨씬 길다. 그런데 철근이나 철골과 같은 철재는 인장력과 압축력에 의한 변형 정도가 콘크리트보다 작은데다가 압축 강도와 인장 강도 모두가 콘크리트보다 높다. 특히 인장 강도는 월등히 더 높다. 따라서 보강재로 철근을 콘크리트에 넣어 대부분의 인장력을 철근이 받도록 하면 인장력에 취약한 콘크리트의 단점이 크게 보완된다. 다만 철근은 무겁고 비싸기 때문에, 대개는 인장력을 많이 받는 부분을 정확히 계산하여 그 지점을 ㉣위주로 철근을 보강한다. 또한 가해진 힘의 방향에 수직인 방향으로 재료가 변형되는 점도 고려해야 하는데, 이때 필요한 것이 포아송 비이다. 철재는 콘크리트보다 포아송 비가 크며, 대체로 철재의 포아송 비는 0.3, 콘크리트는 0.15 정도이다.

강도가 높고 지지력이 좋아진 철근 콘크리트를 건축 재료로 사용하면서, 대형 공간을 축조하고 기둥의 간격도 넓힐 수 있게 되었다. 20세기에 들어서면서부터 근대 건축에서 철근 콘크리트는 예술적 ㉤영감을 줄 수 있는 재료로 인식되기 시작하였다. 기술이 예술의 가장 중요한 근원이라는 신념을 가졌던 르코르뷔지에는 철근 콘크리트 구조의 장점을 사보아 주택에서 완벽히 구현하였다. 사보아 주택은, 벽이 건물의 무게를 지탱하는 구조로 설계된 건축물과는 달리 기둥만으로 건물 본체의 하중을 지탱하도록 설계되어 건물이 공중에 떠 있는 듯한 느낌을 준다. 2층 거실을 둘러싼 벽에는 수평으로 긴 창이 나 있고, 건축가가 '건축적 산책로'라고 이름 붙인 경사로는 지상의 출입구에서 2층의 주거 공간으로 이어지다가 다시 테라스로 나와 지붕까지 연결된다. 목욕실 지붕에 설치된 작은 천창을 통해 하늘을 바라보면 이 주택이 자신을 중심으로 펼쳐진 또 다른 소우주임을 느낄 수 있다. 평평하고 넓은 지붕에는 정원이 조성되어, 여기서 산책하다 보면 대지를 바다 삼아 항해하는 기선의 갑판에 서 있는 듯하다.

철근 콘크리트는 근대 이후 가장 중요한 건축 재료로 널리 사용되어 왔지만 철근 콘크리트의 인장 강도를 높이려는 연구가 계속되어 프리스트레스트 콘크리트가 등장하였다. 프리스트레스트 콘크리트는 다음과 같이 제작된다. 먼저, 거푸집에 철근을 넣고 철근을 당긴 상태에서 콘크리트 반죽을 붓는다. 콘크리트가 굳은 뒤에 당기는 힘을 제거하면, 철근이 줄어들면서 콘크리트에 압축력이 작용하여 외부의 인장력에 대한 저항성이 높아진 프리스트레스트 콘크리트가 만들어진다. 킴벨 미술관은 개방감을 주기 위하여 기둥 사이를 30m 이상 벌리고 내부의 전시 공간을 하나의 층으로 만들었다. 이 간격은 프리스트레스트 콘크리트 구조를 활용하였기에 구현할 수 있었고, 일반적인 철근 콘크리트로는 구현하기 어려웠다. 이 구조로 이루어진 긴 지붕의 틈새로 들어오는 빛이 넓은 실내를 환하게 채우며 철근 콘크리트로 이루어진 내부를 대리석처럼 빛나게 한다.

이처럼 건축 재료에 대한 기술적 탐구는 언제나 새로운 건축 미학의 원동력이 되어왔다. 특히 근대 이후에는 급격한 기술의 발전으로 혁신적인 건축 작품들이 탄생할 수 있었다. 건축 재료와 건축 미학의 유기적인 관계는 앞으로도 지속될 것이다.

09

윗글에 대한 설명으로 가장 적절한 것은?

① 건축 재료의 특성과 발전을 서술하면서 각 건축물들의 공간적 특징을 설명하고 있다.
② 건축 재료의 특성에 기초하여 건축물들의 특징에 대한 상반된 평가를 제시하고 있다.
③ 건축 재료의 기원을 검토하여 다양한 건축물들의 미학적 특성과 한계를 평가하고있다.
④ 건축 재료의 시각적 특성을 설명하면서 각 재료와 건축물들의 경제적 가치를 탐색하고 있다.
⑤ 건축물들의 특징에 대한 평가가 시대에 따라 달라진 원인을 제시하고 건축 재료와의 관계를 설명하고 있다.

10

윗글의 내용에 대한 이해로 적절하지 않은 것은?

① 판테온의 돔에서 상대적으로 더 얇은 부분은 상부 쪽이다.
② 사보아 주택의 지붕은 여유를 즐길 수 있는 공간으로도 활용되었다.
③ 킴벨 미술관은 철근 콘크리트의 인장 강도를 높이는 방법을 이용하여 넓고 개방된 내부 공간을 확보하였다.
④ 판테온과 사보아 주택은 모두 천창을 두어 빛이 위에서 들어올 수 있도록 하였다.
⑤ 사보아 주택과 킴벨 미술관은 모두 층을 구분하지 않도록 구성하여 개방감을 확보하였다.

11

윗글을 바탕으로 추론한 내용으로 가장 적절한 것은?

① 당기는 힘에 대한 저항은 철근 콘크리트가 철재보다 크다.
② 일반적으로 철근을 콘크리트에 보강재로 사용할 때는 압축력을 많이 받는 부분에 넣는다.
③ 프리스트레스트 콘크리트에서는 철근의 인장력으로 높은 강도를 얻게 되어 수화 반응이 일어나지 않는다.
④ 프리스트레스트 콘크리트는 철근이 복원되려는 성질을 이용하여 콘크리트에 압축력을 줌으로써 인장 강도를 높인 것이다.
⑤ 콘크리트의 강도를 높이는 데에는 크기가 다양한 자갈을 사용하는 것보다 균일한 크기의 자갈만 사용하는 것이 효과적이다.

12

윗글을 바탕으로 〈보기〉에 대해 탐구한 내용으로 적절하지 않은 것은?

보기

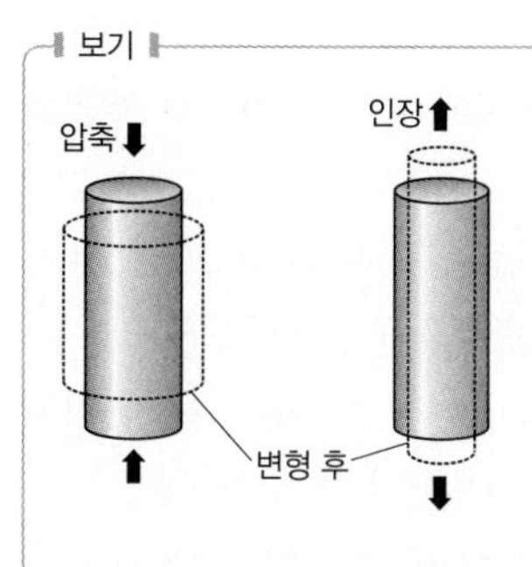

철재만으로 제작된 원기둥 A와 콘크리트만으로 제작된 원기둥 B에 힘을 가하며 변형을 관찰하였다. A와 B의 윗면과 아랫면에 수직인 방향으로 압축력을 가했더니 높이가 줄어들면서 지름은 늘어났다. 또, A의 윗면과 아랫면에 수직인 방향으로 인장력을 가했더니 높이가 늘어나면서 지름이 줄어들었다. 이때 지름의 변화량의 절댓값을 높이의 변화량의 절댓값으로 나누어 포아송 비를 구하였더니, 일반적으로 알려진 철재와 콘크리트의 포아송 비와 동일하게 나왔다. 그리고 A와 B의 포아송 비는 변형 정도에 상관없이 그 값이 변하지 않았다. (단, 힘을 가하기 전 A의 지름과 높이는 B와 동일하다.)

① 동일한 압축력을 가했다면 B는 A보다 높이가 더 줄어들었을 것이다.
② A에 인장력을 가했다면 높이의 변화량의 절댓값은 지름의 변화량의 절댓값보다 컸을 것이다.
③ B에 압축력을 가했다면 지름의 변화량의 절댓값은 높이의 변화량의 절댓값보다 작았을 것이다.
④ A와 B에 압축력을 가했을 때 줄어든 높이의 변화량이 같았다면 B의 지름이 A의 지름보다 더 늘어났을 것이다.
⑤ A와 B에 압축력을 가했을 때 늘어난 지름의 변화량이 같았다면 A의 높이가 B의 높이보다 덜 줄어들었을 것이다.

13

윗글과 〈보기〉를 읽고 추론한 내용으로 적절하지 않은 것은? [3점]

보기

철골은 매우 높은 강도를 지닌 건축 재료로, 규격화된 직선의 형태로 제작된다. 철근 콘크리트 대신 철골을 사용하여 기둥을 만들면 더 가는 기둥으로도 간격을 더욱 벌려 세울 수 있어 훨씬 넓은 공간 구현이 가능하다. 하지만 산화되어 녹이 슨다는 단점이 있어 내식성 페인트를 칠하거나 콘크리트를 덧입히는 등 산화 방지 조치를 하여 사용한다.

베를린 신국립 미술관은 철골의 기술적 장점을 미학적으로 승화시킨 건축물이다. 거대한 평면 지붕은 여덟 개의 십자형 철골 기둥만이 떠받치고 있고, 지붕과 지면 사이에는 가벼운 유리벽이 사면을 둘러싸고 있다. 최소한의 설비 외에는 어떠한 것도 천장에 닿아 있지 않고 내부 공간이 텅 비어 있어 지붕은 공중에 떠 있는 느낌을 준다. 미술관 내부에 들어가면 넓은 공간 속에서 개방감을 느끼게 된다.

① 베를린 신국립 미술관의 기둥에는 산화 방지 조치가 되어 있겠군.
② 휘어진 곡선 모양의 기둥을 세우려 할 때는 대체로 철골을 재료로 쓰지 않겠군.
③ 베를린 신국립 미술관은 철골을, 킴벨 미술관은 프리스트레스트 콘크리트를 활용하여 개방감을 구현하였겠군.
④ 가는 기둥들이 넓은 간격으로 늘어선 건물을 지을 때 기둥의 재료로는 철골보다 철근 콘크리트가 더 적합하겠군.
⑤ 베를린 신국립 미술관의 지붕과 사보아 주택의 건물이 공중에 떠 있는 느낌을 주는 것은 벽이 아닌 기둥이 구조적으로 중요한 역할을 하고 있기 때문이겠군.

14

㉠~㉤을 사용하여 만든 문장으로 적절하지 않은 것은?

① ㉠: 행복은 성실하고 꾸준한 노력의 산물이다.
② ㉡: 이 건축물은 후대 미술관의 원형이 되었다.
③ ㉢: 이 물질은 점성 때문에 끈적끈적한 느낌을 준다.
④ ㉣: 그녀는 채소 위주의 식단을 유지하고 있다.
⑤ ㉤: 그의 발명품은 형의 조언에서 영감을 얻은 것이다.

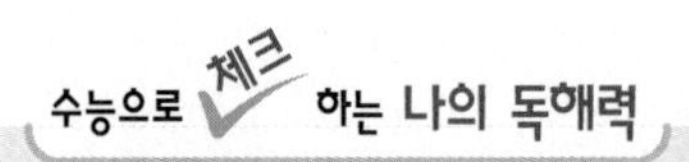

지문 이해력

▶ 정답과 해설에 있는 '내용 이해'와 비교해서 평가해 보세요.

	[01~04] 사회	[05~08] 과학	[09~14] 융합
내용 파악	☺ 😐 ☹	☺ 😐 ☹	☺ 😐 ☹
구조 파악	☺ 😐 ☹	☺ 😐 ☹	☺ 😐 ☹

문제 해결력

▶ 틀린 문제에 표시하고, 취약한 문제 유형을 확인하세요.

일치 내용 찾기	01 □ 05 □ 10 □	정보 간 관계	06 □ 08 □
중심 내용 파악		〈보기〉 문제	03 □ 12 □ 13 □
내용 전개 방식	09 □	비판하기	
추론하기	02 □ 07 □ 11 □	어휘의 의미	04 □ 14 □

천재교육이 여러분을 응원합니다!
멋진 미래를 위한 긍정의 한 줄

자유롭게 피어나기,
이것이 내가 내린 성공의 정의다.

게리 스펜스(Gerry Spence)

흔히 공부를 잘하면 선택의 폭이 넓어진다고 합니다.
자신이 원하고 좋아하는 것을 뒤늦게 찾더라도
그 길을 선택할 수 있기 때문이죠.
더 멋진 미래를 위해, 오늘도 파이팅!

100인의 지혜를
모두 모았다!
이것이 진정한
명강의 모음집

정답과 해설

독서

국어 기본서

수능&내신 모두 잡는 명강사 100인의 지혜를 담다

정답과 해설

Ⅰ 지문 독해

Ⅱ 문제 독해

Ⅲ 실전 독해

I. 지문 독해

01 문장 읽기

예문으로 원리 확인 p.16~17

바로 콕 문제 1 (1) 비판적 역사는 과거를 숭상하거나 보존하기 위해서가 아니라 / 과거를 부정하기 위한 역사이다. (2) 라틴아메리카의 미술은 모더니즘 미술을 받아들이면서도 / 독창성을 추구하는 경향이 두드러진다. 2 무역 이전에는 생산할 수 없었던 재화량의 조합을 생산하는 것과 같은 3 (1) × (2) ○

바로 콕 문제 해설

3 (1) 인간의 본질을 밝히고자 한 주체는 '포르트만'이 아니라 '겔렌'이다.
(2) 겔렌은 포르트만의 이론에 근거를 두었다고 하였다.

사뿐히 즈려밟는 훈련 문제 p.18~21

01 (1) 적자가 - 발생할 수 있다 (2) 세 가지 요소는 - 중앙처리장치(CPU), 주기억장치, 보조기억장치이다. (3) 쇠도끼는 - 초래하였다. (4) 키네틱 아트는 - 제공하였다.
02 (1) "포인트 동작'이 - 등장했고', '여성 무용수들은 - 주었다.' (2) '계약은 - 취소될 수 있으므로', '사업자는 - 놓이게 된다' (3) '노폐물은 - 모이고', '이것이 - 배설된다'
03 (1) 농도가 높은 곳에서 낮은 곳으로 (2) 화풍을 (3) 구실을 (4) 기술은 인간세계의 관계를 왜곡시키거나 변형시킬 수 있는 힘을 가지고 있다고 (5) 이러한 조각이 자연의 영(靈)과 조상신의 힘이 깃든 신성한 물건으로서 병을 치료하거나 적을 해하는 힘이 있다고
04 (1) 과학적 탐구 방식으로서의 (2) 외부의 힘이 작용하지 않을 때 (3) 어떤 상품–특히 자산–의 가격이 급격히 상승하는
05 (1) 전체 주어: '이론–이론'은, 전체 서술어: 이론이다 (2) ㉠ 갖게 ㉡ 사람은 ㉢ 논리적
06 (1) ×, ○ (2) ○, × (3) ○, ○ (4) ○, × (5) ○, ○ (6) ○, ○ (7) ×, ○

01

(1) 전체 서술어인 '발생할 수 있다'에 대응하는 전체 주어는 '적자가'이다.
(2) 전체 서술어인 '중앙처리장치(CPU), 주기억장치, 보조기억장치이다'에 대응하는 전체 주어는 '세 가지 요소는'이다.
(3) 전체 서술어인 '초래하였다'에 대응하는 전체 주어는 '쇠도끼는'이다.
(4) 전체 서술어인 '제공하였다'에 대응하는 전체 주어는 '키네틱 아트는'이다.

100人 먼저 문장 끝에 있는 서술어를 먼저 찾은 뒤, 그에 대응하는 대상(주체)을 찾아 주어를 확인하는 것이 '주어-서술어'를 찾는 쉬운 방법이라고 설명했었어.

02

문장에 나오는 서술어를 먼저 확인하여 서술어가 두 번 나오면, 앞에 있는 서술어 다음에서 문장을 둘로 나눌 수 있다. 따라서 각 서술어에 대응하는 주어를 찾으면 된다. (　　: 서술어, 　　: 주어)
(1) ~ 춤을 추는 '포인트 동작'이 등장했고, / ~ 느낌을 주었다.
(2) ~ 계약은 언제든지 취소될 수 있으므로 / 사업자는 불안한 상태에 놓이게 된다.
(3) 노폐물은 ~ 보먼주머니에 모이고 / 이것이 ~ 오줌으로 배설된다.

03

(1) 이 문장의 전체 주어는 '요소도', 전체 서술어는 '이동한다'이다. 따라서 '어디에서 어디로 이동하지?'라는 질문을 던질 수 있는데, 이 질문의 답인 '농도가 높은 곳에서 낮은 곳으로'가 필수 부분이다.
(2) 이 문장의 전체 주어는 '김홍도는', 전체 서술어는 '보였다'이다. 따라서 '무엇을 보였지?'라는 질문을 던질 수 있는데, 이 질문의 답인 '화풍을'이 필수 부분이 된다.

(3) 이 문장의 전체 주어는 '실록은', 전체 서술어는 '하였다.'이다. 따라서 '무엇을 하였지?'라는 질문을 던질 수 있는데, 이 질문의 답인 '구실을'이 필수 부분이 된다.

(4) 이 문장의 전체 주어는 '하이데거는', 전체 서술어는 '보았다'이다. 따라서 '무엇을, 무엇이라고 보았지?'라는 질문을 던질 수 있는데, 이 질문의 답인 '기술은 인간세계의 관계를 왜곡시키거나 변형시킬 수 있는 힘을 가지고 있다고'가 필수 부분이 된다.

(5) 이 문장의 전체 주어는 '아프리카 사람들은', 전체 서술어는 '믿는다'이다. 따라서 '무엇을, 무엇이라고 믿지?'라는 질문을 던질 수 있는데, 이 질문의 답인 '이러한 조각이 자연의 영(靈)과 조상신의 힘이 깃든 신성한 물건으로서 병을 치료하거나 적을 해하는 힘이 있다고'가 필수 부분이 된다.

04

(1) 이 문장의 전체 주어는 '흄은', 전체 서술어는 '보였다', 필수 부분은 '태도를'이다. 이때 '과학적 탐구 방식으로서의'가 ㉠을 꾸미는 보충 부분으로 기능하고 있다.

(2) 이 문장의 전체 주어는 '물체는', 전체 서술어는 '한다', 필수 부분은 '등속직선운동을'이다. 이때 "외부의 힘이 작용하지 않을 때"가 '등속직선운동을 한다'를 꾸미는 보충 부분으로 기능하고 있다. 또 '뉴턴의 운동 법칙에 의하면'은 그 뒤에 나오는 문장 전체를 꾸미는 보충 부분이다.

(3) 이 문장의 전체 주어는 '거품은', 전체 서술어는 '가리킨다', 필수 부분은 '현상을'이다. 이때 "어떤 상품-특히 자산-의 가격이 지속적으로 급격히 상승한다."라는 문장이 필수 부분의 '현상'을 꾸미는 보충 부분으로 기능하고 있다.

05

(1) 이 문장의 전체 서술어 '이론이다'에 대응하는 전체 주어는 "이론-이론'은'이다.

(2) 이 문장은 "이론-이론'은 ~라는 이론이다'의 구조로, '~라는'에 해당하는 부분은 "사람이 세상을 접하면서 마음의 작동 방식에 대한 개념적 이론을 갖게 되는데 이를 바탕으로 논리적 추론을 함으로써 타인의 마음을 이해할 수 있다."라는 문장이 필수 부분으로 기능하고 있는 것이다. 이 문장은 다시 3개의 문장으로 나누어 분석할 수 있다.

06

(1) '한옥 공간'이 아니라 '한옥 공간에서 이동하는 방식'이 돌아가기와 질러가기로 나뉜다.(①-×) 따라서 한옥 공간에서는 두 가지 방식의 이동이 가능하다고 할 수 있다.(②-○)

(2) 자동 조정 장치는 '조종사가 비행 전에 미리 입력한 데이터'에 따라 비행기의 경로와 고도를 유지해 주는 장치이다.(①-○, ②-×)

(3) 이 문장은 오른쪽과 같이 분석할 수 있으며, 이를 통해 칸트는 인간이 '이성을 바탕으로 도덕 법칙을 인식하고(①-○), 이를 실천할 수 있는 존재'라고 생각하였음을 알 수 있다.(②-○)

(4) 이 문장은 오른쪽과 같이 분석할 수 있으며, 이를 통해 정보의 과다 수집이 우리를 불안감과 불확실성에 떨게 할 수 있으므로 이를 금해야 하며(①-○), 이미 수집된 정보에 대한 접근을 평등하게 만드는 것은 '그 해결 방법' 중 하나라는 사실을 알 수 있다. (②-×)

(5) 조선 후기 시조는 자기 자신에 대한 새로운 인식과 실학의 대두에 영향을 받아(②-○) 기존의 관념적이고 형식적인 경향에서 벗어나게 되었다.(①-○)

(6) 이 문장은 오른쪽과 같이 분석할 수 있으며, 이를 통해 가격분산이 존재하면 소비자는 비용을 더 많이 지불할 가능성이 있어 구매력이 저하되며(①-○), 경제적 복지수준이 낮아지는 것도 이에 따른 결과이다.(②-○)

(7) 고대 그리스 철학자들이 중시했던 것은 음악의 도덕적·윤리적 작용이었으며(①-×), 16세기 르네상스 시대에 들어서면서는 음악의 감정적 효과 즉, 가사를 통한 대상의 묘사를 구체적으로 시도하였다.(②-○)

(3) 칸트는

> 1 인간이란 이성을 바탕으로 자신이 지켜야 할 도덕 법칙을 인식하는 존재이다.
> 2 인간이란 이(도덕 법칙)를 실천할 수 있는 실천 능력을 가진 존재이다.

라고 생각하였다.

(4) 그 해결 방법은

> 1. 우리를 막연한 불안감, 불확실성에 떨게 하는 무차별적인 정보의 과다 수집을 금한다.
> 2. 이미 수집된 정보에 대한 접근을 좀 더 평등하게 만든다.

라는 것이다.

(6) 가격분산이 존재하면

> 1. 소비자는 특정 품질에 대해 비용을 더 많이 지불할 가능성이 있다.
> 2. 위 1의 결과 구매력은 그만큼 저하된다.
> 3. 위 1의 결과 경제적 복지수준도 낮아지게 된다.

(1~3의 현상이 나타난다.)

02 문맥 읽기

예문으로 원리 확인 p.26~28

바로 콕 문제 1 이 때문에 ~ 반면 / HDD의 동작 속도는, ③ 2 정보재 3 ④
4 (1) D램 (2) 그래서 5 ㉠ 이자 ㉡ 대조 ㉢ 이자

사뿐히 즈려밟는 훈련 문제 p.29~33

01 하단 해설 참고 02 ㉠ 소도시에 위치한 마트가 대도시의 마트와 규모 면에서 큰 차이가 없는 경우가 많은 ㉡ 전략적 공약 ㉢ 문답 03 (1) 그, 타자와 함께 자신의 기쁨을 증가시킬 수 있는 공동체 (2) 그런, 장소는 동일하지만 두 여행자가 그 장소를 바라봤던 경험은 분명 다를 것이다. (3) 이들, '셀러, 플레스너, 겔렌' 04 (1) 이와 달리 (2) 예를 들어 (3) 먼저, 둘째로 05 (1) ④ (2) ② 06 (1) ⑤ (2) ④
07 (1) ㉠:○, ㉡: ×, ㉢:× (2) ㉠: ○, ㉡: ×, ㉢:○ (3) ㉠:○, ㉡:×, ㉢:○

01

(1) 보기

클라우드는 이러한 웹하드의 장점을 수용하면서(+) 콘텐츠를 사용하기 위한 소프트웨어까지 함께 제공한다.

➡ '-면서'는 앞 내용을 부연할 때 쓰는 연결 표지이다. 이 문장은 앞에서 '웹하드의 장점을 수용'하는 클라우드의 특징을 설명하고, 뒤에서 '콘텐츠를 사용하기 위한 소프트웨어를 함께 제공'한다는 클라우드의 특징을 추가로 설명하는 '첨가'에 해당한다.

(2) 보기

고전주의 범죄학에서는 범죄를 포함한 인간의 모든 행위는 자유 의지에 입각한 합리적 판단에 따라 이루어지므로(→), 범죄에 비례해 형벌을 부과할 경우(→) 개인의 합리적 선택에 의해 범죄가 억제될 수 있다고 보았다.

➡ 이 문장은 '이루어지므로' 다음에서 둘로 나눌 수 있으며, 뒤 내용이 앞 내용을 근거로 하여 판단한 것이다. 따라서 앞뒤 내용의 관계는 '근거-주장'에 해당한다. 또 뒤 내용은 '경우' 다음에서 다시 둘로 나눌 수 있는데, 이때 앞뒤 내용의 관계는 '가정-결과'이다.

(3) 보기

[1]바이러스성 벡터는 세포막과 잘 결합하고(+) 유전자의 발현 효율이 매우 높다. [2]그러나(↔) 바이러스는 원래 질병을 유발하는 물질이기 때문에(→) 이를 벡터로 활용하기 위해서는(←) 질병을 일으키는 기능을 최대한 억제시켜야 한다.

➡ 문장 1은 '바이러스성 벡터'가 '세포막과 잘 결합하고 유전자의 발현 효율이 매우 높다'라는 장점을 말한다. 문장 1과 문장 2는 대조를 나타내는 접속어 '그러나'로 연결되며, 문장 2는 바이러스가 질병을 유발하기 때문에 '벡터로 활용하기 위해서는 조건이 있음'이라는 단점을 말하고 있으므로 두 문장은 대조의 의미 관계에 해당한다.

(4) 보기

[1]마셜은 지대를 순전히 자연의 혜택으로 인한 것으로 한정하면서(+) 리카도의 차액지대론을 비판하였다. [2]그러는 한편(▽) 그는 토지 이외의 요소에도 지대 개념을 확장하여 적용할 수 있는 가능성을 열었다. [3](이를테면 마셜은 고가의 자본 설비의 경우에는 그것을 이용하는 대가가 지대와 유사한 성격을 가지고 있어 '준지대'라고 하였다.)

바로 콕 문제 해설

3 ㉠-㉡은 '그런데'라는 접속어를 통해 전환의 의미 관계임을 알 수 있다. ㉡-㉢은 '그래서'라는 접속어를 통해 원인과 결과(인과)의 의미 관계로 파악할 수 있다.

➡ 문장 1은 '마셜'의 '지대'에 대한 생각을 설명하고 있다. 문장 2는 '그러는 한편'이라는 연결 표지를 통해 내용을 전환하여, 마셜이 '지대 개념을 확장하여 적용할 수 있는 가능성'을 열었다고 하였다. 문장 3은 앞 문장에 대한 예를 든 것으로 '이를테면'이라는 접속어를 통해 예시 문장임을 분명하게 알 수 있다.

02

➡ 문장 1은 소도시에 위치한 마트가 대도시의 마트와 규모 면에서 큰 차이가 없는 현상을 소개하고 있으며, 문장 2는 문장 1의 내용을 '이런'이라는 지시어로 칭하고 있다. 문장 3은 문장 2가 던진 물음에 대한 답으로, '전략적 공약'이라는 개념을 소개하고 있다.

03

(1) 지시어는 문장 2의 처음에 나오는 '그'이다. 그리고 지시어가 가리키는 것은 문장 1의 '타자와 함께 자신의 기쁨을 증가시킬 수 있는 공동체'이다. 문장 1에서 인간에게 공동체가 필요하다는 것을, 문장 2에서 인간이 그 공동체에서 해야 할 일을 설명하고 있으므로 두 문장의 관계는 '첨가'이다.

(2) 지시어는 문장 3의 시작 부분에 있는 '그런(그러하다)'이다. '그런'은 문장 2 전체를 가리킨다. 또한 문장 3에서 문장 2의 내용을 근거로 하여 '경험의 세계는 절대적으로 확신하기가 어려운 것'이라는 주장을 하고 있으므로, 문장 2–3의 의미 관계는 '근거–주장'이다.

(3) 지시어는 문장 2의 전체 주어인 '이들이'의 '이들'이다. 이때 '이들'은 문장 1의 '셸러, 플레스너, 겔렌'을 통틀어 지칭하고 있다. 또한 문장 2는 '결국'이라는 접속어를 통해 문장 1의 내용을 종합하여 정리하고 있으므로, 문장 1–2의 의미 관계는 '재진술'이다.

04

(1) 문장 1은 '추구하는 가치'를 기준으로 '일반적 기업'과 '비영리기관'을 비교하고 있다. 문장 2는 앞에서 언급한 기준과는 또 다른 가치를 추구하는 '사회적 기업'을 소개하고 있으므로, 문장 1과 문장 2 사이에는 두 대상을 견주어 설명하는 '비교'의 연결 표지 '이와 달리'가 들어가는 것이 적절하다.

(2) 문장 1은 '작용 반작용 법칙'이라는 개념을 설명하고, 문장 2는 '작용 반작용 법칙'이 적용된 사례를 소개하고 있다. 따라서 문장 1과 문장 2 사이에는 '예시'의 연결 표지인 '예를 들어'가 들어가는 것이 적절하다.

(3) 문장 1은 '단백질 합성'이라는 개념을 소개하고 있다. 문장 2는 '아미노산의 형태로 분해되어 간으로 이동하는 단백질'에 대해, 문장 3은 그 다음으로 일어나는 작용인 '공급된 아미노산을 단백질로 합성하는 간세포'에 대해 설명하고 있는데, 이는 결국 '단백질 합성' 과정을 순서대로 진술한 것이다. 따라서 문장 1과 문장 2 사이에는 과정의 첫 번째 순서를 나타내는 연결 표지 '먼저'가 들어가는 것이 적절하며, 문장 2와 문장 3 사이에는 두 번째 순서를 나타내는 연결 표지 '둘째로'가 들어가는 것이 적절하다.

100人 의미 관계에서 '비교'의 연결 표지는 대조를 포함하는 개념이라고 설명했었어.

05

(1) ❹ (2) ❷

(1) 〈보기〉의 문장은 '하지만' 다음에서 앞뒤로 나뉜다. 앞부분은 "의미를 문화의 차원을 중심으로 설명"하는 세 이론에 대한 내용이고 뒷부분은 "좀 더 근원적인 차원에서 의미의 개념을 규정"하는 들뢰즈에 대한 내용이다. 차이가 있는 두 내용을 견주어 설명하고 있으므로, 이 문장은 대조(혹은 비교)의 의미 관계로 파악할 수 있다. ④ 또한 '아니라'를 경계로 앞뒤 의미가 대조를 이루고 있다.

오답 피하기

① 분류 ② 결과–원인 ③ 나열, 첨가 ⑤ 전환, 첨가의 의미 관계가 나타난다.

(2) 〈보기〉의 문장은 '되면' 다음에서 앞뒤로 나뉜다. 앞부분에서는 "자동차가 상대 차량 또는 장애물 등과 정면충돌"하는 상황을 가정하고 있으며, 뒷부분에서는 가정된 상황 다음에 이어질 결과를 설명하고 있다. 또한 앞부분에서 가정하는 상황은 뒷부분에 나오는 '결과'의 '원인'이기도 하다. 따라서 이 문장에는 '원인–결과' 또는 '가정–결과'의 의미 관계가 나타난다.

②는 '생기면'을 경계로 앞뒤를 나눌 때 '원인-결과' 또는 '가정-결과'의 의미 관계로 파악할 수 있다. 혹은 '높아짐으로써'를 경계로 앞뒤로 나누어 '원인-결과'의 의미 관계로도 파악할 수 있다.

오답 피하기

① 비교(대조) ③ 정의 ④ 전환 ⑤ 유추의 의미 관계가 나타난다.

06

(1) ❺ (2) ❹

(1) 〈보기〉의 문장 1은 '야구공에 비해 더 민감하게 튀어 오르는 고무공'에 대해 언급하고, 문장 2는 '즉'이라는 접속어를 통해 '고무공이 야구공에 비해 탄력이 좋은 것'이라며 문장 1의 내용을 다른 표현으로 바꾸어 말하고 있다. 따라서 문장 간 의미 관계는 '재진술'로 보는 것이 적절하다.
⑤ 또한 '다시 말해서'라는 연결 표지를 통해 문장 1의 내용을 문장 2에서 재진술하고 있다.

오답 피하기

① 주장-근거 ② 대조 ③ 전환 ④ 예시의 의미 관계가 나타난다.

(2) 문장 1은 '연소 후 포집 기술'의 다섯 단계를, 문장 2는 문장 1의 공정이 진행되기 위해 필요한 수단을 설명하고 있다. 따라서 문장 1-2는 '목적-수단'의 의미 관계로 파악할 수 있다.
④ 또한 문장 1의 '구제'라는 목적을 이루기 위한 수단인 '행정구제제도'를 문장 2에서 소개하고 있으므로, '목적-수단'의 의미 관계임을 알 수 있다.

오답 피하기

① 예시 ② 대조 ③ 첨가 ⑤ 원인-결과, 정의의 의미 관계가 나타난다.

100人 '재진술'은 앞에서 말한 내용의 표현을 바꾸거나 그 내용을 정리해서 다시 말하는 거야.

07

(1) ㉠: ○, ㉡: ×, ㉢:× (2) ㉠: ○, ㉡: ×, ㉢:○ (3) ㉠:○, ㉡:×, ㉢:○

(1)

[문장 1] 알레고리는 '상징'을 통한 기법이다.

+

[문장 2] '상징'은 연상이나 유사성 등의 상관관계에 기대어(㉠-○) 추상적 사물-개념을 구체적 사물로 나타낸다.(㉡-×)

↓

[문장 3] 그래서 알레고리는 이중 메시지 구조(겉으로 드러나는 이야기, 또 다른 이야기)를 갖게 된다.(㉢-×)

(2)

[문장 1] 카메라타는 연극과 음악이 결합된 예술을 지향했다.

↑

[문장 2] 이를 위해서 (카메라타는) 음악이 가사의 내용을 잘 전달할 수 있어야 한다고 여겼다.(㉠-○)

↓

[문장 3] 그래서 (카메라타는) 다성음악 양식은 그에(가사를 잘 전달하는 데) 적합하지 않다고 여겼다.(㉡-×)

▽

[문장 4] 그 대신 그들(카메라타)은 단선율 노래인 모노디 양식을 고안하였다.(㉢-○)

(3)

[문장 1] 인지 부조화 상태를 겪고 있는 소비자는 이를 해소하기 위해(㉠-○) 선택하지 않은 제품의 단점을 찾거나, 장점을 무시한다.

↕

[문장 2] 하지만 일반적으로는 자신의 구매 행동을 지지하는 정보를 찾아내어 자신의 선택이 현명했다고 정당화한다. (㉡-×)

+

[문장 3] 특히 고가의 재화를 구매했을 경우 인지 부조화를 해소하려는 노력(자신의 선택을 정당화하려는 경향)이 더 크게 나타난다. (㉢-○)

03 문단 읽기

예문으로 원리 확인 p.37

바로 콕 문제 1 (1) 분무기 (2) 문장 1

사뿐히 즈려밟는 훈련 문제 p.39~43

01 (1) 가격 차별 (2) 하단 해설 참고 **02** (1) 음성피드백 (2) 예시 **03** (1) 잠김효과 (2) 2 (3) ㉠ 잠김효과 ㉡ 전환비용 **04** (1) ㉠ 기판 ㉡ 기체 ③ 흡착 (2) 3 (3) ① × ② ○
05 (1) ㉠ (2) 하단 해설 참고 (3) ㉠ 마테존 ㉡ 선율 음형 ㉢ 작곡 ㉣ 연주 **06** ①
07 ⑤ **08** ③ **09** ② **10** ③ **11** ⑤

[01] 가격 차별의 개념과 성립 조건 사회

2016학년도 3월 고2 학력평가

[1]시장에서 독점적 지위를 가지고 있는 판매자가 동일한 상품에 대해 소비자에 따라 다른 가격을 책정하여 판매하기도 하는데, 이를 '가격 차별'이라 한다.[2]가격 차별이 성립하기 위해서는 첫째, 판매자가 시장 지배력을 가지고 있어야 한다.[3]시장 지배력이란 판매자가 시장 가격을 임의의 수준으로 결정할 수 있는 힘을 말한다.[4]둘째, 시장이 분리 가능해야 한다.[5]즉, 상품의 판매 단위나 구매자의 특성에 따라 시장을 구분할 수 있어야 한다.[6]셋째, 시장 간에 상품의 재판매가 불가능해야 한다.[7](만약 가격이 낮은 시장에서 상품을 구입하여 가격이 높은 시장에 되팔 수 있다면 매매 차익을 노리는 구매자들로 인해 가격 차별이 이루어지기 어렵기 때문이다.)

01

(1) 가격 차별 (2) 하단 표 참고

(1) 문장 1은 '가격 차별'이라는 개념을 정의하고 있고, 이어지는 문장 2~7은 '가격 차별'이 성립하기 위한 조건을 제시하고 있다. 즉 문단을 이루는 문장들이 모두 '가격 차별'에 대한 설명이므로, 위 문단의 중심 화제는 '가격 차별'이다.

(2)

구분	내용	의미 관계
문장 1	~를 '가격 차별'이라 한다.	개념 정의
문장 2	'가격 차별'이 성립하려면 첫째, (시장 지배력)이 있어야 한다.	조건 나열 ①
문장 3	'시장 지배력'이란 ~ 힘을 말한다.	정의, 첨가
문장 4	둘째, 시장이 (분리) 가능해야 한다.	(조건 나열 ②)
문장 5	즉, ~에 따라 시장을 구분할 수 있어야 한다.	앞 문장에 대한 (재진술, 첨가)
문장 6	셋째, 시장 간에 상품의 재판매가 (불가능)해야 한다.	조건 나열 ③
문장 7	만약 ~ 되팔 수 있다면 ~ 어렵기 때문이다.	앞 문장에 대한 (가정, 이유)

바로 콕 문제 해설

1 (1) 이 문단에서 여러 번 언급되는 대상은 '분무기'이고, 전체적인 내용도 '분무기'를 중심으로 설명하고 있으므로, 중심 화제는 '분무기'이다.
(2) 문장 1은 분무기가 무엇인지 정의하고, 문장 2는 분무기의 일종인 물총의 예를 들었다. 문장 3은 분무기의 쓰임을 설명하고 있다. 전체적으로 분무기가 어떤 기구인지 설명하는 데 초점을 두고 있으므로 가장 중심이 되는 문장은 1이다.

[02] 음성피드백의 개념과 그 과정 과학

(2012학년도 11월 고1 학력평가)

[1]음성피드백이란 일정한 상태로 몸을 유지하기 위해 최종 산물의 양이 많아지면 화학 반응 경로의 초기 단계에 작용하는 효소가 억제되고, 반대로 그 양이 적어지면 화학 반응 경로의 초기 단계에 작용하는 효소가 활성화되는 것을 말한다. [2](예를 들어, 세포는 화학 반응을 통해 당을 분해하여 에너지원인 ATP를 얻는다. [3]그런데 ATP가 지나치게 생산되어 축적되면 피드백을 통해 화학 반응의 초기 단계에 작용하는 효소를 억제하여 ATP의 생산 속도를 늦춰 ATP의 양을 줄이게 된다.)

02

(1) 음성피드백 (2) 예시

(1), (2) 위 문단은 문장 1에서 '음성피드백'이라는 개념을 제시하고, 문장 2~3에서 음성피드백이 일어나는 과정을 예시를 통해 보여 주고 있다. 문단을 이루는 문장들이 '음성피드백'에 대한 내용을 중심으로 하고 있으므로 중심 화제는 '음성피드백'이며, '문장 1'과 '문장 2,3'의 의미 관계는 '예시'이다.

[03] 수요 측면에서의 정보재 특성 – 잠김효과 사회

(2017학년도 11월 고1 학력평가)

[1]수요 측면의 특성으로 정보재를 사용하는 소비자에게서 나타나는 '잠김효과'를 들 수 있다. [2]잠김효과란 어떤 정보재를 사용하기 시작한 소비자가 그것에 익숙해지면 다른 정보재보다 이미 사용하던 것을 계속 사용하려는 경향을 말한다. [3]이러한 경향은 새로운 정보재를 이용하려면 그것에 익숙해지기 위해 많은 돈, 노력, 시간 등의 '전환비용'이 필요하기 때문에 발생한다. (잠김효과가 발생하는 이유) [4](가령 일부 소프트웨어 프로그램의 경우 의무 사용 기간을 지키지 않았을 때 지불해야 하는 위약금과 같은 것까지도 전환비용에 포함된다.)

연결 도식

잠김효과 (정보재) 사용 소비자에게 나타남.
어떤 정보재를 사용하기 시작한 소비자가 그것에 익숙해지면, 이미 사용하던 정보재를 계속 사용하려는 경향
↑ 유발
(전환비용): 돈, 노력, 시간 등
예 소프트웨어 프로그램의 의무 사용 기간 위반 위약금

03

(1) 잠김효과 (2) 2 (3) ㉠ 잠김효과 ㉡ 전환비용

(1) 위 문단은 문장 1~2에서 '잠김효과'라는 개념을 소개하고, 문장 3~4에서 '잠김효과'가 발생하는 이유와 예시를 통해 문장 1을 뒷받침하고 있다. 따라서 중심 화제는 첫 문장에 언급된 '잠김효과'이다.

(2), (3) 중심 문장은 중심 화제인 '잠김효과'의 개념을 정의하는 문장 2이다. 따라서 중심 내용을 정리할 때는 문장 2의 내용이 포함되어야 한다.

[04] 기판 표면에서 흡착이 일어나는 이유 과학

(2014학년도 11월 고2 학력평가 Ⓐ)

[1]기판 내부에 들어 있는 원자는 상하좌우 모든 방향으로 대칭이어서 힘의 균형이 이루어진 안정된 상태이지만, 기판 표면에 있는 원자는 아래쪽에 결합할 원자가 없는 불안정한 상태이다. [2]불안정한 상태인 기판 표면에 있는 원자는 기체 분자와 결합하여 안정화하려고 한다. [3]이 과정에서 기판 표면에 기체 분자가 달라붙는 현상인 흡착이 이루어지게 되는 것이다.

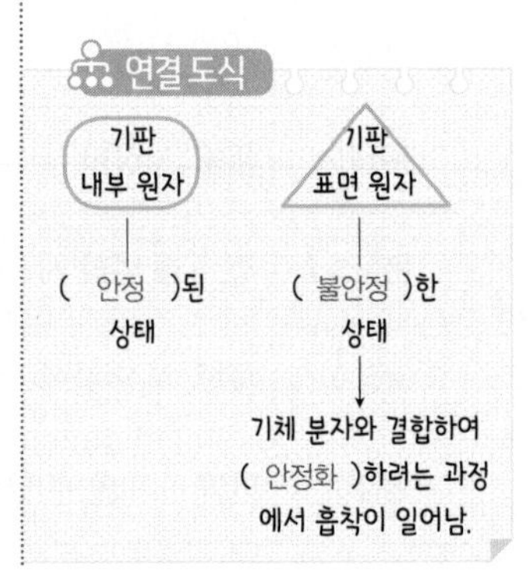

04

(1) ㉠ 기판 ㉡ 기체 ㉢ 흡착 (2) 3 (3) ① × ② ○

(1), (2) 위 문단은 문장 1~2에서 '불안정한 상태의 원자가 안정화'를 하려고 한다는 내용을 소개하고, 문장 3에서 문장 1~2의 결과 '흡착' 현상이 일어난다는 것을 설명하고 있다. 따라서 위 문단의 중심 문장은 '결과'에 해당하는 문장 3이다.

(3) 문장 1에서 '기판 내부에 있는 원자'는 '안정된 상태'라고 했다.(①-×) 이때 문장 2~3을 근거로 하여 '기판 표면에 있는 불안정한 상태의 원자는 불안정한 상태를 벗어나기 위해 흡착을 한다.'라는 내용을 이끌어낼 수 있다.(②-○)

[05] 음형을 선율 음형과 장식 음형으로 구분한 마테존 예술

2015학년도 3월 고2 학력평가

[1]마테존은 음형을 '선율 음형'과 '장식 음형'으로 나누었다. [2]선율 음형은 단어 및 문장 차원에서의 수사법을 작곡 과정에 적용한 음형이다. [3]그리고 장식 음형은 악곡을 실제 연주할 때 연주자의 재량에 의해 결정되는 음형이다. [4]마테존은 같은 내용이라도 웅변가가 상황에 따라 웅변술을 달리한다는 점에 착안하여 연주자도 실제 연주할 때에는 이미 만들어진 악보에 장식을 더해야 한다고 생각하였다.

05

(1) ㉠ (2) 보조단 참고 (3) ㉠ 마테존 ㉡ 선율 음형 ㉢ 작곡 ㉣ 연주

(1) 위 문단은 문장 1에서 '음형을 선율 음형과 장식 음형으로 구분한 마테존'이라는 정보를 주고, 문장 2와 문장 3이 이에 대한 설명을 '첨가'하고 있다.(㉡) 문장 4는 문장 3의 '장식 음형'에 대한 마테존의 생각을 보충한 것이다.(㉢) 즉, 이 문단은 문장 1의 내용을 중심으로 하고 있으므로 이것이 중심 문장이며, 중심 화제는 '마테존, 선율 음형, 장식 음형'이 된다.(㉠, ㉣)

(3) 위 문단의 중심 내용에는 중심 문장인 문장 1의 내용이 포함되어야 한다. 문장 1을 근거로 하면 ㉠에는 '마테존', 문장 2를 근거로 하면 ㉡에는 '선율 음형', ㉢에는 '작곡'이 들어가야 한다. 또 문장 3을 근거로 하면 ㉣에는 '연주'가 들어가는 것이 적절하다.

(2)

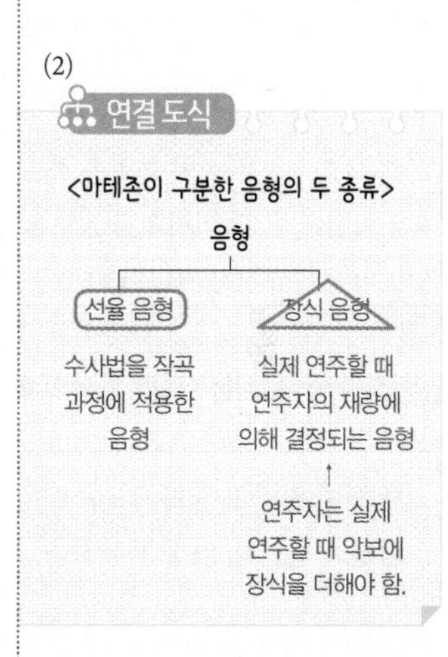

[06] 지역난방의 장점 기술

2011학년도 3월 고1 학력평가

난방의 신개념, 지역난방

㉠ ____________________

[1]지역난방은 난방을 위해 별도의 연료를 사용하는 것이 아니라 전기를 생산하거나 쓰레기를 소각하는 과정에서 발생하는 열을 이용하기 때문에 경제적이면서 친환경적이다. [2]또한 아파트나 개별 세대에 보일러와 같은 개별 난방 시설을 따로 설치할 필요가 없기 때문에 안전하고 편리하다. [3]따라서 지역난방은 에너지 원료의 97%를 수입에 의존하고 있는 우리나라의 효율적인 난방 방식이라고 할 수 있다.

연결 도식

지역난방
① 별도 연료 사용 X (전기 생산 · 쓰레기 소각 시 발생 열 이용) → (경제적), 친환경적
② (개별 난방 시설) 설치 필요 X → 안전하고 편리함.
따라서 효율적 난방 방식

06

① (정답)

정답인 이유 ① 효율적인 에너지 활용이 가능해져

➡ 표제가 '난방의 신개념, 지역난방'이므로 '지역난방'이 왜 신개념 난방인지를 설명해 줄 수 있는 부제를 구성해야 한다. 위 문단은 문장 1~2에서 '지역난방'의 장점들을 언급한 후, 문장 3에서 '따라서 지역난방은 ~ 효율적인 난방 방식'이라고 정리하고 있으므로 ①이 가장 적절하다.

[07~08] 국내 사물 인터넷 산업 활성화 방안 사회

2017학년도 9월 고2 학력평가

[1]국내 사물 인터넷 산업을 활성화하기 위한 방안은 무엇일까? [2]ⓐ정부에서는 사물 인터넷 산업의 기반을 구축하는 데 필요한 정책과 제도를 정비하고,① 관련 기업에 경제적 지원책을 마련해야 한다.② [3]ⓑ수익성이 불투명하다고 느끼는 기업으로 하여금 투자를 하도록 유도하여 사물 인터넷 산업이 발전할 수 있도록 해야 한다.③ [4]ⓒ기업들은 이동 통신 기술 및 차세대 빅 데이터 기술 개발에 집중하여④ 사물 인터넷으로 인해 발생하는 대용량의 데이터를 원활하게 수집하고 분석할 수 있는 기술력을 확보해야 할 것이다.

연결 도식

국내 사물 인터넷 산업 (활성화) 방안

정부
① 기반 구축에 필요한 정책, 제도 정비
② 관련 기업에 (경제적 지원책) 마련
③ 기업에게 투자 유도

(기업)
④ 이동 통신 기술, 빅 데이터 기술 개발에 집중
→ 대용량 데이터를 수집, 분석할 수 있는 기술력 확보

07

⑤ (정답)

정답인 이유 ⑤ 사물 인터넷 산업의 활성화 방안

➡ 문장 1에서 '국내 사물 인터넷 산업을 활성화하기 위한 방안'에 대해 묻고 있으며, 문장 2~4는 이에 대한 답을 하고 있다. 따라서 위 문단이 전달하고자 하는 바(중심 내용)는 '국내 사물 인터넷 산업의 활성화 방안'이 가장 적절하다.

08

③ (정답)

정답인 이유 ③ ⓐ/ⓑ, ⓒ로 구분하여 내용을 살펴볼 수도 있다.

➡ ⓐ~ⓒ는 모두 문장 1의 물음에 대한 답으로, 사물 인터넷 산업 활성화를 위해 노력하는 주체가 정부이냐 기업이냐에 따라 ⓐ, ⓑ(정부 차원)와 ⓒ(기업 차원)로 구분할 수 있다.

오답 피하기 ① ⓐ~ⓒ는 모두 첫 문장의 물음에 대한 답이다.

➡ 이 문단은 첫 문장의 물음에 대한 답을 제시하는 흐름으로 내용이 전개되고 있다.

② ⓐ~ⓒ에서 전체적으로 내용이 나열되고 있다.

➡ 문장 2~3(ⓐ~ⓑ)에서 정부 차원의 '사물 인터넷 산업 활성화 방안'을, 문장 4(ⓒ)에서 기업 차원의 '사물 인터넷 산업 활성화 방안'을 나열하고 있다.

④ ⓑ와 ⓒ에는 첨가를 나타내는 접속어를 쓸 수 있다. / ⑤ ⓐ~ⓒ 사이에 대조를 나타내는 접속어가 들어가면 어색하다.

➡ ⓐ~ⓒ는 '인터넷 산업을 활성화하기 위한 방안'에 대한 나열이므로 내용의 흐름이 이어진다. 따라서 그 사이에 대조를 나타내는 접속어보다는 첨가를 나타내는 접속어를 사용하는 것이 적절하다.

[09~11] 아리스토텔레스의 에우다이모니아 개념을 심화한 막스 쉘러 인문

2016학년도 11월 고1 학력평가

[1]그리스어인 '에우다이모니아(eudaimonia)'는 일반적으로 '행복'이라고 번역된다. [2]현대인들은 행복을 물질적인 것을 통해 느끼는 안락이나 단순한 쾌감과 동일시하는 경향이 있다. [3]㉠ ___ 아리스토텔레스는 에우다이모니아를 현대인들이 생각하는 행복과는 다르게 설명한다. [4]그는 에우다이모니아를 인간 고유의 기능인 이성을 발휘하여 그것을 완전하게 실현한 상태라고 규정하였다. [5]막스 쉘러는 아리스토텔레스가 말한 에우다이모니아에 시간적 속성을 부여하여 이를 세 가지 측면으로 나누어 설명하였다.

아리스토텔레스의 '에우다이모니아' 개념을 심화함.

연결 도식

• 에우다이모니아 - 행복

현대인들	물질적인 것을 통해 느끼는 안락, 쾌감과 동일시
↕	
(아리스토텔레스)	이성을 발휘하여 그것을 완전하게 실현한 상태
↑	
막스 쉘러	(시간적) 속성 부여 - 세 가지로 나누어 설명

09

②

정답인 이유 ② 그러나

➡ ㉠ 뒤에 이어지는 내용은 아리스토텔레스가 '에우다이모니아'를 '현대인들이 생각하는 행복과는 다르게 설명'한다는 내용이다. 즉, 앞서 나온 문장 2의 '현대인들의 생각'과 대조되는 내용이므로, 대조의 연결 표지인 '그러나'가 들어가는 것이 가장 적절하다.

10

③

정답인 이유 ③ 현대인들은 에우다이모니아가 실현되려면 이성을 발휘해야 한다고 본다.

➡ 문장 4에서 아리스토텔레스는 에우다이모니아를 '이성을 발휘하여 그것을 완전하게 실현한 상태'라고 규정하였다. 그러나 '에우다이모니아와 이성의 관계'에 대한 현대인들의 생각은 언급되지 않았다.

오답 피하기 ⑤ 아리스토텔레스의 에우다이모니아 개념은 타인에 의해 심화되었다.

➡ 문장 5에서 막스 쉘러는 '아리스토텔레스가 말한 에우다이모니아'에 시간적 속성을 부여하여 이를 설명하였다고 했으므로 이 개념이 막스 쉘러에 의해 심화되었다고 볼 수 있다.

11

⑤

정답인 이유 ⑤ 에우다이모니아에 대한 아리스토텔레스와 막스 쉘러의 생각

➡ 위 문단은 '에우다이모니아'에 대한 현대인들과 아리스토텔레스, 막스 쉘러의 생각을 소개하고 있는데, 문장 3에서 '그러나'라는 접속어를 통해 내용이 대조되고 있으므로 그 다음에 나오는 '아리스토텔레스', '막스 쉘러'와 '에우다이모니아'가 중심 화제가 된다. 따라서 문단의 중심 내용을 요약적인 문구로 보여 주는 제목으로는 세 가지 중심 화제가 포함된 '에우다이모니아에 대한 아리스토텔레스와 막스 쉘러의 생각'이 가장 적절하다.

오답 피하기 ① 그리스인의 행복에 대한 생각

➡ 문장 1에서 그리스어인 '에우다이모니아'가 '행복'으로 번역된다는 정보가 나와 있지만, 이가 '그리스인의 행복에 대한 생각'이라고는 할 수 없다.

② 현대인과 에우다이모니아의 상관관계 / ③ 현대에서 구현되는 에우다이모니아의 양상

➡ 현대인이 '행복'을 어떻게 생각하는지는 문장 1~2를 통해 알 수 있으나, 현대인과 에우다이모니아의 상관관계나 현대에서 구현되는 에우다이모니아의 양상에 대해서는 확인할 수 없다.

④ 에우다이모니아에 대한 아리스토텔레스의 반박

➡ 아리스토텔레스는 현대인의 생각과 다르게 에우다이모니아를 설명하는 것이지 에우다이모니아 자체에 대해서 반박하는 것은 아니다.

04 글 읽기

예문으로 원리 확인 p.46~47, 51

바로 콕 문제 1 맥락: 오늘날의 심리 철학에서 다루는, 화제: 정서 2 (차례대로) 단일 민족, 구한말, 악화, 억압과 차별과 불관용 3 보조단 '지문 구조도' 참고

사뿐히 즈려밟는 훈련 문제 p.54~59

01 하단 해설 참고 02 하단 해설 참고 03 도덕적 딜레마에서 개인 행위의 옳고 그름을 판단하는 기준은 도덕 법칙에 따른 판단을 중시하는 의무론적 관점과 최선의 결과를 중시하는 목적론적 관점으로 나뉜다. 04 적정기술은 인간의 삶의 질을 향상시킬 수 있는 기술이자 가난한 자들의 삶의 질을 향상시키는 기술로, 항아리 냉장고와 같은 사례가 있으나 빈곤 지역의 문제 해결을 위해서는 또 다른 극복 방안이 필요하다. 05 ⑤ 06 ② 07 ① 08 하단 해설 참조 09 ③ 10 ②

[01~03] 의무론적 관점과 목적론적 관점에서의 도덕적 판단 인문

2016학년도 6월 고1 학력평가

1 [1]다음 상황을 생각해 보자. A가 등교하는 길에 다리가 불편한 할머니가 횡단보도 건너는 것을 도와 달라고 하였다. [2]지금 학교에 가지 않으면 지각을 하여 벌점을 받게 된다. A는 할머니를 도와야 할까, 아니면 학교에 가야 할까? [3]이런 상황을 도덕적 딜레마라 한다. [4]이런 상황에서 개인 행위의 옳고 그름을 판단하는 기준이 필요하다. [5]이러한 기준을 우리는 크게 두 가지 관점에서 제시할 수 있다. [6]하나는 의무론적 관점이고 다른 하나는 목적론적 관점이다.

1 도덕적 딜레마 상황에서 행위의 옳고 그름을 판단하는 기준

2 [1]의무론적 관점은 행위에 대한 도덕적 판단이 도덕 법칙에 따라 이루어져야 한다고 보았다. (특징 ①) [2]이 관점은 도덕 법칙을 지키려는 의지를 의무로 보았으며 (특징 ②) 결과와 무관하게 행위 자체의 옳고 그름에 주목하였다. (특징 ③) [3]도덕 법칙은 언제나 타당하고 보편적인 것이기에 (특징 ④) '왜'라는 질문은 성립하지 않는다. [4]따라서 좋지 않은 결과를 초래하더라도 도덕 법칙은 지켜야 한다. (특징 ⑤) [5]이런 의미에서 의무론적 관점을 법칙론이라고도 한다.

2 의무론적 관점(법칙론)의 특징

3 [1]그러나 의무론적 관점에는 한계가 있다. [2]두 개의 옳은 도덕 법칙이 충돌할 때 의무론적 관점에 따르면 결정을 내릴 수 없다. [3]예를 들어 1번 철로에는 3명의 인부가, 2번 철로에는 5명의 인부가 일을 하고 있을 때 브레이크가 고장 난 기차의 기관사는 어떤 길을 선택해야 할까? [4]의무론적 관점은 이 상황에서 어떤 철로를 선택해야 할지 결정을 내릴 수 없다.

어떤 철로를 선택하든 "사람을 죽이면 안 된다."라는 도덕 법칙에 어긋나므로

3 의무론적 관점(법칙론)의 한계

4 [1]한편, 목적론적 관점은 행복이나 쾌락을 인간이 추구해야 할 목적으로 보았다. (특징 ①) [2]이 관점은 오로지 최선의 결과를 가져오는 행위가 옳은 행위이며, (특징 ②) 경험을 통하여 도덕을 얻을 수 있다고 생각하였다. [3]도덕은 '보다 많은 사람들에게 보다 많은 행복을 가져오는 행위'이다. (특징 ③) [4]따라서 어떤 행위를 결정할 때는 미래에 있을 결과를 고려해야 한다. (특징 ④) [5]이런 의미에서 목적론적 관점을 결과론이라고도 한다.

4 목적론적 관점(결과론)의 특징

5 [1]그러나 목적론적 관점도 한계가 있다. [2]똑같은 결과라도 사람마다 판단이 달라질 수 있기 때문이다. [3]위의 예에서 1번 철로를 선택하는 것이 목적론적 관점에서는 옳은 선택이지만 1번

5명의 인부가 죽는 것보다 3명의 인부가 죽는 것이 최선의 결과이므로

바로 콕 문제 해설

3

철로에 있던 인부의 가족에게 물었을 경우 대답은 달라질 것이다.) [4]이런 문제 때문에 목적론적 관점은 도덕 법칙에 대해 많은 예외를 허용할 우려가 있다.

1번 철로에 있던 인부의 가족은, 자신의 가족이 죽는 것보다 2번 철로에 있는 인부들이 죽는 것이 더 낫다고 생각할 것이므로

5 목적론적 관점(결과론)의 한계

01

문단	중심 화제	중심 내용	기능(역할)
2	의무론적 관점	의무론적 관점(법칙론)에서는 (도덕 법칙)에 따라 (행위)를 판단하며, (결과)와 상관없이 행위 자체의 옳고 그름을 중시함.	세부 화제 ①의 특징
3	의무론적 관점	의무론적 관점은 두 개의 옳은 도덕 법칙이 충돌할 때 결정을 내릴 수 없다.	세부 화제 ①의 한계
4	목적론적 관점	(목적론적 관점)(결과론)은 (많은 사람)에게 (최선의 결과)(행복)를 가져오는 것을 중시함.	세부 화제 ②의 특징
5	목적론적 관점	목적론적 관점은 사람에 따라 똑같은 결과에 대한 판단이 달라질 수 있다.	세부 화제 ②의 한계

02

1 도덕적 딜레마 상황에서 행위의 옳고 그름을 판단하는 기준
- 의무론적 관점(법칙론)
  - 2 특징
  - 3 한계
- 목적론적 관점(결과론)
  - 4 특징
  - 5 한계

[04~07] 항아리 냉장고를 통해 살펴본 적정기술 과학

2013학년도 3월 고1 학력평가

가 [1]1970년대 이후부터 세계적으로 '적정기술'에 대한 활발한 논의가 있어 왔다. [2]넓은 의미로 적정기술은 인간 사회의 환경, 윤리, 도덕, 문화, 사회, 정치, 경제적인 측면들을 두루 고려하여 인간의 삶의 질을 향상시킬 수 있는 기술이다. [3]좁은 의미로는 가난한 자들의 삶의 질을 향상시키는 기술이다.

적정기술의 개념: 넓은 의미 / 적정기술의 개념: 좁은 의미

가 적정기술의 개념

나 [1]적정기술이 사용된 대표적 사례는 아바가 고안한 항아리 냉장고이다. [2]아프리카 나이지리아의 시골 농장에는 전기, 교통, 물이 부족하다. [3]이곳에서 가장 중요한 문제 중의 하나는 곡물을 저장할 시설이 없다는 것이다.

나이지리아 시골 농장의 문제점

나 적정기술의 대표적 사례: 항아리 냉장고

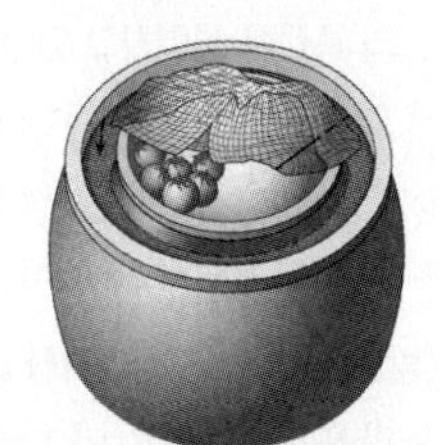

다 [1]이를 해결하기 위해 그는 항아리 두 개와 모래흙 그리고 물만 있으면 채소나 과일을 장기간 보관할 수 있는 저온조를 만들었다. [2]이것은 물이 증발할 때 열을 빼앗아 가는 간단한 원리를 이용했다. [3]한여름에 몸에 물을 뿌리고 시간이 지나면 시원해지는데, 이는 물이 증발하면서

곡물을 저장할 시설이 없는 것

좁은 의미의 적정기술 적용: 가난한 자들의 삶의 질을 향상시킴.

지문 이해

- 가 적정기술의 개념
  - 넓은 의미: 인간의 삶의 질을 향상시킬 수 있는 기술
  - 좁은 의미: (가난한 자들)의 삶의 질을 향상시키는 기술
- 나 적정기술의 대표적 사례: (항아리 냉장고)
- 다 항아리 냉장고의 원리 – 물이 (증발)할 때 열을 빼앗아 가는 원리 이용
- 라 항아리 냉장고의 효과
- 마 적정기술의 (한계) 극복 방안

몸의 열을 빼앗아 가기 때문이다.[4]항아리의 물이 모두 증발하면 다시 보충해서 사용하면 된다.

안쪽 항아리에 저장할 곡물을 넣은 다음, 안쪽 항아리와 바깥쪽 항아리 사이에 모래흙을 넣고 흙을 물로 적심. 이 물이 증발할 때 열을 빼앗아 가며 안쪽 항아리의 곡물 저장을 용이케 함.

다 항아리 냉장고의 원리

라 [1]토마토의 경우 항아리 냉장고 없이 2~3일 정도 저장이 가능하지만, 항아리 냉장고를 사용하면 21일 정도 저장이 가능하다.[2]이 덕분에 이 지역 사람들은 신선한 과일을 장기간 보관해서 시장에 판매해 많은 수익을 올릴 수 있었다.

이 지역: 나이지리아 시골 농장

라 항아리 냉장고의 효과

마 [1]적정기술은 새로운 기술이 아니다. 우리가 알고 있는 여러 기술 중의 하나로, 어떤 지역의 직면한 문제를 해결하는 데 적절하게 사용된 기술이다.[2]1970년 이후 적정기술을 기반으로 많은 제품이 개발되어 현지에 보급되어 왔지만 그 성과에 대해서는 여전히 논란이 있다.[3]이는 기술의 보급만으로는 특정 지역의 빈곤 탈출과 경제적 자립을 이룰 수 없기 때문이다.[4]빈곤 지역의 문제 해결을 위해서는 기술 개발 이외에도 지역 문화에 대한 이해와 현지인의 교육까지도 필요하다.

적정기술의 성과에 대해 논란이 있는 이유

적정기술의 한계를 해결하기 위한 방안: 지역 문화에 대한 이해, 현지인 교육

마 적정기술의 한계 극복 방안

지문 구조도

가 화제 제시
나 사례 제시
다 원리 — 라 효과
마 한계 및 해결 방안 제시

정답인 이유

➡ 문단에 공통적으로 반복해서 언급되는 화제는 '적정기술'이므로 이것이 중심 화제이다. 가에서는 적정기술의 개념을, 나, 다, 라에서는 적정기술이 적용된 사례인 항아리 냉장고를 소개하고 있다. 그리고 마에서 적정기술만으로는 빈곤 지역 문제를 해결하기 어렵다는 문제를 제기하고 그 한계를 극복하기 위한 방안을 제시하고 있으므로 이를 더 요약하여 중심 내용을 정리한다.

05

답 ⑤

정답인 이유 ⑤ 마 **적정기술의 전망**

➡ 마에서는 '적정기술'이 1970년 이후 많은 제품에 적용되어 현지에 보급되었지만 그 성과에 대해서는 여전히 논란이 있다고 하였다. 이후 빈곤 지역의 문제 해결을 위해서는 기술 개발뿐만 아니라 지역 문화에 대한 이해와 교육의 필요성까지 언급하고 있으므로 '적정기술의 한계 극복 방안'을 중심 내용으로 보는 것이 적절하다.

06

답 ②

정답인 이유 ② **개념 · 대상을 설명하는 유형**

➡ '적정기술'이라는 하나의 화제(개념)에 대하여 정의, 사례를 소개하고 마지막 문단에서 '적정기술'의 한계 극복 방안을 제시하며 글을 정리하고 있으므로 '개념 · 대상을 설명하는 유형'으로 볼 수 있다.

07

답 ①

정답인 이유 ① **구체적인 사례를 통해 대상의 특성을 설명하고 있다.**

➡ 첫 문단을 보면 '적정기술'을 소개하고 있고, 마지막 문단에서도 '적정기술'에 대한 이야기를 하고 있으므로 이 글의 중심 화제는 '적정기술'이다. 이 글은 '적정기술'의 특성을 '적정기술'이 적용된 대표적 사례인 '항아리 냉장고'라는 예시를 들어 설명하고 있다.

오답 피하기 ③ **문제에 대한 다양한 해결 방안을 제시한 후 평가하고 있다.**

➡ 마에서 '적정기술'의 성과에 대한 논란을 소개하고, 이 한계를 극복할 방안을 두 가지로 소개하고 있으나 이를 평가하는 부분은 찾아보기 어렵다.

⑤ **어떤 현상이 일어나는 원리를 단계별로 살핀 후 그 대안을 제시하고 있다.**

➡ 다에서 '항아리 냉장고'가 시원해지는 원리를 밝히고 있으나, 그 대안은 찾아보기 어렵다.

[08~10] 조세의 효율성과 공평성 사회

2018학년도 3월 고1 학력평가

1 [1]조세는 국가의 재정을 마련하기 위해 경제 주체인 기업과 국민들로부터 거두어들이는 돈이다.(조세의 정의) [2]그런데 국가가 조세를 강제로 부과하다 보니 경제 주체의 의욕을 떨어뜨려 경제적 순손실을 초래하거나(조세가 야기하는 문제 ①) 조세를 부과하는 방식이 공평하지 못해 불만을 야기하는 문제(조세가 야기하는 문제 ②)가 나타난다. [3]따라서 조세를 부과할 때는 조세의 효율성과 공평성을 고려해야 한다.

1 조세를 부과할 때 고려해야 할 기준

2 [1]우선 ㉠ 조세의 효율성에 대해서 알아보자. [2]상품에 소비세를 부과하면 상품의 가격 상승으로 소비자가 상품을 적게 구매하기 때문에 상품을 통해 얻는 소비자의 편익이 줄어들게 되고, 생산자가 상품을 팔아서 얻는 이윤도 줄어들게 된다. [3]소비자와 생산자가 얻는 편익이 줄어드는 것을 경제적 순손실이라고 하는데(경제적 순손실의 정의) 조세로 인하여 경제적 순손실이 생기면 경기가 둔화될 수 있다. [4]이처럼 조세를 부과하게 되면 경제적 순손실이 불가피하게 발생하게 되므로, 이를 최소화하도록 조세를 부과해야 조세의 효율성을 높일 수 있다.

2 조세의 효율성

3 [1]㉡ 조세의 공평성은 조세 부과의 형평성을 실현하는 것으로, 조세의 공평성이 확보되면 조세 부과의 형평성이 높아져서 조세 저항을 줄일 수 있다. [2]공평성을 확보하기 위한 기준으로는 편익 원칙과 능력 원칙이 있다. [3]편익 원칙은 조세를 통해 제공되는 도로나 가로등과 같은 공공재를 소비함으로써 얻는 편익이 클수록 더 많은 세금을 부담해야 한다는 원칙이다.(편익 원칙의 정의) [4]이는 공공재를 사용하는 만큼 세금을 내는 것이므로 납세자의 저항이 크지 않지만,(편익 원칙의 장점) 현실적으로 공공재의 사용량을 측정하기가 쉽지 않다는 문제가 있고 조세 부담자와 편익 수혜자가 달라지는 문제도 발생할 수 있다.(편익 원칙의 문제점)

3 조세의 공평성

4 [1]능력 원칙은 개인의 소득이나 재산 등을 고려한 세금 부담 능력에 따라 세금을 내야 한다는 원칙으로(능력 원칙의 정의) 조세를 통해 소득을 재분배하는 효과가 있다. [2]능력 원칙은 수직적 공평과 수평적 공평으로 나뉜다. [3]수직적 공평은 소득이 높거나 재산이 많을수록 세금을 많이 부담해야 한다는 원칙이다.(수직적 공평의 정의) [4]이를 실현하기 위해 특정 세금을 내야 하는 모든 납세자에게 같은 세율을 적용하는 비례세나 소득 수준이 올라감에 따라 점점 높은 세율을 적용하는 누진세를 시행하기도 한다.

4 능력 원칙

5 [1]수평적 공평은 소득이나 재산이 같을 경우 세금도 같게 부담해야 한다는 원칙이다.(수평적 공평의 정의) [2]그런데 수치상의 소득이나 재산이 동일하더라도 실질적인 조세 부담 능력이 달라, 내야 하는 세금에 차이가 생길 수 있다. [3]예를 들어 소득이 동일하더라도 부양가족의 수가 다르면 실질적인 조세 부담 능력에 차이가 생긴다.(가족을 부양하기 위한 지출이 생기기 때문에) [4]이와 같은 문제를 해결하여 공평성을 높이기 위해(← 공평성을 높이기 위한 보완책) 정부에서는 공제 제도를 통해 조세 부담 능력이 적은 사람의 세금을 감면해 주기도 한다.

5 수평적 공평의 보완책

지문 이해

1 조세를 부과할 때 고려해야 할 기준
- (효율성)과 (공평성)

2 조세의 효율성
- (경제적 순손실)이 최소화되도록 조세를 부과해야 조세의 효율성이 높아짐.

3 조세의 공평성
- 조세 부과의 형평성 실현으로 조세 (저항)이 줄어듦.
- 공평성 확보 기준: (편익 원칙)과 (능력 원칙)

4 능력 원칙
- 소득 (재분배) 효과 있음.
- (수직적 공평)과 (수평적 공평)으로 나뉨.

5 (수평적) 공평의 보완책
- 소득, 재산 외에 실질적인 조세 부담 능력으로 인한 불공평 발생
- 공평성을 높이기 위해 (공제) 제도 실시

지문 구조도

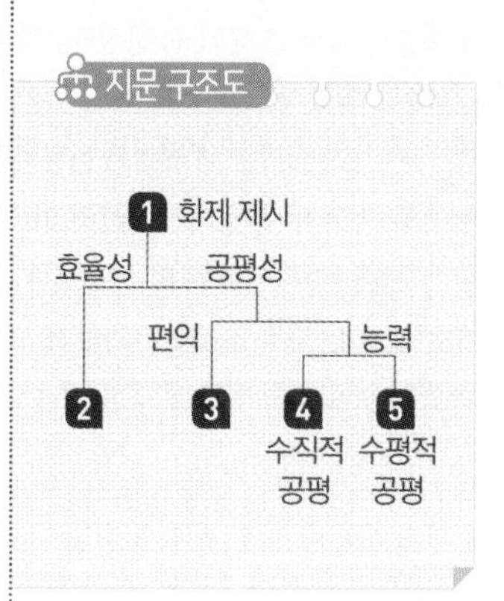

08

❷의 문장 요약	문장의 의미 관계
1 조세의 효율성에 대해 알아보자.	… 화제 제시
2 상품에 소비세를 부과하면 → 소비자와 생산자의 편익이 줄어듦.	… 1의 예시, 상황 가정
3 2의 현상(경제적 순손실)이 생기면 → 경기 둔화	… 2의 결과
4 조세를 부과하면 경제적 순손실이 불가피하게 발생하므로, 이를 최소화하도록 부과해야 조세의 효율성이 높아짐.	… 1, 2, 3의 정리

❸의 문장 요약	문장의 의미 관계
1 조세의 공평성은 조세 부과의 형평성 실현, 조세 저항을 줄일 수 있음.	… 화제의 의의, 효과
2 공평성 확보 기준: 편익 원칙과 능력 원칙	… 1의 내용 구체화(분류)
3 편익 원칙은 공공재를 소비하여 얻는 편익이 클수록 더 많은 세금을 부담해야 한다는 원칙이다.	… 2의 내용 상세화(정의)
4 이는 공공재 사용량을 측정하기가 쉽지 않다는 문제가 있고, 조세 부담자와 편익 수혜자가 달라지는 문제도 발생할 수 있다.	… 3의 내용 첨가, 3의 한계

09

③

정답인 이유 **③ ㉠은 ㉡과 달리 소득 재분배를 목적으로 한다.**

➡ ❹-1에 따르면 소득 재분배 효과는 능력 원칙, 즉 공평성(㉡)을 확보했을 때 얻을 수 있는 것이므로, 효율성(㉠)은 소득 재분배를 목적으로 한다고 볼 수 없다.

오답 피하기 **① ㉠은 조세가 경기에 미치는 영향과 관련되어 있다.**

➡ ❷-3에서 조세로 인하여 경제적 순손실이 생기면 경기가 둔화될 수 있다고 했으며 ❷-4에서 이 때문에 경제적 순손실을 최소화하는 방향으로 조세를 부과해야 조세의 효율성(㉠)을 높일 수 있다고 했으므로 적절하다.

② ㉡은 납세자의 조세 저항을 완화하는 데 도움이 된다.

➡ ❸-1에서 조세의 공평성(㉡)이 확보되면 조세 부과의 형평성이 높아져서 조세 저항을 줄일 수 있다고 하였다.

④ ㉡은 ㉠과 달리 조세 부과의 형평성을 실현하는 것이다.

➡ ❷-3~4에서 경기 둔화를 최소화하는 방향으로 나아갈 때 조세의 효율성(㉠)이 높아진다고 하였고, ❸-1에서 조세의 공평성(㉡)이 확보되면 조세 부과의 형평성이 높아진다고 하였다.

⑤ ㉠과 ㉡은 모두 조세를 부과할 때 고려해야 하는 요건이다.

➡ ❶-3에서 조세를 부과할 때는 조세의 효율성(㉠)과 공평성(㉡)을 고려해야 한다고 하였다.

10

②

정답인 이유 **② 대상을 기준에 따라 구분한 뒤 그 특성을 설명하고 있다.**

➡ 이 글은 조세를 부과할 때 고려해야 하는 요건인 효율성과 공평성을 소개하였는데, 공평성을 편익 원칙과 능력 원칙으로 구분하고, 다시 능력 원칙을 수직적 공평과 수평적 공평으로 구분하여 설명하였다.

Ⅱ 문제 독해

05 내용을 파악하는 문제

예문으로 원리 확인 p.68~71

지문 1 지문 이해 1 월슨, 인문학, 자연과학 2 월슨, 환원주의, 자연과학 3 인문학자, 인문학, 자연과학 4 인문학자, 객관적 5 인문학자, 인문학

바로 콕 문제 1 ④ 2 ④ 3 ⑤

1 윗글에서 인문학자들의 관점에 대한 월슨의 비판은 언급되지 않았다. 3~5에서는 월슨이 제기한 통섭에 대한 인문학자들의 비판이 드러나고 있다.

오답 피하기

① 1-1~2에서 찾을 수 있다. 월슨은 21세기 인류가 당면한 복합적인 문제를 해결하기 위한 대안으로 통섭을 제시했다.

② 2-3에서 드러난다. 월슨이 제시한 통섭은 모든 존재의 근본적 요소를 자연과학적 법칙으로 설명하려는 특징이 있다.

③ 2-4에서 자연과 인간을 동일하게 바라보아 인간을 자연과학으로 환원 가능하다고 본 월슨의 관점이 드러난다.

⑤ 5-2에서 현실의 문제 해결을 위해 인문학적 지식과 자연과학적 지식이 소통하여야 한다는 월슨의 주장에 인문학자들도 동의한다고 하였다.

2 2-3~4에 근거하면, 환원주의(㉠)는 자연과학적 법칙으로 대상을 구성하는 근본적인 요소를 밝히려는 관점이며, 인간 역시 자연과학적 법칙으로 설명할 수 있다는 입장을 취함을 알 수 있다.

오답 피하기

① 2-4에서 월슨은 환원주의를 바탕으로 하여 인문학이 자연과학으로 완벽히 포섭될 수 있다고 보았음을 알 수 있다. 포섭은 한 대상이 다른 대상에 포함되는 것이므로 인문학과 자연과학의 공통점을 찾으려 했다는 의미는 아니다.

② 본질의 변화와 관련된 인식은 이 글에서 언급되지 않았다.

③ 4-2~4를 통해, 월슨을 비판한 인문학자들이 대상을 추상적·관념적으로 인식했음을 알 수 있다.

3 윗글은 1~2에서 월슨이 제기했던 '통섭'의 개념, '통섭'의 연구 방법인 환원주의의 개념을 제시한 뒤, 3~5에서 이에 대한 인문학자들의 비판을 보여 주고 있다.

오답 피하기

①, ③ 윗글에서 찾을 수 없는 내용이다.

② 3~4에서 인문학과 자연과학이 지닌 차이점이 제시된다. 그러나 이는 월슨의 통섭에 대한 인문학자들의 비판을 설명하기 위한 것이므로 이를 집필 의도로 보기는 어렵다.

④ 2-5에서 통섭을 적용한 연구 방법인 환원주의의 구체적인 사례가 언급되었지만, 글쓴이가 특정한 입장을 옹호하는 내용은 찾을 수 없다.

사뿐히 즈려밟는 훈련 문제 p.72~77

01 ⑤ 02 ④ 03 ② 04 ⑤ 05 ① 06 ④ 07 ① 08 ③

바로 콕 문제 유형 엿보기

1 [일치하는 내용 찾기] 선택지가 질문의 형태로 구성되었지만 선택지에서 키워드를 찾아 그 키워드가 지문에서 나타나는지 확인하는 문제이다.

2 [일치하는 내용 찾기] 발문에서 '환원주의(㉠)'라는 특정 정보를 지정하여 이와 관련된 내용을 잘 이해했는지 묻는 문제이다.

3 [중심 내용 파악하기] 글을 전체적으로 독해한 뒤, 주제 및 목적을 고려해 글쓴이가 글을 쓴 궁극적인 이유(집필 의도)를 찾는 문제이다.

[01~02] 기업의 마중물 마케팅과 소비자의 바람직한 태도 사회

2014학년도 9월 고2 학력평가

1 [1]과거 수도 시설이 보편화되기 이전에는 가정마다 수동 펌프로 물을 끌어올려 사용했는데, 펌프질만으로는 물을 끌어올리기 어려워 물 한 바가지를 넣어 펌프질을 했다. [2]이때 펌프에서 물이 나오게끔 도움을 주는 소량의 물이 바로 마중물이다. [3]이렇게 마중물과 같이 작은 자극이 원인이 되어 더 큰 효과를 일으키는 것을 마중물 효과라 한다.

'마중물'의 정의 / '마중물 효과'의 정의

1 마중물 효과의 개념

2 [1]처음 정부의 마중물 효과는 경제 불황의 극복을 위해 일시적으로 재정 지출을 확대하거나 재정 수입을 감소하는 등의 자극을 주어 경제 활동을 활성화시켜 침체된 경기가 회복되도록 하는 것이었다. [2]이런 마중물 효과는 정부의 경제 활성화 정책을 넘어 장학 사업 같은 사회 사업 분야 및 기업의 마케팅 활동 등 우리 생활 전반에까지 그 영역이 확대되었다. [3]특히 기업은 마중물 효과를 마케팅 전략으로 활발히 사용하게 되었다.

정부의 경제 활성화에 활용된 마중물 효과 / 쓰이는 영역이 확대된 마중물 효과 / 기업의 마케팅 전략에 활용된 마중물 효과

2 마중물 효과가 쓰이는 영역의 확대

3 [1]기업이 마중물 효과를 통해 도달해야 하는 목표는 단순한 단기간의 이윤 증대가 아니다. [2]기업은 다양한 종류의 마중물을 이용해 타사 제품에 비해 자사 제품이 가지고 있는 제품의 가치를 홍보하여 자사 제품에 대한 소비자의 긍정적 평가를 높이려 한다. [3]이를 바탕으로 마중물의 제공이 중단되더라도 소비자의 꾸준한 구매를 통해 기업의 이익이 장기적으로 지속되도록 하는 것이 마중물을 활용한 마케팅의 궁극적인 목표이자 마중물 효과이다. [4]그래서 기업은 적지 않은 자금을 투입하여(제품 체험 행사, 1개를 사면 1개를 더 주는 덤 마케팅, 대형 마트의 시식 행사, 할인 쿠폰 제공 등)다양한 형태의 마중물로 소비자의 구매를 유도한다. [5]이때 소비자가 마중물을 힘들이지 않고 거저 얻은 것으로 생각하여, 지나친 소비 활동을 하는 공돈 효과를 일으킨다면 기업은 더 큰 이윤 창출을 기대할 수도 있다.

목표 ① / 목표 ② / 마중물의 예

3 기업의 마중물 마케팅의 목표와 효과

4 [1]하지만 기업의 마중물 마케팅이 항상 성공적인 결과를 얻는 것은 아니다. [2]기업의 의도가 소비자에게 제대로 전달되지 못하여 마중물을 제공하지 않자 제품에 대한 구매가 원상태로 돌아가거나 오히려 하락했다면, 마중물 효과는 단지 광고나 판매 촉진 활동과 같은 일시적인 매출 증대 행위에 그칠 수밖에 없다. [3]또한 마중물에 투입한 비용이 과도하여 매출은 증가하였지만 이윤이 남지 않는 경우와, 마중물을 투입하였는데도 기업의 매출에 변화가 없어서 오히려 기업의 이윤이 감소하는 경우가 있다. [4]뿐만 아니라 마중물이 일반 소비자들에게 골고루 혜택을 주지 못하고 일부 체리피커들에게 독점된다면 기업의 이윤 창출은 더욱 어려워질 수도 있다.

4 기업이 마중물 마케팅에 실패하는 경우

5 [1]그러나 이런 위험을 알면서도 지금도 많은 기업에서는 소비자의 지갑이 열리기를 기대하며 다양한 마중물을 동원하여 이익을 극대화하는 데에 총력을 기울인다. [2]그러므로 소비자는 할인이나 끼워주기와 같은 기업의 조삼모사(朝三暮四)식 가격 정책에 흔들리기보다는 합리적인 소비를 해야 한다. [3]단순하게 마중물이 주는 혜택에 집중하기보다는 자신에게 꼭 필요한 상품을 꼭 필요한 만큼만 구매하려는 소비자의 현명한 선택이 필요한 것이다.

기업의 마중물 마케팅의 특징 / 소비자가 갖춰야 할 태도

5 기업의 마중물 마케팅에 대응하는 소비자의 바람직한 태도

지문 이해

- **1** (마중물) 효과의 개념
- **2** 마중물 효과가 쓰이는 영역의 확대
- **3** (기업)의 마중물 마케팅의 목표와 효과
- **4** 기업이 마중물 마케팅에 실패하는 경우
- **5** 기업의 마중물 마케팅에 대응하는 (소비자)의 바람직한 태도 – 합리적 소비 필요

글의 핵심 파악

- **기업의 마중물 마케팅**
  기업은 제품 체험, 덤 마케팅, 시식 행사, 할인 쿠폰과 같은 다양한 종류의 (마중물)을 이용해 (소비자)의 꾸준한 (구매)를 유도한다.
  ▶ 근거 문단 **3**
- **마중물 마케팅에 대응하는 소비자의 바람직한 태도**
  (마중물)이 주는 혜택에 집중하기보다 자신에게 (필요)한 상품을 (필요)한 만큼만 구매하는 (합리적)소비를 해야 한다.
  ▶ 근거 문단 **5**

지문 구조도

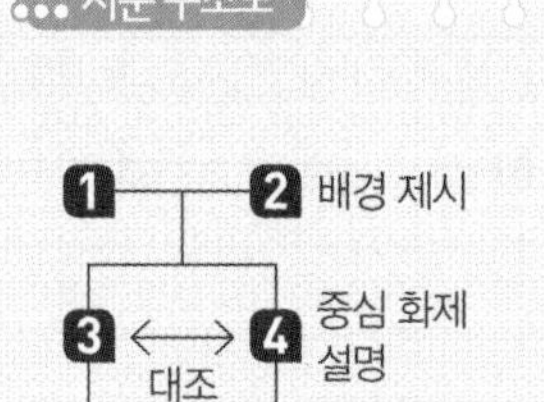

05

❶번 일치하는 내용 찾기

정답인 이유 **① ⓐ는 효소의 활성 부위가 아닌 곳에 결합한다.**

➡ 발문에서 특정 정보에 대해 묻고 있으므로, ⓐ(비경쟁적 저해제)에 대한 설명이 나타난 부분을 찾아 선택지의 내용과 일치하는지 확인하면 된다. ❸-5에서 ⓐ는 효소의 활성 부위가 아닌 효소의 다른 부위에 결합한다고 하였으므로, ①의 설명은 적절하다.

오답 피하기 **② ⓐ는 기질과 유사한 입체 구조를 지니고 있다.**

➡ ❸-3에서 경쟁적 저해제가 기질과 유사한 3차원적 입체 구조를 가지고 있다고 하였다.

③ ⓐ는 기질의 입체 구조를 변형시키는 역할을 한다.

➡ ❸-5에서 비경쟁적 저해제는 효소의 입체 구조를 변형시킨다고 하였으므로 적절하지 않다.

④ ⓐ는 기질의 농도가 증가하면 저해 효과가 떨어지게 된다.

➡ ❸-7에서 비경쟁적 저해제가 작용하는 경우에는 기질의 농도가 증가해도 저해 효과가 감소하지 않는다고 하였다.

⑤ ⓐ는 효소가 여러 기질과 복합체를 형성할 수 있도록 작용한다.

➡ ❸-1~2에 따르면, 비경쟁적 저해제는 효소와 결합하여 효소의 작용을 방해하는 물질이라고 하였다.

[06~08] 절대적 주체를 해체한 데리다의 차연 개념 인문

2015학년도 9월 고2 학력평가

❶ [1]독일의 철학자 후설(Edmund Husserl)이 말하는 '의식 주체'는 서양 근대 철학의 형이상학적 사고방식을 잘 보여 준다. [2]후설에 의하면 의식 주체는 다른 것의 도움 없이 스스로 존재하는 것, 즉 현존하는 것이며, 사유의 대상인 객체에 비해 우월하며 본질적이다. [3]이와 같은 맥락에서 의식 주체인 정신은 곧 '나'의 본질로, 그 자체로 완전하고 절대적이며 어떤 상황에서도 변하지 않는 자기 동일성을 지닌 것으로 ㉠간주된다. [4]그런데 이러한 관점은 이원 대립적 사고방식을 바탕으로 주체와 객체가 우열 관계 내지 착취 관계에 있다고 보아 객체에 대한 주체의 지배를 정당화한다는 데 문제가 있다. [5]주체 개념의 정립이 17, 18세기 자본주의의 소유 이론과 맞물려 있다는 것은 우연이 아니다.

후설의 의식 주체 특성

❶ 후설의 의식 주체 개념

❷ [1]이와 같은 이원 대립과 위계의 가치 질서를 만들어 낸 후설의 의식 주체를 비판하는 입장에서, 데리다(Jacques Derrida)는 차연이라는 개념을 ㉡개진한다. [2]'차연'을 뜻하는 신조어 '디페랑스(différance)'는 '차이(差異)'와 '연기(延期)'의 의미를 지닌다. [3]예를 들어 사전에서 어떤 단어(A)의 의미를 설명하기 위해 또 다른 단어(B)를 사용하는 경우가 있는데, 이때 단어의 의미는 고정되는 것이 아니라 또 다른 단어와의 차이에 의해 그 의미가 ㉢구별되면서 끊임없이 연기된다. [4]이와 마찬가지로 데리다에게 주체란 그 자체로 완전하고 절대적인 의미를 갖고 있는 것이 아니라, 다른 대상들과의 차이에 의해 의미가 드러나고 그 의미에 대한 최종 해석은 계속 연기되는 것이다.

차연의 특성 ① / 후설의 의식 주체 / 데리다의 주체 특성

❷ 데리다의 차연 개념과 그에 따른 주체 개념

❸ [1]데리다가 말하는 차연은 단순히 의식 주체에 대한 대립 개념이 아니라, 의식 주체의 절대적 위상 속에 ㉣은폐되어 있는 객체의 가치를 밝히는 새로운 개념이다. [2]데리다가 의식 주체

차연의 특성 ②

지문 이해

❶ 후설의 (의식 주체) 개념

❷ 데리다의 (차연) 개념과 그에 따른 주체 개념

❸ 차연 개념을 통해 (의식 주체) 개념에 문제를 제기한 데리다

❹ 데리다의 주장과 의의

글의 핵심 파악

● 후설과 데리다의 관점 차이

	후설	데리다
주체	그 자체로 완전하고 (절대적)인 존재.	다른 대상과의 의미 (차이)에 의해 드러나는 존재.
객체	사유의 대상. 주체보다 (열등)한 존재.	대상은 각자 나름의 가치를 지님.

▶ 근거 문단 ❶, ❷, ❹

개념에 문제를 제기하는 이유는 형이상학적 전통 철학에서는 주체가 다른 것들과의 관계 속에서 그 의미가 드러난다는 것을 은폐하고 그 자체로 고정 불변의 가치를 지닌다고 믿었기 때문이다.[3]또한 그 믿음으로 인해 형이상학적 전통 철학은 차이와 다양성으로 이루어진 세계를 절대 주체를 중심으로 재편하려는 욕망을 합리화했기 때문이다.

이유 ① / 이유 ②

3 차연 개념을 통해 의식 주체 개념에 문제를 제기한 데리다

4 [1]이러한 차연 개념을 통해 데리다가 주장하는 바는 자기 동일성을 지닌 주체란 허구이자 환상에 불과하므로 이를 해체해야 한다는 것이다.[2]데리다는 절대적 진리나 절대적 주체의 부재를 확인하고, 주체는 다른 것들과의 차이에 의해 구성되는 것이지 자기 동일성을 지닌 우월한 대상이 아니라는 것을 강조한다.[3]데리다는 그 어느 것에도 특권을 부여하지 않음으로써 형이상학적 전통 철학에서 전제하고 있는 절대적 진리의 '있음'을 '없음'으로 ⓜ대체했다.[4]그의 사상은 대상마다 나름의 가치를 지니고 있다는 것을 강조함으로써[닫힌 세계에서 열린 세계로 나아가는 계기를 마련해 주며 다원적 사고에 대한 가능성을 제시해 준다는 점에서 그 의의를 찾을 수 있다.]

[ ]: 데리다 사상의 의의

4 데리다의 주장과 의의

● 데리다의 주장

이유	형이상학적 전통 철학의 은폐와 합리화 때문에
주장	① (주체)를 해체하자. ② 절대적 진리의 있음을 (없음)으로 교체하자.

▶ 근거 문단 3, 4

지문 구조도

1 ⟷ 2 중심 화제
비판의 대상
3 상세화
4 정리

06

④번

일치하는 내용 찾기

정답인 이유 **④ 형이상학적 사고방식의 정립 계기**

➡ 1에서는 후설의 의식 주체가 형이상학적 사고방식을 보여 주고 있다는 내용이, 3에서는 의식 주체와 같은 형이상학적 철학의 입장이 어떤 결과를 낳았는지에 대한 내용이 제시되었다. 하지만 무엇을 계기로 이러한 형이상학적 사고방식이 성립되었는지는 윗글에서 확인할 수 없다.

오답 피하기 **① 정신에 대한 후설의 인식**

➡ 1-3을 통해 정신은 '나'의 본질로서 그 자체가 완전하고 변하지 않으며 자기 동일성을 지닌 것이라고 여긴 후설의 인식을 알 수 있다.

② 데리다의 사상이 갖는 의의

➡ 4-4에서 데리다의 사상은 다원적 사고에 대한 가능성을 제시해 주는 의의가 있다고 하였다.

③ 의식 주체 개념이 지닌 문제점

➡ 1-4에서 의식 주체 개념이 객체에 대한 주체의 지배를 정당화하는 문제를 지니고 있다고 하였다.

⑤ 주체의 자기 동일성에 대한 데리다의 견해

➡ 4-1~2에서 주체의 '자기 동일성'은 허구이자 환상이라고 여긴 데리다의 견해를 알 수 있다.

07

①번

일치하는 내용 찾기

정답인 이유 **① 주체의 의미는 고정되지 않으며 다른 것들과의 관계 속에서 구성된다.**

➡ '차연'에 대한 설명이 나타난 부분을 찾아 선택지의 내용과 일치하는지 확인하는 문제이다. 2-4에 따르면 데리다는 '차연' 개념을 제시하면서, 주체가 절대적인 의미를 갖는 것이 아니라 다른 대상들과의 차이에 의해 그 의미가 드러난다고 하였다. 이는 주체의 의미가 다른 대상들과의 차이, 즉 다른 대상들과의 관계 속에서 구성된다는 것을 의미한다.

08

③번

어휘의 의미 파악하기

정답인 이유 **③ ⓒ: 사물의 가치나 수준 따위를 평함.**

➡ '구별(區別)'은 '성질이나 종류에 따라 차이가 남'의 뜻을 지닌 말이다. '사물의 가치나 수준의 가치를 평함'을 뜻하는 말은 '평가(評價)'이다.

06 전개 방식을 파악하는 문제

예문으로 원리 확인 p.82~83

지문 1 지문 이해 1 정의, 예시 2 문답, ○ 3 예시 4 ○

바로 콕 문제 1 ③

1 윗글은 '종간 경쟁'의 다양한 양상인 경쟁적 배제, 분서, 형질치환을 2~4에서 구체적인 사례와 함께 설명하고 있다.

사뿐히 즈려밟는 훈련 문제 p.84~87

01 ⑤ 02 ② 03 ② 04 ②

[01~02] 음자리표의 특성 및 종류 예술

(2014학년도 6월 고2 학력평가B)

1 [1]기보(記譜)에서 음의 높낮이를 정확히 표기하기 위해 5개의 가로줄을 사용하는데 이를 오선이라고 한다. [2]오선은 아래에서부터 1번 줄, 1번 칸이라 부른다. [3]음은 대개 알파벳 음이름이나 계명으로 읽는다. [4]C는 도(do), D는 레(re), E는 미(mi), F는 파(fa), G는 솔(sol), A는 라(la), B는 시(si)이다. [5]일반적으로 피아노 건반은 A0부터 C8까지 88개가 있다. [6]같은 알파벳이라도 옆의 숫자가 커질수록 옥타브도 올라간다.

(오선의 정의 / 정의 연결 표지)

1 기보와 관련된 오선과 음의 개념 및 특성

2 [1]오선의 범위를 벗어나는 음은 어떻게 표기할까? [2][덧줄과 음자리표를 사용하면 된다.] [3]덧줄을 사용하면 오선의 위 또는 아래로 그 범위를 넓힐 수 있다. [4]그런데 덧줄을 그리는 것만으로는 한계가 있기 때문에 음자리표를 사용하여 특정한 악기나 인성(人聲)의 음역을 나타낸다. [5]음자리표는 어떤 것들이 있을까? [6][음자리표는 음역에 따라 낮은음자리표, 가온음자리표, 높은음자리표로 나뉘는데,] 이러한 음자리표는 반드시 오선의 맨 앞에 표기해야 한다.

(질문 - [ ]: 답변 / 덧줄의 기능 / 음자리표의 기능 / 구분(분류) 연결 표지)

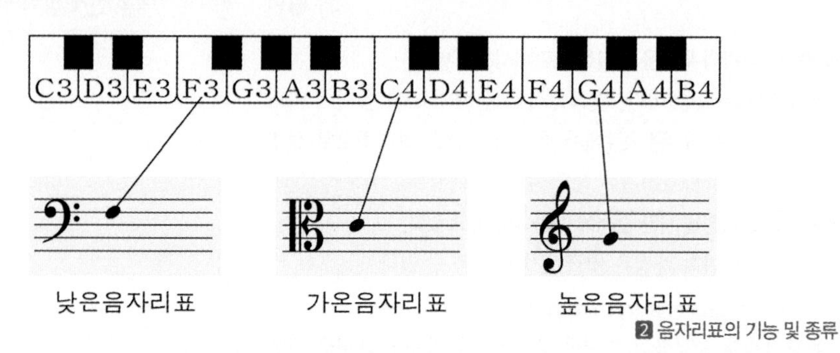

2 음자리표의 기능 및 종류

3 [1]가장 오래된 음자리표인 낮은음자리표는 C4(가온 도) 아래의 저음 영역을 표기하기 위한 것이다. [2]이 음자리표는 F3의 자리인 4번 줄에서 시작하여 F의 모양을 변형하여 그린다. [3]그런 다음 F3의 위치를 기준으로 음표를 표기한다.

(통시 연결 표지 / 낮은음자리표의 기능 / 수단(목적) 연결 표지)

3 낮은음자리표의 특성

바로 콕 문제 유형 엿보기

1 [내용 전개 방식 파악하기] 글 전체의 흐름을 나타내는 가장 핵심적인 내용 전개 방식을 파악하는 문제이다.

지문 이해

1 기보와 관련된 (오선)과 (음)의 개념 및 특성

2 (음자리표)의 기능 및 종류

3 낮은음자리표의 특성

4 가온음자리표의 특성

5 높은음자리표의 특성

글의 핵심 파악

● 음자리표의 기능

(오선)의 범위를 벗어나는 특정한 악기나 인성의 음역을 나타내기 위해 쓰인다.

▶ 근거 문단 2

● 음자리표의 종류

	낮은 음자리표	가온 음자리표	높은 음자리표
생긴 순서	첫 번째	(두) 번째	(세) 번째
기능	C4 아래 (저음) 영역을 표기.	(C4)를 표기.	C4 위 (고음) 영역을 표기.
모양	(F)의 모양을 변형	(C)의 모양을 변형	(G)의 모양을 변형

▶ 근거 문단 3, 4, 5

4 [1]가온음자리표는 낮은음자리표와 더불어 가장 보편적으로 사용하던 음자리표인데, 오선 상에서 C4를 자유롭게 표기하기 위해 음자리표를 고정하지 않고 사용한다.[2]오선에 겹세로줄을 그은 뒤 C의 모양을 변형하여 중앙 부분만 세로줄 쪽으로 당겨 오선의 줄에 걸리도록 그린다.[3]C의 중앙 부분이 1번 줄에 걸리면 1번 줄이 C4가 되는데, 이를 인성 소프라노 음자리표라고 부른다. [4]줄이 하나씩 올라갈수록 인성 메조소프라노, 알토, 테너, 바리톤 음자리표가 된다.

(가온음자리표의 기능 / 수단(목적) 연결 표지)

4 가온음자리표의 특성

5 [1]높은음자리표는 가장 나중에 생겼지만 현재 가장 널리 쓰이는 음자리표이다. [2]C4 위의 고음 영역을 표기하기 위해 이것을 사용한다.[3]음자리표는 G4의 자리인 2번 줄에서 시작하여 G의 모양을 변형하여 그린다. [4]음표는 G4의 위치를 기준으로 표기한다.

(통시 연결 표지 / 높은음자리표의 기능 / 수단(목적) 연결 표지)

5 높은음자리표의 특성

지문 구조도

1 관련 정보 제시
2 중심 화제 제시
3 → 4 → 5
나열, 통시

01

⑤번 — 내용 전개 방식 파악하기

정답인 이유 **⑤ 시대의 흐름에 따른 오선의 변화 양상을 다루었다.**

➡ 지문에서 쓰이지 않은 내용 전개 방식을 고르는 문제이다. 선택지에서 내용 요소와 전개 방식이 함께 언급되었으므로 각각의 적절성뿐만 아니라 둘 사이의 관련성도 적절한지 점검하여야 한다. 윗글에서 오선의 변화 양상은 나타나지 않는다. 3~5에서는 음자리표의 변화 과정을 시대의 흐름에 따라 제시하고 있다.

오답 피하기 **① 기보와 관련된 용어의 개념을 정의하였다.**

➡ 1-1에서 '~이라고 한다.'는 연결 표지를 사용하여 기보와 관련된 오선의 개념을 정의하였다.

② 음자리표의 기준이 되는 음이름을 소개하였다.

➡ 3-3에서는 'F3의 위치를 기준'으로, 5-4에서는 'G4의 위치를 기준'으로 음표를 표기한다고 언급하였다.

③ 문답 방식으로 음자리표의 필요성을 서술하였다.

➡ 2-1~2에서 '표기할까? ~ 사용하면 된다.'와 같은 문답의 방식으로 음자리표의 필요성(오선의 범위를 벗어나는 특정한 악기나 인성의 음역을 나타냄.)을 서술하였다.

④ 음자리표를 구분하여 각각의 특성을 드러내었다.

➡ 2-6에서 '~에 따라 ~로 나뉘는데'라는 연결 표지를 사용하여, 음자리표의 구분 기준을 서술한 뒤, 3~5에서 각각 낮은음자리표, 가온음자리표, 높은음자리표의 특성을 설명하고 있다.

02

②번 — 내용 전개 방식 파악하기

정답인 이유 **② 대상을 일정한 기준에 따라 나눈 후, 각각의 특성을 병렬적으로 제시하고 있다.**

➡ 지문 전체의 흐름을 나타내는 전개 방식을 고르는 문제이다. 윗글에서는 '음자리표'를 음역에 따라 낮은음자리표, 가온음자리표, 높은음자리표로 나눈 후 3~5에서 각각의 특성을 병렬적으로 설명하고 있다.

오답 피하기 **③ 대상의 개념을 정의한 후, 대상의 변화 과정을 시간 순서에 따라 서술하고 있다.**

➡ 1에서 '오선'의 개념을 정의하고 있지만, 오선의 변화 과정은 윗글에서 찾아볼 수 없다.

⑤ 문답 방식으로 대상을 소개한 후, 그 특성을 비유적 표현을 사용하여 설명하고 있다.

➡ 2에서 자문자답의 방식을 사용하여 음자리표를 소개하고 있지만, 그 특성을 비유적 표현을 사용하여 설명한 부분은 찾아볼 수 없다.

[03~04] 행정구제제도의 개념과 그 유형 사회

2015학년도 11월 고2 학력평가

1 [1]행정기관의 작용이 개인의 권리와 이익을 침해한다면 당연히 그에 대한 구제가 이루어져야 한다. [2]이러한 권익의 구제를 가능하게 하는 제도가 행정구제제도이다. [3]대표적인 유형으로 '행정상 손해전보'와 '행정쟁송'이 있다.

1 행정구제제도의 개념과 유형

2 [1]행정상 손해전보는 행정작용 때문에 개인에게 손해나 손실이 발생하면 국가나 자치단체가 이를 금전적으로 갚아 주는 제도이다.[2]이는 배상 및 보상의 원인에 따라 '행정상 손해배상(損害賠償)'과 '행정상 손실보상(損失補償)'으로 구분된다.

2 행정상 손해전보의 개념과 구분

3 [1]행정상 손해배상은 위법한 행정작용 때문에 발생한 손해를 구제하는 것이다. [2]이러한 배상은 공무원의 위법한 직무행위로 인해 발생한 손해와 영조물의 설치·관리 하자로 인해 발생한 손해에 대해 이루어진다.[3]손해배상을 받고자 할 때에는 배상심의회에 배상금 지급을 신청하거나 법원에 소송을 제기해야 한다.[4]배상심의회에 지급 신청을 한 경우, 배상심의회의 결정을 신청자가 받아들이지 않는다면 법원에 소송을 제기할 수도 있다.[5]이와 달리 행정상 손실보상은 공공을 위한 적법한 행정작용 때문에 발생한 국민의 재산상 손실을 구제하는 것이다.[6]이는 사회 전체가 그 손실을 공평하게 부담해야 한다는 입장에서 마련된 제도이다.[7]행정상 손실보상은 현금보상을 원칙으로 하지만 물건으로 보상하기도 한다.[8]보상액을 결정할 때에는 대개 당사자 간의 협의에 의하기도 하고, 협의가 성립되지 않을 때에는 행정기관에 결정을 내려 줄 것을 요청할 수 있다.[9]만약 행정기관의 결정 절차를 거치고도 보상 문제가 해결되지 않는다면 이의 신청을 하거나 바로 법원에 소송을 제기할 수 있다.

3 행정상 손해배상과 행정상 손실보상의 개념과 차이

4 [1]행정쟁송은 당사자의 청구에 의해 행정작용의 효력의 유무나 부당성을 심판하는 제도이다. [2]이는 소송을 행정기관에 제기하느냐 법원에 제기하느냐에 따라 '행정심판'과 '행정소송'으로 구분된다.

4 행정쟁송의 개념과 구분

5 [1]행정심판은 행정작용 때문에 권익을 침해 받은 자가 행정기관에 제기하는 소송을 말한다.[2]이는 당사자가 정해진 기간 내에 행정심판위원회나 해당 행정기관에 청구서를 제출해야 한다.[3]행정심판위원회가 당사자의 청구 내용이 타당하다고 인정하면 행정작용을 취소·변경하거나 각종 처분을 내린다.[4]이러한 행정심판은 행정기관에 심판을 청구하는 것이므로 법원의 심판에 따르는 것에 비해 개인의 소송 비용과 법원의 업무 부담을 줄일 수 있다.[5]행정심판과 달리 행정소송은 권익을 침해 받은 자가 법원에 제기하는 소송을 말한다.[6]이는 행정심판을 거치지 않고 제기할 수도 있으며, 행정심판에서 기각결정을 받은 경우에도 제기가 가능하다.[7]행정소송은 사건과 관련하여 자격이 있는 당사자가 소송을 제기하고, 당사자가 소송을 통해 보호 받을 실질적인 이익이 있으며, 급박한 사안일 때에 가능하다.[8]당사자의 청구 내용이 타당하다고 인정되면 법원은 행정작용의 무효를 확인하거나 행정작용의 일부 또는 전부를 취소하는 판결을 내린다.[9]그러나 청구 내용이 타당하더라도 행정작용의 취소 등이 공공 복리를 현저히 해친다면 기각판결을 내릴 수 있다. [10]이는 공익 추구를 위해 예외적으로 인정되는 것이다.

5 행정심판과 행정소송의 개념과 차이

(주석: 행정상 손해전보의 정의 / 정의 연결 표지 / 구분(분류) 연결 표지 / 행정상 손해배상의 정의 / 행정상 손실보상의 정의 / 행정쟁송의 정의 / 행정심판의 정의 / 행정소송의 정의)

지문 이해

1 (행정구제제도)의 개념 및 두 가지 대표 유형

2 행정상 (손해전보)의 개념과 구분

3 행정상 손해배상과 행정상 손실보상의 개념과 차이

4 (행정쟁송)의 개념과 구분

5 행정심판과 행정소송의 개념과 차이

글의 핵심 파악

● 행정상 손해배상/손실보상

	행정상 손해배상	행정상 손실보상
개념	(위법)한 행정작용 때문에 발생한 손해를 구제하는 것.	(적법)한 행정작용 때문에 발생한 손해를 구제하는 것.
방법	배상심의회에 지급 신청.	당사자 간 협의, 행정 기관에 결정 요청, 이의 신청.
	(법원)에 소송 제기	

▶ 근거 문단 3

● 행정심판/행정소송

	행정심판	행정소송
개념	권익을 침해 받은 자가 (행정기관)에 제기하는 소송.	권익을 침해 받은 자가 (법원)에 제기하는 소송.
방법	행정심판위원회나 행정기관에 청구서 제출.	자격이 있는 당사자가 급박한 사안을 소송 제기.

▶ 근거 문단 5

지문 구조도

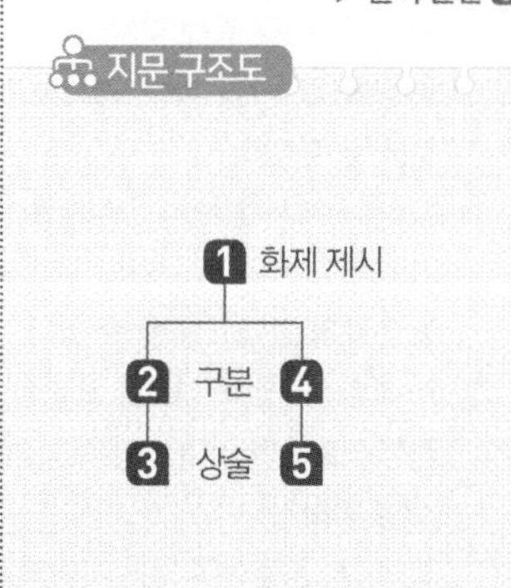

03

❷번

내용 전개 방식 파악하기

정답인 이유 **② 행정구제제도의 유형을 구분하여 설명하고 있다.**

➡ 지문 전체의 흐름을 반영하는 가장 핵심적인 내용 전개 방식을 묻는 문제이면서 선택지에 내용 요소도 함께 나오고 있으므로 글 전체를 포괄하는 중심 화제를 찾을 수 있다면, 문제를 쉽게 풀 수 있다. 윗글은 '행정구제제도'의 유형을 '행정상 손해전보'와 '행정쟁송'으로 나누어 설명하고 있으므로 ②가 가장 적절하다.

04

❷번

내용 전개 방식 파악하기

정답인 이유 **ㄱ. 두 대상의 차이점을 중심으로 대상의 특성을 제시하고 있다.**

➡ 윗글의 3과 5에서 나타난다. 3에서는 '행정상 손해배상'과 '행정상 손실보상'의 차이점을 중심으로, 5에서는 '행정심판'과 '행정소송'의 차이점을 중심으로 대상 각각의 특성을 제시하였다.

ㄹ. 화제를 단계적으로 구분한 뒤, 각각의 절차에 대해 설명하고 있다.

➡ 1에서 '행정구제제도'를 '행정상 손해전보'와 '행정쟁송'으로 나눈 뒤, 2에서 '행정상 손해전보'는 '행정상 손해배상'과 '행정상 손실보상'으로, 4에서 '행정쟁송'은 '행정심판'과 '행정소송'으로 나눈 것을 통해 화제를 단계적으로 구분하였음을 알 수 있다. 또한 3, 5에서는 이렇게 구분한 화제의 절차를 설명하고 있다.

07 추론하는 문제

예문으로 원리 확인 p.90~95

지문 1 지문 이해 1 총체 2 관련, 총체적 3 문화 해체 5 해결 방향

바로 콕 문제 1 ③ 2 ③

1 3-4~5를 통해 여요론트 부족의 문화가 해체된 이유는 쇠도끼 유입이 불러온 사회·경제 전반에 걸친 변화 때문임을 알 수 있다. 성 역할의 전복은 그 변화의 일부에 해당할 뿐이다.

[오답 피하기]

① 3-4에서 백인 신부들은 선교를 위해 쇠도끼를 선물로 주었다고 하였다. 쇠도끼가 문화 해체를 불러왔다는 해석은 총체적 관점을 지닌 인류학자들의 시각인데, 신부들이 이러한 관점에 따라 문화 해체를 예상하며 쇠도끼를 주었다고 보기는 어렵다.

② 3-2~3을 통해 알 수 있다.

④ 2와 5-1을 통해, 총체적 관점이 문화를 바라보는 기존의 인류학자들의 방식에 변화를 주었다는 것을 알 수 있다.

⑤ 5-2에서 총체적 관점으로 문화를 바라볼 때 비로소 문화를 객관적이고 깊이 있게 이해할 수 있다고 하였다. 따라서 문화의 단계적 발전을 옹호하는 19세기 인류학자들의 관점으로는 문화에 대한 이해에 한계가 있다고 말할 수 있다.

2 7~8에서 개인적 선호를 표현한 것은 공평성의 기준을 지키지 않은 것이라고 하였으므로, 글쓴이는 개인적 선호를 드러내는 행위는 정당하지 않다는 관점을 취할 것이다.

[오답 피하기]

⑤ 8에서 공평성이 모든 사람의 복지와 행복을 동일하게 간주하는 관점임을 알 수 있다.

바로 콕 문제 유형 엿보기

1 [글의 내용 추론하기] 글의 내용으로부터 추론해 낸 진술의 적절성을 파악하는 문제이다.

2 [글의 내용(관점) 추론하기] 글의 내용 중에서도 특정 관점을 가진 사람이라면 어떤 식의 판단을 할지를 추론하는 문제이다.

사뿐히 즈려밟는 **훈련 문제** p.96~101

01 ① 02 ② 03 ③ 04 ④ 05 ⑤ 06 ④ 07 ④ 08 ④ 09 ②

[01~03] 현대 사회에서의 연민의 의미와 가치 인문

2009학년도 6월 모의평가

1 [1]현대인은 타인의 고통을 주로 뉴스나 영화 등의 매체를 통해 경험한다.(간접적으로 경험함.) [2]타인의 고통을 직접 대면하는 경우와 비교할 때 그와 같은 간접 경험으로부터 연민을 갖기는 쉽지 않다.(현대인의 태도 원인 ① – 타인의 고통을 간접 경험함.) [3]더구나 현대 사회는 사적 영역을 침범하지 않도록 주문한다.(현대인의 태도 원인 ② – 사적 영역에 대한 존중 문화) [4]이런 존중의 문화는 타인의 고통에 대한 지나친 무관심으로 변질될 수 있다. [5]그래서인지 현대 사회는 소박한 연민조차 느끼지 못하는 불감증 환자들의(현대인을 비유) 안락하지만 황량한 요양소(현대 사회를 비유)가 되어 가고 있는 듯하다.

1 연민을 느끼지 못하는 현대 사회의 문제점

2 [1]연민에 대한 정의는 시대와 문화, 지역에 따라 가지각색이지만, 다수의 학자들에 따르면 연민은 두 가지 조건이 충족될 때 생긴다. [2]먼저 타인의 고통이 그 자신의 잘못에서 비롯된 것이 아니라 우연히 닥친 비극이어야 한다.(조건 ①) [3]다음으로 그 비극이 언제든 나를 엄습할 수도 있다고 생각해야 한다.(조건 ②) [4]이런 조건에 비추어 볼 때 현대 사회에서 연민의 감정은 무뎌질 가능성이 높다. [5]현대인은 타인의 고통을 대부분 그 사람의 잘못된 행위에서 비롯된 필연적 결과로 보며, 자신은 그러한 불행을 예방할 수 있다고 생각하기 때문이다.(연민에 대한 현대인의 생각)

2 연민이 생기는 조건과 현대인들이 연민을 갖지 못하는 까닭

3 [1]그러나 현대 사회에서도 연민은 생길 수 있으며 연민의 가치 또한 커질 수 있다. [2]그 이유를 세 가지로 제시할 수 있다. [3]첫째, 현대 사회는 과거보다 안전한 것처럼 보이지만 실은 도처에 위험이 도사리고 있다.(이유 ① – 위험이 도사리는 사회 환경) [4]둘째, 행복과 불행이 과거보다 사람들의 관계에 더욱 의존하고 있다.(이유 ② – 관계 의존도가 높아진 행복과 불행) [5]친밀성은 줄었지만 사회·경제적 관계가 훨씬 촘촘해졌기 때문이다. [6]셋째, 교통과 통신이 발달하면서 현대인은 이전에 몰랐던 사람들의 불행까지도 의식할 수 있게 되었다.(이유 ③ – 타인의 고통에 대한 정보, 간접 경험이 늘어남.) [7]물론 간접 경험에서 연민을 갖기가 어렵다고 치더라도 고통을 대면하는 경우가 많아진 만큼 연민의 필요성이 커져 가고 있다. [8]이런 정황에서 볼 때 ㉠연민은 그 어느 때보다 절실히 요구되며 그만큼 가치도 높다.

3 현대 사회에서 연민의 가치가 높아져야 하는 이유

4 [1]진정한 연민은 대부분 연대로 나아간다. [2]연대는 고통의 원인을 없애기 위해 함께 행동하는 것이다.(연대의 정의) [3]연대는 멀리하면서 감성적 연민만 외치는 사람들은 은연중에 자신과 고통받는 사람들이 뒤섞이지 않도록 두 집단을 분할하는 벽을 쌓는다.(감성적 연민의 양상 ①) [4]이 벽은 자신의 불행을 막으려는 방화벽이면서, 고통받는 타인들의 진입을 차단하는 성벽이다. [5]㉡'입구 없는 성'에 출구도 없듯, 이들은 성 바깥의 위험 지대로 나가지 않는다. [6]이처럼 안전지대인 성 안에서 가진 것의 일부를 성벽 너머로 던져 주며 자족하는 동정도 가치 있는 연민이다.(감성적 연민의 양상 ②) [7]그러나 진정한 연민은 벽을 무너뜨리며 연대하는 것이다.

4 진정한 연민은 자신과 고통 받는 사람 사이의 벽을 무너뜨리며 연대함.

지문 이해

1 현대 사회 속의 현대인은 (연민)을 느끼지 못하고 살아감.

2 연민이 생길 수 있는 두 가지 조건
① 타인의 고통이 (우연)히 생긴 비극일 것.
② 그 비극이 언제든 (자신/나)에게도 올 수 있다고 생각해야 함.

3 현대 사회에서 연민의 가치가 높아져야 하는 이유

4 진정한 연민의 의미

감성적 연민	진정한 연민
벽을 쌓음.	벽을 무너뜨림.
동정함.	(연대)함.

글의 핵심 파악

● 글쓴이의 관점

이유	• 현대 사회는 도처에 (위험)이 도사림. • 행복·불행이 사람들의 (관계)에 의존함. • 이전에 몰랐던 사람들의 (불행)도 의식할 수 있음.
주장	현대 사회에서 (연민)이 요구되며, 타인과 (연대)하는 모습으로 나아가야 함.

▶ 근거 문단 **3**, **4**

지문 구조도

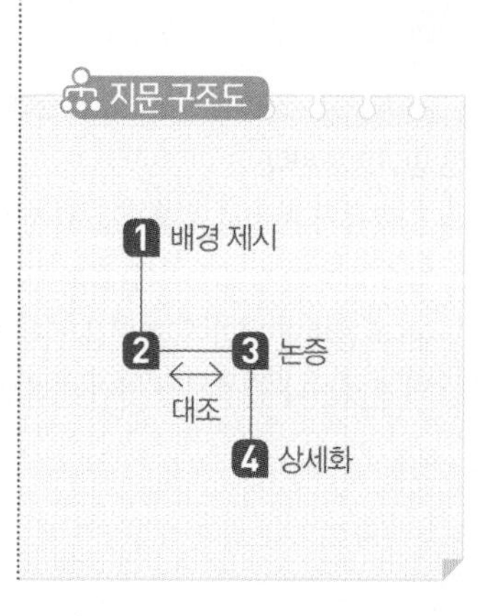

01

❶번

글의 내용 추론하기

정답인 이유 ① 사회가 위험해지면 연민은 많아진다.

➡ ❸-1~3에서 현대 사회에서 연민의 가치가 커지는 이유는 도처에 위험이 도사리고 있기 때문이라고 하였다. 즉 위험이 커질수록 연민의 가치가 커지는 것이지 연민이 많아지는 것은 아니다.

오답 피하기 ② 동정으로 끝나는 연민도 가치가 있다.

➡ ❹-6에서 자신이 가진 것의 일부를 주는 것만으로 자족하는 동정도 가치 있는 연민이라고 하였다.

③ 현대인은 타인의 고통에 무관심한 경향이 있다.

➡ ❶-3~4에서 현대 사회의 존중의 문화가 타인의 고통에 대한 무관심으로 변질될 수 있다고 했다.

④ 연민은 가까운 사람에게만 느끼는 것은 아니다.

➡ ❸-1과 ❸-6~7을 통해, 현대 사회에서는 교통과 통신의 발달로 이전에는 몰랐던 사람들의 불행까지 의식할 수 있게 되었고, 그로 인해 연민이 생기고 그 가치가 더욱 커지게 된다고 하였다.

⑤ 연민은 동양과 서양에서 다르게 규정할 수 있다.

➡ ❷-1에서 연민에 대한 정의는 시대와 문화, 지역에 따라 다르다고 했으므로, 연민에 대한 동·서양의 정의가 다를 수 있음을 미루어 알 수 있다.

02

❷번

근거 추론하기

정답인 이유 ② 행위 결과에 스스로 책임지지 않는 사람이 많아졌다.

➡ ㉠의 근거로 적절하지 않은 것을 찾는 문제이다. ❸-3~7에서는 ㉠을 뒷받침하는 이유를 세 가지로 제시하였다. 이를 정리하면, '1) 도처에 위험이 도사리고 있다. 2) 사람들이 관계에 더욱 의존하고, 사회·경제적 관계가 훨씬 촘촘해지고 있다. 3) 교통, 통신의 발달로 예전에는 몰랐던 사람들의 불행까지 의식하게 되었다.'이다. 이때 ②는 이 세 가지 이유와 관련성을 찾을 수 없으므로 적절하지 않다.

오답 피하기 ① 자연 환경이 파괴되면서 피부암 환자가 많아졌다.

➡ '피부암'은 '도처에 도사린 위험'과 연결되므로, 1)과 관련이 깊다.

③ 뉴스를 통해 이주민의 고통을 알게 된 사람이 많아졌다.

➡ '이주민의 고통'은 '예전에는 몰랐던 사람들의 불행'과 연결되므로, 3)과 관련이 깊다.

④ 사람들 간의 이해관계가 이전보다 복잡하게 연결되어 있다.

➡ '사람들 간의 이해관계가 이전보다 복잡'하다는 '사회·경제적 관계가 촘촘해지고 있다'와 연결되므로, 2)와 관련이 깊다.

⑤ 공장 이전으로 직장을 얻는 사람이 있으면 잃는 사람도 있다.

➡ '직장을 얻는 사람이 있으면 잃는 사람도 있다'는 '사회·경제적 관계가 훨씬 촘촘해지고 있다'와 연결되므로, 2)와 관련이 깊다.

03

❸번

글의 의미 추론하기

정답인 이유 ③ 감성적 연민의 수준에 머물게 되면, 연민을 나눔으로써 고통의 근원을 해소할 수 있는 가능성은 줄어들게 된다.

➡ 발문에서 지정한 부분의 문맥적 의미를 추론하는 문제이다. ㉡은 고통받는 타인에게 벽을 쌓은 채 밖으로 나가지 않는 사람들의 행동을 비유한 말이다. 앞뒤의 문맥을 고려할 때, 이 사람들은 고통받는 타인에게 다가가 연민을 나누거나 연대를 해서 고통의 근원을 해소하는 데까지 나아가지 못한 채 동정이나 감성적인 연민에 머무르고 있다고 볼 수 있다.

[04~06] 국가 간 동맹 관계 사회

2018학년도 9월 고2 학력평가

1 [1]국가는 자국의 힘이 외부의 군사적 위협을 견제하기에 충분치 않다고 판단할 때나, 역사와 전통 등의 가치가 위협받는다고 느낄 때 다른 나라와 동맹을 맺는다. [2]동맹 결성의 핵심적인 이유는 동맹을 통해서 확보되는 이익이며 이는 동맹 관계 유지의 근간이 된다.

동맹 결성의 핵심 이유

1 국가 간 동맹 결성의 이유

2 [1]동맹의 종류는 그 형태에 따라 방위조약, 중립조약, 협상으로 나눌 수 있다. [2]먼저 방위조약①은 조약에 서명한 국가들 중 어느 한 국가가 침략을 당했을 경우, 다른 모든 서명국들이 공동방어를 위해서 참전하기를 약속하는 것이다. [3]다음으로 중립조약②은 서명국들 중 한 국가가 제3국으로부터 침략을 받더라도, 서명국들 간에 전쟁을 선포하지 않고 중립을 지킬 것을 약속하는 것이다. [4]마지막으로 협상③은 서명국들 중 한 국가가 제3국으로부터 침략을 당했을 경우, 서명국들 간에 공조체제를 유지할 것인지에 대해 차후에 협의할 것을 약속하는 것이다. [5]정리하면 세 가지 유형 중 방위조약의 경우는 동맹국의 전쟁에 개입해야 한다는 강제성이 있기에 동맹국 간의 정치·외교적 관계의 정도가 매우 가깝다. [6]또한(+) 조약의 강제성으로 인해 전쟁 발발 시 동맹관계 속에서 국가가 펼칠 수 있는 정치·외교적 자율성은 매우 낮다. [7]즉 방위조약이 동맹국 간의 자율성이 가장 낮고, 다음으로 중립조약, 협상 순으로 자율성이 높아진다. [8](㉠한 연구에 따르면, 1816년부터 1965년까지 약 150년 간 맺어진 148개의 군사동맹 중에서 73개는 방위조약, 39개는 중립조약, 36개는 협상의 형태인데, 평균 수명은 방위조약이 115개월, 중립조약이 94개월, 협상은 68개월 정도였다.)

방위조약의 특징 ① / 방위조약의 특징 ② / 방위조약의 특징 ③

2 동맹의 종류와 특징

3 [1]위와 같이 동맹 관계는 고정되어 있지 않다. [2]그 이유에 대해 현실주의자들과 구성주의자들은 서로 다른 견해를 보이는데, 이는 국제 사회를 바라보는 시각의 차이에서 기인한다. [3]우선 현실주의자들은 ㉡국제 사회는 국가 이상의 단위에서 작동하는 중앙 정부와 같은 존재가 부재하는 일종의 무정부 상태라고 본다. [4]따라서(→) 개별 국가는 스스로를 지켜야 하는 것이다. [5]그래서 각 나라는 군사적 동맹을 통해(→) 세력 균형을 이루어 패권 안정을 취하려 한다. [6]특정한 패권 국가가 출현하면 그 힘을 견제하기 위한 국가들 간의 동맹이 형성되기도 하고, 그 힘에 편승하는 동맹이 형성되기도 한다. [7]이렇듯 힘의 균형점이 이동함에 따라 세력의 균형을 끊임없이 찾는 과정에서 동맹 관계는 변할 수 있다고 보는 것이다.

국제 사회를 바라보는 현실주의자들의 시각 / 현실주의자들이 본 동맹 관계가 변하는 이유

3 동맹 관계가 유동적인 이유에 대한 현실주의자들의 입장

4 [1]구성주의자들 역시 현실주의자들처럼 동맹 관계가 고정된 약속이 아니라, 상황에 따라 변할 수 있는 약속이라고 본다. [2]구성주의자들은 무정부적 국제 사회를 힘의 분배와 균형 등의 요소로 분석할 수 없다고 비판하며, 관계에 주목한다. [3]구성주의자들은 국제 사회의 구성원들이 상호 작용을 하여(→) 상호 간 역할과 가치를 형성하면서(→) 국제 사회 환경의 변화를 만들어 낸다고 본다. [4]상호 작용의 변화에 따라 동맹은 달라질 수 있는데, 타국이나 국제 사회에 대한 인식이 긍정적이고 국제 사회에서의 구성원들의 역할이 가치가 있다고 판단될 때, 긍정적인 동맹 관계를 맺고 평화로울 수 있지만, 그렇지 않으면 동맹은 파기될 수 있다고 본 것이다.

국제 사회를 바라보는 구성주의자들의 시각 / 구성주의자들이 본 동맹 관계가 변하는 이유

4 동맹 관계가 유동적인 이유에 대한 구성주의자들의 입장

지문 이해

1 국가는 이익이 확보될 때 동맹을 결성함.

2 동맹의 종류와 특징
- (방위조약): 동맹국 전쟁에 개입해야 함.
- (중립조약): 동맹국이 침략을 당해도 중립을 지킬 것을 약속함.
- (협상): 동맹국이 침략을 당했을 때 어떻게 할 것인지 차후에 협의함.

3 동맹 관계가 변하는 이유 – 현실주의자들의 입장
: (힘의 균형점)이 이동하면서 세력의 균형을 찾기 위해 동맹 관계가 변함.

4 동맹 관계가 변하는 이유 – 구성주의자들의 입장
: 국제 사회 구성원들의 (관계)와 상호 작용의 변화에 따라 동맹이 변함.

지문 구조도

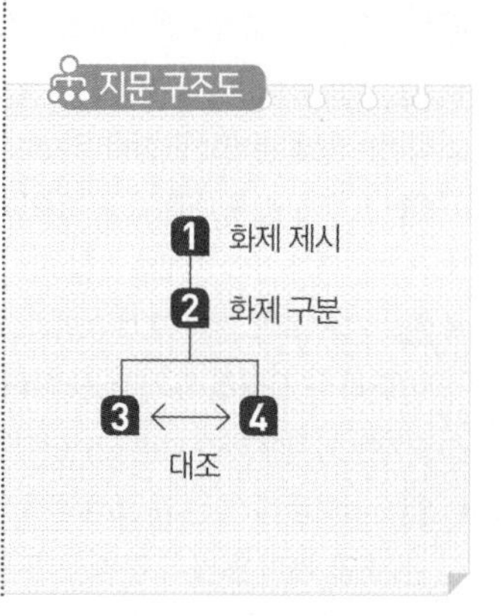

04

❹번 — 글의 내용 추론하기

정답인 이유 **④ 패권 국가가 출현하기 위해서는 그 힘에 편승한 세력들의 동맹이 필요하다.**

➡ ❸-6에서 패권 국가가 출현하면 그 힘에 편승하는 동맹이 형성된다고 하였다. 즉 패권 국가의 출현은 원인, 편승하는 동맹의 형성은 결과가 된다. 그러나 ④에서는 원인과 결과의 순서를 바꾸어 진술하고 있으므로 적절하지 않다.

오답 피하기 **① 동맹으로 자국의 이익이 보장되지 않으면 동맹은 맺어지지 않을 수 있다.**

➡ ❶-2를 통해 자국의 이익이 동맹을 맺는 이유임을 알 수 있다. 따라서 자국의 이익이 보장되지 않으면 동맹이 맺어지지 않을 수도 있다.

② 협상은 전쟁 발발 이후의 공조체제 유지 여부를 사전에 결정하지 않는다.

➡ ❷-4에서 협상은 전쟁이 일어났을 때 서명국들 간에 공조체제를 유지할 것인지에 대해 차후에 협의할 것을 약속한다고 하였다.

③ 동맹은 국제 사회에서 개별 국가의 행동이나 선택에 제약을 주기도 한다.

➡ ❷-2~7을 통해 국가들은 동맹 형태에 따라 참전, 중립 유지, 공조 등을 약속하며, 이에 따라 각 국가의 강제성, 자율성이 달라진다는 것을 알 수 있다. 따라서 개별 국가들은 동맹으로 인해 행동이나 선택에 제약을 갖게 된다고 할 수 있다.

⑤ 국제 정세나 환경의 변화에 따라 국가 간의 동맹의 양상은 달라질 수 있다.

➡ ❸-6에서 현실주의자들은 패권 국가의 출현 여부 등에 따라, ❹-4에서 구성주의자들은 국제 사회 환경에 대한 인식에 따라 동맹의 양상이 달라질 수 있다고 보았다.

05

❺번 — 결론 추론하기

정답인 이유 **⑤ 동맹 관계가 가깝고 자율성이 낮을수록 동맹의 수명이 연장되었음을 알 수 있다.**

➡ ❷-5~7을 통해 방위조약의 경우 동맹국의 전쟁에 개입해야 한다는 강제성이 있기 때문에 동맹국 간의 정치·외교적 관계가 가장 가까우나 자율성은 가장 낮음을 알 수 있고, 동맹국 간의 자율성은 '방위조약 < 중립조약 < 협상'순임을 알 수 있다. 또한, ❷-8을 통해 동맹의 수명의 길이는 '방위조약 > 중립조약 > 협상'순임을 알 수 있다. 이를 바탕으로 하여 동맹은 양국의 동맹 관계가 가깝고 자율성이 낮을수록 수명이 길다는 결론을 추론할 수 있다.

06

❹번 — 전제 추론하기

정답인 이유 **④ 국가는 국제 사회에서 자신의 이익만 추구하는 이기적인 모습을 보인다.**

➡ 먼저 ㉡(❸-3)의 진술을 정리하면, ㉡은 현실주의자의 관점으로 국제 사회를 '1) 국가 이상의 단위에서 작동 2) 중앙 정부와 같은 존재 부재 3) 무정부 상태'라는 특징이 있다고 분석하였다. 또한 문맥을 살펴보면, ❸-4에서 ㉡으로 인한 결과가 '따라서'라는 연결 표지로 제시되었다. ㉡의 전제가 되는 진술은 곧 ㉡의 이유나 원인을 설명하는 진술이기 때문에, '선택지[이유/원인]이다. 따라서 ㉡이다. 따라서 개별 국가는 스스로를 지켜야 한다.'와 같이 인과 관계를 맺는다. 이 구조에 주어진 선택지를 대입하면, ④가 ㉡의 전제로 가장 적절하다.

오답 피하기 **① 국가는 힘의 논리로부터 스스로를 지키려고 한다.**

➡ ❸-4를 통해 ①은 ㉡의 전제가 아니라 ㉡의 결과에 해당함을 알 수 있다.

② 국가는 힘의 분배와 균형을 유지하기 위해 노력한다.

➡ ❸-5, 7을 통해 ②는 ㉡의 전제가 아니라 ㉡의 결과에 해당함을 알 수 있다.

③ 국가는 국가 간의 관계를 조절하는 국제 사회의 질서에 순응하려 한다.

➡ ❹-3을 통해 ③은 구성주의자의 입장임을 알 수 있다. 구성주의자들은 국제 사회는 무정부 상태가 아니라 구성원들이 서로 상호 작용을 하면서 역할과 가치를 형성한다고 보았다.

⑤ 국가는 가치에 따라 다른 국가와의 동맹을 유지하기도 하고 파기하기도 한다.

➡ ❹-4를 통해 ⑤는 구성주의자의 입장임을 알 수 있다. 구성주의자들은 국제 사회 구성원들이 느끼는 역할 가치에 따라 동맹이 유지되거나 파기될 수 있다고 하였다.

[07~09] 개체군 성장 과정에 대한 이론 과학

2014학년도 3월 고2 학력평가Ⓐ

1 [1]생태계에서 개체군이란 동일한 지역에 살고 있는 한 종에 속하는 개체들의 집단을 말한다.(개체군의 정의) [2]생태학자들은 이러한 개체군의 성장 과정을 연구하기 위해서 기하급수적 성장 모델과 로지스틱(logistic) 성장 모델을 활용한다.

1 개체군의 정의와 성장 과정 연구 모델

2 [1]먼저 먹이, 번식지, 포식자 등과 같은 아무런 환경적인 제한 요인이 없는 실험 환경에서(기하급수적 성장 모델의 고려 조건) 한번 발생한 박테리아가 매 20분마다 두 배로 지속적으로 분열해서 증식한다고 가정하자. [2]이 박테리아는 36시간 후에는 전 지구를 30㎝의 두께로 덮을 수 있는 수로 증가하게 된다. [3]이처럼 이상적인 환경이라면, 개체군의 성장률(G)은 그 개체군이 갖고 있는 선천적 번식능력을 의미하는 상수 값인(내재성 증가율(r)의 정의) '내재성 증가율(r)'과 그 개체군의 '개체수(N)'에 의해 결정되며, 이는 $G=rN$이라는 방정식으로 표현된다. [4]그래서 시간이 지날수록 성장률이 점점 더 커지게 되고, 그만큼 개체군 또한 기하급수적으로 성장하게 된다.(시간에 따른 기하급수적 개체수 증가) [5]이와 같이 이상적인 환경에서 개체군이 일정한 세대기간이 거듭될수록 기하급수적으로 성장하기 때문에 기하급수적 성장 모델이라고 하는데, 이는 〈그림〉의 (가)와 같은 곡선으로 그려진다.

2 기하급수적 성장 모델 소개

3 [1]그러나 ⓐ자연계에서 개체군이 성장 초기에는 기하급수적으로 성장하더라도, 나중에는 〈그림〉의 (가)처럼 성장할 수는 없다. [2]이를 고려한 것을 로지스틱(logistic) 성장 모델이라고 하며, 이는 〈그림〉의 (나)와 같은 곡선으로 그려진다. [3]이 모델은 제한 요인들의 영향에 따라 개체군이 최대로 성장할 수 있는 개체수인(환경수용력(K)의 정의) 환경수용력(K)을 고려한 것으로,(로지스틱 성장 모델의 고려 조건) 환경수용력에서 개체수를 뺀 값을 환경수용력으로 나눈 값인 $\frac{(K-N)}{K}$을 기하급수적 성장 모델 방정식에 포함하여 다음과 같이 표현된다.

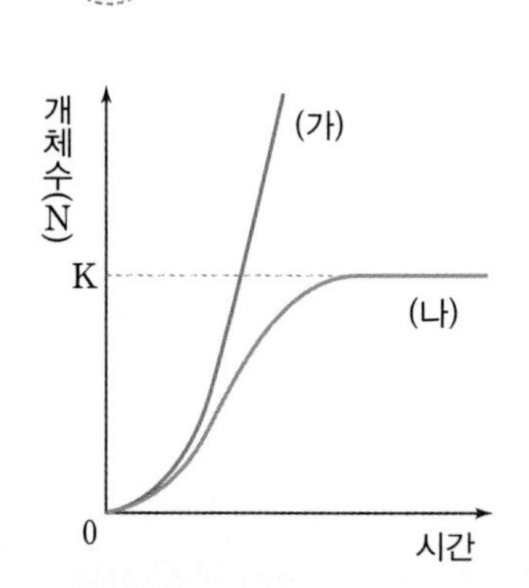

$$G=rN\frac{(K-N)}{K}$$

3 로지스틱 성장 모델 소개

4 [1]성장 초기에 개체군의 개체수는 환경수용력에 비해 매우 작기 때문에, $\frac{(K-N)}{K}$은 거의 1과 같게 된다.(시간과 비례하여 개체수가 급격하게 성장함.) [2]이처럼 개체군의 성장 초기의 성장률은 〈그림〉에서 보는 것처럼 기하급수적 성장 모델에 가깝게 나타난다. [3]이후 개체군이 커지고 개체수가 환경수용력에 가까워질수록 $\frac{(K-N)}{K}$은 0에 가까워져서 개체군의 성장은 둔화된다. [4]이론적으로 어떤 개체군의 개체수가 환경수용력의 1/2일 때 성장률은 최대가 된다. [5]그리고 개체수와 환경수용력이 같아지면 [㉠].

4 개체수와 환경수용력의 관계

지문 이해

- **1** 개체군의 정의와 개체군 성장 연구 모델 소개
- **2** (기하급수적 성장 모델) 소개
- **3** (로지스틱 성장 모델) 소개
- **4** 개체수와 환경수용력의 관계

글의 핵심 파악

● **개체군과 환경수용력**

개체군은 동일한 (지역)에서 살고 있는 한 종에 속하는 개체들의 집합으로, 개체군이 (최대)로 성장할 수 있는 개체수가 환경수용력이다.

▶ 근거 문단 **1**, **3**

● **개체군의 성장 과정 연구 모델**

(기하급수적) 성장 모델	환경적인 제한 요인이 없는 이상적인 환경 ↓ 기하급수적으로 성장 = (가)
(로지스틱) 성장 모델	제한 요인들의 영향력 고려 ↓ 후에 성장이 둔화 = (나)

▶ 근거 문단 **2**, **3**

지문 구조도

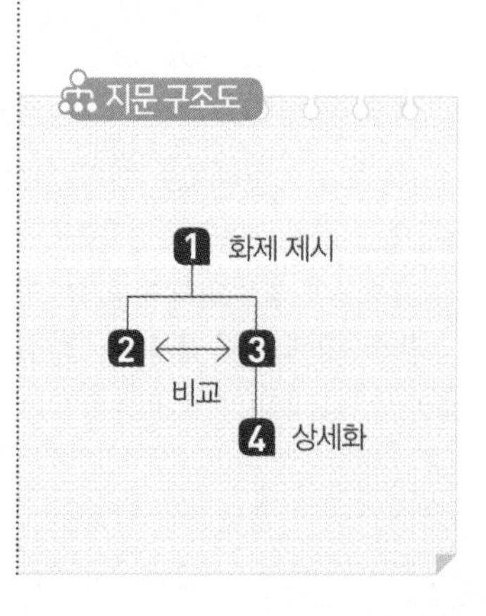

07

④번

이유 추론하기

정답인 이유 ④ **자연계에서는 제한 요인이 개체군의 성장에 영향을 주기 때문에**

➡ 이유를 묻는 문제이므로 우선 ⓐ의 논리 관계를 파악해 본다.

자연계에서 개체군이 성장 초기에는 기하급수적으로 성장하더라도	나중에는 〈그림〉의 (가)처럼 성장할 수는 없다. (기하급수적으로)

이처럼 기하급수적 성장이 되지 않는 이유를 지문에서 찾으면 되는데, ⓐ 이후에 이어지는 내용인 '로지스틱 성장 모델'이 이유를 설명해 준다. 이 모델은 3-3에서 '제한 요인들의 영향'을 고려하여 개체군의 성장 모델 방정식을 수정한 것이라고 하였다. 따라서 ⓐ의 이유로 가장 적절한 것은 ④이다.

오답 피하기 ① **자연계에서는 개체군의 성장률이 일정하기 때문에 / ⑤ 자연계에서는 이상적인 환경보다 개체수가 더 빨리 증가하기 때문에**

➡ 자연계에서는 개체군의 여러 제한 요인(먹이, 번식지, 포식자 등)에 따라 성장률이 변화하게 된다.

② **자연계에서는 개체군의 환경수용력이 더 커지기 때문에**

➡ 자연계에는 여러 제한 요인이 있기 때문에 환경수용력이 이상적 환경보다 작아지게 된다.

③ **자연계에서는 개체군의 선천적 번식 능력이 더 커지기 때문에**

➡ 2-3에서 개체군의 선천적 번식 능력은 고정된 '상수 값'인 '내재성 증가율(r)'을 따른다고 하였다. 이 값(r)은 로지스틱 성장 모델에서도 동일하게 적용하는 것으로, 자연계에서 개체군의 선천적 번식 능력이 더 커진다고 추측할 근거는 없다.

08

④번

글의 내용(관점) 추론하기

정답인 이유 **ㄴ. 성장 초기의 개체수가 많을수록 개체군의 성장 속도는 빨라지게 된다.**

➡ 4-2에서 로지스틱 성장 모델도 성장 초기에는 기하급수적 성장 모델($G=rN$)에 가깝다고 하였으므로 개체수(N)가 많을수록 개체군의 성장률(G)도 증가함을 알 수 있다.

ㄹ. 개체군의 개체수가 환경수용력의 1/2을 넘으면 개체군의 성장률은 감소하기 시작한다.

➡ 4-3~4에서 개체군의 개체수가 환경수용력의 1/2일 때 성장률은 최대가 되며 이후 개체수가 환경수용력에 가까워질수록 개체군의 성장은 둔화된다고 하였다.

ㅁ. 환경수용력과 관련된 요소를 기하급수적 성장 모델의 방정식에 반영하여 개체군의 성장률을 산정하였다.

➡ 3-3에서 로지스틱 성장 모델은 환경수용력에서 개체수를 뺀 값을 환경수용력으로 나눈 값을 기하급수적 성장 모델 방정식에 포함하여 개체군의 성장률(G)을 산정한다고 하였다.

09

②번

글의 내용(결론) 추론하기

정답인 이유 ② **개체군의 성장률은 0이 되고, 개체수에는 큰 변동이 없게 된다.**

➡ ㉠이 속한 4의 내용을 바탕으로 할 때, 로지스틱 성장 모델에서는 개체수(N)가 환경수용력(K)에 가까워질수록 $\frac{(K-N)}{K}$의 값이 0에 가까워지기 때문에 성장률(G)이 0에 가까워진다. 개체수(N)가 환경수용력(K)과 같아지는 시점에서는 마침내 $\frac{(K-N)}{K}$이 0이 되는데, 그러면 그 개체군은 개체수에 큰 변동이 없는 안정 상태에 이르게 된다고 설명할 수 있다.

오답 피하기 ③ **개체군의 성장률은 환경수용력과 같아지고, 개체수의 증가는 멈추게 된다.**

➡ 개체군의 성장률(G)이 환경수용력(K)과 같아지는 것이 아니다. 성장률이 0이 될 때, 개체수(N)와 환경수용력(K)이 같아지는 것이다.

08 정보 간의 관계를 파악하는 문제

예문으로 원리 확인 p.104~105

지문 1 지문 이해 1 망각, 저장 2 생략, 왜곡, 정교화 3 시간 4 인출 단서

바로 콕 문제 1 ⑤

1 2-5에서 의미 부호가 음운 부호에 비해 정교화가 잘 일어난다고 하였다.

[오답 피하기]

①, ② 2-3~4에서 음운 부호는 외부 정보의 '소리'에 초점을 둔 부호라고 하였다. 또한 2-6에서 외부 정보를 배경지식이나 맥락과 관련시키는 것은 '정교화'라고 하였다.

③ 의미 부호는 이 글에서 제시한 부가 정보가 아니다. 2-3~6에서는, 외부 정보('8225')를 의미 부호로 부호화하면('빨리 오오') 음성 부호화할 때([팔이오오])보다 부가 정보(자신의 배경지식, 상황 맥락 등)를 외부 정보와 더 밀접하게 관련시킬 수 있다고 하였다.

④ 2-5와 2-7을 통해 의미 부호는 음운 부호에 비해 정교화가 잘 되어 망각이 잘 일어나지 않을 뿐, 망각이 되지 않는다고 볼 수 없음을 알 수 있다.

바로 콕 문제 유형 엿보기

1 [정보 간의 관계 파악하기] 2에서 다룬 화제어(음운 부호, 의미 부호)의 관계에 대해 묻고 있다. 이때 아래처럼 표나 도식을 활용하여 화제어 사이의 관계를 정리하면 문제를 좀 더 효율적으로 풀 수 있다.

음운 부호	외부 정보가 발음될 때 나는 소리에 초점.
의미 부호	외부 정보의 의미에 초점.
정교화 정도	음운 부호 < 의미 부호

사뿐히 즈려밟는 훈련 문제 p.106~109

01 ③ 02 ③ 03 ④ 04 ②

[01~02] 19세기 후반부터 20세기 후반까지의 사진 경향 예술

2013학년도 7월 고3 학력평가Ⓑ

1 [1]19세기 초에 등장한 ⓐ사진은 2차원 평면 위에 현실을 재현한다는 점에서 ⓑ회화와 비슷(사진과 회화의 공통점)하지만(↔) 광학과 화학 등 기술적 특성을 지니기에(사진만의 특성) 예술과 기술의 모호한 경계선상에 위치하였다. [2]처음의 사진은 회화의 보조적 역할을 하는 정도로 인식되었으나(↔), 19세기 후반에 '픽토리얼리즘'이 등장하면서 사진으로서 독자적 예술성을 추구하려는 경향을 보이게 된다.(사진에 대한 관점 변화)

1 사진의 등장과 그 예술적 위상

2 [1]㉠픽토리얼리즘은 사진도 회화와 같은 예술적 표현이 가능하다는 점에서 출발하였다.(픽토리얼리즘의 등장 계기) [2]픽토리얼리즘을 추구하는 작가들은 사진의 복제성을 포기하고(특징 ①) 회화의 속성인 수공적 방법을 끌어들여(특징 ②)(→) 예술적 가치를 높이려고 노력했다. [3]회화적 구현의 방식으로 (사진의 초점을 흐리게 하거나(+) 인화 방식을 다양하게 하는 등의 방식을 사용했던 것이다.

( ): 회화적 구현 방식의 예

2 19세기 후반 등장한 픽토리얼리즘의 특징

3 [1]20세기 초, 사진이 갖는 기술적 특성인 기록성에 더 중점을 두고자 했던(스트레이트 포토 등장 계기) ㉡'스트레이트 포토'가 등장한다. [2]'직접적인 사진' 또는 '순수 사진'으로 불리는 스트레이트 포토를 추구하는 작가는 앵글이나 셔터, 프레임 등의 사진이 갖는 고유한 기능에 치중하려(특징 ①) 했다. [3]즉(=), 사진에 어떠한 조작도 가하지 않고, 작가의 의도를 표현하려 했다.(특징 ②) [4]미국의 폴 스트

글의 핵심 파악

● 사진의 예술성에 대한 관점

㉠	등장 계기	(회화)의 예술적 표현 지향.
	특징	- 사진의 (복제성) 포기. - 초점 흐릿하게 하거나, 인화 방식을 다양하게 함.
㉡	등장 계기	사진의 (기록성)에 중점.
	특징	- 사진의 고유한 기능에 치중. - 사진에 (조작)을 가하지 않음.
㉢	등장 계기	(디지털 기술)을 통해 다양한 표현이 가능해짐.
	특징	- 이미지 (합성), 변조로 실재하지 않는 대상을 구현. - (픽토리얼리즘)과 유사하나 작가의 주제 의식을 더 자유롭게 표현.

▶근거 문단 2, 3, 4

랜드는 그의 작품 「월 스트리트, 뉴욕」에서 프레임의 설정만으로 자본주의의 부정적 속성을 드러내고자 하였다.[5]대형의 직사각형 창이 있는 육중한 석조 건물과 출근하는 왜소한 사람들의 모습의 대비만을 프레임에 넣어 거대한 자본의 논리에 작아지는 사람들을 표현한 것이다.)

3 20세기 초반 등장한 스트레이트 포토의 특징

4 [1]20세기 후반에 들어오면서 디지털 기술을 통해 보다 다양한 표현이 가능해짐으로써 ㉢'디지털 픽토리얼리즘'이 등장하게 된다.[2]디지털 기술은 이미지의 합성 및 변조와 실재하지 않는 대상의 구현 등 다양한 표현을 가능하게 했고, 이러한 가능성으로 인해 작가들은 자신들의 주제 의식을 효과적으로 표현할 수 있게 되었다.[3]이는 단순히 보자면 픽토리얼리즘과 차이가 없어 보이나, 작가의 주제 의식을 보다 자유롭게 표현할 수 있게 되었다는 점에서 새로운 예술적 가능성을 발견했다고도 할 수 있다.

디지털 픽토리얼리즘의 등장 계기

[ ]: 디지털 픽토리얼리즘의 의의

4 20세기 후반 등장한 디지털 픽토리얼리즘의 특징

지문 구조도

1 — 2, 3, 4 (통시)

01

③번

정보 간의 관계 파악하기

정답인 이유 **③ ㉠과 ㉢은 사진의 사실적 재현성에서 벗어나려 했다는 점에서 공통적이다.**

➡ ㉠은 2, ㉡은 3, ㉢은 4에서 다루어지고 있다. ㉠(픽토리얼리즘)은 사진의 복제성을 포기하고 사진의 초점을 흐리게 하거나 인화 방식을 다양하게 하는 방식을 택하였으며, ㉢(디지털 픽토리얼리즘)은 이미지의 합성 및 변조와 실재하지 않는 대상을 구현하는 방식으로 작가의 주제 의식을 표현하고자 하였다.

오답 피하기 **① ㉠과 ㉡은 사진의 기록성을 추구했다는 점에서 공통적이다. / ② ㉠과 ㉢은 사진의 복제성을 이용했다는 점에서 공통적이다.**

➡ 3-1을 통해 사진의 기록성은 ㉡(스트레이트 포토)에만 해당하고, ㉠과 ㉢은 사진의 기록성이나 사실적 재현성과 거리가 멀다는 것을 알 수 있다.

④ ㉡과 ㉢은 합성된 이미지를 사진에 표현했다는 점에서 공통적이다.

➡ 4-2를 통해 합성된 이미지의 사용은 ㉢에만 해당한다는 것을 알 수 있다.

⑤ ㉡과 ㉢은 회화적 속성을 중시하여 사진을 찍었다는 점에서 공통적이다.

➡ 2-1~2를 통해 회화적 속성을 중시한 사진은 ㉠에만 해당하는 특징임을 알 수 있다.

02

③번

정보 간의 관계 파악하기

정답인 이유 **③ '픽토리얼리즘' 작가들은 ⓑ의 기법과 속성을 적극 수용해 ⓐ의 예술적 가치를 드러내고자 하였다.**

➡ 2-2에서 '픽토리얼리즘' 작가들은 ⓑ(회화)의 속성과 구현 방식을 끌어들여 ⓐ(사진)의 예술적 가치를 높이려 했다고 하였다.

오답 피하기 **① ⓐ는 ⓑ를 대체하여 현실 재현의 기능을 수행하기 위해 등장하였다. / ② ⓐ는 기술적인 속성이 강하다는 이유로 ⓑ로부터 오랫동안 배척당했다.**

➡ 1에서 '사진'은 현실을 재현한다는 점에서 '회화'와 유사한 속성을 지녔음에도 기술적 특성을 지니기 때문에 예술로 인정받기 모호한 위치에 있었다는 내용이 제시되었다. 그러나 윗글에서 '사진'이 '회화'를 대체하기 위해 등장했다거나 그 기술적 속성으로 인해 배척당했다는 내용은 찾을 수 없다.

④ '스트레이트 포토' 작가들은 ⓐ의 현실 비판 기능을 살려 ⓑ와의 단절을 시도하고자 하였다.

➡ 3-4에서 예로 든 '폴 스트랜드'의 작품에 ⓐ(사진)의 현실 비판 기능이 나타난다고 볼 수 있지만, 스트레이트 포토 작가들이 모두 이와 같은 의도로 작품을 창작한 것은 아니며, 또한 이를 통해 ⓑ(회화)와의 단절을 시도하고자 했다고 볼 수 없다.

⑤ '디지털 픽토리얼리즘' 작가들은 보다 자유로운 표현을 시도함으로써 ⓐ와 ⓑ의 경계를 허물고자 하였다.

➡ 4에서 '디지털 픽토리얼리즘' 작가들이 자유로운 표현을 시도했다는 내용은 나타나지만, '회화'와의 경계를 허물려 했다는 내용은 찾을 수 없다.

[03~04] 수직 하중과 수평 하중을 견디는 초고층 건물의 건축 기법 기술

2018학년도 3월 고1 학력평가

1 [1]초고층 건물은 높이가 200미터 이상이거나 50층 이상인 건물을 말한다. [2]이런 초고층 건물을 지을 때는 건물에 작용하는 힘을 고려해야 한다. [3]건물에 작용하는 힘에는 수직 하중과 수평 하중이 있다. [4]수직 하중은 건물 자체의 무게로 인해 땅 표면에 수직 방향으로 작용하는 힘이고, 수평 하중은 바람이나 지진 등에 의해 건물에 가로 방향으로 작용하는 힘이다.

초고층 건물의 정의 / 수직 하중의 정의 / 수평 하중의 정의

1 초고층 건물에 작용하는 수직 하중과 수평 하중

2 [1]수직 하중을 견디기 위해서 고안된 가장 단순한 구조는 ㉠보기둥 구조이다. [2]보기둥 구조는 기둥과 기둥 사이를 가로 지르는 수평 구조물인 보를 설치하고 그 위에 바닥판을 놓은 구조이다. [3]보기둥 구조에서는 설치된 보의 두께만큼 건물의 한 층당 높이가 높아지지만, 바닥판에 작용하는 하중이 기둥에 집중되지 않고 보에 의해 분산되기 때문에 수직 하중을 잘 견딜 수 있다.

보기둥 구조의 단점 / 보기둥 구조의 원리

2 수직 하중을 견디는 보기둥 구조

3 [1]위에서 아래 방향으로만 작용하는 수직 하중과 달리 수평 하중은 사방에서 작용하는 힘이기 때문에 초고층 건물의 안전에 미치는 영향이 수직 하중보다 훨씬 크다. [2]수평 하중은 초고층 건물의 안전을 위협하는 주요 요인인데, 바람은 건물에 작용하는 수평 하중의 90% 이상을 차지한다. [3]건물이 많은 도심에서는 넓은 공간에서 좁은 공간으로 바람이 불어오면서 풍속이 빨라지는 현상이 발생해 건물에 작용하는 수평 하중을 크게 만든다. [4]그리고 바람에 의해 공명 현상이 발생하면 건물이 매우 크게 흔들리게 되어 건물의 안전을 위협하게 된다.

3 수평 하중의 주요 원인인 바람

4 [1]건물이 수평 하중을 견디기 위해서는 기본적으로 뼈대에 해당하는 보와 기둥을 아주 단단하게 붙여야 하지만, 초고층 건물의 경우 이것만으로는 수평 하중을 견디기 힘들다. [2]그래서 등장한 것이 ㉡코어 구조이다. [3]ⓐ코어는 빈 파이프 모양의 철골 콘크리트 구조물을 건물 중앙에 세운 것으로, 코어에 건물의 보와 기둥들을 강하게 접합한다. [4]이렇게 하면 외부에서 작용하는 수평 하중에도 불구하고 코어로 인해 건물이 크게 흔들리지 않게 된다. [5]그런데 초고층 건물은 그 높이가 높아질수록 수평 하중이 커지고 그에 따라 코어의 크기도 커져야 한다. [6]코어 구조는 가운데 빈 공간이 있어 공간 활용의 효율성이 떨어지기 때문에 현대의 초고층 건물은 코어에 승강기나 화장실, 계단, 수도, 파이프 같은 시설을 설치하는 경우가 많다.

보와 기둥을 단단하게 붙이는 것 / 코어의 정의 / 코어 구조의 원리 / 코어 구조의 단점

[ ]: 단점 극복 방안

4 수평 하중을 견디는 코어 구조

5 [1]그런데 초고층 건물의 높이가 점점 높아지면 코어 구조만으로는 수평 하중을 완벽하게 견뎌 낼 수 없다. [2]그래서 ㉢아웃리거-벨트 트러스 구조를 사용하여 코어 구조를 보완한다. [3]아웃리거-벨트 트러스 구조에서 벨트 트러스는 철골을 사용하여 건물의 외부 기둥들을 삼각형 구조의 트러스로 짜서 벨트처럼 둘러 싼 것으로 수평 하중을 지탱

벨트 트러스의 정의

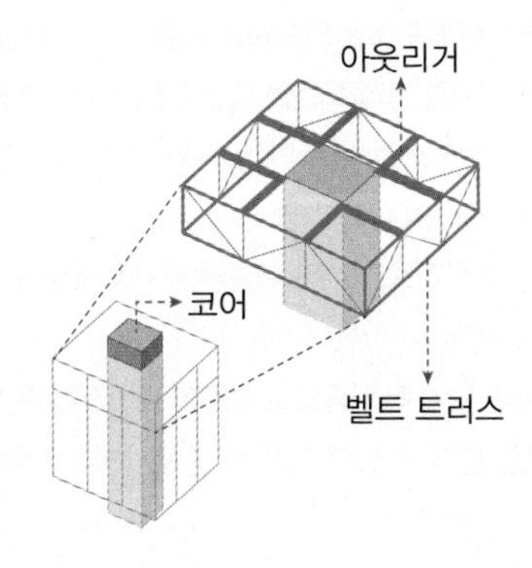

지문 이해

1 초고층 건물에 작용하는 (수직) 하중과 (수평) 하중

2 (수직) 하중을 견디기 위해 고안된 보기둥 구조

3 (수평) 하중을 크게 만드는 원인인 바람

4 수평 하중을 견디기 위해 고안된 (코어 구조)

5 (코어 구조)를 보완하는 아웃리거 - 벨트 트러스 구조

글의 핵심 파악

● 하중을 견디는 건축 구조

㉠	목적	(수직) 하중을 견딤.
	특징	-(보): 기둥과 기둥 사이를 가로지르는 수평 구조물 - 바닥판: 보 위에 얹은 구조물
	원리	바닥판에 작용하는 하중이 기둥에 집중되지 않고 (보)에 의해 분산됨.
㉡	목적	(수평) 하중을 견딤.
	특징	-(코어): 건물 중앙에 세운 빈 파이프 모양의 철골 콘크리트 구조물. 건물 (높이)에 비례.
	원리	코어에 보, 기둥을 강하게 접합함.
㉢	목적	코어 구조를 보완하여 (수평) 하중을 견딤.
	특징	-(벨트 트러스): 건물 외부의 기둥을 삼각형구조의 트러스로 짜 벨트처럼 둘러싼 것 -(아웃리거): 코어와 벨트 트러스를 견고하게 연결한 것
	원리	(트러스)가 외부의 힘을 분산 → 코어에 무리한 힘이 가해지는 것을 예방함.

▶ 근거 문단 **2**, **4**, **5**

하는 역할을 한다.[4]삼각형 구조의 트러스로 외부 기둥들을 연결하면 외부에서 작용하는 힘이 철골 접합부를 통해 전체적으로 분산되기 때문에 코어에 무리한 힘이 가해지는 것을 예방할 수 있다.[5]그리고 ⓑ아웃리거는 콘크리트를 사용하여 건물 외벽에 설치된 벨트 트러스를 내부의 코어와 견고하게 연결한 것으로, 아웃리거와 벨트 트러스는 필요에 따라 건물 중간중간에 여러 개가 설치될 수 있다.[6]그런데 아웃리거는 건물 내부를 가로지를 수밖에 없어서 효율적인 공간 구성에 방해가 된다.[7]이런 단점을 극복하기 위해 [아웃리거를 기계 설비층에 설치하거나 층과 층 사이, 즉 위층 바닥과 아래층 천장 사이에 설치하기도 한다.]

아웃리거-벨트 트러스 구조의 원리 / 아웃리거의 정의 / 아웃리거의 단점 / [ ]: 단점 극복 방안

5 코어 구조를 보완하는 아웃리거-벨트 트러스 구조

지문 구조도
1 화제 제시
2 수직 하중
3
4
↓ 보완
5 수평 하중

03

❹번

정보 간의 관계 파악하기

정답인 이유 **④ ⓒ에서 트러스는 아웃리거와 코어의 결합력을 높여 수평 하중을 덜 받게 한다.**

➡ 5-3~5를 통해 트러스는 외부 기둥을 벨트처럼 둘러 싸 외부에서 작용하는 힘을 분산하여 코어에 무리한 힘이 가해지는 것을 예방하고, 아웃리거는 벨트 트러스와 코어를 견고하게 연결하는 역할을 한다는 것을 알 수 있다. 즉, 아웃리거가 벨트 트러스와 코어의 결합력을 높이는 것이므로, 트러스가 아웃리거와 코어의 결합력을 높인다는 설명은 적절하지 않다.

오답 피하기 **① ㉠은 기둥과 기둥 사이에 설치한 수평 구조물 위에 바닥판을 놓는 구조이다.**

➡ 2-2에서 ㉠(보기둥 구조)은 기둥과 기둥 사이를 가로지르는 수평 구조물인 보를 설치하고 그 위에 바닥판을 놓은 구조라고 하였다.

② ㉠에서 보는 건물에 작용하는 수직 하중이 기둥에 집중되는 것을 예방한다.

➡ 2-3에서 ㉠에서는 하중이 기둥에 집중되지 않고 보에 의해 분산되기 때문에 수직 하중을 잘 견딜 수 있다고 하였다.

③ ㉡에서 코어는 건물의 높이가 높아짐에 따라 그 크기가 커져야 한다.

➡ 4-5에서 건물의 높이가 높아질수록 수평 하중이 커지고 그에 따라 코어의 크기도 커져야 한다고 하였다.

⑤ ㉡과 ㉢을 함께 사용하면 건물에 작용하는 수평 하중을 견디는 힘이 커진다.

➡ 5-1~2에서 ㉡(코어 구조)만으로 수평 하중을 완벽하게 견뎌 낼 수 없기 때문에 ㉢(아웃리거-벨트 트러스 구조)으로 이를 보완한다고 하였다.

04

❷번

정보 간의 관계 파악하기

정답인 이유 **② ⓐ와 ⓑ는 모두 공간의 비효율성을 해소하기 위한 별도의 방안이 마련되어 있다.**

➡ 4-6에서 ⓐ(코어)는 가운데 빈 공간이 있어 공간 활용의 효율성이 떨어지기 때문에 승강기, 화장실 등과 같은 시설을 설치하는 경우가 많다고 하였다. 또한 5-6~7에서 ⓑ(아웃리거) 역시 효율적인 공간 구성에 방해가 되기 때문에 아웃리거를 기계 설비층이나 층과 층 사이에 설치한다고 하였다. 이를 통해 ⓐ, ⓑ 모두 공간의 비효율성을 해소하는 방안이 마련되어 있다고 할 수 있다.

오답 피하기 **① ⓐ와 ⓑ는 모두 건물 외벽과 내부 구조를 단단하게 연결해 주는 역할을 하고 있다.**

③ ⓐ는 ⓑ와 달리 건물에 작용하는 하중의 크기를 고려해 건물 중간중간에 여러 개를 추가로 설치할 수 있다.

➡ 5-5~6에 따르면 건물 외벽의 벨트 트러스를 내부의 코어와 연결해 주는 것은 ⓑ이며, 필요에 따라 건물 중간중간에 여러 개를 설치할 수 있는 것 또한 ⓑ에만 해당한다.

④ ⓐ는 ⓑ와 달리 초고층 건물에 작용하는 수직 하중과 수평 하중을 동시에 줄일 수 있다.

➡ 4-3~4에 따르면 ⓐ는 수평 하중을 줄일 수 있는 장치이다.

⑤ ⓑ는 ⓐ와 달리 건물에 작용하는 수평 하중을 수직 하중으로 바꾸어 분산시킬 수 있다.

➡ 5-1~2에 따르면 ⓑ는 수평 하중을 줄이기 위한 장치로 수평 하중을 수직 하중으로 바꾸어 분산시키는 기능은 갖고 있지 않다.

09 〈보기〉를 활용하는 문제

예문으로 원리 확인 p.113~117

지문 1 지문 이해 1 철학적, 차별화 글의 핵심 파악 자아의식, 독립성, 탈중심성, 행위, 문화
지문 2 글의 핵심 파악 통로, 세포벽, 분열

바로 콕 문제 1 ①

1 ㉠은 인간이 자신이 만든 문화의 영향을 따라 특정한 행위를 한다는 겔렌의 관점이다. ㉠ 뒤에 이어지는 사례를 통해, ㉠의 구체적인 의미와 핵심 요소를 정리하면 다음과 같다. 1) 인간은 사회적 제도를 따른다. 2) 이는 결핍을 보완하고 인간다운 삶을 보장받기 위해서이다. 3) 이러한 이유로 인간은 타율적 삶을 감수하며, 개인적 충동·욕구를 억제한다. ①의 도현 역시 1) 학급에서 자신과 친구들이 만든 규칙(사회적 제도)을 따른다. 2) 자신을 포함해 친구들의 안전(인간다운 삶)까지 고려하였다. 3) 교실에서 공놀이(개인적 충동·욕구)를 하지 않고, 밖에 나가 공놀이를 하였다. 따라서 ㉠의 적절한 사례라고 볼 수 있다.
[오답 피하기]
② 희진의 행동은 ㉠의 핵심 요소들 중 어떤 것과도 연관을 맺지 않는다. ③ 학교의 규제(사회적 제도)가 개인을 억압한다고 느껴 이를 알리는 현우의 행동은 ㉠의 1), 3)과 반대되는 성격의 행동이다. ④ 자신에 대한 억압과 통제를 비판하는 수현의 행동은 ㉠의 3)과 반대되는 성격의 행동이다. ⑤ 명아가 만약 더 큰 공공의 가치를 위해서 무의미한 활동 대신 수고와 노력을 감수해야 하는 새로운 봉사 활동을 제안했다면 ㉠과 관련이 있다고 볼 수 있다. 그러나 단순히 활동의 폐지를 요구했기 때문에 ㉠과 관련이 없다.

바로 콕 문제 유형 엿보기
1 [사례 추론하기] 〈보기〉 대신 선택지를 활용하여 지문에서 설명한 개념이나 관점을 뒷받침하는 사례(⇨'07 추론하는 문제'에서 배운 근거)를 찾을 수 있는지 묻는 문제이다.

사뿐히 즈려밟는 훈련 문제 p.118~123

01 ③ 02 ② 03 ⑤ 04 ③ 05 ⑤ 06 ⑤

[01~02] 준최적입지론의 특징과 의의 사회

2016학년도 11월 고1 학력평가

1 [1]다양한 요인들을 분석하여 공장이 어디에 위치해야 하는가를 설명하는 것을 산업 입지론이라 한다.(산업 입지론의 정의) [2]고전적 산업입지론에는 비용이나 수요 중 특정 요인 한 가지에 주목하여 가장 효율적인 입지를 설명하려는 최소비용이론과 최대수요이론이 있다. [3]하지만 비용과 수요 중 어느 한 요소만으로 공장의 입지를 설명하는 것에는 한계가 있다는 점에 주목한 데이비드 스미스는 이 둘의 통합을 추구하며 준최적입지론을 제시하였다.

1 준최적입지론의 등장 배경

2 [1]스미스는 자신의 이론을 총비용과 총수입의 관계로 설명하였다. [2]여기서 총비용이란 제품 생산 활동에서 발생하는 모든 비용으로 인건비, 운송비 등의 요소에 의해 결정된다. [3]그렇기 때문에 비용을 최소화할 수 있는 지점인 최적 입지로부터 공장의 위치가 멀어질수록 총비용은 증가하게 되는 것이다.(총비용: '최적 입지–공장' 간의 거리에 비례함.) [4]총수입이란 재화를 공급하여 생산자가 벌어들인 총액을 말한다. [5]그렇기 때문에 수요가 최대화되는 지점인 최적 입지로부터 공장의 위치가 멀어질수록 총수입은 감소하게 되는 것이다.(총수입: '최적 입지–공장' 간의 거리에 반비례함.) [6]총비용과 총수입을 모두 고려할 때, 총비용이 총수입보다 크면 손실이 발생하고 총수입이 총비용보다 크면 이윤이 발생하게 되는데, 스미스는 총수입이 총비용
(총비용 > 총수입 → 손실, 총수입 > 총비용 → 이윤)

지문 이해
1 준최적입지론의 등장 배경
2 준최적입지론의 핵심 – 총비용과 총수입의 (관계)에 바탕을 둠.
3 이윤의 공간적 한계를 달라지게 하는 세 가지 요인
4 준최적입지론의 의의

글의 핵심 파악
● 고전적 산업입지론
–(비용)과(수요)중 어느 한 요소만 고려하는 한계를 지님.
▶ 근거 문단 1

과 같아서 더 이상 이윤을 획득할 수 없는 지점들을 이윤의 공간적 한계(= 총수입=총비용)라고 하였다.[7]그리고 이 공간적 한계의 범위 안쪽에서는 이윤이 최대가 되는 최적 지점이 아니더라도 이윤이 발생하는 곳이라면 공장은 어디든지 입지할 수 있다는 것이(준최적입지론의 핵심) 준최적입지론의 핵심이다.

2 총비용과 총수입의 관계에 바탕을 둔 준최적입지론

3 [1]그는 이윤의 공간적 한계가 다음과 같은 요인들에 의해 달라질 수 있다고 보았다. [2]첫 번째 요인은 경영자의 경영 수완(요인 ①)으로, 경영자가 효율적인 경영을 통해 생산비를 낮춘다면 이윤의 공간적 한계는 그 전보다 넓어질 수 있다.[3]다음으로 재정적 보조금이나 세금 등의 요인(요인 ②)을 들었다.[4]공장이 보조금을(총비용 ⬇) 받으면 → 총비용을 감소시키는 효과를 가져올 수 있다. [5]반면에 ↔ 특정 지역에서 공장에 세금을 추가로 부과한다면 → 총비용이 증가하게 되어 공장이 입지하는 데 어려움이 발생할 수 있다.[6]마지막 요인은 같은 종류의 제품을 생산하는 공장들이 한곳에 모이는 것이다(요인 ③).[7]이로 인해 생산 규모가 커지면 → 원료의 공동 구입, 제품의 공동 판매 등으로 총비용을 절감하여 이윤을 발생시킬 수 있다.

3 이윤의 공간적 한계를 달라지게 하는 세 가지 요인

4 [1]결국 스미스의 이론은 비용과 수요를 통합적으로 고려했다는 점과, 이윤의 공간적 한계 내에서 최적입지 외에도 실제로 공장이 입지해 있는 것을 설명할 수 있다는 점에서 이전의 산업입지론들이 가진 한계를 극복하려 했다는 데 의의가 있다.

4 준최적입지론의 의의

● 준최적입지론

총비용 > 총수입	총비용 (<) 총수입	총비용 (=) 총수입
손실 발생	이윤 발생	이윤의 공간적 한계

▶ 근거 문단 **2**

● 이윤의 공간적 한계가 달라지는 요인

① (경영자)의 경영 수완
② 재정적 보조금 및 (세금)
③ 같은 종류의 제품을 생산하는 공장의 밀집

▶ 근거 문단 **3**

01

③번

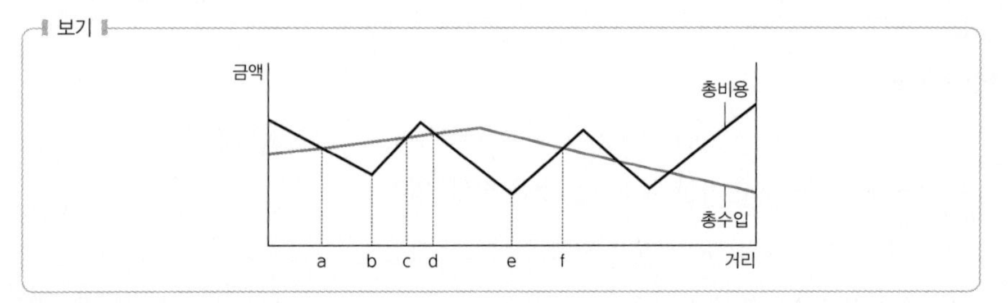

〈보기〉 문제 – 시각 자료 제시

● 〈보기〉는 거리(x축)에 따른 총수입, 총비용액(y축)의 관계를 그래프로 제시한 자료이다. 그래프 자료는 'x에 대한 y의 값은 ~한 의미가 있다.'라는 식으로 자료를 풀이하는 연습을 해야 한다.

정답인 이유 **③ d에 공장을 세운다면, c에 세웠을 때보다 총비용이 크기 때문에 이윤이 더 적겠군.**

➡ 〈보기〉의 내용은 **2**-3~7에서 다루어지는데, b나 e같이 총수입이 총비용보다 큰 영역은 이윤이 발생하는 지점이다. 반면 a, c, d, f는 총비용과 총수입이 같은 지점으로 이윤의 공간적 한계가 생기는 지점이다. 따라서 c와 d 어느 곳에 공장을 세우든 이윤을 얻을 수 없기 때문에, d에 공장을 세운 경우가 c에 공장을 세운 경우보다 이윤이 적다고 추측하는 것은 적절하지 않다.

오답 피하기 **① a와 c사이 어느 곳에 공장을 세우더라도 손실이 발생하지 않겠군.**

➡ a와 c 사이는 총수입이 총비용보다 크거나 같기 때문에 이 사이의 어느 곳에 공장을 세워도 손실은 발생하지 않는다.

④ e에 공장을 세운다면, b에 공장을 세웠을 때보다 총수입과 총비용의 차이가 더 크겠군.

➡ b와 e는 모두 총수입이 총비용보다 큰 지점이지만, 총수입과 총비용의 차이는 e가 더 크다. 따라서 e에 공장을 세운다면, b에 공장을 세웠을 때보다 총수입과 총비용의 차이가 더 클 것이다.

⑤ e에 세우려던 공장을 e와 f사이에 세우려고 할 때 f에 가까워질수록 총비용은 늘어나겠군.

➡ e에서 f로 가면서 총비용은 늘어나고 총수입은 줄어들고 있다. 따라서 e에 세우려던 공장을 e와 f 사이에 세우려고 할 때, f에 가까워질수록 총비용은 늘어날 것이다.

02

❷번

정답인 이유 **② A공장이 ㉮지역으로 이전하려는 것은 경영 수완을 발휘하여 수요를 증가시키기 위해서라고 할 수 있다.**

➡ 〈보기〉에서 A공장이 ㉮지역으로 이전하려는 이유는 현재 위치한 지역에서 징수하는 추가 부담금을 피하고, 보조금의 지원과 공장의 밀집이라는 요인 덕분에 총비용을 줄일 수 있기 때문이다.

오답 피하기 **③ A공장이 ㉮지역으로 이전하여 보조금을 지원받는 것은 세금 감면을 받는 것과 유사한 효과를 기대할 수 있을 것이다.**

➡ 3-3~5에서 보조금을 받는 것은 총비용을 감소시키는 요인, 세금을 부과 받는 것은 총비용을 증가시키는 요인임을 알 수 있다. 세금이 감면되면 총비용이 감소되므로 보조금을 지원 받는 것과 유사한 효과를 낼 것이다.

④ A공장이 총수입이 동일한 상황에서 새로운 시스템을 도입하면 이윤을 얻을 수 있는 공장의 입지 범위는 달라질 것이다.

➡ 3-2에 따르면 경영자가 경영 수완을 발휘해서 새로운 시스템을 도입하면 생산비를 낮추어 이윤의 공간적 한계가 넓어질 수 있기 때문에 이윤을 얻을 수 있는 공장의 입지 범위는 현재보다 넓어질 것이다.

⑤ A공장이 같은 업종이 밀집하는 곳으로의 이동을 결정한 것은 원료 등을 공동 구입하여 비용을 줄이기 위한 목적이 반영되었을 것이다.

➡ 3-6~7에 따르면, 공장이나 업종이 밀집할 경우 원료의 공동 구입, 제품의 공동 판매를 가능하게 해 총비용을 줄일 수 있다.

〈보기〉 문제 – 사례·상황 제시

● 〈보기〉는 A공장의 사례를 통해, 3-2~7에 제시된 총수입-총비용의 변화를 일으키는 요인, 즉 이윤의 공간적 한계를 달라지게 하는 요인을 보여 주고 있다. 이때 '추가 부담금 징수'는 총비용을 증가시키는 요인, '보조금 지원, 공장의 밀집, 경영자의 경영 수완 발휘'는 총비용을 감소시키는 요인에 해당한다.

[03~04] 후설의 '체험적 시간관' 인문

2016학년도 11월 고2 학력평가

1 [1]음악을 듣는다고 가정해 보자. [2]제2음이 울릴 때 직전에 제1음이 울렸던 순간은 과거일까?[3]현재일까? [4]이에 대해 과학적 시간관에서는 현재는 과거나 미래와 단절된 점(點)과 같은 순간이므로 과거라고 답할 것이다. [5]반면 체험적 시간관에서는 '현재의 지평'이라는 개념을 바탕으로 현재라고 답한다.

1 과학적 시간관과 체험적 시간관의 차이

2 [1]체험적 시간관을 확립한 후설(Husserl)에 따르면 현재가 '파지 – 원인상 – 예지'라는 지평을 갖게 됨으로써 지나간 것과 다가올 것이 함께 생생하게 지각되는데, 이를 '현재화' 작용이라고 한다. [2]원인상은 음을 듣는 것처럼 대상을 지각하는 순간에 의식된 근원적 인상을 말한다. [3]그런데 제2음을 듣는 순간 직전에 들은 제1음은 변양된 형태로 여전히 의식 속에 남아 있다. [4]이처럼 원인상을 의식 속에 계속 붙들고 있는 것이 파지이다. [5]또한 제2음을 들을 때 아직 듣지 않은 음을 예측하듯이 원인상을 바탕으로 미래를 즉각적으로 예측하는 것이 예지이다. [6]예지는 충족될 수도, 어긋날 수도 있다. [7]이처럼 과거가 현재로 다시 당겨지고 미래가 현재로 미리 당겨지면서 현재의 지평이 형성된다. [8]따라서 제2음을 들을 때 제1음이 들렸던 순간도 현재라고 할 수 있는 것이다.

(현재의 지평 / 예지의 정의 / 예지의 특성 / 파지의 작용 / 예지의 작용)

2 후설의 체험적 시간관 ① – 현재화 작용

3 [1]현재의 지평 형성에는 '현전화' 작용도 영향을 미친다. [2]현재화가 자아의 의지와 무관하게 자동적으로 진행되는 것이라면 현전화는 자아의 능동적 작용으로 일어난다. [3]현전화에는

(현재화와 현전화의 차이점 ①)

지문 이해

1 과학적 시간관과 체험적 시간관의 (차이)

2 후설의 체험적 시간관 ① – 현재화 작용

3 후설의 체험적 시간관 ② – 현전화 작용

4 유기체처럼 변하는 (현재)의 지평

5 체험적 시간관의 의의

우선 회상이 있다.⁴파지된 것은 시간이 흐르면서 의식에서 사라지기 마련인데, 이렇게 사라진 것을 현재에 불러오는 것이 회상이다.⁵또한 미래의 일을 현재에 떠올리기도 하는데 이를 기대라고 한다.⁶현전화는 현재화를 기반으로 일어나며, 현재화와 융합되어 현재의 지평을 새롭게 할 수 있는 것이다.⁷다만 현재화가 원인상과의 감각적 연속성이 있는 것과 달리, 현전화는 원인상과의 감각적 연속성이 없어 생생함이 사라진다.

현전화의 특성 / 현재화와 현전화의 차이점 ②

3 후설의 체험적 시간관 ② – 현전화 작용

4 ¹이러한 논의는 현재가 유기체처럼 변한다는 것을 보여준다. ²먼저 개인의 관심이나 주의력에 따라 파지와 예지, 회상과 기대의 정도가 달라져 현재의 지평도 변한다.³예컨대 프로듀서가 휴양지에서 휴식을 위해 음악을 들을 때보다 음반 출시를 위해 음악을 들을 때 현재의 지평은 더 넓어질 것이다.⁴또한 현재화는 현재의 지평에 대한 통일적 인상을 변화시킨다. ⁵제1, 2음을 들으며 제3음의 높낮이를 예측할 때, 그 세 음들에 대한 나름의 통일적 인상을 갖는다. ⁶그런데 예측하지 않은 제3음이 들려 예지가 충족되지 못하면 제1, 2, 3음에 대한 이전의 인상도 달라져, 그 세 음들에 대한 통일적 인상도 다른 양상으로 변하게 된다.

현재가 변하는 이유 ① / 현재가 변하는 이유 ② / 예지의 작용

4 유기체처럼 변하는 현재의 지평

5 ¹체험적 시간관을 통해 인간은 항상 경험을 통일성 있는 구조로 파악하려 한다는 것을 알 수 있다. ²고정된 사물을 보거나 '삑'하는 소리를 들을 때조차 그 순간만을 지각하지 않고, 과거와 미래를 함께 지각하거나 회상과 기대를 함으로써 그 대상과 관련한 스토리를 만들려 하는 인간의 속성을 설명해 주는 것이다.

인간의 속성 / 체험적 시간관의 의의

5 체험적 시간관의 의의

글의 핵심 파악

● 후설의 체험적 시간관

현재화	현전화
현재가 '파지 – (원인상) – 예지'의 지평을 갖게 됨으로써 지나간 것, 다가올 것이 함께 생생하게 지각됨.	– 회상, 기대. – 현재화와 융합되어 (현재의 지평)을 새롭게 만듦.
자동적으로 진행됨.	자아의 능동적인 작용으로 이루어짐.
(원인상)과의 감각적 연속성이 있음.	(원인상)과의 감각적 연속성이 없어 생생함이 사라짐.

▶ 근거 문단 2, 3

지문 구조도

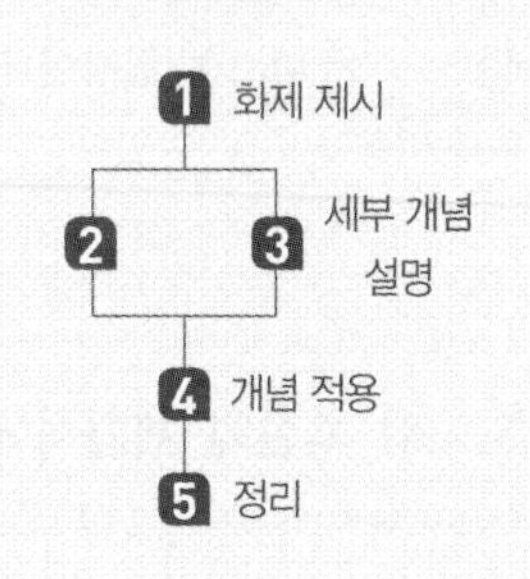

03

⑤번

〈보기〉 문제 – 관점 제시
– 사례·상황 제시
– 시각 자료 제시

● 〈보기〉는 나모의 '함축–실현 이론'을 설명하고 있지만, 선택지를 살펴보면 지문과 〈보기〉의 이론을 비교하는 유형은 아니라는 것을 알 수 있다. 〈보기〉는 1음, 2음의 진행 방향과 3음의 방향을 분석하고 있다는 점에서, 2~4에서 설명한 현재화, 예지, 지나간 것과 다가올 것에 대한 지각, 통일적 인상의 유지 여부 등과 연결된다. 특히 4-5~6에서 1음과 2음을 들으며 3음의 높낮이를 예측하는 내용이 나오는데, 〈보기〉는 이를 악보라는 시각 자료로 제시하였다.

> **보기**
>
> 나모의 '함축–실현' 이론에 따르면 청자들은 음의 진행 방향에 따라 다음 음정이 어떻게 이어질지 예측한다. 한 예로 세 음을 연속해서 들을 때, 앞의 음정이 '미'와 '솔', '파'와 '라' 사이처럼 완전 4도 이하의 좁은 음정일 경우, 앞 음정이 상행이면 뒤 음정도 상행, 앞 음정이 하행이면 뒤 음정도 하행될 것으로 예측한다. 반면 '파'와 높은 '레' 사이처럼 앞의 음정이 완전 5도 이상의 넓은 음정이라면 앞 음정과 반대의 방향으로 뒤 음정이 나올 것으로 예측한다.
>
> (가), (다) 앞 음정 진행과 일치 / (나), (라) 앞 음정 진행과 반대
>
> 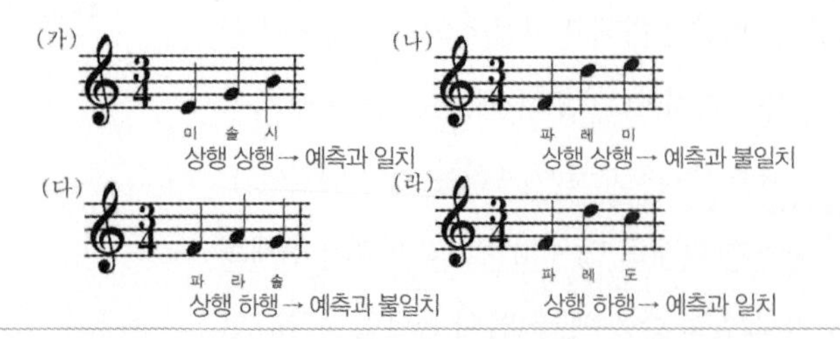
>

정답인 이유 ⑤ (라)의 제2음을 듣는 순간에 미리 당겨진 음에 대한 인상이 제3음을 들을 때 느낀 인상과 다르다고 느낄 것이다.

➡ 먼저 〈보기〉에서 제시된 나모의 '함축–실현 이론'의 핵심 요소를 이해하기 쉽게 도식적으로 정리해 보면 왼쪽의 표와 같고, 이를 바탕으로 하여 시각 자료 (가)~(라)를 해석한 것은 오른쪽의 표와 같다.

1음-2음 진행			3음 예측
완전 4도 이하 (미-솔, 파-라)	'상행'	→	'상행'(같음)
	'하행'	→	'하행'(같음)
완전 5도 이상 (파-높은 레)	'상행'	→	'하행'(다름)
	'하행'	→	'상행'(다름)

⇨

	1음-2음의 진행	3음 예측	실제 3음
(가)	완전 4도 이하, 상행	상행	상행
(나)	완전 5도 이상, 상행	하행	상행
(다)	완전 4도 이하, 상행	상행	하행
(라)	완전 5도 이상, 상행	하행	하행

2-5와 2-7에 따르면, 제2음을 들을 때 제3음을 당겨 예측하는 것은 '예지'인데, 4-5에서 예지를 할 때, 세 음에 대한 나름의 통일적인 인상을 갖는다고 하였다. (라)에서는 하행 음을 예지하고, 실제로 하행 음이 나와 예지가 충족되었기 때문에, 2음에서 느낀 인상은 3음에서도 유지가 된다.

오답 피하기

① (가)의 제2음을 듣는 순간에도 제1음과 제3음을 함께 지각할 수 있을 것이다.

➡ 2-1에서 현재화 작용에 의해 지나간 것과 다가올 것이 함께 지각된다고 하였으므로, 〈보기〉의 청자 역시 2음을 들을 때 지나간 1음과 다가올 3음을 함께 지각할 수 있을 것이다.

② (가)의 제3음을 듣는 순간, 직전에 가졌던 통일적 인상을 그대로 유지할 것이다.

➡ (가)에서는 상행 음을 예지했고, 실제로 상행 음이 들렸기 때문에, 직전에 가졌던 통일적 인상이 유지될 것이다.

③ (나)의 제2음을 듣는 순간 일어난 예지가 제3음을 들을 때 충족되지 못해 제1음에 대한 인상이 달라질 것이다. / ④ (다)의 제3음을 듣는 순간, 직전에 가졌던 통일적 인상이 변화되는 경험을 할 것이다.

➡ (나)는 하행 음을 예측했지만 반대로 상행 음이 들렸고, (다)는 상행 음을 예측했지만 반대로 하행 음이 들렸기 때문에, 예지가 충족되지 못해 이전 음에 대해 가졌던 통일적 인상이 달라졌을 것이다.

04

③번

정답인 이유

③ '후설'은 '브렌타노'와 달리 직전에 본 장면을 떠올리는 것을 지각에 의한 것이라고 보았다.

➡ 2-1~3을 통해 후설은 현재화 작용을 통해 앞으로 일어날 일과 직전에 일어난 일까지 의식 속에서 함께 지각된다고 여겼음을 알 수 있다. 이에 비해 〈보기〉의 브렌타노는 직전에 일어난 것을 떠올리는 것은 지각이 아니라 상상에 불과하다고 말하고 있다.

오답 피하기

① '후설'과 '브렌타노'는 모두 미래에 대한 기대가 이미지의 변양에 영향을 미친다고 보았다.

➡ 4-5~6에서 후설은 예측한 음과 실제 음의 관계, 즉 예지의 충족 여부에 따라 이전 음의 인상이 달라질 수 있다고 하였다. 따라서 미래에 대한 기대가 이미지의 변양에 영향을 미친다고 볼 수 있다. 그러나 브렌타노의 입장을 다룬 〈보기〉에는 미래에 대한 기대가 현재에 어떤 영향을 미칠지에 대한 내용은 언급되지 않았다.

② '후설'과 '브렌타노'는 모두 시간은 단절되어 있기 때문에 근원적 연상은 생생할 수 없다고 보았다.

➡ 1-4와 2-1에 따르면, 시간을 단절된 것으로 본 것은 '과학적 시간관'의 입장이며, 반대로 후설은 시간이 지평을 갖고 있어서 생생하게 지각이 가능하다고 보았다. 한편, 〈보기〉의 브렌타노는 생생한 연상은 가능하지만, 이것은 지각에 의한 것이 아니라 상상에 의한 것이라고 보았다.

④ '후설'은 '브렌타노'와 달리 직전에 본 장면을 떠올릴 때는 변양이 일어나지 않는다고 보았다.

➡ 2-3에서 후설은 직전에 들은 음은 변양된 형태로 의식 속에 남아 있다고 했으며, 〈보기〉의 브렌타노 역시 직전에 지각한 것이 사라지더라도 상상을 통해 이미지가 변양된 상태로 떠오른다고 말하고 있다.

⑤ '브렌타노'는 '후설'과 달리 인간의 사고 과정에서 상상이 지각보다 우위에 있다고 보았다.

➡ 브렌타노가 상상이 지각보다 우위에 있다고 말한 것은 아니다. 후설 역시 지각과 상상 중에 어떤 것이 우위에 있다고 말하지 않았다.

〈보기〉 문제 – 관점 제시

● 〈보기〉의 브렌타노는 직전에 본 장면을 떠올리는 것에 대해 후설과는 다른 견해를 드러내고 있다. 브렌타노에 따르면, 사람들은 직전에 지각한 것을 떠올리면서 그것을 보고 있다고 여기지만, 이는 지각이 아닌, 적극적인 상상에 의한 것으로서 가상일 뿐이다.

[05~06] 도시내부구조를 분석하는 모델들 사회

2016학년도 6월 고2 학력평가

1 [1]도시에서 업무, 상업, 주거, 공업 등 각종 기능 지역이 나름의 질서를 가지고 배치되어 있는 것을 '도시내부구조'라고 한다.[2]그렇다면 이러한 도시내부구조는 어떻게 형성될까? [3]20세기 전반에 이를 설명하기 위해 동심원모델과 선형(扇形)모델이 제시되었다.

('도시내부구조'의 정의)

1 도시내부구조의 개념과 분석 모델

2 [1]먼저 동심원모델은 1920년대 시카고를 대상으로 도시내부구조를 모형화한 것으로, 도시가 도심을 중심으로 동심원을 이루며 커진다고 보았다.[2]즉 도심의 인접 지역에 인구가 유입되면 점차 이곳이 과밀화되고 여기에 거주하던 사람들이 도심 인접 지역 바깥으로 이동하게 된다.[3]한편 쾌적한 환경을 찾아 도심으로부터 벗어나려는 일부 거주자들이 더 외곽으로 이동하게 되면서 동심원의 형태를 띤 도시가 이루어졌다고 본 것이다.[4]하지만 동심원모델은 시카고만의 특성을 반영한 모형이기 때문에 도시의 일반적인 구성 요소인 지형, 철도, 공업 지대의 위치 등이 반영되지 않아 다른 도시에 적용하기에는 한계가 있었다.

(통시 연결 표지 / 여기: 도심 인접 지역 / 동심원 모델의 한계)

2 동심원모델의 특성

3 [1]이에 지대(地代)와 교통로에 따라 도시가 도심을 중심으로 부채꼴 모양처럼 형성된다고 본 선형모델이 등장하게 된다.[2]이 모델은 도심에서 외곽으로 부챗살 모양의 간선 교통로가 생기게 되면 이를 중심으로 지대가 상승하여 고급 주거 지구가, 여기에 인접하여 중급 주거 지구가 형성된다고 보았다.[3]또한 철도나 수로(水路)와 같이 화물을 운반할 수 있는 대규모 교통시설이 입지하는 곳에는 경공업 지구가, 그 주변은 지대가 싼 저급 주거 지구가 형성된다고 보았다.

3 선형모델의 특성

4 [1]하지만 교통이 발달하고 도시 내부가 더욱 복잡해지면서 이전의 두 모델로는 도시내부구조를 설명할 수 없게 되었다.[2]이에 등장한 것이 도시가 여러 개의 핵심을 중심으로 형성된다는 다핵심모델이다.[3]도시가 커지면서 핵심을 중심으로 여러 기능 지구가 분화하게 된다.[4]다핵심모델에서는 이러한 기능 지구가 다음의 4가지 양상으로 분화한다고 보았다.

(동심원모델, 선형모델의 한계)

4 동심원모델 및 선형모델의 한계와 다핵심모델의 등장

[A]

5 [1]첫째, 활동마다 유리한 입지 지점에 따라 분화한다.(양상 ①) [2]예를 들어 교통이 편리한 지점에 도매업 지구가 입지하고, 수륙 교통 관계가 좋은 곳에 공업 지구가 입지한다. [3]둘째, 어떤 활동은 유리한 입지 지점의 높은 지대를 지불할 능력이 없는 경우 다른 지점에 입지한다.(양상 ②) [4]예를 들어 도매업이나 창고업은 도심 주변에 입지하는 것이 유리하지만, 넓은 토지를 필요로 하기 때문에 도심 주변은 지대가 비싸서 입지하기가 어렵다.[5]셋째, 동종의 활동은 집적의 이익을 볼 수 있기 때문에 집중하여 분화한다.(양상 ③) [6]그래서 금융기관, 도매업, 소매업 등은 각기 일정한 장소에 집단화하여 상권을 유지하게 된다.[7]넷째, 상이한 활동은 집적하면 불이익이 발생하기 때문에 서로 분리되어 위치한다.(양상 ④) [8]그래서 주택 지구는 공업 지구와, 소매업 지구는 공업 지구와 서로 분리된다.

5 다핵심모델에서 설명하는 기능 지구의 네 가지 분화 양상

6 [1]최근에는 경제적, 사회적, 행정적 요인을 바탕으로 도시내부구조를 분석하는 다양한 모델들이 등장하고 있다.[2]이러한 모델들을 적용하여 도시내부구조를 이해하는 것은 [도시의 각종 기능 지역들이 배치된 질서와 논리를 규명하여 도시의 변화를 예측하고 도시 계획을 수립하는 데 도움을 줄 수 있다.]

(통시 연결 표지 / [ ]: 도시내부구조 분석 모델의 의의)

6 다양한 도시내부구조 분석 모델의 등장과 그 의의

지문 이해

1 도시내부구조의 개념과 분석 모델

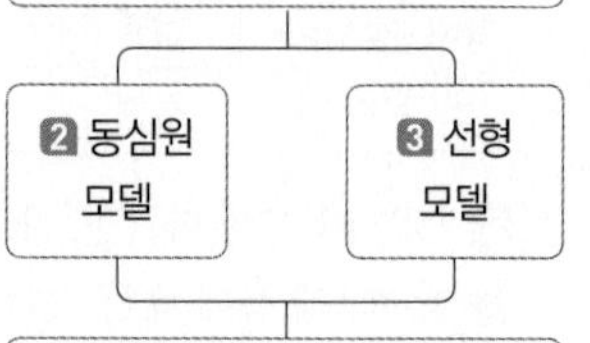

4 동심원모델 및 선형모델의 한계와 다핵심모델의 등장

5 다핵심모델 – 기능 지구의 네 가지 분화 양상

6 다양한 도시내부구조 분석 모델의 등장과 그 의의

글의 핵심 파악

● 도시내부구조 분석 모델

동심원모델	선형모델
도시가 (도심)을 중심으로 동심원을 이루며 커짐.	도시가 도심을 중심으로 부채꼴 모양처럼 형성됨.

다핵심모델
도시가 여러 개의 (핵심)을 중심으로 커지고, 여러 기능 지구로 분화함. – 활동마다 유리한 입지 지점에 분화하되, (지대)를 감당하지 못하면 다른 지점에 입지함. – 집적 이익/불이익에 따라 동종 활동은 집중하여 분화하고 상이한 활동은 분리되어 위치함.

▶ 근거 문단 **2**~**5**

지문 구조도

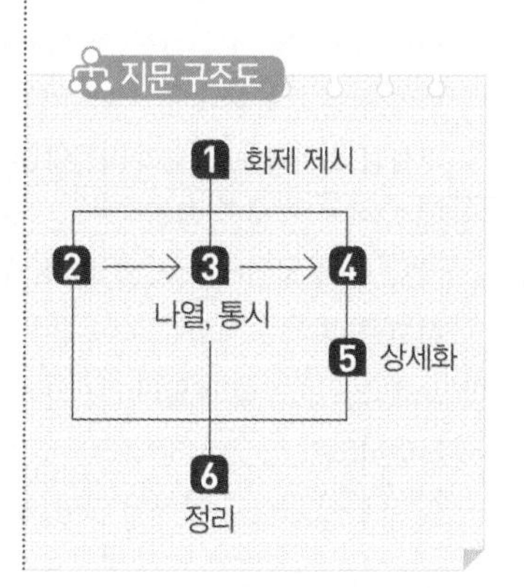

05

🗐 ❺번

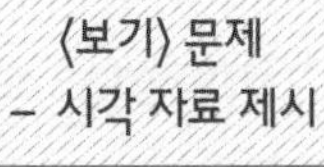

- 〈보기〉는 지문에서 설명한 대상을 그림으로 보여 주는 시각 자료이다. 윗글에서는 동심원모델, 선형모델, 다핵심모델이 주요 설명 대상이었다. ❷-1~3을 통해 〈보기〉의 왼쪽 그림은 도심 인접 지역의 과밀화 때문에 사람들이 인접 지역 외곽으로 이동하면서 동심원의 형태를 띠게 된 동심원모델임을 알 수 있다. 또한 ❸-1~3을 통해 〈보기〉의 오른쪽 그림은, 도심에서 외곽으로 부챗살 모양의 간선 교통로가 생기고, 지대에 따라서 고급 주거 지구, 경공업 지구 등이 위치하는 선형모델임을 알 수 있다.

보기

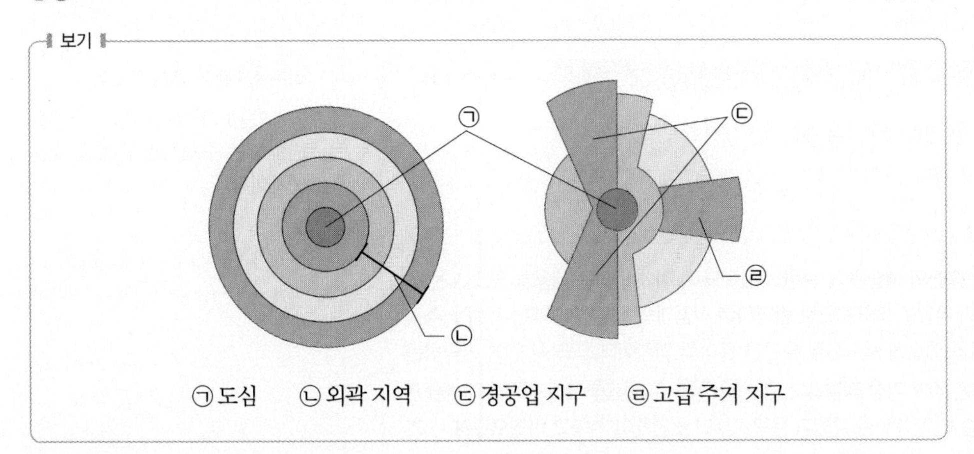

정답인 이유 ⑤ **지대가 싼 저급 주거 지구는 ㉣의 인접 지역에 형성되었겠군.**

➡ ❸-3에 따르면, 선형 모델에서는 철도나 수로와 같이 화물을 운반할 수 있는 대규모 교통 시설이 입지한 곳에 경공업 지구가, 그 주변은 지대가 싼 저급 주거 지구가 형성된다고 하였다. 따라서 지대가 싼 저급 주거 시설은 ㉣이 아닌 ㉢에 형성된다.

오답 피하기 ① **도시내부구조는 ㉠을 중심으로 형성되었겠군.**

➡ ❷-1과 ❸-1에 따르면 동심원모델, 선형모델 모두 도시내부구조가 도심을 중심으로 형성된다고 보았다.

② **인구 유입과 환경 요인 등으로 ㉡이 형성되었겠군.**

➡ ❷-2~3에서 인구 유입으로 인한 과밀화로 거주자들이 도심 인접 지역 바깥으로 이동하고, 쾌적한 환경을 찾아 거주자가 더 외곽으로 이동하면서 동심원의 형태를 띤 도시가 이루어졌다고 하였다.

③ **대규모 교통 시설이 입지하는 곳에 ㉢이 형성되었겠군.**

➡ ❸-3에서 대규모 교통 시설이 입지하는 곳에 경공업 지구가 형성된다고 하였다.

④ **간선 교통로를 중심으로 지대가 상승하여 ㉣이 형성되었겠군.**

➡ ❸-2에서 간선 교통로를 중심으로 지대가 상승하여 고급 주거 지구가 형성된다고 하였다.

06

🗐 ❺번

〈보기〉 문제
– 사례·상황 제시

- 〈보기〉에 수륙 교통 관계, 창고업, 금융 기관 등에 관한 정보가 제시되어 있는데, 이는 ❹~❺에서 주로 다뤄지는 다핵심 모델의 요소에 해당한다. 즉 〈보기〉는 다핵심 모델을 적용할 수 있는 구체적인 상황에 해당한다.

정답인 이유 ⑤ **㉰는 도심 주변에 있기 때문에 도매업이 입지하는 것이 쉽겠군.**

➡ ❺-4에서는 도매업, 창고업은 도심 주변에 입지하는 것이 유리하지만 넓은 토지를 필요로 하기 때문에 지대가 비싼 도심 주변에는 입지하기가 어렵다고 하였다.

오답 피하기 ① **㉮는 ㉰와 집적하면 불이익이 발생하기 때문에 분리되어 형성된 것이겠군.**

➡ ❺-7~8에서 상이한 활동은 집적하면 불이익이 발생하기 때문에 분리되어 위치한다고 하였다.

② **㉮에 수륙 교통 관계가 좋기 때문에 공업 지구가 형성될 수 있었겠군.**

➡ ❺-2에서 수륙 교통 관계가 좋은 곳에 공업 지구가 형성된다고 하였다.

③ **㉮는 창고업이 입지한 것으로 보아 도심 주변보다 낮은 지대를 지불하는 곳이겠군.**

➡ ❺-4에서 도심 주변은 지대가 비싸 창고업이 입지하기 어렵다고 했으므로, 창고업이 입주한 ㉮는 도심 주변보다 지대가 낮을 것임을 알 수 있다.

④ **㉯는 금융기관이 밀집되어 있는 것으로 보아 집적의 이익을 얻을 수 있는 곳이겠군.**

➡ ❺-5~6에서 금융기관은 집적의 이익을 볼 수 있기 때문에 집중하여 분화한다고 하였다.

10 비판하는 문제

예문으로 원리 확인 p.129~131

지문 1 지문 이해 1 상호 작용 2 관조 3 미적 체험 4 세속화

바로 콕 문제 1 ④

1 'ⓐ 예술의 신성화'는 2에 나타난 '종래의 예술관'과 관련이 깊으므로, 이에 반하는 내용을 찾으면 된다. 3-7과 4-2를 참고할 때, 일상의 경험을 적극적으로 반영하여 작품과의 통일성에 대한 체험을 추구하는 것은 ⓐ(예술의 신성화)가 아닌 예술의 세속화를 추구한 듀이의 입장이다. 따라서 ⓐ에 반박하는 내용으로는 듀이의 관점에 동조하는 ④가 가장 적절하다. **오답 피하기** ①, ⑤ 2-3에서 종래의 예술관에서는 예술 작품을 감상할 때 예술 이외의 모든 관심과 욕구로부터 초연해야 한다고 하였으므로, ①과 ⑤는 ⓐ에 동조하는 견해이다. ② 2-2에서 종래의 예술관은 수용자의 참여를 허락하지 않았다고 하였으므로, 경석은 ⓐ에 동조하고 있다. ③ 2-5에서 종래의 예술관은 예술이 현실의 모든 긴장과 갈등으로부터 벗어날 수 있는 해방 공간의 역할을 한다고 보았으므로, 현상은 ⓐ에 동조하고 있다.

사뿐히 즈려밟는 훈련 문제 p.132~137

01 ② 02 ① 03 ③ 04 ⑤ 05 ④ 06 ③

[01~02] 흄의 경험론 인문

2018학년도 3월 고1 학력평가

1 [1]18세기 경험론의 대표적인 철학자 흄은 '모든 지식은 경험에서 나온다.'라고 주장하면서, 이성을 중심으로 진리를 탐구했던 데카르트의 합리론을 비판하고 경험을 중심으로 한 새로운 철학 이론을 구축하려 하였다.(흄이 경험론을 주장한 목적) [2]그러나 지나치게 경험만을 중시한 나머지, 그는 과학적 탐구 방식 및 진리를 인식하는 문제에 대해서도 비판하기에 이른다. [3]그 결과 흄은 서양 근대 철학사에서 극단적인 회의주의자로 평가받는다.

1 경험론의 대표적인 철학자 흄

2 [1]흄은 지식의 근원을 경험으로 보고 이를 인상과 관념으로 구분하여 설명하였다.(흄의 입장 ① – 지식의 근원인 경험을 인상과 관념으로 구분함.) [2]인상은 오감(五感)을 통해 얻을 수 있는 감각이나 감정 등을 말하고,(인상의 정의) 관념은 인상을 머릿속에 떠올리는 것을 말한다.(관념의 정의) [3]가령, 혀로 소금의 '짠맛'을 느끼는 것은 인상이고, 머릿속으로 '짠맛'을 떠올리는 것은 관념이다. [4]인상은 단순 인상①과 복합 인상②으로 나뉘는데, 단순 인상①은 단일 감각을 통해 얻은 인상을,(단순 인상의 정의) 복합 인상②은 단순 인상들이 결합된 인상을 의미한다.(복합 인상의 정의) [5]따라서 '짜다'는 단순 인상에, '짜다'와 '희다' 등의 단순 인상들이 결합된 소금의 인상은 복합 인상에 해당한다. [6]그리고 단순 인상①을 통해 형성되는 관념을 단순 관념①, 복합 인상②을 통해 형성되는 관념을 복합 관념②이라 한다. [7]흄은 단순 인상이 없다면 단순 관념이 존재하지 않는다고 보았다.(단순 관념에 대한 흄의 생각) [8]그런데 '황금 소금'은 현실에 존재하지 않기 때문에 그 자체에 대한 복합 인상은 없지만, '황금'과 '소금' 각각의 인상이 존재하기 때문에 복합 관념이 존재할 수 있다. [9]따라서 복합 관념은 복합 인상이 없더라도 존재할 수 있다.(복합 관념에 대한 흄의 생각 ①) [10]하지만 흄은 '황금 소금'(복합 관념의 예)처럼 인상이 없는 관념은 과학적 지식이 될 수 없다고 말하였다.(복합 관념에 대한 흄의 생각 ②)

2 흄의 경험론 ① – 경험을 인상과 관념으로 구분

바로 콕 문제 유형 엿보기

1 [비판하기] 특정 관점, 주장을 반박하는 구체적인 반응을 찾는 문제이다.

지문 이해

1 (경험론)의 대표 철학자 흄

2 흄의 경험론 ① – 경험을 (인상)과 (관념)으로 구분함.

3 흄의 경험론 ② – 과학적 탐구 방식으로서의 인과 관계를 비판함.

4 흄의 경험론 ③ – 진리를 알 수 있는가의 문제에 대해서 (회의적)인 태도를 취함.

5 흄의 경험론에 대한 비판과 의의

3 [1]흄은 과학적 탐구 방식으로서의 인과 관계에 대해서도 비판적 태도를 보였다. [2]그는 인과 관계란 시공간적으로 인접한 두 사건이 반복해서 발생할 때 갖는 관찰자의 습관적인 기대에 불과하다고 말하였다. [3]즉, '까마귀 날자 배 떨어진다'라는 속담이 의미하는 것처럼 인과 관계는 필연적 관계임을 확인할 수 없다는 것이다. [4]그는 '까마귀가 날아오르는 사건'과 '배가 떨어지는 사건'을 관찰할 수는 있지만, '까마귀가 날아오르는 사건이 배가 떨어지는 사건을 야기했다.'라는 생각은 추측일 뿐 두 사건의 인과적 연결 관계를 관찰할 수 없다고 주장한다. [5]결국 인과 관계란 시공간적으로 인접한 두 사건에 대한 주관적 판단에 불과하므로, 이런 방법을 통해 얻은 과학적 지식이 필연적이라는 생각은 적합하지 않다고 흄은 비판하였다.

(흄의 입장 ② – 인과 관계에 대해 비판 / 인과 관계에 대한 흄의 생각 ① / 인과 관계에 대한 흄의 생각 ② / 인과 관계)

3 흄의 경험론 ② – 과학적 탐구 방식으로서의 인과 관계를 비판

4 [1]또한 흄은 진리를 알 수 있는가의 문제에 대해서도 회의적인 태도를 취했다. [2]전통적인 진리관에서는 진술의 내용이 사실(事實)과 일치할 때 진리라고 본다. [3]하지만 흄은 진술 내용이 사실과 일치하는지의 여부를 판단할 수 없다고 보았다. [4]예를 들어 '소금이 짜다.'라는 진술이 진리가 되기 위해서는 실제 소금이 짜야 한다. [5]그런데 흄에 따르면 우리는 감각 기관을 통해서만 세상을 인식할 수 있기 때문에 실제 소금이 짠지는 알 수 없다. [6]그러므로 '소금이 짜다.'라는 진술은 '내 입에는 소금이 짜게 느껴진다.'라는 진술에 불과할 뿐이다. [7]따라서 비록 경험을 통해 얻은 과학적 지식이라 하더라도 그것이 진리인지의 여부는 확인할 수 없다는 것이 흄의 입장이다.

(흄의 입장 ③ – 진리에 대해 회의적 / 인상과 관련)

4 흄의 경험론 ③ – 진리에 대해 회의적인 태도를 취함.

5 [1]이처럼 흄은 경험론적 입장을 철저하게 고수한 나머지, 과학적 지식조차 회의적으로 바라보았다는 점에서 비판을 받기도 했다. [2]하지만 그는 이성만 중시했던 당시 철학 사조에 반기를 들고 경험을 중심으로 지식 및 진리의 문제를 탐구했다는 점에서 근대 철학에 새로운 방향성을 제시했다는 평가를 받는다.

(흄에 대한 부정적 평가 / 흄에 대한 긍정적 평가)

5 흄의 경험론에 대한 비판과 의의

글의 핵심 파악

● 흄이 생각한 경험의 종류

인상	관념
오감을 통해 얻는 (감각)이나 (감정).	(인상)을 머릿속에 떠올리는 것.
단순 인상 → 단순 (관념) (복합) 인상 → 복합 관념	
인상이 없는 관념은 (과학)적 지식이 될 수 없음.	

▶ 근거 문단 2

● 과학과 진리에 대한 회의
- 과학적 탐구 방식으로서의 인과 관계 비판 → 시·공간적으로 인접한 두 사건에 대한 (주관적) 판단에 불과함.
- 인간은 (감각) 기관으로만 세상을 인식하므로 진술이 (진리)와 일치하는지 알 수 없음.

▶ 근거 문단 3, 4

지문 구조도

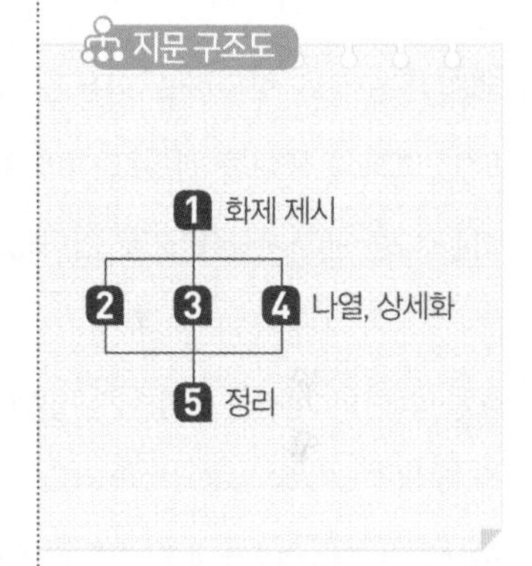

01

❷번 — 비판하기

정답인 이유 ② 감각적으로 경험하지 않은 단순 관념이 존재할 수 있다.

➡ 발문에서 〈보기〉의 사례가 비판의 기준, '흄'의 주장이 비판의 대상에 해당한다. 〈보기〉의 어떤 사람은 태어나서 한 번도 빈칸의 색을 본 적이 없지만 주변 색과의 비교를 통해 빈칸에 들어갈 색을 알아맞히었다. 이는 눈으로 색을 보지 않고도 그 색을 머릿속으로 떠올린 것이다. 이때 눈을 통해 볼 수 있는 명도표의 색은 단순 인상이고, 이것을 머릿속에 떠올린 것은 단순 관념이다. 그러므로 〈보기〉에서 가정한 상황은 단순 인상이 존재하지 않더라도 단순 관념이 존재할 수 있음을 보여 주는 것이다. 흄은 2-7에서 '단순 인상이 없다면 단순 관념이 존재하지 않는다.'라고 주장하였으므로, 〈보기〉의 사례는 이를 비판하는 근거가 된다.

02

❶번 — 비판하기

정답인 이유 ① ㉠: 보기만 하고 달콤한 맛을 떠올리는 것은 관념에 지나지 않기 때문에 경험이라고 할 수 없다.

➡ 발문에서 '흄'의 관점이 비판의 기준, 〈보기〉의 ㉠~㉢이 비판의 대상에 해당한다. 2-1에 따르면 흄은 경험을 인상과 관념으로 구분하여 설명하였다. 사과를 보면서 달콤한 맛을 떠올리는 것은 관념이 맞지만, 흄은 관념 또한 경험의 일부라고 하였으므로 ①의 내용은 흄의 관점으로 적절하지 않다.

오답 피하기 ② ㉡: 자신의 눈에는 빨갛게 보인다는 것일 뿐, 이 말이 사실과 일치하는지의 여부는 판단할 수 없다. / ③ ㉡: 사과가 빨갛다는 판단은 시각을 통해서 인식한 결과일 뿐이므로 실제 사과가 빨간지는 알 수 없다.

➡ 〈보기〉의 ㉡은 시각을 통해 얻은 인상인데, 4-3~6에서 흄은 감각 기관을 통해 얻은 인상은 '내 입에는 소금이 짜게 느껴진다.'라는 진술처럼 '내 감각으로는 이렇게 느껴진다.'는 진술에 불과하기 때문에 사실과 일치하는지 여부를 따질 수 없다고 보았다.

④ ㉢: 매일 사과를 먹은 것과 피부가 고와진 것은 시간적으로 인접한 두 사건에 대한 주관적 판단일 뿐이다. /
⑤ ㉢: 매일 사과를 먹어 피부가 고와졌다는 생각은 반복되는 경험을 통해 얻은 습관적 기대에 불과하다.

➡ 〈보기〉의 ㉢은 인과 관계에 해당하는데, 3-2와 3-5에서 흄은 인과 관계란 시공간적으로 인접한 두 사건이 반복해서 발생할 때 갖는 관찰자의 습관적인 기대이자 주관적인 판단에 불과하다고 보았다.

[03~04] 들뢰즈의 의미 이론 인문

(2014학년도 11월 고2 학력평가Ⓑ)

1 [1]나폴레옹의 대관식에 참석한 한 정치인이 "나폴레옹의 머리에 왕관이 얹혔다."라는 표현을 했을 때, 대관식에 참여한 누군가는 이를 나폴레옹의 머리 위에 왕관이 올라가는 물리적인 현상 그 자체로 받아들일 수도 있지만, 그 언어 표현을 여러 가지 의미로 판단할 수 있다. [2]인간은 자연 그대로의 현상이 아니라 언어와 그 의미 등 인위성이 개입된 모든 것들을 포괄하는 문화를 형성한다. [3]이것이 인간과 다른 자연물들의 결정적인 차이이다. [4]문화의 바탕이 되는 의미라는 것을 정의하는 이론은 다양하다. [5]하지만 자연과 문화를 모두 포괄하는 세계의 지속적인 변화와 생성을 전제로 이에 따른 다양한 양상을 탐구한 들뢰즈는, 일반적인 의미 이론들과는 다른 새로운 차원으로 의미의 개념을 규정한다.

(인위성: 인간의 고유한 특성)

1 새로운 차원에서 의미의 개념을 규정한 들뢰즈

2 [1]의미의 개념을 규정하는 일반적인 의미 이론들에는 다음과 같은 것들이 있다. [2]실증주의를 바탕으로 하는 지시 이론에 따르면, 의미는 언어 기호가 특정 대상을 지시할 때 성립한다. [3]앞의 예에서, '나폴레옹', '왕관' 등이 지시하는 외부 대상이 의미인 것이다. [4]현상학을 바탕으로 하는 현시 이론은, 언어를 표현하거나 수용하는 주체가 언어 기호의 지시 대상을 통해 주관적으로 뜻을 만들어내는데, 이를 의미라고 규정한다. [5]이에 따르면, "나폴레옹의 머리에 왕관이 얹혔다."라는 언어 표현의 의미는 그 말을 한 정치인의 생각에 따라 결정될 것이다. [6]구조주의를 바탕으로 하는 기호작용 이론은 언어 기호들의 구조 속에서 의미가 결정된다고 본다. [7]언어 기호들의 구조, 즉 문법적 체계가 언어 표현 이전에 이미 존재하고, 이 구조를 형성하는 요소들 사이의 관계에 의해서 의미가 규정된다. [8]이에 따르면, '왕관이'에서 주격 조사 '-이'가 '왕관'을 문장의 주어로 만들어주기 때문에 '왕관'은 얹히는 주체로 의미가 확정된다.

(지시 이론: 의미 이론 ① / 지시 이론에서 본 의미, 현시 이론: 의미 이론 ② / 현시 이론에서 본 의미, 기호작용 이론: 의미 이론 ③ / 기호작용 이론에서 본 의미)

2 일반적인 의미 이론(지시 이론, 현시 이론, 기호작용 이론) 소개

3 [1]들뢰즈의 의미 이론에서 '의미'는 이러한 일반적인 의미 이론에서 설명하는 것과는 다르다. [2]앞의 세 이론들은 의미를 문화의 차원을 중심으로 설명하려 하지만, 들뢰즈는 자연과 문화의 차원을 포괄하는 좀 더 근원적인 차원에서 의미의 개념을 규정한다. [3]들뢰즈가 말하는 '의미'를 이해하기 위해서는 그가 규정한 '사건'의 개념을 먼저 이해해야 한다. [4]'사건'이란, 인간이

지문 이해

1 새로운 차원에서 의미의 개념을 규정한 (들뢰즈)

2 의미의 개념을 규정한 일반적인 이론들 - 지시 이론, 현시 이론, 기호작용 이론

3 일반적 의미 이론과 차별화된 (들뢰즈)의 의미 이론

4 (들뢰즈)의 의미 이론에 따른 의미의 해석의 예

글의 핵심 파악

● 의미 이론

일반적인 의미 이론(문화의 차원)	
(지시) 이론	의미는 언어 기호가 특정 대상을 지시할 때 성립함.
(현시) 이론	의미는 언어의 표현·수용 주체가 언어 기호의 지시 대상을 통해 주관적으로 만든 것.
(기호작용) 이론	의미는 언어 기호들의 구조(문법적 체계) 속에서 결정됨.

⇕

들뢰즈의 의미 이론(근원적 차원)

(사건): 인간이 세계에 존재하는 것을 전제로 자연의 변화·생성 현상 자체에서 발생하는 무엇.

↓

(사건)은 '(문화적 장)'에 편입될 때 비로소 '의미'로 규정됨.

▶ 근거 문단 2, 3

세계에 존재한다는 것을 전제로 자연의 변화와 생성이라는 현상 그 자체에서 발생하는 그 무엇이고, 들뢰즈는 이를 '의미'라고 지칭한다. [5]들뢰즈는 이 '의미' 그 자체는 규정된 것이 아니지만 '문화적 장(場)'이 '의미' 규정의 기준이 된다고 말한다. [6]'문화적 장'이란 정치, 역사, 예법 등 인간의 삶에 이미 형성되어 있는 모든 것을 뜻하는데, '사건'으로서의 규정되지 않은 '의미'는 이 '문화적 장'에 ●편입될 때 비로소 규정된 '의미'가 된다.

사건의 정의 / '문화적 장'의 역할 / '문화적 장'의 정의

3 들뢰즈가 생각한 '의미'와 이에 따른 의미 이론의 차별성

4 [1]그렇다면 "나폴레옹의 머리에 왕관이 얹혔다."라는 언어 표현 및 그것이 드러내는 현상은 들뢰즈에게 어떻게 해석될 수 있을까? [2]나폴레옹의 머리에 왕관이 얹히면서 생기는 물리적인 현상은 자연의 변화와 생성에 해당한다. [3]그 현상에서 발생하는 '사건'이자 규정되지 않은 '의미'는, 황제 즉위의 예법과 관련된 '문화적 장'을 기준으로 보면 "나폴레옹이 황제가 되었다."라는 '의미'로 규정된다. [4]그리고 유럽 정치라는 '문화적 장'을 기준으로 보면 "유럽의 정치적 질서가 재편되었다."라는 '의미'로 규정된다.

들뢰즈 이론에 따라 의미 해석을 해 보도록 예문 제시

03

③번

비판하기

정답인 이유 **③ Ⓐ는 언어 기호보다 더 근원적인 차원으로서의 '의미'를 간과하고 있군.**

➡ 발문과 선택지를 참고하면 '들뢰즈'가 비판(반응)의 기준, 〈보기〉의 '소쉬르'가 비판(반응)의 대상임을 알 수 있다. 소쉬르는 '언어 기호의 형식적 차이가 언어의 의미를 생겨나게 한다.'고 보지만, 3-2에서 들뢰즈는 자연과 문화의 차원을 포괄하는 근원적인 차원에서 의미를 규정하고 있다. 따라서 들뢰즈는 소쉬르에게 자연과 문화의 차원을 포괄하는 좀 더 근원적 차원에서의 의미를 간과하고 있다고 지적할 것이다.

오답 피하기 **① Ⓐ는 언어 기호가 '사건'과 유사하다는 것을 간과하고 있군.**

➡ 3-4~5에서 들뢰즈는 사건이란 외부 세계의 현상에서 발생하는 것으로 그 자체의 의미는 규정되지 않는다고 보았지만, 언어 기호와 사건의 유사성에 대해 언급하지는 않았다.

② Ⓐ는 언어 기호 발생 이전의 자연의 변화와 생성을 중시하고 있군.

➡ 소쉬르는 '외부 세계(자연)를 참조하지 않아도 된다.'고 보았으므로 ②는 적절하지 않다.

④ Ⓐ는 언어 기호보다 그것을 사용하는 주체의 주관성을 중시하고 있군.

➡ 언어를 표현하거나 수용하는 주체의 주관성을 강조한 것은 '현시 이론'이다(2-4). ④의 내용은 들뢰즈와 소쉬르의 관점이 아니므로 적절하지 않은 반응에 해당한다.

⑤ Ⓐ는 언어 기호의 문법적 체계가 언어 표현에서 갖는 중요성을 간과하고 있군.

➡ 2-6~7에 따르면, '기호작용 이론'에서 언어 기호의 구조와 문법적 체계를 중시하였다. 소쉬르도 언어의 형식적 측면을 중시하였으므로, 언어 기호의 구조와 문법적 체계를 간과하였다는 반응은 적절하지 않다.

04

⑤번

〈보기〉 문제
글의 내용(관점) 추론하기

정답인 이유 **⑤ '콜럼버스의 발'이 '신대륙'에 '닿았다'는 것의 의미는 유럽의 대외 정책이라는 문화적 장(場)에 의해 규정될 수 있겠군.**

➡ 3-5~6에 따르면 들뢰즈는 정치, 역사, 예법 등 인간의 삶에 형성되어 있는 모든 것인 '문화적 장(場)'이 '의미' 규정의 기준이 된다고 하였다. 따라서 〈보기〉의 밑줄 친 말의 의미는 당시 유럽의 대외 정책이라는 문화적 장에 의해 규정될 수 있다고 본 ⑤가 들뢰즈의 반응으로 적절하다.

오답 피하기 **① 이 말의 의미를 규정하기 위해서는 '콜럼버스'와 '신대륙'이 지시하는 대상이 무엇인지 알아야겠군.**

➡ 2-2~3에 근거할 때 ①은 '지시 이론'을 주장하는 사람의 반응에 해당한다.

② 부사격 조사 '에'가 '신대륙의 해변'을 '콜럼버스의 발'이 닿은 장소임을 나타내면서 의미를 확정하고 있군.

➡ 2-7~8에 따르면 ②는 문법적 체계를 중시하므로 '기호작용 이론'을 주장하는 사람의 반응에 해당한다.

③ 이 말의 의미는 '콜럼버스의 발'이 '신대륙의 해변'에 닿으면서 생기는 물리적인 현상만으로 규정할 수 있겠군.

➡ 3-4~6에 따르면 들뢰즈는 현상 그 자체에서 발생하는 '사건'이라는 물리적 현상은 규정되지 않은 '의미'이고, 이 의미가 '문화적 장'에 편입될 때 비로소 규정된 '의미'가 된다고 하였다.

④ 이 말을 한 선원이 도전 정신을 중시하는 사람이었다면 '최초로'로 콜럼버스의 도전에 대한 경이로움을 표현한 것이겠군.

➡ 2-4~5에 근거할 때 ④는 언어를 표현하는 주체의 주관적인 뜻을 중시하므로 '현시 이론'을 주장하는 사람의 반응에 해당한다.

[05~06] 공공미술의 흐름과 미술가의 태도 예술

2014학년도 3월 고2 학력평가Ⓑ

1 [1]서울의 청계광장에는 '스프링(Spring)'이라는 다슬기 형상의 대형 조형물이 설치돼 있다. [2]이것을 기획한 올덴버그는 공공장소에 작품을 설치하여 대중과 미술의 소통을 이끌어내려 했다. [3]이와 같이 대중과 미술의 소통을 위해 공공장소에 설치된 미술 작품 또는 공공 영역에서 이루어지는 예술 행위 및 활동을 공공미술이라 한다.

공공미술의 정의

1 공공미술의 정의

2 [1]1960년대 후반부터 1980년대까지의 공공미술은 대중과 미술의 소통을 위해 작품이 설치되는 장소를 점차 확장하는 쪽으로 전개되었기 때문에 '장소' 중심의 공공미술이라 할 수 있다. [2]이전까지는 미술관에만 전시되던 작품을 사람들이 자주 드나드는 공공건물에 설치하기 시작했다. [3]하지만 이렇게 공공건물에 설치된 작품들은 한낱 건물의 장식으로 인식되어 대중과의 소통에 한계가 있었기 때문에, 작품이 설치되는 공간은 공원이나 광장 같은 공공장소로 확장되었다. [4]그러나 공공장소에 놓이게 된 작품 중에는 주변 공간과 어울리지 않거나, 미술가의 미학적 입장이 대중에게 수용되지 못하는 일들이 벌어졌다. [5]이는 소통에 대한 미술가의 반성으로 이어졌고 시간이 지남에 따라 공공미술은 점차 주변의 삶과 조화를 이루는 방향으로 발전하였다.

'장소' 중심의 공공미술의 특성 / 공공미술이 설치된 장소① / 장소 중심의 공공미술의 한계① / 공공미술이 설치된 장소② / 장소 중심의 공공미술의 한계②

2 장소 중심의 공공미술(1960년대 후반~1980년대)

3 [1]1990년대 이후의 공공미술은 참된 소통이 무엇인가에 대해 진지하게 성찰하며 대중을 작품 창작 과정에 참여시키는 쪽으로 전개되었기 때문에 '참여' 중심의 공공미술이라 할 수 있다. [2]이때의 공공미술은 대중들이 작품 제작에 직접 참여하게 하거나, 작품을 보고 만지며 체험하는 활동 속에서 작품의 의미를 완성할 수 있도록 하여 미술가와 대중, 작품과 대중 사이의 소통을 강화하였다. [3]장소 중심의 공공미술이 이미 완성된 작품을 어디에 놓느냐에 주목하던 '결과 중심'의 수동적 미술이라면, 참여 중심의 공공미술은 작품의 창작 과정에 대중이 참여하여 작품과 직접 소통하는 '과정 중심'의 능동적 미술이라고 볼 수 있다.

'참여' 중심의 공공미술의 특성

3 참여 중심의 공공미술(1990년대 이후)

지문 이해

- 1 공공미술의 정의
- 2 1960년대 후반~1980년대 -(장소) 중심의 공공미술
- 3 1990년대 이후 -(참여) 중심의 공공미술
- 4 공공미술의 특성과 미술가의 태도

글의 핵심 파악

● 공공미술의 흐름

[1960년대 후반~1980년대] (장소) 중심의 공공미술

- 건물의 장식으로만 인식
- 주변 공간과 어울리지 않거나 대중에게 수용되지 못하기도 함.

→ '결과' 중심의 (수동적) 미술

⬇

[1990년대 이후] (참여) 중심의 공공미술

- 대중을 작품 창작 과정에 참여시키거나 작품을 체험하게 함.
- 미술가와 대중, 작품과 대중 사이의 소통을 강화함.

→ '과정' 중심의 (능동적) 미술

▶ 근거 문단 2, 3

● 공공미술의 특성

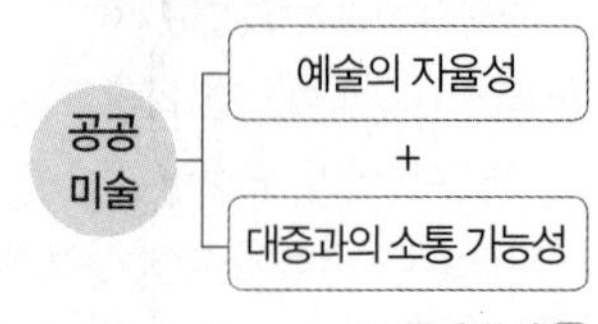

▶ 근거 문단 4

4 [1]그런데 공공미술에서는 대중과의 소통을 위해 누구나 쉽게 다가가 감상할 수 있는 작품을 만들어야 하므로, 미술가는 자신의 미학적 입장을 어느 정도 포기해야 한다고 우려할 수 있다. [2]그러나 이러한 우려는 대중의 미적 감상 능력을 무시하는 편협한 시각이다. [3]왜냐하면 추상적이고 난해한 작품이라도 대중과의 소통의 가능성은 늘 존재하기 때문이다. [4]따라서 공공미술에서 예술의 자율성은 소통의 가능성과 대립하지 않는다. [5]공공미술가는 예술의 자율성과 소통의 가능성을 높이기 위해 대중의 예술적 감성이 어떠한지, 대중이 어떠한 작품을 기대하는지 면밀히 분석하며 작품을 창작해야 한다. [A]

공공미술은 '예술의 자율성'과 '소통의 가능성'을 모두 가질 수 있음.

4 공공미술의 특성과 미술가의 태도

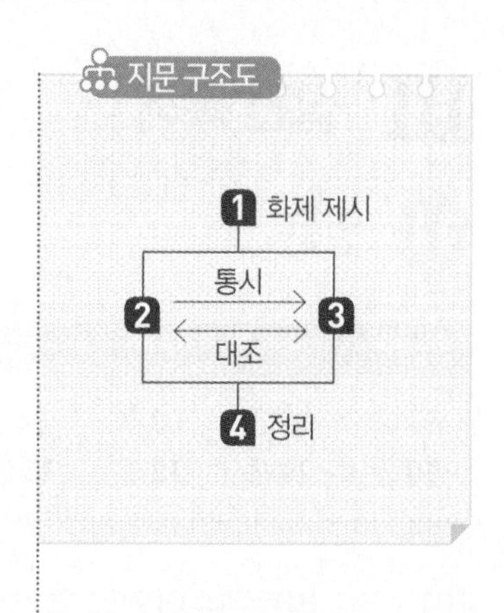

05

❹번

비판하기

정답인 이유 **④ 공공미술에서 미술가가 자신의 미학적 입장을 포기하지 않아도 대중과의 소통 가능성은 열려 있다.**

➡

[A]의 입장 (비판의 기준)		〈보기〉의 입장 (비판의 대상)
• 추상적이고 난해한 작품이라도 대중과의 소통 가능성이 늘 존재함. • 예술의 자율성(미술가의 미학적 입장)은 소통의 가능성과 대립하지 않음.	⇨ 비판	• 대중과의 소통을 염두에 두지 않아 문제가 발생함. • 따라서 공공미술가는 소통을 위해 미학적 입장을 포기해야 함.

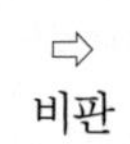

이를 바탕으로 보면 ④가 [A]의 입장에서 가장 적절한 비판임을 알 수 있다.

오답 피하기 **① 공원이나 광장 같은 공공장소에 설치된 작품들은 대중에 의해 예술로 인정받을 수 없다.**

➡ [A]는 공공 미술을 보는 대중의 미적 감상을 언급하고 있는데, 여기에는 이미 대중이 공공 장소에 설치된 작품들을 예술로 인식하고 있다는 것이 전제되어 있다.

② 공공미술 작품이 대중으로부터 호응을 받으려면 누구나 쉽게 다가갈 수 있도록 해야 한다. / ③ 대중의 미적 감상 능력은 한계가 있으므로 작품에서 작가의 미학적 입장을 강조해서는 안 된다. / ⑤ 미술가의 생각을 작품에 추상적으로 표현하여 대중이 난해하게 느끼면 이 작품은 외면을 받을 수밖에 없다.

➡ [A]의 **4**-1~2에서 대중의 호응을 위해서 누구나 쉽게 다가갈 수 있는 작품을 만들어야 한다고 생각하는 것은 오히려 대중의 미적 감상 능력을 무시하는 편협한 생각이라고 말하고 있다.

06

❸번

〈보기〉 문제 / 비판하기

정답인 이유 **③ 관람객의 체험을 통해야만 작품이 완성된다는 점에서 참여 중심의 공공미술로 볼 수 있군.**

➡ 지문의 내용을 바탕으로 하여, 〈보기〉에 제시된 미술 작품에 대한 반응을 묻는 문제이다. 지문에서는 '참여 중심의 공공미술'이 확대되고 있으며, 이것이 예술의 자율성과 대중과의 소통을 모두 확보할 수 있다고 말하였다. 이와 같은 입장에 비추어 적절한 반응을 찾으면 된다. 〈보기〉에서는 **3**-2에서 언급하였듯, 작품을 어루만지며 체험하는 활동 속에서 작품의 의미를 완성하는 능동적인 성격을 지닌 '참여 중심의 공공미술'이 제시되었으므로 ③의 해석은 적절하다.

오답 피하기 **② 베트남 전쟁 재향 기념관에 설치된 것으로 보아 작품이라기보다는 건물의 장식이겠군. / ④ 기존의 조형물을 탈피했다는 점에서 미술가의 미학적 입장이 관람객에게 수용되지 못하겠군.**

➡ 〈보기〉의 작품은 '장소 중심의 공공미술'을 벗어난 '참여 중심의 공공미술'로 예술가의 미학적 입장이 관람객에게 수용된 예술 작품에 해당한다.

⑤ 전쟁 희생자들의 이름을 새겨놓은 것은 현재를 살아가는 대중과의 소통에 장애물이 되었겠군.

➡ 〈보기〉에서 새겨진 희생자의 이름을 어루만지며 대중들이 전쟁의 슬픔과 국가의 역사를 되새겼다고 하였으므로, 희생자의 이름을 새긴 것이 소통에 장애가 되었다는 반응은 적절하지 않다.

III 실전 독해

11 인문

사뿐히 즈려밟는 훈련 문제 p.144~153

01 ②	02 ①	03 ②	04 ①	05 ④	06 ④	07 ①	08 ③	09 ①
10 ⑤	11 ③	12 ②	13 ③					

[01~05] 비트겐슈타인의 후기 철학에 나타나는 언어 이론 인문 1

2018학년도 3월 고3 학력평가

1 [1]비트겐슈타인의 철학은 전기와 후기로 나뉘며, 전기는 『논리 철학 논고』로 후기는 『철학적 탐구』로 대표된다. [2]그는 철학적 문제가 언어의 애매한 사용에서 비롯된다고 보고 언어를 분석하고 비판하여 명료화함으로써 철학적 문제를 해소하고자 했다. [3]이 때문에 그의 철학적 사유는 언어에 집중되어 있다.

1 언어에 집중된 비트겐슈타인의 사유

2 [1]『철학적 탐구』(= 후기)에서 비트겐슈타인은 『논리 철학 논고』에서 주장한 '그림 이론'에 대해 비판적 입장을 바탕으로 전기와 다른 주장을 펼친다. [2]그림 이론에서는 언어의 낱말들은 대상을 명명한 것이고, 문장들은 이러한 이름들이 결합한 것이라고 본다. [3]즉 낱말의 의미는 그 낱말이 '지시하는 대상'이다. [4]그런데 후기 철학에서 비트겐슈타인은 그림 이론과 달리 '한 낱말의 의미는 그것의 사용에 있다.'라고 주장한다. [5]낱말의 의미는 고정되어 있는 것이 아니라, 낱말이 사용되는 '맥락과 규칙에 따라 파악된다는 것이다. [6]이와 같은 주장은 언어의 낱말이 다양한 기능을 수행할 수 있다는 것인데, 그에 따르면 그러한 다양성은 확정되어 있는 것이 아니라 유동적인 것이다.

2 낱말의 의미에 대한 전기와 후기 철학의 입장 차이

3 [1]낱말의 의미와 관련하여, 비트겐슈타인은 ㉠'가족 유사성'이라는 개념을 제시한다. [2]가족 유사성은 가족 구성원들 간의 닮음을 언어에 적용한 개념으로 '서로 겹치고 교차하는 유사성들의 복잡한 그물'(가족 유사성의 개념)을 의미한다. [3]예컨대 '놀이'라는 말은 카드놀이, 숨바꼭질, 끝말잇기, 축구, 야구 등 다양한 대상을 지칭할 수 있는데, 이것들 전부에 공통적으로 나타나는 성질은 없고 부분들 간에 겹치고 교차하는 성질들이 있을 뿐이다(낱말이 지칭하는 대상들 모두에 나타나는 공통점은 없음.). [4]'놀이'라는 낱말이 지칭할 수 있는 대상들 모두에 공통되는 성질이 발견된다면 그것은 '놀이'의 본질로 고정적인 의미가 될 것이다. [5]하지만 그런 본질은 없고 부분들 간에 수없이 상이한 방식으로 관련되어 있는 관계들이 있는 것이기 때문에 '놀이'라는 낱말은 본질적인 하나의 의미로 사용되지 않고 맥락과 규칙에 따라 다양한 의미로 사용된다.

3 '가족 유사성' 개념으로 바라본 낱말의 의미

4 [1]비트겐슈타인은 언어를 놀이에 비유하여 '언어 놀이'라는 개념을 고안했는데, 그것은 '언어와 그 언어가 뒤얽혀 있는 행위들로 구성된 '총체'(언어 놀이의 개념)를 의미한다. [2]그가 이와 같은 개념을 고안한 것은 언어를 말한다는 것이 어떤 활동의 일부이며 삶의 형식을 바탕으로 이루어지는 것임을 부각하기 위해서이다. [3]그에 따르면, 언어 놀이는 [사라지기도 하고 새롭게 생겨나기도 하

[ ]: 언어 놀이의 특성 ①~④

지문 이해

1 언어에 집중된 비트겐슈타인의 사유
2 낱말의 (의미)에 대한 전기와 후기 철학의 입장 차이
3 '(가족 유사성)' 개념으로 본 낱말의 의미
4 '(언어 놀이)'개념으로 본 낱말의 의미
5 '언어 놀이'가 불가능한 '사적 언어'
6 언어 규칙이 작동하는 전제–(삶의 형식)의 일치
7 '사적 언어'가 존재할 수 없는 이유

글의 핵심 파악

● 비트겐슈타인의 언어 철학

전기	낱말의 의미 = 그 낱말이(지시)하는 대상 → 고정된 의미
후기	낱말의 의미 = 낱말이 사용되는 (맥락)과 규칙에 따라 파악됨. → 유동적 의미

▶ 근거 문단 2

● 가족 유사성
- 낱말이 지칭하는 대상들 모두에 (공통)적으로 나타나는 성질은 없고, 부분들 간에 교차하는 성질들이 있을 뿐임.
  → 낱말이 맥락과 규칙에 따라 (다양)한 의미로 사용됨.

▶ 근거 문단 3

는 것으로 그 종류와 기능이 다양하며, 다양한 언어 놀이들은 공통적 본질을 갖고 있지 않지만 가족 유사성을 형성하며 언어와 그 언어에 연관된 행위로 구성되어 있다.] [4]예컨대 건축 현장에서 누가 "망치!"라고 말했을 때, '망치'는 그냥 놓여 있는 망치를 지시하기 위해서가 아니라 망치를 건네 달라는 목적으로 사용된 말이다.[5]그는 이 상황에서 '망치'가 망치라는 대상을 지시한다는 것만 안다면 그 건축 현장의 상황 속에서 진행되는 언어 놀이를 할 수 없다고 말한다. [6]맥락과 규칙을 알고 그에 따른 행위가 전제되어야 언어 놀이가 가능하다는 것이다.)

'망치'라는 언어가 쓰인 맥락

4 '언어 놀이'의 개념으로 본 낱말의 의미

5 [1]비트겐슈타인은 언어의 규칙은 그 언어를 사용하는 사람들이 살아가는 양식 또는 방식이라 할 수 있는 삶의 형식에 기반한 것이기 때문에 공적인 것이며, 언어 놀이에서 규칙에 따르는 어떤 활동도 하지 않는다면 그것을 언어라고 할 수 없다고 본다.[2]그는 규칙성이 없는 언어를 '사적 언어'라고 규정한다.[3]그에 따르면, 사적 언어는 규칙성이 없는 것이기 때문에 다른 사람이 이해할 수 없는 것이며 '나' 자신 또한 정확하게 이해할 수 없어 언어 놀이가 불가능한 것이다.

→ 사적 언어는 언어라고 할 수 없음.

5 '언어 놀이'가 불가능한 '사적 언어'

[A]
6 [1]비트겐슈타인은 언어 사용 주체들의 '삶의 형식의 일치'가 언어 규칙이 작동하는 전제가 된다고 본다.[2]이는 언어가 의사소통의 도구일 수 있으려면 '정의의 일치'뿐만 아니라 '판단에서의 일치'도 요구된다는 것이다.[3]'정의의 일치'는 낱말에 대한 정의의 일치를 말하며, '판단에서의 일치'는 '낱말 적용 방식의 일치', 궁극적으로 '어떤 것에 반응하고 그것을 바라보는 방식에서의 일치'를 말한다.[4]가령 '붉다'가 의사소통의 도구가 되려면, 그 말의 정의를 알아야 하고 그 정의가 서로 일치해야 하며, '붉다'를 사용하면서 나타나는 반응도 일치해야만 한다.[5]어떤 사물의 색에 대해서 '붉다'라고 말하면서도 그 반응이 서로 일치하지 않는다면, '붉다'라는 말은 의사소통의 도구로 사용될 수 없다.[6]'삶의 형식의 일치'는 곧 정의와 판단에서도 일치함을 의미한다.[7]즉 언어 사용이 일치한다는 것은 동일한 삶의 형식을 공유함을 나타낸다.

삶의 형식의 일치 ① / 삶의 형식의 일치 ②

6 언어 규칙이 작동하는 전제-'삶의 형식의 일치'

7 [1]삶의 형식의 일치가 언어 규칙의 작동 가능성의 전제라는 것은 사적 언어가 존재할 수 없다는 것을 함축한다.[2]사적 언어는 '나의 의식'을 출발점으로 삼는 유아론적 세계의 언어이다. 언어의 규칙이 작동 가능한 영역은 '나의 의식'의 유아론적 세계가 아니라 너와 나 그리고 타인들을 포함한 공동체, 즉 '우리들의 삶'의 세계이다.[3]이것은 비트겐슈타인의 입장에서 ㉡사적 언어의 가능성을 함축하는, '나의 의식'을 출발점으로 삼는 철학적 제재들의 허구성을 시사한다.

= 사적 영역 / = 공적 영역

7 '사적 언어'가 존재할 수 없는 이유

● 언어 놀이

• 건축 현장에서 "망치!"는 망치를 건네 달라는 의미임.

→ 언어 놀이는 맥락과 규칙을 알고 그에 따른 (행위)가 전제되어야 가능함.

▶ 근거 문단 4

● 삶의 형식의 일치

언어 사용의 일치
① (정의)의 일치 : 낱말에 대한 정의의 일치 예 A와 B가 '붉다'의 정의를 알며 그것이 일치함. ② 판단에서의 일치 : 낱말 적용 방식의 일치, 어떤 것에 (반응)하고 그것을 (바라보는) 방식에서의 일치 예 '붉다'를 사용하면서 나타나는 A와 B의 반응이 일치함(예를 들어, '붉다'고 하면서 파란색을 바라보지 않음.)

॥

삶의 형식의 일치
정의와 판단에서 일치함을 의미.

↓

언어가 의사소통의 도구로 기능할 수 있음.

▶ 근거 문단 6~7

01

②번 정답률 84%

일치하는 내용 찾기

정답인 이유 ② 전기 철학에서 문장에 사용되는 낱말들의 의미는 문장이 수행하는 기능에 따라 결정된다고 보았다.

➡ 전기 철학이 아니라, 후기 철학에 해당하는 내용이다. 비트겐슈타인의 전기 철학은 '그림 이론'과 관련되는데(2-1, 2) 이는 "낱말의 의미는 그 낱말이 '지시하는 대상'"이라는 것이다(2-3).

오답 피하기 ① 전기 철학에서 낱말의 의미는 그 낱말이 '지시하는 대상'이라고 보았다. ➡ 2-3에서 확인 가능.

③ **후기 철학에서 언어 놀이의 규칙이 공적인 성격을 지니고 있다고 보았다.** ➡ 5-1에서 확인 가능.

④ **후기 철학에서 '사적 언어'는 이해할 수 없어 언어 놀이가 불가능하다고 보았다.** ➡ 5-3에서 확인 가능.

⑤ **후기 철학에서 삶의 형식의 일치가 언어 놀이에서 규칙이 작동하는 전제가 된다고 보았다.**

➡ 6-1에서 비트겐슈타인은 삶의 형식의 일치가 언어 규칙이 작동하는 전제라고 하였다.

02

❶번 정답률 85%

〈보기〉 문제 – 사례·상황 제시

정답인 이유 **① (가), (나)에서 '벽돌', '석판'이 각각의 목적에 따라 사용되는 것은 목적에 따라 규정된 언어 놀이의 기능이 ~~맥락에 따라 달라지지 않음~~을 나타낸다고 할 수 있다.**

➡ '언어 놀이'들은 그 언어에 연관된 행위, 언어가 쓰이는 맥락에 의해 기능이 달라진다. 〈보기〉의 (가), (나)는 '벽돌', '석판'이 맥락에 따라 다른 의미로 사용된 '언어 놀이'를 보여 준다. 따라서 (가), (나)에서 '언어 놀이'의 기능이 맥락에 따라 달라지지 않음을 나타낸다고 이해하는 것은 적절하지 않다.

오답 피하기 **② (가), (나)에서 '벽돌', '석판'을 사용해 의사소통이 이루어지는 것은 건축가와 조수가, 사범과 훈련생이 공유하고 있는 삶의 형식이 있기 때문이라고 할 수 있다.**

➡ (가), (나)의 언어 사용자들의 의사소통이 이루어지는 것은 그들이 삶의 형식을 공유함으로써 언어 규칙이 작동하였기에(6-1)에 가능했던 것이다.

③ (가), (나)에서 건축가와 조수, 사범과 훈련생의 의사소통은 언어 놀이로 언어가 행위와 밀접한 관련을 맺고 활동의 일부로 이루어짐을 보여 준다고 할 수 있다.

➡ (가), (나)는 언어와 그 언어가 뒤얽혀 있는 행위들로 구성된 총체인 '언어 놀이'의 사례이다.

④ (가), (나)에서 '벽돌', '석판'이 발화되었을 때 조수와 훈련생이 서로 다른 행위를 한 것은 그들이 각각의 규칙에 따라 언어 놀이에 참여했기 때문이라고 할 수 있다.

➡ '벽돌', '석판'을 들은 조수와 훈련생은 서로 다른 행위를 하고 있는데, 이것은 조수와 훈련생이 각기 다른 규칙에 따라 '언어 놀이'에 참여하고 있음을 보여 준다.

⑤ (가), (나)에서 조수와 훈련생이 '벽돌'과 '석판'이란 말을 벽돌과 석판이라는 대상을 지시하는 것으로만 안다면 각각의 상황에서 언어 놀이가 이루어질 수 없다고 할 수 있다.

➡ 조수와 훈련생이 '벽돌'과 '석판'이라는 말이 각각의 대상을 지시하는 것으로만 알았다면 (가), (나)의 상황에서 언어 놀이는 이루어지지 못했을 것이다.

● 〈보기〉 이해하기

• (가)의 경우

맥락: 건축 현장

'벽돌!' '석판!'	→	가져오라는 의미

• (나)의 경우

맥락: (태권도) 훈련

'벽돌!' '석판!'	→	(격파)하라는 의미

03

❷번 정답률 67%

일치하는 내용 찾기

정답인 이유 **② 언어가 그 쓰임새에 따라 다양한 의미로 사용될 수 있음을 나타낸다.**

➡ 단어가 지칭하는 대상들 전부에 공통적으로 나타나는 성질은 없다(3-3). 예컨대 '놀이'라는 낱말은 본질적인 하나의 의미로 사용되지 않고 맥락과 규칙에 따라 다양한 의미로 사용된다(3-5). 이를 통해, '㉠ 가족 유사성'은 언어가 그 맥락이나 쓰임새에 따라 다양한 의미로 사용될 수 있음을 보여 주는 개념임을 이해할 수 있다.

오답 피하기 **① 언어 표현들 간의 복잡한 관계를 유형에 따라 분류하는 기준이 된다.**

➡ '분류'란 일정한 기준에 따라 나누는 것으로, 분류가 가능하기 위해서는 각 대상들이 공통으로 지니는 유사점과, 차이점이 있어야 한다. 그런데 3-3에서 '놀이'가 지칭하는 말 전부에 공통적인 성질은 없다고 했으므로 '가족 유사성'을 언어를 분류하는 기준으로 삼기는 어려울 것이다.

③ 언어 놀이의 규칙이 언어 놀이들 간의 유사성과 관련이 없음을 나타낸다.

➡ 언어 놀이는 가족 유사성을 형성하며 언어와 그 언어에 연관된 행위로 구성되어 있다고 했다.(4-3)

④ 각각의 언어 놀이를 다른 언어 놀이와 뚜렷하게 구별시켜 주는 변별점이 된다.

➡ 3, 4에 제시된 '가족 유사성'과 '언어 놀이'에 관한 설명을 통해 '언어 놀이'는 각각의 언어 놀이를 뚜렷하게 구별할 수 있는 성격의 개념이 아니라는 점, 또한 '가족 유사성'이 언어 놀이를 구별시켜 주는 변별점도 아닐 것임을 추론할 수 있다.

⑤ 언어 표현이 지칭할 수 있는 모든 대상들이 지닌 공통된 성질이 그 표현의 의미가 됨을 나타낸다.

➡ 3-3, 4에서 '놀이'가 지칭하는 대상 전부에 공통적인 성질은 없으며 이에 따라 해당 표현이 고정적인 의미를 지니지 못한다고 한 것에서, ⑤가 틀린 진술임을 확인할 수 있다.

04

①번 정답률 80%

글의 의미 추론하기

정답인 이유 **① '나의 의식'에 기초한 사적 언어는 규칙을 따를 수 없기 때문에 의미가 없다는 것이로군.**

➡ 7을 바탕으로 할 때, ㉡의 "'나의 의식'을 출발점으로 삼는 철학적 제재들"은 공동체('우리들의 삶'의 세계)가 아니라 '나의 의식'이라는 '유아론적 세계'를 출발점으로 삼고 있다는 점에서 '사적 언어'라고 볼 수 있다. 비트겐슈타인은 이러한 사적 언어를 '규칙성이 없는 언어'로 규정하고(5-2), 이를 '언어라고 할 수 없다(5-1)'고 보았다. 이를 통해 ①이 적절한 내용임을 확인할 수 있다.

오답 피하기 **② '사적 언어'는 '나의 의식'을 출발점으로 삼아 이루어져야 의미를 지니게 된다는 것이로군.**

➡ 7-1, 2에서 '나의 의식'을 출발점으로 삼는 '사적 언어'는 존재할 수 없음을 추론할 수 있다.

③ '나의 의식'의 유아론적 세계를 설명하는 언어의 규칙은 '사적 언어'의 규칙과 일치한다는 것이로군.

➡ 4-6 '나의 의식'의 유아론적 세계에서는 언어 규칙이 작동하지 않을 것임을 추론할 수 있다.

④ '사적 언어'에 규칙성이 없다는 것은 '나의 의식'에 관한 언어가 언어 놀이에 자유롭게 사용된다는 것이로군.

➡ 언어 놀이는 맥락과 규칙을 알고 그에 따른 행위가 전제되어야 가능(4-6)한데, 사적 언어는 규칙성이 없다(5-2). 따라서 '나의 의식'에 관한 언어인 사적 언어는 언어 놀이에 사용될 수 없다.

⑤ '나의 의식'이 '우리들의 삶의 세계'와 맺고 있는 관계가 언어의 규칙을 생성하는 토대가 될 수 있다는 것이로군.

➡ 7에서 언어 규칙이 작동 가능한 세계는 '나의 의식'을 출발점으로 삼는 영역이 아니라 '우리들의 삶'의 세계라고 단정한 것에서 ⑤가 적절하지 않은 진술임을 추론할 수 있다.

● 공적 언어와 사적 언어

공적 언어	사적 언어
• 언어 사용자들이 공유하는 (삶의 형식)에 기반. • 언어 규칙이 작동함. • 공동체(우리들의 삶의 세계)의 언어	• 규칙성 x→ 정확하게 이해할 수 x. • 언어 놀이가 (불가능)함, 언어라고 할 수 x. • '나의 의식'을 출발점으로 삼는 유아론적 세계의 언어

▶ 근거 문단 5, 7

05

④번 정답률 78%

〈보기〉 문제
–사례·상황 제시,
시각 자료 제시

정답인 이유 **④ 토끼나 오리의 형상에 관한 '삶의 형식의 일치'가 이루어진 사람들은 ㉮를 '토끼'나 '오리'라고 말하는 것에 대한 '판단에서의 일치'가 이루어질 것이다.**

➡ '삶의 형식의 일치'는 곧 정의와 판단에서도 일치함을 의미한다(6-6). 따라서 '삶의 형식의 일치'가 이루어진 사람들은 '정의의 일치'와 '판단의 일치'가 모두 일어난 것이므로 적절한 진술이다.

오답 피하기 **① ㉮를 '오리'라고만 말하는 사람들끼리는 오리의 형상에 대한 '정의의 일치'는 이루어질 수 있으나 '판단에서의 일치'가 이루어지지 않을 것이다.**

➡ 6-2에서 언어가 의사소통의 도구일 수 있으려면 '정의의 일치'뿐만 아니라 '판단에서의 일치'도 요구된다고 하였다. 따라서 ㉮를 '오리'라고 말하는 사람들은 '판단에서의 일치'도 이루어졌을 것이다.

② ㉮는 대상을 보는 방식이 삶의 형식에 아무런 영향을 받지 않음을 나타내기 때문에 ㉮를 설명하는 언어는 삶의 형식과 무관하게 존재할 것이다.

➡ 대상을 보는 방식이 다른 것은 삶의 형식의 차이에서 비롯된 것이다. 대상을 바라보는 방식은 '판단에서의 일치'를 말하며(6-3), 정의와 판단에서의 일치는 곧 동일한 삶의 형식을 공유함을 나타낸다.(6-6, 7).

③ '오리'나 '토끼'라는 낱말에 대한 '정의의 일치'가 이루어지지 않더라도 ㉮를 바라보는 방식이 일치하면 ㉮를 설명하는 언어 사용이 일치할 것이다.

➡ 6-2에서, 언어로 의사소통을 하려면 정의의 일치와 판단에서의 일치(바라보는 방식에서의 일치) 모두 요구된다고 했다.

⑤ 동일한 낱말을 발화하면 필연적으로 그 낱말에 대한 '판단에서의 일치'가 이루어지므로 동일한 낱말의 사용 여부가 ㉮를 '오리'나 '토끼'로 규정하는 데 영향을 미칠 것이다.

➡ 6-5에서, '붉다'라고 하면서도 그 반응이 서로 일치하지 않는다면 '붉다'는 의사소통의 도구로 사용될 수 없다고 하였다. 이로부터, 동일한 낱말을 발화한다고 해서 그 낱말에 대한 '판단에서의 일치'가 이루어지는 것은 아님을 추론할 수 있다.

● 〈보기〉와 윗글의 연결 고리 찾기

• '삶의 형식'의 일치

①(정의)의 일치: '오리'와 '토끼'라는 낱말에 대한 정의의 일치

②(판단)에서의 일치: '오리'와 '토끼'라는 낱말에 반응하고 이들을 바라보는 방식에서의 일치

[06~09] 성리학 · 정약용 · 최한기의 세계관에 따른 도덕성 실현 방법 인문 2

2016학년도 7월 고3 학력평가

1 [1]세계관이란 인간과 세계를 이해하는 일관된 견해로 세계관의 차이에 따라 도덕적인 삶을 →

'세계관'의 정의

살아가는 방법을 달리 제시하는 경우가 많다. 1 '세계관'의 정의와 도덕관과의 관계

2 [1]성리학은 이(理)와 기(氣)의 개념에 바탕을 둔 세계관을 통해 도덕적 삶의 방향을 제시한다.[2]이(理)는 인간을 포함한 만물에 내재된 보편적인 이치나 원리를 말한다.[3]이러한 이(理)는 모든 사물에 본성으로 내재한다.[4]특히 성리학에서는 모든 인간에게 보편적인 이치로서의 선한 본성이 선천적으로 내재되어 있다고 본다.[5]한편 성리학은 개개인의 도덕성을 현실에서 실현하는 데에 차이가 생겨나는 이유를 기(氣)에서 ⓐ찾는다.[6]기는 개인마다 차이가 있는 것으로, 악으로 흐를 가능성이 있다고 보았다.[7]따라서 개인의 도덕성을 완성하기 위해서는 자칫 악으로 흐를 수 있는 기를 다스리기 위한 부단한 수양을 통해 순수한 본성이 오롯이 발현되는 경지에 이르는 것을 강조하였다.[8]이것을 위해 성리학에서는 내면에 대한 관조를 통해 경건한 마음의 상태를 유지하여 악으로 흐를 수 있는 기를 통제하고자 하였다.

(성리학적 세계관 / '이'의 개념 / □: '성리학'에서 보는 본성 → 성선설 / '기'의 특성 / '이'와 '기'의 차이점 / 도덕성을 완성하는 방법 / '부단한 수양'의 구체적 방법)

2 '이, 기'를 바탕으로 한 성리학적 세계관과 도덕성 실현 방법

3 [1]실학자 정약용은 성선설에 바탕을 둔 기존의 성리학적 세계관을 비판하고, 인간의 본성을 선과 악을 구분하여 선을 좋아하고 악을 미워할 줄 아는 분별 능력을 갖춘 윤리적 욕구라고 말하며 ㉠새로운 인성론을 주창하였다.[2]인간에게는 선을 좋아하는 윤리적인 욕구만이 주어졌을 뿐이므로 선을 선택하고 지속적으로 선을 실천해야만 비로소 도덕성이 갖추어진다는 것이다.[3]즉 도덕성이란 선천적인 것이 아니라 구체적인 행위 속에서 이루어지는 것이며, 선에 대한 주체적인 선택과 지속적인 실천의 결과물이라는 것이다.[4]또한 이런 실천이 이루어질 때 선에 대한 욕구가 충족된다고 보았다.[5]그리고 정약용은 선의 실천이 나와 타인뿐만 아니라 외부 세계와의 관계에서도 이루어져야 한다고 생각했다.

(□: '정약용'이 보는 본성 / 도덕성을 완성하는 방법)

3 새로운 인성론을 바탕으로 한 정약용의 세계관과 도덕성 실현 방법

4 [1]실학자 최한기는 세계의 모든 존재는 기(氣)라는 보편적인 요소에 의해 형성되어 있다고 보았다.[2]모든 존재의 본성인 기는 시간과 공간을 초월하여 영원불변하는 것이 아니고, 그 자체에 선악이 존재하지도 않는다.[3]기는 끊임없이 활동하고 변화하는 것으로 외부 세계와 소통하면서 선악이 나타난다.[4]인간의 윤리도 기의 운동과 변화에 합치되면 선하고 도덕적인 것이고, 그렇지 않으면 악이 된다.[5]인간은 감각 기관을 통해 외부 세계를 경험하여 이것을 바탕으로 지각을 형성하며 이런 지각은 추측에 의해 확장된다.[6]'추측'은 논리적인 추론뿐만 아니라 사회적 관계에서 이루어지는 다양한 윤리적 공부나 실천과 같은 경험적인 부분을 포괄하는 개념이다.[7]인간이 올바른 추측을 통해 외부 세계와 소통하게 될 때 그것이 선이 되고 그렇지 않으면 악이 된다.[8]추측을 바르게 하지 못해 외부 세계와 소통이 제대로 되지 않았을 때는 자기 내면이 아니라 외부 세계의 운동과 변화를 제대로 파악해야 한다.[9]이처럼 최한기는 외부의 사물이나 사태에 대한 올바른 추측과 부단한 소통으로 도덕성이 실현되는 공동체의 세계를 지향했다고 볼 수 있다.

('최한기'와 '성리학'의 차이 / □: '최한기'가 보는 본성 / 예 피부 / 예 우리 집 모닥불 / 예 우리 집 모닥불은 뜨겁다. / 예 다른 집 모닥불도 뜨거울 것이다. / 도덕성을 완성하는 방법 / 도덕성을 완성하는 방법)

4 외부 세계와 소통을 중시한 최한기의 세계관과 도덕성 실현 방법

5 [1]결국 성리학은 형이상학적인 세계관을 바탕으로 내면적 수양을 강조하였으며, 정약용과 최한기는 실천과 소통을 중시하는 경험주의적 세계관을 토대로 후천적인 노력을 통해 도덕성을 실현하고자 하였다.

(정약용 / 최한기)

5 성리학 세계관과 정약용, 최한기 세계관의 차이

지문 이해

1 세계관의 정의와 도덕적 삶과의 관계

2 (성리학)적 세계관과 도덕성 실현 방법

3 (정약용)의 세계관과 도덕성 실현 방법

4 (최한기)의 세계관과 도덕성 실현 방법

5 성리학과 정약용, 최한기의 차이점

글의 핵심 파악

● 성리학의 세계관과 도덕관

이(理)	기(氣)
만물에 내재된 보편적인 이치나 원리	악으로 흐를 수 있어 통제가 필요한 것
↓	↓
선한 (본성)	개인마다 (도덕성)에 차이가 생김.

▶ 근거 문단 2

● 성리학 vs 정약용 vs 최한기

	본성	도덕성 실현 방법
성리학	선천적으로 내재된 선한 본성인 '이'	부단한 수양, 내면에 대한 관조 → 본성의 발현
정약용	선을 좋아하는 윤리적인 욕구	'선'을 선택하고 지속적으로 (실천)
최한기	그 자체에 선악이 존재하지 않으며 끊임없이 변화하는 '기'	외부 세계에 대한 올바른 추측과 부단한 (소통)

후천적인 노력 강조

▶ 근거 문단 2~4

06

❹번 정답률 88%

일치하는 내용 찾기

정답인 이유 ④ 성리학에서는 기는 악으로 흐를 수 있는 가능성이 있다고 보았다.

➡ ❷-6의 '기는 개인마다 차이가 있는 것으로, 악으로 흐를 가능성이 있다고 보았다.'를 통해 확인할 수 있다.

오답 피하기 ① 성리학은 ~~경험주의적~~ 세계관을 토대로 형성되었다.

➡ 성리학은 형이상학적 세계관을 바탕으로 한다.(❺-1)

② 성리학에서는 본성은 ~~후천적으로 형성~~되는 것이라고 보았다.

➡ 성리학에서는 모든 인간에게 선한 본성이 선천적으로 내재되어 있다고 하였다.(❷-4)

③ 성리학에서와 달리 최한기는 본성을 ~~절대 선한 것으로 보았다~~.

➡ 최한기는 모든 존재의 본성인 기는 그 자체에 선악이 존재하지 않는다고 하였다.(❹-2)

⑤ 성리학에서는 개개인의 도덕성의 차이가 ~~이(理)의 개별적 속성~~ 때문에 생긴다고 보았다.

➡ 성리학은 개개인의 도덕성 실현에 차이가 나타나는 이유를 기(氣)에서 찾는다고 하였다.(❷-5)

07

❶번 정답률 90%

〈보기〉 문제
–사례·상황 제시

정답인 이유 ① 사람은 주체적인 선택과 지속적인 실천을 통해 도덕성을 갖추게 된다.

➡ 정약용이 주창한 '㉠ 새로운 인성론'의 관점['인간에게는 선을 좋아하는 윤리적인 욕구만이 주어졌을 뿐이므로 선을 선택하고 지속적으로 선을 실천해야만 비로소 도덕성이 갖추어진다.(❸-2)']에서 〈보기〉를 이해한다면, 인간이 도덕성을 갖추기 위해서는 선과 악 중에 선을 선택하여 실천하는 것이 중요함을 알 수 있다.

오답 피하기 ② 사람은 남으로부터 이익을 얻기 바라는 이기적인 본성을 지니고 있다.

➡ 정약용(㉠)은 인간의 본성은 선과 악을 구분하여 선을 좋아하고 악을 미워하는 분별 능력을 갖춘 윤리적 욕구라고 주장하였다.(❸-1)

③ 사람에게는 시간과 공간을 초월하는 선한 도덕성이 선천적으로 부여되어 있다.

➡ 정약용(㉠)은 인간에게는 선을 좋아하는 윤리적인 욕구만이 주어졌으므로 선을 선택하고 지속적으로 실천해야만 도덕성을 갖출 수 있다고 하였다(❸-2). 선한 도덕성이 선천적으로 부여되어 있다고 보는 것은 성리학이다.(❷-4)

④ 사람은 내면에 대한 관조를 통해 경건한 마음의 상태를 유지하면 선이 실현된다.

➡ 정약용의 관점(㉠)에서 선의 실현 방법은 선을 선택하고 이를 지속적으로 실천하는 것이다(❸-2). 내면에 대한 관조를 통해 경건한 마음의 상태로 유지하고자 한 것은 성리학이다.(❷-8)

⑤ 사람은 감각을 통해 경험을 쌓고 추측을 통해 주변 사물과 소통하며 도덕성을 갖추게 된다.

➡ ⑤는 최한기의 관점에서 〈보기〉를 이해한 것이다. 최한기는 인간은 감각을 통해 외부 세계를 경험하여 이것을 바탕으로 지각을 형성하며 이 지각은 추측에 의해 확장된다고 하였다.(❹-5)

08

❸번 정답률 87%

〈보기〉 문제
–사례·상황 제시

정답인 이유 ③ 최한기는 여러 관리들이 ~~타고난 악한 기~~로 인해 부정한 행동을 했다고 생각했겠군.

➡ '모든 존재의 본성인 기는 시간과 공간을 초월하여 영원불변하는 것이 아니고, 그 자체에 선악이 존재하지도 않는다. 기는 끊임없이 활동하고 변화하는 것으로 외부 세계와 소통하면서 선악이 나타난다.(❹-2, 3)'로 볼 때, 최한기는 관리들이 악한 기를 나고 났기 때문에 부정한 행동을 했다고는 생각하지 않을 것임을 알 수 있다.

오답 피하기 ① 정약용은 부정한 관리들이 사리사욕을 채웠다 하더라도 선에 대한 욕구가 충족된 것은 아니라고 생각했겠군.

➡ 정약용은 선에 대한 욕구를 채우기 위해서는 선을 선택하고 지속적으로 실천하는 것이 중요하다고 하였다.(❸-3, 4) 따라서 관리들이 사리사욕을 채웠다면 선에 대한 욕구가 충족되었다고 볼 수 없다.

② 정약용은 백성들을 어려움으로부터 구하기 위해서는 관리들이 백성과의 관계 속에서 선을 실천해야 한다고 생각했겠군.

➡ 정약용은 선의 실천이 나와 타인뿐만 아니라 외부 세계와의 관계에서도 이루어져야 한다고 하였다.(3-5)

④ **최한기는 본분을 망각한 관리들의 모습은 기의 운동과 변화에 합치되지 않는 것이라고 생각했겠군.**

➡ 최한기는 인간의 윤리는 기의 운동과 변화에 합치되어야 선하고 도덕적인 것으로 보았다(4-4). 따라서 본분을 망각한 관리들의 모습은 기의 운동과 변화에 합치되지 않는 악에 해당한다.

⑤ **최한기는 나라의 위기를 극복하기 위해서는 관리들이 당대 현실에 대한 올바른 추측과 소통을 해야 한다고 생각했겠군.**

➡ 최한기는 인간이 올바른 추측을 통해 외부 세계와 소통하게 되면 선이 된다고 하였다(4-7). 〈보기〉에서 나라가 더욱 위기에 빠진 이유는 관리들이 선한 행동을 하지 않았기 때문이므로 관리들은 당대 현실과 소통하여 선을 행해야 한다.

09

1번 정답률 91%

어휘의 의미 파악하기

정답인 이유 **① 그는 자기가 하는 일에서 삶의 의미를 찾는다.**

➡ ①의 '찾는다'는 ⓐ처럼 '모르는 것을 알아내고 밝혀내려고 애쓰다.'의 뜻으로 쓰였다.

[10~13] 아리스토텔레스의 목적론에 담긴 핵심적 사고와 그 의의 인문 3

2018학년도 수능

1 [1]자연에서 발생하는 모든 일은 목적 지향적인가? [2]자기 몸통보다 더 큰 나뭇가지나 잎사귀를 허둥대며 운반하는 개미들은 분명히 목적을 가진 듯이 보인다. [3]그런데 가을에 지는 낙엽이나 한밤중에 쏟아지는 우박도 목적을 가질까? [4]아리스토텔레스는 (모든 자연물이 목적을 추구하는 본성을 타고나며, 외적 원인이 아니라 내재적 본성에 따른 운동을 한다)는 목적론을 제시한다. [5]그는 자연물이 단순히 목적을 갖는 데 그치는 것이 아니라 목적을 실현할 능력도 타고나며, 그 목적은 방해받지 않는 한 반드시 실현될 것이고, 그 본성적 목적의 실현은 운동 주체에 항상 바람직한 결과를 가져온다고 믿는다. [6]아리스토텔레스는 이러한 자신의 견해를 "자연은 헛된 일을 하지 않는다!"라는 말로 요약한다.

(개미: 생물 / 우박: 무생물 / 자연물의 본성: 목적을 가짐. / 내재적 본성: 타고난 본성 / ( ): 목적론의 개념)

1 아리스토텔레스의 목적론

2 [1]근대에 접어들어 모든 사물이 생명력을 갖지 않는 일종의 기계라는 견해가 강조되면서, 아리스토텔레스의 목적론은 비과학적이라는 이유로 많은 비판에 직면한다. [2]갈릴레이는 목적론적 설명이 과학적 설명으로 사용될 수 없다고 주장하며, 베이컨은 목적에 대한 탐구가 과학에 무익하다고 평가하고, 스피노자는 목적론이 자연에 대한 이해를 왜곡한다고 비판한다. [3]이들의 비판은 목적론이 인간 이외의 자연물도 이성을 갖는 것으로 의인화한다는 것이다. [4]그러나 이런 비판과는 달리 아리스토텔레스는 자연물을 생물과 무생물로, 생물을 식물·동물·인간으로 나누고, 인간만이 이성을 지닌다고 생각했다.

(근대: 아리스토텔레스의 시대 이후 / 기계론적 모형(3-1) / 목적론에 대한 오해, 잘못된 비판)

2 목적론에 대한 근대 사상가들의 비판

3 [1]일부 현대 학자들은, 근대 사상가들이 당시 과학에 기초한 기계론적 모형이 더 설득력을 갖는다는 일종의 교조적 믿음에 의존했을 뿐, 아리스토텔레스의 목적론을 거부할 충분한 근거를 제시하지 못했다고 비판한다. [2]이런 맥락에서 볼로틴은 근대 과학이 자연에 목적이 없음을 보이지도 못했고 그렇게 하려는 시도조차 하지 않았다고 지적한다. [3]또한 우드필드는 목적론적 설명이 과학적 설명은 아니지만, 목적론의 옳고 그름을 확인할 수 없기 때문에 목적론이 거짓이라 할 수도 없다고 지적한다.

(일부 현대 학자들: 근대 이후 / 근대 사상가들: 갈릴레이, 베이컨, 스피노자 / 아리스토텔레스를 비판한 근대 사상가들에 대한 재반박)

3 근대 사상가들에 대한 현대 학자들의 비판

지문 이해

1 아리스토텔레스의 (목적론)

2 근대 사상가들(갈릴레이, 베이컨, 스피노자)의 목적론(비판)
- 목적론이 인간 외의 자연물을 의인화했다고 봄.

3 (근대) 사상가들에 대한 현대 학자들(볼로틴, 우드필드)의 비판
- 목적론을 거부할 충분한 근거가 제시되지 않았음.

4 물질론·환원론에 대한 반박을 내포한 아리스토텔레스의 주장

5 아리스토텔레스의 목적론이 지니는 의의

● **아리스토텔레스의 목적론**
- 자연물은 목적을 추구하는 본성을 타고남.
- 자연물은 (내재적) 본성에 따라 운동함.
- 자연물은 목적을 실현할 (능력)도 타고나므로 목적은 반드시 실현되며, 이는 항상 (바람직한) 결과를 가져옴.

"자연은 헛된 일을 하지 않는다!"

▶ 근거 문단 1

4 [1]17세기의 과학은 실험을 통해 과학적 설명의 참·거짓을 확인할 것을 요구했고, 그런 경향은 생명체를 비롯한 세상의 모든 것이 물질로만 구성된다는 물질론으로 이어졌으며, 물질론 가운데 일부는 모든 생물학적 과정이 물리·화학 법칙으로 설명된다는 환원론으로 이어졌다. [2]이런 환원론은 살아 있는 생명체가 죽은 물질과 다르지 않음을 함축한다. [3]하지만 아리스토텔레스는 (자연물의 물질적 구성 요소를 알면 그것의 본성을 모두 설명할 수 있다는 엠페도클레스의 견해를 반박했다. [4]이 반박은 자연물이 단순히 물질로만 이루어진 것이 아니며, 또한 그것의 본성이 단순히 물리·화학적으로 환원되지도 않는다는 주장을 내포한다.

물질론의 개념 / 환원론의 개념 / ( ): 엠페도클레스의 견해(환원론+물질론) / 물질론에 대한 반박 / 환원론에 대한 반박

4 물질론과 환원론에 대한 반박을 내포한 아리스토텔레스의 주장

5 [1]첨단 과학의 발전에도 불구하고 생명체의 존재 원리와 이유를 정확히 규명하는 과제는 아직 진행 중이다. [2]자연물의 구성 요소에 대한 아리스토텔레스의 탐구는 자연물이 존재하고 운동하는 원리와 이유를 밝히려는 것이었고, 그의 목적론은 지금까지 이어지는 그러한 탐구의 출발점이라 할 수 있다.

아리스토텔레스의 탐구 목적 / 목적론의 의의

5 아리스토텔레스의 목적론이 지니는 의의

● **물질론, 환원론 vs 아리스토텔레스**

물질론	생명체를 비롯한 세상 모든 것은 물질로만 구성됨.
환원론	모든 생물학적 과정은 물리·화학 법칙으로 설명됨.
↕	
아리스토텔레스	• 자연물은 물질로만 이루어진 것이 아님. • 자연물의 본성은 단순히 물리·화학적으로 환원되지 않음.

▶ 근거 문단 **4**

10

❺번 정답률 81%

내용 전개 방식 파악하기

정답인 이유 **⑤ 특정 이론에 대한 비판들을 검토하고 그 이론에 대한 해석을 제시하여 의의를 밝히고 있다.**

➡ 이 글은 아리스토텔레스의 목적론을 소개한 뒤(**1**), 이에 대한 근대 사상가들의 비판들을 제시한 후(**2**), 이러한 비판에 대한 현대 학자들의 재반박(**3**), 아리스토텔레스와 엠페도클레스의 논쟁(**4**)을 서술하고 있다. 그리고 **5**에서 아리스토텔레스 목적론의 의의를 밝히고 있다.

11

❸번 정답률 94%

일치하는 내용 찾기

정답인 이유 **③ 본성적 운동의 주체는 본성을 실현할 능력을 갖고 있다.**

➡ **1**-4, 5에서 아리스토텔레스는 모든 자연물이 '목적을 추구하는 본성'을 타고날 뿐만 아니라, '내재적 본성', 즉 타고난 본성에 따른 운동을 한다고 주장했음을 알 수 있다. 또한 그러한 운동의 주체, 즉 '자연물'은 '단순히 목적을 갖는 데 그치는 것이 아니라 목적을 실현할 능력을 타고난다'고 했음을 확인할 수 있다.

오답 피하기 **① 개미의 본성적 운동은 ~~이성에 의한 것~~으로 설명된다.**

➡ **2**-4에서 아리스토텔레스는 인간만이 이성을 지닌다고 생각했음을 확인할 수 있다.

② 자연물의 목적 실현은 때로는 그 자연물에 ~~해가 된다~~.

➡ **1**-5에서 아리스토텔레스는 본성적 목적의 실현은 운동 주체에 항상 바람직한 결과를 가져온다고 믿었음을 알 수 있다.

④ 낙엽의 운동은 본성적 목적 개념으로는 ~~설명되지 않는다~~.

➡ **1**-4에서 아리스토텔레스는 모든 자연물이 목적을 추구하는 본성을 타고난다고 하였다. 따라서 가을에 지는 낙엽도 목적을 가지고 운동하는 것으로 설명할 수 있다.

⑤ 자연물의 본성적 운동은 ~~외적 원인에 의해~~ 야기되기도 한다.

➡ **1**-4에서 아리스토텔레스는 모든 자연물은 외적 원인이 아니라 내재적 본성에 따른 운동을 한다는 목적론을 제시했다고 하였다.

12

❷번 정답률 94%

글의 내용(관점) 추론하기

정답인 이유 **② 갈릴레이와 우드필드는 목적론적 설명이 과학적 설명이 아니라는 데 동의한다.**

➡ 2-2의 '갈릴레이는 목적론적 설명이 과학적 설명으로 사용될 수 없다고 주장하며'와 3-3의 '우드필드는 목적론적 설명이 과학적 설명은 아니지만'에서 갈릴레이와 우드필드가 목적론적 설명을 비과학적인 설명이라고 생각했음을 알 수 있다.

오답 피하기 **① 갈릴레이와 볼로틴은 목적론이 근대 과학에 기초한 기계론적 모형이라고 비판한다.**

➡ 2-2에서 갈릴레이는 '목적론적 설명은 과학적 설명으로 사용될 수 없다'라는 이유로 목적론을 비판하였으며, 볼로틴은 3-1, 2에서 목적론을 비판한 근대 사상가들을 '교조적 믿음에 의존했을 뿐 ~ 목적론을 거부할 충분한 근거를 제시하지 못했다'라고 비판하였다.

③ 베이컨과 우드필드는 목적론적 설명이 교조적 신념에 의존했다고 비판한다.

➡ '교조적 믿음에 의존'했다는 것은 일부 현대 학자들이 근대 사상가들을 비판한 근거임을 3-1에서 확인할 수 있다.

④ 스피노자와 볼로틴은 목적론이 자연에 대한 이해를 확장한다고 주장한다.

➡ 2-2에서 스피노자는 '목적론이 자연에 대한 이해를 왜곡한다고 비판'하였으며, 볼로틴의 '목적론과 자연에 대한 이해'에 대한 생각은 소개되지 않았다.

⑤ 스피노자와 우드필드는 목적론이 사물을 의인화하기 때문에 거짓이라고 주장한다.

➡ 2-2, 3에서 스피노자는 '목적론이 인간 이외의 자연물도 이성을 갖는 것으로 의인화한다'라는 이유로 목적론을 비판하였으나, 우드필드는 3-3에서 '목적론의 옳고 그름을 확인할 수 없기 때문에 목적론이 거짓이라 할 수도 없다'라고 하였다.

13

③번 정답률 87%

〈보기〉 문제 – 관점 제시

● 윗글과 〈보기〉의 연결 고리 찾기

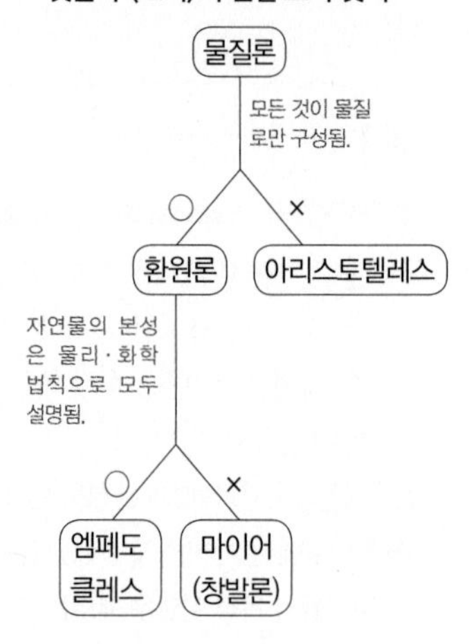

정답인 이유 **③ 마이어는 아리스토텔레스처럼, 생명체의 특성들은 구성 요소들에 관한 지식만으로 예측할 수 없다고 보겠군.**

➡ 〈보기〉-3에서 마이어의 창발론은 '생명체의 복잡성 수준이 한 단계씩 오를 때마다 구성 요소에 관한 지식만으로는 예측할 수 없는 특성들이 나타난다'라고 생각한 이론임을 알 수 있다. 한편 4-3에서는 아리스토텔레스가 '자연물의 물질적 구성 요소를 알면 그것의 본성을 모두 설명할 수 있다.'라는 엠페도클레스의 견해를 반박하였다고 하는데, 이를 통해 아리스토텔레스 역시 마이어와 같은 입장이었음을 확인할 수 있다. 즉, 마이어와 아리스토텔레스는 생명체의 구성 요소들에 대한 지식이 있다 해도 생명체의 특성을 모두 예측할 수 없다는 입장이다.

오답 피하기 **① 마이어는 아리스토텔레스처럼, 엠페도클레스의 물질론적 견해가 적절하다고 보겠군.**

➡ 엠페도클레스는 '자연물의 물질적 구성 요소를 알면 그것의 본성을 모두 설명할 수 있다'라는 환원론을 제시하였다(4-3). 아리스토텔레스는 엠페도클레스의 환원론을 반박했으며, 마이어 또한 생명체는 물리·화학적 법칙으로 모두 설명되지 않는다고 보았다(〈보기-4〉). 따라서 아리스토텔레스와 마이어 모두 물질론적 견해가 적절하지 않다고 생각할 것이다.

② 마이어는 아리스토텔레스처럼, 자연물이 물질만으로 구성된다는 물질론에 동의하겠군.

➡ 마이어는 생명체가 물질만으로 구성된다고 보았지만(〈보기〉-4), 아리스토텔레스는 자연물이 단순히 물질만으로 이루어진 것이 아니라고 하였다(4-4). 따라서 아리스토텔레스는 물질론에 동의하지 않을 것이다.

④ 마이어는 아리스토텔레스와 달리, 모든 자연물이 목적 지향적으로 운동한다고 보겠군.

➡ 마이어는 생명체는 미리 정해진 목적을 수행한다고 하였으며(〈보기〉-2), 아리스토텔레스 또한 모든 자연물이 목적을 추구하는 본성을 타고난다고 하였다(1-4). 따라서 두 학자 모두 자연물이 목적 지향적으로 운동한다고 볼 것이다.

⑤ 마이어는 아리스토텔레스와 달리, 모든 자연물의 본성에 대한 물리·화학적 환원을 인정하겠군.

➡ 마이어는 생명체가 물리·화학적 법칙으로 모두 설명되지는 않는다고 하였다(〈보기〉-4). 아리스토텔레스 또한 환원론을 반박하였다(4-4). 따라서 두 학자 모두 자연물의 본성에 대한 물리·화학적 환원을 인정하지 않을 것이다.

12 사회

사뿐히 즈려밟는 훈련 문제 p.156~169

01 ②	02 ①	03 ④	04 ③	05 ④	06 ③	07 ⑤	08 ③	09 ④
10 ①	11 ⑤	12 ①	13 ⑤	14 ①	15 ⑤	16 ④	17 ⑤	18 ⑤

[01~04] 계약에서의 청약과 승낙 사회 1

2016학년도 4월 고3 학력평가

1 [1]일상생활에서 다른 사람의 물건을 구입하거나 자신의 물건을 판매하는 일은 흔히 있는 일이다.[2]이렇게 다른 사람과 거래를 할 때에는 일정한 합의나 약속이 필요한데, 이를 '계약'이라 한다.(계약의 개념) [3]계약은 일반적으로 청약과 승낙의 합치에 의해 성립되지만(계약의 성립 ① – 일반적인 경우), 특수하게 의사실현이나 교차청약에 의해 성립되기도 한다.(계약의 성립 ② – 특수한 경우)

1 계약의 개념과 성립

2 [1]계약에서 계약의 성립을 제안하는 것은 '청약'이라고 하고(청약의 개념), 청약을 받은 이가 그 청약을 그대로 수락하는 것은 '승낙'이라고 한다.(승낙의 개념) [2]만약 청약을 받은 이가 청약 내용의 변경을 요구한다면 이는 새로운 청약을 한 것이 된다.(이유: 변형된 계약의 성립을 제안하므로) [3]청약과 승낙의 합치에 의해 성립하는 계약이 실시간 의사소통에 의해 이루어질 때는 청약자(제안하는 사람)가 청약을 받은 이(수락하는 사람 = 승낙자)에게서 승낙의 의사가 담긴 말을 ⓐ들은 시점에 계약이 성립한다.[4]그러나(↔) 실시간 의사소통이 불가능한 이들 간의 계약에서는 승낙의 의사표시가 청약자에게 발송된 시점에 계약이 성립하는 것으로 본다.[5]이때(+) 승낙의 의사표시가(승낙자의 과실 때문에) 승낙기간 내에 청약자에게 도달하지 못한다면(→) 계약의 효력은 발생하지 않는다.[6]승낙의 의사표시가 승낙자의 과실이 아닌 부득이한 사유로 기간 내에 도달하지 못하고 연착하는 경우(승낙 기간보다 늦게 도착한)가 있을 수 있다.[7]이때(+) 승낙의 의사표시를 받은 청약자가 승낙자에게 연착 사실을 즉시 알리지 않으면, 승낙자는 승낙기간 내에 승낙의 의사표시가 청약자에게 전달된 것으로 간주할 것이므로 계약의 효력은 발생한다.

2 청약과 승낙의 합치에 의한 계약 성립(일반적 경우)

3 [1]일반적이지는 않지만 청약자의 의사표시의 특성이나 거래상의 관습 등에 의해 승낙의 의사표시를 통지하지 않아도 성립하는 계약이 있다.(특수한 경우) [2]예를 들어 인터넷을 통해 호텔 객실을 예약하는 청약(청약자의 요청)이 있은 후, 호텔 측이 청약자에게 별도의 의사표시를 통지하지 않고(승낙한다는 내용 발송) 객실을 마련하는 경우가 이에 해당한다.[3]이처럼 승낙의 의사표시를 통지하지 않고 승낙의 의사표시로 인정되는 사실만 있어도, 그 사실이 발생한 때에 계약은 성립한다.[4]이를 의사실현에 의한 계약의 성립(계약 성립의 특수한 경우 ①)이라 한다.[5]또한(+) 청약만 두 개가 존재하더라도 의사표시의 내용이 결과적으로 일치하면 계약이 성립하는데, 이를 교차청약에 의한 계약의 성립(계약 성립의 특수한 경우 ②)이라 한다.[6]가령 모임에서 A와 B는 각각 자동차를 팔고, 사고 싶다는 서로의 마음을 알게 된 후, A는 자동차를 천만 원에 팔겠다는 청약의 의사표시(청약 ①)를 B에게 보냈다고 하자.[7]이것이 B에게 도착하기 전에 B가 A에게 자동차를 천만 원에 사겠다는 청약의 의사표시(청약 ②)를 보낸다면, 계약은 양 청약의 의사표시가 A, B에게 모두 도달한 때에 성립한다.(교차청약에 의한 계약이 성립되는 조건)

3 의사실현과 교차청약에 의한 계약 성립(특수한 경우)

지문 이해

1 (계약)의 개념과 성립

2 (청약)과 승낙의 합치에 의한 계약 성립(일반적 경우)

3 의사실현이나 (교차청약)에 의한 계약 성립(특수한 경우)

4 계약의 이행이 (불가능)해진 경우의 손해 배상

글의 핵심 파악

- **청약자·승낙자**
'청약자'는 계약의 성립을 (제안)하는 사람이며, '승낙자'는 계약 제안을 받고 이를 그대로 (수락)하는 사람이다. ▶ 근거 문단 **2**

- **계약이 성립하는 시점**
① 청약과 승낙의 합치에 의해 성립된 계약

실시간 의사소통이 가능할 때	청약자가 승낙의 말을 (들은) 시점.
실시간 의사소통이 불가능할 때	승낙자의 의사표시가 청약자에게 (발송)된 시점.

② 의사실현에 의해 성립된 계약
→ 승낙의 의사표시로 인정되는 사실이 (발생)한 때.
③ 교차청약에 의해 성립된 계약
→ 양 청약의 의사표시가 서로에게 모두 (도달)한 때.
▶ 근거 문단 **2**, **3**

- **매매 대상이 없어져 계약 이행이 불가능한 상황 발생 시**

청약자	승낙자
–매매 대상이 없어졌음을 알았음. –매매 대상이 없어졌음을 알 수 있었으나 확인하지 않음. ➔ 과실 ○	–매매 대상이 없어졌음을 몰랐음. –매매 대상이 없어졌음을 알 수 있는 방법이 없었음. ➔ 과실 ×

↓

청약자는 승낙자가 입은 손해를 배상해야 함.

▶ 근거 문단 **4**

4 [1]이러한 계약들이 성립되는 과정에서 매매 대상이 불에 타 없어진 것처럼 계약의 이행이 불가능한 상황이 발생할 수 있다.[2]만약 청약자(예) 아파트를 팔려는 사람)가 매매 대상(예) 아파트)이 없어졌다는 사실을 계약 성립 당시에 알았거나 그 사실을 쉽게 확인할 수 있었음에도 확인하지 않았고(과실 ○), 승낙자는 매매 대상이 없다는 것을 몰랐거나 알 수 없었다면(과실 ×) 청약자는 계약의 유효를 전제로 한 경비나 이자 비용과 같이 승낙자가 그 계약이 유효하다고 믿음으로 인해 입은 손해(예) 아파트를 사기 위해 대출 받은 금액의 이자 비용)를 배상해 주어야 한다.[3]이때 그 배상액은 계약이 이행되었다면 승낙자에게 생길 이익, 이를테면 매매가(계약하려고 한 시기의)와 시가(배상 청구한 시기의) 사이의 차액을 초과할 수 없다.

4 계약의 이행이 불가능해진 경우의 손해 배상

지문 구조도

1 ─ 2 ─ 3
4

01

❷번 정답률 98%

내용 전개 방식 파악하기

정답인 이유 **② 대상을 구분하고 사례를 활용하여 설명하고 있다.**

➡ **2**와 **3**에서 계약이 성립하는 경우를 일반적 경우와 특수한 경우로 크게 구분하여 설명하였고, **3**-2의 '예를 들어~'와 **3**-6의 '가령~'에서 사례를 활용하여 설명하고 있으므로 적절한 진술이다.

02

❶번 정답률 59%

〈보기〉 문제 – 시각 자료 제시

정답인 이유 **① ㉠의 경우, A가 B에게, B가 A에게 ~~청약의 의사표시를 각각 발송했을 때~~ 계약이 성립되었겠군.**

➡ ㉠은 '교차청약'에 의한 계약의 성립으로, **3**-7에서 '계약은 양 청약의 의사표시가 A, B 모두에게 도달한 때에 성립한다.'고 했으므로 적절하지 않다.

오답 피하기 **② ㉠의 경우, 청약만 두 개가 존재하지만 두 청약의 내용이 결과적으로 합치했기 때문에 계약이 성립되었겠군.**

➡ **3**-5에서 '청약만 두 개가 존재하더라도 의사표시의 내용이 결과적으로 일치하면 계약이 성립'한다고 하였다.

③ ㉡의 경우, A와 B가 대화를 하고 있는 상황이라면 승낙의 의사가 담긴 B의 말을 A가 들었을 때 계약이 성립되었겠군.

➡ **2**-3에서 '계약이 실시간 의사소통에 의해 이루어질 때는 청약자가 청약을 받은 이에게서 승낙의 의사가 담긴 말을 들은 시점에 계약이 성립한다'고 하였다.

④ ㉢의 경우, 승낙의 의사표시로 인정되는 사실이 발생했을 때 계약이 성립되었겠군.

➡ **3**-3에서 '승낙의 의사표시를 통지하지 않고 승낙의 의사표시로 인정되는 사실만 있어도, 그 사실이 발생한 때에 계약이 성립한다'고 하였다. 호텔 객실을 예약하는 청약 이후에, 호텔이 별도의 의사표시 없이 객실을 마련하는 경우가 이에 해당한다.

⑤ ㉢의 경우, 청약자의 의사표시의 특성이나 거래상의 관습 등에 의해 승낙의 의사표시를 통지하지 않고도 계약이 성립되었겠군.

➡ **3**-1에서 '청약자의 의사표시의 특성이나 거래상의 관습 등에 의해 승낙의 의사표지를 통지하지 않아도 성립하는 계약이 있다'고 하였다. ㉢은 의사실현에 의한 계약의 성립에 해당하므로 선택지는 적절한 진술이다.

● 〈보기〉와 윗글의 연결고리 찾기

㉠	청약만 두 개가 존재하는데 계약이 성립되었음. → (교차청약)에 의한 계약의 성립
㉡	청약과 승낙의 의사표시가 양측에게 통보되어 계약이 성립됨. → 청약과 승낙의 합치에 의한 계약의 성립
㉢	승낙의 의사표시는 통지하지 않았으나 계약이 성립됨. → (의사실현)에 의한 계약의 성립

03

❹번 정답률 55%

〈보기〉 문제 – 사례·상황 제시

정답인 이유 **④ (나)에서, 병이 팔려던 골동품의 시가가 매매가보다 100만 원이 높다면 정은 130만 원을 배상받을 수 있다.**

➡ **4**-3에서, '배상액은 계약이 이행되었다면 승낙자에게 생길 이익, 이를테면 매매가와 시가 사이의 차액을 초과할 수 없다.'고 하였다. → '정'은 이 계약의 유효를 믿음으로써 30만 원의 이자 비용이라는 손해를 입었고, 이는 해당 골동품의 시가와 매매가의 차액인 100만 원을 초과하지 않는다. 따라서 정은 '130만원'이 아니라, 30만 원을 배상받을 수 있다.

오답 피하기 ① (가)에서, 을의 답장이 만약 4월 20일 이전에 도착했다면 계약은 4월 12일에 성립한다.

➡ 2-4에서 실시간 의사소통이 불가능한 상황의 계약에서는 승낙의 의사표시가 청약자에게 발송된 시점(4월 12일)에 계약이 성립하는 것으로 본다고 하였다.

② (가)에서, 갑이 답장을 받자마자 을에게 연착 사실을 알리지 않는다면 이 계약은 효력이 발생한다.

➡ 2-7에서 승낙의 의사표시를 받은 청약자가 승낙자에게 연착 사실을 즉시 알리지 않으면 계약의 효력이 발생한다고 하였다.

③ (가)에서, 을이 갑이 제시한 가격보다 더 높은 가격에 팔겠다는 내용의 답장을 보냈다면 이는 새로운 청약이 된다.

➡ 청약을 받은 이가 청약 내용의 변경을 요구한다면 이는 새로운 청약을 한 것이 된다(2-2).

⑤ (나)에서, 정이 골동품이 없어진 사실을 계약 성립 당시에 알았다면 병은 정이 입은 손해를 배상할 의무가 없다.

➡ 4-2에서, 계약 성립 당시에 승낙자가 '매매 대상이 없다는 것을 몰랐거나 알 수 없었'을 때에 손해를 배상받을 수 있다고 하였다. 이로부터 계약 성립 당시에 승낙자가 매매 대상이 없다는 사실을 알았으면 손해를 배상받을 수 없을 것임을 추론할 수 있다.

● 〈보기〉 이해하기

(가)	• 실시간 의사소통이 (불가능)한 상황에서 청약과 승낙이 오감. • 승낙기간에 승낙 표시가 청약자 (갑)에게 도착하지 못한 이유 → 승낙자 (을)의 과실이 아닌, 부득이한 사유 때문임.
(나)	• 병이 (매매 대상)이 없어졌다는 사실을 쉽게 확인할 수 있었음에도 확인하지 않음. → 병의 과실 • 정은 (계약)이 유효하다고 믿음으로써 금전적 손해를 입음. → (병)은 이를 배상해 주어야 함.

04

③번 정답률 86%

어휘의 의미 파악하기

정답인 이유 ③ 나는 아내에게서 그 소식을 듣고 기뻤다.

➡ ⓐ는 '다른 사람에게서 일정한 내용을 가진 말을 전달받다.'의 의미로 사용되었으며, ③의 '듣고'도 이와 같은 의미로 사용되었다.

오답 피하기 ① 굵은 빗방울이 지붕에 듣는다. ➡ '눈물, 빗물 따위의 액체가 방울져 떨어지다.'

② 그 약은 다른 약보다 내게 잘 듣는다. ➡ '주로 약 따위가 효험을 나타내다.'

④ 그녀는 고지식해서 농담까지도 진담으로 듣는다. ➡ '어떤 것을 무엇으로 이해하거나 받아들이다.'

⑤ 운전 중에 브레이크가 말을 듣지 않아 사고가 날 뻔했다. ➡ '기계, 장치 따위가 정상적으로 움직이다.'

[05~09] 주식회사의 자본 조달 사회 2

2019학년도 3월 고3 학력평가

1 [1]주식회사는 오늘날 회사 기업의 전형이라고 할 수 있다. [2]이는 주식회사가 다른 유형의 회사보다 뛰어난 자본 조달력을 가지고 있기 때문인데, 주식회사의 자본 조달은 자본금, 주식, 유한책임이라는 주식회사의 본질적 요소와 관련된다.

1 주식회사의 자본 조달력과 관련된 본질적 요소 - '자본금, 주식, 유한책임'

2 [1]주식회사의 자본금은 회사 설립의 기초가 되는 것으로, 주식발행을 통해 조성된다.(자본금을 조성하는 방법) [2]현행 상법에서는 주식회사를 설립할 때 최저 자본금에 대한 제한을 두지 않고 있으며,(소액으로도 주식회사 설립 가능) 자본금을 정관의 기재사항으로도 규정하지 않고 있다. [3]대신 수권주식총수를 정관에 기재하게 하여 → 자본금의 최대한도를 표시하도록 하고 있다. [4]수권주식총수란 회사가 발행할 주식총수로,(수권주식총수의 개념) 수권주식총수를 통해 자본금의 최대한도인(수권자본금의 개념) 수권자본금을 알 수 있다. [5]주식회사를 설립할 때는 수권주식총수 중 일부의 주식만을 발행해도 되는데,(①) 발행하는 주식은 모두 인수되어야 한다.(②) [6]여기서 주식을 인수한다는 것은 출자자를 누구로 하는지, 그 출자자가 인수하려는 주식이 몇 주인지를 확정하는 것을 말한다.(주식 인수의 개념) [7][회사가 발행하는 주식을 출자자가 인수하고 해당 금액을 납입하면, 그 금액의 총합이 바로 주식회사의 자본금이 된다.]([ ]: 자본금의 개념) (따라서 자본금은 수권자본금보다 적을 수 있음.) [8]회사가 수권주식총수 가운데 아직 발행하지 않은 주식은 추후 이사회의 결의만으로 발행할 수 있는데, 이는 주식회사가 필요에 따라 자본금을 쉽게 조달할 수 있도록 하기 위한 것이다.

2 자본금의 개념과 조달

지문 이해

- 1 주식회사의 (자본 조달력)과 관련된 본질적 요소 - '자본금, 주식, 유한책임'
- 2 '(자본금)'의 개념과 조달
- 3 '(주식)'의 개념과 발행
- 4 주주가 지는 '(유한책임)'
- 5 주식회사가 (경제적 폐해)를 초래하는 경우
- 6 주식회사가 경제적 폐해를 초래하는 것을 막기 위한 조치

글의 핵심 파악

● 수권주식총수·수권자본금

회사가 발행할 (주식)의 총수를 수권주식총수라 한다. 주식의 액면가액이 1,000원일 때, 수권주식총수가 1만 주라면 수권자본금은 (1,000)만 원이다.

▶ 근거 문단 2, 3

3 [1]주식은 자본금을 구성하는 단위로, 주식회사는 주식 발행을 통해 다수의 사람들로부터 대량의 자금을 끌어모을 수 있다.[2]주식은 주식시장에서 자유롭게 양도되는데, 1주의 액면주식은 둘 이상으로 나뉘어 타인에게 양도될 수 없다.[3]주식회사가 액면가액을 표시한 액면주식을 발행할 때, 액면주식은 그 금액이 균일하여야 하며 1주의 금액은 100원 이상이어야 한다.[4]주식회사가 발행한 액면주식의 총액은 [주식회사 설립 시에 출자자가 주식을 인수하여 납입한 금액의 총합]과 같다.

주식의 개념 / 자본금을 조성하는 방법 / = 자본금을 조달할 수 있다. / 액면주식의 총액 = 자본금 → 발행하는 주식은 모두 인수되어야 함.

3 주식의 개념과 발행

4 [1]주식의 소유주인 주주는 자기가 보유하고 있는 주식 금액의 비율에 따라 이익배당 등의 권리를 가지면서 회사에 대해 유한책임을 진다.[2]유한책임이란 주주가 회사에 대하여 주식의 인수가액을 한도로 하는 유한의 출자 의무를 부담하고 회사 채권자에 대해서는 직접적으로 아무런 책임도 부담하지 않는 것을 말한다.[3]주주의 유한책임은 정관이나 주주총회의 결의로도 가중시킬 수 없다.[4]이 때문에 주식회사에서는 회사가 현재 보유하고 있는 재산만이 회사 채권자를 위한 유일한 담보가 된다.

주주의 개념 / 회사의 이익을 주주에게 나누어 줌. / 자신이 출자한 금액만큼만 책임을 짐 → 회사가 파산해도, 출자한 금액 외에 추가적 부담을 지지 않음. / 이유: 주주를 보호하기 위해 / 주주의 개인 재산에는 채권자의 권리가 미치지 않음.

4 주주가 지는 유한책임

5 [1]주식회사는 자본금, 주식, 유한책임이라는 본질적 요소로 말미암아 자본 조달력을 가지기도 하지만 경제적 폐해를 초래하는 경우도 있다.[2][자본금이 큰 회사이지만 실제 회사가 보유하고 있는 재산이 터무니없이 적은 경우에 자본금의 크기로는 회사의 신용도를 제대로 파악할 수 없으며] [대주주가 권한을 남용하여 사익을 추구하고도 그로 인한 회사의 손해와 회사의 거래 상대방의 손해에 대해서는 책임을 부담하지 않는 경우가 발생하기도 한다.][3]또한 [파산이나 부도 등 회사의 위기 상황에서 채권자, 근로자, 소비자 등 회사의 이해 관계자들이 피해를 보게 되는 상황이 벌어지기도 한다.]

↔ / [ ]: 경제적 폐해 ① / 채권자에게 담보가 되는 재산 / 주식 발행을 통해 조달한 자금 / + / [ ]: 경제적 폐해 ② / 이유: 주주는 유한책임만 지므로 / + / [ ]: 경제적 폐해 ③

5 주식회사가 경제적 폐해를 초래하는 경우

6 [1]이와 같은 문제를 방지하기 위해 주식회사에 대한 법 규정에서는 자본금에 관한 몇 가지 원칙을 마련하고 있다. [2]㉠ 자본 유지의 원칙은 자본금이 실제로 회사에 출자되어야 하고, 회사는 자본금에 해당되는 재산을 실질적으로 유지해야 한다는 것으로, 자본 충실의 원칙이라고도 한다.[3]만일 여러 회사끼리 돌려 가며 출자를 반복하는 상황이 벌어진다면 실제로 출자된 자본금은 늘어나지 않는데 서류상 가공의 자본금만 늘어나 회사는 부실화되고 외부의 위험에도 취약해진다.[4]㉡ 자본 불변의 원칙은 자본금을 임의로 변경하지 못하며 자본금의 변경을 위해서는 법적 절차를 ⓐ 거쳐야 한다는 것이다.[5]우리나라의 법률에서 자본금의 증가는 이사회의 결의만으로 가능하도록 한 반면에 자본금의 감소는 엄격한 법적 절차를 요구하고 있다. [6]이 밖에도 주식회사에 관한 법률을 법에서 규정된 내용대로만 이행해야 하는 강행법으로 하고, 회사에 관한 중요 사항 및 정관의 변동 사항을 공고하도록 하는 등 주식회사의 폐해를 최소화하기 위한 조치도 시행하고 있다.

주식회사가 초래할 수 있는 경제적 폐해 / ↔ / 이유: 회사 유지와 채권자의 보호를 위해 / +

6 주식회사가 경제적 폐해를 초래하는 것을 막기 위한 조치

글의 핵심 파악

● 주주의 유한책임

주주의 책임 ○	주주의 책임 ×
주식의 인수가액만큼의 출자에 대한 책임	회사 채권자에 대한 책임

➲ 1억 원의 채무가 있는 회사가 있다고 했을 때, 이 회사의 주식을 100주(1주: 1,000원) 인수한 주주는 (10만 원)을 내놓을 책임은 있으나, 회사가 진 채무 1억 원에 대한 직접적 책임은 없다.

▶ 근거 문단 **4**

● 주식회사가 초래할 수 있는 경제적 폐해

① 자본금의 크기로는 회사의 (신용도)를 제대로 파악할 수 없음.
② 대주주가 회사에 피해를 주고도, (유한책임)을 이용하여 책임을 회피할 수 있음.
③ 자본 조달력으로 회사의 몸집이 커진 후 파산하면 회사의 여러 (이해 관계자)들이 피해를 보게 됨.

▼

'(자본 유지)의 원칙', '(자본 불변)의 원칙'으로 피해 방지.

▶ 근거 문단 **5**, **6**

지문 구조도

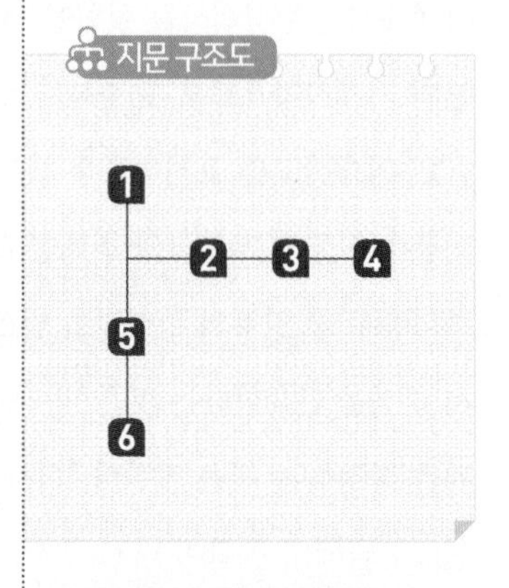

05

④번 정답률 67%

일치하는 내용 찾기

정답인 이유 ④ 주식회사는 ~~수권자본금 한도 내에서~~ 채권자에게 채무 이행을 할 의무가 있다. ×

➡ ❹-4에서 '주식회사에서는 회사가 현재 보유하고 있는 재산만이 회사 채권자를 위한 유일한 담보가 된다.'고 하였다. 따라서 주식회사는 '수권자본금'이 아니라, 회사가 현재 보유하고 있는 재산 내에서 채권자에게 채무 이행을 한다.

오답 피하기 **① 액면주식 1주는 둘로 나뉘어 타인에게 양도될 수 없다.**

➡ ❸-2에서 1주의 액면주식은 둘 이상으로 나뉘어 타인에게 양도될 수 없다고 하였다.

② 주주는 주식의 인수가액을 한도로 하는 출자 의무를 가진다.

➡ ❹-2에서 주주는 회사에 대하여 주식의 인수가액을 한도로 하는 유한의 출자 의무를 부담한다고 하였다.

③ 주주는 소유한 주식 금액의 비율에 따라 주식회사의 이익을 배당받는다.

➡ ❹-1에서 주식의 소유주인 주주는 자기가 보유하고 있는 주식 금액의 비율에 따라 이익배당 등의 권리를 가진다고 하였다.

⑤ 주식회사의 정관에 변동 사항이 생기면 주식회사로 하여금 이를 공고하도록 하고 있다.

➡ ❻-6에서 주식회사의 폐해를 최소화하기 위하여 회사에 관한 중요 사항 및 정관의 변동 사항을 공고하도록 한다고 하였다.

06

❸번 정답률 44%

〈보기〉 문제
– 사례·상황 제시

정답인 이유 **③ 갑이 정관에 따라 주식회사를 설립하려면 주식 ~~1만 주~~에 대한 출자자가 확정되어야 한다.**

➡ '❷-5, 6'에서, '주식회사를 설립할 때는 수권주식총수 중 일부의 주식만을 발행해도 되는데, 발행하는 주식은 모두 인수되어야 한다. 여기서 주식을 인수한다는 것은 출자자를 누구로 하는지, 그 출자자가 인수하려는 주식이 몇 주인지를 확정하는 것을 말한다.'고 하였고, 〈보기〉의 제7조에서 설립 시에 5천 주의 주식을 발행한다고 하였으므로 5천 주에 대한 출자자만 확정되면 된다.

오답 피하기 **① 갑이 설립하려는 주식회사의 수권주식총수는 1만 주이며 수권자본금은 5천만 원이다.**

➡ ❷-4에서 수권주식총수란 회사가 발행할 주식총수라 하였고, 수권자본금은 자본금의 최대한도를 말한다고 하였다. 따라서 갑의 회사가 발행할 주식의 총수인 1만 주에 1주당 금액 5천 원을 곱하면 수권자본금은 5천만 원이다.

② 갑이 주식 1주를 발행하는 것으로 정관의 제7조를 수정해도 주식회사의 설립은 가능하다.

➡ ❷-2에서 주식회사를 설립할 때 최저 자본금에 대한 제한을 두지 않고 있다고 하였으므로 1주만 발행해도 주식회사의 설립은 가능하다.

④ 갑이 정관에 따라 주식회사를 설립하였다면 이 회사의 주주가 인수하여 납입한 금액의 총합은 2천5백만 원이다.

➡ 〈보기〉의 제7조에서 설립 시 5천 주(수권주식총수의 일부)를 발행한다고 하였으므로 5천 주에 주식 1주당 가격인 5천 원을 곱하면 2천 5백만원이다.

⑤ 갑이 정관에 따라 주식회사를 설립한 이후, 이 회사의 미발행 주식을 발행하기 위해서는 이사회의 결의가 필요하다.

➡ ❷-8에서 회사가 수권주식총수 가운데 아직 발행하지 않은 주식은 추후 이사회의 결의만으로 발행할 수 있다고 하였다.

07

❺번 정답률 46%

〈보기〉 문제
– 사례·상황 제시

정답인 이유 **⑤ A, B, C 회사에 출자된 실제 자본금은 ~~90억 원으로~~ 서류상으로 드러난 A, B, C 회사의 자본금의 총합과 동일하겠군.**

➡ A 회사의 자본금은 50억 원(5천 원×백만 주)이고, B회사는 25억 원, C 회사는 15억 원이다. A 회사는 50억 원 가운데 25억 원을 B 회사에 출자하였고, B 회사는 25억 원 가운데 15억 원을 C 회사에 출자하였으며, C 회사는 15억 원 가운데 10억 원을 A 회사에 출자하였다. 결국 A 회사의 자본금 50억 원이 반복 출자되어 부풀려진 것이다. 따라서 A, B, C 세 회사에 실제로 투자된 자본금의 총합과 서류상 A, B, C 회사의 자본금인 90억은 차이가 있다.

오답 피하기 ① A 회사가 파산한다면 C 회사의 이해 관계자가 피해를 보게 되는 상황이 벌어질 수 있겠군.
➡ C 회사가 자본금 15억 가운데 10억을 A 회사에 출자했으므로 A 회사가 파산한다면 C 회사도 위기에 처한다. 이는 5-3에서 회사의 위기 상황에서는 회사의 이해 관계자들이 피해를 보는 상황이 벌어진다고 한 것과 관련이 있다.
② B 회사가 부도가 난다면 A 회사의 자본금이 손실을 입을 수 있겠군.
➡ A 회사는 자본금 50억 중 25억을 B 회사에 출자하였으므로, B 회사가 부도 난다면 A 회사의 자본금도 손실을 입을 것이다.
③ A 회사의 주주인 홍길동은 B 회사와 C 회사에 대해서도 영향력을 행사할 수 있겠군.
➡ 결국 A 회사의 자본금 50억이 B 회사와 C 회사에 출자된 것이므로, A 회사의 주주인 홍길동은 B와 C 회사에 대해서도 영향력을 행사할 수 있을 것이다.
④ C 회사가 설립 시 발행한 주식의 80%를 B 회사가 인수하였더라도 C 회사의 설립 시 자본금은 달라지지 않겠군.
➡ 설립 시 발행한 주식이 C 회사의 자본금이므로, C 회사의 자본금은 여전히 15억원이다.

• 〈보기〉 이해하기
홍길동
40억
A사 50억
10억
25억
C사 15억
15억
B사 25억

08

❸번 정답률 65%

정보 간의 관계 파악하기

정답인 이유 ③ ㉡은 자본금 감소를 엄격하게 하여 채권자를 보호하는 기능이 있다.
➡ '㉡ 자본 불변의 법칙'은 자본금을 임의로 변경하지 못하며 자본금의 변경을 위해서는 법적 절차를 거쳐야 한다는 원칙이다. 특히 우리나라의 법률에서는 자본금의 감소에 엄격한 법적 절차를 요구한다. 이는 주식회사가 초래하는 경제적 폐해, 즉 채권자를 비롯한 주식회사의 이해 관계자들이 피해를 보게 되는 상황이 발생하는 등의 문제를 방지하기 위한 것이다.
오답 피하기 ① ㉠의 목적은 주주의 권한을 확대하는 데에 있다.
➡ ㉠은 회사가 자본금에 해당하는 재산을 실질적으로 유지하게 하여 회사의 부실화를 막는 것이 목적이다. 주주의 권한 확대와는 관계가 없다.
② ㉡을 통해 소액을 가지고 주식회사를 설립하는 것을 제한할 수 있다.
➡ ㉡은 주식회사 설립 시의 자본금에 관한 원칙이 아니라 설립 시 정해진 자본금을 임의로 줄일 수 없게 하는 원칙이다. 또한 2-2에서는 현행 상법에서 주식회사를 설립할 때 최저 자본금에 대한 제한을 두고 있지 않다고 하였다.
④ ㉠, ㉡은 모두 채권자가 주식회사의 자금 운용 내역을 알 수 있게 한다.
➡ 지문에서 채권자가 주식회사의 자본 운용 내역을 알 수 있다는 내용은 찾을 수 없다. ㉠, ㉡는 채권자 등 회사의 이해 관계자들의 피해를 막기 위한 원칙이다. 6-6에 제시된, 회사에 관한 중요 사항 및 정관의 변동 사항을 공고하도록 하는 조치가 채권자를 보호하는 것이기는 하나, 이것이 채권자가 주식회사의 자금 운용 내역을 알 수 있게 하는 것은 아니다.
⑤ ㉠, ㉡은 모두 주식회사의 정관 작성에 관한 원칙으로서 개인 간의 자유로운 주식 양도로 인한 폐해를 방지한다.
➡ ㉠, ㉡은 자본금에 관한 원칙이지, 정관 작성에 관한 원칙이 아니다. 또한 개인 간의 자유로운 주식 양도로 인한 폐해를 방지하기 위한 것이 아니라, 주식회사가 초래할 수 있는 경제적 폐해를 방지하기 위한 조치이다.

09

❹번 정답률 90%

어휘의 의미 파악하기

정답인 이유 ④ 그 일들은 우리가 합의한 과정을 거쳐서 진행된 것이다.
➡ ⓐ는 '어떤 과정이나 단계를 겪거나 밟다.'의 의미로, ④의 '거쳐서'가 이와 유사한 문맥적 의미를 가진다.
오답 피하기 ① 우리는 일본을 거쳐 미국으로 갔다. ➡ '오가는 도중에 어디를 지나거나 들르다.'
② 돌멩이가 발길에 자꾸 거쳐 다니기가 불편하다. ➡ '무엇에 걸리거나 막히다.'
③ 그는 매일 아침 학교 앞 사거리를 거쳐서 회사로 간다. ➡ '오가는 도중에 어디를 지나거나 들르다.'
⑤ 가장 어려운 문제를 해결하여 마음에 거칠 것이 없어졌다. ➡ '마음에 거리끼거나 꺼리다.'

[10~13] 중앙은행이 실시하는 통화정책이 효과를 거두기 위한 요건 사회 3

2018학년도 6월 모의평가

1 [1]통화 정책은 중앙은행이 물가 안정과 같은 경제적 목적의 달성을 위해 이자율이나 통화량을 조절하는 것이다.[2]대표적인 통화 정책 수단인 '공개 시장 운영'은 중앙은행이 민간 금융 기관을 상대로 채권을 매매해 금융 시장의 이자율을 정책적으로 결정한 기준 금리 수준으로 접근시키는 것이다.[3]중앙은행이 채권을 매수하면 이자율은 하락하고, 채권을 매도하면 이자율은 상승한다.[4]이자율이 하락하면 소비와 투자가 확대되어 경기가 활성화되고 물가 상승률이 오르며, 이자율이 상승하면 경기가 위축되고 물가 상승률이 떨어진다.[5]이와 같이 공개 시장 운영의 영향은 경제 전반에 ⓐ파급된다.

'통화 정책'의 개념 / '공개 시장 운영'의 개념: 각 은행의 금리를, 중앙은행이 정한 기준 금리로 맞추는 것. / 통화량이 증가하여 / 통화량이 감소하여

1 '통화 정책'의 개념과 대표적 통화 정책 수단인 '공개 시장 운영'

2 [1]중앙은행의 통화 정책이 의도한 효과를 얻기 위한 요건 중에는 '선제성'과 '정책 신뢰성'이 있다.[2]먼저 통화 정책이 선제적이라는 것은 중앙은행이 경제 변동을 예측해 이에 미리 대처한다는 것이다.[3]기준 금리를 결정하고 공개 시장 운영을 실시하여 그 효과가 실제로 나타날 때까지는 시차가 발생하는데 이를 '정책 외부 시차'라 하며, 이 때문에 선제성이 문제가 된다.[4]예를 들어 중앙은행이 경기 침체 국면에 들어서야 비로소 기준 금리를 인하한다면, 정책 외부 시차로 인해 경제가 스스로 침체 국면을 벗어난 다음에야 정책 효과가 ⓑ발현될 수도 있다.[5]이 경우 경기 과열과 같은 부작용이 ⓒ수반될 수 있다.[6]따라서 중앙은행은 통화 정책을 선제적으로 운용하는 것이 바람직하다.

선제적 정책의 개념 / 통화 정책을 선제적으로 실시할 때, 정책 외부 시차를 고려해야 하므로 / 정책이 필요한 시점보다 늦게 정책 효과가 발현될 경우

2 통화 정책이 효과적이기 위한 요건 – '선제성'

3 [1]또한 통화 정책은 민간의 신뢰가 없이는 성공을 거둘 수 없다.[2]따라서 중앙은행은 정책 신뢰성이 손상되지 않게 ⓓ유의해야 한다.[3]그런데 어떻게 통화 정책이 민간의 신뢰를 얻을 수 있는지에 대해서는 견해 차이가 있다.[4]경제학자 프리드먼은 중앙은행이 특정한 정책 목표나 운용 방식을 '준칙'으로 삼아 민간에 약속하고 어떤 상황에서도 이를 지키는 ㉠'준칙주의'를 주장한다.[5]가령 중앙은행이 물가 상승률 목표치를 민간에 약속했다고 하자. 민간이 이 약속을 신뢰하면 물가 불안 심리가 진정된다.[6]그런데 물가가 일단 안정되고 나면 중앙은행으로서는 이제 경기를 ⓔ부양하는 것도 고려해 볼 수 있다.[7]문제는 민간이 이 비일관성을 인지하면 중앙은행에 대한 신뢰가 훼손된다는 점이다.[8]준칙주의자들은 이런 경우에 중앙은행이 애초의 약속을 일관되게 지키는 편이 바람직하다고 주장한다.

정책 신뢰성이 중요한 이유 / '준칙주의'가 우선시 하는 것 → 신뢰 / = 물가 상승률 목표치까지 물가를 안정시키는 것

3 통화 정책이 효과적이기 위한 또 다른 요건인 '정책 신뢰성'에 대한 견해 ① – '준칙주의'

4 [1]그러나 민간이 사후적인 결과만으로는 중앙은행이 준칙을 지키려 했는지 판단하기 어렵고, 중앙은행에 준칙을 지킬 것을 강제할 수 없는 것도 사실이다.[2]준칙주의와 대비되는 ㉡'재량주의'에서는 경제 여건 변화에 따른 신축적인 정책 대응을 지지하며 준칙주의의 엄격한 실천은 현실적으로 어렵다고 본다.[3]아울러 준칙주의가 최선인지에 대해서도 물음을 던진다.[4]예상보다 큰 경제 변동이 있으면 사전에 정해 둔 준칙이 장애물이 될 수 있기 때문이다.[5]정책 신뢰성은 중요하지만, 이를 위해 중앙은행이 반드시 준칙에 얽매일 필요는 없다는 것이다.

'재량주의'가 우선시 하는 것 → 변화에 대응 / 신축적 정책 대응이 더 중요하므로

4 '정책 신뢰성'에 대한 견해 ② – '재량주의'

지문 이해

- **1** '통화 정책'의 개념과 대표적 통화 정책 수단인 '(공개 시장 운영)'
- **2** 통화 정책이 효과적이기 위한 요건 (1) – (선제성)
- 통화 정책이 효과적이기 위한 요건 (2) – 정책 신뢰성
  - **3** 정책 신뢰성에 대한 견해 ①–(준칙주의) ↔ **4** 정책 신뢰성에 대한 견해 ②–(재량주의)

글의 핵심 파악

● 공개 시장 운영

중앙은행의 채권 (매수)	중앙은행의 채권 매도
▼	▼
이자율 하락	이자율 (상승)
▼	▼
물가상승률 (상승) (경기 활성화)	물가상승률 하락 (경기 위축)

▶ 근거 문단 **1**

● 선제성과 정책 신뢰성

① 선제성: (정책 외부 시차)를 고려하여 선제적으로 정책을 시행해야 함.

➲ 만약 정책 외부 시차가 1달이고 2019년 12월부터 정책의 효과가 나타나야 한다면, 중앙은행은 정책을 2019년 11월부터 시행해야 함.

② 정책 신뢰성: 민간이 중앙은행의 정책을 (신뢰)하는 것.

▶ 근거 문단 **2**, **3**

지문 구조도

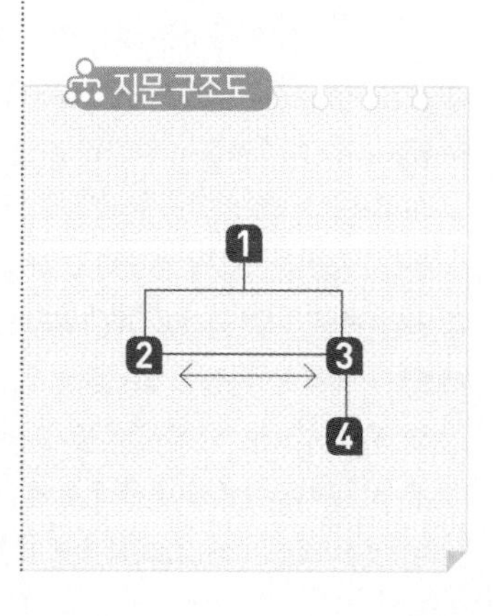

10

❶번 정답률 66%

내용 전개 방식 파악하기

정답인 이유 ① 통화 정책의 목적을 ~~유형별로 나누어~~ 제시하고 있다.

➡ 통화 정책의 목적이 물가 안정과 같은 경제적 목적임은 밝혀져 있으나, 통화 정책의 목적을 유형별로 나누지는 않았다.

오답 피하기 ② 통화 정책에서 선제적 대응의 필요성을 예를 들어 설명하고 있다.

➡ ❷-6에서 통화 정책에서 선제적 대응의 필요성을 설명하였다. ❷-4에서는 중앙은행이 경기 침체 국면에 들어서야 비로소 기준 금리를 인하한다면 어떤 상황이 발생할지 예를 들어 설명하고 있다.

③ 공개 시장 운영이 경제 전반에 영향을 미치는 과정을 인과적으로 설명하고 있다.

➡ ❶-5에서 공개 시장 운영이 경제 전반에 파급된다고 하였으며 ❶-3~4에서 채권과 이자율이 경기에 미치는 영향을 인과 관계로 설명하였다.

④ 관련된 주요 용어의 정의를 바탕으로 통화 정책의 대표적인 수단을 설명하고 있다.

➡ '공개 시장 운영', '선제성', '정책 신뢰성' 등의 주요 용어의 정의를 바탕으로 통화 정책의 대표적인 수단을 설명하고 있다.

⑤ 통화 정책의 신뢰성 확보를 위해 준칙을 지켜야 하는지에 대한 두 견해의 차이를 드러내고 있다.

➡ ❸에서 '준칙주의', ❹에서 '재량주의'를 설명하며 두 견해의 차이를 드러내고 있다.

11

❺번 정답률 26%

〈보기〉 문제 – 사례·상황 제시

정답인 이유 ⑤ 중앙은행은 기준 금리를 1월 1일에 5.5%로 인상하고 4월 1일에도 이를 5.5%로 유지해야 한다.

➡ 〈보기〉에 따르면 경제학자 병은 물가 상승률을 매 분기 2%로 유지해야 한다고 주장했다. 따라서 병은 2분기와 3분기의 물가 상승률을 3%에서 2%로 1%씩 떨어뜨리려 할 것이므로, 2분기와 3분기의 기준 금리를 1.5%씩 달라지게 해야 한다고 제안했을 것이다. 이때, 기준 금리, 즉 이자율과 물가 상승률의 상관관계에 대한 단서는 '이자율이 하락하면 소비와 투자가 확대되어 경기가 활성화되고 물가 상승률이 오르며, 이자율이 상승하면 경기가 위축되고 물가 상승률이 떨어진다(❶-4)'에서 찾을 수 있다. 즉, 물가 상승률을 떨어뜨리려면 기준 금리를 인상해야 한다.

또한 정책 시행 시기에 있어서는, 정책 외부 시차가 1분기이므로 정책 시행 시기를 1분기 앞당겨 잡았을 것이다. 따라서 2분기의 물가 상승률을 2%로 떨어뜨리기 위해 4월 1일보다 1분기 앞선 1월 1일에 금리를 1.5% 인상하고, 3분기에는 물가 상승률을 2%로 유지해야 하므로 1분기 앞선 4월 1일에 금리를 그대로 유지하자고 제안했을 것이다.

오답 피하기 ① 중앙은행은 기준 금리를 1월 1일에 2.5%로 인하하고 4월 1일에도 이를 2.5%로 유지해야 한다.

➡ ❶-4에서 '이자율이 하락하면 물가 상승률이 오르며, 이자율이 상승하면 물가 상승률이 떨어진다.'고 하였다. 〈보기〉에서는 물가 상승률을 매 분기 2%로 유지하여야 한다고 하였으므로 중앙은행은 기준 금리를 인상하여야 한다.

② 중앙은행은 기준 금리를 1월 1일에 2.5%로 인하하고 4월 1일에는 이를 4%로 인상해야 한다.

➡ ❶-4에서 '이자율이 하락하면 물가 상승률이 오르며, 이자율이 상승하면 물가 상승률이 떨어진다.'고 하였다. 〈보기〉에서는 물가 상승률을 매 분기 2%로 유지하여야 한다고 하였으므로 1월 1일에 기준 금리를 인하하는 것은 적절한 해결책이 아니다.

③ 중앙은행은 기준 금리를 1월 1일에 4%로 유지하고 4월 1일에는 이를 5.5%로 인상해야 한다.

➡ ❶-4에서 '이자율이 하락하면 물가 상승률이 오르며, 이자율이 상승하면 물가 상승률이 떨어진다.'고 하였다. 〈보기〉에서는 물가 상승률을 매 분기 2%로 유지하여야 한다고 하였고, 금리가 1.5% 변동 시 물가는 1%씩 변한다고 하였으므로 금리를 4%로 유지하는 것은 적절한 해결책이 아니다.

④ 중앙은행은 기준 금리를 1월 1일에 5.5%로 인상하고 4월 1일에는 이를 4%로 인하해야 한다.

➡ ❶-4에서 '이자율이 하락하면 물가 상승률이 오르며, 이자율이 상승하면 물가 상승률이 떨어진다.'고 하였다. 〈보기〉에서는 물가 상승률을 매 분기 2%로 유지하여야 한다고 하였고, 금리가 1.5% 변동 시 물가는 1%씩 변한다고 하였으므로 '선제성'을 고려할 때 기준 금리를 1월 1일에 5.5% 인상하는 것은 적절하다. 그러나 4월 1일에 기준 금리를 인하하면 다시 물가 상승률이 오르게 된다.

● 〈보기〉와 윗글의 연결 고리 찾기

〈보기〉의 내용 ①: 기준 금리가 1.5%p만큼 변하면 물가 상승률은 1%p 달라진다.

→ 윗글의 ❶-4를 통해 볼 때, 기준 금리가 1.5%p만큼 (떨어지면, 오르면) 물가 상승률은 1%p 떨어진다.

〈보기〉의 내용 ②: 정책 외부 시차는 1개 분기이다.

→ 윗글의 ❷-3을 통해 볼 때, 2분기의 물가 상승률을 떨어뜨리려면 (1)월 (1)일에, 3분기의 물가 상승률을 떨어뜨리려면 (4)월 (1)일에 정책을 실시해야 한다.

12

❶번 정답률 65%

정답인 이유 ① ㉠에서는 중앙은행이 정책 운용에 관한 준칙을 지키느라 경제 변동에 신축적인 대응을 못해도 이를 바람직하다고 본다.

➡ 3-4에서 '경제학자 프리드먼은 중앙은행이 특정한 정책 목표나 운용 방식을 '준칙'으로 삼아 민간에 약속하고 어떤 상황에서도 이를 지키는 '준칙주의'를 주장한다.'고 하였다. 즉, '㉠ 준칙주의'에서는 경제 변동에 신축적으로 대응하는 것보다 준칙을 철저히 지키는 것을 우선시함을 알 수 있다.

오답 피하기 ② ㉡에서는 중앙은행이 스스로 정한 준칙을 지키는 것은 ~~얼마든지 가능하다고 본다~~.

➡ 4-2에서 '재량주의'에서는 준칙주의의 엄격한 실천은 현실적으로 어렵다고 본다고 하였다.

③ ㉠에서는 ㉡과 달리, 정책 운용에 관한 준칙을 지키지 않아도 ~~민간의 신뢰를 확보할 수 있다고 본다~~.

➡ 3-4에서 '준칙주의'는 민간의 신뢰를 확보하기 위해 특정한 정책 목표나 운용 방식을 '준칙'으로 삼아 민간에 약속하고 어떤 상황에서도 이를 지키는 것이라 하였다.

④ ㉡에서는 ㉠과 달리, 통화 정책에서 ~~민간의 신뢰 확보를 중요하게 여기지 않는다~~.

➡ 4-5에서 '정책 신뢰성은 중요하지만, 이를 위해 중앙은행이 반드시 준칙에 얽매일 필요는 없다'고 하였다. 따라서 '재량주의'에서도 민간의 신뢰 확보를 중시한다고 보아야 한다.

⑤ ㉡에서는 ㉠과 달리, 경제 상황 변화에 대한 통화 정책의 탄력적 대응이 ~~효과적이지 않다고 본다~~.

➡ 4-2에서 '재량주의'는 경제 여건 변화에 따른 신축적인 정책 대응을 지지한다고 하였다. 따라서 '재량주의'에서는 경제 상황이 변할 때 준칙을 지키기보다 통화 정책을 탄력적으로 적용해야 한다고 주장할 것임을 추론할 수 있다.

13

❺번 정답률 76%

정답인 이유 ⑤ ⓔ : 장남인 그가 늙으신 부모와 어린 동생들을 부양하고 있다.

➡ '경기를 ⓔ 부양하는 것'의 '부양'은 '침체된 것을 다시 살린다.'라는 의미이나 ⑤의 '부양'은 '생활 능력이 없는 사람의 생활을 돌봄.'이라는 의미이다.

정보 간의 관계 파악하기

- 내용 이해하기

㉠ 준칙주의
민간의 (신뢰)를 얻기 위해서 중앙은행이 민간에 약속한 정책 목표나 운용 방식을 준칙으로 삼아 어떤 상황에서도 이를 (지켜야) 한다.
↕
㉡ 재량주의
경제 여건 변화에 따른 (신축)적인 정책 대응을 지지하며 준칙주의의 주장이 (현실성)이 없다고 본다.

▶ 근거 문단 3, 4

어휘의 의미 파악하기

[14~18] 불법행위 억제를 위한 책임원칙 사회 4

2019학년도 4월 고3 학력평가

1 [1]타인의 권리를 침해하여 손해를 야기하는 것을 불법행위라고 하는데, 불법행위법은 불법행위로 발생한 손해를 피해자와 가해자에게 배분함으로써 불법행위를 억제하는 기능을 한다. [2]그런데 법원이 어떠한 책임원칙을 적용하느냐에 따라서 불법행위에 따른 손해가 다르게 배분되며 불법행위 억제 효과도 다르게 나타난다. [3]그래서 법경제학에서는 법원이 적용 가능한 책임원칙들을 분석하여 효율적으로 불법행위를 억제할 수 있는 책임원칙을 찾고자 한다.

(불법행위의 개념 / 불법행위법의 기능)

1 책임원칙 분석의 필요성 – 책임원칙의 적용에 따라 달라지는 불법행위 억제 효과

2 [1]불법행위에 대한 책임원칙을 분석하는 데 있어 중요한 개념이 '주의 수준'과 '주의 기준'이다. [2]주의 수준이란 가해자 혹은 피해자가 불법행위 억제를 위해 기울이는 주의의 정도를 의미한다. [3]주의 수준이 높아질수록 주의를 기울이는 데 드는 시간이나 노력 등과 같은 주의 비용은 커지지만, 불법행위 발생 확률이 줄어 불법행위로 인한 손해는 줄어든다. [4]주의 기준은 불법행위로 인한 손해를 피해자와 가해자에게 배분하기 위해 법원이 정한 주의 수준을 의미한다. [5]일반적으로 불법행위 억제를 위한 주의 비용과 불법행위로 인한 손해의 합이 최소화되는 지점이 사회적 효율성이 달성되는 최적의 주의 수준이다. [6]그리고 이것이 불법행위를 효율적으로 억제할 수 있는 주의 수준이므로 법원은 이를 주의 기준으로 정한다. [7]이를 바탕으로 불법행위에 대한 책임원칙의 효율성을 분석해 보면 다음과 같다.

('주의 수준'의 개념 / '주의 기준'의 개념 / 비용+손해=최소가 되는 지점 → 최적의 '주의 수준' → '주의 기준'이 됨.)

2 책임원칙 분석의 중요 개념 – '주의 수준'과 '주의 기준'

지문 이해

1 책임원칙 분석의 필요성 – 책임원칙의 적용에 따라 불법행위 억제 효과가 달라짐.

2 책임원칙 분석의 중요 개념 – '주의 수준'과 '주의 기준'

(가해자)의 책임 여부만 고려하는 책임원칙들

3 '비책임원칙, 엄격책임원칙, 과실원칙'의 개념

4 '비책임원칙, 엄격책임원칙, 과실원칙'의 효율성 분석

(피해자)의 책임 여부도 고려하는 책임원칙들

5 기여과실의 개념과 효율성 분석

6 비교과실의 개념과 효율성 분석

3 [1]불법행위에 대해 피해자의 책임 여부는 고려하지 않고 가해자의 책임 여부만을 고려하는 책임원칙들을 살펴보자. [2]㉠ 비책임원칙은 불법행위는 발생했으나 피해자의 손해에 대해서 가해자가 어떠한 배상 책임도 지지 않는 원칙이다. [3]반면 엄격책임원칙은 손해에 대해서 가해자가 모든 배상 책임을 지는 원칙이다. [4]이 두 원칙은 가해자에게 손해 배상의 책임이 있는지 여부를 판단할 때 가해자의 주의 수준을 고려하지 않는다는 점에서 공통적이다. [5]이와 달리 ㉡ 과실원칙은 가해자의 과실 여부에 따라 가해자의 배상 책임 여부를 판단하는 원칙이다. [6]이때 과실이란 법원이 부여한 주의 기준을 지키지 않은 것을 의미한다. [7]과실원칙에서는 가해자에게만 주의 기준이 부여되므로 가해자에게 과실이 있으면 가해자가 전적으로 배상 책임을 지고, 과실이 없으면 배상 책임을 지지 않는다.

(비책임원칙의 개념 / 엄격책임원칙의 개념 / 가해자가 불법행위 억제를 위해 기울인 주의 정도 / 과실원칙의 개념 / 과실원칙에서 '과실'의 의미)

3 가해자의 책임 여부만을 고려하는 책임원칙 – '비책임원칙', '엄격책임원칙', '과실원칙'

4 [1]법원이 불법행위에 대해 비책임원칙을 적용하면 가해자에게 책임이 없어 피해자가 모든 손해를 부담하게 되므로, 비책임원칙하에서 가해자의 주의 수준은 매우 낮아진다. [2]그러므로 이 원칙은 불법행위 억제에 효율적이라 할 수 없다. [3]반면 엄격책임원칙을 적용하면 가해자가 항상 모든 손해를 배상해야 하므로 가해자의 주의 수준은 높아진다. [4]이때 가해자의 주의 수준은 불법행위 억제를 위한 주의 비용과 불법행위로 인한 손해의 합이 최소화되는 지점, 즉 사회적 효율성이 달성되는 최적의 주의 수준으로 유도된다. [5]그리고 법원이 과실원칙을 적용하면 가해자는 손해 배상의 책임에서 벗어나기 위해 법원이 정해 놓은 주의 기준을 지키려 한다. [6]ⓐ 결국 엄격책임원칙과 과실원칙은 모두, 불법행위를 효율적으로 억제할 수 있는 책임원칙이 된다.

(비책임원칙 / 법원이 정한 주의 기준 / 사회적 효율성이 달성되는 주의 수준)

4 불법행위를 효율적으로 억제할 수 있는 '엄격책임원칙'과 '과실원칙'

5 [1]한편 불법행위에 대해 가해자의 책임 여부만을 고려하는 책임원칙과 결합하여 피해자의 책임 여부까지 고려하는 책임원칙들이 있다. [2]먼저 ㉢ 기여과실은 [법원이 피해자에게 주의 기준을 부여하고 피해자가 이를 지키지 않은 것을 피해자의 과실로 정의하여, 피해자의 과실을 가해자가 손해 배상 책임에서 벗어나는 항변 수단으로 사용할 수 있도록 한다.] [3]과실원칙에 기여과실이 결합된 경우, 우선 과실원칙이 적용되므로 가해자에게 과실이 있으면 가해자가 손해를 전적으로 배상해야 한다. [4]그런데 가해자의 항변이 인정되면, 즉 피해자의 과실이 입증되면 가해자에게 과실이 있더라도 가해자는 배상 책임에서 벗어나게 되고 피해자가 손해를 전적으로 부담하게 된다. [5]결국 가해자에게만 최적의 주의 수준이 유도되는 과실원칙에 기여과실이 결합되면 피해자에게도 최적의 주의 수준이 유도된다는 점에서 기여과실은 불법행위를 효율적으로 억제할 수 있는 책임원칙이라고 할 수 있다.

([ ]: 기여과실의 개념 / 가해자에게만 주의 기준 부여 / 피해자에게도 주의 기준 부여 / 피해자가 주의 기준을 지키지 않았다면)

5 피해자의 책임 여부까지 고려하는 책임원칙 ① – 기여과실

6 [1]다음으로 비교과실은 기본적으로 과실원칙을 적용하되, 피해자에게도 주의 기준을 부여한다는 특징이 있다. [2][가해자에게 과실이 없으면 배상 책임이 없고, 가해자에게 과실이 있고 피해자에게 과실이 없으면 가해자에게는 배상 책임이 있다.] [3]그리고 피해자와 가해자 모두에게 과실이 있는 경우에는 과실의 크기에 비례하여 손해에 대한 책임을 분담한다. [4]이 원칙하에서 가해자와 피해자는 각각의 주의 기준을 지키고자 한다. [5]비교과실은, 양측에 과실이 있다고

(가해자 · 피해자 모두에게 주의 기준 부여 / [ ]: 과실원칙의 내용 / 가해자 · 피해자 모두 과실이 있을 시 손해에 대한 책임을 져야 하므로)

글의 핵심 파악

● **주의수준·주의기준**

가해자나 피해자가 불법행위 억제를 위해 기울이는 (주의의 정도)를 '주의 수준'이라 하며, 불법행위로 인한 손해를 가해자와 피해자에게 배분하기 위해 법원이 정한 (주의 수준)이 '주의 기준'이다.

▶ 근거 문단 2

● **가해자의 책임 여부만을 고려하는 책임원칙**

원칙	내용	비고
비책임원칙	가해자에게는 어떠한 배상 책임도 없음.	가해자의 주의 수준 고려 ×
엄격책임원칙	가해자가 모든 배상 책임을 짐.	가해자의 주의 수준 고려 ×; 불법행위 억제에 효율적
과실원칙	• 가해자의 과실 → 모든 배상 책임 ○ • 가해자의 과실 × → 배상 책임 ×	불법행위 억제에 효율적

▶ 근거 문단 3, 4

● **피해자의 책임 여부까지 고려하는 책임원칙**

기여과실	• (피해자)에게 주의 기준 부여 → 피해자가 이를 지키지 않으면 피해자의 과실임. • 과실원칙 + 기여과실 – 가해자 과실 ○ → 모든 배상 책임. – 가해자 과실 ○, 피해자 과실 ○ → 피해자가 모든 책임 부담.
비교과실	• 가해자 과실 × → 배상 책임 × • 가해자 과실 ○, 피해자 과실 × → 가해자에게 배상 책임. • 가해자 과실 ○, 피해자 과실 ○ → 과실의 크기에 비례하여 책임을 (분담).

(기여과실, 비교과실: 불법행위 억제에 효율적)

▶ 근거 문단 5, 6

지문 구조도

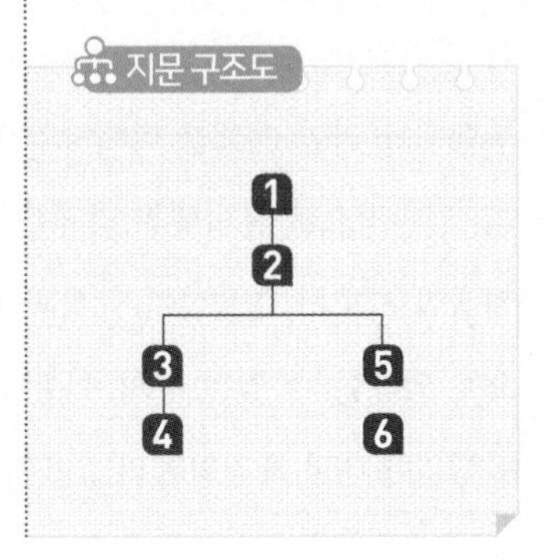

하더라도 과실이 큰 쪽이 더 많은 손해를 부담해야 하므로 양측을 조금이라도 더 높은 주의 수준으로 이끌 수 있다.[6]그래서 비교과실은 불법행위를 효율적으로 억제하는 책임원칙이라 할 수 있다.[7]이는 기여과실 원칙하에서 피해자의 과실이 가해자의 과실보다 작아도 가해자가 항변을 통해 배상의 책임에서 벗어날 수 있다는 것과 구별된다.

① 기여과실과 비교과실의 차이점

6 피해자의 책임 여부까지 고려하는 책임원칙 ② – 비교과실

14

❶번 정답률 90%

일치하는 내용 찾기

정답인 이유 ① **비교과실의 한계**

➡ '비교과실'에 관한 내용은 6에서 제시되는데, 여기에서는 비교과실의 장점만 언급되었고 그 한계는 언급되지 않았다.

오답 피하기 ② **불법행위의 개념** ➡ 1-1에서 확인할 수 있다.

③ **불법행위법의 기능** ➡ 1-1에서 확인할 수 있다.

④ **주의 수준에 대한 정의** ➡ 2-2에서 확인할 수 있다.

⑤ **비교과실과 기여과실의 차이점** ➡ 6-5~7에서 확인할 수 있다.

15

❺번 정답률 86%

정보 간의 관계 파악하기

정답인 이유 ⑤ **㉢은 ㉡과 달리 피해자의 과실 여부를 판단한다.**

➡ 3-7에서, '과실원칙에서는 가해자에게만 주의 기준이 부여되므로 가해자에게 과실이 있으면 가해자가 전적으로 배상 책임을 지고 과실이 없으면 배상 책임을 지지 않는다'고 하였고, 5-2에서 '기여과실은 법원이 피해자에게 주의 기준을 부여하고 피해자가 이를 지키지 않은 것을 피해자의 과실로 정의하여 피해자의 과실을 가해자가 손해 배상 책임에서 벗어나는 항변 수단으로 사용할 수 있도록 한다'고 하였다. → 과실원칙(㉡)에서는 피해자의 과실 여부를 따지지 않으나, 기여과실(㉢)에서는 피해자의 과실 여부도 판단함을 알 수 있다.

오답 피하기 ① **㉠은 불법행위의 억제에 ~~효율적이다~~.**

➡ 4-1~2에서 '법원이 불법행위에 대해 비책임원칙을 적용하면 ~ 불법행위 억제에 효율적이라 할 수 없다.'라고 하였으므로 적절하지 않다.

② **㉡은 ~~피해자의 책임 여부~~만 고려한다.**

➡ 3-5에서 '과실원칙은 가해자의 과실 여부에 따라 가해자의 배상 책임 여부를 판단하는 원칙이다.'라고 하였으므로 적절하지 않다.

③ **㉢은 ~~가해자의 책임 여부~~만 고려한다.**

➡ 5-2에서 '기여과실은 법원이 피해자에게 주의 기준을 부여하고 피해자가 이를 지키지 않은 것을 피해자의 과실로 정의'한다고 하였으므로 적절하지 않다.

④ **~~㉠은 ㉡과 달리~~ 가해자의 과실 여부를 판단한다.**

➡ 3-2에서 '비책임원칙은 불법행위는 발생했으나 피해자의 손해에 대해서 가해자가 어떠한 배상 책임도 지지 않는 원칙이다.'라고 하였고, 3-5에서 '과실원칙은 가해자의 과실 여부에 따라 가해자의 배상 책임 여부를 판단하는 원칙이다.'라고 하였으므로 '㉡은 ㉠과 달리 가해자의 과실 여부를 판단한다.'가 적절한 진술이다.

16

❹번 정답률 81%

이유 추론하기

정답인 이유 ④ **불법행위 억제를 위한 주의 비용과 불법행위로 인한 손해의 합이 최소화되는 지점으로 가해자의 주의 수준이 유도되기 때문이다.**

➡ "'(불법행위 억제를 위한) 주의 비용+(불법행위로 인한) 손해'가 최소화되는 지점=최적의 주의 수준=불법행위를 효율적으로 억제할 수 있는 주의 수준=법원이 정한 주의 기준"이다(2-5, 6). 또한 엄격책임원칙을 적용하면 가해자의 주의 수준은 사회적 효율성이 달성되는 최적의 주의 수준으

로 유도된다(4-3, 4). 그리고 과실원칙을 적용하면 가해자는 법원이 정한 주의 기준을 지키려 한다(4-5). 이를 통해, 엄격책임원칙과 과실원칙 모두, 가해자를 최적의 주의 수준으로 유도하여 불법행위를 효율적으로 억제하는 책임원칙임을 추론할 수 있다.

17

⑤번 정답률 76%

정답인 이유 **⑤ 학생은 을이 변압기 폭발에 대한 자신의 과실이 없다는 것을 증명한다면 배상 책임에서 벗어날 수 있다고 생각했겠군.**

➡ 3-3~4에서 '엄격책임원칙은 손해에 대해서 가해자가 모든 배상 책임을 지는 원칙이다. 이 두 원칙은 가해자에게 손해배상의 책임이 있는지 여부를 판단할 때 가해자의 주의 수준을 고려하지 않는다는 점에서 공통적이다.'라고 한 것을 바탕으로 하여 볼 때 〈보기〉의 을에게 모든 배상 책임이 있다고 판단할 수 있다. 따라서 엄격책임원칙을 적용해야 한다고 생각한 학생이 '을이 배상책임에서 벗어날 수 있다'고 생각했으리라 이해한 것은 잘못된 이해이다. ⑤는 '과실원칙'과 관련된 내용이다.

오답 피하기 **① 학생은 갑에게 화상을 입게 만든 것을 불법행위로 보고 있군.**

➡ 을이 제조한 변압기가 갑에게 화상이라는 손해를 입힌 것은 불법행위의 정의(1-1)에 해당한다.

② 학생은 갑이 입은 화상에 대한 모든 배상 책임은 을에게 있다고 생각했겠군.

➡ 3-3에서 '엄격책임원칙은 손해에 대해서 가해자가 모든 배상 책임을 지는 원칙이다.'라고 했으므로 적절하다.

③ 학생은 변압기가 폭발한 것과 관련하여 을의 주의 수준은 고려하지 않았겠군.

➡ 3-4에서 '이 두 원칙은 가해자에게 손해 배상의 책임이 있는지 여부를 판단할 때 가해자의 주의 수준을 고려하지 않는다는 점에서 공통적이다.'라고 했으므로, '엄격책임원칙'을 적용해야 한다고 주장하는 학생은 가해자인 을의 주의 수준은 고려하지 않았을 것이다.

④ 학생은 갑이 화상을 입게 된 것과 관련하여 갑의 책임 여부를 고려하지 않았겠군.

➡ '엄격책임원칙'은 피해자의 책임 여부는 고려하지 않으므로(3-1) 적절한 이해이다.

〈보기〉 문제
– 사례·상황 제시

● 엄격책임원칙
- (가해자)가 모든 배상 책임을 짐 (피해자의 책임 여부는 고려하지 않음).
- 가해자의 배상 책임 여부 판단 시, 가해자의 주의 수준을 고려하지 않음.

▶ 근거 문단 3

18

⑤번 정답률 47%

정답인 이유 **⑤ B와 D의 경우 가해자가 x^*를 지켰으므로, 비교과실을 적용하면 피해자와 가해자가 과실에 비례하여 손해에 대한 책임을 분담한다.**

➡ x^*는 가해자의 주의 기준이고, y^*는 피해자의 주의 기준인데, B와 D의 경우 가해자는 모두 주의 기준을 지켜 과실이 없다. 6-2의 '가해자에게 과실이 없으면~책임이 없고'를 보면 비교과실을 적용했을 때 가해자에게 과실이 없으면 배상 책임이 없다. 따라서 B와 D의 경우 피해자와 가해자가 과실에 비례하여 손해에 대한 책임을 분담한다는 진술은 적절하지 않다.

오답 피하기 **① A의 경우 가해자는 x^*를 지키지 않았고 피해자는 y^*를 지켰으므로, 비교과실을 적용하면 가해자에게 배상 책임이 있다.**

➡ A는 가해자가 주의 기준을 지키지 않아 과실이 있고 피해자는 주의 기준을 지켜 과실이 없는 경우인데, 비교과실은 이런 경우 가해자가 배상 책임을 진다(6-2).

② B의 경우 가해자는 x^*를 지켰으므로, 과실원칙을 적용하면 가해자에게 배상 책임이 없다.

➡ B는 가해자가 주의 기준을 지켜 과실이 없는 경우인데, 과실원칙은 이런 경우 가해자가 배상 책임을 지지 않는다(3-7).

③ C의 경우 가해자도 x^*를 지키지 않았고 피해자도 y^*를 지키지 않았으므로, 과실원칙에 기여과실이 결합된 원칙을 적용하여 가해자의 항변이 인정되면 피해자가 손해를 부담한다.

➡ C는 가해자와 피해자 모두가 주의 기준을 지키지 않아 과실이 있는 경우인데, 5-4의 '과실원칙에 기여과실이 결합된~전적으로 부담하게 된다.'를 통해 알 수 있으므로 적절하다.

④ A와 C의 경우 가해자가 x^*를 지키지 않았으므로, 과실원칙을 적용하면 가해자에게 배상 책임이 있다.

➡ A와 C 모두 가해자가 주의 기준을 지키지 않아 과실이 있는 경우인데, 과실원칙에서는 가해자가 과실이 있으면 가해자가 모든 배상 책임을 지므로(3-7) 적절하다.

〈보기〉 문제
– 시각 자료 제시

● 과실원칙 VS 과실원칙+기여과실 VS 비교과실

과실원칙	• 가해자 과실 → 모든 배상 책임 • 가해자 과실 × → 배상 책임 ×
과실원칙 + 기여과실	• 가해자 과실 → 가해자가 모든 배상 책임. • 가해자 과실 ○, 피해자 과실 ○ → (피해자)가 모든 책임 부담.
비교과실	• 가해자 과실 X → 배상 책임 X • 가해자 과실 O, 피해자 과실 X → 가해자에게 배상 책임 O • (가해자) 과실 O, 피해자 과실 O → 과실의 크기에 비례하여 책임 분담.

▶ 근거 문단 3, 4, 5

13 과학·기술

사뿐히 즈려밟는 훈련 문제 p.172~185

01 ⑤	02 ④	03 ③	04 ⑤	05 ①	06 ②	07 ③	08 ⑤	09 ①
10 ②	11 ③	12 ①	13 ③	14 ①	15 ④	16 ②		

[01~04] 안구 운동의 원리 과학 1

2017학년도 4월 고3 학력평가

1 [1]우리는 가만히 앉아 있는 상태에서 옆의 사물을 힐끗 쳐다보기도 하고, 흔들리는 차 안에서 책을 읽기도 한다. [2]그런데 만약 눈의 안구가 움직이지 않는다면 사물을 ㉠선명하게 볼 수 없다. [3]왜냐하면 몸이나 머리의 움직임이 없는 상태에서 눈동자만을 움직여 일정 범위 내의 사물을 바라보거나, 움직임이 있는 상태에서 ㉡고정되어 있는 사물을 계속 바라볼 때 안구가 움직여야만 물체의 이미지가 망막의 중심오목에 안정되게 머물러 있기 때문이다. 이때 안구의 움직임을 '안구 운동'이라고 한다.

안구가 움직여야 하는 이유

1 안구의 움직임인 '안구 운동'

2 [1]안구 운동을 이해하기 위해서는 눈돌림근육의 수축과 이완에 대해 이해해야 한다. [2][그림]에서처럼 ① 머리를 똑바로 하고 정면을 주시하는 경우 → 눈돌림근육 6개가 1개의 안구를 동일한 힘으로 잡아당기고 있다. (이유: 정면을 주시해야 하므로) [3]그런데, 머리나 몸의 움직임이 없는 상태에서 ② 눈만 위로 치켜뜨게 되면 → 위곧은근이 수축되고 이에 ㉢상응하여 수축된 정도만큼 아래곧은근은 이완된다.

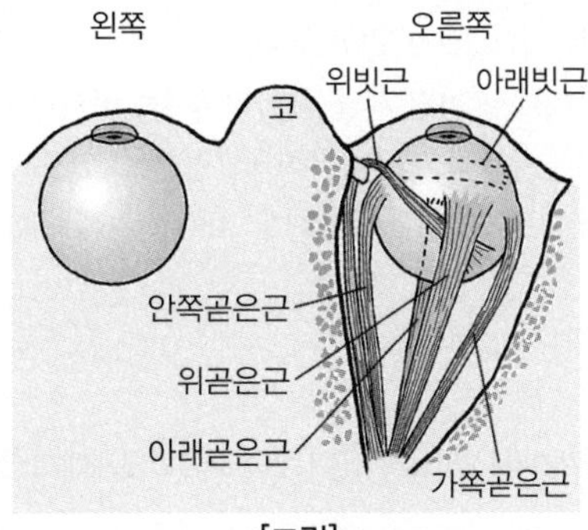

[그림]

[4]또한 머리나 몸의 움직임이 없는 상태에서 ③ 한쪽으로 눈을 흘겨 볼 때, → 흘기는 방향과 같은 쪽 눈의 가쪽곧은근이 수축되고 그 수축된 정도만큼 그 눈의 안쪽곧은근은 이완된다.

2 머리나 몸이 움직이지 않을 때 일어나는 눈돌림근육의 수축과 이완

3 [1]한편 몸이나 머리가 움직이는 상태에서 어떤 사물을 바라볼 때, 머리나 몸이 움직이는 방향과 반대로 안구가 움직이는데 이를 '전정안반사'라고 한다. (전정안반사의 개념) [2]예를 들어 정면에 거울이 있다고 하자. 거울에 비친 얼굴을 ㉣응시하면서 고개를 위로 살짝 들어도 우리는 자신의 얼굴을 선명하게 볼 수 있다. [3]왜냐하면 고개를 든 각도만큼 안구가 아래쪽으로 움직이는 전정안반사가 일어나기 때문이다. [4]이 경우에도 눈돌림근육의 수축과 이완은 발생하는데, ① 고개를 위로 들면 전정안반사에 의해 두 눈의 안구의 아래곧은근이 수축되고 수축된 만큼 위곧은근은 이완되는 것이다. (눈이 아래쪽으로 움직이므로 / 안구가 움직임 = 눈돌림근육의 수축과 이완) [5]거울을 바라보며 ② 고개를 살짝 옆으로 돌리면, 고개를 돌리는 방향과 같은 쪽의 눈은 안쪽곧은근이 수축되고 반대쪽 눈은 가쪽곧은근이 수축된다. (전정안반사에 의해 → / = 가쪽곧은근은 이완)

3 머리나 몸이 움직일 때 일어나는 전정안반사와 그에 따른 눈돌림근육의 수축과 이완

4 [1]그렇다면 전정안반사는 어떤 과정을 거쳐 발생하게 되는 것일까? [2]먼저 우리 몸의 전정기관에서 머리나 몸의 움직임을 감지한다. [3]우리 몸이나 머리가 중력과 나란한 수직 방향이나 지면과 나란한 수평 방향으로 움직이면 → 귓속의 둥근주머니는 수직 방향, 타원주머니는 수평 방

지문 이해

1 안구의 움직임인 '(안구 운동)'

2 머리나 몸이 움직이지 않을 때 일어나는 (눈돌림근육)의 수축과 이완

3 머리나 몸이 움직일 때 일어나는 (전정안반사)와 그에 따른 눈돌림근육의 수축과 이완

4 전정안반사가 일어나는 (과정)

글의 핵심 파악

● **안구가 움직여야 하는 이유**
- 안구가 움직여야만 물체가 망막의 (중심오목)에 안정되게 머물러 있기 때문이다.

▶ 근거 문단 **1**

● **눈돌림근육의 수축과 이완**

① 머리나 몸의 움직임이 없는 상태

눈만 위쪽으로 치켜 뜸. → 위곧은근이 (수축)됨. / 아래곧은근이 (이완)됨.

② 머리나 몸이 움직이는 상태

고개를 위로 듦. → 위곧은근이 (이완)됨. / 아래곧은근이 (수축)됨.

▶ 근거 문단 **2**, **3**

향으로의 움직임을 ㉤감지한다. [4]또한 귓속 수평반고리관은 머리를 가로저을 때 발생하는 회전 운동을, 전반고리관과 후반고리관은 고개를 끄덕일 때 발생하는 회전 운동을 감지한다. [5]이후 운동이 감지된 전정기관에서는 신호가 생성되는데, 생성된 신호는 눈돌림근육을 지배하는 신경에 전달된다. [6][그림]에서 위빗근은 도르래신경, 가쪽곧은근은 갓돌림신경, 나머지 근육은 눈돌림신경의 지배를 받는데, 흥분 신호는 신경을 통해 눈돌림근육을 수축하게 만들고, 억제 신호는 눈돌림근육을 이완하게 만들면서 안구가 움직이게 된다.

○ : 눈돌림근육을 지배하는 신경의 종류

4 전정안반사가 일어나는 과정

● 각 눈돌림근육을 지배하는 신경

눈돌림근육	신경
위빗근	(도르래신경)
가쪽곧은근	갓돌림신경
아래빗근, 안쪽곧은근, 위곧은근, 아래곧은근	눈돌림신경

01

⑤번 정답률 87%

일치하는 내용 찾기

정답인 이유 ⑤ **수평반고리관과 전반고리관이 감지하는 머리의 운동 방향은 동일하다.**

➡ 4-4에서 '수평반고리관은 머리를 가로저을 때 발생하는 회전 운동을, 전반고리관과 후반고리관은 고개를 끄덕일 때 발생하는 회전 운동을 감지한다.'고 하였으므로 수평반고리관과 전반고리관이 감지하는 머리의 운동 방향은 동일하지 않다.

오답 피하기 ① **전정안반사는 안구 운동 중 하나이다.**

➡ 1-4에서 '안구의 움직임을 '안구 운동'이라고 한다.'고 하였고 3-1에서 '안구가 움직이는데 이를 '전정안반사'라고 한다.'라고 하였으므로 적절하다.

② **사람의 한쪽 눈에는 6개의 눈돌림근육이 있다.** ➡ 2-2에서 확인할 수 있다.

③ **사람이 움직이며 고정된 사물을 바라볼 때 전정안반사가 나타난다.**

➡ 3-1의 '몸이나 머리가 움직이는 상태에서 어떤 사물을 바라볼 때, 머리나 몸이 움직이는 방향과 반대로 안구가 움직이는데 이를 '전정안반사'라고 한다.'에서 확인할 수 있으므로 적절하다.

④ **타원주머니는 수평 방향으로 움직이는 머리의 움직임을 감지한다.** ➡ 4-3에서 확인할 수 있다.

02

④번 정답률 78%

〈보기〉 문제 – 시각 자료 제시

정답인 이유 ④ **머리를 아래로 숙이면, C단계에서 아래곧은근이 수축하여 D단계에서 물체의 상이 망막의 중심 오목에 맺힐 수 있겠군.**

➡ 3-4에서, '고개를 위로 들면 전정안반사에 의해 두 눈의 안구의 아래곧은근이 수축되고 수축된 만큼 위곧은근은 이완되는 것이다.'라고 하였으므로, 머리를 아래로 숙이면 C단계에서는 아래곧은근이 아닌, 위곧은근이 수축될 것이다.

오답 피하기 ① **A단계에서 흥분 신호가 생성된다면, C단계에서는 눈돌림근육 중 일부가 수축되겠군.**

➡ 4-5~6의 '이후 운동이 감지된 전정기관에서는 신호가 생성되는데'와 '흥분 신호는 신경을 통해 눈돌림근육을 수축하게 만들고'에서 추론할 수 있으므로 적절하다.

② **몸이나 머리가 수직 방향으로 움직인다면, A단계에서 신호를 발생시키는 전정기관은 둥근주머니이겠군.**

➡ 4-3의 '우리 몸이나 머리가 중력과 나란한 수직 방향이나 지면과 나란한 수평 방향으로 움직이면 귓속의 둥근주머니는 수직 방향~감지한다.'와 4-5의 '이후 운동이 감지된 전정기관에서는 신호가 생성되는데'에서 추론할 수 있으므로 적절하다.

③ **머리를 위아래로 끄덕인다면, A단계에서 흥분 신호와 억제 신호가 생성되어 B단계의 신경에 전달되겠군.**

➡ 4-4의 '전반고리관과 후반고리관은 고개를 끄덕일 때 발생하는 회전 운동을 감지한다.'와 4-5의 '이후 운동이 감지된 전정기관에서는 신호가 생성되는데~신경에 전달된다.'에서 추론할 수 있으므로 적절하다.

⑤ **C단계에서 위빗근이 작용하여 D단계의 안구 운동이 발생했다면, 도르래신경이 전정기관으로부터 신호를 전달받았겠군.**

➡ 4-5의 '이후 운동이 감지된 전정기관에서는 신호가 생성되는데'와 4-6의 '위빗근은 도르래신경~안구가 움직이게 된다.'에서 추론할 수 있으므로 적절하다.

● 전정안반사의 과정

전정기관에서 머리나 몸의 움직임을 감지함.

↓

전정기관에서 (신호)가 생성됨.

↓

신호가 (신경)에 전달되어 눈돌림 근육을 수축·이완시킴.

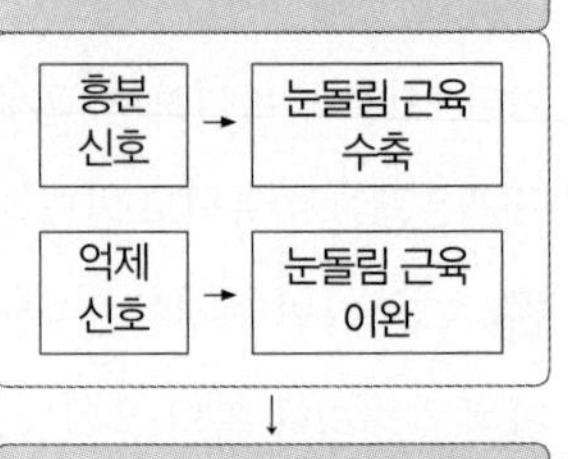

↓

안구가 움직임.

▶ 근거 문단 4

03

❸번 정답률 73%

정답인 이유 ③ 안쪽곧은근 가쪽곧은근 가쪽곧은근 안쪽곧은근

➡ ❸-5에서 '거울을 바라보며 고개를 살짝 옆으로 돌리면, 고개를 돌리는 방향과 같은 쪽의 눈은 안쪽곧은근이 수축되고 반대쪽 눈은 가쪽곧은근이 수축된다.'고 하였다. 〈보기〉의 사례는 머리를 오른쪽 수평 방향으로 움직인 것이므로 오른쪽 눈에서는 안쪽곧은근이 수축을 하고 가쪽곧은근이 이완을 하며, 왼쪽 눈에서는 가쪽곧은근이 수축을 하고 안쪽곧은근이 이완할 것임을 추측할 수 있다.

04

❺번 정답률 66%

정답인 이유 ⑤ ⓔ: 어떤 기회나 정세를 알아차리다

➡ 'ⓔ감지한다'는 '느끼어 알다'라는 의미이므로 적절하지 않다. '어떤 기회나 정세를 알아차린다.'는 '포착하다'의 의미이다.

〈보기〉 문제 – 사례·상황 제시

● 윗글과 〈보기〉의 연결고리 찾기

'거울을 바라보며 고개를 살짝 옆으로 돌리면, 고개를 돌리는 방향과 같은 쪽의 눈은 (안쪽곧은근)이 수축되고 반대쪽 눈은 (가쪽곧은근)이 수축된다.' (❸-5)

↓

공을 바라보며 오른쪽으로 고개를 돌리면, 오른쪽 눈은 (안쪽곧은근)이 수축되고 왼쪽 눈은 (가쪽곧은근)이 수축된다.

어휘의 의미 파악하기

[05~08] 파동의 속성 과학 2

2016학년도 3월 고3 학력평가

❶ [1]파동은 공간이나 물질의 한 부분에서 생긴 ⓐ주기적 진동이 시간의 흐름에 따라 주위로 멀리 퍼져 나가는 현상을 의미한다.[2]호수(매질)에 돌을 던졌을 때 사방으로 퍼져 나가는 수면파, 공기(매질) 등을 통해 전달되는 음파 등은 매질을 통하여 진동이 전달되는 역학적 파동의 대표적인 예이다.[3]이러한 역학적 파동의 에너지는 진동하는 매질의 ⓑ입자가 옆의 입자를 진동시키는 방법으로 매질을 따라 전달된다.(파동 에너지의 전달 방식)

❶ 파동의 개념과 전달 방식

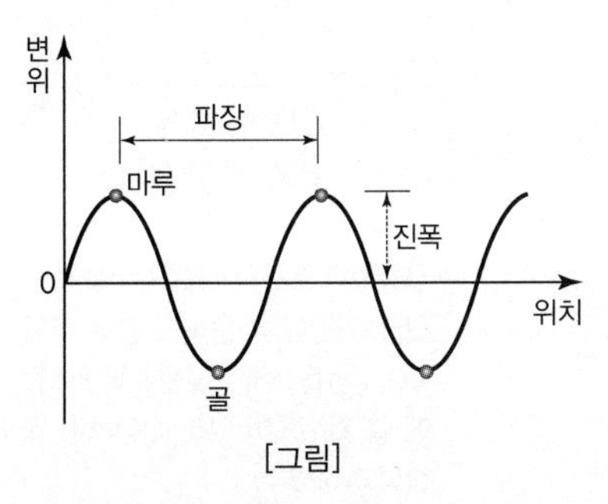

[그림]

❷ [1]파동은 〈그림〉과 같이 나타낼 수 있는데, 평형점 0을 기준으로 가장 높은 지점을 마루(마루의 개념), 가장 낮은 지점을 골(골의 개념)이라고 한다.[2]그리고 평형점 0에서 마루나 골까지의 높이, 즉(=) 진동하는 입자가 평형점에서 최대로 벗어난 거리를 진폭(진폭의 개념), 마루와 마루 또는 골에서 골까지 거리를 파장(파장의 개념)이라고 하며, 파동이 1초 동안 진동한 횟수를 주파수(주파수의 개념)라고 한다.

❷ 파동의 표현과 관련한 개념 – 마루, 골, 진폭, 파장, 주파수

❸ [1]파동의 진행 속도는 파장과 주파수의 곱으로 나타내며, 파동의 ⓒ속도가 일정하면 주파수가 높을수록 파장이 짧다는 특성이 있다('파장×주파수=파동의 속도'이므로).[2]역학적 파동은 진행하면서 매질에 흡수되어 → 에너지를 잃기도 하는데, 음파의 경우(역학적 파동의 예) 주파수가 높을수록 → 매질에 더 잘 흡수되어 → 멀리 진행하지 못한다(에너지를 잃었기 때문에).[3]그리고 매질을 따라 진행하는 역학적 파동이 다른 매질을 만나게 되면 파동의 일부는 반사되어 돌아오고, 일부는 다른 매질로 투과하는 현상을 보인다.

❸ 파동의 진행 속도와 매질과의 관계

❹ [1]먼저, 반사는 ㉠한 끝이 벽에 고정된 줄을 따라 파동이 전달되는 상황을 통해 설명할 수 있다. [2]이 파동이 매질인 줄을 따라 진행하다가 고정단에 ⓓ도달하면 진행해 온 반대 방향으로 줄을 따라 다시 돌아가게 되는데, 이처럼 매질이 급격하게 변하는 경계에서 파동이 반대 방향으로 되돌려지는 것을 반사(반사의 개념)라고 한다.

❹ '반사'의 개념과 원리

지문 이해

❶ (파동)의 개념과 전달 방식

❷ 파동의 표시와 관련된 개념들

❸ 파동의 (진행 속도)와 매질과의 관계

❹ 반사의 개념과 원리

❺ 투과의 개념과 원리

❻ 파동의 에너지와 진폭과의 관계

글의 핵심 파악

● 파동의 진행 속도

파동의 속도=파장×(주파수)
• 파장: (마루)와 (마루), 골에서 골까지의 거리 • 주파수: 파동이 1초 동안 진동한 횟수

↓

파장이 길수록(주파수 일정 시), 주파수가 높을수록(파장 일정 시) 파동의 진행 속도는 (빠르다).

▶ 근거 문단 ❷, ❸

5 [1]다음으로 ㉡다른 조건은 모두 같을 때, 밀도가 낮은 줄이 밀도가 높은 줄에 연결되어 있고, 이 줄을 따라 파동이 진행하는 상황을 통해 투과를 설명할 수 있다. [2]이 경우 파동이 밀도가 낮은 줄을 지나 밀도가 높은 줄과 연결된 경계에 도달하면 파동의 일부가 반사된다. [3]하지만 일부는 밀도가 높은 줄로 계속 진행하는데, 이를 투과라고 한다. [4]이때 파동이 투과되거나 반사되는 정도는 매질들의 물리적 특성 차이에 의해 결정된다. [5]가령 줄에서 진행하는 파동의 경우 매질 간의 밀도 차가 클수록, 음파의 경우 매질의 밀도와 음속을 곱한 값인 음파 저항이 클수록 반사 정도가 큰 경계를 형성하기 때문이다.

이유: 매질이 급격하게 변해서 / 투과의 개념 / 음파 저항의 개념

5 '투과'의 개념과 원리

6 [1]한편, 입사한 하나의 파동이 매질의 물리적 저항이 다른 경계에서 반사파와 투과파로 나누어질 때, 별도의 에너지 ㉢손실이 없다고 가정하면, 에너지 보존 법칙에 따라 두 파동이 갖는 에너지의 합은 원래 입사한 파동의 에너지와 같게 된다. [2]다만 파동의 에너지는 진폭의 제곱에 비례하므로, 입사한 파동의 에너지 중에서 일부분만 포함하는 반사파의 진폭은 줄어들게 된다.

진폭이 클수록 에너지가 큼. / 이유: 에너지가 적으므로

6 파동의 에너지와 진폭의 관계

- **반사와 투과**
- 반사: 매질이 급격하게 변하는 경계에서 파동이 (반대) 방향으로 (되돌려지는) 것
- 투과: 밀도 차이가 나는 매질과 매질의 (경계)에서 파동의 일부가 밀도가 (높은) 매질로 계속 (진행)하는 것

➲ 파동이 투과되거나 반사되는 정도는 매질들의 물리적 특성 차이에 의해 결정됨.

▶ 근거 문단 **4**, **5**

지문 구조도

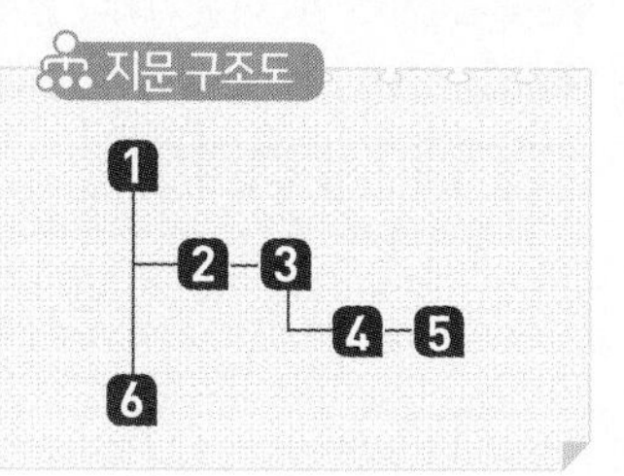

05

❶번 정답률 89%

일치하는 내용 찾기

정답인 이유 ① **파동의 진행 속도가 동일하다면 낮은 주파수의 파동일수록 파장이 짧다.**

➡ **3**-1에서 파동의 속도가 일정하면 주파수가 높을수록 파장이 짧다고 하였다. 따라서 파동의 진행 속도가 동일하다면 낮은 주파수의 파동일수록 파장이 짧아진다는 진술은 적절하지 않다.

오답 피하기

② **파동의 진폭은 진동하는 입자가 평형점에서 최대로 벗어난 거리이다.** ➡ **2**-2에서 확인할 수 있다.

③ **파동은 진동이 주위로 퍼져 나가는 현상을 의미한다.** ➡ **1**-1에서 확인할 수 있다.

④ **역학적 파동의 에너지는 매질을 통하여 전달된다.** ➡ **1**-3에서 확인할 수 있다.

⑤ **파동의 에너지는 진폭의 제곱에 비례한다.** ➡ **6**-2에서 확인할 수 있다.

06

❷번 정답률 49%

〈보기〉 문제 –사례·상황 제시

정답인 이유 ② **(가)에서 시험체의 두께가 두꺼울수록 높은 주파수의 초음파를 이용해야겠군.**

➡ **3**-2에서 '음파의 경우 주파수가 높을수록 매질에 더 잘 흡수되어 멀리 진행하지 못한다'고 했으므로 시험체의 두께가 두꺼울수록 더 멀리 진행할 수 있도록 상대적으로 낮은 주파수의 초음파를 쓰는 것이 적절할 것임을 추측할 수 있다.

오답 피하기 ① **(가)에서 결함 부위에서 반사된 초음파는 입사파보다 진폭이 작겠군.**

➡ **6**-2에서 입사한 파동의 에너지 중에서 일부분만 포함하는 반사파의 진폭은 줄어들게 된다고 하였다.

③ **(나)에서 Ⓐ와 Ⓑ를 비교하면, 결함 부위의 음파 저항과 그 주변의 음파 저항의 차이보다 시험체의 음파 저항과 바닥의 음파 저항의 차이가 크다고 볼 수 있겠군.**

➡ **5**-5에서 음파 저항이 클수록 반사 정도가 큰 경계를 형성한다고 하였다. (나)에서 Ⓑ가 Ⓐ보다 반사파의 상대적 세기가 높은 것으로 나타나 있으므로, 시험체와 바닥의 음파 저항의 차이가 더 컸을 것으로 이해할 수 있다.

④ **(나)에서 결함 부위가 초음파 센서와 더 가까웠다면, Ⓐ는 현재보다 왼쪽에 나타났겠군.**

➡ 〈보기〉에서 (나)의 가로축은 반사파가 감지된 시간을 거리로 환산하여 보여 준다고 하였다. 따라서 초음파 센서와 가까울수록 왼쪽에 나타날 것이다.

⑤ **(나)에서 Ⓑ가 100%가 되지 않은 것은, 초음파의 에너지 일부가 시험체에 흡수된 것이 원인이라고 할 수 있겠군.**

➡ **3**-2에서 파동은 진행하면서 에너지가 매질에 흡수되기도 한다고 하였으며, **6**-1에서 파동이 반

- **〈보기〉와 윗글의 연결고리 찾기**
- 윗글의 **3**에서, 음파의 경우 주파수가 (높을수록, 낮을수록) 매질에 잘 흡수되어 멀리 진행하지 못한다고 하였다.
- 따라서 〈보기〉의 시험체의 두께가 두껍다면 초음파가 더 멀리 나아갈 수 있도록 (높은 , 낮은) 주파수의 초음파를 이용해야 한다.

사파와 투과파로 나누어질 때 다른 에너지 손실이 없다면 에너지를 나누어 가지게 된다고 하였다.

07

③번 정답률 75%

정보 간의 관계 파악하기

정답인 이유 **③ ㉠과 ㉡은 모두 매질의 경계에서 생겨나는 역학적 파동의 변화를 보여 준다.**

➡ ㉠은 줄이라는 매질과 벽의 고정단에서 파동이 달라지는 현상을 보여 주고 있고, ㉡은 밀도가 다른 매질의 경계에서 파동이 달라지는 현상을 보여 주고 있다.

오답 피하기 **① ㉠과 ㉡은 모두 역학적 파동으로 인한 매질의 특성 변화를 보여 준다.**

➡ ㉠, ㉡은 모두 매질의 변화에 따른 역학적 파동의 변화를 보여 주고 있으므로, 역학적 파동으로 인한 매질의 특성 변화를 보여 준다는 것은 적절하지 않다.

② ㉠과 ㉡은 모두 역학적 파동의 진행에 따른 에너지의 증가를 보여 준다.

➡ 3-2에서 역학적 파동은 진행하면서 매질에 흡수되어 에너지를 잃기도 한다고 하였는데, 이로 미루어 볼 때 ㉠, ㉡에서 역학적 파동의 에너지가 증가한다고 보는 것은 적절하지 않다.

④ ㉠은 파동의 진폭이 커지는 요인을, ㉡은 파동의 진폭이 작아지는 요인을 보여 준다.

➡ 6-2에서 역학적 파동의 에너지는 진폭의 제곱에 비례한다고 언급한 바는 있다. 그러나 ㉠, ㉡에서 진폭이 크고 작아지는 요인을 파악하기는 어렵다.

⑤ ㉠은 파동이 매질에 입사되는 양상을, ㉡은 파동이 매질에서 흡수되는 양상을 보여 준다.

➡ ㉠, ㉡ 모두 하나의 파동이 진행할 때 일어나는 변화를 보여 주는 상황들이다. ㉠에서는 매질이 급격하게 변하는 경계면에서 파동이 되돌려지는 현상(반사)이, ㉡에서는 경계면에서 파동의 일부가 계속 진행하는 현상(투과)이 나타난다.

● ㉠과 ㉡ 이해하기

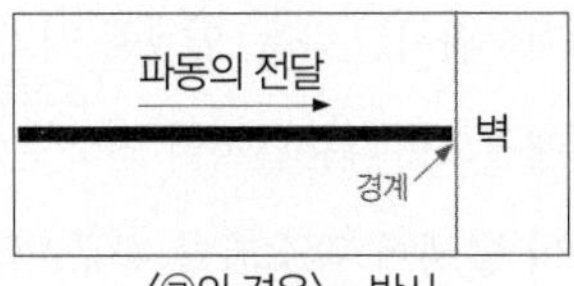

〈㉠의 경우〉 – 반사

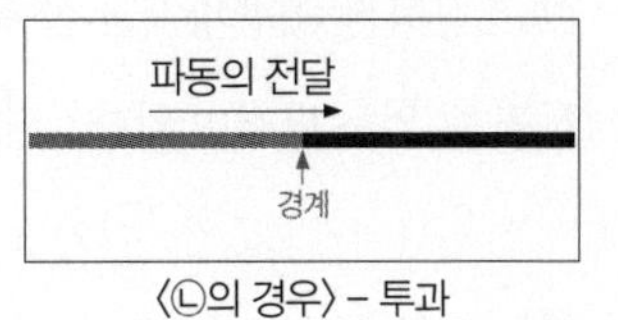

〈㉡의 경우〉 – 투과

08

⑤번 정답률 89%

어휘의 의미 파악하기

정답인 이유 **⑤ ⓔ: 일을 잘못하여 뜻한 대로 되지 아니하거나 그르침.**

➡ '손실'은 '잃어버리거나 축이 나서 손해를 봄. 또는 그 손해'라는 뜻의 단어이다. '일을 잘못하여 뜻한 대로 되지 아니하거나 그르침'을 뜻하는 단어는 '실패'이다.

[09~12] 디젤 엔진의 오염 물질 저감 기술 기술 1

2018학년도 10월 고3 학력평가

1 [1]디젤 엔진은 가솔린 엔진에 비해 일반적으로 이산화 탄소의 배출량이 적고 열효율이 높으며 내구성이 좋다.[2]하지만 디젤 엔진은 미세 먼지로 알려져 있는 입자상 물질과, 일산화 질소나 이산화 질소와 같은 질소 산화물을 많이 발생시킨다.[3]이런 물질들은 기관지염이나 폐렴 등 각종 호흡기 질환, 광화학 스모그나 산성비의 주요 원인이 된다.[4]이에 따라 디젤 엔진이 배출하는 오염 물질을 저감하기 위한 기술이 계속 개발되고 있다.

(디젤 엔진의 장점 / 디젤 엔진의 단점)

1 디젤 엔진의 오염 물질 저감 기술이 개발되고 있음.

2 [1]입자상 물질을 처리하는 대표적인 기술로는 DPF 방식이 있다. [2]이 방식은 배기가스에서 발생하는 입자상 물질을 필터로 포집하고, 필터에 쌓인 물질들을 일정 시점에 연소시켜 제거함으로써 필터의 기능을 회복한다.[3]포집된 입자상 물질을 연소시키기 위해서는 포집 필터까지 연료가 흘러 들어갈 수 있게 엔진 실린더에 연료를 공급해야 한다.[4]연료가 공급이 되면 배기가스에 연료가 섞여 필터에서 연소가 이루어진다.[5]DPF 방식은 엔진을 특별히 개선할 필요

(DPF 방식으로 입자상 물질을 처리하는 과정)

지문 이해

1 디젤 엔진의 (오염 물질) 저감 기술이 개발되고 있음.

2 '입자상 물질'을 처리하는 (DPF) 방식

3 '질소 산화물'을 처리하는 (EGR) 방식

4 EGR 방식보다 질소 산화물 저감 효율이 높은 (SCR) 방식

5 SCR 장치의 효율을 높이는 방법

6 SCR 방식에서 해결해야 할 (문제)

없이 연료를 추가적으로 공급하면 되기 때문에 제작이 용이한 반면 연비가 떨어진다.[6]또한 질소 산화물을 저감하기 어렵기 때문에 별도의 기술이 필요하다. 2 '입자상 물질'을 처리하는 DPF 방식
DPF 방식의 장점 / DPF 방식의 단점 ① / DPF 방식의 단점②

3 [1]질소 산화물을 저감하는 기술로는 ㉠EGR 방식이 있다. [2]이 방식은 배기가스를 엔진으로 재순환시킨 다음, 연료를 배기가스와 함께 연소시켜 연소 온도를 낮추는 기술이다. [3]배기가스를 엔진으로 재순환시켜 연소 온도를 낮추는 까닭은 연료가 낮은 온도에서 연소될 때 질소 산화물의 발생이 감소되기 때문이다.[4]하지만 연소 온도를 낮추면 입자상 물질이 많이 배출되므로 EGR 방식은 DPF 방식과 함께 쓰인다. [5]EGR 방식은 엔진에 불순물이 쌓일 수 있고, 출력이 저하될 수 있는 단점이 있다.
EGR 방식으로 질소 산화물을 처리하는 과정 / 질소 산화물↓ 입자상 물질↓ / EGR 방식의 단점
3 '질소 산화물'을 처리하는 EGR 방식

4 [1]최근에는 EGR 방식보다 질소 산화물의 저감 효율이 높은 SCR 방식이 개발되어 EGR 방식을 대체하고 있다.[2]㉡ SCR 방식은 배기가스를 재순환시키지 않기 때문에 EGR 방식보다 엔진에서의 연소 온도가 높다.[3]이렇게 하면 입자상 물질이 적게 발생하는 대신 질소 산화물이 더 많이 발생하게 된다.[4]이때 SCR 방식은 암모니아를 이용하여 질소 산화물을 저감한다. [5]그런데 [암모니아는 폭발의 위험이 있고 금속을 부식시킬 수도 있으며 상온에서는 특유의 자극적인 냄새를 풍겨 불쾌감을 유발한다.[6]그래서 사용에 제약이 있으며 취급 시 주의를 요한다.][7]이러한 문제점을 해결하기 위해 SCR 방식에서는 요소를 물에 녹인 요소수를 공급하는 요소수 탱크와 공기를 공급하는 압축 공기 주입기를 별도로 사용하여 SCR 장치에서 다음과 같이 화학 반응이 일어나도록 유도한다.[8][요소는 열분해를 통해 암모니아와 아이소사이안산으로 분해되고, 아이소사이안산은 가수 분해되어 이산화 탄소와 암모니아를 생성한다. [9]일산화 질소는 이렇게 얻어진 암모니아와 함께 공기 중의 산소와 반응하여 질소와 물로 바뀐다. [10]그리고 이산화 질소는 일산화 질소와 함께 암모니아와 반응하여 역시 질소와 물로 바뀐다.]
EGR 방식과의 차이점 / 낮은 온도에서 연소되어야 질소 산화물이 감소함. / [ ]: 암모니아 사용의 문제점 / [ ]: SCR 장치에서 암모니아를 이용하여 질소 산화물을 저감하는 방법
4 '질소 산화물' 저감 효율이 EGR 방식보다 높은 SCR 방식

[A] 5 [1]화학 반응이 일어나는 SCR 장치 내부는 반응 물질을 흡착시키는 백금이나 바나듐 등을 이용한 금속 촉매로 만들어져 있다.[2]SCR 방식에서는 이러한 촉매의 표면에 배기가스가 오래 머물도록 해 주어야 저감 효율을 높일 수 있다.[3]즉 공간 속도를 느리게 하여 화학 반응이 일어날 수 있는 시간을 충분히 확보해야 한다.[4]여기서 공간 속도란 단위 시간당 공급되는 배기가스의 양을 SCR 장치의 촉매의 부피로 나눈 값이다.
이유: 질소 산화물을 분해할 시간이 필요하므로
5 SCR 방식의 효율을 높이는 방법

6 [1]SCR 방식은 저감 효율이 높아 이용이 점차 확대되고 있으나 해결해야 할 문제도 안고 있다.[2]암모니아가 배기가스와 함께 배출되는 암모니아 슬립 현상이 발생할 수 있으며, 요소의 분해가 낮은 온도에서 일어나면 고체 형태의 아멜린이나 멜라민 등이 생성되어 배관 내부나 장치 표면에 고착될 수 있다.
6 SCR 방식에서 해결해야 할 문제

글의 핵심 파악

● 디젤 엔진이 배출하는 오염 물질

(입자상 물질)	(질소 산화물)
미세 먼지	일산화 질소, 이산화 질소

▶ 근거 문단 1

● 오염 물질 저감 기술들

	방식	문제점
DPF 방식	(입자상 물질)을 필터로 포집하여 연소시킴.	-연비 떨어짐. -(질소 산화물) 저감은 어려움.
EGR 방식	연료를 배기가스와 함께 연소 → 연소 온도를 낮추어, (질소 산화물)을 줄임.	-엔진에 불순물이 쌓임. -엔진 출력이 저하됨.
SCR 방식	EGR 방식보다 연소 온도가 (높음). → (암모니아)를 이용해 질소 산화물 저감.	-(암모니아) 슬립 현상. -배관 내부나 장치 표면에 불순물 고착.

▶ 근거 문단 2~4, 6

지문 구조도

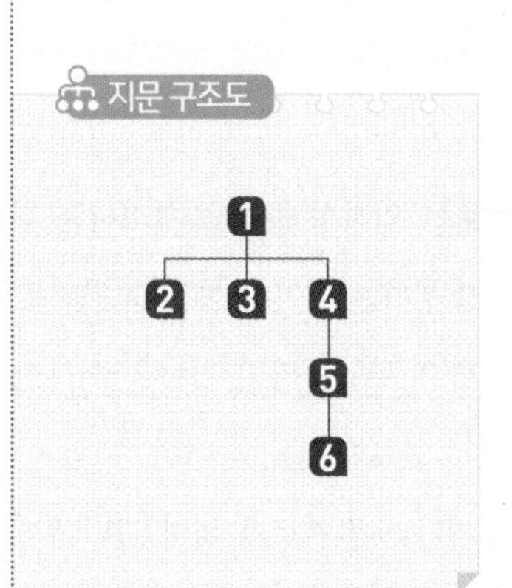

09

➊번 정답률 55%

일치하는 내용 찾기

정답인 이유 **① 암모니아 슬립 현상으로 배출되는 암모니아는 배관 내부나 장치 표면에 아멜린이나 멜라민 등을 고착시킨다.**

➡ 6-2에서 '요소의 분해가 낮은 온도에서 일어나면 고체 형태의 아멜린이나 멜라민 등이 생성되어 배관 내부나 장치 표면에 고착될 수 있다.'고 한 것을 통해 아멜린이나 멜라민이 배관 내부에 고착되는 현상은 요소의 분해가 낮은 온도에서 일어나기 때문임을 확인할 수 있다. 암모니아 슬립 현상으로 배출되는 암모니아가 아멜린이나 멜라민 등을 고착시키는 것은 아니다.

오답 피하기 **② 디젤 엔진이 배출하는 오염 물질을 저감하는 데 DPF 방식과 EGR 방식이 복합적으로 사용될 수 있다.**

➡ 3-4에서 '연소 온도를 낮추면 입자상 물질이 많이 배출되므로 EGR 방식은 DPF 방식과 함께 쓰인다.'고 하였으므로 적절하다.

③ DPF 방식에서는 필터에 포집된 입자상 물질을 배기가스에 섞인 연료와 함께 연소시켜 제거한다.

➡ 2-2에서 '필터에 쌓인 물질들을 일정 시점에 연소시켜 제거함으로써 필터의 기능을 회복한다.'고 하였고 2-4에서 '배기가스에 연료가 섞여 필터에서 연소가 이루어진다.'고 하였으므로 적절하다.

④ 디젤 엔진은 가솔린 엔진에 비해 이산화 탄소가 적게 배출되고 열효율이 높다.

➡ 1-1에서 디젤 엔진은 가솔린 엔진에 비해 일반적으로 이산화 탄소의 배출량이 적고 열효율이 높다고 하였으므로 적절하다.

⑤ SCR 방식에서 이산화 질소가 저감될 때 일산화 질소가 함께 저감될 수 있다.

➡ 4-9~10에서 '일산화 질소는 이렇게 얻어진 암모니아와 함께 공기 중의 산소와 반응하여 질소와 물로 바뀐다. 그리고 이산화 질소는 일산화 질소와 함께 암모니아와 반응하여 역시 질소와 물로 바뀐다.'고 하였으므로 적절하다.

10

➋번 정답률 57%

정보 간의 관계 파악하기

정답인 이유 **④ ㉠은 ㉡과 달리 질소 산화물을 저감하는 과정에서 엔진에 불순물이 쌓일 수 있다.**

➡ ㉠ EGR 방식은 배기가스를 재순환시켜 연소 온도를 낮추어 질소 산화물을 적게 발생하도록 한다. 배기가스가 엔진으로 재순환되어 연료와 함께 연소되는 과정에서 엔진에 불순물이 쌓일 수 있다. ㉡ SCR 방식은 배기가스 중 질소 산화물을 암모니아와 반응시켜 저감하는 기술로, 질소 산화물을 저감하는 과정이 엔진에서의 연소 과정과는 별도로 이루어진다.

오답 피하기 **① ㉠과 ㉡은 모두 배기가스를 엔진으로 재순환시켜 질소 산화물의 저감 효율을 높인다.**

➡ 3-2~3에서 ㉠ EGR 방식은 배기가스를 엔진으로 재순환시켜 질소 산화물을 저감한다는 것을 알 수 있다. 그러나 4-2에서 ㉡ SCR 방식은 배기가스를 엔진으로 재순환시키지 않음을 알 수 있다.

③ ㉠은 ㉡과 달리 불쾌감을 유발할 수 있는 암모니아를 배출한다.

➡ 이 글에서 ㉠ EGR 방식이 암모니아를 배출한다는 내용은 찾을 수 없다. ③은 ㉡ SCR 방식에 대한 설명으로, 4-4~6을 통해 SCR 방식에서는 암모니아를 통해 질소 산화물을 저감하고, 암모니아는 폭발의 위험이 있고 자극적인 냄새를 풍겨 취급 시 주의를 요한다는 것을 알 수 있다.

④ ㉠은 ㉡에 비해 질소 산화물의 저감 효율이 높다.

➡ ㉡ SCR 방식이 ㉠ EGR 방식에 비해 질소 산화물의 저감 효율이 높다. 이는 4-1에서 'EGR 방식보다 질소 산화물의 저감 효율이 높은 SCR 방식이 개발되어 EGR 방식을 대체하고 있다.'고 한 것에서 확인할 수 있다.

⑤ ㉠은 ㉡에 비해 높은 온도에서 연료가 연소된다.

➡ 4-2에서 'SCR 방식은 배기가스를 재순환시키지 않기 때문에 EGR 방식보다 엔진에서의 연소 온도가 높다.'고 한 것에서 ㉡ SCR 방식이 ㉠ EGR 방식보다 연소 온도가 높다는 것을 확인할 수 있다.

11

❸번 정답률 72%

정답인 이유 ③ ⓒ를 거치고 남아 있는 입자상 물질은 ⓓ를 거치게 되면서 저감되기 때문에 ㉯에 비해 ㉰의 입자상 물질이 적겠군.

➡ ⓒ는 DPF 장치로 입자상 물질, ⓓ는 SCR 장치로 질소 산화물을 저감한다. 즉 ⓓ를 거쳐도 입자상 물질은 저감되지 않기 때문에 ㉰에서 입자상 물질의 양은 ㉯와 다르지 않다.

오답 피하기 ① 배기가스 온도가 190℃일 때 ㉮로 배출된 입자상 물질은 ⓒ를 거치면서 저감되겠군.

➡ DPF방식은 '배기가스에서 발생하는 입자상 물질을 필터로 포집하고, 필터에 쌓인 물질들을 일정 시점에 연소시켜 제거'한다고 하였다(❷-2). 따라서 배기가스 중의 입자상 물질은 DPF 장치를 거치면서 저감될 것이다.

② ⓐ에서 ⓓ로 공급된 요소가 ⓓ에서 열분해와 가수 분해되면 암모니아가 생성될 수 있겠군.

➡ '요소는 열분해를 통해 암모니아와 아이소사이안산으로 분해되고, 아이소사이안산은 가수 분해되어 이산화 탄소와 암모니아를 생성한다.'고 하였다(❹-8). 따라서 요소가 열분해와 가수 분해되면 암모니아가 발생함을 알 수 있다.

④ ⓓ에서 일산화 질소가 암모니아와 반응하여 물과 질소가 만들어지기 위해서는 ⓑ를 통해 공급된 공기가 필요하겠군.

➡ '일산화 질소는 이렇게 얻어진 암모니아와 함께 공기 중의 산소와 반응하여 질소와 물로 바뀐다'고 하였다(❹-9). 이를 통해 ④가 적절한 진술임을 알 수 있다.

⑤ 배기가스 온도가 388℃일 때 ㉯에서의 질소 산화물 농도가 높은 것은 연료가 높은 온도에서 연소될수록 질소 산화물이 많이 생성되기 때문이겠군.

➡ ❸-3에서 '연료가 낮은 온도에서 연소될 때 질소 산화물의 발생이 감소된다고 하였다. 이를 통해, 연소 온도가 높으면 (입자상 물질이 감소하는 대신) 질소 산화물이 많이 발생됨을 추론할 수 있다.

〈보기〉 문제
–사례·상황 제시
–시각 자료 제시

● 각 장치의 역할

ⓐ	(요소수)를 공급함.(❹-7)	→ ⓓ에서 화학 반응이 일어나게 유도함.
ⓑ	(공기)를 공급함.(❹-7)	
ⓒ	(입자상 물질)을 저감함.	
ⓓ	(질소 산화물)을 저감함.	

12

❶번 정답률 72%

정답인 이유 ① 공간 속도가 빠르면 장치 내에서 배기가스의 체류 시간이 짧아져 저감 효율이 감소할 것이다.

➡ ❺-2~3에 따르면 공간 속도가 느릴 때 촉매 표면에 배기가스가 오래 머물 수 있어 저감 효율이 높아진다. 따라서 공간 속도가 빨라지면 배기가스가 장치 내를 빠르게 통과하여 체류 시간이 짧아지고 저감 효율이 감소할 것이다.

오답 피하기 ② 금속 촉매의 표면에 단위 시간당 흡착되는 배기가스의 양이 많을수록 저감 효율은 ~~감소할 것이다~~. X

➡ ❺-2에서 금속 촉매의 표면에 배기가스가 오래 머물도록 해 주어야 저감 효율을 높일 수 있다는 것을 알 수 있다.

③ SCR 장치 내부에 백금이나 바나듐을 이용하는 것은 ~~공간 속도를 빠르게 하여 저감 효율을 높이기 위한 것이다~~. X

➡ ❺-1을 통해 SCR 장치 내부에 백금이나 바나듐을 이용하는 것은 반응 물질을 흡착시키기 위해서라는 것을 알 수 있다.

④ 단위 시간당 공급되는 배기가스의 양이 일정할 때 SCR 장치의 촉매의 부피가 클수록 공간 속도는 ~~빨라질 것이다~~. X

➡ SCR 방식에서는 촉매의 표면에 배기 가스가 오래 머물도록 해 주어야 저감 효율을 높일 수 있으므로, 공간 속도를 느리게 하여 화학 반응이 일어날 수 있는 시간을 충분히 확보해야 한다(❺-3~4). 공간 속도란 단위 시간당 공급되는 배기가스의 양을 SCR 장치의 촉매의 부피로 나눈 값이므로, 촉매의 부피가 클수록 공간 속도는 느려질 것이다.

⑤ SCR 장치의 촉매의 부피가 일정할 때 공간 속도가 빨라졌다면 단위 시간당 공급되는 배기가스의 양이 줄어든 것이다.

➡ 공간 속도란 단위 시간당 공급되는 배기가스의 양을 SCR 장치의 촉매의 부피로 나눈 값이다(❺-4). 따라서 촉매의 부피가 일정하다면 배기가스의 양이 늘어야 공간 속도가 빨라진다.

글의 내용 추론하기

● [A]의 내용 이해하기

① SCR 방식에서는 촉매의 표면에 배기 가스가 오래 머물도록 해 주어야 저감 효율을 (높일 수, 낮출 수) 있다.

②

$$\text{공간 속도} = \frac{\text{단위 시간당 공급되는 배기가스의 양}}{\text{SCR 장치의 촉매의 부피}}$$

'단위 시간당 공급되는 배기가스의 양↑' 또는 '촉매의 부피 ↓' 하면, 공간 속도가 (빨라진다, 느려진다)

[13~16] 측면유동분석법을 이용한 LFIA 키트 기술 2

2019학년도 6월 모의평가

1 [1]건강 상태를 진단하거나 범죄의 현장에서 혈흔을 조사하기 위해 검사용 키트가 널리 이용된다.[2]키트 제작에는 다양한 과학적 원리가 적용되는데, 적은 비용으로 쉽고 빠르고 정확하게 검사할 수 있는 키트를 제작하는 것이 요구된다. [3]이러한 필요에 따라 항원-항체 반응을 응용하여 시료에 존재하는 성분을 분석하는 다양한 형태의 키트가 개발되고 있다.[4]항원-항체 반응은 항원과 그 항원에만 특이적으로 반응하는 항체가 결합하는 면역반응을 말한다.[5]항체 제조 기술이 발전하면서 휴대성이 높고 분석 시간이 짧은 측면유동면역분석법(LFIA)을 이용한 다양한 종류의 키트가 개발되고 있다.

(검사용 키트의 용도 / '항원-항체 반응'의 개념)

1 측면유동면역분석법(LFIA)을 이용한 검사용 키트의 개발

2 [1]LFIA 키트를 이용하면 키트에 나타나는 선을 통해, 액상의 시료에서 검출하고자 하는 목표 성분의 유무를 간편하게 확인할 수 있다. [2]LFIA 키트는 가로로 긴 납작한 막대 모양인데, 시료 패드, 결합 패드, 반응막, 흡수 패드가 순서대로 나란히 배열된 구조로 되어 있다. [3]시료 패드로 흡수된 시료는 결합 패드에서 복합체와 함께 반응막을 지나 여분의 시료가 흡수되는 흡수 패드로 이동한다.[4]결합 패드에 있는 복합체는 금-나노 입자 또는 형광 비드 등의 표지 물질에 특정 물질이 붙어 이루어진다.[5]표지 물질은 발색 반응에 의해 색깔을 내는데, 이 표지 물질에 붙어 있는 특정 물질은 키트 방식에 따라 종류가 다르다.[6]일반적으로 한 가지 목표 성분을 검출하는 키트의 반응막에는 항체들이 띠 모양으로 두 가닥 고정되어 있는데, 그중 시료 패드와 가까운 쪽에 있는 가닥이 검사선이고 다른 가닥은 표준선이다.[7]표지 물질이 검사선이나 표준선에 놓이면 발색 반응에 의해 반응선이 나타난다.[8]검사선이 발색되어 나타나는 반응선을 통해서는 목표 성분의 유무를 판정할 수 있다.[9]표준선이 발색된 반응선이 나타나면 검사가 정상적으로 진행되었음을 알 수 있다.

(목표 성분 = 항원 / ① 시료 패드 ② 결합 패드 ③ 반응막 ④ 흡수 패드 / 표지 물질의 기능)

2 LFIA 키트의 구조와 원리

3 [1]LFIA 키트는 주로 ㉠직접 방식 또는 ㉡경쟁 방식으로 제작되는데, 방식에 따라 검사선의 발색 여부가 의미하는 바가 다르다.[2]직접 방식에서 복합체에 포함된 특정 물질은 목표 성분에 결합할 수 있는 항체이다.[3]시료에 목표 성분이 포함되어 있다면 목표 성분은 이 항체와 일차적으로 결합하고, 이후 검사선의 고정된 항체와 결합한다.[4]따라서 검사선이 발색되면 시료에서 목표 성분이 검출되었다고 판정한다.[5]한편 경쟁 방식에서 복합체에 포함된 특정 물질은 목표 성분에 대한 항체가 아니라 목표 성분 자체이다.[6]만약 시료에 목표 성분이 포함되어 있으면 시료의 목표 성분과 복합체의 목표 성분이 서로 검사선의 항체와 결합하려 경쟁한다.[7]이때 시료에 목표 성분이 충분히 많다면 시료의 목표 성분은 복합체의 목표 성분이 검사선의 항체와 결합하는 것을 방해하므로 검사선이 발색되지 않는다. [8]직접 방식은 세균이나 분자량이 큰 단백질 등을 검출할 때 이용하고, 경쟁 방식은 항생 물질처럼 목표 성분의 크기가 작은 경우에 이용한다.

(목표 성분 ┌항원 / → 검사선의 발색으로 목표 성분의 유무를 판정함. / =시료에 들어 있는 항원 / =복합체에 들어 있는 특정 물질 / =항원 / = 복합체의 특정 물질 / → 검사선이 발색되지 않아야 목표 성분이 검출되었다고 판정함. / 예 살모넬라균(문제 16번 〈보기〉에 제시된 예))

3 LFIA 키트의 검사 방식 – 직접 방식과 경쟁 방식

4 [1]한편, 검사용 키트는 휴대성과 신속성 외에 정확성도 중요하다. [2]키트의 정확성을 측정하기 위해서는 키트를 이용해 여러 번의 검사를 실시하고 그 결과를 분석한다.[3]키트가 시료에

지문 이해

1 측면유동면역분석법(LFIA)을 이용한 검사용 키트의 개발

2 LFIA 키트의 (구조)와 원리

3 LFIA 키트의 검사 방식 – 직접 방식과 (경쟁 방식)

4 LFIA 키트의 결과 분석

5 LFIA 키트의 정확도 – (민감도)와 특이도

글의 핵심 파악

● LFIA 키트의 구조
→ 시료의 진행 방향

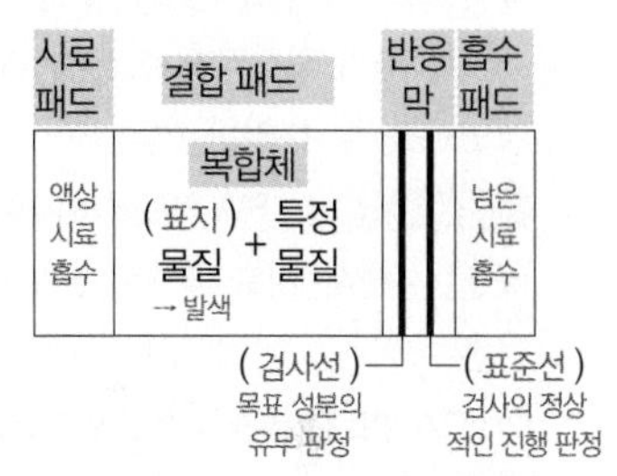

▶ 근거 문단 **2**

● 직접 방식과 경쟁 방식 비교

	직접 방식	경쟁 방식
목표 성분	항원	항원
특정 물질	목표 성분에 결합할 수 있는 항체	목표 성분(항원) 자체 → 시료의 목표 성분과 복합체의 목표 성분이 경쟁
검사선	발색 ○ → 목표 성분 검출 판정	발색 × → 목표 성분 검출 판정
이용	세균이나 분자량이 큰 단백질이 목표 성분일 때	항생 물질처럼 크기가 작은 목표 성분일 때

▶ 근거 문단 **3**

목표 성분이 들어있다고 판정하면 이를 양성이라고 한다.[4]이때 시료에 목표 성분이 실제로 존재하면 진양성, 시료에 목표 성분이 없다면 위양성이라고 한다.[5]반대로 키트가 시료에 목표 성분이 들어 있지 않다고 판정하면 음성이라고 한다.[6]이 경우 실제로 목표 성분이 없다면 진음성, 목표 성분이 있다면 위음성이라고 한다.[7]현실에서 위양성이나 위음성을 배제할 수 있는 키트는 없다.

→ 모든 키트는 오류가 있을 수 있음.

4 LFIA 키트의 결과 분석

5 [1]여러 번의 검사 결과를 통해 키트의 정확도를 구하는데, 정확도란 시료를 분석할 때 올바른 검사 결과를 얻을 확률이다. 정확도는 민감도와 특이도로 나뉜다.[2]민감도는 시료에 목표 성분이 존재하는 경우에 대해 키트가 이를 양성으로 판정한 비율이다.[3]특이도는 시료에 목표 성분이 없는 경우에 대해 키트가 이를 음성으로 판정한 비율이다.[4]민감도와 특이도가 모두 높아 정확도가 높은 키트가 가장 이상적이지만 현실에서는 그렇지 않은 경우가 많아서 상황에 따라 민감도나 특이도를 고려하여 키트를 선택해야 한다.

실제 양성 → 양성으로 판정

실제 음성 → 음성으로 판정

· 목표 성분의 검출이 중요한 경우 → '민감도'가 높은 키트
· 목표 성분의 불검출이 중요한 경우 → '특이도'가 높은 키트

5 LFIA 키트의 정확도 – 민감도와 특이도

● LFIA 키트의 검사 결과

양성	시료에 목표 성분이 들어 있다고 판정한 경우
시료에 목표 성분이 실제로 존재	시료에 목표 성분이 없음.
(진양성)	(위양성)

음성	시료에 목표 성분이 들어 있지 않다고 판정한 경우
시료에 목표 성분이 실제로 없음.	시료에 목표 성분이 있음.
(진음성)	(위음성)

▶ 근거 문단 4

13

③번 정답률 51%

일치하는 내용 찾기

정답인 이유 ③ **LFIA 키트를 사용할 때 정상적인 키트에서 검사선이 발색되지 않으면 표준선도 발색되지 않는다.**

➡ 2–8~9에서 '검사선이 발색되어 나타나는 반응선을 통해서는 목표 성분의 유무를 판정할 수 있다. 표준선이 발색된 반응선이 나타나면 검사가 정상적으로 진행되었음을 알 수 있다.'고 하였으므로 검사가 정상적으로 진행되었다면, 검사선은 발색되지 않아도 표준선이 발색되는 경우가 있을 수 있음을 알 수 있다.

오답 피하기 ① **LFIA 키트에서 시료 패드와 흡수 패드는 모두 시료를 흡수하는 역할을 한다.**

➡ 2–3에서 '시료 패드로 흡수된 시료는 결합 패드에서 복합체와 함께 반응막을 지나 여분의 시료가 흡수되는 흡수 패드로 이동한다.'고 하였으므로 시료 패드와 흡수 패드는 모두 시료를 흡수한다.

② **LFIA 키트를 통해 검출하려고 하는 목표 성분은 항원–항체 반응의 항원에 해당한다.**

➡ 1에서 LFIA 키트는 항원–항체 반응을 응용하여 시료에 존재하는 성분을 분석하는 키트라 하였고, 2–6에서 일반적으로 한 가지 목표 성분을 검출하는 LFIA 키트의 반응막에는 항체들이 고정되어 있다고 하였으므로 목표 성분은 항원에 해당한다.

④ **LFIA 키트에 표지 물질이 없다면 시료에 목표 성분이 있더라도 이를 시각적으로 확인할 수 없다.**

➡ 2–7~8에서, 표지 물질이 검사선이나 표준선에 놓이면 발색 반응에 의해 반응선이 나타나고, 반응선을 통해 목표 성분의 유무를 판정할 수 있다고 하였다. 따라서 표지 물질이 없다면 시료의 목표 성분 유무를 시각적으로 확인할 수 없다.

⑤ **LFIA 키트를 이용하여 검사할 때, 시료에 목표 성분이 포함되어 있지 않더라도 검사선이 발색될 수 있다.**

➡ 4–4에서, 시료에 목표 성분이 없어도 키트가 목표 성분이 들어있다고 판정하는 것을 위양성이라고 하였다. 직접 방식 키트에서 결과가 위양성인 경우 시료에 목표 성분이 포함되어 있지 않더라도 검사선이 발색될 수 있다.

14

①번 정답률 41%

정보 간의 관계 파악하기

정답인 이유 ① **㉠은 ㉡과 달리, 시료에 들어 있는 목표 성분은 검사선에 도달하기 이전에 항체와 결합을 하겠군.**

➡ '㉠ 직접 방식'으로 제작된 키트의 경우, 시료에 들어 있는 목표 성분은 결합 패드의 특정 물질(항체)과 일차적으로 결합하고, 이후 검사선의 고정된 항체와 결합한다(3–2~3). 따라서 선택지의 '검사선에 도달하기 전에 항체와 결합하겠군.'은 맞는 진술이다. 반면에 '㉡ 경쟁 방식'의 경우, 복합체에 포함된 특정 물질은 목표 성분 자체이므로, 시료에 들어 있는 목표 성분은 검사선의 항체와 결합하기 위해 복합체의 목표 성분과 경쟁하게 되며, 검사선에 도달하기 전에는 항체와 결합할 수 없다.

오답 피하기 ② ㉠은 ㉡과 달리, 시료에서 목표 성분을 검출했다면 검사선에서 항체와 목표 성분의 결합이 존재하지 않겠군.

➡ 3-2, 3의 '직접 방식에서 복합체에 포함된 특정 물질은 ~이후 검사선의 고정된 항체와 결합한다.'와, 3-6의 '시료의 목표 성분과 복합체의 목표 성분이 서로 검사선의 항체와 결합하려 경쟁한다.'에서 ㉠, ㉡ 모두 검사선에서 항체와 목표 성분이 결합하는 것을 알 수 있다.

③ ㉡은 ㉠과 달리, 시료가 표준선에 도달하기 이전에 검사선에 먼저 도달하겠군.

➡ 2-6에 따르면 결합 패드의 검사선은 표준선보다 시료 패드에 더 가까우므로, 직접 방식과 경쟁 방식에서 모두 시료는 검사선에 먼저 도달하게 된다.

④ ㉡은 ㉠과 달리, 정상적인 검사로 시료에서 목표 성분을 검출했다면 반응막에 아무런 반응선도 나타나지 않았겠군.

➡ 2-8~9에 따르면 직접 방식과 경쟁 방식에서 모두 검사선이 발색되어 나타나는 반응선을 통해 목표 성분의 유무를 판정할 수 있고, 표준선이 발색된 반응선을 통해 검사가 정상적으로 진행되었는지를 알 수 있다.

⑤ ㉠과 ㉡은 모두 시료에 들어 있는 목표 성분이 표지 물질과 항원-항체 반응으로 결합하겠군.

➡ 3-2에서 '직접 방식에서 복합체에 포함된 특정 물질은 목표 성분에 결합할 수 있는 항체이다.'라고 하였으므로 ㉠에서 시료에 들어 있는 목표 성분은 특정 물질과 항원-항체 반응으로 결합하는 것임을 알 수 있다.

15

④번 정답률 43%

정답인 이유

	A	B
④	위음성	진음성

➡ '민감도'는 시료에 목표 성분이 존재하는 경우에 대해 키트가 이를 양성으로 판정한 비율이다(5-2). 따라서, 시료에 목표 성분이 존재함에도 목표 성분이 들어 있지 않다고 판정하는 '위음성'인 경우가 적을수록 민감도가 높다고 할 수 있다. 또한 '특이도'는 시료에 목표 성분이 없는 경우에 대해 키트가 이를 음성으로 판정한 비율이므로(5-3), 목표 성분이 들어 있지 않은 시료에 대해 목표 성분이 들어 있지 않다고 판정하는 '진음성'인 경우가 많을수록 특이도가 높다고 할 수 있다

16

②번 정답률 35%

정답인 이유 ② ⓐ의 결합 패드에는 표지 물질에 살모넬라균이 붙어 있는 복합체가 들어 있겠군.

➡ 〈보기〉의 살모넬라균은 키트를 통해 검출하고자 하는 목표 성분이므로 항원에 해당한다. 또한 세균이기 때문에 직접 방식을 활용한 ⓐ를 쓸 것이다. 따라서 ⓐ의 결합 패드에는 표지 물질에 '살모넬라균에 결합하는 항체'가 붙어 있는 복합체가 들어 있는 것이지, 항원인 살모넬라균이 붙어 있는 복합체가 들어 있는 것은 아니다.

오답 피하기 ① ⓐ를 개발하기 전에 살모넬라균과 결합하는 항체를 제조하는 기술이 개발되었겠군.

➡ 1-3에서 '항원-항체 반응을 응용하여 시료에 존재하는 성분을 분석'한다고 하였으므로 ⓐ의 개발에는 살모넬라균과 결합하는 항체 제조가 선행되어야 한다.

③ ⓐ를 이용하여 음식물의 살모넬라균 오염 여부를 검사하려면 시료를 액체 상태로 만들어야겠군.

➡ 2-1에서 'LFIA 키트를 이용하면 키트에 나타나는 선을 통해, 액상의 시료에서 검출하고자 하는 목표 성분의 유무를 간편하게 확인할 수 있다.'고 하였으므로 시료는 액체 상태여야 한다.

④ ⓐ를 이용하여 현장에서 살모넬라균 오염 의심 시료를 선별하기 위해서는 특이도보다 민감도가 높은 것이 더 효과적이겠군.

➡ 5-2~3에 따르면 민감도는 시료에 목표 성분이 존재하는 경우에 대해 키트가 이를 양성으로 판정한 비율, 특이도는 시료에 목표 성분이 없는 경우에 대해 키트가 이를 음성으로 판정한 비율이므로 오염 의심 시료를 선별하는 데에는 민감도가 높은 것이 더 효과적이다.

〈보기〉 문제
-사례·상황 제시

● 민감도와 특이도

• 민감도: 시료에 목표 성분이 (존재)하는 경우 키트가 이를 (양성)으로 판정한 비율

진양성 ↑	▶	민감도 ↑
위음성(↓)		

• 특이도: 시료에 목표 성분이 (없는) 경우 키트가 이를 (음성)으로 판정한 비율

진음성(↑)	▶	특이도 ↑
위양성(↓)		

▶ 근거 문단 5

〈보기〉 문제
-사례·상황 제시

● 직접 방식과 경쟁 방식

• (직접 방식)은 세균이나 분자량이 큰 단백질 등을 검출할 때 이용하고, (경쟁 방식)은 항생물질처럼 목표 성분의 크기가 작은 경우에 이용한다.

• '복합체에 포함된 특정 물질'은 '직접 방식'에서는 목표 성분에 결합할 수 있는 (항체)이고, '경쟁 방식'에서는 (목표 성분) 자체이다.

▶ 근거 문단 3

⑤ ⓐ를 이용하여 살모넬라균이 검출되었다고 키트가 판정한 경우에도 기존의 분석법으로는 균이 검출되지 않을 수 있겠군.

⇒ 〈보기〉에서 ⓐ가 기존 방법에 비해 정확도는 낮다고 하였으므로, 살모넬라균이 검출되었다는 키트의 판정에는 오류가 있을 수 있다.

14 예술

사뿐히 즈려밟는 훈련 문제 p.188~193

01 ④ 02 ② 03 ② 04 ② 05 ③ 06 ① 07 ⑤

[01~03] 단토의 예술 종말론 예술 1

2016학년도 3월 고3 학력평가

1 [1]현대 예술 철학의 대표적인 이론가이자 비평가인 단토는 예술의 종말을 선언하였다. [2]그는 자신이 예술의 종말을 주장할 수 있었던 계기를 1964년 맨해튼의 스테이블 화랑에서 열린 앤디 워홀의 〈브릴로 상자〉의 전시회에서 찾고 있다. [3]그는 워홀의 작품 〈브릴로 상자〉가 일상의 사물, 즉 슈퍼마켓에서 판매하고 있는 브릴로 상자와 지각적 측면에서 차이가 없음에 주목하여 예술의 본질을 찾는 데 몰두하기 시작하였다.

단토가 예술의 종말을 선언하고 예술의 본질을 찾게 된 계기

1 단토가 예술의 종말을 선언한 계기

2 [1]워홀의 〈브릴로 상자〉를 통해, 그는 동일하거나 유사한 두 대상이 있을 때, 하나는 일상의 사물이고 다른 하나는 예술 작품인 이유를 탐색하였다. [2]그 결과 어떤 대상이 예술 작품이 되기 위해서는 그것이 '무엇에 관함(aboutness)'과 '구현(embody)'이라는 두 가지 요소를 필수적으로 갖추고 있어야 한다는 결론에 이르렀다. [3]여기서 '무엇에 관함'은 내용 또는 의미, 즉 예술가가 의도한 주제를 가지고 있어야 함을 가리키며, '구현'은 그것을 적절한 매체나 효과적인 방식을 통해 나타내는 것을 말한다. [4]따라서 그에 따르면 예술 작품은 해석되어야 할 주제를 가질 수 있어야 한다.

어떤 대상이 예술 작품이 되기 위한 조건 / '무엇에 관함'의 정의 / '구현'의 정의

2 단토가 본 예술 작품이 필수적으로 갖춰야 할 두 가지 요소

3 [1]이후 단토는 예술의 역사에 대한 성찰을 통해 워홀의 〈브릴로 상자〉가 1964년보다 훨씬 이른 시기에 등장했다면 예술 작품으로서의 지위를 부여받지 못했을 것이라고 주장하면서, '예술계(artworld)'라는 개념을 도입하였다. [2]그가 말하는 '예술계'란 어떤 대상을 예술 작품으로 식별하기 위해 선행적으로 필요한 것으로, 당대 예술 상황을 주도하는 지식과 이론 그리고 태도 등을 포괄하는 체계를 가리킨다. [3]1964년의 〈브릴로 상자〉가 예술 작품으로서의 지위를 갖는 것은, 일상의 사물과 유사하게 보이는 대상도 예술 작품으로 인정할 수 있다는 새로운 믿음 체계가 있었기에 가능했다는 것이다.

예술 작품으로 인정받기 어려웠을 것 / '예술계'의 정의 / '예술계'의 정의 / = 슈퍼마켓에서 판매하고 있는 '브릴로 상자' / = 앤디 워홀의 '브릴로 상자'

3 '예술계'라는 개념을 도입한 단토

지문 이해

1 단토가 예술의 종말을 선언한 계기

2 단토가 본, 예술 작품이 필수적으로 갖추어야 할 두 요소

3 '(예술계)'라는 개념을 도입한 단토

4 예술의 역사를 내러티브(이야기)의 역사로 파악한 단토

5 '예술 해방기'의 도래를 의미하는 예술 종말론

글의 핵심 파악

● 예술 작품이 가져야 하는 요소

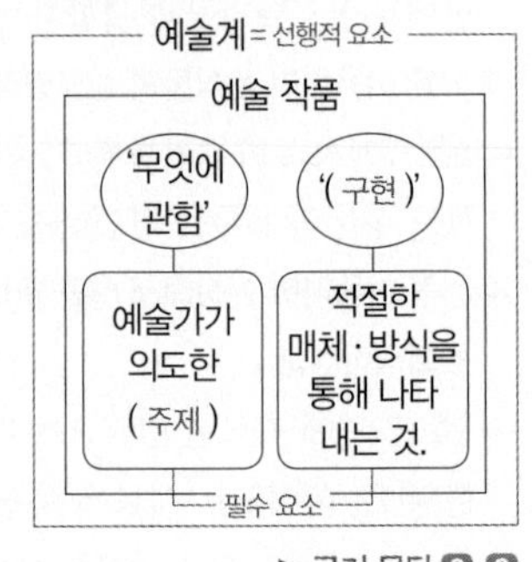

▶ 근거 문단 **2**, **3**

4 [1]단토는 예술의 역사를 일종의 '내러티브(이야기)'의 역사로 파악해야 한다고 주장하였다. [2]역사가 그러하듯이 예술사도 무수한 예술적 사건들 중에서 중요하다고 여기는 사건들을 선택하고 그 연관성을 질서화하는 내러티브를 가진다는 것이다. [3]르네상스 시대부터 인상주의에 이르기까지 지속된 이른바 '바자리의 내러티브'는 대표적인 예이다. [4]모방론을 중심 이론으로 삼았던 바자리는 생생한 시각적 경험을 가져다주는 정확한 재현이 예술의 목적이자 추동 원리라고 보았는데, 이러한 바자리의 내러티브는 사진과 영화의 등장, 비서구 사회의 문화적 도전(내러티브가 바뀌게 된 계기) 등의 충격으로 뿌리째 흔들리기 시작하였다. [5]이러한 상황에서 당대의 예술가들은 예술은 무엇인가, 예술은 무엇을 해야 하는가에 대한 질문을 던지게 되고, 그에 따라 예술은 모방(= 기존의 내러티브)에서 벗어나 철학적 내러티브(= 새로운 내러티브)로 변하게 되었다. [6]이러한 상황에서 예술사를 예술이 자신의 본질을 찾아 진보해 온 발전의 역사로 보는 단토는, 워홀의 〈브릴로 상자〉에서 예술의 종말을 발견하게 되었던 것이다.

4 예술의 역사를 내러티브(이야기)의 역사로 파악한 단토

5 [1]〈브릴로 상자〉로 촉발된 단토의 예술 종말론은 더 이상 예술이 존재할 수 없게 되었다는 주장이 아니라, 예술이 철학적 단계에 이름에 따라 그 이전의 내러티브가 종결되었음을 의미하는 것이라 할 수 있다.(예술 종말론의 의미) [2]그런 점에서 그의 예술 종말론은 비극적 선언이 아닌 낙관적 전망으로 해석할 수 있다. [3]단토는 예술 종말론을 통해 예술이 추구해야 할 특정한 방향이 없는 시기, 예술이 성취해야 하는 과업에 대해 고민할 필요가 없는 시기, 즉 예술 해방기의 도래를 천명한 것이기 때문이다.

5 '예술 해방기'의 도래를 의미하는 예술 종말론

● 단토의 예술사('내러티브'의 역사)

바자리의 내러티브
모방론을 중심으로 한 (정확)한 재현을 중시함.

↓

- 사진과 영화(그림보다 훨씬 재현이 뛰어남)의 등장
- 비서구 사회의 문화적 도전

↓

(철학적) 내러티브
예술은 무엇인가, 예술은 무엇을 해야 하는가를 탐구함.

- 단토는 이러한 내러티브의 역사에서 예술의 (종말)을 발견함.

▶ 근거 문단 **4**

지문 구조도

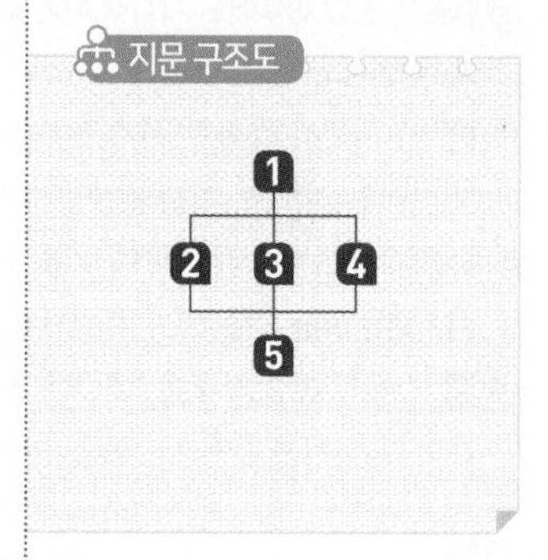

01

4번 정답률 86%

일치하는 내용 찾기

정답인 이유 ④ **단토가 제안한 예술계의 지위 회복 방법**

➡ 이 글에 나타나 있지 않은 내용이다. 또한 **5**-2의 '그의 예술 종말론은 비극적 선언이 아닌 낙관적 전망으로 해석할 수 있다.'에서, 단토는 예술계가 지위를 잃었다고 생각한 것이 아니라 예술 해방기가 도래했음을 주장한 것임을 알 수 있다.

오답 피하기 ① **단토가 파악한 내러티브로서의 예술사**

➡ **4**-1에서 '단토는 예술의 역사를 일종의 '내러티브(이야기)'의 역사로 파악해야 한다고 주장하였다'고 하였다.

② **단토가 예술 종말론을 주장하게 된 계기**

➡ **1**-2에서 '그는 자신이 예술의 종말을 주장할 수 있었던 계기를 1964년 맨해튼의 스테이블 화랑에서 열린 앤디 워홀의 〈브릴로 상자〉의 전시회에서 찾고 있다.'고 하였다.

③ **단토의 예술 종말론이 지닌 긍정적 함의**

➡ **5**-2~3의 '예술 종말론은 비극적 선언이 아닌 낙관적 전망으로 ~ 천명한 것이기 때문이다.'에서 단토의 예술 종말론이 지닌 긍정적 함의를 찾을 수 있다.

⑤ **단토가 제시한 예술 작품이 갖추어야 할 필수 조건**

➡ **2**-2에서 '어떤 대상이 예술 작품이 되기 위해서는 그것이 '무엇에 관함(aboutness)'과 '구현(embody)'이라는 두 가지 요소를 필수적으로 갖추고 있어야 한다는 결론에 이르렀다.'고 하였다.

02

❷번 정답률 61%

글의 내용(관점) 추론하기

정답인 이유 ② **예술 작품의 본질을 정의하려던 과거의 시도가 결국 실패한 것은 그것을 근본적으로 정의할 수 없기 때문이다.**

➡ 단토는 〈브릴로 상자〉를 계기로 예술의 본질을 찾는 데 몰두하기 시작하였으며(❶-3), 이를 통해 '어떤 대상이 예술 작품'이 되기 위해서는 그것이 '무엇에 관함(aboutness)'과 '구현(embody)'이라는 두 가지 요소를 필수적으로 갖추고 있어야 한다는 결론에 이르렀다(❷-2). 따라서 단토가 예술 작품의 본질을 근본적으로 정의할 수 없다고 생각했다고는 볼 수 없다.

오답 피하기 ① **오늘날의 예술이 무엇인가 알기 위해서는 감각으로 경험하는 것을 넘어 철학적으로 사고하는 접근이 필요하다.**

➡ ❺-1에서 '예술이 철학적 단계에 이름에 따라 그 이전의 내러티브가 종결되었음을 의미하는 것이라 할 수 있다.'고 하였다. 따라서 오늘날의 예술이 무엇인지 알기 위해서 철학적으로 사고하는 접근이 필요하다는 진술은 단토의 견해에 부합한다.

③ **실제 사물과 달리, 예술 작품은 그것을 예술로 존재하게 하는 지식과 이론 등에 의해 예술 작품으로 인정받는다.**

➡ ❸-2~3에서 '예술계'의 개념을 설명하며 예술 작품은 이를 통해 지위를 부여받는다고 하였다.

④ **예술의 종말 이후에도 시각적 재현을 위주로 하는 그림은 그려지겠지만, 그것이 재현의 내러티브를 발전시키지는 않는다.**

➡ ❹-3~4에서 정확한 시각적 재현을 중시한 '바자리의 내러티브'는 르네상스 시대부터 인상주의까지 이어진 것으로, 예술의 종말 이전의 내러티브임을 알 수 있다.

⑤ **특정한 사고는 특정한 발전 단계에 이르러서야 생각될 수 있으므로 한 시기에 예술 작품일 수 있는 것이 다른 시기에는 예술 작품으로 간주되지 않을 수도 있다.**

➡ ❸-2에서 예술 작품은 '예술계'에 의해 예술 작품으로서의 지위를 갖는 것이라 하였으므로 다른 시기의 다른 예술계에서는 예술 작품을 인정하는 기준이 달라질 수 있다.

03

❷번 정답률 59%

〈보기〉 문제
– 시각 자료 제시

정답인 이유 ② **(B)는 예술에 대한 철학적 의문을 드러내지 못하고 있다는 점에서 (A)와 다르다.**

➡ ❹-3~5를 참고할 때 (A)는 예술이 철학적 내러티브로 변하기 전의 작품으로, 재현을 중심으로 하였음을 알 수 있다. 또한 〈보기〉에서 (B)는 미술 작품이 아니라고 했기 때문에 (A), (B) 모두 예술에 대한 철학적 의문을 드러내지 못한다고 볼 수 있다.

오답 피하기 ① **(A)는 대상의 외관을 재현한 것으로, '바자리의 내러티브'에 의해 미술 작품으로서의 지위를 가진다.**

➡ (A)는 인상주의 화가인 세잔의 작품으로, 재현을 예술의 목적으로 보았던 '바자리의 내러티브'에 의해 미술 작품으로서의 지위를 가진다.

③ **(C)를 미술 작품이라 한 것은 예술이 철학적 단계에 이르러 그 이전의 내러티브가 종결되었음을 보여 준다.**

➡ (C)는 〈브릴로 상자〉와 같이 예술의 종말을 보여 주는 예술 작품으로, 예술이 추구해야 할 방향이 없는 시기라는 것을 말해 준다. 다시 말해, 예술이 철학적 단계에 이르러 그 이전의 내러티브가 종결되었음을 보여 주는 것이다.

④ **(A)와 (C)가 미술 작품이라는 것을 판단하기 위해서는 당대 예술 상황을 주도하는 믿음 체계에 대한 지식이 선행적으로 필요하다.**

➡ ❸-2에서 '단토가 어떤 대상을 예술 작품으로 식별하기 위해 선행적으로 필요한 것'인 '예술계'라는 개념을 도입하였음을 알 수 있다.

⑤ **(B)와 (C)는 지각적으로 유사해 보이지만, (B)는 해석되어야 할 주제를 가지고 있지 않아서 미술 작품이라고 할 수 없다.**

➡ (B)는 〈세잔 부인의 초상〉의 양감을 설명하기 위해 사용된 일상의 사물이기 때문에 해석되어야 할 주제를 가지지 않는다. 따라서 예술 작품이 되기 위한 조건인 '무엇에 관함'을 갖추지 못했다.(❷-2)

● 윗글과 〈보기〉의 연결고리 찾기

• 윗글의 ❹

(사진)과 (영화)의 등장, 비서구 사회의 문화적 도전 등의 충격이 온 상황에서 예술가들은 예술에 대한 질문을 던지게 되고, 그에 따라 예술은 (모방)에서 벗어나 (철학적) 내러티브로 변하게 됨.

● 〈보기〉 이해하기

(A)	인상주의 화가 폴 세잔느의 작품 → 재현을 중심으로 한 (바자리)의 내러티브에 해당함.
(B)	단토는 (B)는 (미술 작품)이 아니라고 함.
(C)	단토는 (C)는 세잔이 바라보는 세계를 위트 있게 표현한 (미술 작품)이라고 함.

[04~07] 피아노의 원리 예술 2

2016학년도 10월 고3 학력평가

1 [1]우리가 흔히 건반 악기라고 부르는 피아노는 정확하게 표현하자면 건반으로 연주하는 현악기이다. [2][건반과 연결된 해머가 현을 때리면 현이 진동하게 되고, 이 진동으로 생성된 음이 음향판에서 증폭되어 특유의 음색을 가진 소리를 내기]때문이다. [3]그랜드 피아노를 기준으로 피아노에서 특유의 소리가 나기까지 어떤 것들이 관여하는지 살펴보자.

[ ]: 피아노에서 소리가 나는 과정

1 건반으로 연주하는 현악기인 피아노

2 [1]우선 피아노에서 핵심적 역할을 하는 '액션'을 살펴볼 필요가 있다. [2]각 건반마다 하나씩 있는 액션은 크게 세 가지 역할을 한다. [3]우선 액션은 건반을 누른 힘보다 더 큰 힘으로 액션에 있는 해머가 현을 때리도록 하는 지렛대 역할을 한다. [4]둘째, (건반을 누를 때)에는 해당 현의 댐퍼가 현에서 떨어지게 했다가 손을 건반에서 뗄 때 댐퍼가 현에 다시 붙게 한다. [5]건반을 누르고 있는 동안에는 해머에 의해 진동을 시작한 현이 계속 진동할 수 있게 하고, 그 건반에서 손을 떼면 댐퍼가 다시 현에 붙도록 하여 다른 현이 진동할 때 공명하지 않게 만드는 것이다. [6]셋째, 해머가 현을 때리는 즉시 액션은 해머를 현에서 이탈하게 한다. [7]액션이 이처럼 작동하는 이유는 만약 해머가 현을 때리고 곧바로 떨어지지 않거나, 해머가 현을 때린 후 그 반동으로 인해 제멋대로 움직인다면 해머의 방해로 현이 자유롭게 진동하지 못하기 때문이다.

'액션'의 역할: ①~③ / ( ): 역할② – 댐퍼 조절로 현의 공명 조절 / 역할 ① / 경우① / 경우② / 이유: 현에서 댐퍼가 떨어졌으므로 / 댐퍼가 현에 붙음 → 그 현의 진동↓ → 공명 × / 역할 ③

'해머'는 연주자의 의도대로 현을 진동하게 하는 역할도 하지만, 현의 진동을 방해하기도 함.

2 '액션'의 세 가지 역할

3 [1]건반 하나에 액션은 하나가 대응하지만 현은 그렇지 않다. [2]건반 하나에 같은 음높이로 조율된 여러 개의 현들이 대응하도록 제작되어 있다. [3]저음부에는 해머 하나에 같은 음높이의 현이 1~2개씩 대응되어 있고, 중고음부에는 2~3개씩 대응되어 있어 해머가 한 번에 여러 개의 현을 때릴 수 있다. [4]그에 따라 같은 음높이를 가진 현이 여러 개 진동하므로 더 큰 소리를 낼 수 있게 된다. [5]여기서 발생하는 진동은 현과 음향판을 잇는 역할을 하는 브리지를 거쳐 음향판으로 전달된다. [6]음향판은 현의 진동을 전달 받아 공기와의 접촉면을 넓혀 음량을 증폭하는 역할을 한다. [7]음향판에는 향봉이 부착되어 있어 음이 음향판 전체에 고루 퍼질 수 있도록 하는데, 음향판의 모양은 피아노 특유의 음색에 변화를 가져올 수 있다.

건반 하나에 대응되는 현들은 서로 음높이가 같음 / 한 건반에 여러 현을 대응한 이유 / 향봉의 기능 / 음색에 영향을 끼치는 '음향판의 모양'

3 피아노에서 '현', '음향판', '향봉'이 하는 역할

4 [1]피아노의 페달 역시 페달을 밟고 있는 동안 특정 역할을 수행하여 음색에 영향을 주기도 한다. [2]피아노의 세 페달 중 오른쪽에 있는 페달을 '댐퍼 페달'이라고 한다. [3]이 페달을 밟으면 모든 현에서 댐퍼가 일제히 떨어지게 된다. [4]만약 댐퍼 페달을 밟고 건반을 누른다면 현의 진동은 건반을 누르지 않은 다른 현에도 공명을 일으킬 것이다. [5]또한 건반에서 손을 떼도 이 같은 현상이 어느 정도 지속될 것이다. [6]그러므로 댐퍼 페달은 연주된 음을 지속적으로 울리게 하여 음향을 풍부하게 하고 음과 음 사이를 부드럽게 연결하는 효과를 낸다. [7]왼쪽 페달은 '소프트 페달'이라고 하는데, 이 페달을 밟으면 해머가 한쪽으로 조금씩 움직여서 해당 건반의 해머가 때리는 현의 수를 3현은 2현으로, 2현은 1현으로 감소시킨다. [8]이를 통해 음량을 감소시킬 수 있다. [9]가운데 페달은 '㉠소스테누토 페달'이라고 하는데, 이를 밟은 채 건반을 누르면 해머가 때린 현의 댐퍼만이 현에서 떨어지게 된다. [10]이로 인해 음색에 변화를 줄 수 있다.

음색에 영향을 끼치는 '페달' / 현에 걸어 공명을 막는 역할 / 댐퍼 페달의 역할 / 댐퍼 페달의 효과 / 소프트 페달의 역할 / 소프트 페달의 효과 / 현에 붙어 공명을 막는 역할 / 소스테누토 페달의 효과 / 소스테누토 페달의 역할

4 세 가지 페달의 역할

지문 이해

1 건반으로 연주하는 현악기인 (피아노)

2 '(액션)'의 세 가지 역할

3 피아노에서 '(현)', '음향판', '향봉'이 하는 역할

4 세 가지 (페달)의 역할

글의 핵심 파악

● **'액션'의 역할**

① 해머가 현을 때릴 때 (지렛대)의 역할을 함.

② (댐퍼)를 현에서 떨어지거나 붙게 하여 공명을 조절함.

③ (해머)가 현을 때리자마자 (해머)를 현에서 떨어지게 함.

▶ 근거 문단 **2**

● **피아노 페달의 역할**

	역할	효과
댐퍼 페달	해머가 때리지 않은 현의 (댐퍼)도 현에서 떨어뜨림.	• 음향이 풍부 • 음과 음 사이가 부드러워짐.
소프트 페달	해머가 때리는 현의 수를 줄임.	음량이 (감소)함.
소스테누토 페달	해머가 때린 현의 댐퍼만 현에서 떨어뜨림.	건반에서 손을 떼도 해당 음이 (지속)됨.

▶ 근거 문단 **4**

지문 구조도

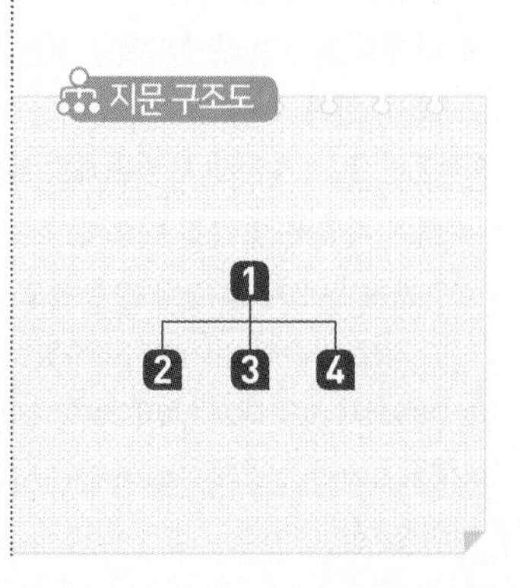

04

❷번 정답률 90%

내용 전개 방식 파악하기

정답인 이유 ② 피아노의 주요 장치와 그 기능을 설명하고 있다.

➡ ❶-3에서 '피아노에서 특유의 소리가 나기까지 어떤 것들이 관여하는지 살펴보자.'라고 하였으며, ❷에서는 액션의 역할을, ❸에서는 '현', '음향판', '향봉'의 역할을, ❹에서는 세 가지 '페달'의 역할을 설명하고 있다.

오답 피하기 ③ 피아노의 제작 과정을 순차적으로 제시하고 있다.

➡ 피아노에서 소리가 나기까지의 과정은 언급되어 있으나 제작 과정을 순차적으로 제시하지는 않았다.

④ 피아노의 작동 원리를 다른 대상과 비교하고 있다.

➡ 피아노의 작동 원리는 제시되었으나 다른 대상과 비교하고 있지는 않다.

05

❸번 정답률 84%

일치하는 내용 찾기

정답인 이유 ③ 건반을 세게 내려치면 액션은 그 힘을 자연스럽게 완화시키는 기능을 하는군.

➡ ❷-3에서 액션은 '건반을 누른 힘보다 더 큰 힘으로 액션에 있는 해머가 현을 때리도록 하는 지렛대 역할을 한다.'고 하였다. 이는 건반을 세게 내려치면 액션은 그 내려친 힘보다 더 세게 해머가 현을 때리도록 한다는 의미이다. 따라서 액션이 건반을 누르는 힘을 완화시킨다는 진술은 적절하지 않다.

오답 피하기 ① 음향판의 모양은 피아노 특유의 음색에 변화를 가져올 수 있군.

➡ ❸-7에서 '음향판의 모양은 피아노 특유의 음색에 변화를 가져올 수 있다.'고 하였다.

② 건반 개수는 액션 개수와는 같지만, 현의 개수보다는 적겠군.

➡ ❸-1~2에서 '건반 하나에 액션은 하나가 대응하지만 현은 그렇지 않다. 건반 하나에 같은 음높이로 조율된 여러 개의 현들이 대응하도록 제작되어 있다.'고 하였다.

④ 건반을 눌러도 소리가 나지 않는다면 해머가 현을 때리지 못하고 있을 가능성이 있겠군.

➡ ❶-2에서 건반과 연결된 해머가 현을 때리면 현이 진동하게 되고, 이 진동으로 생성된 음이 음향판에서의 증폭을 거쳐 소리가 나는 것을 알 수 있다. 따라서 건반을 눌러도 소리가 나지 않는다면 해머가 현을 때리지 못하고 있을 가능성이 있다고 판단할 수 있다.

⑤ 해머가 현을 때린 후 곧바로 현에서 떨어지지 않으면 연주자가 의도한 대로 현이 울리지 않을 수 있겠군.

➡ ❷-6~7에서 '해머가 현을 때리는 즉시 액션은 해머를 현에서 이탈하게 한다. 액션이 이처럼 작동하는 이유는 만약 해머가 현을 때리고 곧바로 떨어지지 않거나, 해머가 현을 때린 후 그 반동으로 인해 제멋대로 움직인다면 해머의 방해로 현이 자유롭게 진동하지 못하기 때문이다.'고 하였다. 따라서 현을 때린 해머가 곧바로 현에서 떨어지지 않으면 연주자가 의도한 대로 현이 울리지 않을 가능성이 있다.

06

❶번 정답률 57%

글의 내용 추론하기

정답인 이유 ① 건반에서 손을 떼도 해당 건반 음이 지속된다.

➡ 건반에서 손을 떼면, 댐퍼가 현에 붙어 현이 진동하지 못한다(❷-5). 즉, 댐퍼는 현의 공명을 막는 기능을 하는 것이다. 따라서 소스테누토 페달을 밟은 채 건반을 누르면 해머가 때린 현의 댐퍼만이 현에서 떨어져(❹-9) 해당 건반의 음이 계속 공명하게 될 것이므로, 해당 음이 지속될 것임을 추측할 수 있다.

오답 피하기 ② 건반에서 손을 떼도 해당 건반 음 외의 다른 음이 공명한다.

➡ 댐퍼 페달을 밟았을 때의 효과이다. ❹-4, 5에서 '댐퍼 페달을 밟고 건반을 누른다면 현의 진동은 건반을 누르지 않은 다른 현에도 공명을 일으킬 것이다. 또한 건반에서 손을 떼도 이 같은 현상이 어느 정도 지속될 것이다.'고 하였다.

③ 건반에서 손을 떼지 않아도 해당 건반 음을 멈춘다.

➡ ❹-9에서 소스테누토 페달을 밟은 채 건반에서 손을 떼지 않으면 해당 건반 음은 계속 공명함을 알 수 있다.

④ 건반을 누를 때 해당 건반 음의 음량을 감소시킨다.

➡ 소프트 페달을 밟았을 때의 효과이다. 4-7~8에서 소프트 페달을 밟으면 음량을 감소시킬 수 있다고 하였다.

⑤ 건반을 누를 때 해당 건반 음 외의 다른 음이 공명한다.

➡ 댐퍼 페달을 밟았을 때의 효과이다. 4-4에서 댐퍼 페달을 밟고 건반을 누르면, 건반을 누르지 않은 다른 현이 공명한다고 하였다.

07

⑤번 정답률 80%

정답인 이유 **⑤ ⓓ를 연주할 때, 건반들을 누르고 있는 동안 해당 건반들의 댐퍼는 현에서 떨어져 있으므로 해당 음들이 서로 공명을 일으킨다.**

➡ 댐퍼는 현의 공명을 막는 기능을 하는데, 댐퍼 페달을 밟으면 모든 현에서 댐퍼가 일제히 떨어지게 된다(4-3). 그러나 ⓓ를 연주할 때, 댐퍼 페달에서 발을 뗀다고 하더라도 건반들을 누르고 있는 동안에는 해당 건반들의 댐퍼가 현에서 떨어져 있게 될 것이므로(2-4), 해당 음들은 서로 공명을 일으키며 울릴 것이다.

오답 피하기 **① ⓐ를 연주할 때, ~~건반을 손에서 뗀 후에도 현은 계속 진동하게 되므로~~ ⓑ의 연주 음과 부드럽게 연결된다.**

➡ 2-4에서 건반에서 손을 떼게 되면 해당 현에 댐퍼가 붙어 진동을 멈춘다고 하였다.

② ⓑ를 연주할 때, 건반을 누르고 있는 동안 ~~해당 현만 댐퍼에 붙지 않으므로~~ 댐퍼 페달을 밟지 않을 때보다 음량이 커진다.

➡ 〈보기〉에서 ⓑ를 연주할 때부터 댐퍼 페달을 밟는다고 하였으므로 모든 현에서 댐퍼가 떨어지게 된다.

③ ⓑ를 연주할 때, 건반을 매우 강하게 누른다고 해도 ~~ⓒ에서는 어떠한 현도 진동하지 않기 때문에 ⓒ에서는 소리가 나지 않는다~~.

➡ ⓑ를 연주할 때부터 댐퍼 페달을 밟는데, 댐퍼 페달은 연주한 음을 지속적으로 울리게 하므로(4-6), ⓒ에서는 ⓑ 음의 진동이 계속 이어질 것이다.

④ ⓓ를 연주할 때에는 ⓐ, ⓑ와 달리 건반을 손에서 뗀 후에는 ~~해당 건반의 현 외에는 울리지 않게 된다~~.

➡ 〈보기〉에서 ⓓ를 연주하기 직전에 댐퍼 페달에서 발을 뗀다고 하였다. 따라서 ⓓ를 연주하고 나서 건반을 손에서 뗀 후에는 댐퍼가 해당 현에도 붙게 되므로(2-4), 해당 건반의 현도 울리지 않게 된다.

〈보기〉 문제
–시각 자료 제시
–사례·상황 제시

● **윗글과 〈보기〉의 연결고리 찾기**

• 윗글의 2

액션은 건반을 누를 때에 해당 현의 (댐퍼)가 (현)에서 떨어지게 하며, 건반을 누르고 있는 동안 해머에 의해 진동을 시작한 (현)은 계속 (진동)을 함.

• 〈보기〉 이해하기

ⓓ를 연주하기 직전 댐퍼 페달에서 발을 뗌.

↓

ⓓ의 건반들을 누르고 있는 동안 해당 건반의 (댐퍼)들만 (현)에서 떨어지게 됨.

↓

ⓓ의 음들이 서로 (공명)을 일으키게 됨.

꿈엔들 잊힐리야 수능 다가가기 1회				p.198~203
01 ⑤	02 ①	03 ⑤	04 ⑤	05 ①
06 ③	07 ⑤	08 ①	09 ③	10 ①
11 ②	12 ③	13 ③		

[01~05] 귀납에 내재된 논리적 한계 인문

2016학년도 수능 Ⓐ

1 [1]귀납은 현대 논리학에서 연역이 아닌 모든 추론, 즉 전제가 결론을 개연적으로 뒷받침하는 모든 추론을 가리킨다.(그럴 법한, 또는 그럴 법한 것.) [2]귀납은 기존의 정보나 관찰 증거 등을 근거로 새로운 사실을 추가하는 지식 확장적 특성을 지닌다.(귀납의 정의 / 이미 알고 있는 사실) [3]이 특성으로 인해 귀납은 근대 과학 발전의 방법적 토대가 되었지만, 한편으로 귀납 자체의 논리적 한계를 지적하는 문제들에 부딪히기도 한다.

1 귀납의 개념과 특성

2 [1]먼저 흄은 과거의 경험을 근거로 미래를 예측하는 귀납이 정당한 추론이 되려면 미래의 세계가 과거에 우리가 경험해 온 세계와 동일하다는 자연의 일양성, 곧 한결같음이 가정되어야 한다고 보았다. [2]그런데 자연의 일양성은 선험적으로 알 수 있는 것이 아니라 경험에 기대어야 알 수 있는 것이다.(경험에 앞서 선천적으로 가능한 인식 능력) [3]즉 "귀납이 정당한 추론이다."라는 주장은 "자연은 일양적이다."라는 다른 지식을 전제로 하는데 그 지식은 다시 귀납에 의해 정당화되어야 하는 경험적 지식이므로 귀납의 정당화는 순환 논리에 ⓐ빠져 버린다는 것이다. [4]이것이 귀납의 정당화 문제이다.

2 귀납의 논리적 한계 – ① 정당화 문제

3 [1]귀납의 정당화 문제로부터 과학의 방법인 귀납을 옹호하기 위해 라이헨바흐는 이 문제에 대해 현실적 구제책을 제시한다.(귀납을 지지) [2]라이헨바흐는 자연이 일양적일 수도 있고 그렇지 않을 수도 있음을 전제한다. [3]먼저 ①자연이 일양적일 경우, 그는 지금까지의 우리의 경험에 따라 귀납이 점성술이나 예언 등의 다른 방법보다 성공적인 방법이라고 판단한다. [4]②자연이 일양적이지 않다면, 어떤 방법도 체계적으로 미래 예측에 계속해서 성공할 수 없다는 논리적 판단을 통해 귀납은 최소한 다른 방법보다 나쁘지 않은 추론이라고 확언한다. [5]결국 자연이 일양적인지 그렇지 않은지 알 수 없는 상황에서는 귀납을 사용하는 것이 옳은 선택이라는 라이헨바흐의 논증은 귀납의 정당화 문제를 현실적 차원에서 해소하려는 시도로 볼 수 있다.(귀납을 옹호(귀납을 과학의 방법으로 인정함) / 순환 논리에 빠지지 않은 채 귀납의 정당성을 증명(논리적 허점을 극복)한 것이 아니라, 현실적으로 가능한 구제책을 제시한 것임.)

3 정당화 문제를 해소하려는 노력 – 라이헨바흐의 논증

4 [1]귀납의 또 다른 논리적 한계로 어떤 현대 철학자는 미결정성의 문제를 지적한다. [2]이 문제는 관찰 증거만으로는 여러 가설 중에 어느 하나를 더 나은 것으로 결정할 수 없다는 것이다. [3]가령 몇 개의 점들이 발견되었을 때 그 점들을 모두 지나는 곡선은 여러 개이기 때문에 어느 하나로 결정되지 않는다.) [4]예측의 경우도 마찬가지이다. [5](다음에 발견될 점을 예측할 때, 기존에 발견된 점들만으로는 다음에 찍힐 점이 어디에 나타날지 확정할 수 없다.) [6]아무리 많은 점들을 관찰 증거로 추가하더라도 하나의 예측이 다른 예측보다 더 낫다고 결정하는 것은 여전히 불가능하다는 것이다.

4 귀납의 논리적 한계 – ② 미결정성의 문제

5 [1]그러나 미결정성의 문제가 있다고 하더라도 대부분의 현대 철학자들은 귀납을 과학의 방법으로 인정하고 있다. [2]이들은 귀납의 문제를 직접 해결하려 하기보다 확률을 도입하여 개연성이라는 귀납의 특징을 강조하려 한다.(귀납을 옹호) [3]이에 따르면 관찰 증거가 가설을 지지하는 정도 즉 전제와 결론 사이의 개연성은 확률로 표현될 수 있다. [4]또한 하나의 가설이 다른 가설보다, 하나의 예측이 다른 예측보다 더 낫다고 확률적 근거에 의해 판단할 수 있다는 것이다.(개연성이 높은(그럴 법한 확률이 높은) 가설이나 예측이 그렇지 않은 예측보다 낫다고 판단 가능함.) [5]이처럼 확률 논리로 설명되는 개연성은 일상적인 직관에도 잘 들어맞는다. [6]이러한 시도는 귀납의 문제를 근본적으로 해결하는 것은 아니지만, 귀납은 여전히 과학의 방법으로서 그 지위를 지킬 만하다는 사실을 보여 준다.(개연성을 확률 논리로 설명하려는 것 / 귀납을 과학의 방법으로 인정함.)

5 미결정성의 문제를 해소하려는 노력 – '확률 논리'를 강조하는 현대 철학자들

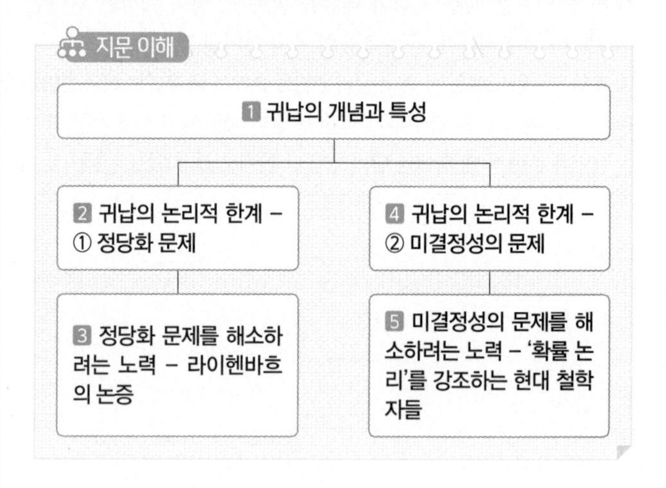

01 내용 전개 방식 파악하기 | 정답 ⑤ | 정답률 86%

윗글의 내용 전개에 대한 설명으로 가장 적절한 것은?

정답인 이유

⑤ 귀납에 내재된 논리적 한계와 그에 대한 해소 방안을 검토하고 있다.

윗글은 1에서 귀납의 개념과 특성을 소개하고, 2에서 귀납의 논리적 한계인 '정당화 문제'를 설명한 뒤 3에서 이 문제를 현실적으로 해소하기 위한 라이헨바흐의 논증을 소개하였다. 또 4에서 귀납의 논리적 한계인 '미결정성의 문제'를 언급한 다음 5에서 현

대 철학자들이 이를 극복하기 위해 제시한 '확률 논리'에 대해 설명하고 있으므로 ⑤가 가장 적절하다.

오답 피하기

① 귀납에 대한 흄의 평가를 ~~병렬적으로 소개~~하고 있다.

➡ [2]에서 귀납에 대한 흄의 생각을 언급하고 있지만, 이를 병렬적으로 소개하지는 않았다.

② 귀납이 지닌 장단점을 ~~연역과 비교~~하여 설명하고 있다.

➡ [1]에서 귀납의 특성에 대해 언급하였으나, 귀납의 장단점을 연역과 비교하여 설명하지는 않았다.

③ ~~귀납의 위상이 격상되어 온 과정을 역사적으로 고찰~~하고 있다.

➡ 귀납의 위상이 격상되어 온 과정을 역사적으로 고찰하는 내용은 윗글에서 찾아볼 수 없다.

④ ~~귀납의 다양한 유형을 소개~~하고 ~~각각의 특징을 상호 비교~~하고 있다.

➡ 귀납의 다양한 유형과 각각의 특징을 상호 비교하는 내용은 윗글에서 찾아볼 수 없다.

02 일치하는 내용 찾기 | 정답 ① | 정답률 88%

윗글을 이해한 내용으로 적절하지 <u>않은</u> 것은?

정답인 이유

① 많은 관찰 증거를 확보~~하면~~(해도) 귀납의 정당화에서 나타나는 순환 논리 문제는 ~~해소된다~~(해소될 수 없다).

귀납의 정당화에서 나타나는 순환 논리 문제는, '귀납이 정당한 추론'이라는 주장이 전제로 하는 '자연은 일양적이다'라는 지식이 또다시 '귀납'에 의해 정당화되어야 하는 경험적 지식이기 때문에 나타나는 문제이다. 따라서 많은 관찰 증거를 확보한다고 하더라도 귀납의 정당화에서 나타나는 순환 논리 문제는 해소되기 어렵다.

오답 피하기

② 직관에 들어맞는 확률 논리라 하더라도 귀납의 논리적 문제를 근본적으로 해결하지 못한다.

➡ [5]-5~6에서 '확률 논리로 설명되는 개연성은 일상적인 직관에도 잘 들어맞는'다고 하였지만, 이러한 시도가 '귀납의 문제를 근본적으로 해결'하는 것은 아니라고 하였다.

③ 관찰 증거가 가설을 지지하는 정도를 확률로 표현할 수 있다는 입장은 귀납을 옹호한다.

➡ '관찰 증거가 가설을 지지하는 정도를 확률로 표현'하는 것은 [5]-3~5의 '확률 논리'에 해당한다. 이를 지지하는 현대 철학자들은 '귀납을 과학의 방법으로 인정'하고 있다.([5]-1)

④ 흄에 따르면, 귀납의 정당화는 귀납에 의한 정당화를 필요로 하는 지식에 근거해야 가능하다.

➡ 흄은 [2]-2~4에서 순환 논리에 빠진 귀납의 정당화 문제를 지적하였다. 흄에 따르면, 귀납이 정당한 추론이라는 주장은 '자연은 일양적이다.'라는 지식을 전제로 하는데, 이 지식은 다시 귀납에 의해 정당화되어야 하는 지식이다.

⑤ 귀납의 지식 확장적 특성은 이미 알고 있는 사실을 근거로 아직 알지 못하는 사실을 추론하는 데에서 비롯된다.

➡ [1]-2에서 '귀납은 기존의 정보나 관찰 증거 등을 근거로 새로운 사실을 추가하는 지식 확장적 특성'을 지닌다고 하였다. '기존의 정보나 관찰 증거'는 '이미 알고 있는 지식'을 의미한다.

03 비판하기 | 정답 ⑤ | 정답률 77%

라이헨바흐의 논증에 대한 평가로 적절하지 <u>않은</u> 것은?

정답인 이유

⑤ 귀납이 현실적으로 옳은 추론 방법임을 밝히기 위해 ~~자연의 일양성이 선험적 지식임을 증명~~한 데 의의가 있다.

라이헨바흐는 [3]에서 자연이 일양적인지 그렇지 않은지 알 수 없는 상황에서는 귀납을 사용하는 것이 옳은 선택이라는 주장을 논증하며 귀납의 '정당화 문제'에 대한 현실적인 해결책을 제시하였다. 그렇지만 '자연의 일양성이 선험적 지식임'을 증명하고 있지는 않다.

오답 피하기

① 귀납이 지닌 논리적 허점을 완전히 극복한 것은 아니라는 비판의 여지가 있다.

➡ [3]-5에 따르면 라이헨바흐의 논증은 '귀납의 정당화 문제를 현실적 차원에서 해소하려는 시도'에 해당한다. 즉, 라이헨바흐는 '순환 논리에 빠지지 않은 채 귀납의 정당화 문제를 해결'하지는 않았고, 따라서 귀납의 논리적 허점을 완전히 극복했다고 볼 수 없다.

② 귀납을 과학의 방법으로 사용할 수 있음을 지지하려는 목적에서 시도하였다는 데 의미가 있다.

➡ [3]-1에서 라이헨바흐는 '과학의 방법인 귀납을 옹호하기 위해' 현실적 구제책을 제시했다고 하였다.

③ 귀납과 다른 방법을 비교하기 위해 경험적 판단과 논리적 판단을 모두 활용한 것이 특징이다.

➡ [3]-3 '우리의 경험에 따라 ~ 판단한다.', [3]-4 '논리적 판단을 통해'를 고려할 때 적절하다.

④ 귀납과 견주어 미래 예측에 더 성공적인 방법이 없다는 판단을 근거로 귀납의 가치를 보여 주고 있다.

➡ [3]-3~4 '귀납이 점성술이나 예언 등의 다른 방법보다 성공적인 방법', '귀납은 최소한 다른 방법보다 나쁘지 않은 추론'과 [3]-5 '귀납을 사용하는 것이 옳은 선택'을 고려할 때 적절하다.

04 〈보기〉 문제 - 사례·상황 제시, 관점 비교하기 | 정답 ⑤ | 정답률 84%

윗글을 바탕으로 할 때, 〈보기〉의 (ㄱ), (ㄴ)에 대한 A와 B의 입장을 추론한 것으로 적절하지 <u>않은</u> 것은?

▮ 보기 ▮

ㅇ[1]어떤 천체의 표면 온도를 매년 같은 날 관측했더니 100, 110, 120, 130, 140℃로 해마다 10℃씩 높아졌다.[2]이로부터 과학자들은 다음 두 가지 예측을 제시하였다.

(ㄱ) 1년 뒤 관측한 그 천체의 표면 온도는 150℃일 것이다.

(ㄴ) 1년 뒤 관측한 그 천체의 표면 온도는 200℃일 것이다.

ㅇ[3]A와 B는 예측의 방법으로 귀납을 인정한다.[4]하지만 귀납의 미결정성의 문제에 대해 A는 확률 논리에 따라 해결할 수 있다는 입장인 반면, B는 어떤 방법으로도 해결할 수 없다는 입장이다.

4-2 '관찰 증거만으로는 여러 가설 중에 어느 하나를 더 나은 것으로 결정할 수 없다'

확률적 근거에 따라 어느 하나가 더 낫다고 판단 가능

어떤 방법으로도 어느 하나가 더 낫다고 판단 불가

정답인 이유

⑤ B는 그 천체의 표면 온도가 100℃이기 1년 전에 60℃였다는 정보를 추가로 얻으면 ~~(ㄴ)을 (ㄱ)보다 더 나은 예측으로 채택하겠군.~~

B는 귀납의 미결정성의 문제에 대해 '어떤 방법으로도 해결할 수 없다'는 입장이므로 확률 논리를 인정하지 않는다. 이때 4-6의 '아무리 많은 점들을 관찰 증거로 추가하더라도 하나의 예측이 다른 예측보다 더 낫다고 결정하는 것은 여전히 불가능'을 참고할 때, B는 어떤 정보를 추가로 얻는다고 하더라도 어느 한 예측을 다른 예측보다 낫다고 채택하지 않을 것이다.

오답 피하기

① A와 B는 둘 다 과학자들이 예측한 (ㄱ)과 (ㄴ)이 모두 기존의 관찰 근거에 따른 것이라고 보겠군.

➡ 1-2에서 '귀납은 기존의 정보나 관찰 증거 등을 근거로 새로운 사실을 추가'하는 특성을 가진다고 했다. 〈보기〉-3에 따르면 A와 B는 '예측의 방법으로 귀납을 인정'한다고 했으므로 적절하다.

② A는 (ㄱ)과 (ㄴ) 중 하나가 더 나은 예측임을 결정할 수 있다고 하겠군.

➡ 〈보기〉-4에서 A는 귀납의 미결정성의 문제를 확률 논리에 따라 해결할 수 있다는 입장이라고 하였다. 따라서 A는 확률을 근거로 하여 (ㄱ)와 (ㄴ) 중 하나를 더 나은 예측으로 결정할 수 있다고 할 것이다.

③ A는 그 천체의 표면 온도가 100℃이기 1년 전에 90℃였다는 정보를 추가로 얻으면 (ㄱ)이 옳을 개연성이 더 높아진다고 판단하겠군.

➡ '천체의 표면 온도가 100℃이기 1년 전에 90℃였다는 정보'는 천체의 표면 온도가 해마다 10℃씩 높아진다는 관찰 증거에 해당한다. 따라서 '어떤 천체의 표면 온도는 해마다 10℃씩 올라간다'라는 예측이 옳을 확률이 높아지기 때문에, A는 (ㄱ)이 옳을 개연성이 더 높아진다고 판단할 것이다.

④ B는 (ㄱ)에 대해서 가능한 예측이라고 할지언정 (ㄴ)보다 더 나은 예측이라고 결정하지는 않겠군.

➡ 〈보기〉-4에서 B는 귀납의 미결정성의 문제를 어떤 방법으로도 해결할 수 없다는 입장이라고 하였다. 4-2에 따르면 귀납의 미결정성의 문제를 지적하는 입장은 '관찰 증거만으로는 여러 가설 중에 어느 하나를 더 나은 것으로 결정할 수 없다.'고 본다.

05 어휘의 의미 파악하기 | 정답 ① | 정답률 88%

ⓐ의 문맥적 의미와 가장 가까운 것은?

정답인 이유

① 혼란에 빠진 적군은 지휘 계통이 무너졌다.

ⓐ의 '빠지다'는 '곤란한 처지에 놓이다.'라는 의미로 사용되었다. ①의 '빠지다' 역시 이러한 의미로 사용되었다.

오답 피하기

② 그의 말을 듣자 모든 사람들이 기운이 빠졌다.

➡ '정신이나 기운이 줄거나 없어지다.'라는 의미로 사용되었다.

③ 그는 무릎 위까지 푹푹 빠지는 눈길을 헤쳐 왔다.

➡ '물이나 구덩이 따위 속으로 떨어져 잠기거나 잠겨 들어가다.'라는 의미로 사용되었다.

④ 그의 강연에 자신의 주장이 빠져 모두 아쉬워했다.

➡ '차례를 거르거나 일정하게 들어 있어야 할 곳에 들어 있지 아니하다.'라는 의미로 사용되었다.

⑤ 우리 제품은 타사 제품에 빠지지 않는 우수한 것이다.

➡ '남이나 다른 것에 비해 뒤떨어지거나 모자라다.'라는 의미로 사용되었다.

[06~10] 계약의 개념과 법률 효과 사회

2019학년도 수능

1 [1]사람은 살아가는 동안 여러 약속을 한다.[2]계약도 하나의 약속이다.[3]하지만 이것은 친구와 뜻이 맞아 주말에 영화 보러 가자는 약속과는 다르다.[4]일반적인 다른 약속처럼 계약도 서로의 의사 표시가 합치하여 성립하지만, 이때의 의사는 일정한 법률 효과의 발생을 목적으로 한다는 점에서 차이가 있다.([5]한 예로 매매 계약은 '팔겠다'는 일방의 의사 표시와 '사겠다'는 상대방의 의사 표시가 합치함으로써 성립하며, 매도인은 매수인에게 매매 목적물의 소유권을 이전하여야 할 의무를 짐과 동시에 매매 대금의 지급을 청구할 권리를 갖는다.[6]반대로 매수인은 매도인에게 매매 대금을 지급할 의무가 있고 소유권의 이전을 청구할 권리를 갖는다.[7]양 당사자는 서로 권리를 행사하고 서로 의무를 이행하는 관계에 놓이는 것이다.)

약속과 계약의 공통점: 의사 표시가 합치하여 성립

약속과 계약의 차이점: 계약에서의 의사는 '법률 효과' 발생 목적

매도인: 물건을 팔아서 넘겨주는 사람 / 매수인: 물건을 사서 넘겨받은 사람

1 계약의 개념과 특징

2 [1]이처럼 의사 표시를 필수적 요소로 하여 법률 효과를 발생시키는 행위들을 법률 행위라 한다.[2]계약은 법률 행위의 일종으로서, 당사자에게 일정한 청구권과 이행 의무를 발생시킨다.[3]청구권을 내용으로 하는 권리가 채권이고, 그에 따라 이행을 해야 할

법률 행위의 정의 / 계약의 특징 ① / 계약의 특징 ② / 채권의 정의 / 채무의 정의

의무가 채무이다.[4]따라서 채권과 채무는 발생한 법률 효과가 동전의 양면처럼 서로 다른 방향에서 파악되는 것이라 할 수 있다.[5]채무자가 채무의 내용대로 이행하여 채권을 소멸시키는 것을 변제라 한다.
변제의 정의
2 법률 행위의 일종인 계약에서의 채권, 채무, 변제 개념

3 [1]갑과 을은 을이 소유한 그림 A를 갑에게 매도하는 것을 내용으로 하는 매매 계약을 체결하였다.[2]㉠을의 채무는 그림 A의 소유권을 갑에게 이전하는 것이다.[3]동산인 물건의 소유권을 이전하는 방식은 그 물건을 인도하는 것이다.[4]갑은 그림 A가 너무나 마음에 들었기 때문에 그것을 인도받기 전에 대금 전액을 금전으로 지급하였다.[5]그런데 갑이 아무리 그림 A를 넘겨달라고 청구하여도 을은 인도해 주지 않았다.[6]이런 경우 갑이 사적으로 물리력을 행사하여 해결하는 것은 엄격히 금지된다.
토지나 그 위에 고착된 건축물(부동산)을 제외한 재산
사물이나 권리 따위를 넘겨줌.
갑(매수인)의 채무 이행
을(매도인)의 채무 불이행
3 갑과 을의 계약 체결 예: 매도인(을)이 채무를 이행하지 않음.

4 [1]채권의 내용은 민법과 같은 실체법에서 규정하고 있고, 그것을 강제적으로 실현할 수 있도록 민사 소송법이나 민사 집행법 같은 절차법이 갖추어져 있다.[2]갑은 소를 제기하여 판결로써 자기가 가진 채권의 존재와 내용을 공적으로 확정받을 수 있고, 나아가 법원에 강제 집행을 신청할 수도 있다.[3]강제 집행은 국가가 물리적 실력을 행사하여 채무자의 의사에 구애받지 않고 채무의 내용을 실행시켜 채권이 실현되도록 하는 제도이다.
2-3 '청구권을 내용으로 하는 권리'
채권을 강제적으로 실현하기 위함.
소송
절차법에 따른 강제 집행
강제 집행의 정의
4 채권의 실행을 물리적으로 강제하는 강제 집행 제도

5 [1]을이 그림 A를 넘겨주지 않은 까닭은 갑으로부터 매매 대금을 받은 뒤에 을의 과실로 불이 나 그림 A가 타 없어졌기 때문이다.[2]㉮결국 채무는 이행 불능이 되었다.[3]소송을 하더라도 불능의 내용을 이행하라는 판결은 ⓐ나올 수 없다.[4]그림 A의 소실이 계약 체결 전이었다면, 그 계약은 실현 불가능한 내용을 담고 있기 때문에 체결할 때부터 계약 자체가 무효이다.[5]이행 불능이 채무자의 과실 때문에 일어난 것이라면 채무자가 채무 불이행에 대한 책임을 져야 한다.
을이 채무를 이행하지 않은 이유
실현 불가능한 내용을 담은 계약: 무효
을의 과실로 그림이 타서 사라짐 → 이행 불능
5 갑과 을의 계약 체결 예: 을의 과실로 인한 채무의 이행 불능

6 [1]이때 채무 불이행은 갑이나 을의 의사 표시가 작용한 것이 아니라, 매매 목적물의 소실에 따른 이행 불능으로 말미암은 것이다.[2]이러한 사건을 통해서도 법률 효과가 발생한다.[3]채무 불이행에 대한 책임은 갑으로 하여금 계약을 해제할 수 있는 권리를 갖게 한다.[4]갑이 계약 해제권을 행사하면 그때까지 유효했던 계약이 처음부터 효력이 없는 것으로 된다.[5]이때의 계약 해제는 일방의 의사 표시만으로 성립한다.[6]따라서 갑이 해제권을 행사하는 데에 을의 승낙은 요건이 되지 않는다.[7]이러한 법률 행위를 단독 행위라 한다.
갑, 을의 의사 표시가 합치되지 않았음에도(법률 행위가 없었음에도) 법률 효과 발생(2-1)
단독 행위의 정의: 일방의 의사 표시만으로 성립되는 법률 행위
6 갑과 을의 계약 체결 예: 을의 채무 불이행에 따른 갑의 계약 해제권

7 [1]갑은 계약을 해제하였다.[2]이로써 그 계약으로 발생한 채권과 채무는 없던 것이 된다.[3]당연히 계약의 양 당사자는 자신의 채무를 이행할 필요가 없다.[4]이미 이행된 것이 있다면 계약이 체결되기 전의 상태로 돌려놓아야 한다.[5]이를 청구할 수 있는 권리가 원상회복 청구권이다.[6]계약의 해제로 갑은 원상회복 청구권을 행사할 수 있으며, 이러한 ㉡갑의 채권은 결국 을에게 매매 대금을 반환해 달라고 청구할 수 있는 권리가 된다.
7 갑과 을의 계약 체결 예: 계약 해제에 따른 갑의 원상회복 청구권

지문 이해

- 1 계약의 개념과 특징
- 2 법률 행위의 일종인 계약에서의 채권, 채무, 변제 개념
  - 3 갑과 을의 계약 예: 매도인이 채무를 이행하지 않음.
- 4 채권의 실행을 물리적으로 강제하는 강제 집행 제도
  - 5 갑과 을의 계약 예: 을의 과실로 인한 채무의 이행 불능
  - 6 갑과 을의 계약 예: 을의 채무 불이행에 따른 갑의 계약 해제권
  - 7 갑과 을의 계약 예: 계약 해제에 따른 갑의 원상회복 청구권

06 일치하는 내용 찾기

정답 ③ | 정답률 48%

윗글의 내용과 일치하지 않는 것은?

정답인 이유

③ 법률 행위가 없으면 법률 효과가 발생하지 않는다. (없어도 / 발생한다.)

2-1에 따르면 법률 행위는 '의사 표시'를 필수적 요소로 하여 법률 효과를 발생시킨다. 그런데 6-1~2에서 '매매 목적물의 소실에 따른 이행 불능'이라는 사건을 통해서도 법률 효과가 발생한다고 하였다. 따라서 '의사 표시를 필수적 요소로 하는 법률 행위'가 없다고 하더라도 법률 효과가 발생하는 경우가 있다.

오답 피하기

① 실체법에는 청구권에 관한 규정이 있다.

➡ 2-3에 따르면 채권은 '청구권을 내용으로 하는 권리'이다. 이때 4-1에서 '채권의 내용은 민법과 같은 실체법에서 규정'한다고 하였으므로 적절한 진술이다.

② 절차법에 강제 집행 제도가 마련되어 있다.

➡ 4-1 '채권의 내용 ~ 그것을 강제적으로 실현할 수 있도록 ~

절차법이 갖추어져 있다.'라고 하였으므로 적절한 진술이다.

④ **법원을 통하여 물리력으로 채권을 실현할 수 있다.**

➡ 4-2~3을 고려할 때 법원에 강제 집행을 신청하면, 국가가 물리적 실력을 행사하여 채권이 실현되도록 할 수 있다.

⑤ **실현 불가능한 것을 내용으로 하는 계약은 무효이다.**

➡ 5-4에서 '실현 불가능한 내용을 담고 있기 때문에 체결할 때부터 계약 자체가 무효'라고 하였으므로 적절한 진술이다.

07 정보 간의 관계 파악하기 | 정답 ⑤ | 정답률 55%

㉠, ㉡에 대한 이해로 가장 적절한 것은?

정답인 이유

⑤ **㉠에는 물건을 인도할 의무가 있고, ㉡에는 금전의 지급을 청구할 권리가 있다.**

3-2에 따르면 을의 채무(㉠)는 '그림 A의 소유권을 갑에게 이전하는 것'이다. 그런데 5~7에서 을의 과실로 불이 나 그림 A가 불에 타 없어진 상황이라면 갑은 '계약 해제권'을 행사할 수 있고, 이에 따라 원상회복 청구권을 행사할 수 있다고 하였다. 이때 7-6에서 원상회복 청구권은 갑의 채권(㉡)이고, 이는 '을에게 매매 대금을 반환해 달라고 청구할 수 있는 권리'라고 하였으므로 ⑤가 가장 적절하다.

오답 피하기

① **㉠은 매도인의 청구와 매수인의 이행으로 소멸한다.**

➡ ㉠은 '을의 채무'이므로 매수인(갑)의 청구와 매도인(을)의 이행으로 소멸한다.

② **㉡은 채권자와 채무자의 의사 표시가 작용하여 성립한 것이다.**

➡ 6-4~5에 따르면 '계약 해제권'은 '일방의 의사 표시'만으로 성립한다. 계약 해제권을 행사함에 따라 발생한 갑의 채권(㉡)은 일방(갑)의 의사 표시에 의해 성립한 것이다.

③ **㉠과 ㉡은 ㉠이 이행되면 그 결과로 ㉡이 소멸하는 관계이다.**

➡ 5-2, 6-3~4, 7-4~6에 따르면 을의 채무(㉠)가 이행 불능이 됨에 따라 갑은 계약 해제권을 행사할 수 있고, 계약이 해제되면 갑은 '원상회복 청구권(㉡)'을 행사할 수 있게 된다.

④ **㉠과 ㉡은 동일한 계약의 효과를 서로 다른 측면에서 바라본 것이다.**

➡ 6-4, 7-4~6을 참고할 때 ㉡(갑의 채권)은 갑과 을의 계약 자체가 무효가 되면서 발생한 것이므로, ㉠과 ㉡은 동일한 계약의 효과라고 할 수 없다.

08 글의 내용 추론하기 | 정답 ① | 정답률 80%

㉮의 상황에 대한 설명으로 적절한 것은?

정답인 이유

① **'을'의 과실로 이행 불능이 되어 '갑'의 계약 해제권이 발생한다.**

5-1~2에서 '을의 과실로 불이 나 그림 A가 타 없어졌기 때문'에 '결국 채무는 이행 불능이 되었다(㉮)'고 하였다. 이때 5-5에서 '이행 불능이 채무자의 과실 때문에 일어난 것이라면 채무자가 채무 불이행에 대한 책임을 져야 한다'라고 했고, 6-3에서 이 책임은 갑에게 '계약을 해제할 수 있는 권리(계약 해제권)'를 갖게 한다고 하였다.

오답 피하기

② **'갑'은 소를 제기하여야 매매의 목적이 된 재산권을 이전받을 수 있다.**

➡ 5-1~3에 따르면 '을의 과실로 불이 나 그림 A가 타 없어졌기 때문'에, 소송을 하더라도 불능의 내용(불에 타 없어진 그림 A의 소유권 이전)을 이행하라는 판결은 나올 수 없다.

③ **'갑'은 원상회복 청구권을 행사하여야 '그림 A'의 소유권을 회복할 수 있다.**

➡ 7-6에서 원상회복 청구권은 '을에게 매매 대금을 반환해 달라고 청구할 수 있는 권리'라고 하였다.

④ **'갑'과 '을'은 애초부터 실현 불가능한 내용의 계약을 체결하였기 때문에 이행 불능이 되었다.**

➡ 5-1에서 '을의 과실로 불이 나 그림 A가 타 없어졌기 때문'에 갑과 을의 계약은 이행 불능이 되었다고 하였다.

⑤ **'을'이 '갑'에게 '그림 A'를 인도하는 것은 불가능해졌지만 '을'은 채무 불이행에 대한 책임을 지지 않는다.**

➡ 5-5에서 '이행 불능이 채무자의 과실 때문에 일어난 것이라면 채무자가 채무 불이행에 대한 책임을 져야 한다.'라고 하였다. 따라서 '을'은 채무 불이행에 책임을 져야 하며, 이는 갑으로 하여금 계약을 해제할 수 있는 '계약 해제권'을 갖게 한다. (6-3~4)

09 〈보기〉 문제 – 추가 정보 제시 | 정답 ③ | 정답률 50%

윗글을 바탕으로 할 때, 〈보기〉에 대한 분석으로 적절하지 않은 것은?

> 보기
>
> [ ]: 의사 표시를 필수적 요소로 하여 법률 효과를 발생시키는 법률 행위(2-1)
>
> [1]증여는 [당사자의 일방이 자기의 재산을 무상으로 상대방에게 줄 의사를 표시하고 상대방이 이를 승낙함으로써 성립하는 계약이다.[2]증여자만 이행 의무를 진다는 점이 특징이다. [3]유언은 [유언자의 사망과 동시에 일정한 법률 효과를 발생시키려는 것을 목적으로 하는데, 유언자의 의사 표시만으로 유효하게 성립하고 의사 표시의 상대방이 필요 없다는 점에서 증여와 차이가 있다.
>
> [ ]: 의사 표시를 필수적 요소로 하여 법률 효과를 발생시키는 법률 행위(2-1)

정답인 이유

③ **증여는 변제의 의무를 발생시키지 않는다는 점에서 매매와 차이가 있다.**

〈보기〉-2에 따르면 증여에서는 증여자만 이행 의무를 진다. 즉 증여자에게만 채무를 지게 한다는 것이다. 그런데 2-5의 '채무자가 채무의 내용대로 이행하여 채권을 소멸시키는 것'이라는 변제의 정의에 따르면, 증여도 매매처럼 변제의 의무가 발생한다는 사실을 알 수 있다.

오답 피하기

① 증여, 유언, 매매는 모두 법률 행위로서 의사 표시를 요소로 한다.

➡ 2-1~2에서 '의사 표시를 필수적 요소로 하여 법률 효과를 발생시키는 행위들을 법률 행위', '계약은 법률 행위의 일종'이라고 하였다. 1-5에서 '매매 계약은 ~ 일방의 의사 표시와 ~ 상대방의 의사 표시가 합치함으로써 성립'한다고 하였고, 〈보기〉-1에서 '증여는 당사자의 일방이 ~ 의사를 표시하고 상대방이 이를 승낙함으로써 성립하는 계약'이라고 하였다. 또 〈보기〉-3에서 유언은 '유언자의 의사 표시만으로 유효하게 성립'한다고 하였으므로, 증여, 유언, 매매는 모두 법률 행위로서 의사 표시를 요소로 한다고 볼 수 있다.

② 증여와 유언은 법률 효과를 발생시키려는 목적이 있다는 점이 공통된다.

➡ 2-1~2에서 '의사 표시를 필수적 요소로 하여 법률 효과를 발생시키는 행위들을 법률 행위', '계약은 법률 행위의 일종'이라고 하였다. 〈보기〉-1의 '증여는 ~ 계약이다', 〈보기〉-3의 '유언은 ~ 법률 효과를 발생시키려는 것을 목적'을 고려하면 증여와 유언은 공통적으로 법률 효과를 발생시키려는 목적이 있다고 볼 수 있다.

④ 증여는 당사자 일방만이 이행한다는 점에서 양 당사자가 서로 이행하는 관계를 갖는 매매와 차이가 있다.

➡ 〈보기〉-2에서 증여는 '증여자만 이행 의무를 진다는 점이 특징'이라고 하였다.

⑤ 증여는 양 당사자의 의사 표시가 서로 합치하여 성립한다는 점에서 의사 표시의 합치가 필요 없는 유언과 차이가 있다.

➡ 〈보기〉-1에서 '증여는 당사자의 일방이 ~ 의사를 표시하고 상대방이 이를 승낙함으로써 성립'한다고 하였다. 〈보기〉-3에서 유언은 '유언자의 의사 표시만으로 유효하게 성립'한다고 하였으므로, 증여는 양 당사자의 의사 표시가 합치하여야 하고 유언은 의사 표시의 합치가 필요하지 않다.

10 어휘의 의미 파악하기 | 정답 ① | 정답률 96%

문맥상 의미가 ⓐ와 가장 가까운 것은?

정답인 이유

① 오랜 연구 끝에 만족할 만한 실험 결과가 나왔다.

본문의 'ⓐ나올'과 ①의 '나왔다'는 '처리나 결과로 이루어지거나 생기다'라는 의미로 쓰였다.

오답 피하기

② 그 사람이 부드럽게 나오니 내 마음이 누그러졌다.

➡ '어떠한 태도를 취하여 겉으로 드러내다.'라는 의미로 쓰였다.

③ 우리 마을은 라디오가 잘 안 나오는 산간 지역이다.

➡ '방송을 듣거나 볼 수 있다.'라는 의미로 쓰였다.

④ 이 책에 나오는 옛날이야기 한 편을 함께 읽어 보자.

➡ '책, 신문 따위에 글, 그림 따위가 실리다.'라는 의미로 쓰였다.

⑤ 그동안 우리 지역에서는 걸출한 인물들이 많이 나왔다.

➡ '상품이나 인물 따위가 산출되다.'라는 의미로 쓰였다.

[11~13] 애벌랜치 광다이오드 기출

2016학년도 수능 Ⓐ

1 [1]광통신은 빛을 이용하기 때문에 정보의 전달은 매우 빠를 수 (광통신의 장점) 있지만, 광통신 케이블의 길이가 증가함에 따라 빛의 세기가 감소하기 때문에 원거리 통신의 경우 수신되는 광신호는 매우 약해질 수 있다. (광통신의 단점(케이블 길이 ↑ → 빛의 세기 ↓ → 광신호 ↓)) [2]빛은 광자의 흐름이므로 빛의 세기가 약하다는 것은 단위 시간당 수신기에 도달하는 광자의 수가 적다는 뜻이다. (빛의 세기 ↓ = 수신기 도달 광자 수 ↓) [3]따라서 광통신에서는 적어진 수의 광자를 검출하는 장치가 필수적이며, 약한 광신호를 측정이 가능한 크기의 전기 신호로 변환해 주는 반도체 소자로서 애벌랜치 광다이오드가 널리 사용되고 있다. (광통신의 단점을 보완함.)

1 광통신의 특징과 이를 보완하는 애벌랜치 광다이오드

2 [1]애벌랜치 광다이오드는 크게 흡수층, ㉠애벌랜치 영역, 전극으로 구성되어 있다. [2]흡수층에 충분한 에너지를 가진 광자가 입사되면 전자(-)와 양공(+) 쌍이 생성될 수 있다. [3]이때 입사되는 광자 수 대비 생성되는 전자-양공 쌍의 개수를 양자 효율이라 부른다. (양자 효율의 개념) [4]소자의 특성과 입사광의 파장에 따라 결정되는 양자 효율은 애벌랜치 광다이오드의 성능에 영향을 미치는 중요한 요소 중 하나이다. (양자 효율 ↑ → 애벌랜치 광다이오드 성능 ↑)

2 애벌랜치 광다이오드의 구성과 양자 효율

3 [1]흡수층에서 생성된 전자(-극)와 양공(+극)은 각각 양의 전극과 음의 전극으로 이동하며, 이 과정에서 전자는 애벌랜치 영역(㉠)을 지나게 된다. [2]이곳에는 소자의 전극에 걸린 역방향 전압으로 인해 강한 전기장이 존재하는데, 이 전기장은 역방향 전압이 클수록 커진다. (역방향 전압 ↑ → 전기장 ↑) [3]이 영역에서 전자는 강한 전기장 때문에 급격히 가속되어 큰 속도를 갖게 된다. [4]이후 충분한 속도를 얻게 된 전자는 애벌랜치 영역의 반도체 물질을 구성하는 원자들과 충돌하여 속도가 줄어들며 새로운 전자-양공 쌍을 만드는데, 이 현상을 충돌 이온화라 부른다. (충돌 이온화의 개념) [5]새롭게 생성된 전자와 기존의 전자가 같은 원리로 전극에 도달할 때까지 애벌랜치 영역에서 다시 가속되어 충돌 이온화를 반복적으로 일으킨다. [6]그 결과 전자의 수가 크게 늘어나는 것을 '애벌랜치 증배'라고 부르며 (애벌랜치 증배의 개념: 충돌 이온화를 통해 전자의 수가 크게 늘어나는 것) 전자의 수가 늘어나는 정도, 즉 애벌랜치 영역으로 유입된 전자당 전극으로 방출되는 전자의 수를 증배 계수라고 한다. (증배 계수의 개념) [7]증배 계수는 애벌랜치 영역의 전기장의 크기가 클수록, 작동 온도가 낮을수록 커진다. (전기장 ↑, 작동 온도 ↓ → 증배 계수 ↑) [8]전류의 크기는 단위 시간당 흐르는 전자의 수에 비례한다. (전자 수 ↑ → 전류 크기 ↑) [9]이러한 일련의 과정을 거

쳐 광신호의 세기는 전류의 크기로 변환된다.
전류 신호로 바뀌어 측정이 가능해짐. ❸ 애벌랜치 광다이오드의 작동 원리

❹ [1]한편 애벌랜치 광다이오드는 흡수층과 애벌랜치 영역을 구성하는 반도체 물질에 따라 검출이 가능한 빛의 파장 대역이 다르다. [2]예를 들어 실리콘은 300~1,100nm, 저마늄은 800~1,600nm 파장 대역의 빛을 검출하는 것이 가능하다. [3]현재 다양한 사용자의 요구와 필요를 만족시키기 위해 여러 종류의 애벌랜치 광다이오드가 제작되어 사용되고 있다. ❹ 애벌랜치 광다이오드의 사용 현황

지문 이해

❶ 광통신의 특징과 이를 보완하는 애벌랜치 광다이오드

❷ 애벌랜치 광다이오드의 구성과 양자 효율

❸ 애벌랜치 광다이오드의 작동 원리

❹ 애벌랜치 광다이오드의 사용 현황

11 일치하는 내용 찾기 | 정답 ② | 정답률 87%

윗글의 내용과 일치하는 것은?

정답인 이유

② 애벌랜치 광다이오드의 흡수층에서 전자-양공 쌍이 발생하려면 광자가 입사되어야 한다.

❷-2에서 '흡수층에 충분한 에너지를 가진 광자가 입사되면 전자(−)와 양공(+) 쌍이 생성될 수 있다.'라고 하였다. 따라서 애벌랜치 광다이오드의 흡수층에서 전자-양공 쌍이 발생하려면 광자가 입사되어야 한다.

오답 피하기

① 애벌랜치 광다이오드는 ~~전기 신호~~(광신호)를 ~~광신호~~(전기 신호)로 변환해 준다.

➡ ❶-3에서 '약한 광신호를 측정이 가능한 크기의 전기 신호로 변환해 주는 반도체 소자로서 애벌랜치 광다이오드가 널리 사용'된다고 하였으므로, 애벌랜치 광다이오드는 광신호를 전기 신호로 변환해 준다고 볼 수 있다.

③ ~~입사된 광자의 수가 크게 늘어나는 과정은 애벌랜치 광다이오드의 작동에 필수적~~이다.

➡ ❸-1~6에 따르면 흡수층에 광자가 입사되어 생성된 전자(−)는 애벌랜치 영역을 지나고, 충돌 이온화를 통해 전자의 수가 크게 늘어나게 된다. 이는 애벌랜치 광다이오드의 작동 결과에 해당한다.

④ 저마늄을 사용하여 만든 애벌랜치 광다이오드는 ~~100nm~~(800~1,600nm) 파장의 빛을 검출할 때 사용 가능하다.

➡ ❹-1에서 '애벌랜치 광다이오드는 ~ 반도체 물질에 따라 검출이 가능한 빛의 파장 대역이 다르다'고 하였고, ❹-2에서 '저마늄은 800~1,600nm 파장 대역의 빛을 검출하는 것이 가능'하다고 하였다.

⑤ 애벌랜치 광다이오드의 흡수층에서 생성된 양공은 애벌랜치 영역을 통과하여 ~~양~~(음)의 전극으로 이동한다.

➡ ❸-1에서 '흡수층에서 생성된 전자와 양공은 각각 양의 전극과 음의 전극으로 이동'한다고 하였으므로, 흡수층에서 생성된 양공은 음의 전극으로 이동한다.

12 글의 내용 추론하기 | 정답 ③ | 정답률 65%

㉠에 대한 이해로 적절하지 않은 것은?

정답인 이유

③ ~~㉠에 유입된 전자가 생성하는 전자-양공 쌍의 수는~~(소자의 특성과 입사광의 파장은) 양자 효율을 결정한다.

❷-2~3에서 양자 효율은 '흡수층에 입사되는 광자 수 대비 생성되는 전자-양공 쌍의 개수'임을 알 수 있다. 이때 양자 효율은 소자의 특성과 입사광의 파장에 따라 결정된다.(❷-4) 따라서 ㉠(애벌랜치 영역)에 유입된 전자가 생성하는 전자-양공 쌍의 수가 양자 효율을 결정한다고 볼 수 없다.

오답 피하기

① ㉠에서 전자는 역방향 전압의 작용으로 속도가 증가한다.

➡ ❸-2~3에서 애벌랜치 영역(㉠)에서 역방향 전압이 클수록 전기장이 커진다고 하였고, 전자는 강한 전기장 때문에 급격히 가속되어 큰 속도를 갖게 된다고 하였다.

② ㉠에 형성된 강한 전기장은 충돌 이온화가 일어나는 데 필수적이다.

➡ ❸-3~4에서 애벌랜치 영역(㉠)의 강한 전기장 때문에 전자가 가속되면, 가속된 전자가 원자들과 충돌하여 새로운 전자-양공 쌍을 만드는 '충돌 이온화'가 일어난다고 하였다.

④ ㉠에서 충돌 이온화가 많이 일어날수록 전극에서 측정되는 전류가 증가한다.

➡ ❸-4~6에 따르면 강한 전기장 때문에 가속된 전자는 충돌 이온화와 애벌랜치 증배를 통해 그 수가 크게 늘어나게 된다. 이때 ❸-8에서 '전류의 크기는 단위 시간당 흐르는 전자의 수에 비례'한다고 하였으므로, 애벌랜치 영역(㉠)에서 충돌 이온화가 많이 일어날수록 전극에서 측정되는 전류는 증가할 것이다.

⑤ 흡수층에서 ㉠으로 들어오는 전자의 수가 늘어나면 충돌 이온화의 발생 횟수가 증가한다.

➡ ❸-4에서 충돌 이온화는 전자가 원자들과 충돌하며 새로운 전자-양공 쌍을 만드는 현상이라고 하였다. 이때 애벌랜치 영역(㉠)으로 들어오는 전자의 수가 늘어나면, 원자들과 충돌하는 횟수가 늘어날 것이므로 충돌 이온화의 발생 횟수가 증가할 것이라고 추론할 수 있다.

13 〈보기〉 문제 – 사례·상황 제시 정답 ③ 정답률 81%

윗글을 바탕으로 〈보기〉의 '본 실험' 결과를 예측한 것으로 적절하지 않은 것은?

보기

○ **예비 실험:** [1]일정한 세기를 가지는 800nm 파장의 빛을 길이가 1m인 광통신 케이블의 한쪽 끝에 입사시키고, 다른 쪽 끝에 실리콘으로 만든 애벌랜치 광다이오드를 설치하여 전류를 측정하였다. [2]이때 100nA의 전류가 측정되었고 증배 계수는 40이었다. [3]작동 온도는 0℃, 역방향 전압은 110V였다. [4]제품 설명서에 따르면 750~1,000nm 파장 대역에서는 파장이 커짐에 따라 양자 효율이 작아진다.

○ **본 실험:** [5]동일한 애벌랜치 광다이오드를 가지고 작동 조건을 하나씩 달리하며 성능을 시험한다. [6]이때 나머지 작동 조건은 예비 실험과 동일하게 유지한다.

정답인 이유

③ **작동 온도를 20℃로 바꾼다면 단위 시간당 전극으로 방출되는 전자의 수가 ~~늘어나겠군.~~** 줄어들겠군.

3-6~7을 참고할 때, 작동 온도를 10℃에서 20℃로 올리면 '애벌랜치 영역으로 유입된 전자당 전극으로 방출되는 전자의 수'인 증배 계수가 작아지게 된다. 따라서 단위 시간당 전극으로 방출되는 전자의 수는 줄어들게 될 것이다.

오답 피하기

① **역방향 전압을 100V로 바꾼다면 증배 계수는 40보다 작아지겠군.**

➡ 예비 실험의 역방향 전압인 110V를 100V로 바꾼다면, 애벌랜치 영역의 강한 전기장은 비교적 작아지게 된다.(3-2) 이때 3-7에서 '증배 계수는 애벌랜치 영역의 전기장의 크기가 클수록' 커진다고 하였으므로, 증배 계수는 예비 실험의 40보다 작게 측정될 것이다.

② **역방향 전압을 120V로 바꾼다면 더 약한 빛을 검출하는 데 유리하겠군.**

➡ 예비 실험의 역방향 전압인 110V를 120V로 바꾼다면, 애벌랜치 영역의 강한 전기장은 비교적 커지게 된다.(3-2) 이때 3-7에서 '증배 계수는 애벌랜치 영역의 전기장의 크기가 클수록' 커진다고 했고 3-8에서 '전류의 크기는 단위 시간당 흐르는 전자의 수에 비례'한다고 했으므로, ②의 경우 더 약한 빛을 검출하는 데 유리할 것이다.

④ **광통신 케이블의 길이를 100m로 바꾼다면, 측정되는 전류는 100nA보다 작아지겠군.**

➡ 1-1에서 '광통신 케이블의 길이가 증가함에 따라 ~ 광신호는 매우 약해질 수 있다'라고 하였다. 따라서 예비 실험의 광통신 케이블의 길이 1m를 100m로 늘리면 광신호가 약해질 것이고, 결국 광신호의 세기가 전류의 크기로 변환되기 때문에(3-9) 측정되는 전류의 크기는 예비 실험의 100nA보다 작아질 것이다.

⑤ **동일한 세기를 가지는 900nm 파장의 빛이 입사된다면 측정되는 전류는 100nA보다 작아지겠군.**

➡ 〈보기〉-4에서 '750~1,000nm 파장 대역에서는 파장이 커짐에 따라 양자 효율이 작아진다.'라고 하였다. 900nm은 이 파장 대역에 해당하므로 예비 실험에 비해 양자 효율이 작아질 것이며, 따라서 측정되는 전류의 크기 또한 예비 실험의 100nA보다 작아질 것이다.

꿈엔들 잊힐리야 수능 다가가기 2회 p.204~209

01 ④	02 ④	03 ③	04 ③	05 ④
06 ⑤	07 ③	08 ④	09 ⑤	10 ①
11 ④	12 ①			

[01~04] 신채호의 역사관 인문

2015학년도 수능 Ⓑ

1 [1]역사가 신채호는 역사를 아(我)와 비아(非我)의 투쟁 과정이라고 정의한 바 있다. [2]그가 무장 투쟁의 필요성을 역설한 독립 운동가이기도 했다는 사실 때문에, 그의 이러한 생각은 그를 투쟁만을 강조한 강경론자처럼 비춰지게 하곤 한다. [3]하지만 그는 식민지 민중과 제국주의 국가에서 제국주의를 반대하는 민중 간의 연대를 지향하기도 했다. [4]그의 사상에서 투쟁과 연대는 모순되지 않는 요소였던 것이다. [5]이를 바르게 이해하기 위해서는 그의 사상의 핵심 개념인 '아'를 정확하게 이해할 필요가 있다.

1 신채호 사상의 핵심 개념인 '아' 이해의 필요성

2 [1]신채호의 사상에서 아란 자기 ㉠본위에서 자신을 ㉡자각하는 주체인 동시에 항상 나와 상대하고 있는 존재인 비아와 마주 선 주체를 의미한다. ('아'의 개념) [2]자신을 자각하는 누구나 아가 될 수 있다는 상대성을 지니면서 ('아'의 특성 ①) 또한 비아와의 관계 속에서 비로소 아가 생성된다는 상대성도 지닌다. ('아'의 특성 ②) [3]신채호는 조선 민족의 생존과 발전의 길을 모색하기 위해 『조선 상고사』를 저술하여 아의 이러한 특성을 규정했다. [4]그는 아의 자성(自性), 곧 '나의 나됨'은 스스로의 고유성을 유지하려는 항성(恒性)과 환경의 변화에 대응하여 적응하려는 변성(變性)이라는 두 요소로 이루어져 있다고 하였다. (자성: 항성과 변성으로 구성) [5]아는 항성을 통해 아 자신에 대해 자각하며, ('아'의 특성 ①) 변성을 통해 비아와의 관계 속에서 자기의식을 갖게 되는 것으로 ㉢설정하였다. ('아'의 특성 ②) [6]그리고 자성이 시대와 환경에 따라 변화한다고 하였다.

2 '아'의 개념과 특성, 구성 요소

3 [1]신채호는 아를 소아와 대아로 구별하였다. [2]그에 따르면, 소아는 개별화된 개인적 아이며, 대아는 국가와 사회 차원의 아이다. [3]소아는 자성은 갖지만 상속성(相續性)과 보편성(普遍性)을 갖지 못하는 반면, 대아는 자성을 갖고 상속성과 보편성을 가질 수 있다. [4]여기서 상속성이란 시간적 차원에서 아의 생명력이 지속되는 것을 뜻하며, 보편성이란 공간적 차원에서 아의 영향력이 ㉣파급되는 것을 뜻한다. [5]상속성과 보편성은 긴밀한 관계를 가지는데, 보편성의 확보를 통해 상속성이 실현되며 상속성의 유지를 통해 보편성이 실현된다. [6]대아가 자성을 자각한 이후, 항성과 변성의 조화를 통해 상속성과 보편성을 실현할 수 있다. [7]만약(대아의 항성이 크고 변성이 작으면)환경에 순응하지 못하여 멸절(滅絶)할 것이며,(항성이 작고 변성이 크면)환경에 주체적으로 대응하지 못하여 우월한 비아에게 정복당한다고 하였다.

('아'의 구분 / '소아'의 개념 / '대아'의 개념 / 소아의 특성 / 대아의 특성 / 상속성의 개념 / 보편성의 개념 / 멸망하여 아주 없어짐. / 대아를 유지할 수 없게 됨.)

3 '아'의 구별 – 소아, 대아

4 [1]이러한 아의 개념을 통해 우리는 투쟁과 연대에 관한 신채호의 인식을 정확히 이해할 수 있다. [2]일본의 제국주의 침략에 ㉤직면하여 그는 신국민이라는 새로운 개념을 제시하고 조선 민족이 신국민이 될 때 민족 생존이 가능하다고 보았다. [3]신국민은 상속성과 보편성을 지닌 대아로서, 역사적 주체 의식이라는 항성과 제국주의 국가에 대응하여 생긴 국가 정신이라는 변성을 갖춘 조선 민족의 근대적 대아에 해당한다. [4]또한 그는 일본을 중심으로 서구 열강에 대항하자는 동양주의에 반대했다. [5]동양주의는 비아인 일본이 아가 되어 동양을 통합하는 길이기에, 조선 민족인 아의 생존이 위협받는다고 보았기 때문이다.

(국가와 사회 차원의 아(**3**-2))

4 '아'의 개념을 통한 신채호 사상의 이해

5 [1]식민 지배가 심화될수록 일본에 동화되는 세력이 증가하면서 신채호는 아 개념을 더욱 명료화할 필요가 있었다. [2]이에 그는 조선 민중을 아의 중심에 놓으면서, 아에도 일본에 동화된 '아 속의 비아'가 있고, 일본이라는 비아에도 아와 연대할 수 있는 '비아 속의 아'가 있음을 밝혔다. [3]민중은 비아에 동화된 자들을 제외한 조선 민족을 의미한 것이었다. [4]그는 조선 민중을, 민족 내부의 압제와 위선을 제거함으로써 참된 민족 생존과 번영을 달성할 수 있는 주체이자 제국주의 국가에서 제국주의를 반대하는 민중과의 연대를 통하여 부당한 폭력과 억압을 강제하는 제국주의에 함께 저항할 수 있는 주체로 보았다. [5]이러한 민중 연대를 통해 '인류로서 인류를 억압하지 않는' 자유를 지향했다.

(친일 의식을 지닌 조선인 / 제국주의와 동양주의에 반대하는 일본인 / 아 속의 비아 / 근대적 대아(아 속의 비아 제외) / 비아 속의 아 / 민중 연대의 의의)

5 신채호가 지향한 민중 연대와 그 의의

지문 이해

- **1** 신채호 사상의 핵심 개념인 '아' 이해의 필요성
  - **2** '아'의 개념과 특성, 구성 요소
    - **3** '아'의 구별 – 소아, 대아
- **4** '아' 개념을 통한 신채호 사상의 이해
  – ① 근대적 대아인 신국민 지향 ② 동양주의에 반대
- **5** 신채호가 지향한 민중 연대와 그 의의

01 일치하는 내용 찾기 | 정답 ④ | 정답률 94%

윗글에서 다룬 내용으로 적절하지 않은 것은?

정답인 이유

④ 신채호 사상에서의 대아의 역사적 기원

3에서 신채호 사상의 아가 소아와 대아로 구별됨을 밝히고, 대아가 갖는 상속성과 보편성이 어떤 개념인지 설명하고 있으나 대아라는 개념의 역사적 기원을 설명하지는 않았다.

오답 피하기

① 신채호 사상의 핵심 개념에 대한 이해의 필요성

➡ **1**–4~5에서 확인할 수 있다.

② 신채호 사상에서의 자성의 의미

➡ **2**–4~6에서 아의 자성(自性)이란 '나의 나됨'이라는 것과 자성의 특징을 확인할 수 있다.

③ 신채호가 밝힌 대아와 소아의 차이

➡ **3**–2~3에서 확인할 수 있다.

⑤ 신채호가 지향한 민중 연대의 의의

➡ **5**–4~5에서 확인할 수 있다.

02 일치하는 내용 찾기 | 정답 ④ | 정답률 85%

윗글의 자성(自性)에 대한 이해로 가장 적절한 것은?

정답인 이유

④ 항성과 변성이 조화를 이루지 못하면, 대아의 상속성과 보편성은 실현되지 않는다.

3–6에서 '항성과 변성의 조화를 통해 상속성과 보편성을 실현'한다고 하였다. **3**–7은 항성과 변성이 조화를 이루지 못하는 경우로, 이 경우 대아는 멸절하거나 비아에게 정복당하기 때문에, 대아의 상속성이나 보편성은 실현되지 않는다.

오답 피하기

① ~~자성을 갖춘 모든 아~~(대아)는 상속성과 보편성을 갖는다.

➡ **3**–3에서 '소아는 자성은 갖지만 상속성(相續性)과 보편성(普

遍性)을 갖지 못하는 반면, 대아는 자성을 갖고 상속성과 보편성을 가질 수 있다.'라고 하였다. 따라서 대아만이 상속성과 보편성을 갖는다.

② **소아의 항성과 변성이 조화를 이루면(어도), 상속성과 보편성이 모두 실현 ~~된다~~(될 수 없다).**

➡ 3-3에서 '소아는 자성은 갖지만 상속성(相續性)과 보편성(普遍性)을 갖지 못하는 반면'이라고 하였으므로, 소아는 상속성과 보편성을 실현할 수 없다.

③ **대아의 항성이 작고 변성이 크면, ~~상속성은 실현되어도~~ 보편성은 실현되지 않는다.**

➡ 3-6~7에서 대아는 '항성과 변성의 조화를 통해 상속성과 보편성을 실현'할 수 있다고 하였다. 또 '대아의 항성이 작고 변성이 크면' 대아는 비아에게 정복당한다고 하였으므로, ③의 경우 상속성과 보편성 모두 실현 불가능하다.

⑤ **소아의 항성이 크고 변성이 작으면, ~~상속성은 실현되어도~~ 보편성은 실현되지 않는다.**

➡ 3-3에서 '소아는 자성은 갖지만 상속성(相續性)과 보편성(普遍性)을 갖지 못하는 반면'이라고 하였으므로, 소아에서는 상속성과 보편성이 모두 실현되지 않는다.

03 글의 내용(관점) 추론하기 | 정답 ③ | 정답률 62%

윗글에 대한 이해로 적절하지 않은 것은?

정답인 이유

③ **신채호가 신국민이라는 개념을 설정한 것은, 대아인 조선 민족이 시대적 환경에 대응하여 비아와의 연대를 통해 아의 생존을 꾀할 수 있다고 보았기 때문이겠군.**

5-4에서 신채호는 조선 민중(식민지 민중)과 제국주의 국가에서 제국주의를 반대하는 민중(비아 속의 아)이 연대하여 '부당한 폭력과 억압을 강제하는' 제국주의에 함께 저항하여야 한다고 보았다.

오답 피하기

① **신채호가 『조선 상고사』를 쓴 것은, 대아인 조선 민족의 자성을 역사적으로 어떻게 유지·계승할 수 있는지 모색하기 위한 것이겠군.**

➡ 2-3에서 '신채호는 조선 민족의 생존과 발전의 길을 모색하기 위해 『조선 상고사』를 저술'하였다고 했다. 이때 대아는 '국가와 사회 차원의 아'이며(3-2), 조선 민족은 대아이다(4-3). 이러한 대아를 유지하는 것이 민족 생존의 길에 해당한다.

② **신채호가 동양주의를 비판한 것은, 동양주의로 인해 아의 항성이 작아짐으로써 아의 자성을 유지하기 어렵게 될 것으로 보았기 때문이겠군.**

➡ 4-4~5에서 신채호는 동양주의는 비아인 일본이 아가 되어 동양을 통합하는 길이므로 조선 민족인 아의 생존이 위협받는다고 생각하여 동양주의에 반대했다고 하였다. 이때 '비아인 일본이 아'가 된다는 것은 조선 민족의 '스스로의 고유성을 유지하려는 항성'이 작아져 아의 자성을 유지하기 어려워진다는 뜻이다.

④ **신채호가 독립 투쟁을 한 것은, 비아인 일본 제국주의의 침략이 아의 상속성과 보편성 유지를 불가능하게 하기에 일본 제국주의와 투쟁해야 한다고 생각했기 때문이겠군.**

➡ 4-2 '일본의 제국주의 침략에 직면', 4-5 '비아인 일본 ~ 조선 민족인 아의 생존이 위협받는다.'를 고려할 때 적절하다. '조선 민족인 아의 생존이 위협받는다.'는 것은 곧 대아의 자성에 대한 위협이며, 이는 대아의 상속성과 보편성 유지가 불가능하게 된다는 의미이다.

⑤ **신채호가 제국주의 국가에서 제국주의를 반대하는 민중과 식민지 민중의 연대를 지향한 것은, 아가 비아 속의 아와 연대하여 억압을 이겨내고 자유를 얻을 수 있다고 생각했기 때문이겠군.**

➡ 5-2의 '일본이라는 비아에도 아와 연대할 수 있는 '비아 속의 아'가 있음'을 고려할 때 '제국주의 국가에서 제국주의를 반대하는 민중'은 '비아 속의 아'를 뜻한다. 이때 5-4에서 '제국주의 국가에서 제국주의를 반대하는 민중(비아 속의 아)과의 연대를 통하여 부당한 폭력과 억압을 강제하는 제국주의에 함께 저항'할 수 있다고 했으므로, ⑤는 적절한 진술이다.

04 어휘의 의미 파악하기 | 정답 ③ | 정답률 85%

㉠~㉤의 사전적 의미로 적절하지 않은 것은?

정답인 이유

③ ㉢: 여럿 가운데서 어떤 것을 뽑아 정함.

'설정(設定)'은 '새로 만들어 정해 둠.'이라는 뜻이다. '여럿 가운데서 어떤 것을 뽑아 정함.'의 뜻을 가진 단어는 '선정(選定)'이다.

[05~06] 빗방울의 종단 속도 과학

2016학년도 수능 Ⓑ

1 [1]어떤 물체가 물이나 공기와 같은 유체 속에서 자유 낙하할 때 물체에는 중력, 부력, 항력이 작용한다.[2]중력은 물체의 질량에 중력 가속도를 곱한 값으로 물체가 낙하하는 동안 일정하다.[3]부력은 어떤 물체에 의해서 배제된 부피만큼의 유체의 무게에 해당하는 힘으로, 항상 중력의 반대 방향으로 작용한다.[4](빗방울에 작용하는 부력의 크기는 빗방울의 부피에 해당하는 공기의 무게이다.)

(유체: 기체와 액체를 아울러 이르는 말 / 자유 낙하하는 물체에 작용하는 힘 / 중력=물체 질량×중력 가속도 / 부력의 개념과 특징: 물체의 부피와 유체의 무게에 따라 달라짐. / 부력의 특징 ②)

[5][공기의 밀도는 물의 밀도의 1,000분의 1 수준이므로, 빗방울이 공기 중에서 떨어질 때 부력이 빗방울의 낙하 운동에 영향을 주는 정도는 미미하다.][6]그러나 [스티로폼 입자와 같이 밀도가 매우 작은 물체가 낙하할 경우에는 부력이 물체의 낙하 속도에 큰 영향을 미친다.]

([ ]: 낙하 물질의 밀도가 크면, 부력의 영향이 미미함. / [ ]: 낙하 물질의 밀도가 매우 작으면, 부력의 영향을 크게 받음.)

1 유체 속에서 자유 낙하하는 물체에 작용하는 힘인 중력과 부력의 개념 및 특징

2 [1]물체가 유체 내에 정지해 있을 때와는 달리, 유체 속에서 운동하는 경우에는 물체의 운동에 저항하는 힘인 항력이 발생하는

(항력의 개념)

데, 이 힘은 물체의 운동 방향과 반대로 작용한다.[2]항력은 유체 속에서 운동하는 물체의 속도가 커질수록 이에 상응하여 커진다.[3]항력은 마찰 항력과 압력 항력의 합이다.[4]마찰 항력은 유체의 점성 때문에 물체의 표면에 가해지는 항력으로, 유체의 점성이 크거나 물체의 표면적이 클수록 커진다.[5]압력 항력은 물체가 이동할 때 물체의 전후방에 생기는 압력 차에 의해 생기는 항력으로, 물체의 운동 방향에서 바라본 물체의 단면적이 클수록 커진다.

항력의 특징 ① / 항력의 특징 ②- 물체의 속도 ↑ → 항력 ↑ / 항력의 특징 ③ / 마찰 항력의 개념 / 마찰 항력의 특징: 유체의 점성, 물체의 표면적에 비례 / 압력 항력의 개념 / 압력 항력의 특징: 물체의 운동 방향에서 바라본 물체의 단면적에 비례

2 항력의 개념과 특성

3 [1]안개비의 빗방울이나 미세 먼지와 같이 (작은 물체가 낙하하는 경우)에는 물체의 전후방에 생기는 압력 차가 매우 작아 마찰 항력이 전체 항력의 대부분을 차지한다.[2]빗방울의 크기가 커지면 전체 항력 중 압력 항력이 차지하는 비율이 점점 커진다.[3]반면 스카이다이버와 같이 (큰 물체가 빠른 속도로 떨어질 때)에는 물체의 전후방에 생기는 압력 차에 의한 압력 항력이 매우 크므로 마찰 항력이 전체 항력에 기여하는 비중은 무시할 만하다.

물체의 운동 방향에서 바라본 물체의 단면적 ↑ / 압력 항력의 크기는 물체의 운동 방향에서 바라본 물체의 단면적 크기와 비례하므로(2-5)

3 낙하하는 물체의 크기와 마찰 항력, 압력 항력의 상관관계

4 [1](빗방울이 낙하할 때) 처음에는 중력 때문에 빗방울의 낙하 속도가 점점 증가하지만, 이에 따라 항력도 커지게 되어 마침내 항력과 부력의 합이 중력의 크기와 같아지게 된다.[2]이때 물체의 가속도가 0이 되므로 빗방울의 속도는 일정해지는데, 이렇게 일정해진 속도를 종단 속도라 한다.[3]유체 속에서 상승하거나 지면과 수평으로 이동하는 물체의 경우에도 종단 속도가 나타나는 것은 이동 방향으로 작용하는 힘과 반대 방향으로 작용하는 힘의 평형에 의한 것이다.

항력+부력=중력 / 종단 속도의 개념

4 힘의 평형에 의해 나타나는 종단 속도

지문 이해

- 1 유체 속에서 자유 낙하하는 물체에 작용하는 힘인 중력과 부력의 개념 및 특징
- 2 항력의 개념과 특성
  - 3 낙하하는 물체의 크기와 마찰 항력, 압력 항력의 상관관계
- 4 힘의 평형에 의해 나타나는 종단 속도

05 일치하는 내용 찾기 | 정답 ④ | 정답률 45%

윗글을 통해 알 수 있는 내용으로 가장 적절한 것은?

정답인 이유

④ 균일한 밀도의 액체 속에서 낙하하는 동전에 작용하는 부력은 항력의 크기에 상관없이 일정한 크기를 유지한다.

1-3에서 '부력은 어떤 물체에 의해서 배제된 부피만큼의 유체의 무게에 해당하는 힘'이라고 했으므로, 부력은 물체의 부피와 유체의 무게에 영향을 받는다. 따라서 '균일한 밀도의 액체' 속에서 낙하하는 동전에 작용하는 부력은 항력의 크기에 상관없이 일정하게 유지된다.

오답 피하기

① 스카이다이버가 낙하 운동할 때에는 ~~마찰~~(압력) 항력이 전체 항력의 대부분을 차지하게 된다.

➡ 3-3에서 '스카이다이버와 같이 큰 물체가 빠른 속도로 떨어질 때에는 ~ 압력 항력이 매우 크므로 마찰 항력이 전체 항력에 기여하는 비중은 무시할 만하다.'라고 하였다.

② 물체가 유체 속에서 운동할 때 물체 전후방에 생기는 압력 차는 그 물체의 속도를 ~~증가시킨다~~(감소시킨다).

➡ 2-5에서 '물체가 이동할 때 물체의 전후방에 생기는 압력 차에 의해 생기는 항력'이 압력 항력이라고 하였다. 그런데 2-1에 따르면 항력은 '물체의 운동에 저항하는 힘'이며 '물체의 운동 방향과 반대로 작용'하므로, 압력 항력은 운동하는 물체의 속도를 감소시킬 것이다.

③ 낙하하는 물체의 속도가 종단 속도에 이르게 되면 그 ~~물체의 가속도는 중력 가속도와 같아진다~~.

➡ 지문에서 낙하하는 물체의 속도가 종단 속도에 이르면 그 물체의 가속도는 중력 가속도와 같아진다는 언급은 찾아볼 수 없다.

⑤ 균일한 밀도의 액체 속에 완전히 잠겨 있는 쇠 막대에 작용하는 부력은 서 있을 때~~보다~~(와) 누워 있을 때가 ~~더 크다~~(같다).

➡ 1-3에 따르면 부력은 '어떤 물체에 의해서 배제된 부피만큼의 유체의 무게에 해당하는 힘'이다. 즉, 부력은 '물체의 부피'와 '유체의 무게'에 영향을 받는다. 이때 균일한 밀도의 액체에 잠겨 서 있을 때와 누워 있을 때 모두 쇠 막대의 부피나 유체의 밀도가 달라지지 않았으므로, 두 경우 모두 쇠 막대에 작용하는 부력은 서로 동일하다.

06 <보기> 문제 - 사례·상황 제시 | 정답 ⑤ | 정답률 41%

윗글을 바탕으로 <보기>에 대해 탐구한 내용으로 가장 적절한 것은?

보기

[1]크기와 모양은 같으나 밀도가 서로 다른 구 모양의 물체 A와 B를 공기 중에 고정하였다.[2]이때 물체 A와 B의 밀도는 공기보다 작으며, 물체 B의 밀도는 물체 A보다 더 크다.[3]물체 A와 B를 놓아 주었더니 두 물체 모두 속도가 증가하며 상승하다가, 각각 어느 정도 시간이 지난 후 각각 다른 일정한 속도를 유지한 채 계속 상승하였다.[4](단, 두 물체는 공기나 다른 기체 중에서 크기와 밀도가 유지되도록 제작되었고, 물체 운동에 영향을 줄 수 있는 기체의 흐름과 같은 외적 요인들이 모두 제거되었다고 가정함.)

질량 / 부피, 질량에 비례, 부피에 반비례 / 물체의 부피, 유체의 무게 동일 → 부력 같음. / 밀도: B>A, 질량 B>A / 종단 속도를 유지(4-2)

정답인 이유

⑤ 공기보다 밀도가 더 큰 기체 내에서 B가 상승하여 일정한 속도를 유지할 때 B에 작용하는 항력은 공기 중에서 상승하여 일정한 속도를 유지할 때 작용하는 항력보다 더 크겠군.

〈보기〉의 상황은 물체가 상승하는 상황이므로, A와 B는 '부력=중력+항력'일 때 종단 속도에 도달하게 된다. '공기보다 밀도가 더 큰 기체 내'의 경우 공기보다 유체의 질량과 무게가 크므로, B에 작용하는 부력 또한 커진다. 이때 B의 질량은 바뀌지 않았으므로, B에 작용하는 중력은 변하지 않는다.

• 공기보다 밀도가 더 큰 기체 내
부력(커짐) = 중력(같음) + 항력(커짐)
• 공기 내
부력 = 중력(같음) + 항력

이를 고려하면 전자에 작용하는 항력이 후자에 작용하는 항력보다 클 것임을 추론할 수 있다.

오답 피하기

① A와 B가 고정되어 있을 때에는 ~~A에 작용하는 항력이 B에 작용하는 항력보다 더 작겠군.~~ (A와 B에 항력이 작용하지 않겠군.)

➡ 'A와 B가 고정'되어 있다는 것은 두 물체가 운동하지 않는다는 뜻이다. 2-1에 따르면 항력은 '물체의 운동에 저항하는 힘'이며 '물체의 운동 방향과 반대로 작용'하므로, A와 B에는 항력이 작용하지 않을 것이다.

② A와 B가 각각 일정한 속도를 유지할 때 A에 작용하고 있는 항력은 B에 작용하고 있는 항력보다 ~~더 작겠군.~~ (크겠군)

➡ 〈보기〉-1에서 A와 B의 크기와 모양이 같다고 했으므로, 공기 중에 고정된 두 물체에 작용하는 부력은 같다. 그런데 〈보기〉-2에서 물체 B의 밀도가 물체 A보다 크다고 했으므로, 밀도와 비례하는 질량은 B〉A이다. 1-2에 따르면 중력은 물체의 질량과 비례하는 힘이므로 중력 또한 B〉A임을 추론할 수 있다. 이때 'A와 B가 각각 일정한 속도를 유지'한다고 하였으므로, 두 물체는 '부력=중력+항력'의 상황에서 종단 속도에 다다른 것으로 볼 수 있다.

A: 부력(같음) = 중력 + 항력
B: 부력(같음) = 중력(더 큼) + 항력

이를 고려하면 A에 작용하는 항력이 B에 작용하는 항력보다 더 크다고 추론할 수 있다.

③ A에 작용하는 부력과 중력의 크기 차이는 A~~의 속도가 증가하고 있을 때보다 A가 고정되어 있을 때 더 크겠군.~~

➡ 1-3에서 '부력은 어떤 물체에 의해서 배제된 부피만큼의 유체의 무게에 해당하는 힘'이라고 했으므로, 부력은 물체의 부피와 유체의 무게에 영향을 받는다. 따라서 'A의 속도와 증가하고 있을 때'와 'A가 고정되어 있을 때' 모두 A에 작용하는 부력은 같다. 1-2에 따르면 중력은 물체의 질량에 비례하는 힘인데, A의 밀도 또한 달라지지 않았으므로 두 경우 모두 A에 작용하는 중력은 같다. 따라서 'A에 작용하는 부력과 중력의 크기 차이'는 두 경우가 같다.

④ A와 B 모두 일정한 속도에 도달하기 전에 속도가 증가하는 것으로 보아 A와 B에 작용하는 ~~항력이 점점 감소하기 때문에~~ 일정한 속도에 도달하는 것이겠군.

➡ 상승하는 물체 'A와 B가 일정한 속도에 도달'한다는 것은 두 물체가 종단 속도에 이른 것으로, 이는 4-1~2를 고려할 때, 운동 방향과 반대로 작용하는 힘인 항력(2-1)이 점점 커져 항력과 중력의 합이 부력과 같아지기 때문이다.

[07~12] 공정한 보험의 경제학적 원리와 보험의 목적을 실현하는 데 기여하는 고지 의무 융합(사회-법학, 경제학)

2017학년도 수능

1 [1]보험은 같은 위험을 보유한 다수인이 위험 공동체를 형성하여 보험료를 납부하고 보험 사고가 발생하면 보험금을 지급받는 제도이다.(보험의 개념) [2]보험 상품을 구입한 사람은 장래의 우연한 사고로 인한 경제적 손실에 ⓐ대비할 수 있다.(보험에 가입하는 목적) [3]보험금 지급은 사고 발생이라는 우연적 조건에 따라 결정되는데, 이처럼 보험은 조건의 실현 여부에 따라 받을 수 있는 재화나 서비스가 달라지는 조건부 상품이다.

1 보험의 개념과 특징

[가]

2 [1]위험 공동체의 구성원이 납부하는 보험료와 지급받는 보험금은 그 위험 공동체의 사고 발생 확률을 근거로 산정된다.(보험료와 보험금을 산정하는 방법) [2]특정 사고가 발생할 확률은 정확히 알 수 없지만 그동안 발생된 사고를 바탕으로 그 확률을 예측한다면 관찰 대상이 많아짐에 따라 실제 사고 발생 확률에 근접하게 된다. [3]본래 보험 가입의 목적은 금전적 이득을 취하는 데 있는 것이 아니라 장래의 경제적 손실을 보상받는 데 있으므로(보험에 가입하는 목적) 위험 공동체의 구성원은 자신이 속한 위험 공동체의 위험에 상응하는 보험료를 납부하는 것이 공정할 것이다. [4]따라서 공정한 보험에서는 구성원 각자가 납부하는 보험료와 그가 지급받을 보험금에 대한 기댓값이 일치해야 하며(공정한 보험의 조건 ①) 구성원 전체의 보험료 총액과 보험금 총액이 일치해야 한다.(공정한 보험의 조건 ②) [5]이때 보험금에 대한 기댓값은 사고가 발생할 확률에 사고 발생 시 수령할 보험금을 곱한 값이다.(보험금에 대한 기댓값: 사고 발생 확률×수령할 보험금) [6]보험금에 대한 보험료의 비율(보험료/보험금)을 보험료율이라 하는데,(보험료율 = 보험료/보험금) 보험료율이 사고 발생 확률보다 높으면(보험료율>사고 발생 확률)

구성원 전체의 보험료 총액이 보험금 총액보다 더 많고, (그 반대의 경우)에는 구성원 전체의 보험료 총액이 보험금 총액보다 더 적게 된다. [7]따라서 공정한 보험에서는 보험료율과 사고 발생 확률이 같아야 한다.

보험료율<사고 발생 확률

공정한 보험의 요건 ③

2 공정한 보험의 요건

3 [1]물론 현실에서 보험사는 영업 활동에 소요되는 비용 등을 보험료에 반영하기 때문에 공정한 보험이 적용되기 어렵지만 기본적으로 위와 같은 원리를 바탕으로 보험료와 보험금을 산정한다. [2]그런데 보험 가입자들이 자신이 가진 위험의 정도에 대해 진실한 정보를 알려 주지 않는 한, 보험사는 보험 가입자 개개인이 가진 위험의 정도를 정확히 ⓑ파악하여 거기에 상응하는 보험료를 책정하기 어렵다. [3]이러한 이유로 (사고 발생 확률이 비슷하다고 예상되는 사람들로 구성된 어떤 위험 공동체에 사고 발생 확률이 더 높은 사람들이 동일한 보험료를 납부하고 진입하게 되면,) 그 위험 공동체의 사고 발생 빈도가 높아져 보험사가 지급하는 보험금의 총액이 증가한다. [4]보험사는 이를 보전하기 위해 구성원이 납부해야 할 보험료를 ⓒ인상할 수밖에 없다. [5]결국 자신의 위험 정도에 상응하는 보험료보다 더 높은 보험료를 납부하는 사람이 생기게 되는 것이다. [6]이러한 문제는 정보의 비대칭성에서 비롯되는데 보험 가입자의 위험 정도에 대한 정보는 보험 가입자가 보험사보다 더 많이 갖고 있기 때문이다. [7]이를 해결하기 위해 보험사는 보험 가입자의 감춰진 특성을 파악할 수 있는 수단이 필요하다.

개개인의 위험에 상응하는 보험료 책정의 어려움

어떤 위험 공동체의 보험료율<사고 발생 확률

구성원 전체의 보험료 총액<보험금 총액

정보의 비대칭성 때문에 생기는 문제

정보의 비대칭성이 야기하는 문제를 해결하기 위하여

3 정보의 비대칭성에 따른 문제

4 [1]우리 상법에 규정되어 있는 고지 의무는 이러한 수단이 법적으로 구현된 제도이다. [2]보험 계약은 보험 가입자의 청약과 보험사의 승낙으로 성립된다. [3]보험 가입자는 반드시 계약을 체결하기 전에 '중요한 사항'을 알려야 하고, 이를 사실과 다르게 진술해서는 안 된다. [4]여기서 '중요한 사항'은 보험사가 보험 가입자의 청약에 대한 승낙을 결정하거나 차등적인 보험료를 책정하는 근거가 된다. [5]따라서 고지 의무는 결과적으로 다수의 사람들이 자신의 위험 정도에 상응하는 보험료보다 더 높은 보험료를 납부해야 하거나, 이를 이유로 아예 보험에 가입할 동기를 상실하게 되는 것을 방지한다.

고지 의무의 개념

보험 가입자의 고지 의무

'중요한 사항'의 쓰임

고지 의무의 기능

4 정보의 비대칭성에 따른 문제를 방지하는 고지 의무

5 [1]보험 계약 체결 전 보험 가입자가 고의나 중대한 과실로 '중요한 사항'을 보험사에 알리지 않거나 사실과 다르게 알리면 고지 의무를 위반하게 된다. [2]이러한 경우에 우리 상법은 보험사에 계약 해지권을 부여한다. [3]보험사는 보험 사고가 발생하기 이전이나 이후에 상관없이 고지 의무 위반을 이유로 계약을 해지할 수 있고, 해지권 행사는 보험사의 일방적인 의사 표시로 가능하다. [4]해지를 하면 보험사는 보험금을 지급할 책임이 없게 되며, 이미 보험금을 지급했다면 그에 대한 반환을 청구할 수 있다. [5]일반적으로 법에서 의무를 위반하게 되면 위반한 자에게 그 의무를 이행하도록 강제하거나 손해 배상을 청구할 수 있는 것과 달리, (보험 가입자가 고지 의무를 위반했을 때)에는 보험사가 해지권만 행사할 수 있다. [6]그런데 보험사의 계약 해지권이 제한되는 경우도 있다. [7]계약 당시에 보험사가 고지 의무 위반에 대한 사실을 알았거나 중대한 과실로 인해 알지 못한 경우에는 보험 가입자가 고지 의무를 위반했어도 보험사의 해지권은 ⓓ배제된다. [8]이는 보험 가입자의 잘못보다 보험사의 잘못에 더 책임을 둔 것이라 할 수 있다. [9]또 보험사가 해지권을 행사할 수 있는 기간에도 일정한 제한을 두고 있는데, 이는 양자의 법률관계를 신속히 확정함으로써 보험 가입자가 불안정한 법적 상태에 장기간 놓여 있는 것을 방지하려는 것이다. [10]그러나 (고지해야 할 '중요한 사항' 중 고지 의무 위반에 해당되는 사항이 보험 사고와 인과 관계가 없을 때)에는 보험사는 보험금을 지급할 책임이 있다. [11]그렇지만 이때에도 해지권은 행사할 수 있다.

고지 의무를 위반하는 경우

고지 의무를 위반한 경우

계약 해지권의 내용 ①

계약 해지권의 내용 ②

계약 해지권 행사의 결과 ①

계약 해지권 행사의 결과 ②

손해 배상은 청구할 수 없음.(지급된 보험금 반환 청구는 가능)

계약 해지권이 제한되는 조건

해지권 행사 기간에 일정한 제한을 두는 이유

보험사는 보험금 지급의 책임이 있으므로, 해지권을 행사하더라도 지급된 보험금 반환 청구는 불가능함.

5 고지 의무 위반에 따라 발생하는 보험사의 계약 해지권과 그 제한

6 [1]보험에서 고지 의무는 보험에 가입하려는 사람의 특성을 검증함으로써 다른 가입자에게 보험료가 부당하게 ⓔ전가되는 것을 막는 기능을 한다. [2]이로써 사고의 위험에 따른 경제적 손실에 대비하고자 하는 보험 본연의 목적이 달성될 수 있다.

고지 의무의 기능

6 고지 의무의 기능

지문 이해

- **1** 보험의 개념과 특징
- **2** 공정한 보험의 요건
- **3** 정보의 비대칭성에 따른 문제
- **4** 정보의 비대칭성에 따른 문제를 방지하는 고지 의무
  - **5** 고지 의무 위반에 따라 발생하는 보험사의 계약 해지권과 그 제한
- **6** 고지 의무의 기능

07 내용 전개 방식 파악하기 | 정답 ③ | 정답률 82%

윗글에 대한 설명으로 가장 적절한 것은?

정답인 이유

③ 공정한 보험의 경제학적 원리와 보험의 목적을 실현하는 데 기여하는 법적 의무를 살피고 있다.

이 글은 1에서 보험의 개념과 특징을, 2에서 공정한 보험의 요건을 경제학적 원리에 따라 설명하고 있다. 3에서는 정보의 비대칭성 때문에 생기는 문제를, 4, 5에서는 이 문제를 방지하기 위한 법적 수단인 고지 의무의 개념과 그 위반에 대한 내용을 소개한다. 6에서는 보험 본연의 목적 달성을 위한 고지 의무의 기능으로 글을 마무리하고 있으므로, ③이 가장 적절한 설명이다.

오답 피하기

① 보험 계약에서 보험사가 준수해야 할 법률 규정의 실효성을 검토하고 있다.

➡ '실효성'이란 '실제로 효과를 나타내는 성질'을 뜻한다. 보험사가 준수해야 할 법률 규정의 실효성을 검토하는 내용은 찾아보기 어렵다.

② 보험사의 보험 상품 판매 전략에 내재된 경제학적 원리와 법적 규제의 필요성을 강조하고 있다.

➡ 보험사의 보험 상품 판매 전략과 관련된 부분을 찾아볼 수 없으며, 이 전략에 내재된 경제학적 원리와 법적 규제의 필요성 또한 언급되지 않았다.

④ 보험금 지급을 두고 벌어지는 분쟁의 원인을 나열한 후 경제적 해결책과 법적 해결책을 모색하고 있다.

➡ 보험금 지급을 두고 벌어지는 분쟁에 대한 내용은 없으며, 이 분쟁의 경제적 해결책과 법적 해결책에 대한 내용도 없다.

⑤ 보험 상품의 거래에 부정적으로 작용하는 법률 조항의 문제점을 경제학적인 시각에서 분석하고 있다.

➡ 보험 상품의 거래에 부정적으로 작용하는 법률 조항에 대한 내용은 언급되지 않았다.

08 일치하는 내용 찾기 | 정답 ④ | 정답률 73%

윗글을 이해한 내용으로 가장 적절한 것은?

정답인 이유

④ 보험에 가입하고자 하는 사람이 알린 중요한 사항을 근거로 보험사는 보험 가입을 거절할 수 있다.

4-3에서 보험 가입자는 계약 체결 전 '중요한 사항'을 보험사에 알려야 한다고 했고, 4-4에서 보험사는 '중요한 사항'을 근거로 보험 가입자의 청약에 대한 승낙을 결정한다고 하였다. 따라서 보험사는 보험 가입자가 알린 '중요한 사항'을 근거로 보험 가입을 거절할 수 있다.

오답 피하기

① 보험사(→보험 가입자)가 청약을 하고 보험 가입자(→보험사)가 승낙해야 보험 계약이 해지된다(→성립된다).

➡ 4-2에서 '보험 계약은 보험 가입자의 청약과 보험사의 승낙으로 성립'된다고 하였다. 5-3에 따르면 보험사의 의지로 보험 계약을 해지하는 경우는 보험 가입자가 고지 의무를 위반하였을 때인데, 이때는 보험사의 일방적인 의사 표시로 계약 해지가 가능하다.

② 구성원 전체의 보험료 총액보다(→과) 보험금 총액이 더 많아야(→일치해야) 공정한 보험이 된다.

➡ 2-4에서 '공정한 보험에서는 ~ 구성원 전체의 보험료 총액과 보험금 총액이 일치해야 한다.'라고 하였다.

③ 보험 사고 발생 여부와 관계없이 같은 보험료를 납부한 사람들은 동일한 보험금을 지급받는다.

➡ 1-1에 따르면 보험은 '보험 사고가 발생하면 보험금을 지급받는 제도'이다. 따라서 보험 가입자들은 보험 사고가 발생하여야 보험금을 지급받을 수 있다.

⑤ 우리 상법은 보험 가입자보다 보험사의 잘못을 더 중시하기 때문에 보험사에 계약 해지권을 부여하고 있다.

➡ 5-1~2에 따르면 상법은 보험 가입자가 고지 의무를 위반했을 때 보험사에 계약 해지권을 부여한다고 했다. 따라서 계약 해지권은 '보험 가입자보다 보험사의 잘못을 더 중시하기 때문에' 부여되는 것이 아니다.

09 〈보기〉 문제 – 사례·상황 제시 | 정답 ⑤ | 정답률 29%

[가]를 바탕으로 〈보기〉의 상황을 이해한 내용으로 적절한 것은?

보기

1 [1]사고 발생 확률(=보험료율(2-7)=보험료/보험금(2-6))이 각각 0.1과 0.2로 고정되어 있는 위험 공동체 A와 B가 있다고 가정한다(사고 발생 확률은 변하지 않음). [2]A와 B에 모두 공정한 보험이 항상 적용된다고 할 때, 각 구성원이 납부할 보험료와 사고 발생 시 지급받을 보험금을 산정하려고 한다.

2 [1]단, 동일한 위험 공동체의 구성원끼리는 납부하는 보험료가 같고, 지급받는 보험금이 같다. [2]보험료는 한꺼번에 모두 납부한다.

정답인 이유

⑤ A와 B에서의 보험료가 서로 같다면 A와 B에서의 보험금에 대한 기댓값은 서로 같다.

A와 B는 공정한 보험이므로, 공정한 보험의 요건에 따라 판단하여야 한다. 2-4에서 '공정한 보험에서는 ~ 각자가 납부하는 보험료와 그가 지급받을 보험금에 대한 기댓값이 일치'한다고 했으므로, A와 B에서의 보험료가 서로 같다면 A와 B에서의 보험금에 대한 기댓값도 서로 같다.

오답 피하기

① A에서 보험료를 두 배로 높이면 보험금은 두 배가 되지만 보험금에 대한 기댓값은 변하지 않는다(→두 배가 된다).

➡ A는 공정한 보험이므로, 보험료율(보험료/보험금)과 사고 발생

확률이 0.1로 같아야 한다(❷-6~7, 〈보기〉 ❶-1). 따라서 보험료가 두 배가 되면 보험금도 두 배가 되고, 이에 따라 '사고 발생 확률X수령할 보험금'으로 구할 수 있는 '보험금에 대한 기댓값'(❷-5)도 두 배가 된다.

② **B에서 보험금을 두 배로 높이면 ~~보험료는 변하지 않지만~~ (보험료도 두 배가 되며) 보험금에 대한 기댓값은 두 배가 된다.**

➡ B는 공정한 보험이므로, 보험료율(보험료/보험금)과 사고 발생 확률이 0.2로 같아야 한다(❷-6~7, 〈보기〉 ❶-1). 따라서 보험료가 두 배가 되면 보험료도 두 배가 되며, 이에 따라 '사고 발생 확률X수령할 보험금'으로 구할 수 있는 '보험금에 대한 기댓값'(❷-5)도 두 배가 된다.

③ **A에 적용되는 보험료율과 B에 적용되는 보험료율은 서로 ~~같다~~ (다르다).**

➡ ❷-7에서 '공정한 보험에서는 보험료율과 사고 발생 확률이 같아야 한다.'라고 하였다. 따라서 사고 발생 확률이 0.1인 A의 보험료율은 0.1, 사고 발생 확률이 0.2인 B의 보험료율은 0.2이다.

④ **A와 B에서의 보험금이 서로 같다면 A에서의 보험료는 B에서의 보험료의 ~~두~~ (1/2) 배이다.**

➡ A와 B는 공정한 보험이므로, 보험료율(보험료/보험금)과 사고 발생 확률이 각각 0.1, 0.2로 같아야 한다(❷-6~7, 〈보기〉 ❶-1). 따라서 A와 B의 보험금이 서로 같다면, A의 보험료는 B에서의 보험료의 1/2일 것이다.

10 일치하는 내용 찾기 | 정답 ① | 정답률 68%

윗글의 고지 의무에 대한 설명으로 적절하지 않은 것은?

정답인 이유

① **고지 의무를 위반한 보험 가입자가 ~~보험사에 손해 배상을 해야 하는 근거가 된다.~~**

❺-5에서 보험 가입자가 고지 의무를 위반했을 때는, '일반적으로 법에서 의무를 위반하게 되면 위반한 자에게 ~ 손해 배상을 청구할 수 있는 것과 달리' 보험사가 해지권만 행사할 수 있다고 하였으므로 적절하지 않다.

오답 피하기

② **보험사가 보험 가입자의 위험 정도에 따라 차등적인 보험료를 책정하는 데 도움이 된다.**

➡ ❹-4에서 보험사는 보험 가입자가 진술하는 '중요한 사항'을 '차등적인 보험료를 책정하는 근거'로 삼는다고 하였다.

③ **보험 계약 과정에서 보험사가 가입자들의 특성을 파악하는 데 드는 어려움을 줄여 준다.**

④ **보험사와 보험 가입자 간의 정보 비대칭성에서 기인하는 문제를 줄일 수 있는 장치이다.**

➡ ❸-6~7에서 보험사는 정보의 비대칭성에서 비롯되는 문제를 해결하기 위해 '보험 가입자의 감춰진 특성을 파악할 수 있는 수단'이 필요하다고 했고, ❹-1에서 '이러한 수단이 법적으로 구현된 제도'인 고지 의무를 소개하고 있으므로 적절하다.

⑤ **자신의 위험 정도에 상응하는 보험료보다 높은 보험료를 내야 한다는 이유로 보험 가입을 포기하는 사람들이 생기는 것을 방지하는 효과가 있다.**

➡ ❹-5에서 고지 의무는 '자신의 위험 정도에 상응하는 보험료보다 더 높은 보험료를 납부'해야 한다는 이유로 '보험에 가입할 동기를 상실하게 되는 것을 방지'한다고 했다.

11 〈보기〉 문제 – 사례·상황 제시 | 정답 ④ | 정답률 61%

윗글을 바탕으로 〈보기〉의 사례를 검토한 내용으로 가장 적절한 것은?

보기

보험사 A는 보험 가입자 B에게 보험 사고로 인한 보험금을 지급한 후, B가 중요한 사항을 고지하지 않았다(고지 의무 위반)는 사실을 뒤늦게 알고 해지권을 행사할 수 있는 기간 내에 보험금 반환을 청구했다.

정답인 이유

④ **B가 고지하지 않은 중요한 사항이 보험 사고와 인과 관계가 없다면 A는 보험금을 돌려받을 수 없다.**

❺-10에서 보험 가입자가 '중요한 사항'을 고지하지 않아 고지 의무를 위반한 상황이라도, 이 '중요한 사항'이 보험 사고와 인과 관계가 없다면 보험사는 보험금을 지급할 책임이 있다고 하였다. 따라서 보험사는 보험 가입자에게 보험금을 지급하여야 하고, 지급된 보험금 반환을 청구할 수 없다.

오답 피하기

① **계약 체결 당시 A에게 중대한 과실이 있었다면 A는 계약을 해지할 수 없으나 보험금은 돌려받을 수 ~~있다~~ (없다).**

➡ ❺-7에서 보험사가 중대한 과실로 인해 고지 의무 위반에 대한 사실을 알지 못한 경우에는 보험사의 해지권이 배제된다고 하였다. ❺-4에 따르면 보험사는 보험을 해지한 다음에 보험금 반환을 청구할 수 있으므로, 보험사는 보험금을 돌려받을 수 없다.

② **계약 체결 당시 A에게 중대한 과실이 없다 하더라도 A는 보험금을 이미 지급했으므로 계약을 해지할 수 ~~없다~~ (있다).**

➡ ❺-3에 따르면 보험사는 '고지 의무 위반을 이유로 계약을 해지'할 수 있다.

③ **계약 체결 당시 A에게 중대한 과실이 있고 B 또한 중대한 과실로 고지 의무를 위반했다면 A는 보험금을 돌려받을 수 ~~있다~~ (없다).**

➡ ❺-7에서 보험사가 중대한 과실로 인해 고지 의무 위반에 대한 사실을 알지 못한 경우에는 보험사의 해지권이 배제된다고 하였다. 따라서 B가 고지 의무를 위반했다고 하더라도 A는 계약을 해지할 수 없고, 보험금을 돌려받을 수도 없다.

⑤ **B가 자신의 고지 의무 위반 사실을 보험 사고가 발생한 후 A에게 즉시 알렸다면 고지 의무를 위반한 ~~것이 아니다~~ (것이다).**

➡ ❺-1에서 '보험 계약 체결 전 보험 가입자가 고의나 중대한 과

실로 '중요한 사항'을 보험사에 알리지 않거나 사실과 다르게 알리면 고지 의무를 위반'하게 된다고 하였다. 따라서 B는 보험 계약을 체결하기 전부터 고지 의무를 위반한 것이 된다.

12 어휘의 의미 파악하기 정답 ① 정답률 59%

ⓐ~ⓔ를 사용하여 만든 문장으로 적절하지 않은 것은?

정답인 이유

① ⓐ: 지난해의 이익과 손실을 대비해 올해 예산을 세웠다.

본문의 'ⓐ대비(對備)'는 '앞으로 일어날지도 모르는 어떠한 일에 대응하기 위하여 미리 준비함. 또는 그런 준비'라는 의미로 쓰였다. 그런데 ①의 '대비(對比)'는 '두 가지의 차이를 밝히기 위하여 서로 맞대어 비교함.'이라는 의미로 쓰였으므로, ①이 적절하지 않다.

오답 피하기

② ⓑ: 일을 시작하기 전에 상황을 파악하는 것이 중요하다.

➡ 본문과 ②의 '파악'은 '어떤 대상의 내용이나 본질을 확실하게 이해해서 앎.'이라는 의미로 쓰였다.

③ ⓒ: 임금이 인상되었다는 소식에 많은 사람들이 기뻐했다.

➡ 본문과 ③의 '인상'은 '물건값, 봉급, 요금 따위를 올림.'이라는 의미로 쓰였다.

④ ⓓ: 이번 실험이 실패할 가능성을 전혀 배제할 수는 없다.

➡ 본문과 ④의 '배제'는 '받아들이지 아니하고 물리쳐 제외함.'이라는 의미로 쓰였다.

⑤ ⓔ: 그는 자신의 실수에 대한 책임을 동료에게 전가했다.

➡ 본문과 ⑤의 '전가'는 '잘못이나 책임을 다른 사람에게 넘겨씌움.'이라는 의미로 쓰였다.

꿈엔들 잊힐리야 수능 다가가기 3회 p.210~216

01 ①	02 ③	03 ⑤	04 ②	05 ⑤
06 ④	07 ①	08 ③	09 ①	10 ⑤
11 ④	12 ④	13 ④	14 ②	

[01~04] 부관의 법률적 효력 사회

2016학년도 수능

1 [1]변론술을 가르치는 프로타고라스(P)에게 에우아틀로스(E)가 제안하였다. [2]"제가 처음으로 승소하면 그때 수강료를 내겠습니다."(소송에서 이기는 일 / P와 E의 계약: 조건-E의 승소, 결과-E의 수강료 지급) [3]P는 이를 ⓐ받아들였다. [4]그런데 E는 모든 과정을 수강하고 나서도 소송을 할 기미를 보이지 않았고 그러자 P가 E를 상대로 소송하였다.(소송의 내용: E는 P에게 수강료를 지급하라.) [5]P는 주장하였다. [6]"내가 승소하면 판결에 따라 수강료를 받게 되고, 내가 지면 자네는 계약에 따라 수강료를 내야 하네."(P가 패소함=E가 승소함(계약 조건 성립 → 수강료 지급)) [7]E도 맞섰다. [8]"제가 승소하면 수강료를 내지 않게 되고 제가 지더라도 계약에 따라 수강료를 내지 않아도 됩니다."(E가 승소함=P가 패소함)

1 P와 E의 수강료 분쟁

2 [1]지금까지도 이 사례는 풀기 어려운 논리 난제로 거론된다. [2]다만 법률가들은 이를 해결할 수 있는 사안이라고 본다. [3]우선, 이 사례의 계약이 수강료 지급이라는 효과를, 실현되지 않은 사건에 의존하도록 하는 계약이라는 점을 살펴야 한다.(수강료 지불 조건: 'E의 승소'이므로) [4]이처럼 일정한 효과의 발생이나 소멸에 제한을 ⓑ덧붙이는 것을 '부관'이라 하는데, 여기에는 '기한'과 '조건'이 있다.('부관'의 개념) [5]효과의 발생이나 소멸이 장래에 확실히 발생할 사실에 의존하도록 하는 것을 기한이라 한다.(기한의 개념) [6]반면 장래에 일어날 수도 있는 사실에 의존하도록 하는 것은 조건이다.(조건의 개념) [7]그리고 조건이 실현되었을 때 효과를 발생시키면 '정지 조건', 소멸시키면 '해제 조건'이라 ⓒ부른다.(정지 조건, 해제 조건의 개념)

2 부관의 개념과 종류

3 [1]민사 소송에서 판결에 대하여 상소, 곧 항소나 상고가 그 기간 안에 제기되지 않아서 사안이 종결되든가, 그 사안에 대해 대법원에서 최종 판결이 선고되든가 하면, 이제 더 이상 그 일을 다툴 길이 없어진다.(기판력이 인정되는 조건 ① / 기판력이 인정되는 조건 ②) [2]이때 판결은 확정되었다고 한다. [3]확정 판결에 대하여는 '기판력(旣判力)'이라는 것을 인정한다. [4]기판력이 있는 판결에 대해서는 더 이상 같은 사안으로 소송에서 다툴 수 없다.(기판력의 효력) [5](예를 들어, 계약서를 제시하지 못해 매매 사실을 입증하지 못하고 패소한 판결이 확정되면, 이후에 계약서를 발견하더라도 그 사안에 대하여는 다시 소송하지 못한다.) [6]같은 사안에 대해 서로 모순되는 확정 판결이 존재하도록 할 수는 없는 것이다.

3 확정 판결과 기판력의 효력

4 [1]확정 판결 이후에 법률상의 새로운 사정이 ⓓ생겼을 때는, 그것을 근거로 하여 다시 소송하는 것이 허용된다.[2]이 경우에는 전과 다른 사안의 소송이라 하여 이전 판결의 기판력이 미치지 않는다고 보는 것이다.[3]위에서 (예로 들었던 계약서는 판결 이전에 작성된 것이어서 그 발견이 새로운 사정이라고 인정되지 않는다.) [4]그러나 (임대인이 임차인에게 집을 비워 달라고 하는 소송에서 임대차 기간이 남아 있다는 이유로 임대인이 패소한 판결이 확정된 후 시일이 흘러 계약 기간이 만료되면, 임대인은 집을 비워 달라는 소송을 다시 할 수 있다.) [5]계약상의 기한이 지남으로써 임차인의 권리에 변화가 생겼기 때문이다.

법률상의 새로운 사정이 생기면 전과 다른 사안의 소송으로 봄.

새로운 사정

새로운 사정

4 확정 판결 이후 기판력이 미치지 않는 새로운 소송

5 [1]이렇게 살펴본 바를 바탕으로 ㉠P와 E 사이의 분쟁을 해결하는 소송이 어떻게 전개될지 따져 보자. [2]이 사건에 대한 소송에서는 조건이 성취되지 않았다는 이유로 법원이 E에게 승소 판결을 내리면 된다. [3]그런데 이 판결 확정 이후에 P는 다시 소송을 할 수 있다. [4]조건이 실현되었기 때문이다. [5]따라서 이 두 번째 소송에서는 결국 P가 승소한다. [6]그리고 이때부터는 E가 다시 수강료에 관한 소송을 할 만한 사유가 없다. [7]이 분쟁은 두 차례의 판결을 ⓔ거쳐 해결될 수 있는 것이다.

첫 번째 소송

E가 첫 승소를 하지 않음.

첫 소송: P의 패소, E의 승소 → 'E의 첫 승소'라는 조건 실현

P와 E의 수강료 분쟁의 법률적 해결

5 P와 E의 수강료 분쟁의 법률적 해결

지문 이해

- 1 P와 E의 수강료 분쟁
- 2 부관의 개념과 종류
- 3 확정 판결과 기판력의 효력
- 4 확정 판결 이후 기판력이 미치지 않는 새로운 소송
- 5 P와 E의 수강료 분쟁의 법률적 해결

01 일치하는 내용 찾기 | 정답 ① | 정답률 66%

윗글을 이해한 내용으로 적절하지 않은 것은?

정답인 이유

① 승소하면 그때 수강료를 내겠다고 할 때 승소는 수강료 지급 의무에 대한 ~~기한~~(조건)이다.

2-5~6에 따르면 '기한'은 효과의 발생이나 소멸이 장래에 확실히 발생할 사실에 의존하도록 하는 것이고, '조건'은 장래에 일어날 수도 있는 사실에 의존하도록 하는 것이다. 이때 'E의 첫 승소'는 장래에 확실히 발생할 사실이 아니라 일어날 수도 있는 사실이므로, 이는 '조건'에 해당한다.

오답 피하기

② 기한과 조건은 모두 계약상의 효과를 장래의 사실에 의존하도록 한다는 점이 공통된다.

➡ 2-5~6에 따르면 '기한'은 효과의 발생이나 소멸이 장래에 확실히 발생할 사실에 의존하도록 하는 것이고, '조건'은 장래에 일어날 수도 있는 사실에 의존하도록 하는 것이므로 적절하다.

③ 계약에 해제 조건을 덧붙이면 그 조건이 실현되었을 때 계약상 유지되고 있는 효과를 소멸시킬 수 있다.

➡ 2-7에서 '조건이 실현되었을 때 효과를 ~ 소멸시키면 '해제 조건'이라 부른다'라고 하였다.

④ 판결이 선고되고 나서 상소 기간이 다 지나가도록 상소가 이루어지지 않으면 그 판결에는 기판력이 생긴다.

➡ 3-1~3에서 '판결에 대하여 항소나 상고가 그 기간 안에 제기되지 않아 사안이 종결'되면 '판결은 확정'되었다고 하며, 이러한 확정 판결에 대해서는 '기판력'을 인정한다고 하였다.

⑤ 기판력에는 법원이 판결로 확정한 사안에 대하여 이후에 법원 스스로 그와 모순된 판결을 내릴 수 없다는 전제가 깔려 있다.

➡ 3-4에서 '기판력이 있는 판결에 대해서는 더 이상 같은 사안으로 소송에서 다툴 수 없'다고 하였고, 3-6에서 '같은 사안에 대해 서로 모순되는 확정 판결이 존재하도록 할 수는 없는 것'이라고 한 것을 보아 적절하다.

02 글의 내용 추론하기 | 정답 ③ | 정답률 68%

㉠에 대한 추론으로 적절한 것은?

정답인 이유

③ 첫 번째 소송에서나 두 번째 소송에서나 P가 할 청구는 수강료를 내라는 내용일 것이다.

P는 E에게 수강료를 받기 위하여 소송을 제기하였다. 따라서 P는 첫 번째 소송에서 '수강료를 지급하라'는 내용을 청구할 것이며, 두 번째 소송에서도 동일한 내용을 청구할 것이다.

오답 피하기

① 첫 번째 소송에서 P는 계약이 ~~유효하다~~(유효하지 않다)고 주장하고, E는 계약이 ~~유효하지 않다~~(유효하다)고 주장할 것이다.

➡ 1-2에 따르면 계약의 내용은 'E가 처음으로 승소하면 수강료를 낸다'이므로, E가 첫 승소를 하지 않은 상태에서 벌어지는 첫 번째 소송에서 P는 계약이 유효하지 않다고 주장하며 E에게 수강료 지급을 요구할 것이다. 반면 E는 계약이 유효하므로 수강료를 지급하지 않아도 된다고 주장할 것이다.

② 첫 번째 소송의 판결문에는 ~~E가 수강료를 내야 할 의무가 있다는~~ 내용이 실릴 것이다.

➡ 5-2에서 법원은 '조건(E의 첫 승소)이 성취되지 않았다는 이유로' E에게 승소 판결을 내릴 것이라고 하였다. 따라서 첫 번째 소송의 판결문에는 E가 수강료를 내야 할 의무가 있다는 내용이 실릴 수 없다.

④ 두 번째 소송에서는 E가 첫 승소라는 조건을 ~~달성하지 못한~~(달성한) 상태이므로 P는 수강료를 받을 수 있을 것이다.

➡ 5-2~5를 참고할 때 E가 첫 번째 소송에서 승소하였으므로, 두 번째 소송에서는 첫 승소라는 조건을 달성한 상태가 된다. 따라서 P는 두 번째 소송에서 승소할 것이고, 수강료를 받을 수 있을 것이다.

⑤ 첫 번째와 두 번째 소송의 판결은 P와 E 사이에 승패가 상반될 것이므로 ~~두 판결 가운데 하나는 무효~~일 것이다.

➡ 5-2~5에 따르면 첫 번째 소송에서는 P가 패소하고 E가 승소하며, 두 번째 소송에서는 P가 승소하고 E가 패소한다. 따라서 두 소송에서 P와 E의 승패가 서로 상반된다. 그런데 첫 번째 소송 이후 E의 첫 승소라는 '조건'이 실현되어 '법률상의 새로운 사정'이 생기게 되고, P는 이를 근거로 두 번째 소송을 제기한 것이다(4-1~2). 따라서 두 소송은 '같은 사안에 대해 서로 모순되는 확정 판결(3-6)'이 아니므로, 두 판결 모두 유효하다.

03 〈보기〉 문제 – 사례·상황 제시 | 정답 ⑤ | 정답률 66%

윗글을 바탕으로 〈보기〉의 사례를 검토한 내용으로 적절하지 않은 것은?

보기

[1]갑은 을을 상대로 자신에게 빌려 간 금전을 갚아 달라는 소송을 하는데, 계약서와 같은 증거 자료는 제출하지 못했다. [2]그 결과 (가) 또는 (나)의 경우가 생겼다고 하자.

(가)[3]갑은 금전을 빌려 주었다는 증거를 제시하지 못하여 패소하였다. 이 관결은 확정되었다. (기판력 인정(3-3))

(나)[4]법원은 을이 금전을 빌렸다는 사실을 인정하면서도, 갚기로 한 날은 2015년 11월 30일이라 인정하여, 아직 그 날이 되지 않았다는 이유로 갑에게 패소 판결을 내렸다. (기한 인정) [5]이 판결은 확정되었다. (기한까지 기판력이 인정됨.)

정답인 이유

⑤ (나)의 경우, 이미 지나간 2015년 2월 15일이 갚기로 한 날임을 밝혀 주는 계약서가 발견되면 갑은 같은 해 11월 30일이 되기 전에 그것을 근거로 금전을 갚아 달라는 소송을 할 수 ~~있다~~(없다).

(나)에서는 '2015년 11월 30일'이라는 기한이 인정되었고, 판결이 확정되었다. 3-4~5와 4-3을 고려할 때 갑이 '2015년 2월 15일'을 기한으로 하는 계약서를 발견하더라도, 이는 판결 이전에 작성된 것이므로 '새로운 사정'으로 인정받지 못한다. 따라서 갑은 '2015년 11월 30일'이라는 기한이 지나기 전에 새로운 소송을 제기할 수 없다.

오답 피하기

① (가)의 경우, 갑은 더 이상 상급 법원에 상소하여 다툴 수 있는 방법이 남아 있지 않다.

➡ (가)의 판결은 확정되었으므로 3-3에 따라 기판력이 인정됨을 알 수 있다. 3-4에서 '기판력이 있는 판결에 대해서는 더 이상 같은 사안으로 소송에서 다툴 수 없다.'라고 하였으므로, 갑에게는 법원에 상소하여 다툴 수 있는 방법이 남아 있지 않다.

② (가)의 경우, 갑은 빌려 준 금전에 대한 계약서를 발견하더라도 그것을 근거로 하여 금전을 갚아 달라고 소송하는 것은 허용되지 않는다.

➡ 갑은 '금전을 빌려 주었다는 증거를 제시하지 못하여 패소'하였고 해당 판결은 확정되었다. 3-5, 4-3에서 기판력이 인정된 이후에 계약서를 발견하더라도, 그 계약서는 판결 이전에 작성된 것이므로 새로운 사정으로 인정받을 수 없다고 하였다. 따라서 갑은 같은 사안으로 다시 소송할 수 없다.

③ (나)의 경우, 을은 2015년 11월 30일이 되기 전에는 갑에게 금전을 갚지 않아도 된다.

➡ (나)에서 법원은 '2015년 11월 30일'이라는 기한을 인정하였고 이 판결은 확정되었다. 따라서 을은 그 기한이 되기 전까지는 갑에게 금전을 갚지 않아도 된다.

④ (나)의 경우, 2015년 11월 30일이 지나면 갑이 을을 상대로 금전을 갚아 달라는 소송을 다시 하더라도 기판력에 저촉되지 않는다.

➡ (나)에서 '2015년 11월 30일'이라는 기한이 인정되었고 이 판결은 확정되었다. 그런데 2015년 11월 30일이 지났는데도 을이 돈을 갚지 않는다면, '법률상의 새로운 사정'이 생기게 되고 이전 소송의 기판력이 미치지 않는다(4-1~2). 따라서 갑은 2015년 11월 30일이 지나 을에게 금전을 갚아 달라는 소송을 다시 제기할 수 있다.

04 어휘의 의미 파악하기 | 정답 ② | 정답률 51%

문맥상 ⓐ~ⓔ와 바꿔 쓰기에 가장 적절한 것은?

정답인 이유

② ⓑ: 부가하는

'부가하다'는 '주된 것에 덧붙이다.'라는 의미이므로 'ⓑ덧붙이는'과 바꾸어 쓸 수 있다.

오답 피하기

① ⓐ: 수취하였다

➡ 본문의 '받아들였다'는 '다른 사람의 요구, 성의, 말 따위를 들어

주다.'라는 뜻이므로, '거두어 모으다.'라는 의미의 '수취하였다'와 바꾸어 쓰기 어렵다.

③ ⓒ: 지시한다

➡ 본문의 '부른다'는 '무엇이라고 가리켜 말하거나 이름을 붙이다.'라는 뜻으로, '가리켜 보게 하다.'나 '일러서 시키다.'라는 뜻인 '지시한다'와 바꾸어 쓰기 어렵다.

④ ⓓ: 형성되었을

➡ 본문의 '생겼을'은 '없던 것이 새로 있게 되다.'라는 뜻으로, '어떤 형상이 이루어지다.'라는 뜻의 '형성되었을'과 바꾸어 쓰기 어렵다.

⑤ ⓔ: 경유하여

➡ 본문의 '거쳐'는 '어떤 과정이나 단계를 겪거나 밟다.'라는 뜻으로, '어떤 곳을 거쳐 지나다.'라는 뜻의 '경유하여'와 바꾸어 쓰기 어렵다.

[05~08] 반추 동물의 탄수화물 분해 과학

2017학년도 수능

1 [1]탄수화물은 사람을 비롯한 동물이 생존하는 데 필수적인 에너지원이다.(탄수화물의 기능) [2]탄수화물은 섬유소와 비섬유소로 구분된다.(탄수화물의 구분) [[3]사람은 체내에서 합성한 효소를 이용하여 곡류의 녹말과 같은 비섬유소를 포도당으로 분해하고 이를 소장에서 흡수하여 에너지원으로 이용한다.] ([ ]: 사람이 비섬유소를 에너지원으로 이용하는 과정) [4]반면, 사람은 풀이나 채소의 주성분인 셀룰로스와 같은 섬유소를 포도당으로 분해하는 효소를 합성하지 못하므로, 섬유소를 소장에서 이용하지 못한다.(사람은 섬유소를 에너지원으로 이용하지 못함.) [5]㉠소, 양, 사슴과 같은 반추 동물도 섬유소를 분해하는 효소를 합성하지 못하는 것은 마찬가지이지만,(사람과 반추 동물의 공통점) 비섬유소와 섬유소를 모두 에너지원으로 이용하며 살아간다.(사람과 반추 동물의 차이점)

1 사람과 반추 동물의 탄수화물 분해 비교

2 [1]위(胃)가 넷으로 나누어진 반추 동물의 첫째 위인 반추위에는 여러 종류의 미생물이 서식하고 있다.(반추위의 특징 ①) [2]반추 동물의 반추위에는 산소가 없는데, 이 환경에서 왕성하게 생장하는 반추위 미생물들은 다양한 생리적 특성을 가지고 있다.(반추위의 특징 ②) [3]그중 ⓐ피브로박터 숙시노젠(F)은 섬유소를 분해하는 대표적인 미생물이다.(반추위에 서식하는 미생물 ①) [[4]식물체에서 셀룰로스(섬유소)는 그것을 둘러싼 다른 물질과 복잡하게 얽혀 있는데, F가 가진 효소 복합체는 이 구조를 끊어 셀룰로스를 노출시킨 후 이를 포도당으로 분해한다. [5]F는 이 포도당을 자신의 세포 내에서 대사 과정을 거쳐 에너지원으로 이용]하여 생존을 유지하고 개체 수를 늘림으로써 생장한다. ([ ]: F가 셀룰로스(섬유소)를 분해하여 에너지원으로 이용하는 과정) [6]이런 대사 과정에서 아세트산, 숙신산 등이 대사산물로 발생하고 이를 자신의 세포 외부로 배출한다.(물질대사에 관여하거나 물질대사 과정에서 생성되는 물질) [7]반추위에서 미생물들이 생성한 아세트산은 반추 동물의 세포로 직접 흡수되어 생존에 필요한 에너지를 생성하는 데 주로 이용되고 체지방을 합성하는 데에도 쓰인다.(아세트산의 기능) [8]한편 반추위에서 숙신산은 프로피온산을 대사산물로 생성하는 다른 미생물의 에너지원으로 빠르게 소진된다.(숙신산의 기능) [9]이 과정에서 생성된 프로피온산은 반추 동물이 간(肝)에서 포도당을 합성하는 대사 과정에서 주요 재료로 이용된다.(프로피온산의 기능)

2 피브로박터 숙시노젠(F)의 대사 과정

3 [1]반추위에는 비섬유소인 녹말을 분해하는 ⓑ스트렙토코쿠스 보비스(S)도 서식한다.(반추위에 서식하는 미생물 ②) [[2]이 미생물은 반추 동물이 섭취한 녹말을 포도당으로 분해하고, 이 포도당을 자신의 세포 내에서 대사 과정을 통해 자신에게 필요한 에너지원으로 이용]한다. ([ ]: S가 녹말(비섬유소)을 분해하여 에너지원으로 이용하는 과정) [3]이때 S는 자신의 세포 내의 산성도에 따라 세포 외부로 배출하는 대사산물이 달라진다. [4]산성도를 알려 주는 (수소 이온 농도 지수(pH)가 7.0 정도로 중성이고 생장 속도가 느린 경우)에는 아세트산, 에탄올 등이 대사산물로 배출된다.(아세트산, 에탄올이 배출되는 경우 ①, ②) [5]반면 (산성도가 높아져 pH가 6.0 이하로 떨어지거나 녹말의 양이 충분하여 생장 속도가 빠를 때)는 젖산이 대사산물로 배출된다.(젖산이 배출되는 경우 ①, ②) [6]반추위에서 젖산은 반추 동물의 세포로 직접 흡수되어 반추 동물에게 필요한 에너지를 생성하는 데 이용되거나(젖산의 기능 ①) 아세트산 또는 프로피온산을 대사산물로 배출하는 다른 미생물의 에너지원으로 이용된다.(젖산의 기능 ②)

3 스트렙토코쿠스보비스(S)의 대사 과정

4 [1]그런데 S의 과도한 생장이 반추 동물에게 악영향을 끼치는 경우가 있다. [2]반추 동물이 짧은 시간에 과도한 양의 비섬유소를 섭취하면 S의 개체 수가 급격히 늘고 과도한 양의 젖산이 배출되어 반추위의 산성도가 높아진다. [3]이에 따라 산성의 환경에서 왕성히 생장하며 항상 젖산을 대사산물로 배출하는 ⓒ락토바실러스 루미니스(L)와 같은 젖산 생성 미생물들의 생장이 증가하며 다량의 젖산을 배출하기 시작한다.(반추위에 서식하는 미생물 ③) [4]F를 비롯한 섬유소 분해 미생물들은 자신의 세포 내부의 pH를 중성으로 일정하게 유지하려는 특성이 있는데,(섬유소 분해 미생물들의 특징) (젖산 농도의 증가로 자신의 세포 외부의 pH가 낮아지면) 자신의 세포 내의 항상성을 유지하기 위해 에너지를 사용하므로 생장이 감소한다.(섬유소 분해 미생물들의 생장이 감소하는 조건) [5](만일 자신의 세포 외부의 pH가 5.8 이하로 떨어지면) 에너지가 소진되어 생장을 멈추고 사멸하는 단계로 접어든다.(섬유소 분해 미생물들이 사멸하는 조건) [6]이와 달리 S와 L은 상대적으로 산성에 견디는 정도가 강해 (자신의 세포 외부의 pH가 5.5 정도까지 떨어지더라도)

이에 맞춰 자신의 세포 내부의 pH를 낮출 수 있어 자신의 에너지를 세포 내부의 pH를 유지하는 데 거의 사용하지 않고 생장을 지속하는 데 사용한다. [7]그러나 S도(자신의 세포 외부의 pH가 그 이하로 더 떨어지면) 생장을 멈추고 사멸하는 단계로 접어들고, 산성에 더 강한 L을 비롯한 젖산 생성 미생물들이 반추위 미생물의 많은 부분을 차지하게 된다. [8]그렇게 되면 반추위의 pH가 5.0 이하가 되는 급성 반추위 산성증이 발병한다.

S가 사멸하는 조건: 세포 외부 pH가 5.5 이하

4 급성 반추위 산성증의 발병 과정

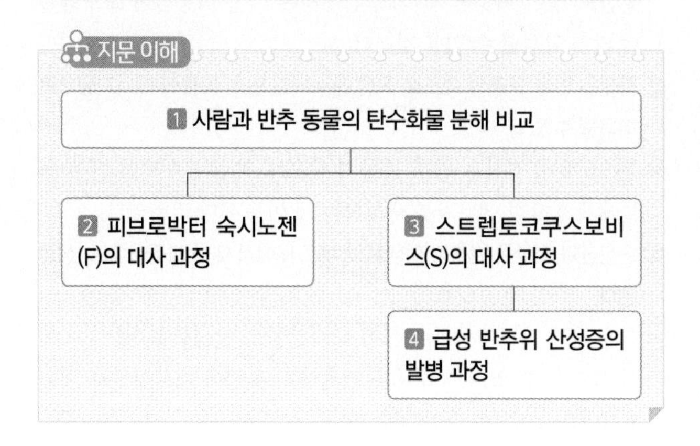

05 일치하는 내용 찾기 | 정답 ⑤ | 정답률 76%

윗글을 읽고 알 수 있는 내용으로 가장 적절한 것은?

정답인 이유

⑤ 피브로박터 숙시노젠(F)은 자신의 세포 내에서 포도당을 에너지원으로 이용하여 생장한다.

2-5에서 'F는 이 포도당을 자신의 세포 내에서 대사 과정을 거쳐 에너지원으로 이용'하는 방식으로 '생존을 유지하고 개체 수를 늘림으로써 생장'한다고 하였다.

오답 피하기

① 섬유소는 ~~사람의 소장에서 포도당의 공급원으로 사용된다.~~

➡ 1-4에서 '사람은 ~ 섬유소를 포도당으로 분해하는 효소를 합성하지 못하므로, 섬유소를 소장에서 이용하지 못한다.'라고 하였으므로, 섬유소는 사람의 소장에서 사용될 수 없다.

② 반추 동물의 세포에서 ~~합성한 효소는 셀룰로스를 분해한다.~~

➡ 1-5에서 '반추 동물도 섬유소를 분해하는 효소를 합성하지 못하는 것은 마찬가지'라고 하였으므로, 반추 동물의 세포에서는 셀룰로스(1-4 '셀룰로스와 같은 섬유소')를 분해하는 효소를 합성할 수 없다.

③ 반추위 미생물은 산소가 없는 환경에서 ~~생장을 멈추고 사멸한다.~~ (왕성하게 성장한다.)

➡ 2-2에서 '반추 동물의 반추위에는 산소가 없는데, 이 환경에서 왕성하게 생장하는 반추위 미생물들'이라고 하였다.

④ 반추 동물의 과도한 ~~섬유소~~ (비섬유소) 섭취는 급성 반추위 산성증을 유발한다.

➡ 4-2~8에 따르면 '반추 동물이 짧은 시간에 과도한 양의 비섬유소를 섭취'하면 결국 급성 반추위 산성증이 발병하게 된다.

06 정보 간의 관계 파악하기 | 정답 ④ | 정답률 58%

윗글로 볼 때, ⓐ~ⓒ에 대한 이해로 적절하지 않은 것은?

정답인 이유

④ ⓑ와 ~~ⓒ는~~ 모두 반추위의 산성도에 따라 다양한 종류의 대사산물을 배출하겠군.

3-3에서 S(ⓑ)는 '자신의 세포 내의 산성도에 따라 세포 외부로 배출하는 대사산물이 달라진다'라고 하였고, 4-3에서 '항상 젖산을 대사산물로 배출하는 ⓒ'라고 했으므로 '반추위의 산성도에 따라 다양한 종류의 대사산물을 배출'한다는 진술은 ⓑ에만 해당한다.

오답 피하기

① ⓐ와 ⓑ는 모두 급성 반추위 산성증에 걸린 반추 동물의 반추위에서는 생장하지 못하겠군.

➡ 4-8에서 '급성 반추위 산성증'은 '반추위의 pH가 5.0 이하'일 때 발병한다고 하였다. 그런데 4-4~5에 따르면 F(ⓐ)는 pH가 5.8 이하로 떨어지면 사멸하며, 4-6~7에 따르면 S(ⓑ)는 pH가 5.5 이하로 떨어질 때 사멸한다.

② ⓐ와 ⓑ는 모두 반추위에서 반추 동물의 체지방을 합성하는 물질을 생성할 수 있겠군.

➡ 2-7에서 '아세트산은 ~ 체지방을 합성하는 데'에 쓰인다고 하였다. 따라서 아세트산은 '반추 동물의 체지방을 합성하는 물질'에 해당한다. 이때 2-6에서 F(ⓐ)의 대사 과정에서 아세트산이 대사산물로 발생한다고 하였고, 3-4에서는 S(ⓑ)의 대사 과정에서 산성도가 중성이고 생장 속도가 느린 경우 아세트산이 대사산물로 배출된다고 하였다.

③ 반추위의 pH가 6.0일 때, ⓐ는 ⓒ보다 자신의 세포 내의 산성도를 유지하는 데 더 많은 에너지를 쓰겠군.

➡ 4-4에서 'F(ⓐ)를 비롯한 섬유소 분해 미생물들 ~ 세포 내부의 pH를 중성(3-4: pH 7.0)으로 일정하게 유지 ~ 세포 외부의 pH가 낮아지면 자신의 세포 내의 항상성을 유지하기 위해 에너지를 사용'한다고 했고, 4-6에서는 'S(ⓑ)와 L(ⓒ)은 상대적으로 산성에 견디는 정도가 강해 ~ pH가 5.5 정도까지 떨어지더라도 ~ 자신의 에너지를 pH를 유지하는 데 거의 사용하지 않고 생장을 지속'한다고 했다. 따라서 반추위의 pH가 6.0일 때 ⓐ는 ⓒ보다 세포 내의 산성도를 유지하는 데 더 많은 에너지를 쓸 것이라고 추론할 수 있다.

⑤ 반추위에서 녹말의 양과 ⓑ의 생장이 증가할수록, ⓐ의 생장은 감소하고 ⓒ의 생장은 증가하겠군.

➡ 녹말은 비섬유소이다(1-3, 3-1). 4-2~4에 따르면, '반추 동물이 ~ 과도한 양의 비섬유소를 섭취하면 S(ⓑ)의 개체 수'가 급격히 늘고, 이에 따라 '과도한 양의 젖산이 배출되어 반추위의 산성도가 높아진다.'라고 하였다. 그 결과로 '젖산을 대사산물로

배출하는 ⓒ락토바실러스루미니스(L)'의 생장이 증가하게 된다. 그런데 젖산의 농도가 증가하면 세포 외부의 pH가 낮아지게 되고, '자신의 세포 내부의 pH를 중성으로 일정하게 유지하려는 특성'을 가진 F(ⓐ)는 '자신의 세포 내의 항상성을 유지하게 위해 에너지를 사용하므로 생장이 감소'하게 될 것이다.

07 〈보기〉 문제 - 글의 내용(이유) 추론하기 | 정답 ① | 정답률 39%

윗글을 바탕으로 ㉠이 가능한 이유를 진술한다고 할 때, 〈보기〉의 ㉮, ㉯에 들어갈 말로 가장 적절한 것은?

보기

- 셀룰로스: F에 의해 포도당으로 분해(2-3~4)
- 녹말: S에 의해 포도당으로 분해(3-2)

반추 동물이 섭취한 섬유소와 비섬유소는 반추위에서 (㉮), 이를 이용하여 생장하는 (㉯)은 반추 동물의 에너지원으로 이용되기 때문이다.

정답인 이유

① ㉮: 반추위 미생물의 에너지원이 되고
㉯: 반추위 미생물이 대사 과정을 통해 생성한 대사산물

2-3~5에 걸쳐 F가 셀룰로스(섬유소)를 포도당으로 분해하고, 이 포도당을 다시 자신의 에너지원으로 이용한다고 하였다.(㉮) 그리고 2-6~7에 따르면 F의 대사 과정을 통해 대사산물로 발생하는 아세트산은 반추 동물의 세포로 직접 흡수되어 '생존에 필요한 에너지를 생성하는 데' 주로 이용된다.(㉯)
3-2에 따르면 S는 녹말(비섬유소)을 포도당으로 분해하여 이를 자신에게 필요한 에너지원으로 이용한다.(㉮) 또 3-5~6에서 대사산물로 배출된 젖산이 반추 동물의 세포로 직접 흡수되어 '반추 동물에게 필요한 에너지를 생성하는 데 이용'됨을 확인할 수 있다.(㉯)

08 정보 간의 관계 파악하기 | 정답 ③ | 정답률 78%

윗글로 볼 때, 반추위 미생물에서 배출되는 숙신산과 젖산에 대한 설명으로 적절하지 않은 것은?

정답인 이유

③ 숙신산과 젖산은 반추위가 산성일 때보다 중성일 때 더 많이 배출된다.

2-6에 따르면 숙신산은 F의 대사 과정을 거쳐 만들어지는 대사산물이다. 4-4에서 F는 자신의 세포 내부의 pH를 중성으로 유지하려는 특성이 있으며, pH가 산성이 되면 생장이 감소한다고 하였다. 따라서 숙신산은 반추위가 산성일 때보다 중성일 때 더 많이 배출될 것이다.
반면 3-5에서 '산성도가 높아져 ~ 젖산이 대사산물로 배출된다.', 4-3에서 '산성의 환경에서 ~ 락토바실러스루미니스(L)와 같은 젖산 생성 미생물들의 생장이 증가하며 다량의 젖산을 배출'이라고 하였으므로, 젖산은 반추위가 중성일 때보다 산성일 때 더 많이 배출될 것이라고 추론할 수 있다.

오답 피하기

① 숙신산이 많이 배출될수록 반추 동물의 간에서 합성되는 포도당의 양도 늘어난다.
➡ 2-8~9에서 숙신산은 '프로피온산을 대사산물로 생성하는 다른 미생물의 에너지원'이 된다고 하였다. 이때 프로피온산은 '반추 동물이 간(肝)에서 포도당을 합성하는 대사 과정에서 주요 재료로 이용'된다고 하였으므로, 숙신산이 많이 배출되면 프로피온산도 많이 배출될 것이고, 간에서는 이를 이용하여 포도당을 더 많이 합성할 수 있을 것이다.

② 젖산은 반추 동물의 세포로 직접 흡수되어 반추 동물의 에너지원으로 이용될 수 있다.
➡ 3-6에서 '젖산은 반추 동물의 세포로 직접 흡수되어 반추 동물에게 필요한 에너지를 생성하는 데 이용'된다고 하였다.

④ 숙신산과 젖산은 반추위 미생물의 세포 내에서 대사 과정을 거쳐 생성된다.
➡ F의 대사 과정에서 숙신산이 대사산물로 발생함을 2-4~6에서 확인할 수 있고, S의 대사 과정에서 젖산이 대사산물로 배출됨을 3-2, 5에서 확인할 수 있다.

⑤ 숙신산과 젖산은 프로피온산을 대사산물로 배출하는 다른 미생물의 에너지원으로 이용되기도 한다.
➡ 2-8에서 '숙신산은 프로피온산을 대사산물로 생성하는 다른 미생물의 에너지원으로 빠르게 소진'된다고 하였고, 3-6에서 '젖산은 ~ 프로피온산을 대사산물로 배출하는 다른 미생물의 에너지원으로 이용'된다고 하였다.

[09~14] 콘크리트의 특성과 발전 과정 융합(기술, 예술)

2017학년도 9월 모의평가

1 [1]콘크리트는 건축 재료로 다양하게 사용되고 있다.[2]일반적으로 콘크리트가 근대 기술의 ㉠산물로 알려져 있지만 콘크리트는 이미 고대 로마 시대에도 사용되었다.([3]로마 시대의 탁월한 건축미를 보여 주는 판테온은 콘크리트 구조물인데, 반구형의 지붕인 돔은 오직 콘크리트로만 이루어져 있다.[4]로마인들은 콘크리트의 골재 배합을 달리하면서 돔의 상부로 갈수록 두께를 점점 줄여 지붕을 가볍게 할 수 있었다.[5]돔 지붕이 지름 45 m 남짓의 넓은 원형 내부 공간과 이어지도록 하였고, 지붕의 중앙에는 지름 9 m가 넘는 ㉡원형의 천창을 내어 빛이 내부 공간을 채울 수 있도록 하였다.)

구(球)를 절반으로 나눈 모양. / 판테온 돔의 모양: 상부로 갈수록 두께 ↓ / ( ): 로마 시대 건축물에 사용된 콘크리트의 예 / 지붕에 낸 창

1 고대 로마 시대부터 사용된 콘크리트

2 [1]콘크리트는 시멘트에 모래와 자갈 등의 골재를 섞어 물로 반죽한 혼합물이다.[2][콘크리트에서 결합재 역할을 하는 시멘트가 물과 만나면 ㉢점성을 띠는 상태]가 되며, 시간이 지남에 따라 수화 반응이 일어나 골재, 물, 시멘트가 결합하면서 굳어진다.[3]콘크리트의 수화 반응은 상온에서 일어나기 때문에 작업하기에도 좋다.[4]반죽 상태의 콘크리트를 거푸집에 부어 경화시키면 다양한 형태와 크기의 구조물을 만들 수 있다.[5]콘크리트의 골재는 종류에 따라 강도와 밀도가 다양하므로 골재의 종류와 비율을 조절하여 콘크리트의 강도와 밀도를 다양하게 변화시킬 수 있다.[6]그리고 골재들 간의 접촉을 높여야 강도가 높아지기 때문에, 서로 다른 크기의 골재를 배합하는 것이 효과적이다.

콘크리트의 개념 / [ ]: 수화 반응이 일어나는 조건 / 콘크리트로 다양한 형태·기능의 구조물을 만드는 방법 / 콘크리트의 강도를 높이는 방법

2 콘크리트의 개념과 특성

3 [1]콘크리트가 철근 콘크리트로 발전함에 따라 건축은 구조적으로 더욱 견고해지고, 형태 면에서는 더욱 다양하고 자유로운 표현이 가능해졌다.[2]일반적으로 콘크리트는 누르는 힘인 압축력에는 쉽게 부서지지 않지만 당기는 힘인 인장력에는 쉽게 부서진다.[3]압축력이나 인장력에 재료가 부서지지 않고 그 힘에 견딜 수 있는, 단위 면적당 최대의 힘을 각각 압축 강도와 인장 강도라 한다.[4]콘크리트의 압축 강도는 인장 강도보다 10배 이상 높다.[5]또한 압축력을 가했을 때 최대한 줄어드는 길이는 인장력을 가했을 때 최대한 늘어나는 길이보다 훨씬 길다.[6]그런데 철근이나 철골과 같은 철재는 인장력과 압축력에 의한 변형 정도가 콘크리트보다 작은데다가 압축 강도와 인장 강도 모두가 콘크리트보다 높다.[7]특히 인장 강도는 월등히 더 높다.[8]따라서 보강재로 철근을 콘크리트에 넣어 대부분의 인장력을 철근이 받도록 하면 인장력에 취약한 콘크리트의 단점이 크게 보완된다.[9]다만 철근은 무겁고 비싸기 때문에, 대개는 인장력을 많이 받는 부분을 정확히 계산하여 그 지점을 ㉣위주로 철근을 보강한다.[10]또한 가해진 힘의 방향에 수직인 방향으로 재료가 변형되는 정도도 고려해야 하는데, 이때 필요한 것이 포아송 비이다.[11]철재는 콘크리트보다 포아송 비가 크며, 대체로 철재의 포아송 비는 0.3, 콘크리트는 0.15 정도이다.

압축력의 개념 / 인장력의 개념 / 압축 강도와 인장 강도의 개념 / 콘크리트: 압축 강도>인장 강도 / 압축 강도>인장 강도이므로 / 철재의 특징 / 콘크리트의 단점을 보완하는 방법 / 콘크리트의 단점을 철근으로 보완할 때 고려할 점 ① / 콘크리트의 단점을 철근으로 보완할 때 고려할 점 ② / 철근과 철재의 포아송 비

3 콘크리트의 단점을 보완한 철근 콘크리트

4 [1]강도가 높고 지지력이 좋아진 철근 콘크리트를 건축 재료로 사용하면서, 대형 공간을 축조하고 기둥의 간격도 넓힐 수 있게 되었다.[2]20세기에 들어서면서부터 근대 건축에서 철근 콘크리트는 예술적 ㉤영감을 줄 수 있는 재료로 인식되기 시작하였다.[3]기술이 예술의 가장 중요한 근원이라는 신념을 가졌던 르코르뷔지에는 철근 콘크리트 구조의 장점을 사보아 주택에서 완벽히 구현하였다.[4]사보아 주택은, 벽이 건물의 무게를 지탱하는 구조로 설계된 건축물과는 달리 기둥만으로 건물 본체의 하중을 지탱하도록 설계되어 건물이 공중에 떠 있는 듯한 느낌을 준다.[5]2층 거실을 둘러싼 벽에는 수평으로 긴 창이 나 있고, 건축가가 '건축적 산책로'라고 이름 붙인 경사로는 지상의 출입구에서 2층의 주거 공간으로 이어지다가 다시 테라스로 나와 지붕까지 연결된다.[6]목욕실 지붕에 설치된 작은 천창을 통해 하늘을 바라보면 이 주택이 자신을 중심으로 펼쳐진 또 다른 소우주임을 느낄 수 있다.[7]평평하고 넓은 지붕에는 정원이 조성되어, 여기서 산책하다 보면 대지를 바다 삼아 항해하는 기선의 갑판에 서 있는 듯하다.

철근 콘크리트의 활용 / 사보아 주택의 특징 ① / 사보아 주택의 특징 ② / 사보아 주택의 특징 ③ / 사보아 주택의 특징 ④ / 사보아 주택의 특징 ⑤: 여유를 즐길 수 있음.

4 철근 콘크리트를 재료로 하여 건축된 사보아 주택

5 [1]철근 콘크리트는 근대 이후 가장 중요한 건축 재료로 널리 사용되어 왔지만 철근 콘크리트의 인장 강도를 높이려는 연구가 계속되어 프리스트레스트 콘크리트가 등장하였다.[2]프리스트레스트 콘크리트는 다음과 같이 제작된다.[3][먼저, 거푸집에 철근을 넣고 철근을 당긴 상태에서 콘크리트 반죽을 붓는다.[4]콘크리트가 굳은 뒤에 당기는 힘을 제거하면, 철근이 줄어들면서 콘크리트에 압축력이 작용하여 외부의 인장력에 대한 저항성이 높아진 프리스트레스트 콘크리트가 만들어진다.][5]킴벨 미술관은 개방감을 주기 위하여 기둥 사이를 30m 이상 벌리고 내부의 전시 공간을 하나의 층으로 만들었다.[6]이 간격은 프리스트레스트 콘크리트 구조를 활용하였기에 구현할 수 있었고, 일반적인 철근 콘크리트로는 구현하기 어려웠다.[7]이 구조로 이루어진 긴 지붕의 틈새로 들어오는 빛이 넓은 실내를 환하게 채우며 철근 콘크리트로 이루어진 내부를 대리석처럼 빛나게 한다.

인장 강도: 프리스트레스트 콘크리트>철근 콘크리트 / 철근의 복원되려는 성질 / 인장 강도 ↑ / [ ]: 프리스트레스트 콘크리트의 제작 과정

5 프리스트레스트 콘크리트의 제작 과정과 이를 재료로 하여 건축된 킴벨 미술관

6 [1]이처럼 건축 재료에 대한 기술적 탐구는 언제나 새로운 건축 미학의 원동력이 되어왔다.[2]특히 근대 이후에는 급격한 기술의 발전으로 혁신적인 건축 작품들이 탄생할 수 있었다.[3]건축 재료와 건축 미학의 유기적인 관계는 앞으로도 지속될 것이다.

건축 재료에 대한 기술적 탐구와 새로운 건축 미학의 상관관계

건축 재료와 건축 미학의 유기적인 관계에 대한 전망

6 건축 재료와 건축 미학의 유기적인 관계

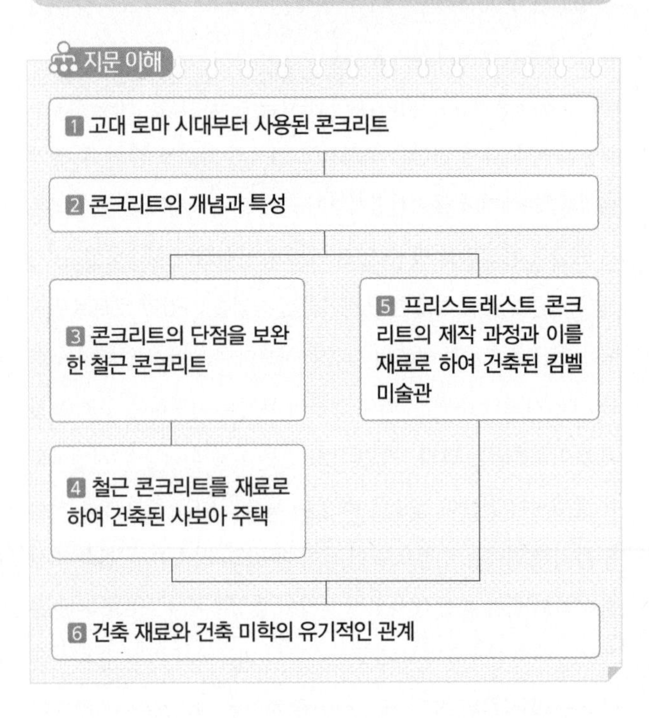

09 내용 전개 방식 파악하기 정답 ① 정답률 88%

윗글에 대한 설명으로 가장 적절한 것은?

정답인 이유

① 건축 재료의 특성과 발전을 서술하면서 각 건축물들의 공간적 특징을 설명하고 있다.

윗글은 1~2에서 '콘크리트'의 특성과 이것이 사용된 건축물(판테온)의 특징을, 3~4에서는 콘크리트의 단점을 철근으로 보완한 '철근 콘크리트'의 특성과 이것이 사용된 건축물(사보아 주택)의 특징을, 5에서는 철근 콘크리트의 인장 강도를 보완한 '프리스트레스트 콘크리트'와 이것이 사용된 건축물(킴벨 미술관)의 특징을 설명하고 있다. 따라서 ①이 가장 적절한 설명이다.

오답 피하기

② 건축 재료의 특성에 기초하여 ~~건축물들의 특징에 대한 상반된 평가를~~ 제시하고 있다.

➡ 건축 재료의 특성은 언급하고 있지만, 건축물들의 특징에 대한 상반적인 평가는 제시되지 않았다.

③ ~~건축 재료의 기원~~을 검토하여 다양한 건축물들의 미학적 특성과 ~~한계를 평가~~하고 있다.

➡ 1에서 콘크리트가 로마 시대에도 사용되었다고 했으나 이를 콘크리트의 기원으로 보기 어려우며, 다양한 건축물들의 미학적 특성에 대해서는 언급하였으나 그 한계를 평가하지는 않았다.

④ ~~건축 재료의 시각적 특성~~을 설명하면서 ~~각 재료와 건축물들의 경제적 가치를 탐색~~하고 있다.

➡ 건축 재료의 시각적 특성은 설명되지 않았으며, 각 재료와 건축물들의 경제적 가치에 대해서도 탐색하지 않았다.

⑤ ~~건축물들의 특징에 대한 평가가 시대에 따라 달라진 원인을 제시~~하고 건축 재료와의 관계를 설명하고 있다.

➡ 건축물들의 특징에 대한 평가가 시대에 따라 달라진 원인은 제시되지 않았다. 따라서 이와 건축 재료의 관계를 설명하고 있다고도 볼 수 없다.

10 일치하는 내용 찾기 정답 ⑤ 정답률 79%

윗글의 내용에 대한 이해로 적절하지 않은 것은?

정답인 이유

⑤ ~~사보아 주택~~과 킴벨 미술관은 모두 층을 구분하지 않도록 구성하여 개방감을 확보하였다.

4-5의 '2층 거실', '2층의 주거 공간' 등을 고려하면 사보아 주택은 층이 구분되어 있음을 알 수 있다. 반면 5-5의 '내부의 전시 공간을 하나의 층으로 만들었다.'를 참고하면 킴벨 미술관은 층을 구분하지 않도록 구성되었다.

오답 피하기

① 판테온의 돔에서 상대적으로 더 얇은 부분은 상부 쪽이다.

➡ 1-4의 판테온의 돔에 대한 설명에서 '상부로 갈수록 두께를 점점 줄여'라고 하였다.

② 사보아 주택의 지붕은 여유를 즐길 수 있는 공간으로도 활용되었다.

➡ 4-7에서 '넓은 지붕에는 정원이 조성되어, 여기서 산책하다 보면 대지를 바다 삼아 항해하는 기선의 갑판에 서 있는 듯하다.'라고 하였다.

③ 킴벨 미술관은 철근 콘크리트의 인장 강도를 높이는 방법을 이용하여 넓고 개방된 내부 공간을 확보하였다.

➡ 5-5~6에 따르면 킴벨 미술관은 '프리스트레스트 콘크리트 구조'를 활용하여 개방감을 주는 전시 공간을 만들었다. '프리스트레스트 콘크리트'는 철근 콘크리트의 인장 강도를 높이려는 연구를 통해 만들어진 건축 재료이다.(5-1)

④ 판테온과 사보아 주택은 모두 천창을 두어 빛이 위에서 들어올 수 있도록 하였다.

➡ 1-5 '원형의 천창을 내어 빛이 내부 공간을 채울 수 있도록', 4-6 '목욕실 지붕에 설치된 작은 천창을 통해 하늘을 바라보면'을 참고할 때 두 건축물 모두 천창을 통해 빛이 들어올 수 있도록 건축되었음을 알 수 있다.

11 글의 내용 추론하기 | 정답 ④ | 정답률 78%

윗글을 바탕으로 추론한 내용으로 가장 적절한 것은?

정답인 이유

④ 프리스트레스트 콘크리트는 철근이 복원되려는 성질을 이용하여 콘크리트에 압축력을 줌으로써 인장 강도를 높인 것이다.

5-4의 '당기는 힘을 제거하면, 철근이 줄어들면서'를 참고할 때 철근이 복원되려는 성질이 있음을 추론할 수 있다. 또 5-4의 '콘크리트에 압축력이 작용하여 외부의 인장력에 대한 저항성이 높아진 프리스트레스트 콘크리트'에서 '인장력에 대한 저항성이 높아'졌다는 것은 곧 인장 강도가 높아졌음을 뜻한다. 따라서 ④의 진술이 가장 적절하다.

오답 피하기

① 당기는 힘에 대한 저항은 철근 콘크리트가 철재보다 ~~크다~~(작다).

➡ 3-2~3을 참고할 때 '당기는 힘에 대한 저항'은 인장 강도를 뜻한다. 3-6~7에서 인장 강도는 철재가 콘크리트보다 높다고 하였다. 그런데 3-8을 고려하면 철근 콘크리트는 콘크리트에 철재를 섞어 콘크리트의 인장 강도를 보강한 것이다. 따라서 철근 콘크리트의 인장 강도는 콘크리트보다 높지만, 철재보다는 낮을 것이라고 추론할 수 있다.

② 일반적으로 철근을 콘크리트에 보강재로 사용할 때는 ~~압축력~~(인장력)을 많이 받는 부분에 넣는다.

➡ 3-9에서 '인장력을 많이 받는 부분을 정확히 계산하여 그 지점을 위주로 철근을 보강'한다고 하였다.

③ 프리스트레스트 콘크리트에서는 철근의 인장력으로 높은 강도를 얻게 되어 ~~수화 반응이 일어나지 않는다~~.

➡ 2-2에서 수화 반응이 일어나면 '골재, 물, 시멘트가 결합하면서 굳어진다.'라고 하였는데 5-3~4의 '프리스트레스트 콘크리트의 제작 과정'을 참고하면, 철근과 콘크리트 반죽이 굳으면서 수화 반응이 일어남을 추론할 수 있다.

⑤ 콘크리트의 강도를 높이는 데에는 크기가 다양한 자갈을 사용하는 것 ~~보다 균일한 크기의 자갈만 사용하는~~ 것이 효과적이다.

➡ 2-6에서 '골재들 간의 접촉을 높여야 강도가 높아지기 때문에, 서로 다른 크기의 골재를 배합하는 것이 효과적'이라고 하였으므로 크기가 다양한 자갈을 사용하는 것이 콘크리트의 강도를 높이는 데 더 효과적일 것이다.

12 〈보기〉 문제 – 사례·상황 제시 | 정답 ④ | 정답률 41%

윗글을 바탕으로 〈보기〉에 대해 탐구한 내용으로 적절하지 않은 것은?

보기

3-6: 압축 강도, 인장 강도: 철재(A)>콘크리트(B)

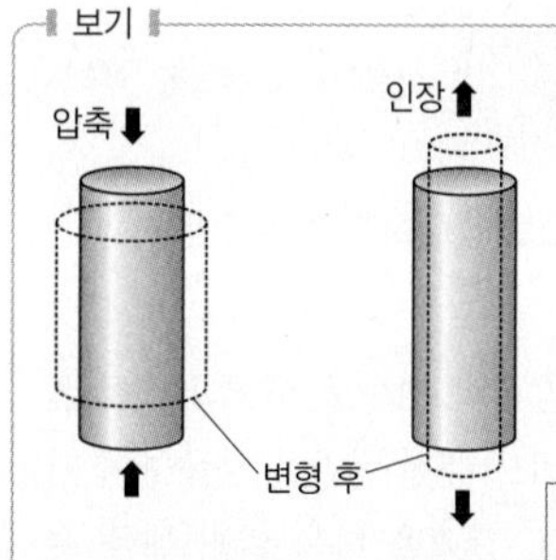

[1]철재만으로 제작된 원기둥 A와 콘크리트만으로 제작된 원기둥 B에 힘을 가하며 변형을 관찰하였다. [2]A와 B의 윗면과 아랫면에 수직인 방향으로 압축력을 가했더니 높이가 줄어들면서 지름은 늘어났다.(누르는 힘(3-2)) [3]또, A의 윗면과 아랫면에 수직인 방향으로 인장력을 가했더니 높이가 늘어나면서 지름이 줄어들었다.(당기는 힘(3-2)) [4]이때 지름의 변화량의 절댓값을 높이의 변화량의 절댓값으로 나누어 포아송 비(지름 변화량 절댓값/높이 변화량 절댓값)를 구하였더니, 일반적으로 알려진 철재와 콘크리트의 포아송 비와 동일하게 나왔다.(A(철재): 0.3, B(콘크리트): 0.15(3-11)) [5]그리고 A와 B의 포아송 비는 변형 정도에 상관없이 그 값이 변하지 않았다. [6](단, 힘을 가하기 전 A의 지름과 높이는 B와 동일하다.)

정답인 이유

④ A와 B에 압축력을 가했을 때 줄어든 높이의 변화량이 같았다면 ~~B~~(A)의 지름이 ~~A~~(B)의 지름보다 더 늘어났을 것이다.

'지름의 변화량의 절댓값/높이의 변화량의 절댓값'인 포아송 비는 A(철재)가 0.3(30/100), B(콘크리트)가 0.15(15/100)이다.(3-11) 이때 A와 B에 압축력을 가했을 때 줄어든 높이의 변화량이 같았다면, A와 B의 포아송 비를 고려할 때 A의 지름이 B의 지름보다 더 늘어났을 것이다.

오답 피하기

① 동일한 압축력을 가했다면 B는 A보다 높이가 더 줄어들었을 것이다.

➡ 3-6에 따르면 압축 강도는 철재(A)가 콘크리트(B)보다 높다. 따라서 동일한 압축력을 가하면 B의 높이가 A의 높이보다 더 많이 줄어들었을 것이다.

② A에 인장력을 가했다면 높이의 변화량의 절댓값은 지름의 변화량의 절댓값보다 컸을 것이다.

➡ A(철재)의 포아송 비가 0.3임을 고려할 때, 분모인 '높이의 변화량의 절댓값'이 분자인 '지름의 변화량의 절댓값'보다 크다.

③ B에 압축력을 가했다면 지름의 변화량의 절댓값은 높이의 변화량의 절댓값보다 작았을 것이다.

➡ B(콘크리트)의 포아송 비가 0.15임을 고려할 때, 분자인 '지름의 변화량의 절댓값'이 분모인 '높이의 변화량의 절댓값'보다 작다.

⑤ A와 B에 압축력을 가했을 때 늘어난 지름의 변화량이 같았다면 A의 높이가 B의 높이보다 덜 줄어들었을 것이다.

➡ A(철재)의 포아송 비는 0.3(30/100), B(콘크리트)의 포아송 비는 0.15(15/100)이다. 따라서 분자인 '지름의 변화량의 절댓값'이 같다면, 분모인 '높이의 변화량의 절댓값'은 A가 B보다 더 작다.

13 〈보기〉 문제 – 사례·상황 제시, 추가 정보 제시 | 정답 ④ | 정답률 79%

윗글과 〈보기〉를 읽고 추론한 내용으로 적절하지 않은 것은?

| 보기 |

1 [1]철골은 매우 높은 강도를 지닌 건축 재료로, 규격화된 직선의 형태로 제작된다.[2]철근 콘크리트 대신 철골을 사용하여 기둥을 만들면 더 가는 기둥으로도 간격을 더욱 벌려 세울 수 있어 훨씬 넓은 공간 구현이 가능하다.(철골의 장점)[3]하지만 산화되어 녹이 슨다는 단점(철골의 단점)이 있어 내식성 페인트를 칠하거나 콘크리트를 덧입히는 등 산화 방지 조치를 하여 사용한다.(철골의 단점 보완)

2 [1]베를린 신국립 미술관은 철골의 기술적 장점을 미학적으로 승화시킨 건축물이다.[2]거대한 평면 지붕은 여덟 개의 십자형 철골 기둥만이 떠받치고 있고, 지붕과 지면 사이에는 가벼운 유리벽이 사면을 둘러싸고 있다.[3]최소한의 설비 외에는 어떠한 것도 천장에 닿아 있지 않고 내부 공간이 텅 비어 있어 지붕은 공중에 떠 있는 느낌을 준다.[4]미술관 내부에 들어가면 넓은 공간 속에서 개방감을 느끼게 된다.

(베를린 신국립 미술관의 특징)

정답인 이유

④ 가는 기둥들이 넓은 간격으로 늘어선 건물을 지을 때 기둥의 재료로는 철골보다 철근 콘크리트가 더 적합하겠군. (철근 콘크리트 → 철골)

〈보기〉**1**-2에서 '철근 콘크리트 대신 철골을 사용하여 기둥을 만들면 더 가는 기둥으로도 간격을 더욱 벌려 세울 수 있어 훨씬 넓은 공간 구현이 가능'하다고 했으므로, ④의 경우에는 철근 콘크리트보다 철골이 더 적합한 재료이다.

오답 피하기

① 베를린 신국립 미술관의 기둥에는 산화 방지 조치가 되어 있겠군.

➡ 〈보기〉**1**-3에서 철골은 '산화되어 녹이 슨다는 단점'이 있기 때문에 '산화 방지 조치'를 하여 사용한다고 하였다. 베를린 신국립 미술관의 기둥은 철골로 만들어졌으므로(〈보기〉**2**-2 '철골 기둥') 이 기둥에 산화 방지 조치가 되어 있다는 진술은 적절하다.

② 휘어진 곡선 모양의 기둥을 세우려 할 때는 대체로 철골을 재료로 쓰지 않겠군.

➡ 〈보기〉**1**-1에서 철골은 '규격화된 직선의 형태'로 제작된다고 하였다. 따라서 휘어진 곡선 모양의 기둥에는 대체로 철골을 사용하지 않을 것이라고 추론할 수 있다.

③ 베를린 신국립 미술관은 철골을, 킴벨 미술관은 프리스트레스트 콘크리트를 활용하여 개방감을 구현하였겠군.

➡ 〈보기〉**2**-2~4에서 베를린 신국립 미술관은 '철골 기둥'만이 지붕을 떠받치고 있고, '최소한의 설비 외에는 어떠한 것도 천장에 닿아 있지 않고 내부 공간이 텅 비어 있'다고 하며 이러한 넓은 공간 속에서 개방감을 느끼게 된다고 하였다. 또 **5**-5~6을 참고하면 프리스트레스트 콘크리트 구조를 활용하여 건축된 킴벨 미술관은 이 구조를 통해 '개방감'을 구현하였음을 알 수 있다.

⑤ 베를린 신국립 미술관의 지붕과 사보아 주택의 건물이 공중에 떠 있는 느낌을 주는 것은 벽이 아닌 기둥이 구조적으로 중요한 역할을 하고 있기 때문이겠군.

➡ 〈보기〉**2**-2~3에 따르면 베를린 신국립 미술관의 지붕은 '철골 기둥'만이 떠받치고 있고, '최소한의 설비 외에는 어떠한 것도 천장에 닿아 있지 않고 내부 공간이 텅 비어 있어' 공중에 떠 있는 느낌을 주게 된다. **4**-4에서 사보아 주택은 '기둥만으로 건물 본체의 하중을 지탱하도록 설계되어 건물이 공중에 떠 있는 듯한 느낌'을 준다고 하였다.

14 어휘의 의미 파악하기 | 정답 ② | 정답률 91%

㉠~㉤을 사용하여 만든 문장으로 적절하지 않은 것은?

정답인 이유

② ㉡: 이 건축물은 후대 미술관의 원형이 되었다.

본문의 '㉡원형(圓形)'은 '둥근 모양'을 뜻한다. ②의 '원형(原型)'은 '같거나 비슷한 여러 개가 만들어져 나온 본바탕'을 뜻한다.

오답 피하기

① ㉠: 행복은 성실하고 꾸준한 노력의 산물이다.

➡ 본문과 ①의 '산물'은 '어떤 것에 의하여 생겨나는 사물이나 현상을 비유적으로 이르는 말'이라는 의미로 쓰였다.

③ ㉢: 이 물질은 점성 때문에 끈적끈적한 느낌을 준다.

➡ 본문과 ③의 '점성'은 '차지고 끈끈한 성질'이라는 의미로 쓰였다.

④ ㉣: 그녀는 채소 위주의 식단을 유지하고 있다.

➡ 본문과 ④의 '위주'는 '으뜸으로 삼음'이라는 의미로 쓰였다.

⑤ ㉤: 그의 발명품은 형의 조언에서 영감을 얻은 것이다.

➡ 본문과 ⑤의 '영감'은 '창조적인 일의 계기가 되는 기발한 착상이나 자극'이라는 의미로 쓰였다.

정답과 해설

100인의 지혜

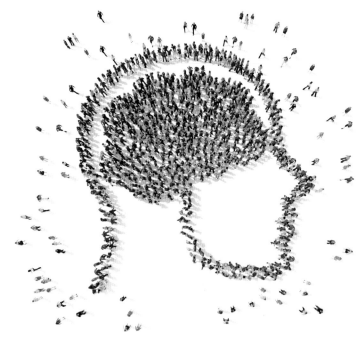

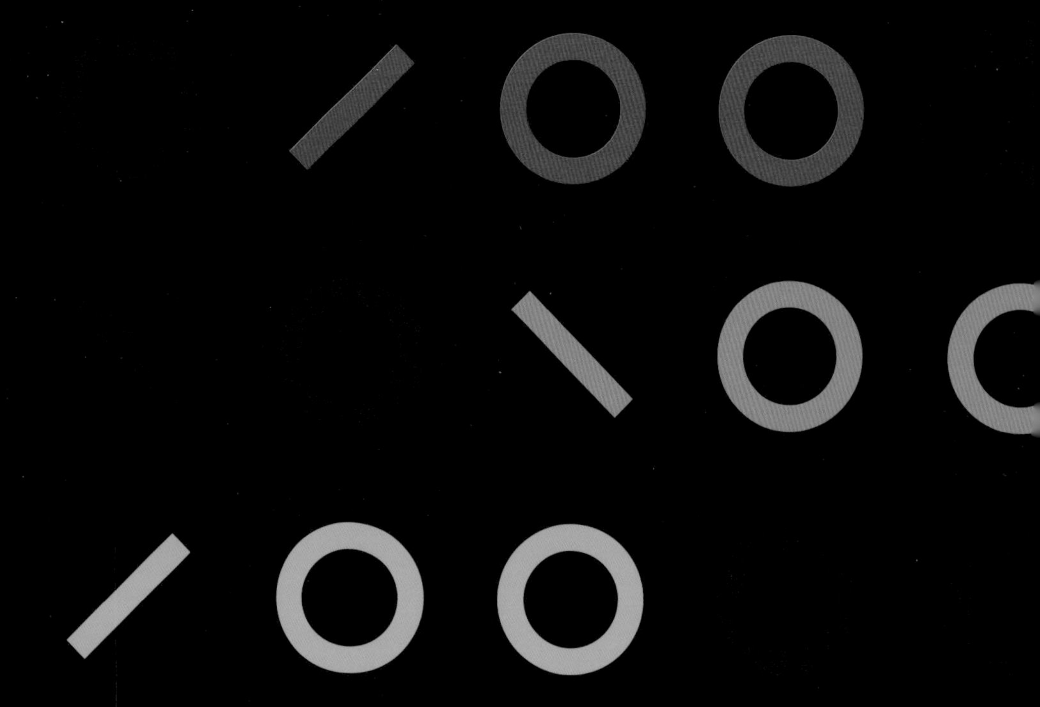

나만 알고 싶은

국어 필수 개념 노트

수능&내신 국어의 필수 개념을 56개의 주제로
독서의 기초 배경지식을 90개의 키워드로
한 방에 정리하는 나만의 비법 노트!

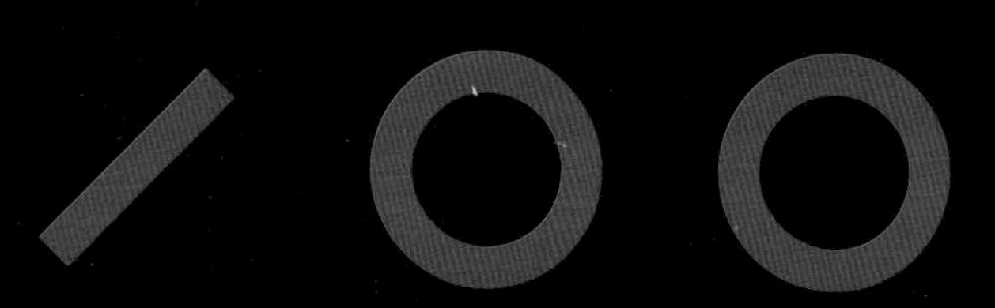

천재교육

나만 알고 싶은

국어 필수 개념 노트

수능&내신 국어의 필수 개념과
독서의 기초 배경지식을
한 방에 정리하는 나만의 노트!

나만 알고 싶은 국어 필수 개념

I 문학

현대 시

고전 시가

현대 소설

고전 소설

극·수필

Contents

II 문법

III 화법 · 작문

IV 독서

시 해석의 지혜

화자
시 속에서 말하는 사람.

시적 대상
시의 중심 소재.

시적 상황
시적 대상이 처해 있는 형편이나 처지, 분위기, 정황 등.

정서
화자가 시적 대상·상황에 대해 느끼는 다양한 감정이나 기분.

태도
화자가 시적 대상·상황에 대해 보이는 심리적 자세나 대응 방식.

시를 읽을 때는 '**시의 제목, 화자, 시적 대상, 시적 상황**'을 먼저 확인하고, 시적 대상이나 상황에 대해 화자가 느끼는 **정서**나 반응하는 **태도**를 이해하는 것이 중요하지. 이를 바탕으로 하여 오른쪽의 세부 개념들을 종합적으로 이해할 때 시의 주제를 제대로 파악할 수 있고, 시에서 자주 묻는 '정서, 태도, 의미, 기능' 등도 잘 이해해서 정답을 찾을 수 있단다.

시의 주제
- 이미지(심상)
- 시어의 함축성
- 표현 기법
- 시상 전개 방식
- 운율(리듬감)

I 문학

소설 해석의 지혜

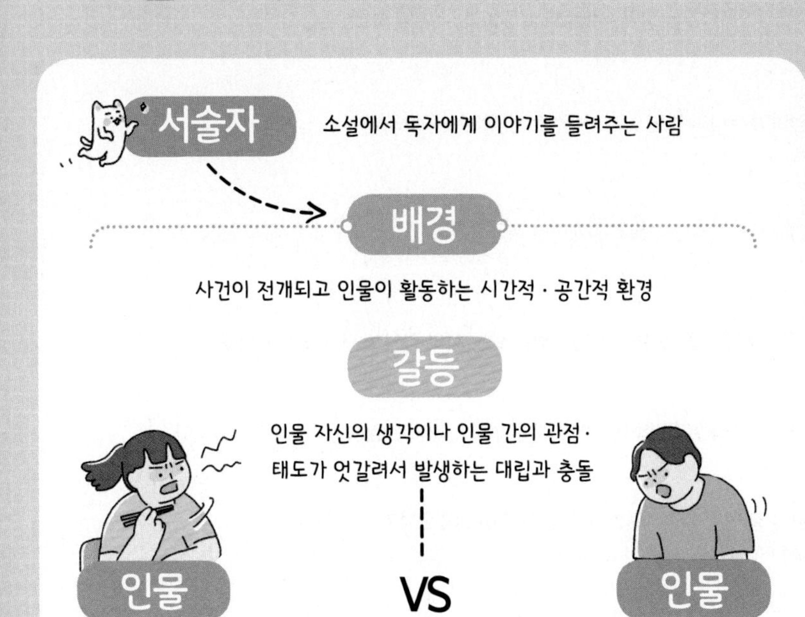
서술자
소설에서 독자에게 이야기를 들려주는 사람
배경
사건이 전개되고 인물이 활동하는 시간적 · 공간적 환경
갈등
인물 자신의 생각이나 인물 간의 관점 · 태도가 엇갈려서 발생하는 대립과 충돌
인물
행동의 주체
VS
인물
행동의 주체

서술자
소설에서 작가를 대신해 독자에게 이야기를 들려주는 사람.

인물
소설 속 행동의 주체.

갈등
어떤 사건이나 상황에 대하여, 인물 자신의 생각이 마음속에서 엇갈리거나 또는 인물 간의 관점·태도가 서로 엇갈려서 발생하는 대립과 충돌. → 사건으로 이어짐.

배경
사건이 전개되고 인물이 활동하는 시간적·공간적 환경.

소설을 읽을 때는 '**서술자, 인물, 갈등(사건), 배경**'이 무엇인지 먼저 파악해야 해. 그런 다음 오른쪽의 세부 개념들을 그것들과 연관 지어 이해한다면, 소설의 주제도 잘 파악할 수 있어. 또한 소설에서 갈등(사건)이 어떻게 전개되고 있는지 그 대강의 줄기를 파악하여 인물 간의 관계나 세부 소재·배경의 의미 등을 이해하는 것도 필요하지.

소설의 주제
- 서술자의 태도
- 서술상의 특징
- 구성
- 소재
- 시점

01 시적 화자, 시적 대상, 시적 상황

개념의 좌표: 현대시 – 화자, 대상, 상황 – 정서, 태도, 어조 – 운율 – 이미지(심상) – 함축성 – 표현 기법 – 전개 방식

시적 ❶ ◯◯

서정적 자아. 시 속에서 시인을 대신해 말하는 사람.

- **표면에 드러난 화자** – 예 나는 아무 걱정도 없이 / 가을 속의 별들을 다 헤일 듯합니다. (나 – 화자)
- **표면에 드러나지는 않지만 추측할 수 있는 화자** – 예 엄마야 누나야 강변 살자, / 뜰에는 반짝이는 금모래빛, (화자는 남자아이)
- **표면에 드러나지도 않고 추측할 수도 없는 화자** – 예 껍데기는 가라. / 사월도 알맹이만 남고 / 껍데기는 가라. → 효과: 시적 대상을 강조! (껍데기 – 화자가 부정적으로 보는 대상, 알맹이 – 화자가 긍정적으로 보는 대상)

시적 대상

시적 화자가 바라보는 구체적인 사물·인물·자연물·상황 또는 시의 중심 소재가 되는 관념 등.

- **일상생활의 사물과 사건** – 예 어디를 가나 알리바바의 참깨 / 주문 없이도 저절로 열리는 / 자동문 세상이다
- **특정 인물 또는 대중** – 예 일곱 달 아기 엄마 구자명 씨는 / 출근 버스에 오르기가 무섭게 아침 햇살 속에서 졸기 시작한다
- **자연물과 자연 현상** – 예 눈은 살아 있다 / 떨어진 눈은 살아 있다 / 마당 위에 떨어진 눈은 살아 있다
- **인간의 감정, 추상적 관념** – 예 나는 이제 너에게도 슬픔을 주겠다. / 사랑보다 소중한 슬픔을 주겠다.

시적 상황

시적 화자나 시적 대상이 처해 있는 형편이나 처지, 분위기, 정황 등.

- **❷ ◯◯하는 상황** – 예 나 보기가 역겨워 / 가실 때에는 / 말없이 고이 보내 드리우리다.
- **특정 대상 또는 상황을 관찰하는 상황** – 예 국철을 타고 가다가 / 문득 알아들을 수 없는 말이 들려 살피니 아시안 젊은 남녀가 건너편에 앉아 있었다
- **자연의 아름다움이나 생명력이 느껴지는 상황** – 예 들길은 마을에 들자 붉어지고, / 마을 골목은 들로 내려서자 푸르러졌다.
- **부정적인 사회 현실이 배경이 된 상황**
  - 일제 강점기 – 예 지금은 남의 땅 — 빼앗긴 들에도 봄은 오는가?
  - 독재 정치 – 예 신새벽 뒷골목에 / 네 이름을 쓴다 민주주의여
  - 산업화 – 예 비룟값도 안 나오는 농사 따위야 / 아예 여편네에게 맡겨 두고

02 화자의 정서, 태도, 어조

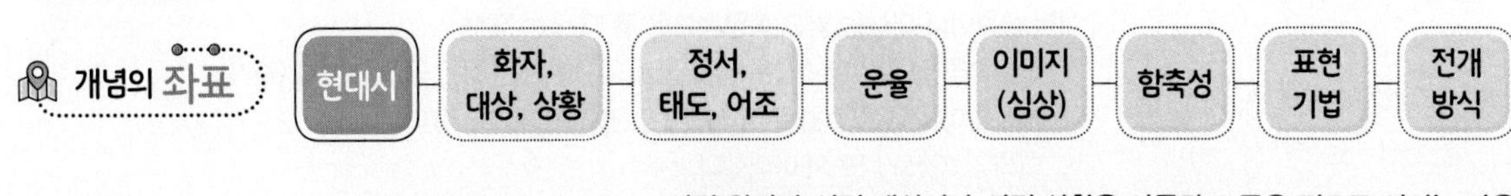

문학

정서

시적 화자가 시적 상황이나 시적 대상에 대해 느끼는 다양한 감정이나 기분.

- **긍정적 정서**: 시적 화자가 시적 대상이나 시적 상황을 아름답고 좋은 것으로 여기는 마음이 드러난 정서.
  - 예 기쁨, 즐거움, 소망, 동경, 희망, 사랑, 안도감 등.
- **부정적 정서**: 시적 화자가 시적 대상이나 시적 상황을 어둡고 좋지 않은 것으로 여기는 마음이 드러난 정서.
  - 예 애상, 비애, 슬픔, 외로움, 한, 절망, 체념, 갈등, 분노 등.

❸ ◯◯

시적 화자가 시적 대상이나 시적 상황에 대해 보이는 심리적 자세나 대응 방식.

- 화자의 정서와 관련이 깊음.
- 주로 어조를 통해 드러남.

정서 • 태도 • 어조의 관계를 보여 주는 예

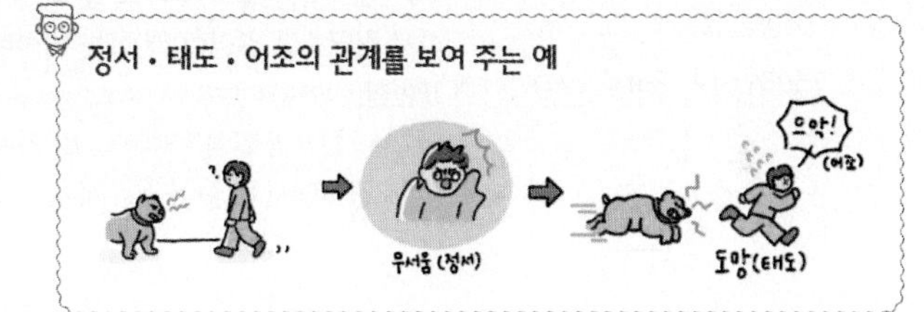

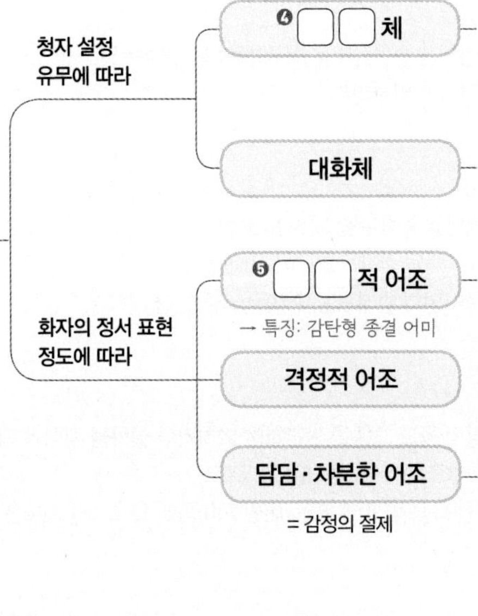

어조

시적 화자가 사용하는 말투.

- 화자의 정서와 태도를 드러냄.
- 시의 분위기를 형성.
- 주제를 효과적으로 형상화함.

청자 설정 유무에 따라

- **❹ ◯◯체**: 화자가 청자 없이 혼잣말을 하는 어조.
  - 화자가 시적 대상을 관찰하거나 자신의 속마음을 고백하는 상황에서 자주 쓰임.
- **대화체**: 화자가 청자 또는 독자에게 말을 건네는 어조.
  - 예 아베요 아베요 / 내 눈이 티눈인 걸 / 아베도 알지러요. (아베: 청자)

화자의 정서 표현 정도에 따라

- **❺ ◯◯적 어조** (→ 특징: 감탄형 종결 어미): 정서를 감탄의 형태로 강하게 드러내는 어조.
  - 예 아아 꿈 같기에 설어라. (아아: 감탄사, -어라: 감탄형 종결 어미)
- **격정적 어조**: 격한 감정을 강하게 표현하는 어조.
  - 예 산산히 부서진 이름이여! / 허공에 헤어진 이름이여!
- **담담·차분한 어조** (= 감정의 절제): 정서를 직접 드러내지 않고 절제하여 표현하는 어조.
  - 예 때늦은 의원이 아모 말없이 돌아간 뒤
    이웃 늙은이 손으로 / 눈빛 미명은 고요히
    낯을 덮었다.

영탄적 어조 vs 격정적 어조

영탄적 어조	격정적 어조
감정을 표현하는 표현 기법에 초점을 둔 개념.	정서를 얼마나 강하게 표현하는가에 초점을 둔 개념.

→ 격한 감정을 감탄의 형태로 표현했다면? 격정적 어조와 영탄적 어조가 함께 나타나는 것!
→ 격정적 어조가 드러나면 영탄적 어조가 함께 드러나는 경우가 많음!

정답 | ❶ 화자 ❷ 이별 ❸ 태도 ❹ 독백 ❺ 영탄

정서 · 태도 · 어조를 나타내는 말들

화자의 정서는 태도·어조와 밀접한 관련이 있음.

긍정·낙관·낙천

시적 상황이나 대상을 밝고 희망적으로 볼 때 쓰는 표현.

예 오늘 하루 잘 살았다 / 굽은 길은 굽게 가고 / 곧은 길은 곧게 가고 // (중략)
걷지 않아도 좋은 길을 두어 시간 / 땀 흘리며 걷기도 했다 //
그러나 그것도 나쁘지 아니했다

❶ □□·단념·절망

희망을 버리고 단념할 때 쓰는 표현.

예 우리가 저와 같아서 / 흐르는 물에 삽을 씻고
먹을 것 없는 사람들의 마을로 / 다시 어두워 돌아가야 한다

(극복) 의지·저항·단정

'의지'는 무언가를 이루려고 할 때, '저항'은 어떤 것에 대항하여 맞서고자 할 때, '단정'은 딱 잘라서 판단하고 결정할 때 쓰는 말. 부정적인 현실을 이겨 내려는 마음은 '현실 극복 의지'라고 표현함. → 저항적 태도가 드러나면 대부분 의지적 태도·어조가 함께 드러남.

예 다시 천고의 뒤에 / 백마 타고 오는 초인이 있어
이 광야에서 목 놓아 부르게 하리라

달관·초월

삶의 걱정거리·욕심과 같은 사소한 일에서 벗어나 넓고 큰 지혜와 인생관에 도달했을 때 쓰는 표현.

예 나 하늘로 돌아가리라. / 아름다운 이 세상 소풍 끝내는 날,
가서, 아름다웠더라고 말하리라……. 삶을 비유한 표현

구도(求道)

진리나 종교적인 깨달음을 추구할 때 쓰는 표현.

예 암벽을 더듬는다. / 빛을 찾아서 조금씩 움직인다.
결코 쉬지 않는 / 무명의 벌레처럼 무명을 / 더듬는다. 진리를 의미함.

❷ □□

시적 상황이나 대상의 옳고 그름을 판단하여 밝히거나 잘못을 지적할 때 쓰는 표현.

예 제 몸의 살이 그 쌀로 만들어지는 줄도 모르고
그래서 쌀과 살이 동음동의어이라는 비밀 까마득히 모른 채 / 서울은 웃는다.

냉소

쌀쌀한 태도로 대상을 비판하고 비웃을 때 쓰는 표현.

예 시를 공부하겠다는 / 미친 제자와 앉아 / 커피를 마신다
제일 값싼 / 프란츠 카프카
→ 정신적 가치를 상품화하고, 이를 추구하는 행위를 미친 행위로 여기는 상황에 대한 냉소적 태도가 드러남.

연민

대상을 불쌍하고 가엾게 여길 때 쓰는 표현.

예 그름처럼 몇은 졸고 / 몇은 감기에 쿨럭이고
그리웠던 순간들을 생각하며 나는 / 한 줌의 톱밥을 불빛 속에 던져 주었다

예찬

어떤 대상을 훌륭하거나 좋거나 아름답다고 찬양할 때 쓰는 표현.

예 흐르는 강물은 / 길이길이 푸르리니 / 그대의 꽃다운 혼 / 어이 아니 붉으랴

└ 논개 - 임진왜란 때 왜장을 껴안고 남강에 뛰어들어 죽은 기생

❸ □□

시적 화자가 시적 대상과 거리를 두고, 담담히 대상을 탐구하거나 바라볼 때 쓰는 표현.

예 돌에 / 그늘이 차고 // 따로 몰리는 / 소소리바람. //
앞서거니 하여 / 꼬리 치날리어 세우고, // 종종 다리 까칠한 / 산새 걸음걸이.

(자아) 성찰·반성

시적 화자가 자신을 반성하고 살필 때 쓰는 표현.

예 산모퉁이를 돌아 논가 외딴 우물을 홀로 찾아가선 가만히 들여다봅니다. (중략)
그리고 한 사나이가 있습니다. / 어쩐지 그 사나이가 미워져 돌아갑니다. // (중략)
돌아가다 생각하니 그 사나이가 가엾어집니다.

└ 우물에 비친 화자

자조

화자가 스스로를 부정적으로 생각하고 자신을 비웃을 때 쓰는 표현.

예 그러니까 이렇게 옹졸하게 반항한다 / 이발쟁이에게
땅 주인에게는 못 하고 이발쟁이에게 / (중략) 우습지 않느냐 1원 때문에

❹ □□·회고

과거의 일이나 대상을 생각하고 되돌아볼 때 쓰는 표현.

예 내 볼에 와 닿던 네 입술의 뜨거움 / 사랑한다고 사랑한다고 속삭이던 네 숨결
돌아서는 내 등 뒤에 터지던 네 울음

기원·소망

어떤 일이 이루어지기를 바랄 때 쓰는 표현.

예 어느 날 당신과 내가 / 날과 씨로 만나서 / 하나의 꿈을 엮을 수만 있다면
우리들의 꿈이 만나 / 한 폭의 비단이 된다면 // 나는 기다리리, 추운 길목에서

확신

어떤 일이나 대상을 굳게 믿을 때 쓰는 표현.

예 우리는 만날 때에 떠날 것을 염려하는 것과 같이 떠날 때에 다시 만날 것을 믿습니다.

회의

어떤 일이나 대상을 의심할 때 쓰는 표현.

예 생각해 보면 어린 때 동무를 / 하나, 둘, 죄다 잃어버리고 //
나는 무얼 바라 / 나는 다만, 홀로 침전하는 것일까?

정답 | ❶ 체념 ❷ 비판 ❸ 관조 ❹ 회상

03 시의 운율

개념의 좌표: **현대시** – 화자, 대상, 상황 – 정서, 태도, 어조 – **운율** – 이미지(심상) – 함축성 비유, 상징 – 표현 기법 – 전개 방식

운율: 시를 읽을 때 느껴지는 말의 가락. 규칙적인 반복을 통해 만들어짐.

- **외형률**: 겉으로 드러나는 운율.
  - **음위율**: 각 행의 일정한 위치에 같거나 비슷한 소리가 나는 말을 반복해서 배치할 때 생기는 운율.
  - **음수율**: 글자 수가 규칙적으로 반복됨으로써 형성되는 운율.
  - ❶□□□: 한 행이나 한 연을 몇 개의 덩어리로 끊어 읽을 때 형성되는 운율. 음보는 시에서 운율을 이루는 소리의 덩어리로 호흡을 끊어 읽는 단위의 기준임.
- **내재율**: 겉으로 명확히 드러나지는 않지만 천천히 새겨 읽으면 느낄 수 있는 운율.

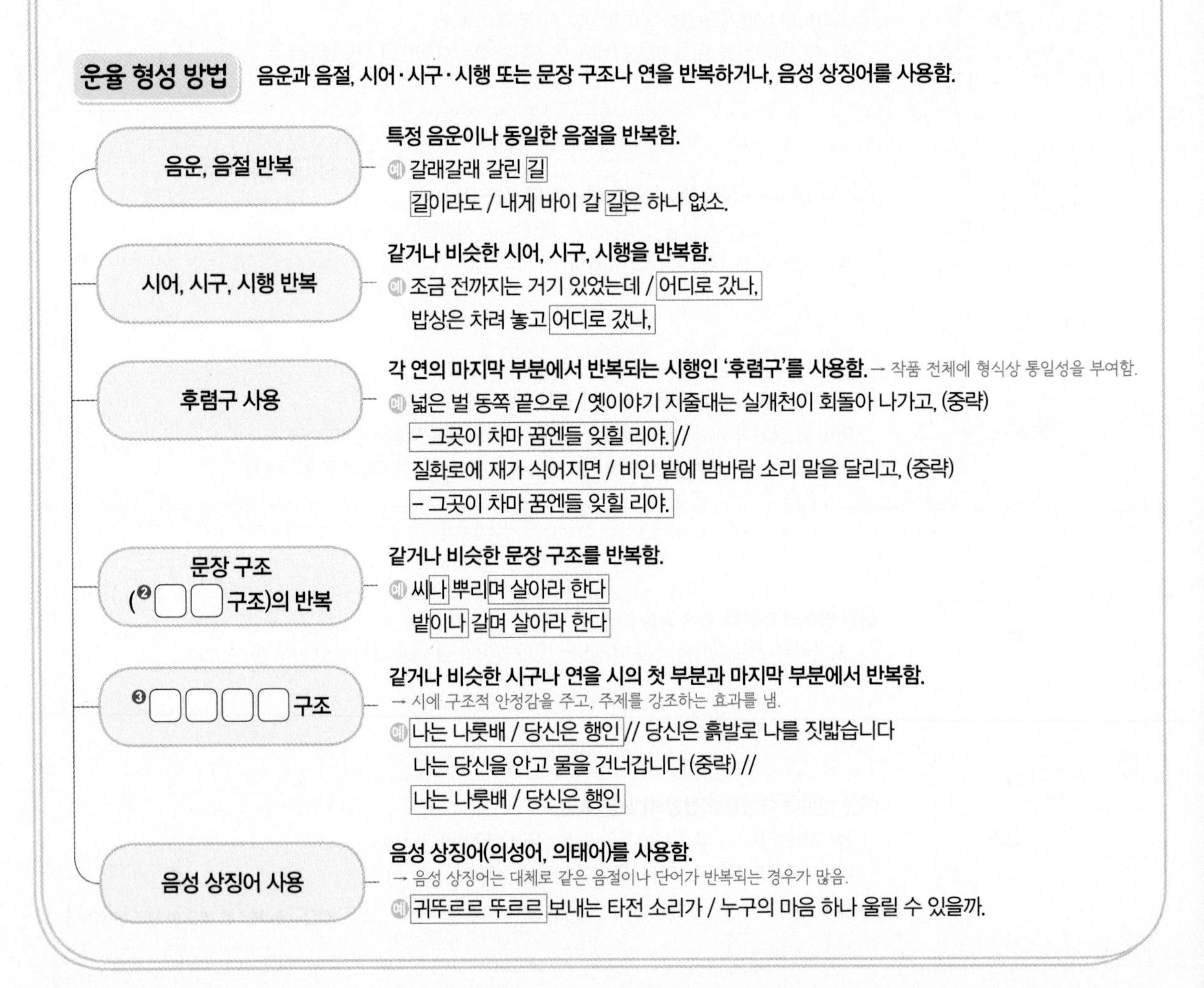

운율 형성 방법
음운과 음절, 시어·시구·시행 또는 문장 구조나 연을 반복하거나, 음성 상징어를 사용함.
음운, 음절 반복
특정 음운이나 동일한 음절을 반복함.
예 갈래갈래 갈린 길
길이라도 / 내게 바이 갈 길은 하나 없소.
시어, 시구, 시행 반복
같거나 비슷한 시어, 시구, 시행을 반복함.
예 조금 전까지는 거기 있었는데 / 어디로 갔나,
밥상은 차려 놓고 어디로 갔나,
후렴구 사용
각 연의 마지막 부분에서 반복되는 시행인 '후렴구'를 사용함. → 작품 전체에 형식상 통일성을 부여함.
예 넓은 벌 동쪽 끝으로 / 옛이야기 지줄대는 실개천이 회돌아 나가고, (중략)
– 그곳이 차마 꿈엔들 잊힐 리야. //
질화로에 재가 식어지면 / 비인 밭에 밤바람 소리 말을 달리고, (중략)
– 그곳이 차마 꿈엔들 잊힐 리야.
문장 구조
(❷□□ 구조)의 반복
같거나 비슷한 문장 구조를 반복함.
예 씨나 뿌리며 살아라 한다
밭이나 갈며 살아라 한다
❸□□□□구조
같거나 비슷한 시구나 연을 시의 첫 부분과 마지막 부분에서 반복함.
→ 시에 구조적 안정감을 주고, 주제를 강조하는 효과를 냄.
예 나는 나룻배 / 당신은 행인 // 당신은 흙발로 나를 짓밟습니다
나는 당신을 안고 물을 건너갑니다 (중략) //
나는 나룻배 / 당신은 행인
음성 상징어 사용
음성 상징어(의성어, 의태어)를 사용함.
→ 음성 상징어는 대체로 같은 음절이나 단어가 반복되는 경우가 많음.
예 귀뚜르르 뚜르르 보내는 타전 소리가 / 누구의 마음 하나 울릴 수 있을까.

❹ ○○○○ 시에서 운율을 형성하거나 의미를 강조하기 위하여 문법적으로 틀린 표현을 허용하는 것.
예 제 피에 취한 새가 귀촉도 운다. / 그대 하늘 끝 호올로 가신 님아. └ 맞춤법이나 띄어쓰기에 어긋나는 표현 등

산문적 진술 행과 연을 엄격하게 나누지 않고 자유롭게 산문 형식으로 쓸 때 '산문적 진술'이 사용되었다고 함.
예 님은 갔습니다. 아아 사랑하는 나의 님은 갔습니다.
푸른 산빛을 깨치고 단풍나무 숲을 향하여 난 작은 길을 걸어서 차마 떨치고 갔습니다.
황금의 꽃같이 굳고 빛나던 옛 맹세는 차디찬 티끌이 되어서 한숨의 미풍에 날아갔습니다.

문학

04 시의 이미지(심상)

개념의 좌표: 현대시 – 화자, 대상, 상황 – 정서, 태도, 어조 – 운율 – 이미지(심상) – 함축성 비유, 상징 – 표현 기법 – 전개 방식

이미지(심상)
시를 읽을 때 독자의 머릿속에 떠오르는 영상이나 감각(느낌).

감각적 이미지
시각, 청각, 촉각, 후각, 미각 등과 관련된 느낌을 불러일으키는 이미지.

- **시각적 이미지**: 색깔, 모양, 명암 등 눈으로 느낄 수 있는 이미지.
  예 흰나비는 도무지 바다가 무섭지 않다.
- **청각적 이미지**: 말소리, 개울물 소리 등 귀로 느낄 수 있는 이미지.
  예 배춧잎 같은 발소리 타박타박
- **촉각적 이미지**: 따뜻함, 차가움 등 피부로 느낄 수 있는 이미지.
  예 서늘한 옷자락에 / 열로 상기한 볼을 …
- **후각적 이미지**: 냄새, 향기 등 코로 느낄 수 있는 이미지.
  예 방 안에서는 새 옷의 내음새가 나고
- **미각적 이미지**: 단맛, 짠맛 등 혀로 느낄 수 있는 이미지.
  예 눈물은 왜 짠가.

❺ ○○○○ 이미지, 복합적 이미지

- **❺ ○○○○ 이미지(감각의 전이)**: 대상을 인식하기 위한 감각을 다른 종류의 감각으로 전이하여 표현하는 이미지.
  예 과수원을 지나온 달콤한 바람은 → 촉각의 미각화
- **복합적 이미지**: 두 가지 이상의 감각을 나란히 늘어놓은 이미지.
  예 집집마다 누룩을 디디는 소리, 누룩이 뜨는 내음새

긍정적 이미지, 부정적 이미지

- **긍정적 이미지**: 시어나 시구에 좋음, 밝음 등과 같은 긍정적 의미가 담길 때 형성되는 이미지.
- **부정적 이미지**: 시어나 시구에 싫음, 어두움 등과 같은 부정적 의미가 담길 때 형성되는 이미지.

상승 이미지, 하강 이미지

- **상승 이미지**: 낮은 곳에서 높은 곳으로 올라가는 듯한 느낌을 주는 이미지.
- **하강 이미지**: 높은 곳에서 낮은 곳으로 내려가는 듯한 느낌을 주는 이미지.
  예 푸른 하늘에 닿을 듯이 / 세월에 불타고 우뚝 남아 서서 (중략)
  검은 그림자 쓸쓸하면 / 마침내 호수 속 깊이 거꾸러져
  ○: 상승 이미지 □: 하강 이미지

동적 이미지, 정적 이미지

- **동적(動的) 이미지**: 움직임이 느껴지는 이미지.
  → 힘차고 활발하게 움직이는 느낌을 줄 때는 '역동적 이미지'라고도 함.
- **정적(靜的) 이미지**: 고요하고 움직임이 느껴지지 않는 이미지.
  예 산은 자하산 / 봄눈 녹으면 (중략)
  청노루 / 맑은 눈에 // 도는 / 구름 ○: 동적 이미지 □: 정적 이미지

정답 | ❶ 음보율 ❷ 통사 ❸ 수미상관 ❹ 시적 허용 ❺ 공감각적

05 시어의 함축성과 비유, 상징

개념의 좌표: 현대시 - 화자, 대상, 상황 - 정서, 태도, 어조 - 운율 - 이미지(심상) - 함축성 비유, 상징 - 표현 기법 - 전개 방식

시어의 함축성

시인은 자신의 정서와 생각을 표현하기 위해 비유, 상징과 그 밖의 표현 기법을 사용하여 일상 언어에 새로운 의미를 부여함. 이로써 시어는 사전적 의미에 더해서 다양하고 새로운 뜻을 지니게 되는데, 이러한 시어의 성질을 '함축성'이라고 함.

예 어머니는 / 눈물로 / 진주를 만드신다. ○: 어머니의 슬픔과 아픔 □: 슬픔과 아픔을 이겨 내고 얻은 결실

비유

어떤 대상을 직접 설명하지 않고 그와 유사한 다른 대상에 빗대어 표현하는 방법. 표현하고자 하는 대상은 '원관념', 빗대기 위해 사용한 대상은 '보조 관념'이라고 함.

❶ □□법

'~처럼, ~같이, ~듯이, ~인 양' 등의 표현을 사용하여 원관념을 보조 관념에 직접 빗대어 표현하는 방법.

예 나는 찬밥처럼 방에 담겨 / 아무리 천천히 숙제를 해도

원관념: 나, 보조 관념: 찬밥

은유법

'A는 B이다'와 같은 형식으로 원관념과 보조 관념이 동일한 것처럼 표현하는 방법.

예 산꿩이 알을 품고 / 뻐꾸기 제철에 울건만, //
마음은 제 고향 지니지 않고 / 머언 항구(港口)로 떠도는 구름.

원관념: 화자의 마음, 보조 관념: 떠도는 구름

❷ □□법

사람이 아닌 시적 대상을 사람이 행동하는 것처럼 표현하는 방법.

예 바람은 내 귀에 속삭이며 / 한 자국도 섰지 마라 옷자락을 흔들고
종다리는 울타리 너머에 아씨같이 구름 뒤에서 반갑다 웃네.

활유법

무생물을 생물, 특히 동물인 것처럼 표현하는 방법.

예 목이 긴 / 메아리가 / 자맥질을 / 하는 곳

대유법

대상의 일부나 특징만으로 그 대상 전체를 나타내는 방법.

예 껍데기는 가라. / 한라에서 백두까지 □: '우리나라' 전체

중의법

하나의 표현에 두 가지 이상의 원관념을 담는 표현 방법.

→ 여러 가지로 해석할 수 있기 때문에 시의 의미가 다양해지는 효과가 있음.

예 관이 내렸다. / 깊은 가슴안에 밧줄로 달아 내리듯. (중략)
나는 옷자락에 흙을 받아 / 좌르르 하직했다.

① (눈물을 쏟으며) 작별을 고했다. ② (좌르르 소리 내며) 흙을 쏟았다.

풍유법

본뜻을 숨기고 비유하는 말만으로 숨겨진 뜻을 암시하는 표현 방법.

→ 원관념을 직접 드러내지 않고 속담, 관용어, 격언 등을 보조 관념으로 사용함.

예 야, 이놈아, / 뿌리가 없으믄 썩는겨. / 귀신 씨나락 까먹는 소리 허지두 말어.

'이치에 맞지 않는 엉뚱하고 쓸데없는 말'을 뜻하는 속담.

❸ ◯◯

추상적이거나 복잡한 대상을 구체적인 사물로 대신하여 표현하는 방법. 원관념은 시에 드러나지 않고 보조 관념만 드러남.

개인적 상징
시인(작가)이 시어에 자신만의 독특한 의미를 부여한 상징.
예 성북동 산에 번지가 새로 생기면서
본래 살던 성북동 [비둘기]만이 번지가 없어졌다.
□: 관습적으로 평화를 상징하는 비둘기에 개인적 상징을 부여하여, 파괴된 자연과 소외 현상을 표현함.

관습적 상징 = 문화적 상징
특정 사회나 집단에서 오랫동안 널리 사용되어 온 상징.
예 지금 눈 내리고 / [매화] 향기 홀로 아득하니
□: 선비의 '절개'와 '지조'라는 관습적 상징과 연결되어 '강인한 의지'를 의미함.

원형적 상징
특정 사회나 집단을 뛰어넘어 인류 전체가 사용하는 상징.
예 만 리 밖에서 기다리는 그대여
저 (불) 지난 뒤에 / 흐르는 [물]로 만나자.
○: 파괴, 죽음 □: 재생, 생명

06 다양한 표현 기법 ① – 강조하기와 변화 주기

개념의 좌표: **현대시** – 화자, 대상, 상황 – 정서, 태도, 어조 – 운율 – 이미지(심상) – 함축성 – 표현 기법 – 전개 방식

강조하기

특정 부분을 강조하여 자신의 생각이나 감정을 더욱 인상적으로 전달하는 표현 기법.
→ 강조된 부분은 독자에게 선명한 인상을 주며, 작품의 주제와 관련이 깊음.

과장법
표현하려는 대상을 실제보다 훨씬 크거나 작게, 혹은 많거나 적게 표현하는 방법.
예 대동강 물이야 언제나 마르려나 / 이별 눈물 해마다 푸른 물결 보태나니.
→ '이별 눈물' 때문에 대동강 물이 마르지 않는다고 과장하여 표현함.

반복법
같거나 비슷한 표현(단어, 구절, 문장)을 되풀이하는 방법.
예 [나 두 야 가련다] / 나의 이 젊은 나이를 / 눈물로야 보낼 거냐 / [나 두 야 간다]

열거법
서로 비슷하거나 관련이 있는 어구를 늘어놓아 의미를 강조하는 표현 방법.
예 별 하나에 [추억]과 / 별 하나에 [사랑]과 / 별 하나에 [쓸쓸함]과
별 하나에 [동경]과 / 별 하나에 [시]와 / 별 하나에 [어머니, 어머니,]

❹ ◯◯법
뜻이 점점 강해지거나, 커지거나, 높아지거나, 넓어지게 표현하는 방법.
↔ 점강법: 강하고 큰 것에서 약하고 작은 것의 순서로 점점 낮추어 표현하는 방법.
예 [눈]은 살아 있다 / [떨어진 눈]은 살아 있다 / [마당 위에 떨어진 눈]은 살아 있다

대조법
서로 반대되는 대상이나 내용을 맞세워 주제를 강조하거나 선명한 인상을 주는 표현 방법.
예 별은 (밝음) 속에 사라지고 / 나는 △어둠△ 속에 사라진다.

연쇄법
앞 구절의 말을 다음 구절의 첫부분에서 반복하여 내용을 연결해 가는 방법.
예 이웃의 슬픔은 [이분의 슬픔]이었고 / [이분의 슬픔]은 이글거리는 빛이었다

정답 | ❶ 직유 ❷ 의인 ❸ 상징 ❹ 점층

영탄법

놀라움, 슬픔, 감탄, 탄식 등 화자의 극적으로 고조된 정서를 감탄의 형태로 표현하여 강조하는 방법.

예 고운 폐혈관이 찢어진 채로 / 아아, 늬는 산(山)새처럼 날아갔구나!

❶ □□법

= 의문형 진술

말하려는 내용을 의문문의 형식으로 표현하여 의미를 강조하는 표현 방법.

예 천지 만물을 한 줄에 꿰어 놓고 / 가이없이 한없이 펄렁 펄렁.
하나님, 보시니 마땅합니까? → '마땅하지 않다'라는 화자의 인식을 설의법으로 표현함.

도치법

말의 차례를 바꾸어 쓰는 표현 방법.

예 아직 서해엔 가 보지 않았습니다. / 어쩌면 당신이 거기 계실지 모르겠기에

변화 주기

문장에 변화를 주어 표현하는 방법.
→ 시에 생동감을 부여하고, 표현의 단조로움을 피하여 독자에게 신선한 느낌을 줌. 의미 강조 가능.

대구법

같거나 비슷한 문장 구조를 짝을 맞추어 나란히 배열하는 표현 방법.

예 떠나고 싶은 자 / 떠나게 하고 // 잠들고 싶은 자 / 잠들게 하고

문장 구조(통사 구조)의 반복

문장 구조(통사 구조)의 반복은 비슷한 구조의 문장이 반복되는 것을 말함. 대구법처럼 문장이 짝을 맞추어 '나란히' 배열되지 않아도 비슷한 형태의 문장이 반복되면 "통사 구조가 반복되었다."라고 표현할 수 있음.

예 고향이 고향인 줄도 모르면서 / 긴 장대 휘둘러 까치밥 따는
서울 조카아이들이여 / 그 까치밥 따지 말라(중략)
공중을 오가는 날짐승에게 길을 내어 주는 / 그것은 따뜻한 등불이었으니
철없는 조카아이들이여 / 그 까치밥 따지 말라 → "~조카아이들이여 / 그 까치밥 따지 말라"라는 통사 구조가 반복됨.

인용법

다른 사람의 말이나 글을 끌어 쓰는 방법.

예 눈에 들어오는 / 병풍의 '낙지론(樂志論)'을 / 읽어도 보고…… //
그렇다! / 아무리 쪼들리고 / 웅숭그릴지언정 //
– '어찌 제왕의 문에 듦을 부러워하랴' → 〈낙지론〉의 구절을 인용함.

생략법

불필요한 부분을 줄여 말줄임표로 나타내는 방법. → 여운을 주는 효과가 있음.

예 꽝 꽝 얼어붙은 잔등으로 혹한을 막으며 / 하얗게 얼음으로 엎드려 있던 아버지,
아버지, 아버지……

문답법

묻고 답하는 형식으로 표현하는 방법. 스스로 묻고 답하는 것은 '자문자답'이라고도 함.

예 여보소 공중에 / 저 기러기 / 공중엔 길 있어서 잘 가는가? → 질문
여보소 공중에 / 저 기러기 / 열십자 복판에 내가 섰소. → 대답

반어법

속마음과 반대로 표현하는 방법.

예 오늘도 어제도 아니 잊고 / 먼 훗날 그때에 "잊었노라."
→ 사랑하는 대상을 잊지 못한 화자의 속마음을 반어법으로 나타냄.

❷ □□법

이치에 맞지 않고 모순되는 표현처럼 보이지만 그 속에 진실을 담고 있는 표현 방법.

예 붉은 파밭의 푸른 새싹을 보아라 / 얻는다는 것은 곧 잃는 것이다

07 다양한 표현 기법 ② – 객관적 상관물, 변주, 행간 걸침

 개념의 좌표

현대시 – 화자, 대상, 상황 – 정서, 태도, 어조 – 운율 – 이미지(심상) – 함축성 – 표현 기법 – 전개 방식

문학

객관적 상관물

화자의 정서를 간접적으로 드러내는 데에 사용된 구체적인 사물.

화자의 대리물(분신)

화자를 대신하는 사물.

예 어두워 오는데 하이야니 눈을 맞을, 그 마른 잎새에는,
쌀랑쌀랑 소리도 나며 눈을 맞을,
그 드물다는 굳고 정한 갈매나무라는 나무를 생각하는 것이었다.
→ '갈매나무'는 화자가 지향하는 의지적 삶을 의미함.

정서 자극물(촉매)

화자의 정서를 불러일으키거나 심화하는 사물.

예 산마다 단풍만 저리 고우면 뭐헌다요 (중략)
당신이 안 오는데 뭔 헛짓이다요
→ '단풍'을 보고 당신과 이별한 처지를 인식하면서 슬픔이 심화됨.

❸ □□ 이입물

화자의 감정이 투영된 사물.

예 이 비 그치면
내 마음 강나무 긴 언덕에
서러운 풀빛이 짙어 오것다.
→ '풀빛'이 화자와 같이 애상적 정서를 느낀다고 동일시하여 표현함.

❹ □□

시어나 시구, 문장 구조 등에 변화를 주는 것.

예 그러는 동안에 몸을 팔아 버린 벗도 있다.
그러는 동안에 맘을 팔아 버린 벗도 있다.
그러는 동안에 드디어 서른여섯 해가 지나갔다.
→ "그러는 동안에 ~ 버린 벗도 있다."를 반복하다가 문장 구조를 변주함.

행간 걸침

시어가 앞 행과도 연결되고, 뒤 행과도 연결되게 함으로써 독자의 호흡을 빼앗아 시적 긴장감을 불러일으키는 표현 기법.

예 어둠은 새를 낳고, 돌을
낳고, 꽃을 낳는다.

정답 | ❶ 설의 ❷ 역설 ❸ 감정 ❹ 변주

표현 효과와 관련된 개념들

다양한 표현 방법을 사용함으로써 얻을 수 있는 효과를 구체적으로 설명한 말들.

대상과의 ❶ □□감(일체감) / 거리감

화자가 시적 대상을 심리적으로 가깝다고 느끼거나 대상과 자신을 같다고 느끼면 친밀감이나 일체감이 생기고, 반대로 화자가 시적 대상과 심리적으로 멀다고 느끼거나 대상을 자신과 다르다고 여기면 거리감이 생김.

예 여승은 합장하고 절을 했다 / 가지취의 내음새가 났다
쓸쓸한 낯이 옛날같이 늙었다 / 나는 불경처럼 서러워졌다
→ 여승의 처지를 안타까워하는 마음을 드러냄으로써 화자와 대상(여승) 사이의 거리가 가깝게 느껴짐.

생동감
= 생명감

시적 대상에 생기가 있고 그것이 살아서 움직이는 듯한 느낌. 음성 상징어나 동적 이미지 등이 사용된 시에서 느낄 수 있음.

예 산아, 우뚝 솟은 푸른 산아. 철철철 흐르듯 짙푸른 산아.
→ 음성 상징어와 역동적 이미지의 시어를 사용하여 시에 생동감을 줌.

시적 긴장감

참신한 표현을 사용하여 독자가 시에 관심과 흥미를 갖게 하는 것. 함축적 시어 사용, 반어법이나 역설법, 대화 삽입, 의도적 생략, 행간 걸침 등 다양한 방법을 통해 만들어짐.

예 "지금 부셔 버릴까." / "안 돼, 오늘 밤은 자게 하고 내일 아침에……" (중략)
두런두런 인부들 목소리 꿈결처럼 섞이어 들려오는
→ 인부들의 대화를 삽입하여 시적 긴장감을 조성함.

시적 여운

시를 다 읽고 난 후에 마음에 오래 머무는 느낌. 수미상관 구조를 사용하거나 명사로 시를 종결할 때, 생략법을 사용하여 독자에게 생각할 거리를 남길 때 주로 만들어짐.

예 꽃은 꽃대로 놓아두고 저는 땅 밑으로만 궁그는,
꽃 진 자리엔 얼씬도 하지 않는, / 열한 개의 구덩이를 가진 늙은 애기집

08 시상 전개 방식 ① – 시·공간 관련

개념의 좌표: 현대시 – 화자, 대상, 상황 – 정서, 태도, 어조 – 운율 – 이미지(심상) – 함축성 – 표현 기법 – 전개 방식

시상 전개 방식

'시상'은 시인이 시를 통해 표현하고자 하는 생각이나 정서를 말함. 시인은 시상을 효과적으로 표현하기 위해 소재나 시구 등을 일정한 규칙에 따라 배열하여 시의 구조를 만들어 내는데, 이렇게 시상을 전개해 나가는 것을 '시상 전개 방식'이라고 함.

시간의 흐름에 따라
= 순행적 시상 전개 방식

순차적인 시간의 흐름에 따라 시상을 전개하는 방식.

예 까득한 날에(과거)… // 지금 눈 내리고(현재)… // 다시 천고의 뒤에(미래)…

시간의 흐름을 역행하여
= 역순행적 시상 전개 방식

시간의 순서를 뒤바꾸어 시상을 전개하는 방식.

예 여승은 합장하고(현재)… // 파리한 여인에게서(과거①)… // 지아비 기다려 십 년이 갔다(과거②)……

공간의 이동에 따라

화자가 공간을 옮겨 다니면서 시상을 전개하는 방식.

예 유성에서 조치원으로… / 조치원에서 공주로… / 공주에서 온양으로…

❷ □□의 이동에 따라

화자는 한 장소에 있으면서, 시적 대상을 바라보는 화자의 시선만 이동하는 전개 방식.

예 들길은… / 마을 골목은… / 보리도… / 꾀꼬리는… / 산봉우리야…

09 시상 전개 방식 ② – 그 밖의 시상 전개 방식

개념의 좌표: **현대시** – 화자, 대상, 상황 – 정서, 태도, 어조 – 운율 – 이미지(심상) – 함축성 – 표현 기법 – 전개 방식

수미상관에 따라

시의 처음과 끝에 형태나 의미가 동일하거나 유사한 시구를 배열하는 시상 전개 방식.

예 모란이 피기까지는 / 나는 아직 나의 봄을 기다리고 있을 테요 (중략)
모란이 지고 말면 그뿐, 내 한 해는 다 가고 말아 / 삼백예순 날 하냥 섭섭해 우옵내다
모란이 피기까지는 / 나는 아직 기다리고 있을 테요 찬란한 슬픔의 봄을

기승전결에 따라

'시상의 제시[기]→시상의 발전·심화[승]→시상의 고조·전환[전]→시상의 마무리[결]'의 순서로 시상이 전개되는 방식.

예 봄은 / 남해에서도 북녘에서도 / 오지 않는다. // [기]
너그럽고 / 빛나는 / 봄의 그 눈짓은, (중략) [승]
겨울은, / 바다와 대륙 밖에서 (중략) [전]
움터서, 강산을 덮은 그 미움의 쇠붙이들
눈 녹이듯 흐물흐물 녹여 버리겠지. [결]

❸ □□□□에 따라

시의 앞부분에는 시적 대상의 모습이나 경치를 묘사한 뒤, 뒷부분에서는 그 대상이나 경치에서 느낀 화자의 정서와 태도를 드러내는 시상 전개 방식. → '화자의 시선이 외부에서 내면으로 이동'한다고 표현하기도 함.

예 낙동강 빈 나루에 달빛이 푸릅니다 (중략) — 선경
온 세상 쉬는 숨결 한 갈래로 맑습니다.
차라리 외로울망정 이 밤 더디 새소서 — 후정

대비에 따라

둘 이상의 대상이 지닌 차이점을 맞대어 비교하는 '대조'에 따른 시상 전개 방식.

예 나는 한 마리 어린 짐승, / 젊은 아버지의 서느런 옷자락에
열로 상기한 볼을 말없이 부비는 것이었다. (중략) — 과거 - 아버지의 사랑을 느낌.
어느새 나도 / 그때의 아버지만큼 나이를 먹었다. — 현재 - 삭막한 현실에서 아버지의 사랑을 그리워함.
→ 과거와 현재를 대비하여 시상을 전개함.

❹ □□적 전개

시어나 시구의 의미, 또는 화자의 정서가 점점 강화되고 깊어지는 시상 전개 방식. 시의 전체 또는 일부분에서 점층법이 사용되어 시상이 확장되면서 시의 의미가 구체적으로 드러남.

예 떨리는 손 떨리는 가슴 / 떨리는 치떨리는 노여움으로 나무 판자에

어조의 변화에 따라

시적 화자의 어조를 바꾸어 시상에 변화를 주는 전개 방식. → 화자의 정서나 태도가 변화함에 따라 어조의 변화가 나타남!

예 사랑도 사람의 일이라 만날 때에 미리 떠날 것을 염려하고 경계하지 아니한 것은 아니지만, 이별은 뜻밖의 일이 되고 놀란 가슴은 새로운 슬픔에 터집니다.
그러나 이별을 쓸데없는 눈물의 원천을 만들고 마는 것은 (중략) 슬픔의 힘을 옮겨서 새 희망의 정수박이에 들어부었습니다.
→ '그러나'를 경계로 전반부에는 좌절·슬픔의 어조가, 후반부에는 의지적·희망적 어조가 나타남.

정답 | ❶ 친밀 ❷ 시선 ❸ 선경후정 ❹ 점층

시상 전개 과정에서 나타나는 특징

시상의 전환

시가 진행될수록 화자의 정서나 태도가 급격하게 바뀌거나 시적 상황이 변하며 시의 분위기가 완전히 달라지는 시상 전개 방식.

→ '그러나, 그런데, 한편'등의 접속사나 '느닷없이, 갑자기' 등의 부사가 자주 사용됨.

예 북어들의 빳빳한 지느러미. / 막대기 같은 생각 (중략)
헤엄쳐 갈 데 없는 사람들이 / 불쌍하다고 생각하는 순간,
느닷없이 → 시상의 전환: 초점이 북어에서 화자로 바뀜.
북어들이 커다랗게 입을 벌리고 / 거봐 너도 북어지 너도 북어지 너도 북어지
귀가 먹먹하도록 부르짖고 있었다.

시상의 확산

시가 진행될수록 시의 의미나 내용이 점차 확장되는 시상 전개 방식. 시적 대상이나 시적 화자의 인식 범위가 확장될 때를 말함.

예 내가 그의 이름을 불러 주기 전에는 / 그는 다만 / 하나의 몸짓에 지나지 않았다. //
내가 그의 이름을 불러 주었을 때 / 그는 나에게로 와서 꽃이 되었다 (중략)
우리들은 모두 / 무엇이 되고 싶다.
너는 나에게 나는 너에게 / 잊혀지지 않는 하나의 눈짓이 되고 싶다.
→ 시적 화자의 인식이 '몸짓→꽃→눈짓'으로 점차 확대됨.

시상의 ❶ □□

시가 진행될수록 내용이 한 시어나 시구에 집중되는 시상 전개 방식.

→ 시상을 요약하여 압축적으로 드러내는 효과가 있음.

예 어둠은 새를 낳고, 돌을 / 낳고, 꽃을 낳는다. (중략)
무거운 어깨를 털고 / 물상들은 몸을 움직이어
노동의 시간을 즐기고 있다. (중략)
아침이면, / 새벽은 개벽을 한다.
→ 밝고 생동감 넘치는 아침의 모습(시상)을 '개벽'이라는 시어로 집약하여 드러냄.

10 고전 시가의 갈래 ① – 고대 가요, 향가, 고려 가요, 한시

고전 시가 – 고전 시가의 갈래 – 고전 시가의 주제

고대 가요

고대 부족 국가 시대에서 삼국 시대 초기까지 향가 성립 이전에 불린 노래.

- **내용상 특징**: 의식요, 노동요의 성격을 지닌 집단 가요의 성격을 띠다가, 점차 개인의 정서를 노래하는 개인 서정 가요도 창작됨.
- **형식상 특징**: 배경 설화와 함께 구전되다가 이후에 한자로 번역되어 글로 전해짐. 대부분 4구체 한역시가 전해지며 두 개의 구(행)씩 묶어 전반부와 후반부로 나뉨.

예 〈구지가〉, 〈해가〉, 〈공무도하가〉, 〈황조가〉, 〈정읍사〉 등

• 翩翩黃鳥 훨훨 나는 저 꾀꼬리
　雌雄相依 암수 서로 정다운데
　念我之獨 외로운 이내 몸은
　誰其與歸 뉘와 함께 돌아갈까

> **'~구체', '한역시'**
>
> 고전 시가에서 '~구체'라는 말은 오늘날 시행과 같은 의미로 생각하면 된다. 따라서 4구체라는 말은 4행으로 이루어진 시라는 뜻이다. 그리고 '한역시'는 처음부터 한자로 기록한 '한시'와 달리, 우리말로 불리던 노래가 정착의 과정에서 한자로 기록된 것을 말한다.

❷ ◯◯

신라 시대에 유행한 우리말 노래. 한자의 음과 뜻을 빌려 우리말을 쓰는 방법인 향찰로 기록되었음. 주로 승려나 화랑 사이에서 향유됨.

- **내용상 특징**: 부처님을 찬양하며 신앙심을 표현한 불교적 노래가 가장 많으며, 민요, 동요, 토속 신앙에 관련된 노래, 임금님을 그리워하는 유교적인 내용을 담은 노래도 있음.
- **형식상 특징**: 4구체, 8구체, 10구체로 나뉨.

예 4구체: 〈서동요〉, 〈헌화가〉
　8구체: 〈처용가〉, 〈모죽지랑가〉
　10구체: 〈찬기파랑가〉, 〈제망매가〉, 〈안민가〉 등 → 10구체의 마지막 두 행인 '낙구'는 감탄사로 시작함.

• 아아, 미타찰에서 만날 나 / 도(道) 닦아 기다리겠노라. → 〈제망매가〉의 낙구(9~10행)

고려 ❸ ◯◯

= 고려 속요, 여요, 장가. 고려 시대 때 평민들이 부른 노래로, 고대로부터 내려온 민요에 바탕을 두고 형성되어 작자 미상의 작품이 많음.

- **내용상 특징**: 남녀 간의 사랑, 자연에 대한 예찬, 이별의 안타까움 등 평민들의 소박하고 진솔한 감정들이 잘 드러나는 작품이 많음.
- **형식상 특징**: ❹ ◯ 음보를 기본으로 하며 '3·3·2조'의 음수율이 많이 나타남. 운율을 형성하는 여음(구), 조흥구가 나타남. 대부분 몇 개의 연으로 구분되는 분연체(분절체)이며 각 연마다 후렴구가 붙음.

예 〈동동〉, 〈처용가〉, 〈청산별곡〉, 〈사모곡〉, 〈정석가〉, 〈가시리〉, 〈서경별곡〉, 〈쌍화점〉, 〈만전춘(별사)〉 등

• 가시리 가리시 잇고 나는 / 부리고 가시리 잇고 나는 / 위 증즐가 대평성대(大平盛大)
　└ 나는: 여음(운율 맞춤. 뜻이 없음.) ┘　　위 증즐가 대평성대(大平盛大): 후렴구

한시

한문으로 된 정형시. 한문을 배운 지배층을 중심으로 하여 창작되었음.

- **형식상 특징**: 4개의 구로 된 '절구'와 8개의 구로 된 '율시'로 나뉨. 절구는 선경후정의 방식으로 시상이 전개되는 경우가 많음.

예 〈송인〉, 〈춘망〉 등

정답 | ❶ 집약 ❷ 향가 ❸ 가요 ❹ 3

11 고전 시가의 갈래 ② – 시조, 가사, 민요

개념의 좌표: **고전 시가** – 고전 시가의 갈래 – 고전 시가의 주제

시조

고려 중기에 생겨나 고려 말에 완성된 우리 고유의 정형시로, 오늘날까지 창작되고 있는 우리 시가 문학의 대표적인 갈래.

형식상 특징: '초장–중장–종장'의 3장(행)으로 구성됨. 각 장은 2구씩 구성되어 총 6구로 이루어짐. 총 글자는 45자 내외이며, '3·4조, 4·4조'의 음수율과 ❶  음보의 운율이 나타남. 종장의 첫 음보는 3음절임.

시조의 종류

㉠ 평시조: 3장 6구 45자 내외의 형식을 지킨 시조. 평시조가 두 개 이상 모여 한 작품을 이루면 ❷ ☐☐☐ 라고 함. 예 〈이화에 월백하고〉, 〈동짓달 기나긴 밤을〉, 〈십 년을 경영하여〉, 〈오우가〉 등

㉡ 사설시조: 평시조에서 초장이나 중장이 두 구 이상 길어진 시조.
예 〈두터비 파리를 물고〉, 〈개를 여라믄이나 기르되〉 등

시조의 변화

시대	내용
고려 시대	'고려→조선'으로 왕조가 교체되는 시점에서 충(忠)과 의(義)라는 유교적 이념을 다룬 시조(절의가)와 늙음을 한탄하는 시조(탄로가)가 나타났음.
조선 초기	신흥 사대부가 유교적 이념이나 검소한 생활 태도를 강조하고 자연을 예찬하는 시조를 창작함. 기녀가 시조를 향유하게 되면서 남녀 간의 사랑을 다룬 시조가 등장함.
조선 후기	임진왜란, 병자호란 이후 사대부들이 나라를 걱정하는 내용의 시조를 많이 창작함. 평민들이 시조를 향유하면서 사설시조가 창작되어 현실을 풍자하고 삶의 고달픔을 해학적으로 그려 냄.

❸ 

고려 말에 발생하여 조선 초기에 자리 잡은 국문 시가. 시조와 달리 4음보의 운율만 지킨다면 행수(行數)에 제한 없이 길게 늘어날 수 있음. 시가와 산문의 중간 형태의 갈래로 보기도 함.

형식상 특징: '3·4조, 4·4조'의 음수율, 4음보의 연속체. '서사–본사–결사'의 짜임을 갖추고 낙구(마지막 구)는 시조의 종장과 형태가 같음.

내용에 따른 가사의 분류

㉠ 은일 가사: 벼슬을 떠나 자연 속에서 사는 선비들의 모습이 나타난 가사. 자연을 예찬하거나 조용하고 편안한 자연 속 삶에 만족하는 내용이 많음. 예 〈상춘곡〉, 〈면앙정가〉, 〈누항사〉 등

㉡ 유배 가사: 유배의 경험을 다룬 가사. 임금에 대한 변함없는 충성을 호소하고 자신의 무죄를 주장하며, 정치적인 적에 대한 복수심을 드러내는 내용이 많음. 예 〈만분가〉, 〈만언사〉, 〈북천가〉 등

㉢ 기행 가사: 여행 경험을 다룬 가사. 예 〈관동별곡〉, 〈일동장유가〉, 〈연행가〉 등

㉣ 내방(규방) 가사: 양반 집안의 부녀자들 사이에 유행한 가사. 예 〈규원가〉 등

가사의 변화

시대	내용
조선 전기	주로 사대부들이 향유하였으므로 유교적 가치(임금에 대한 감사, 충성)를 다룬 것이 많음.
조선 후기	향유층이 서민, 여성으로까지 확대되어 일상적이고 현실적인 내용을 표현한 작품이 늘어남.

민요

일반 백성들 사이에서 자연스럽게 형성되어 구전된 노래.

형식상 특징: '3·4조, 4·4조'의 음수율과 '3음보, 4음보'의 운율이 나타남. 후렴구로 연을 구분하여 형식상 통일성을 얻음.

내용상 특징: 백성들이 일하면서 느끼는 보람과 즐거움, 삶의 고통 등을 솔직하게 드러냄.

예 〈시집살이 노래〉, 〈베틀 노래〉, 〈잠 노래〉, 〈밀양 아리랑〉, 〈정선 아리랑〉, 〈아리랑 타령〉 등

12 고전 시가의 주제

고전 시가 — 고전 시가의 갈래 — 고전 시가의 주제

유교적 가치

조선 시대의 통치 이념인 유교에서 중시하는 가치.

- **자기 수양**: 지배층인 사대부가 성인들의 가르침을 공부하고 생활에서 실천해 자신의 지식과 도덕성을 높은 수준까지 끌어 올려야 한다고 강조함. 특히 '자신의 몸과 마음을 닦은 후 남을 다스린다'라는 뜻의 '수기치인'을 강조하였음. 예 〈고인도 날 못 보고〉 등
- **충효(忠孝)**: 신하가 임금에게 충성을 다하는 '충'과, 자식이 부모를 정성껏 공경하는 '효'가 강조됨. 예 〈한거십팔곡〉 등 → '충(忠)'과 관련된 개념: 연군지정, 충신연주지사, 회고가, 절의가, 사군자
- **애민(愛民) 정신**: 임금과 신하가 백성을 자식처럼 돌보고 사랑해야 한다는 '애민 정신'이 강조되었음. 예 〈관동별곡〉 등

❹ ○○과 함께하는 삶

사대부는 자연을 자기 수양의 본보기로 삼아 자연을 예찬하고 즐겼음. 이때 자연은 혼란한 세상과 대조되는 공간으로 그려짐.

- **강호가도/강호한정**: '강호가도'는 '자연에서 도를 노래하다', '강호한정'은 '자연에서 즐기는 한가로운 정서'를 뜻함. 자연을 예찬하는 내용을 다루고 있으며, 자연 속에서의 소박한 삶을 긍정하거나 자연을 매개로 자기 수양을 다짐하는 내용이 담겨 있음. 예 〈십 년을 경영하여〉 등 → '강호가도/강호한정' 관련 개념: 안빈낙도, 안분지족, 유유자적, 물아일체
- **'사'와 '대부'라는 정체성 사이의 갈등**: '사'는 '자연에서 자기 수양을 하는 선비'를, '대부'는 '현실 정치에 참여해 백성을 다스리는 관리'를 뜻함. 조선 시대 사대부들은 자연을 즐기면서도 현실 정치와 자연 사이에서 갈등하였음. 예 〈강호사시가〉 등

부정적인 현실과 백성들의 삶

- **탐관오리에 대한 비판**: '탐관오리'는 '백성의 재물을 탐내어 빼앗는, 행실이 깨끗하지 못한 관리'로, 사회가 혼란했던 고려 말이나 조선 후기에 쓰인 시가 중에는 탐관오리에 대한 비판을 담은 경우가 많음. 예 〈고시 8〉 등
- **여성들의 고통**: 가부장제 사회 속에서 여성들은 집안일과 시집살이의 어려움을 감내해야 했으며, 정절을 지킬 것을 강요당함. 이러한 사회 속에서 여성들이 겪는 시름과 고달픔은 규방 가사와 민요 등에서 잘 나타남. 예 〈규원가〉 등

사랑과 이별

고전 시가에서 꾸준히 다루어진 주제로, 기녀들이 시조와 평민들의 사설시조 등에서 잘 나타남.

- **이별의 슬픔과 그리움**: 주로 기녀들의 시조에서 나타남. 한문을 주로 사용한 사대부의 시조와 달리 우리말의 아름다움을 잘 살려 이별의 슬픔을 섬세하게 표현함. 예 〈이화우 흩뿌릴 제〉 등
- **기다리는 마음**: 평민들의 사설시조에는 남녀 간의 사랑을 노래한 작품이 많음. 이러한 사설시조는 행동이나 상황을 과장하여 웃음을 유발하는 해학적 분위기가 두드러짐. 예 〈님이 오마 하거늘〉 등

정답 | ❶ 4 ❷ 연시조 ❸ 가사 ❹ 자연

13 서술자와 시점

개념의 좌표: **현대 소설** – 서술자와 시점 – 거리, 인물, 서술자의 태도 – 서술상의 특징 – 갈등 – 구성 – 소재 – 배경

시점 '소설 속 인물이나 사건을 바라보는 관점'으로, '작가를 대신해 독자에게 이야기를 들려주는 사람'인 서술자의 위치와, 서술자가 누구에 대해, 어디까지 서술하느냐에 따라 나뉨.

서술자의 위치 \ 인물의 내면 심리 표현 여부	인물의 내면까지 서술	외면만 관찰하여 서술
작품 안	서술자 '나'가 줄곧 자신의 이야기만 함. → 1인칭 주인공 시점	서술자 '나'가 남의 이야기만 함. → 1인칭 관찰자 시점
작품 밖	서술자가 인물들의 속마음과 현재 상황에서 알 수 없는 정보까지 모두 알고 있음. → 전지적 작가 시점	서술자 겉으로 보이는 내용만 전달함. → 3인칭 관찰자 시점

1인칭 주인공 시점

작품 속 주인공인 '나'가 자신의 이야기를 직접 전달하는 시점.

- 주인공이 자신의 내면세계를 직접 드러냄. → 독자는 주인공에게 친근감, 신뢰감을 느낌.
- 사건이 '나'의 입장에서만 서술됨. → 서술 내용이 주관적이기 쉬움.

1인칭 ❶□□□ 시점

작품 속 부수적 인물인 '나'가 주인공을 관찰하여 주인공에 대한 이야기를 전달하는 시점.

- '나'는 주인공을 비롯한 등장인물의 내면세계를 속속들이 알지 못함.

→ 등장인물의 내면이 직접 드러나지 않으므로 독자는 긴장감과 신비감을 느낌. 또 인물들의 심리와 성격을 추측하며 작품을 읽게 됨.

3인칭 관찰자 시점

작품 밖의 서술자가 인물의 속마음을 모른 채 상황을 관찰하여 이야기를 서술하는 시점.

- 서술자는 객관적 태도로 등장인물의 대화와 행동을 관찰하여 전달함.

→ 독자는 사건의 의미와 작가의 의도를 적극적으로 상상해야 함. 이 과정에서 극적인 효과를 기대할 수 있음.

❷□□□ 작가 시점

작품 밖의 서술자가 인물의 속마음, 과거 행적, 사건의 처음과 끝을 모두 말해 주는 시점.

- 때로는 서술자가 작가의 인생관이나 주제를 직접 드러냄.
- 독자는 서술자의 분석을 받아들이기만 하면 됨. → 독자의 상상력이 제한됨.

초점 화자

작품 밖의 서술자가 어느 한 등장인물의 속마음에 들어가서 그 인물의 시점에서 보고 듣고 느낀 바를 말하는 시점도 있는데, 이때 서술자가 속마음에 들어간 등장인물을 '초점 화자'라고 함.

→ 특정 인물을 초점 화자로 선택한다는 점에서 '선택적 작가 시점', 초점 화자의 심리만 제한적으로 알 수 있다는 점에서 '제한적 작가 시점'이라고 하기도 함.

→ 선택지에서는 '특정 인물의 시각에서 서술'이라고 표현함!

14 거리, 인물, 서술자의 태도

개념의 좌표: **현대 소설** – 서술자와 시점 – 거리, 인물, 서술자의 태도 – 서술상의 특징 – 갈등 – 구성 – 소재 – 배경

문학

거리 서술자, 인물, 독자 사이에 가깝고 멀게 느껴지는 심리적 거리. 소설의 시점이나 인물 제시 방법에 따라 달라짐.

인물의 유형

- 성격 변화 여부에 따라
  - **평면적 인물**: 작품의 처음부터 끝까지 성격이 변화하지 않는 인물 유형. 예 〈흥부전〉의 '흥부'
  - **❸ ☐☐적 인물**: 사건 전개에 따라 성격이 변화하는 인물 유형. 예 〈감자〉의 '복녀'
- 대표성에 따라
  - **전형적 인물**: 특정 시대, 특정 계층이나 집단의 특성을 대표하는 인물 유형. 예 〈꺼삐딴 리〉의 '이인국 박사'
  - **개성적 인물**: 특정 시대, 특정 계층이나 집단과 관계없이 자신만의 독자적인 성격을 뚜렷하게 지닌 인물 유형. 예 〈날개〉의 '나'
- 사건 진행에서 맡은 역할에 따라
  - **주동 인물**: 작품의 주인공으로, 사건을 이끌어 가는 역할을 하는 인물 유형. 예 〈봄·봄〉의 '나'
  - **반동 인물**: 주동 인물에 반대하여 갈등을 일으키는 대립자, 적대자의 역할을 하는 인물 유형. 예 〈봄·봄〉의 '장인'

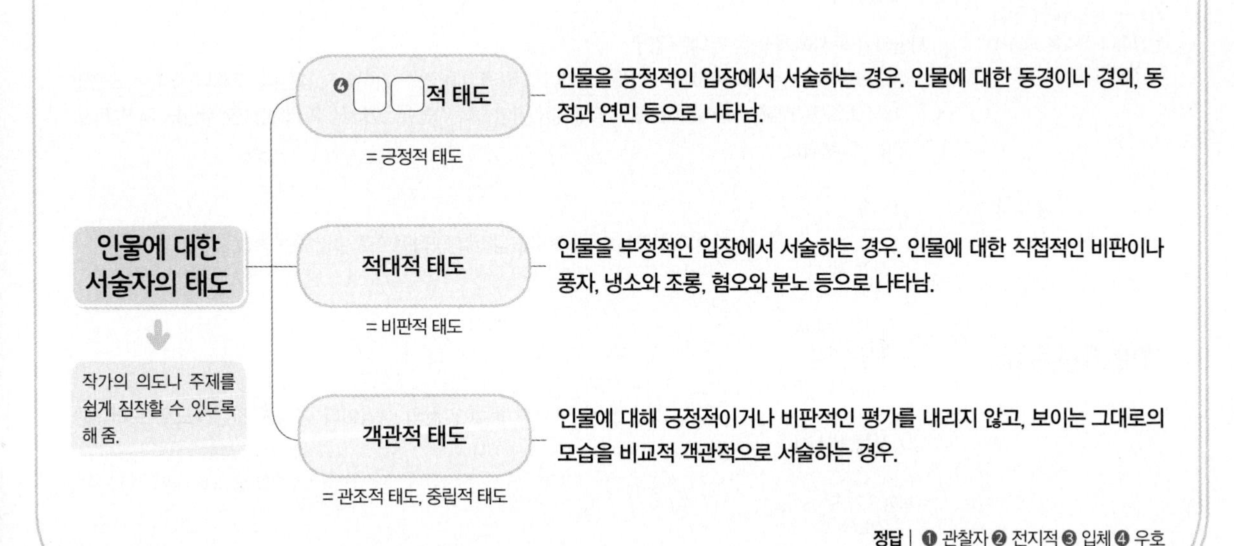

인물에 대한 서술자의 태도
작가의 의도나 주제를 쉽게 짐작할 수 있도록 해 줌.
❹ ☐☐적 태도
= 긍정적 태도
인물을 긍정적인 입장에서 서술하는 경우. 인물에 대한 동경이나 경외, 동정과 연민 등으로 나타남.
적대적 태도
= 비판적 태도
인물을 부정적인 입장에서 서술하는 경우. 인물에 대한 직접적인 비판이나 풍자, 냉소와 조롱, 혐오와 분노 등으로 나타남.
객관적 태도
= 관조적 태도, 중립적 태도
인물에 대해 긍정적이거나 비판적인 평가를 내리지 않고, 보이는 그대로의 모습을 비교적 객관적으로 서술하는 경우.

정답 | ❶ 관찰자 ❷ 전지적 ❸ 입체 ❹ 우호

15 서술상의 특징 ① – 서술 방식, 서술자의 개입, 인물 제시 방법, 풍자와 해학

개념의 좌표: 현대 소설 – 서술자와 시점 – 거리, 인물, 서술자의 태도 – 서술상의 특징 – 갈등 – 구성 – 소재 – 배경

서술 방식

서술자가 독자에게 인물, 갈등, 배경 등의 내용을 전달하는 방식. 서술 방식에 따라 전개 속도가 달라짐.

서술

인물의 내면, 사건, 배경 등을 직접 설명하는 방식.

- **요약적 제시**: 서술자가 인물의 내면이나 과거의 사건 등 핵심적인 내용을 요약하여 전달하는 서술 방식.
- **의식의 흐름 기법** (= 자동기술법): 한 인물의 머릿속에 떠오르는 생각이나 기억, 마음에 스치는 느낌을 아무런 제한 없이 의식의 흐름대로 서술하는 방법. → 서술에 논리적 순서가 없으며 사건의 인과성이 중요시되지 않음.

❶ 

인물, 사건, 배경 등을 그림 그리듯이 구체적으로 표현하는 방식.
→ 대상을 감각적이고 구체적으로 표현함으로써 생생하고 사실적인 이미지를 전달함.

대화

소설 속 등장인물들이 주고받는 말.
→ 인물의 성격과 개성을 잘 드러낼 수 있고, 사건을 장면화하여 제시함으로써 이야기의 사실성을 높임.

서술자의 ❷

인물의 심리나 사건의 정황을 모두 아는 작품 밖의 전지적 서술자가 작품 속 사건에 개입하여 자신의 입장이나 생각을 드러내는 서술 방식.

서술자가 인물에 대한 평가를 직접 내리는 경우

예 지체를 바꾸어 윤 주사를 점잖고 너그러운 아버지로, 윤 직원 영감을 속 사납고 경망스런 어린 아들로 둘러놓았으면 꼬옥 맞겠습니다.

서술자가 작중 상황을 판단하여 의견을 밝히는 경우

예 뒷간이 있음직한 곳을 이리저리 찾았으나 없었다. 집을 두 바퀴나 돌았으나 뒷간은 역시 없었다. 대체 적산집 뒷간이 밖에 있을 리가 없다.

서술자가 상황이나 인물로부터 느낀 자신의 감정을 드러내는 경우

예 아아! 유 소사는 지하에서 일어날 수 없고 두 부인도 만 리나 멀리 떠났으니, 누가 한림의 뜻을 돌릴 수 있겠는가?

서술자가 독자에게 말을 건네는 경우

예 영신과 주재소 주임 사이에 주고받은 대화나 그밖의 이야기는 기록하지 않는다. 그러나 호출한 요령만 따서 말하면, 첫째는 예배당이 좁고 오래되어 위험하니 아동을 팔십 명 이외에는 한 사람도 더 받지 말라는 것(후략)

인물 제시 방법

직접 제시 (= 말하기, Telling, 분석적 제시)

서술자가 인물의 성격이나 심리를 직접적으로 설명하는 방법.
→ 인물의 성격이나 심리를 정확하게 전달할 수 있으나, 독자의 상상력을 제한하고 이야기의 자연스러운 진행을 방해할 수 있음.

간접 제시 (= 보여 주기, Showing, 극적 제시)

인물의 말과 행동, 묘사를 통해 인물의 성격이나 심리를 간접적으로 드러내는 방법.
→ 직접 제시에 비해 생생한 느낌을 자아내고 독자가 자유롭게 상상할 수 있는 여지를 주며 극적인 효과를 낼 수 있으나, 독자가 인물의 성격을 오해할 가능성이 있음.

❸ ○○와 해학

❸ □□: 서술자가 부정적으로 보는 인물이나 사회 현실을 과장하거나 왜곡하여 우스꽝스럽게 표현함으로써 간접적으로 비판하는 서술 방식.

해학: 대상을 우스꽝스럽게 표현하여 독자가 대상에게 호감과 연민을 느끼게 하는 서술 방식.

풍자 vs 해학

	풍자	해학
공통점	표현하려는 대상을 우스꽝스럽게 나타내고 웃음을 유발함.	
차이점	대상에 대한 비웃음, 공격, 비판, 조롱을 이끌어 냄.	대상에 대한 친근감이나 연민, 동정을 이끌어 냄.

16 서술상의 특징 ② – 문체

개념의 좌표: 현대 소설 – 서술자와 시점 – 거리, 인물, 서술자의 태도 – 서술상의 특징 – 갈등 – 구성 – 소재 – 배경

문체: 작가가 작품의 내용과 주제를 전달하기 위해 사용하는 문장의 개성적인 표현 방식.

구어체, 문어체

- **구어체**: 구어(口語)로 쓰인 문체. 일상 대화에서 실제 사용하는 말투가 나타난 문체.
  → 글의 현장감과 생동감을 높임. 독자에게 친근감을 줄 수 있음. 토속어, 방언, 비속어를 활용하면 생동감이 더 잘 드러남.
- **문어체**: 문어(文語)로 쓰인 문체. 구어체에 비해 일상 대화에서는 잘 쓰지 않는 좀 더 오래된 시대의 말투나 표현.

간결체, 만연체

- **간결체**: 간결하고 짧은 문장을 반복적으로 사용한 문체.
  → 감정을 절제하여 전달할 때나 사건에 긴장감을 부여할 때 쓰임. 전투 장면과 같이 긴박한 분위기를 조성하기도 함.
- **만연체**: 장황하고 긴 문장을 반복적으로 사용한 문체.
  → 상황이나 인물의 심리를 세밀하게 전달하지만, 사건의 진행 속도가 느려져서 지루한 느낌을 줄 수도 있음.

감각적 문체 (= 감각적 문장, 감각적 수사)

시각, 청각, 후각, 미각, 촉각과 같은 인간의 감각을 자극하는 표현을 사용한 문체.
→ 장면을 생생하게 전달하는 효과가 있음.

예스러운 문체 (= 의고적 문체)

한자어나 문어적 표현, 고어를 많이 사용하여 옛글을 보는 것 같은 느낌을 주는 문체.
→ 엄숙하거나 고풍스러운 분위기를 자아냄.

정답 | ❶ 묘사 ❷ 개입 ❸ 풍자

17 서술상의 특징 ③ – 표현 기법

개념의 좌표: **현대 소설** – 서술자와 시점 – 거리, 인물, 서술자의 태도 – 서술상의 특징 – 갈등 – 구성 – 소재 – 배경

표현 기법 작가가 소설의 인물, 사건, 배경을 독자에게 효과적으로 전달하기 위해 사용하는 다양한 언어적 방법.

비유 (= 빗대어 표현)

표현하고자 하는 대상을 다른 대상에 빗대어 표현하는 방법.
→ 장면이나 인물을 더욱 실감나게 표현할 수 있음.
예 서 참의가 늘 지나다니는 식은 관사(殖銀官舍)에는 울타리가 넘게 피었던 코스모스들이 끓는 물에 데쳐 낸 것처럼 시커멓게 무르녹고 말았다. → 불행한 결말 암시

❶ □□ (= 아이러니)

작가가 실제 전달하고자 하는 바를 반대로 표현함으로써 내용을 강조하는 방법.
→ 주로 상황이나 대상을 풍자하거나 비판적 태도를 드러낼 때 사용됨.
예 장군처럼 거만하고 당당하게 장사를 나가는 너우네 아저씨의 권위는 완벽했다.
→ 아저씨에 대한 반감을 반어적으로 표현

관용적 표현 (= 관습적 표현)

속담, 관용어, 고사성어, 격언 등과 같이 오랫동안 써서 그대로 굳어진 표현.
→ 전달하고자 하는 내용을 간단하면서도 인상적으로 드러낼 수 있음.
예 "마소 새끼는 시골로, 사람 새끼는 서울로."의 속담을 그대로 좇아…

현학적 표현

지나치게 어렵고 전문적인 어휘를 필요 이상으로 사용하는 표현.
→ 자신의 학식을 과시하며 아는 척하려는 인물이 등장하는 상황에 주로 쓰임.
예 "아, 공자님께서 시전에 음군을 두셨거던!" / 그는 무슨 큰 문제나 발견한 듯이 나 있는 쪽을 엿눈으로 흘겨보며 마구 기를 뽑아 이렇게 외쳤다.

❷ □□화

인물의 외모나 성격, 또는 사건을 의도적으로 우스꽝스럽게 묘사하는 표현 방식.
→ 그 대상은 서술자가 비판적으로 인식하는 인물일 수도 있고, 동정이나 연민의 대상일 수도 있음.
예 이미 뱉어진 양칫물은 퀴퀴한 냄새와 더불어 백절 폭포로 내리쏟아져 웃으면서 쳐드는 S 소위의 얼굴 정통에 가 좌르르…… / 일변 허둥지둥 버선발로 뛰쳐나와 손바닥을 싹싹 비비는 미스터 방의 턱을 / "상놈의 자식!" / 하면서 철컥, 어퍼컷으로 한 대 갈겼더라고.

현재형 어미 사용

현재형 종결 어미 '–는다/–ㄴ다'를 사용하여 서술하는 표현 기법.
→ 장면이 현재 진행되고 있는 듯한 현장감과 생동감을 느끼게 해 줌.
예 나는 빨가벗은 채 추위에 살이 빨가니 얼어서 흰 둑길을 걸어간다. 수 발의 총성, 나는 그대로 털썩 눈 위에 쓰러진다. 이윽고 붉은 피가 하이얀 눈을 호젓이 물들여 간다.

직접 화법(인용), 간접 화법(인용)

직접 화법: 인물의 대사를 그대로 가져와 큰따옴표로 표시해서 인용하는 방식.
간접 화법: 인물의 대사를 큰따옴표 없이 제시하는 방식. → 다른 인물의 대사를 전달할 때 주로 사용됨.
예 마침 문을 들어서는 벗을 보자 그만 실례합니다. 그리고 … 벗에게, → 간접 화법
"나갑시다. 다른 데로 갑시다." → 직접 화법

18 갈등

서술자와 시점 — 거리, 인물, 서술자의 태도 — 서술상의 특징 — 갈등 — 구성 — 소재 — 배경

갈등

어떤 사건이나 상황에 대하여, 인물 자신의 생각이 마음속에서 엇갈리거나 또는 인물 간의 관점이나 태도가 서로 엇갈려서 발생하는 대립과 충돌.

- 사건을 전개함.
- 인물의 성격을 부각함.
- 갈등의 발생·해결 과정에서 주제를 분명하게 제시함.

- **❸ □□ 갈등** — 한 인물의 내면에서 일어나는 상반되거나 분열된 심리가 원인이 되는 갈등.
- **외적 갈등** — 인물과 그를 둘러싼 외적 요소가 대립하여 생기는 갈등.
  - **인물 VS 인물**: 인물 사이의 가치관, 성격, 태도, 감정, 환경 등의 차이 때문에 발생하는 갈등.
  - **인물 VS 사회**: 인물이 자신이 속한 사회의 제도, 관습, 윤리에 의해 겪게 되는 갈등.
  - **인물 VS 운명**: 인물이 자신에게 주어진 운명을 부정적으로 인식하고 그 운명에서 벗어나고자 할 때 발생하는 갈등.
  - **인물 VS 자연**: 인물이 자연 현상과 대립함으로써 발생하는 갈등.

갈등의 진행 양상

- **고조**: 갈등의 정도가 점점 높아지고 있는 상태.
- **첨예**: 갈등이 고조되어 갈등의 정도가 절정에 달한 상태.
- **해소**: 갈등을 일으키던 요인이 사라지거나 갈등이 해결되어 없어진 상태.

19 구성

개념의 좌표

서술자와 시점 — 거리, 인물, 서술자의 태도 — 서술상의 특징 — 갈등 — 구성 — 소재 — 배경

구성

= 플롯.
작가가 치밀하게 계산하여 조직한 이야기의 배열 방식.

- 중심 사건의 가짓수에 따라
  - **단일 구성**: 하나의 중심 사건만으로 이야기를 전개하는 구성. 예 〈아우를 위하여〉 등
  - **복합 구성**: 두 개 이상의 중심 사건이 있어 이야기가 복잡하게 얽혀 전개되는 구성. 예 〈나목〉 등
- 사건의 배열 순서에 따라
  - **평면적 구성** (= 순행적 구성): 사건이 발생한 시간 순서에 따라 구성하는 방식. 예 〈심청전〉 등
  - **❹ □□적 구성** (= 역행적 구성, 과거와 현재 교차, 시간의 역전): 시간의 흐름을 바꾸어 사건을 구성하는 방식. 예 〈세상에 단 한 권뿐인 시집〉 등

정답 | ❶ 반어 ❷ 희화 ❸ 내적 ❹ 입체

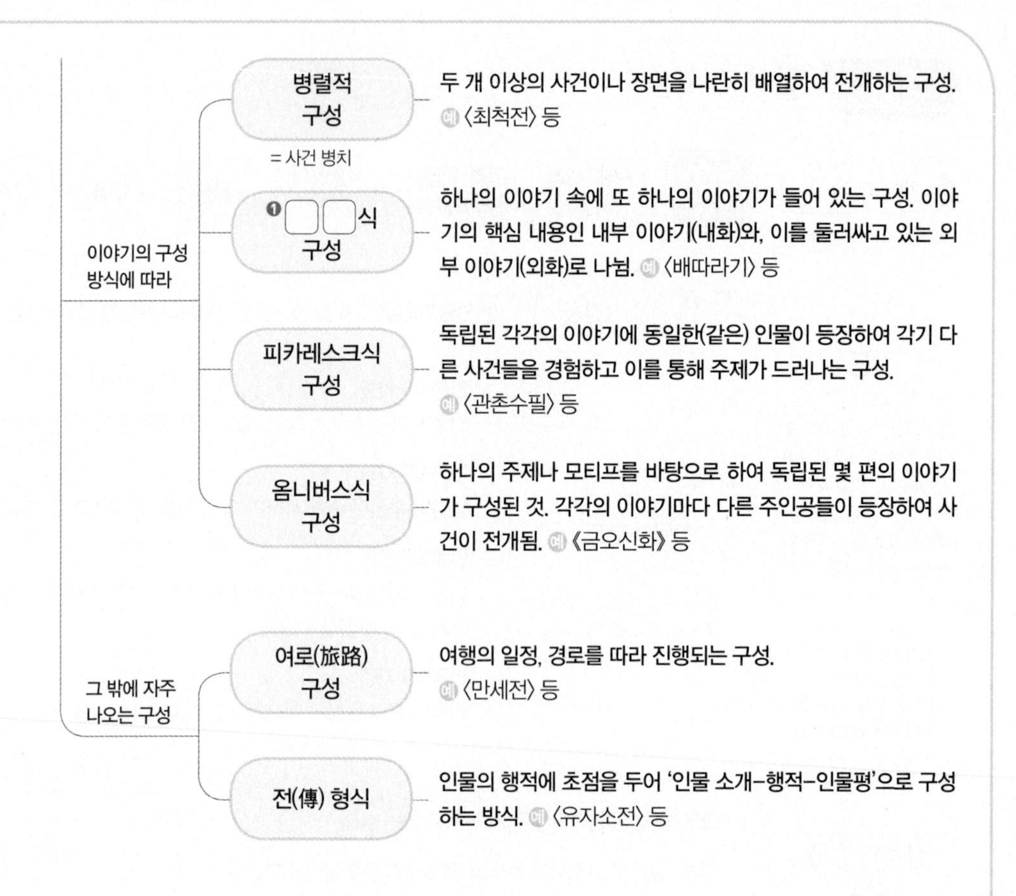
이야기의 구성 방식에 따라
병렬적 구성
= 사건 병치
두 개 이상의 사건이나 장면을 나란히 배열하여 전개하는 구성. 예 〈최척전〉 등
❶ ☐☐식 구성
하나의 이야기 속에 또 하나의 이야기가 들어 있는 구성. 이야기의 핵심 내용인 내부 이야기(내화)와, 이를 둘러싸고 있는 외부 이야기(외화)로 나뉨. 예 〈배따라기〉 등
피카레스크식 구성
독립된 각각의 이야기에 동일한(같은) 인물이 등장하여 각기 다른 사건들을 경험하고 이를 통해 주제가 드러나는 구성. 예 〈관촌수필〉 등
옴니버스식 구성
하나의 주제나 모티프를 바탕으로 하여 독립된 몇 편의 이야기가 구성된 것. 각각의 이야기마다 다른 주인공들이 등장하여 사건이 전개됨. 예 《금오신화》 등
그 밖에 자주 나오는 구성
여로(旅路) 구성
여행의 일정, 경로를 따라 진행되는 구성. 예 〈만세전〉 등
전(傳) 형식
인물의 행적에 초점을 두어 '인물 소개-행적-인물평'으로 구성하는 방식. 예 〈유자소전〉 등

20 소재의 기능
개념의 좌표
현대 소설
서술자와 시점
거리, 인물, 서술자의 태도
서술상의 특징
갈등
구성
소재
배경
소재
문학 작품을 창작하는 데 사용되는 모든 재료를 일컫는 말.
소재의 기능
갈등의 매개물
소재가 갈등의 원인이 되기도 하며, 새로운 소재가 등장하여 갈등 해소의 실마리를 제공하기도 함.
인물의 성격·심리 상징
소재로 인물의 처지나 상황, 가치관 등을 보여 줌으로써 인물의 성격을 상징적으로 드러냄. 또 특정 소재를 대하는 인물의 태도나 반응에서 인물의 심리 상태를 파악할 수 있음.
장면의 연결 고리
소재는 여러 장면이나 사건을 자연스럽게 연결하는 매개물의 기능을 함. 과거의 사건을 회상하거나 장면을 전환할 때 특정 소재가 사용되기도 함.
주제 암시
작가는 특정 소재를 통해 주제를 압축적으로 전달하기도 함.

21 배경의 종류와 기능

개념의 좌표: 현대 소설 - 서술자와 시점 - 거리, 인물, 서술자의 태도 - 서술상의 특징 - 갈등 - 구성 - 소재 - 배경

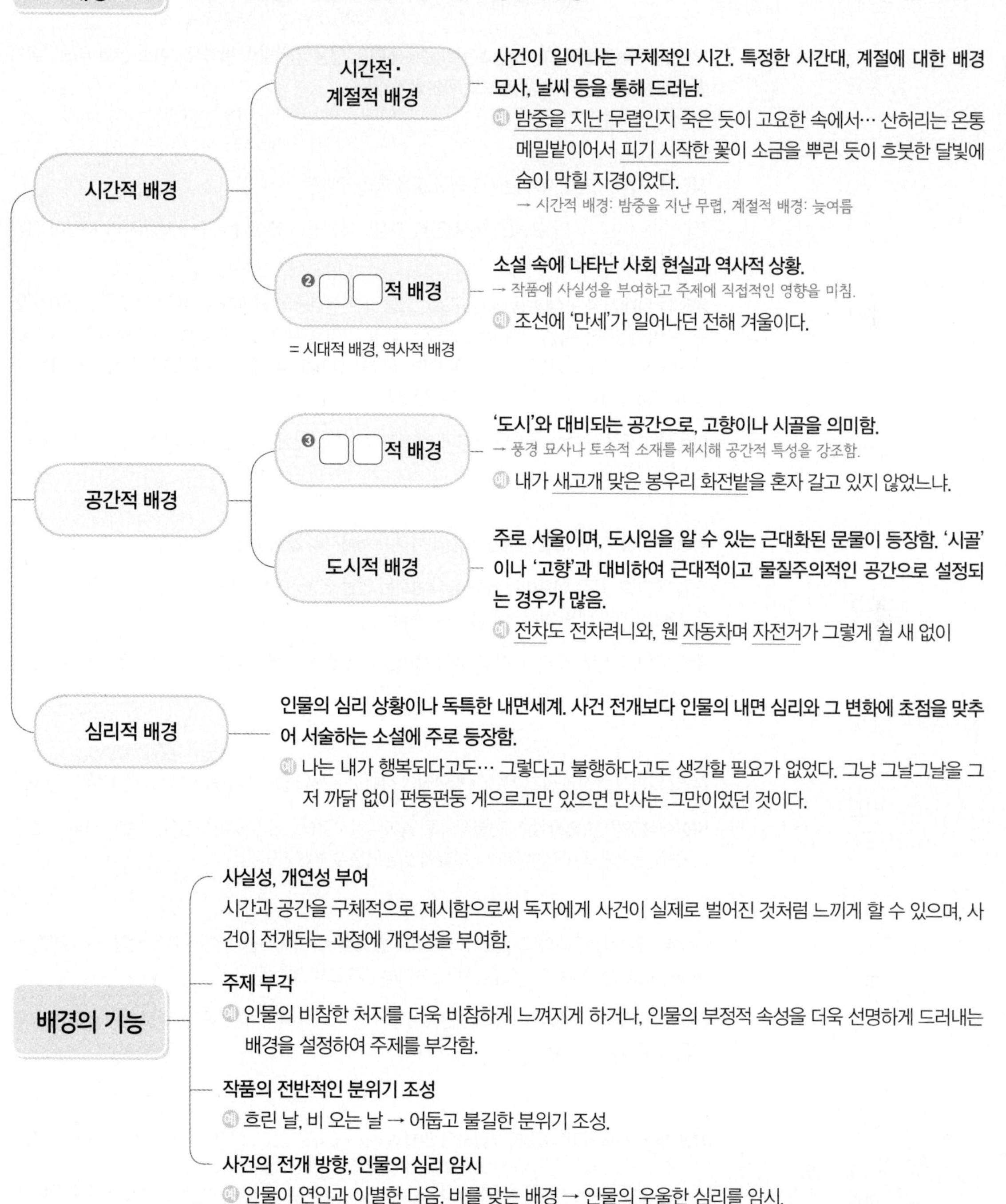

배경
사건이 전개되고 인물이 활동하는 시간적·공간적 환경.
시간적 배경
시간적·계절적 배경
사건이 일어나는 구체적인 시간. 특정한 시간대, 계절에 대한 배경 묘사, 날씨 등을 통해 드러남.
예 밤중을 지난 무렵인지 죽은 듯이 고요한 속에서… 산허리는 온통 메밀밭이어서 피기 시작한 꽃이 소금을 뿌린 듯이 흐뭇한 달빛에 숨이 막힐 지경이었다.
→ 시간적 배경: 밤중을 지난 무렵, 계절적 배경: 늦여름
❷ □□적 배경
= 시대적 배경, 역사적 배경
소설 속에 나타난 사회 현실과 역사적 상황.
→ 작품에 사실성을 부여하고 주제에 직접적인 영향을 미침.
예 조선에 '만세'가 일어나던 전해 겨울이다.
공간적 배경
❸ □□적 배경
'도시'와 대비되는 공간으로, 고향이나 시골을 의미함.
→ 풍경 묘사나 토속적 소재를 제시해 공간적 특성을 강조함.
예 내가 새고개 맞은 봉우리 화전밭을 혼자 갈고 있지 않었느냐.
도시적 배경
주로 서울이며, 도시임을 알 수 있는 근대화된 문물이 등장함. '시골'이나 '고향'과 대비하여 근대적이고 물질주의적인 공간으로 설정되는 경우가 많음.
예 전차도 전차려니와, 웬 자동차며 자전거가 그렇게 쉴 새 없이
심리적 배경
인물의 심리 상황이나 독특한 내면세계. 사건 전개보다 인물의 내면 심리와 그 변화에 초점을 맞추어 서술하는 소설에 주로 등장함.
예 나는 내가 행복되다고도… 그렇다고 불행하다고도 생각할 필요가 없었다. 그냥 그날그날을 그저 까닭 없이 펀둥펀둥 게으르고만 있으면 만사는 그만이었던 것이다.
배경의 기능
사실성, 개연성 부여
시간과 공간을 구체적으로 제시함으로써 독자에게 사건이 실제로 벌어진 것처럼 느끼게 할 수 있으며, 사건이 전개되는 과정에 개연성을 부여함.
주제 부각
예 인물의 비참한 처지를 더욱 비참하게 느껴지게 하거나, 인물의 부정적 속성을 더욱 선명하게 드러내는 배경을 설정하여 주제를 부각함.
작품의 전반적인 분위기 조성
예 흐린 날, 비 오는 날 → 어둡고 불길한 분위기 조성.
사건의 전개 방향, 인물의 심리 암시
예 인물이 연인과 이별한 다음, 비를 맞는 배경 → 인물의 우울한 심리를 암시.

정답 | ❶ 액자 ❷ 사회 ❸ 향토

22 고전 소설의 개념과 특징

개념의 좌표: **고전 소설** – 개념과 특징 – 유형 – 판소리, 판소리계 소설

고전 소설의 특징

고전 소설은 개화기 이전에 창작된 소설로, 한문 소설에서 시작하여 임진왜란 이후에는 한글 소설이 활발히 창작됨.

주제

'권선징악(勸善懲惡)'이나 '인과응보(因果應報)', '영웅적 인물의 활약상', '가족 간의 우애', '위기를 극복한 남녀 간의 사랑' 등으로 구분할 수 있음.

→ 대부분의 고전 소설은 이러한 주제가 이야기의 바탕을 이루면서 세부 이야기만 달라짐.

구성

- **평면적 구성**: 사건이 대부분 시간의 흐름을 따라 전개됨.
- ❶ □□□□ **구성(전기(傳記)적 구성)**: 주인공이 태어나서 죽을 때까지의 사건이 시간 순서에 따라 전개됨.
- **영웅의 일대기적 구성(영웅 서사 구조)**: 영웅적인 주인공의 일대기를 다루는 작품은, '고귀한 혈통 → 비정상적인 출생 → 뛰어난 능력 → 죽을 고비를 맞고 가족과 이별 → 조력자의 도움으로 위기를 극복하고 양육됨. → 어른이 되어 또다시 위기를 맞이함. → 위기를 극복하고 승리함.'과 같이 일정한 서사 구조에 따라 사건이 전개됨.
- **이원적(二元的) 구성**: 소설의 배경이 '현실과 비현실', '천상과 지상'과 같이 두 가지 다른 차원으로 나눠진 구성.

인물

- **평면적 인물**: 고전 소설에서는 인물의 성격이 처음부터 끝까지 변하지 않음.
- **전형적 인물**: 특정 신분이나 집단을 대변하는 인물 유형인 전형적 인물이 많이 등장함.
  예 사랑을 지켜 내는 열녀: 〈춘향전〉의 춘향
- **초월적 인물**: 인간의 세계를 뛰어넘는 능력을 지닌 인물 유형. 신이한 힘을 가진 존재로 그려짐.
  예 하늘의 선녀, 용궁의 용왕

사건

- **우연성**: 현대 소설과 달리 사건이 필연적인 상황이나 원인 없이 우연하게 발생하는 경우가 많음.
- **비현실성(전기성(傳奇性))**: 현실적으로 일어나기 어려운, 신기하고 이상한 사건을 다루는 경우가 많음. 등장인물이 비범하거나 초월적인 능력을 발휘하기도 함.

문체

- **문어체**: 일상적인 대화에서는 거의 쓰이지 않고 주로 글에서만 쓰이는 특징적인 버릇(글투, 문투)이 나타나는 문체. 예 '-(이)ㄴ지라', '-더라', '가로되', '왈' 등
- **운문체(율문투)**: 운율이 느껴지는 문장이 연속되어 낭송하기 좋은 문체. 주로 판소리의 영향을 받은 소설에서 나타남.

❷ □□□의 개입

= 편집자적 논평

작품 밖의 서술자가 작품에 개입하여 인물과 사건에 대한 판단, 생각, 느낌을 직접 서술하는 것.

→ 전지적 작가 시점에서 주로 나타남. 문장의 형태는 주로 설의적 의문문(-랴, -쏘냐, -리오 등)임.

예 원수 닿는 곳에 강산도 무너지고 하해도 뒤엎어지는 듯하니, 귀신인들 아니 울며 혼백인들 아니 울리오.

23 고전 소설의 유형

개념의 좌표: **고전 소설** – 개념과 특징 – 유형 – 판소리, 판소리계 소설

문학

고전 소설의 유형 고전 소설은 주제나 이야기 구조가 서로 비슷한 작품이 많아서 몇 가지 유형으로 나눌 수 있음.

애정 소설
남녀 간의 사랑이 주제인 소설로 주인공들이 시련을 극복하고 사랑의 결실을 맺는 구조로 이루어져 있음.
예 〈채봉감별곡〉, 〈이생규장전〉 등

가정 소설
가정을 배경으로 가족 구성원의 다툼과 극복 과정을 다룬 소설. 새어머니(계모)가 전부인의 자녀들을 학대하거나 처와 첩이 갈등하는 내용이 주로 등장함. 주인공을 착한 인물로, 주인공과 부딪히는 인물을 나쁜 인물로 설정하여 선과 악의 대립을 보여 줌.
예 〈사씨남정기〉 등

❸ □□·군담 소설
영웅 소설은 영웅의 일대기를 그린 소설을 말하고, 군담 소설은 주인공의 군사적 활약상을 주요 내용으로 하는 소설을 이름. 군담 소설에는 대체로 영웅적인 주인공이 나타나기 때문에 영웅 서사 구조를 취하는 경우가 많음.
예 〈홍계월전〉, 〈홍길동전〉, 〈유충렬전〉, 〈박씨전〉 등

풍자 소설
부정한 인물을 내세워 그들의 무능과 위선을 풍자하고 당대 사회의 부조리를 드러내는 소설. 풍자의 효과를 높이기 위해 우화적 수법이나 언어유희, 반어법, 부정적 인물의 희화화 등이 사용됨.
예 〈호질〉, 〈양반전〉 등

❹ □□ 소설
주인공이 '현실–꿈–현실'을 오가며 사건이 전개되는 '환몽 구조'로 이루어진 소설. 외화(현실)와 내화(꿈)로 이루어진 액자식 구성을 취함. 주인공이 꿈속 세계로 들어가는 것을 '입몽', 꿈에서 깨어나 현실 세계로 돌아오는 것을 '각몽'이라고 함.
예 〈구운몽〉, 〈조신의 꿈〉, 〈운영전〉 등

전기(傳奇) 소설
실제로 일어나기 어려운, 신기하고 비현실적인 이야기를 다룬 소설. 주로 천상이나 용궁 등 비현실적인 세계가 배경인 이야기나, 현실 속 인물이 신비한 존재와 애틋한 사랑을 나누는 이야기 등이 있음.
예 〈만복사저포기〉, 〈이생규장전〉 등

정답 | ❶ 일대기적 ❷ 서술자 ❸ 영웅 ❹ 환몽

24 판소리, 판소리계 소설

개념의 좌표: 고전 소설 – 개념과 특징 – 유형 – 판소리, 판소리계 소설

판소리

조선 후기 발생한 연행 예술로, '창', '아니리', '발림'이 결합된 종합 예술 양식. 창자 한 명이 고수 한 명의 장단에 맞추어 몸짓과 함께 소리를 함.

- **판소리 사설**: 판소리를 채록해 대본으로 만든 것.
  예 〈춘향가〉, 〈심청가〉, 〈흥보가(박타령)〉, 〈수궁가(토별가)〉, 〈적벽가〉 등
- **판소리의 구성 요소**
  ㉠ 창: 창자가 부르는 노래. 사설의 내용에 따라 장단의 빠르기(진양조, 중모리, 중중모리, 자진모리, 휘모리 등)가 달라짐.
  ㉡ ❶ □□□ : 창자가 하는 말. 창자가 노래를 하다가 대사처럼 사설을 엮어 나가는 것.
  ㉢ 발림(너름새): 창자가 공연 중 작품 내용에 맞추어 손, 발, 몸짓을 이용해 감정을 표현하는 행위.

판소리계 소설의 특징

• 판소리계 소설: 판소리 사설의 영향을 받아 소설로 정착된 것.
→ 판소리 사설과 공통적인 표현상 특징을 지님.

언어의 이중성

하층 계급의 비속어, 구어 등과 상층 계급의 한문투가 섞여 있는 '언어의 이중성'이 두드러짐.
→ 평민들이 만들어 낸 판소리를 사대부와 임금까지 즐기게 되면서 나타난 특징!
예 "…참말이냐, 농담이냐?… 강도놈들아, 생사람 죽이면 대전통편 률(律)이니라."

풍자와 ❷ □□

등장인물이 위기에 처하거나 어렵고 힘든 일에 부딪쳐도, 풍자와 해학을 통해 웃음을 유발하며 장면을 진행하는 경우가 많음. 이처럼 비극적이거나 부정적인 상황에서도 웃음을 잃지 않는 미학을 '골계미'라고 함.
예 "네 이 자식, 대모 장도 얻다 찰래?" / "찰 데 없으면 갈비 뚫어 차지요."

언어유희

말이나 글자를 소재로 하는 놀이.

- 발음의 유사성을 이용 — 예 올라간 이(李) 도령인지 삼(三) 도령인지
- 동음이의어를 활용 — 예 운봉의 갈비를 직신, / "갈비 한 대 먹고 지고."
- 같거나 비슷한 소리를 반복 — 예 아, 이 양반이 허리 꺾어 절반인지, 개다리 소반인지
- 언어 도치를 이용 — 예 문 들어온다, 바람 닫아라. 물 마른다, 목 들여라.

고사(故事)의 활용

고대 중국에서 전해져 온 옛이야기인 '고사'를 자주 활용함. 이때 상층 계급의 한문투가 나타나는 경우가 많음.

장면의 극대화

= 부분의 독자성

독자들이 관심 있어 할 흥미 있는 장면을 나열하고 과장하면서 이야기 전개에 필요한 정도보다 자세하게 서술하는 방법.
→ 리듬감과 해학성을 얻는 효과가 있지만, 작품 전체의 유기성을 떨어뜨리기도 함.
예 상산사호 벗님네가 바둑 두자 날 찾는가, 굴원이가 물에 빠져 건져 달라 날 찾는가, 시중천자 이태백이 글 짓자고 날 찾는가. ← 중국 고사 활용, 장면 극대화

25 희곡

개념의 좌표: **극·수필** – 희곡 – 시나리오 – 민속극 – 수필 – 소설 VS 수필 VS 극 문학

희곡 연극 상연을 하기 위해 쓴 대본. 서술자 없이 인물의 대사와 행동을 통해 사건을 전개함.

희곡의 특징

- **행동과 대사**: 배우의 행동과 대사를 통해 극을 진행함.
- **갈등**: 인물의 갈등과 그 해소 과정을 주된 내용으로 다룸.
- **무대 상연의 전제와 제약**: 무대 상연을 전제로 하기 때문에 시간·공간의 제약을 받음.
- **현재화된 표현**: 사건이 무대 위에서 바로 표현되기 때문에 모든 이야기가 현재화됨.
- **관습**: 희곡은 무대 상연을 전제로 하기 때문에 관객이나 독자와 일종의 약속을 하게 됨.
  예 '방백'은 실제 다른 배우들에게 들리고 있더라도, 관객과 독자는 다른 배우들에게 들리지 않는 말이라고 여김.

희곡의 구성 요소

- ❸ □□□(지문): **등장인물의 동작, 표정, 심리 상태 등을 설명하거나 조명, 효과음 등을 지시하는 부분.** → 인물의 동작, 표정, 말투를 지시하는 '동작 지시문'과, 배경이나 무대 장치, 음향 효과 등을 지시하는 '무대 지시문'으로 나뉨.
- 대사: **등장인물이 하는 말.**

대화	등장인물 간에 서로 주고받는 대사.
독백	청자가 없다고 생각하고 등장인물이 혼자 중얼거리는 대사.
방백	다른 등장인물은 들을 수 없고 관객에게만 들리기로 약속된 대사.

- 해설: **희곡의 첫 부분에서 등장인물, 장소, 무대 장치 등을 설명해 주는 글. 지시문의 일종으로 볼 수 있음.**

희곡의 종류

- 풍자극: **풍자를 통해 인간·사회를 비판하는 극.** 예 〈파수꾼〉 등
- 서사극:
  - **관객의 정서적 몰입을 방해하면서 관객들이 극을 객관적으로 감상하게 하여 극이 비판하고 있는 현실을 바라보게 만드는 극.** 예 〈한씨 연대기〉 등
  - **낯설게하기**: 연극의 사건이 실제 일어나는 사건인 것처럼 느껴지도록 관객의 몰입을 중시했던 기존 연극의 관습을 깨고 연극이 무대 위에서 벌어지는 사건임을 강조해 관객이 무대 위 사건, 인물에 거리감을 느끼게 하는 기법.

정답 | ❶ 아니리 ❷ 해학 ❸ 지시문

26 시나리오

개념의 좌표: 극 · 수필 — 희곡 — 시나리오 — 민속극 — 수필 — 소설 VS 수필 VS 극 문학

❶ ○○○○

영화나 드라마 촬영이 목적인 대본으로, 상영을 전제하는 극 문학.

- 촬영을 전제로 하며 특수한 시나리오 용어가 사용됨.
- 대사와 행동으로 인물의 내면과 성격을 드러내고 사건을 전개함.
- 희곡에 비해 시간적, 공간적 배경의 제한을 적게 받음.
- 희곡에 비해 등장인물 수에 제약이 적음.

시나리오의 구성 요소

- **장면 표시**: 장면의 설정이나 장면 번호. S#(Scene number)로 나타내며 장면의 전환을 드러냄.
- **해설**: 시나리오의 첫머리에서 등장인물, 때와 장소, 배경 등을 설명한 부분.
- **대사**: 등장인물이 하는 말.
- **지시문**: 인물의 표정이나 동작, 카메라 위치, 영상 편집 기술 등을 지시. 인물의 내면이나 성격을 드러내기도 함.

시나리오 용어

- Nar.(narration): 내레이션. 인물이 화면에 나타나지 않은 채 바깥에서 해설하는 말.
- E.(effect): 효과음. 주로 화면 밖에서의 음향이나 대사에 의한 효과.
  예 화면 밖에서 들리는 폭발음, 화면에 보이지 않는 인물의 대사.
- C.U.(close-up): 어떤 대상이나 인물을 두드러지게 확대하여 찍음.
- F.I.(fade-in): 화면이 처음에 어둡다가 점차 밝아지는 방법.
- F.O.(fade-out): 화면이 처음에는 밝았다가 점차 어두워지는 방법.

27 민속극

개념의 좌표: 극 · 수필 — 희곡 — 시나리오 — 민속극 — 수필 — 소설 VS 수필 VS 극 문학

민속극

민간에 전해 오는 풍습, 전설 등을 내용으로 삼아 공연하는 연극. 광대(배우)가 대사나 몸짓으로 사건을 표현하는 우리 고유의 전통극.

- **적층 문학**: 수백 년 동안 광대들에 의해 집단적으로 창작되며 이어짐.
- **구비 문학**: 구비 전승된 문학으로 배우나 상황에 따라 대사가 그때그때 달라질 수 있음.
- **사회 비판적**: 대부분 사회 풍자의 희극으로서, 사회적 불평등 때문에 빚어지는 현실적인 문제들을 평민의 입장에서 비판적으로 제시함.
- **평민들의 언어와 삶을 표현**: 비어 · 속어 · 재담 등 평민들의 일상 언어와 삶의 모습이 담김.
- **풍자와 해학**: 언어유희를 활용한 해학적 대사를 통해 양반에 대한 조롱과 풍자, 처첩 간의 갈등과 같은 봉건 사회의 모순을 비판하거나 파계승을 비꼬는 내용 등이 많음.
- **열린 무대**: 특별한 무대 장치를 하지 않으며, 무대와 객석의 구분이 존재하지 않음.

민속극의 종류

- **❷ ○○극** (= 탈춤): 가면(탈)을 쓰고 공연하는 민속극. 평민들의 비판 의식이 반영된 풍자와 해학이 두드러짐. 예 〈봉산 탈춤〉 등
- **인형극**: 배우 대신 인형을 등장시켜 전개하는 연극. 광대(배우)가 무대 뒤에 숨어서 대사와 가창을 하며, 인형의 동작을 조종함. 예 〈꼭두각시놀음〉 등

28 수필

개념의 좌표: **극 · 수필** – 희곡 – 시나리오 – 민속극 – 수필 – 소설 VS 수필 VS 극 문학

문학

수필

글쓴이의 체험과 생각을 특정한 형식이나 내용의 제한 없이 자유롭게 쓴 글.

- **자유로운 형식**: 다양한 형식으로 자유롭게 쓸 수 있음. 대개 갈등 구조가 나타나지 않음.
- **다양한 소재**: 인생이나 자연 등 주변의 모든 것이 소재가 될 수 있음.
- **개성적·고백적**: 작가의 체험과 인생관이 개성적이고 진솔하게 드러남.
- **교훈적·성찰적**: 깊이 있는 사색으로 독자가 감동을 느끼고 자신을 반성할 수 있게 함.
- **비전문적**: 누구나 쓸 수 있음.

고전 수필

고려 시대부터 갑오개혁 이전까지 창작된 수필.

- ❸ □(說): **한문 문체의 하나로 현상에 대한 자신의 의견을 서술하는 글. 일반적으로 앞부분은 글쓴이의 경험이나 어떤 사실로, 뒷부분은 이에서 얻은 깨달음으로 구성됨.** 예 〈이옥설〉 등
- 기(記): **한문 문체의 하나로 어떤 사건이나 경험의 과정을 사실대로 기록하여 기념하고자 한 글.** 예 〈일야구도하기〉 등

29 소설 VS 수필 VS 극 문학

개념의 좌표: **극 · 수필** – 희곡 – 시나리오 – 민속극 – 수필 – 소설 VS 수필 VS 극 문학

소설 VS 수필

	소설	수필
공통점	산문 문학	
차이점	• 허구 • 말하는 이는 작가를 대신하는 '서술자'	• 사실 • 말하는 이는 작가 자신

소설 VS 극 문학

	소설	극 문학	
		희곡	시나리오
공통점	시간의 흐름에 따른 서사적 성격, 갈등 구조가 있음. 허구적인 성격의 글임.		
차이점	인물의 수에 제약 없음.	소설, 시나리오에 비해 인물 수의 제약을 많이 받음.	희곡에 비해 인물 수의 제약을 덜 받음.
	시간적, 공간적 제약을 받지 않음.	소설, 시나리오에 비해 시간적·공간적 제약을 많이 받음.	희곡에 비해 시간적·공간적 제약을 덜 받음.
	서술, 대화, 묘사 등으로 사건을 전달함.	인물의 대사와 행동으로 사건을 전달함.	

정답 | ❶ 시나리오 ❷ 가면 ❸ 설

문법 단위의 이해

국어의 문법을 이루는 여러 가지 문법 단위들을 배웠을 거야. 그런데 이런 문법 단위들은 서로 연관되어 있기 때문에 각각의 개념들을 하나하나 무작정 외우려고 하기보다는 **전체를 체계화된 구조 속에서 이해**하는 것이 좋아. 개념들을 연결하여 하나의 지도를 그리듯 이해해야 문법 지식을 탄탄하게 쌓을 수 있어!

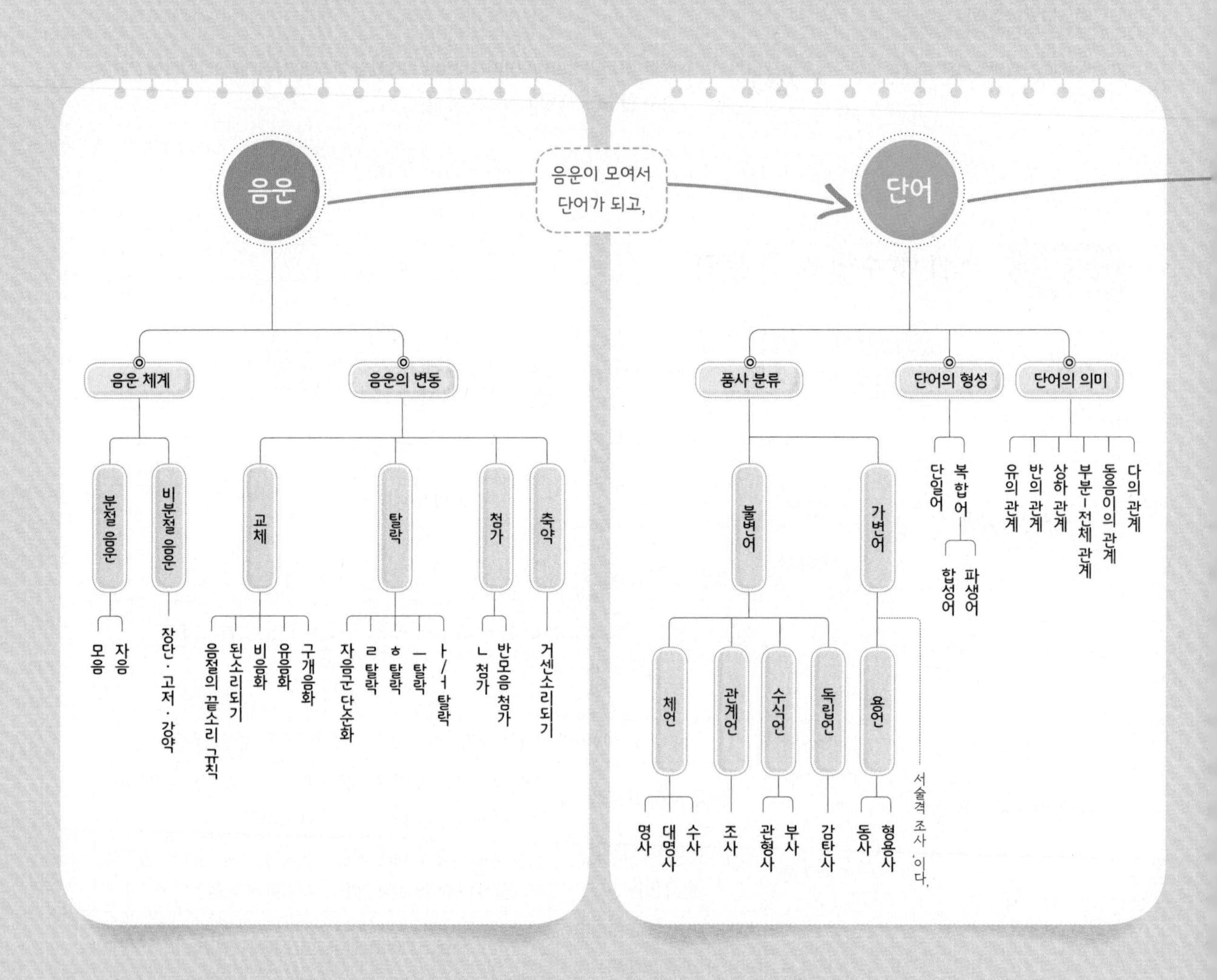

Ⅱ 문법

- **음운** 말의 의미 차이를 가져오는 소리의 가장 작은 단위
- **단어** 홀로 쓸 수 있는 가장 작은 말의 단위
- **문장** 완결된 내용을 나타내는 최소 단위
- **담화** 문장 단위의 말들이 맥락과 어우러져 이루어진 단위

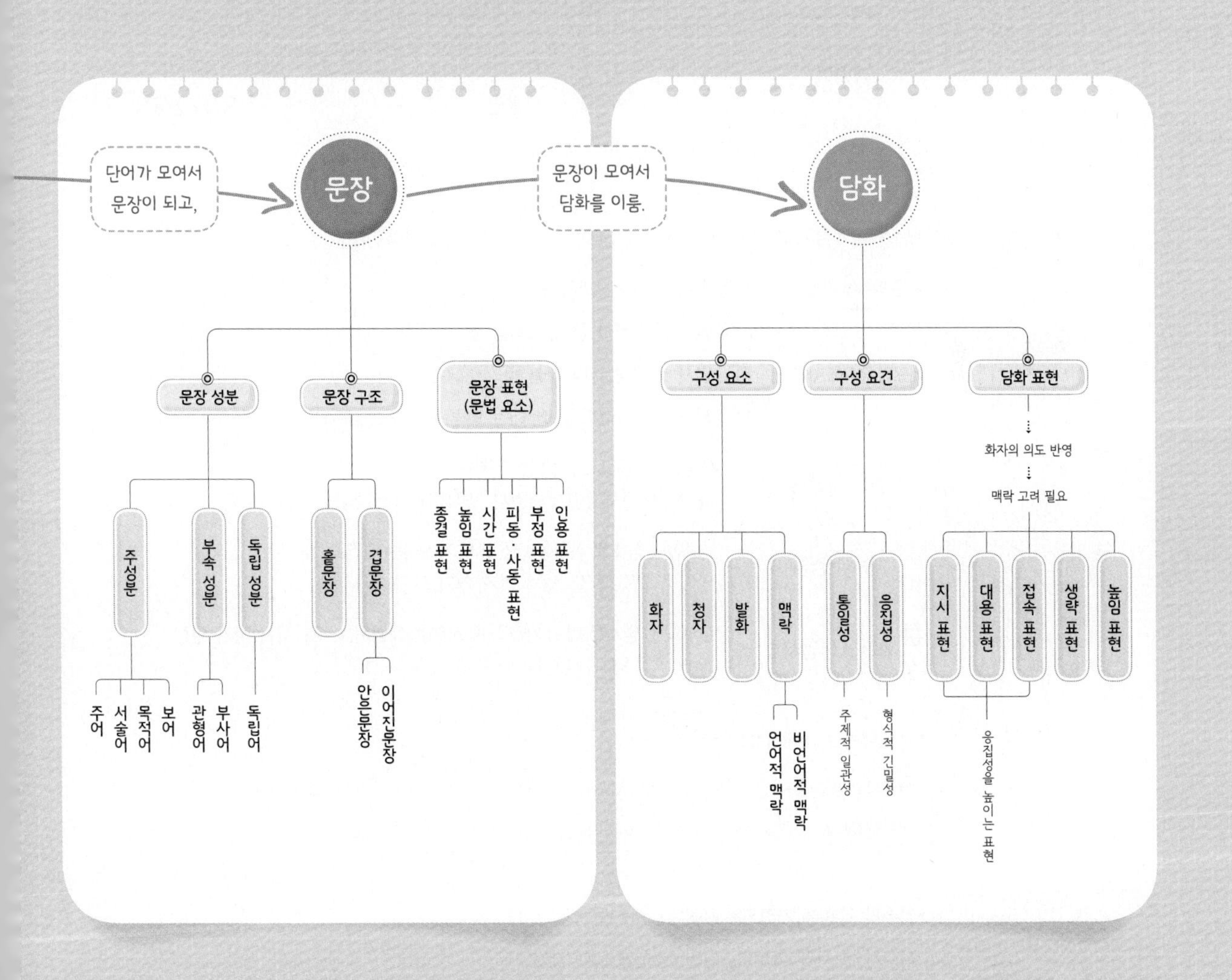

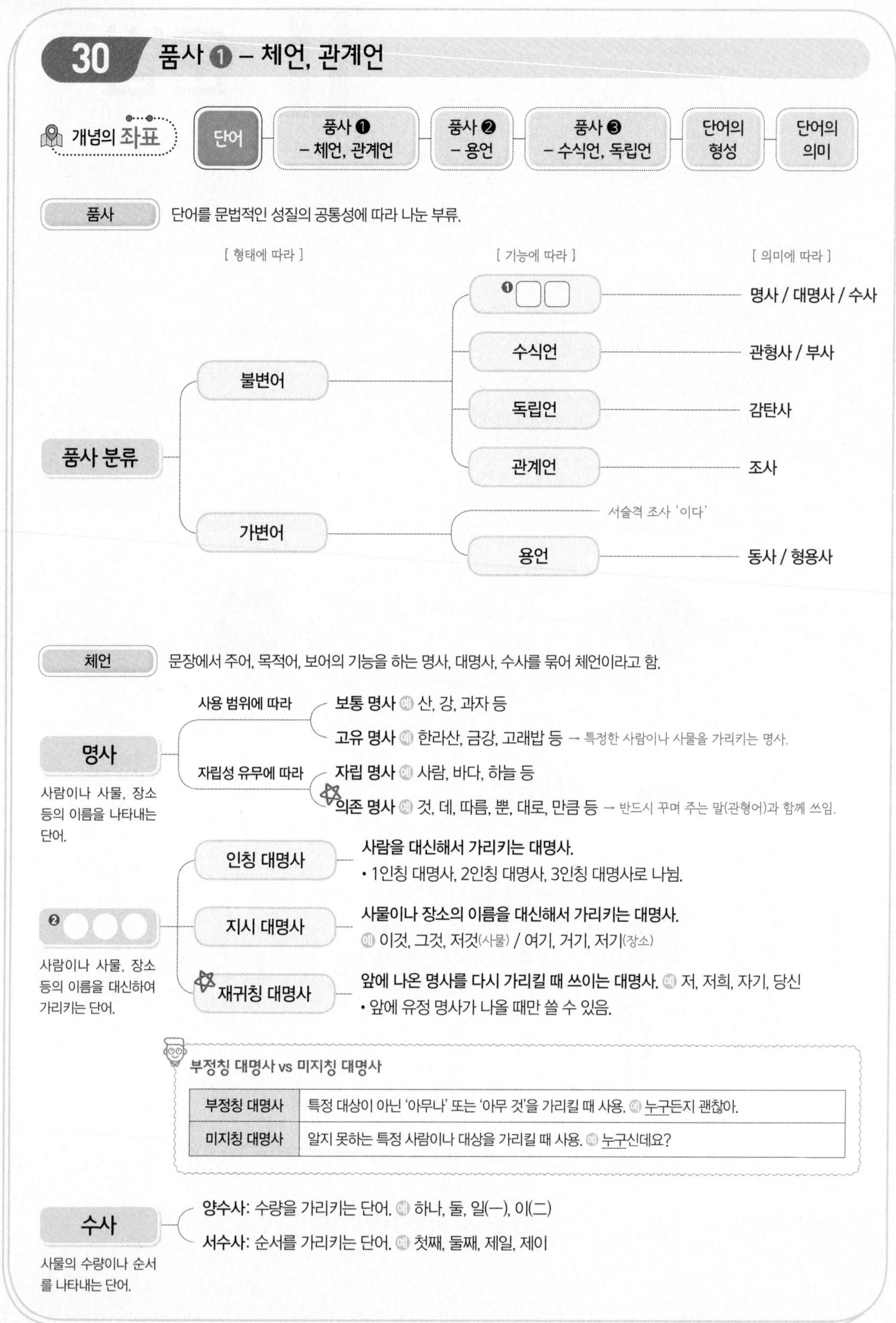

30 품사 ❶ – 체언, 관계언

개념의 좌표: **단어** – 품사 ❶ – 체언, 관계언 – 품사 ❷ – 용언 – 품사 ❸ – 수식언, 독립언 – 단어의 형성 – 단어의 의미

품사 단어를 문법적인 성질의 공통성에 따라 나눈 부류.

[형태에 따라]	[기능에 따라]	[의미에 따라]
불변어	❶ □□	명사 / 대명사 / 수사
불변어	수식언	관형사 / 부사
불변어	독립언	감탄사
불변어	관계언	조사
가변어	서술격 조사 '이다'	
가변어	용언	동사 / 형용사

(품사 분류)

체언 문장에서 주어, 목적어, 보어의 기능을 하는 명사, 대명사, 수사를 묶어 체언이라고 함.

명사

사람이나 사물, 장소 등의 이름을 나타내는 단어.

- 사용 범위에 따라
  - **보통 명사** 예 산, 강, 과자 등
  - **고유 명사** 예 한라산, 금강, 고래밥 등 → 특정한 사람이나 사물을 가리키는 명사.
- 자립성 유무에 따라
  - **자립 명사** 예 사람, 바다, 하늘 등
  - ☆ **의존 명사** 예 것, 데, 따름, 뿐, 대로, 만큼 등 → 반드시 꾸며 주는 말(관형어)과 함께 쓰임.

❷ ○○○

사람이나 사물, 장소 등의 이름을 대신하여 가리키는 단어.

- **인칭 대명사** – **사람을 대신해서 가리키는 대명사.**
  - 1인칭 대명사, 2인칭 대명사, 3인칭 대명사로 나뉨.
- **지시 대명사** – **사물이나 장소의 이름을 대신해서 가리키는 대명사.**
  - 예 이것, 그것, 저것(사물) / 여기, 거기, 저기(장소)
- ☆ **재귀칭 대명사** – **앞에 나온 명사를 다시 가리킬 때 쓰이는 대명사.** 예 저, 저희, 자기, 당신
  - 앞에 유정 명사가 나올 때만 쓸 수 있음.

부정칭 대명사 vs 미지칭 대명사

부정칭 대명사	특정 대상이 아닌 '아무나' 또는 '아무 것'을 가리킬 때 사용. 예 누구든지 괜찮아.
미지칭 대명사	알지 못하는 특정 사람이나 대상을 가리킬 때 사용. 예 누구신데요?

수사

사물의 수량이나 순서를 나타내는 단어.

- **양수사**: 수량을 가리키는 단어. 예 하나, 둘, 일(一), 이(二)
- **서수사**: 순서를 가리키는 단어. 예 첫째, 둘째, 제일, 제이

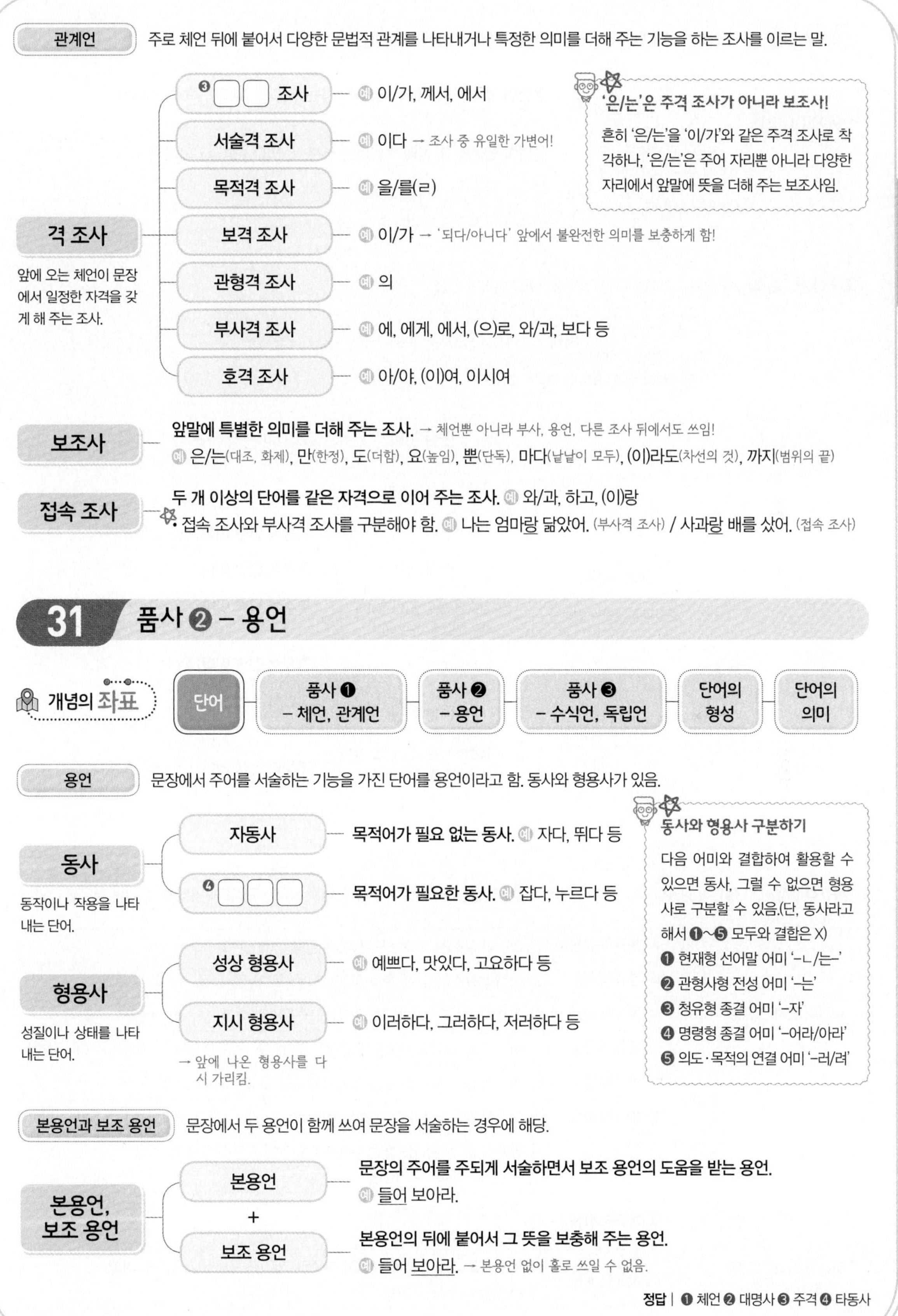

관계언 주로 체언 뒤에 붙어서 다양한 문법적 관계를 나타내거나 특정한 의미를 더해 주는 기능을 하는 조사를 이르는 말.

격 조사

앞에 오는 체언이 문장에서 일정한 자격을 갖게 해 주는 조사.

- ❸ ☐☐ 조사 — 예 이/가, 께서, 에서
- 서술격 조사 — 예 이다 → 조사 중 유일한 가변어!
- 목적격 조사 — 예 을/를(ㄹ)
- 보격 조사 — 예 이/가 → '되다/아니다' 앞에서 불완전한 의미를 보충하게 함!
- 관형격 조사 — 예 의
- 부사격 조사 — 예 에, 에게, 에서, (으)로, 와/과, 보다 등
- 호격 조사 — 예 아/야, (이)여, 이시여

'은/는'은 주격 조사가 아니라 보조사!

흔히 '은/는'을 '이/가'와 같은 주격 조사로 착각하나, '은/는'은 주어 자리뿐 아니라 다양한 자리에서 앞말에 뜻을 더해 주는 보조사임.

보조사 앞말에 특별한 의미를 더해 주는 조사. → 체언뿐 아니라 부사, 용언, 다른 조사 뒤에서도 쓰임!

예 은/는(대조, 화제), 만(한정), 도(더함), 요(높임), 뿐(단독), 마다(낱낱이 모두), (이)라도(차선의 것), 까지(범위의 끝)

접속 조사 두 개 이상의 단어를 같은 자격으로 이어 주는 조사. 예 와/과, 하고, (이)랑

- 접속 조사와 부사격 조사를 구분해야 함. 예 나는 엄마랑 닮았어. (부사격 조사) / 사과랑 배를 샀어. (접속 조사)

31 품사 ❷ – 용언

개념의 좌표: 단어 — 품사 ❶ – 체언, 관계언 — 품사 ❷ – 용언 — 품사 ❸ – 수식언, 독립언 — 단어의 형성 — 단어의 의미

용언 문장에서 주어를 서술하는 기능을 가진 단어를 용언이라고 함. 동사와 형용사가 있음.

동사

동작이나 작용을 나타내는 단어.

- 자동사 — 목적어가 필요 없는 동사. 예 자다, 뛰다 등
- ❹ ☐☐☐ — 목적어가 필요한 동사. 예 잡다, 누르다 등

형용사

성질이나 상태를 나타내는 단어.

- 성상 형용사 — 예 예쁘다, 맛있다, 고요하다 등
- 지시 형용사 — 예 이러하다, 그러하다, 저러하다 등

→ 앞에 나온 형용사를 다시 가리킴.

동사와 형용사 구분하기

다음 어미와 결합하여 활용할 수 있으면 동사, 그럴 수 없으면 형용사로 구분할 수 있음.(단, 동사라고 해서 ❶~❺ 모두와 결합은 X)

❶ 현재형 선어말 어미 '-ㄴ/는-'
❷ 관형사형 전성 어미 '-는'
❸ 청유형 종결 어미 '-자'
❹ 명령형 종결 어미 '-어라/아라'
❺ 의도·목적의 연결 어미 '-러/려'

본용언과 보조 용언 문장에서 두 용언이 함께 쓰여 문장을 서술하는 경우에 해당.

본용언, 보조 용언

- 본용언 — 문장의 주어를 주되게 서술하면서 보조 용언의 도움을 받는 용언. 예 들어 보아라.
- \+
- 보조 용언 — 본용언의 뒤에 붙어서 그 뜻을 보충해 주는 용언. 예 들어 보아라. → 본용언 없이 홀로 쓰일 수 없음.

정답 | ❶ 체언 ❷ 대명사 ❸ 주격 ❹ 타동사

용언의 활용 용언의 어간에 여러 어미가 붙어 용언의 형태가 변화하는 현상.

어간과 어미
- ❶ □□ — 용언이 활용할 때 형태가 변하지 않는 부분. 예 먹다 / 먹니 / 먹어서
- 어미 — 용언이 활용할 때 형태가 변하는 부분. 예 먹다 / 먹니 / 먹어서

국어 어미의 체계 국어의 어미에는 어말 어미와 선어말 어미가 있음.

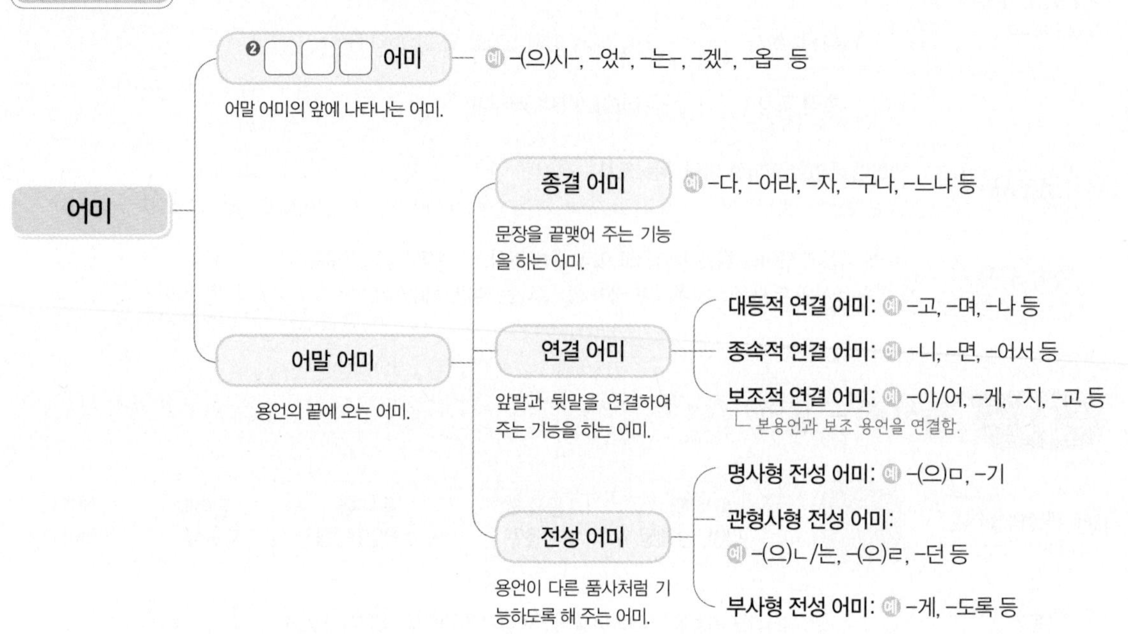

어미
❷ □□□ 어미
예 -(으)시-, -었-, -는-, -겠-, -옵- 등
어말 어미의 앞에 나타나는 어미.
종결 어미
예 -다, -어라, -자, -구나, -느냐 등
문장을 끝맺어 주는 기능을 하는 어미.
어말 어미
용언의 끝에 오는 어미.
연결 어미
앞말과 뒷말을 연결하여 주는 기능을 하는 어미.
대등적 연결 어미: 예 -고, -며, -나 등
종속적 연결 어미: 예 -니, -면, -어서 등
보조적 연결 어미: 예 -아/어, -게, -지, -고 등
본용언과 보조 용언을 연결함.
전성 어미
용언이 다른 품사처럼 기능하도록 해 주는 어미.
명사형 전성 어미: 예 -(으)ㅁ, -기
관형사형 전성 어미: 예 -(으)ㄴ/는, -(으)ㄹ, -던 등
부사형 전성 어미: 예 -게, -도록 등

불규칙 활용 용언이 활용할 때 어간이나 어미의 형태가 일정하게 유지되지 않고 이를 일정한 규칙으로 설명할 수 없는 경우를 말함.

어간이 변하는 경우	'ㅅ' 불규칙 활용	어간의 끝소리 'ㅅ'이 모음 앞에서 탈락함. 예 짓- + -어 → 지어
	'ㅂ' 불규칙 활용	어간의 끝소리 'ㅂ'이 모음 앞에서 'ㅗ/ㅜ'로 바뀜. 예 돕- + -아 → 도와
	'ㄷ' 불규칙 활용	어간의 끝소리 'ㄷ'이 모음 앞에서 'ㄹ'로 바뀜. 예 싣- + -어 → 실어
	'르' 불규칙 활용	어간의 끝소리 'ㅡ'가 '아/어' 앞에서 탈락하고 'ㄹ'이 덧붙음. 예 흐르- + -어 → 흘러
	'우' 불규칙 활용	어간의 끝소리 'ㅜ'가 모음 앞에서 탈락함. 예 푸- + -어 → 퍼
어미가 변하는 경우	'여' 불규칙 활용	어간이 '하-'로 끝나는 용언 뒤에서 어미 '-아'가 '-여'로 바뀜. 예 하- + -아 → 하여
	'러' 불규칙 활용	어간이 '르'로 끝나는 용언 뒤에서 어미 '-어'가 '-러'로 바뀜. 예 이르- + -어 → 이르러
	'오' 불규칙 활용	어간 '달-/다-'의 뒤에 오는 명령형 어미 '-아/어라'가 '-오'로 바뀜. 예 달- + -아라 → 다오
어간과 어미가 모두 변하는 경우	'ㅎ' 불규칙 활용	ㅎ으로 끝나는 어간에 '-아/어'가 오면, 'ㅎ'이 탈락하면서 어미도 바뀜. 예 파랗- + -아 → 파래

32 품사 ❸ – 수식언, 독립언

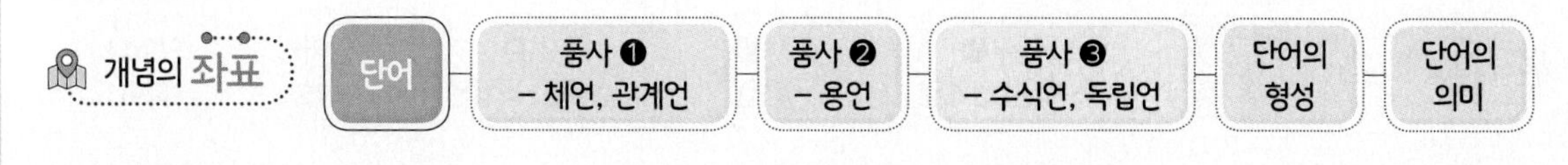

수식언 뒤에 오는 다른 말을 꾸며 주는 기능을 하는 단어. 관형사와 부사가 있음.

❸ ○○○ 체언 앞에 놓여서 체언을 꾸며 주는 단어.
→ 조사와 쓰일 수 없음.
예 헌 옷(○), 헌의 옷(×)

- **성상 관형사**: 사물의 성질이나 상태를 꾸며 주는 관형사.
  예 새, 헌, 옛, 맨, 온갖 등
- **지시 관형사**: 어떤 대상을 가리키는 관형사.
  예 이, 그, 저, 어느, 무슨, 웬, 다른 등 → 지시 대명사와 구분하기!
- **수 관형사**: 수량이나 순서를 나타내는 관형사.
  예 한, 두, 세, 석, 다섯, 여러, 모든 등 → 수사와 혼동하지 말 것!

❹ ○○ 주로 용언이나 문장을 꾸며 주는 단어. 체언이나 관형사, 다른 부사를 수식하기도 함.

- **성분 부사**: 문장의 어느 한 성분만을 수식하는 부사.
  - **성상 부사**: 사람 또는 사물의 모양, 성질, 상태를 나타내는 부사.
    예 잘, 아주, 너무 등
  - **지시 부사**: 장소나 시간을 가리켜 한정하거나, 앞 이야기에 나온 사실을 가리키는 부사.
    예 이리, 그리, 저리, 여기, 거기, 오늘, 내일 등
  - **부정 부사**: 용언의 앞에서 용언의 의미를 부정하는 부사.
    예 안/아니, 못
- **문장 부사**: 문장 전체를 수식하는 부사.
  - **양태 부사**: 말하는 이의 태도나 주관적인 판단을 표현하는 부사.
    예 과연, 다행히, 분명히 등
  - **접속 부사**: 앞의 체언이나 문장을 뒤의 체언이나 문장과 이어 주는 부사.
    예 그리고, 그래서, 그러나, 또는, 및 등

독립언 문장 내의 다른 성분에 얽매이지 않고 비교적 독립적으로 쓰이는 단어. 국어의 독립언은 감탄사 한 가지임.

감탄사: 화자의 부름, 느낌, 응답, 놀람, 느낌 등을 나타내는 단어.
예 아, 한 발 늦었구나.
네, 일겠습니다.
흥! 멋대로 해 봐.
여보, 어디 있어요?
저기, 나 할 말이 있어.

감탄사 vs 다른 품사
- 어미가 붙어 활용이 가능 → 감탄사가 아님!
- 조사가 붙음 → 감탄사가 아님!

예 정말! 네가 왔구나. (정말: 감탄사) / 정말이니? (정말: 명사)
옳소, 동의하오. (옳소: 감탄사) / 그대 말이 옳소. (옳소: 형용사)

정답 | ❶ 어간 ❷ 선어말 ❸ 관형사 ❹ 부사

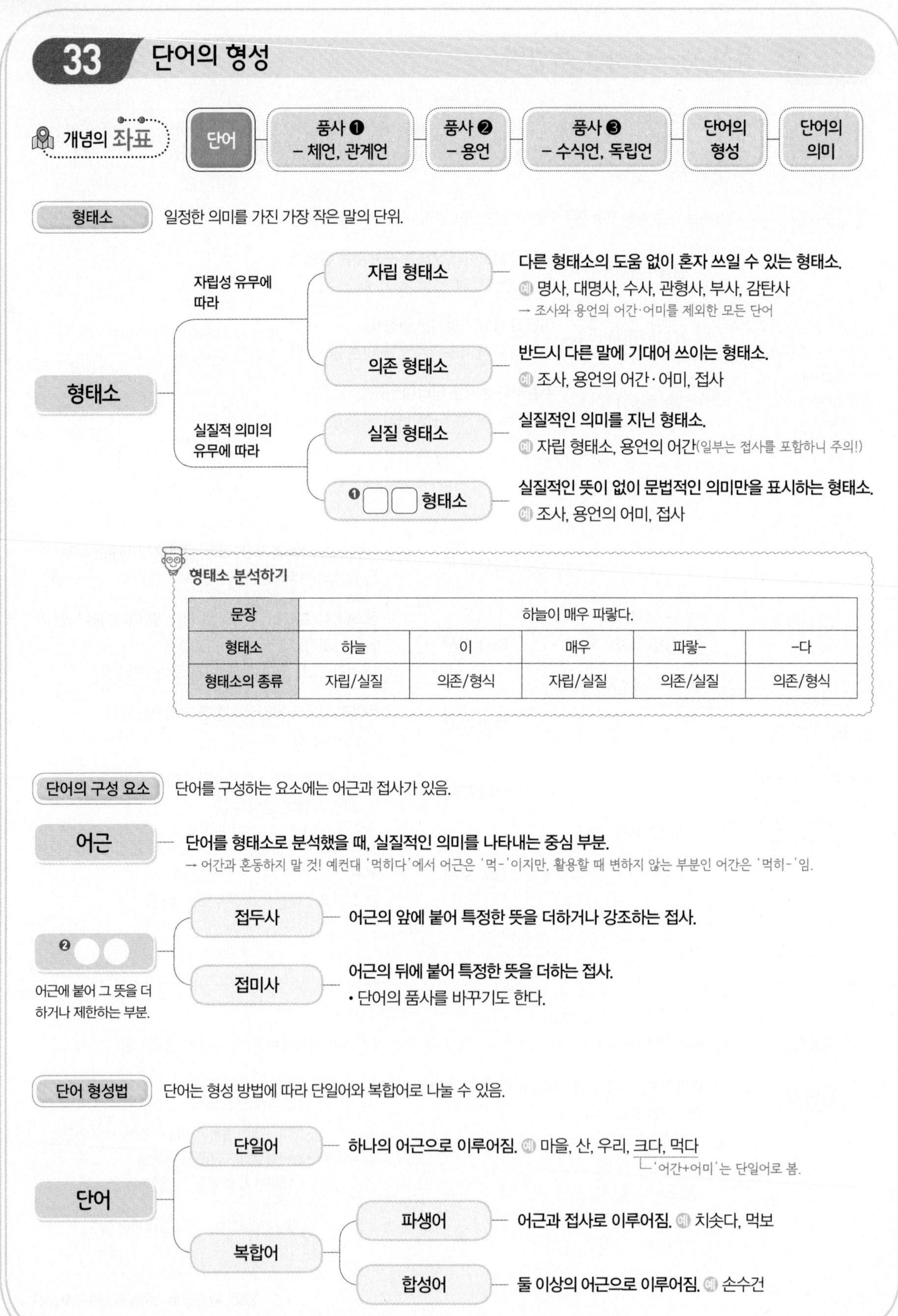

33 단어의 형성

개념의 좌표: 단어 – 품사 ❶ - 체언, 관계언 – 품사 ❷ - 용언 – 품사 ❸ - 수식언, 독립언 – 단어의 형성 – 단어의 의미

형태소 일정한 의미를 가진 가장 작은 말의 단위.

형태소

- 자립성 유무에 따라
  - **자립 형태소** — 다른 형태소의 도움 없이 혼자 쓰일 수 있는 형태소.
    - 예 명사, 대명사, 수사, 관형사, 부사, 감탄사
    - → 조사와 용언의 어간·어미를 제외한 모든 단어
  - **의존 형태소** — 반드시 다른 말에 기대어 쓰이는 형태소.
    - 예 조사, 용언의 어간·어미, 접사
- 실질적 의미의 유무에 따라
  - **실질 형태소** — 실질적인 의미를 지닌 형태소.
    - 예 자립 형태소, 용언의 어간(일부는 접사를 포함하니 주의!)
  - **❶ ☐☐ 형태소** — 실질적인 뜻이 없이 문법적인 의미만을 표시하는 형태소.
    - 예 조사, 용언의 어미, 접사

형태소 분석하기

문장	하늘이 매우 파랗다.				
형태소	하늘	이	매우	파랗-	-다
형태소의 종류	자립/실질	의존/형식	자립/실질	의존/실질	의존/형식

단어의 구성 요소 단어를 구성하는 요소에는 어근과 접사가 있음.

어근 — 단어를 형태소로 분석했을 때, 실질적인 의미를 나타내는 중심 부분.
→ 어간과 혼동하지 말 것! 예컨대 '먹히다'에서 어근은 '먹-'이지만, 활용할 때 변하지 않는 부분인 어간은 '먹히-'임.

❷ ○○ 어근에 붙어 그 뜻을 더하거나 제한하는 부분.

- **접두사** — 어근의 앞에 붙어 특정한 뜻을 더하거나 강조하는 접사.
- **접미사** — 어근의 뒤에 붙어 특정한 뜻을 더하는 접사.
  - 단어의 품사를 바꾸기도 한다.

단어 형성법 단어는 형성 방법에 따라 단일어와 복합어로 나눌 수 있음.

단어

- **단일어** — 하나의 어근으로 이루어짐. 예 마을, 산, 우리, 크다, 먹다
  - └'어간+어미'는 단일어로 봄.
- **복합어**
  - **파생어** — 어근과 접사로 이루어짐. 예 치솟다, 먹보
  - **합성어** — 둘 이상의 어근으로 이루어짐. 예 손수건

파생어와 합성어 어근의 앞이나 뒤에 접사가 붙어 만들어진 단어는 파생어, 어근과 어근이 합쳐져서 만들어진 단어는 합성어라고 함.

❸ ○○○

- **접두 파생어** — 어근의 앞에 접두사가 붙어 만들어지는 파생어.
  예 군말, 짓누르다, 새빨갛다 등
- **접미 파생어** — 어근의 뒤에 접미사가 결합하여 만들어지는 파생어.
  예 수다쟁이, 장난꾸러기, 기쁨, 정답다, 이룩하다 등

명사 파생 접미사 '-(으)ㅁ, -기' VS 명사형 전성 어미 '-(으)ㅁ, -기'

서술성의 유무를 기준으로 서술성이 있으면 명사형 전성 어미, 서술성이 없으면 접미사가 붙은 것!

예 '토끼가 ㉠잠을 ㉡잠.'

㉡은 주어 '토끼가'를 서술하는 기능을 하므로 ㉡은 명사형 전성 어미 '-(으)ㅁ'이 붙어 활용된 동사로 볼 수 있으나 ㉠은 목적격 조사 '을'과 결합하여 목적어로 기능하고 있으므로 '자다'에 명사 파생 접미사 '-(으)ㅁ'이 붙어 만들어진 파생 명사임.

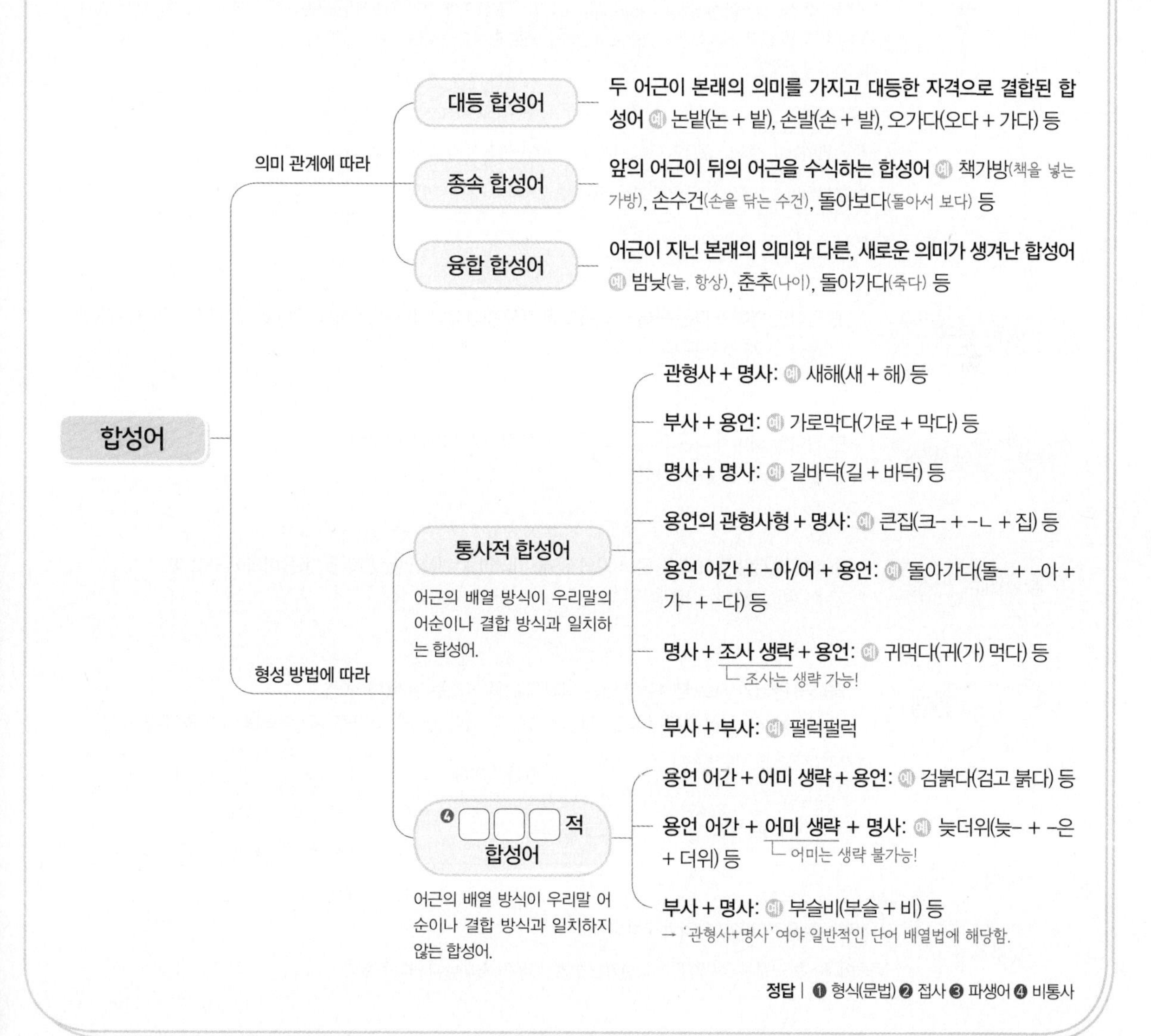

합성어
의미 관계에 따라
대등 합성어
두 어근이 본래의 의미를 가지고 대등한 자격으로 결합된 합성어 예 논밭(논 + 밭), 손발(손 + 발), 오가다(오다 + 가다) 등
종속 합성어
앞의 어근이 뒤의 어근을 수식하는 합성어 예 책가방(책을 넣는 가방), 손수건(손을 닦는 수건), 돌아보다(돌아서 보다) 등
융합 합성어
어근이 지닌 본래의 의미와 다른, 새로운 의미가 생겨난 합성어 예 밤낮(늘, 항상), 춘추(나이), 돌아가다(죽다) 등
형성 방법에 따라
통사적 합성어
어근의 배열 방식이 우리말의 어순이나 결합 방식과 일치하는 합성어.
관형사 + 명사: 예 새해(새 + 해) 등
부사 + 용언: 예 가로막다(가로 + 막다) 등
명사 + 명사: 예 길바닥(길 + 바닥) 등
용언의 관형사형 + 명사: 예 큰집(크- + -ㄴ + 집) 등
용언 어간 + -아/어 + 용언: 예 돌아가다(돌- + -아 + 가- + -다) 등
명사 + 조사 생략 + 용언: 예 귀먹다(귀(가) 먹다) 등
조사는 생략 가능!
부사 + 부사: 예 펄럭펄럭
❹ □□□적 합성어
어근의 배열 방식이 우리말 어순이나 결합 방식과 일치하지 않는 합성어.
용언 어간 + 어미 생략 + 용언: 예 검붉다(검고 붉다) 등
용언 어간 + 어미 생략 + 명사: 예 늦더위(늦- + -은 + 더위) 등
어미는 생략 불가능!
부사 + 명사: 예 부슬비(부슬 + 비) 등
→ '관형사+명사'여야 일반적인 단어 배열법에 해당함.

정답 | ❶ 형식(문법) ❷ 접사 ❸ 파생어 ❹ 비통사

34 단어의 의미

개념의 좌표: 단어 – 품사 ❶ - 체언, 관계언 – 품사 ❷ - 용언 – 품사 ❸ - 수식언, 독립언 – 단어의 형성 – 단어의 의미

유의 관계

말소리는 다르지만 의미가 서로 비슷한 둘 이상의 단어가 맺는 의미 관계. 유의 관계에 있는 단어들을 유의어라고 함.

예 아버지-아빠 / 자주-종종 / 죽다-사망하다 / 가난하다-빈곤하다

❶ ○○ 관계

서로 반대되거나 대립되는 의미를 가진 단어들 사이의 의미 관계. 반의 관계에 있는 단어들을 반의어라고 함.

예 남자 ↔ 여자 / 크다 ↔ 작다 / 가다 ↔ 오다

반의 관계를 이루는 반의어의 특징

- 오직 하나의 의미 자질만 다르고 나머지 의미 자질이 공통적일 때 반의 관계가 성립함.
- 문맥에 따라 한 단어가 여러 개의 단어들과 반의 관계를 형성할 수 있음.
- 다음의 종류가 있음.

상보 반의어	중간 개념 없이 상호 배타적인 두 구역으로 나뉘는 반의어 예 살다 ↔ 죽다
등급 반의어	정도나 등급의 대립 관계를 나타내는 반의어 예 길다 ↔ 짧다
방향 반의어	방향상의 대립 관계를 나타내는 반의어 예 위 ↔ 아래

상하 관계

한 단어의 의미가 다른 단어의 의미를 포함하거나(상의어) 다른 단어의 의미에 포함되는 관계(하의어).

예 동물 ⊃ 개 ⊃ 진돗개

부분-전체 관계

한 단어의 의미가 다른 단어의 의미상 구성 요소가 되는 의미 관계.

예 몸 - 머리, 팔, 몸통, 다리

동음이의 관계

소리는 같지만 뜻이 다른 단어 간의 관계. 이러한 관계에 있는 단어를 '동음이의어'라고 함.

예 배[船] - 배[梨] - 배[腹]

❷ ○○ 관계

하나의 단어가 서로 연관성이 있는 여러 의미를 가지는 관계(다의어).

- 중심적 의미(가장 기본이 되는 의미)와 주변적 의미(중심적 의미로부터 분화된 여러 의미)를 가짐.

	중심적 의미	주변적 의미
손[手]	신체의 일부분	① 일손, 노동력 ② 사람의 힘이나 노력, 기술

사전에서 동음이의어와 다의어 구분하기

'동음이의어'는 사전에 각각의 단어로 실리는 반면, '다의어'는 하나의 단어로 실림.

35 문장 성분

개념의 좌표: 문장 — 문장 성분 — 문장 구조 — 문법 요소 ❶ 종결, 높임, 시간 — 문법 요소❷ 피·사동, 부정, 인용 — 올바른 문장 표현

문장 성분 문장은 생각이나 감정을 완결된 내용으로 표현하는 최소의 언어 형식이며, 문장 성분은 문장 안에서 일정한 문법적 기능을 하는 각 부분을 의미함.

주성분

문장의 골격을 이루는 부분으로 반드시 필요한 문장 성분.

❸ □□

문장에서 동작 또는 상태나 성질의 주체가 되는 문장 성분.

- **체언 + 주격 조사(이/가, 께서, 에서):** 예 도희가 도서관에 간다. → 문장에서 '누가/무엇이'에 해당함.
- **체언 + 보조사(은, 는, 도, 만 등):** 예 수민이도 그 책을 안 읽었다.
- **체언(주격 조사 생략):** 예 너 공부 좀 해라.

서술어

문장 안에서 주어의 동작이나 상태, 성질 등을 풀이하는 문장 성분.

- **동사:** 예 도희가 도서관에 간다. → 문장에서 '어찌하다'에 해당함.
- **형용사:** 예 강물이 매우 맑다. → 문장에서 '어떠하다'에 해당함.
- **체언 + 서술격 조사(이다):** 예 수민이는 학생이다. → 문장에서 '무엇이다'에 해당함.
- **서술절:** 예 토끼는 앞발이 짧다.

서술어의 자릿수

- 뜻: 서술어가 그 성격에 따라 필요한 문장 성분(필수 성분)의 개수.
  → 서술어를 제외한 주성분(주어, 목적어, 보어)은 필수 성분에 해당함.
- 필수적 부사어: 문장이 완결된 의미를 전달하기 위해 반드시 필요한 부사어.
  → 부사어는 부속 성분에 해당하여 생략이 가능하지만 예외적으로 필수적 부사어가 생략되면 문장을 구성할 수 없음.

한 자리 서술어	'주어'가 필요함.	예 해가 솟다. → 자동사 / 그녀는 예쁘다. → 형용사
두 자리 서술어	'주어, 목적어'가 필요함. '주어, 보어'가 필요함. '주어, 필수적 부사어'가 필요함.	예 영수가 피자를 먹는다. → 타동사 예 물이 얼음이 되었다. / 그는 학생이 아니다. 예 물이 [얼음으로] 되었다. / 그는 [멋지게] 생겼다.
세 자리 서술어	'주어, 목적어, 필수적 부사어'가 필요함.	예 엄마가 [나에게] 용돈을 주셨다. □: 필수적 부사어

❹ □□□

서술어가 표현하는 동작의 대상이 되는 문장 성분. → 문장에서 '무엇을, 누구를'에 해당함.

- **체언 + 목적격 조사(을/를):** 예 도희가 밥을 먹었다.
- **체언 + 보조사:** 예 나는 너만 좋아해.
- **체언 + 보조사 + 목적격 조사:** 예 나는 너만을 좋아해.
- **체언(목적격 조사 생략):** 예 나는 과일 좋아해.

보어

주어와 서술어만으로는 완전하지 못한 문장에서 불완전한 곳을 채우는 문장 성분.

- **체언 + 보격 조사(이/가):** 예 물이 얼음이 되다. / 그는 바보가 아니다.
- **체언 + 보조사:** 예 그 사람은 인간도 아니야.
- **체언(보격 조사 생략):** 예 나는 바보 아니야. → 보어는 서술어 '되다/아니다' 앞에서 나타남.

정답 | ❶ 반의 ❷ 다의 ❸ 주어 ❹ 목적어

❶ ○○○○

주성분의 내용을 꾸며 뜻을 더하여 주는 문장 성분.
→ 생략이 가능함.

관형어 — 뒤에 오는 체언을 수식하는 문장 성분.
- **관형사**: 예 철수가 새 운동화를 샀다. / 올해 첫 비다.
- **체언 + 관형격 조사(의)**: 예 우리의 소원은 통일이다.
- **체언(관형격 조사 생략)**: 예 나는 시골 풍경을 좋아한다.
- **용언 어간 + 관형사형 전성 어미**: 예 그는 성실한 사람이다. / 귀여운 고양이구나!

부사어 — 주로 용언을 수식하는 문장 성분으로, 용언 외에도 관형사, 다른 부사, 문장 전체 등을 수식하거나 단어나 문장을 이어 주기도 함.
- **부사**: 예 초콜릿은 매우 달콤하다. / 그 옷 정말 예쁘다.
- **체언 + 부사격 조사(에서, 으로 등)**: 예 영수는 학교에서 축구를 했다.
- **부사 + 보조사**: 예 빨리만 오렴. / 이 음식은 무척이나 맛있다.
- **용언 어간 + 부사형 전성 어미**: 예 눈이 수북하게 쌓여 있다.

관형사 vs 관형어, 부사 vs 부사어

- 품사: 문장 안에서의 역할과 관계없이 단어 자체의 문법적 특성에 따라 분류된 부류. → 관형사, 부사처럼 OO사로 끝남.
- 문장 성분: 문장 안에서 어떤 말이 하는 역할에 의해 정해지는 것. → 관형어, 부사어처럼 OO어로 끝남.

예 이것은 새로운 글이다. (새로운 — 품사: 형용사) 이것은 새 글이다. (새 — 품사: 관형사) → 문장 성분: 관형어	예 그는 빠르게 달린다. (빠르게 — 품사: 형용사) 그는 빨리 달린다. (빨리 — 품사: 부사) → 문장 성분: 부사어

독립 성분

독립적으로 쓰이는 문장 성분.

독립어 — 문장 안에서 주성분이나 부속 성분과 직접적인 관계를 맺지 않는 문장 성분.
- **감탄사**: 예 와아, 이게 누구야!
- **체언 + 호격 조사(아/야)**: 예 철수야, 밥 먹고 학교 가자.
- **제시어**: 예 청춘, 이것은 듣기만 해도 마음이 설레는 말이다.
- **대답하는 말**: 예 네, 알겠습니다.

36 문장 구조

개념의 좌표: **문장** – 문장 성분 – 문장 구조 – 문법 요소 ❶ 종결, 높임, 시간 – 문법 요소❷ 피·사동, 부정, 인용 – 올바른 문장 표현

문장의 종류 문장 안에서 주어와 서술어의 관계가 나타나는 횟수에 따라 문장은 홑문장과 겹문장으로 나뉨.

홑문장 — 주어와 서술어의 관계가 한 번만 나타나는 문장.
예 나는(주어) 잠을 잤다(서술어).

❷ ○○○ — 주어와 서술어의 관계가 두 번 이상 나타나는 문장.
예 봄이(주어) 오면(서술어) 꽃이(주어) 핀다(서술어).
우리는(주어) 꽃이(주어) 피기를(서술어) 기다린다(서술어).

길이와는 관계없는 홑문장/겹문장

홑문장은 짧은 문장, 겹문장은 긴 문장으로 착각하기 쉽지만 문장의 길이는 홑문장, 겹문장과는 관계가 없다.
예 나는(주어) 간만에 오랫동안 잠을 푹 잤다(서술어). → 홑문장
예 시원한 바람이(주어) 분다(서술어). → 겹문장
(바람이 시원하다(서술어).)

겹문장의 종류 겹문장은 이어진문장과 안긴문장(절)/안은문장으로 나뉨.

이어진문장

둘 이상의 홑문장이 연결 어미에 의해 이어진 문장.

→ 앞 절과 뒤 절의 교체 가능!

둘 이상의 홑문장이 대등적 연결 어미로 나란히 연결된 문장.

- '나열'의 연결 어미(-고, -(으)며 등): 예 인생은 짧고, 예술은 길다.
- '대조'의 연결 어미(-지만, -(으)나 등): 예 떡은 좋아하지만, 빵은 싫어한다.
- '선택'의 연결 어미(-든(지), -거나 등): 예 이리로 오든지 저리로 가라.

❸ □□□ 으로 이어진문장

→ 앞 절과 뒤 절의 교체 불가!

둘 이상의 홑문장이 종속적 연결 어미로 이어져 앞 절(종속절)이 뒤 절(주절)에 대해 '조건, 원인, 의도, 양보' 등 종속적인 의미 관계를 갖는 문장.

- '원인·이유'의 연결 어미(-어서/아서, -(으)니 등): 예 훈련을 받아서 실력이 늘었다.
- '조건'의 연결 어미(-(으)면, -거든): 예 국민이 없으면 국가도 없다.
- '의도'의 연결 어미(-(으)려고, -도록 등): 예 여행을 가려고 일찍 일어났다.
- '배경·상황'의 연결 어미(-는데, -(으)ㄴ데 등): 예 학교를 가는데, 친구를 만났다.
- '양보'의 연결 어미(-어도/아도, -더라도 등): 예 비가 오더라도 계속 걷는다.

안은문장/안긴문장(절)

안긴문장(절): 다른 홑문장 속으로 들어가 문장 성분으로 쓰이는 문장.
안은문장: 안긴문장을 포함한 전체 문장.

❹ □□□을 안은문장

절 전체가 명사처럼 쓰여 주어, 목적어, 보어, 부사어 등의 역할을 하는 명사절을 안은문장.

- 명사형 전성 어미(-(으)ㅁ, -기) 등으로 실현됨.

예 그 일을 하기가 어렵다. → 밑줄 친 명사절이 안은문장의 주어로 쓰임.
일이 끝났음을 알았다. → 밑줄 친 명사절이 안은문장의 목적어로 쓰임.

관형절을 안은문장

절 전체가 관형어처럼 쓰여 체언을 수식하는 역할을 하는 관형절을 안은문장.

- 관형사형 전성 어미(-(으)ㄴ, -는, -(으)ㄹ, -던) 등으로 실현됨.

예 내가 읽던 책은 재밌다. → 밑줄 친 관형절이 체언(책)을 수식함.

부사절을 안은문장

절 전체가 부사어처럼 쓰여 용언, 관형사, 부사, 문장 등을 수식하는 역할을 하는 부사절을 안은문장.

- '-이, -게, -도록, -듯(이)' 등으로 실현됨.

예 비가 소리도 없이 온다. → 밑줄 친 부사절이 안은문장의 서술어(온다)를 수식함.

인용절을 안은문장

다른 사람의 말을 인용한 인용절을 안은문장.

- 인용격 조사(라고, 고) 등으로 실현됨.

예 그가 "집에 갈래."라고 말했다. → '라고'와 큰따옴표(" ")가 쓰여 '그'가 한 말을 직접 인용함.
그가 집에 가겠다고 말했다. → '고'가 쓰여 그가 한 말을 간접적으로 인용함.

서술절을 안은문장

문장 안에서 서술어의 역할을 하는 서술절을 안은문장.

- 절을 나타내는 특별한 표지가 없음.

예 포도가 맛이 좋다. → 밑줄 친 서술절이 서술어로 쓰여, 서술어가 한 개, 주어가 두 개처럼 보임.

안긴문장의 종류를 파악하는 방법

안긴문장의 종류를 파악하려면, 우선 '용언'을 찾아야 한다. 용언이 두 개 이상 있을 때 먼저 나오는 용언이 안긴문장의 서술어이다. 그리고 그 안긴문장의 서술어가 안은문장에서 '명사, 관형어, 부사어'의 기능 중 어떤 기능을 하는지 확인한다.

* 인용절은 '라고'나 '고'가 붙어 있어서 파악하기가 쉽지만, 서술절을 안은문장은 보어가 있는 홑문장과 헷갈릴 수 있다.

예 유준이가 어른이 되었다.	유준이가 머리가 좋다.
(주어 + 보어 + 서술어) → 홑문장.	(주어 + 주어 + 서술어) → 겹문장

정답 | ❶ 부속 성분 ❷ 겹문장 ❸ 종속적 ❹ 명사절

37 문법 요소 ❶ – 종결, 높임, 시간

개념의 좌표: 문장 – 문장 성분 – 문장 구조 – 문법 요소 ❶ 종결, 높임, 시간 – 문법 요소❷ 피·사동, 부정, 인용 – 올바른 문장 표현

종결 표현 문장을 끝맺는 표현으로, 종결 어미를 통해 실현되며 종결 어미에 따라 문장의 종류가 결정됨.

문장 유형

❶ □□□
화자가 청자에게 특별히 요구하는 바 없이 사실이나 생각을 단순하게 전달하는 문장.
- 평서형 종결 어미(–다, –습니다 등)로 실현됨.

예 나는 집에 간다. / 저는 기분이 좋습니다.

의문문
화자가 청자에게 질문을 하여 그 대답을 요구하는 문장.
- 의문형 종결 어미(–(으)니, –느냐, –(으)ㄹ까, –(으)ㅂ니까 등)로 실현됨.

예 너 아침에 밥 먹었냐? → 판정 의문문(상대방에게 긍·부정의 대답 요구)
그 분식집은 언제(의문사) 열지? → 설명 의문문(상대방에게 설명을 요구)
노트 좀 빌려주겠니? → 수사 의문문(대답 요구X, 의미를 강조)

명령문
화자가 청자에게 무엇을 시키거나 어떤 행동을 하라고 요구하는 문장.
- 명령형 종결 어미(–(아)라/(어)라, –(으)십시오, –게 등)로 실현됨.

예 내 손을 잡아라. / 어서 들어오게.

청유문
화자가 청자에게 같이 행동할 것을 요구하는 문장.
- 청유형 종결 어미(–자, –(으)ㅂ시다 등)로 실현됨.

예 시간이 없으니 빨리 가자. / 서두릅시다.

감탄문
화자가 청자를 별로 의식하지 않거나 혼잣말로 자신의 느낌을 표현하는 문장.
- 감탄형 종결 어미(–구나, –군, –(아)라/(어)라 등)로 실현됨.

예 풍경이 멋지구나! / 어머, 가엾어라!

높임 표현 화자가 어떤 대상이나 상대의 높고 낮은 정도에 따라 언어적으로 구별하여 표현하는 방식.

높임 표현

❷ □□ 높임법
서술의 주체(주어)를 높이는 방법
- 높임의 주격 조사(께서): 예 선생님께서 책을 읽으신다.
- 선어말 어미(–(으)시–): 예 할아버지께서는 귀가 밝으시다.
  → 간접 높임: 주체와 관련 있는 대상을 높이는 주체 높임의 한 방법.
- 특수 어휘 사용: 계시다, 주무시다, 잡수시다, 편찮다, 댁, 진지, 연세, 말씀 등

객체 높임법
서술어의 대상이 되는 객체(목적어나 서술어)를 높이는 방법
- 높임의 부사격 조사(께): 예 삼촌께 전화를 드렸다.
- 특수 어휘 사용: 드리다, 모시다, 뵙다(뵈다), 여쭙다(여쭈다) 등

상대 높임법
대화의 상대(청자)를 높이거나 낮추는 표현

격식체 (격식을 차린 표현으로 심리적 거리감을 나타냄.)				비격식체 (격식을 덜 차리는 표현, 친밀함 표시)	
하십시오체 (아주높임)	하오체 (예사 높임)	하게체 (예사 낮춤)	해라체 (아주낮춤)	해요체 (두루높임)	해체 (두루낮춤)
예 글을 쓰십시오.(하십시오체) / 글을 쓰오.(하오체) 글을 쓰게.(하게체) / 글을 써라.(해라체)				예 글을 써요.(해요체) → 요: 보조사 글을 써.(해체)	

시간 표현 시간을 언어적으로 표현한 것으로, 시간 표현에는 시제와 동작상이 있음.

❸ ( )
연속적인 현상인 시간을 구분하여 나타내기 위한 언어적 표현.

과거 시제
사건시(사건이 일어난 시점)가 발화시(화자가 말하는 시점)보다 앞서는 시제.
- 선어말 어미: -았/었-, -았었/었었-, -더-(회상의 의미) 예 꽃이 들판에 피었다.
- 관형사형 어미: -(으)ㄴ(동사), -던(동사, 형용사, 서술격 조사) 예 이미 본 영화야.
- 시간 부사어: 어제, 옛날 등

현재 시제
사건시와 발화시가 일치하는 시제.
- 선어말 어미: -는/ㄴ- 예 밥을 급하게 먹는다.
- 관형사형 어미: -는(동사), -(으)ㄴ(형용사, 서술격 조사) 예 잠을 자는 착한 아기
- 시간 부사어: 오늘, 지금 등

미래 시제
사건시가 발화시보다 나중인 시제.
- 선어말 어미: -겠-, -(으)리- 예 눈이 곧 오겠다.
- 관형사형 어미: -(으)ㄹ 예 여기는 살 만한 곳이야.
- 시간 부사어: 내일, 나중에 등

시제 선어말 어미의 다양한 쓰임

-았/었-	• 완료된 상황이 현재까지 지속됨을 나타냄. 예 저는 엄마를 닮았어요. • 미래에 대한 확신을 나타냄. 예 화분을 깨뜨리다니, 넌 이제 엄마께 혼났다.
-겠-	• 주체의 의지 예 이 일을 해 내고야 말겠다. • 미래에 대한 추측 예 내일쯤이면 답변이 오겠다. • 가능성이나 능력 예 이걸 어떻게 혼자 다 하겠니? • 완곡하게 말하는 태도 예 진행해도 되겠습니까?

동작상
시간의 흐름 속에서 동작이 일어나는 모습을 표현하는 것.

완료상
시간의 흐름 속에서 동작이 이미 완결되었거나 해당 사건이 끝난 결과가 지속되고 있음을 표현함.
- 보조 용언: -아/어 있다, -아/어 버리다 등 예 지영이가 의자에 앉아 있다.
- 연결 어미: -고서 예 밥을 다 먹고서 놀아라.

진행상
시간의 흐름 속에서 그 동작이 진행되고 있음을 표현함.
- 보조 용언: -고 있다, -아/어 가다 등 예 지영이가 의자에 앉고 있다.
- 연결 어미: -(으)면서 예 노래를 부르면서 춤을 춘다.

38 문법 요소 ❷ – 피동, 사동, 부정, 인용

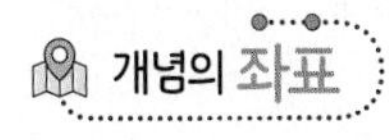

개념의 좌표: 문장 – 문장 성분 – 문장 구조 – 문법 요소 ❶ 종결, 높임, 시간 – 문법 요소❷ 피·사동, 부정, 인용 – 올바른 문장 표현

❹ ( ) 표현 주어가 다른 주체에 의해 동작을 당하는 것을 나타내는 표현. ↔ 능동 표현.
예 [능동문] 사냥꾼이 사슴을 잡았다. → [피동문] 사슴이 사냥꾼에게 잡히었다.
능동문의 목적어(사슴)이 피동문의 주어가 되고, 능동문의 주어(사냥꾼)는 피동문의 부사어가 되며, 능동사는 피동사로 바뀐다.

정답 | ❶ 평서문 ❷ 주체 ❸ 시제 ❹ 피동

형성 방법에 따라

파생적 피동 (단형 피동)
- 용언의 어간 + 피동 접미사(-이-, -히-, -리-, -기-): 예 도둑이 경찰에게 잡히었다.
- 체언 + 피동 접미사(-되다): 예 도둑이 경찰에게 체포 되다.

통사적 피동 (장형 피동)
- 용언의 어간 + '-어지다', '-게 되다': 예 새로운 말이 만들어지다.

❶ ○○ 표현

주어가 다른 대상에게 동작을 시키는 것을 나타내는 표현. ↔ 주동 표현.

예 [주동문] 아이가 옷을 입었다. → [사동문] 아빠가 아이에게 옷을 입히었다.

사동문에는 주동문에서 없었던 주어(아빠)가 생기고, 주동문의 주어(아이)는 부사어나 목적어로 바뀌며, 주동사는 사동사로 바뀐다.

형성 방법에 따라

파생적 사동 (단형 사동)
- 용언의 어간 + 사동 접미사(-이-, -히-, -리-, -기-, -우-, -구-, -추-)
  예 영희가 강아지에게 밥을 먹인다. → 직접 사동
- 체언 + 사동 접미사(-시키다): 예 공장의 폐수가 강을 오염시키다.

통사적 피동 (장형 사동)
- 용언의 어간 + '-게 하다': 예 훈이가 동생에게 씻게 했다.
  → 직접 사동(훈이가 직접 동생을 씻김)
  간접 사동(훈이가 동생 스스로 씻도록 시킴)

❷ ○○ 표현

문장의 내용 전체나 일부분을 부정하는 표현.

형성 방법에 따라

짧은 부정
부정 부사(못, 안(아니))를 사용한 부정.
예 숙제를 못 했다. / 숙제를 안 했다.

긴 부정
부정 보조 용언(못하다, 아니하다)을 사용한 부정.
예 숙제를 하지 못했다. / 숙제를 하지 않았다.

부정 내용에 따라

능력 부정
외부의 원인, 주체의 능력 부족으로 일이 일어나지 못함을 나타내는 부정.
- '못', '못하다'로 실현: 예 숙제를 못 했다. / 숙제를 하지 못했다.

의지 부정
동작을 행하고자 하는 주체의 의지가 작용되는 부정.
- '안', '아니하다'로 실현: 예 숙제를 안 했다. / 숙제를 하지 않았다.
  → 명령문(~지 마라)과 청유문(말자)에서의 부정 표현도 가능함.

상태 부정
단순한 사실이나 상태의 부정.
- '안', '아니하다'로 실현: 예 비가 안 왔다. / 비가 오지 않았다.

인용 표현

다른 사람의 말이나 글을 자신의 말이나 글에 끌어서 쓰는 표현.

방식에 따라

직접 인용
말하는 이가 다른 사람의 말이나 글을 그대로 옮겨 전하는 방식.
- " " + 조사(라고)로 실현: 예 재환이는 "네가 우승할 것 같은데?"라고 말했다.
  → 큰따옴표(" ") 안에 재환이가 한 말을 그대로 인용함.

간접 인용
말하는 이가 다른 사람의 말이나 글을 자신의 표현으로 바꾸어 전하는 방식.
- 조사(고)로 실현: 예 재환이는 내가 우승할 것 같다고 말했다.

39 올바른 문장 표현

문장 – 문장 성분 – 문장 구조 – 문법 요소 ❶ 종결, 높임, 시간 – 문법 요소❷ 피·사동, 부정, 인용 – 올바른 문장 표현

올바른 문장 표현 문장 성분을 알맞게 썼는지 문법 요소를 바르게 적었는지, 중의적인 표현은 없는지 점검해야 함.

문장 성분 알맞게 쓰기

- **문장 성분의 호응 지키기**: 어떤 말이 오면 거기에 응하는 말이 자연스럽게 따라와야 함.
  - 예 무엇보다 중요한 것은 목표가 분명해야 ~~한다~~.
    한다는 점이다. → 주어 '무엇보다 중요한 것'과 호응해야 함.
- **필요한 문장 성분 갖추기**: 문맥을 통해 의미를 정확히 알 수 있을 때에만 문장 성분을 생략할 수 있음.
  - 예 눈과(이 내리고) 바람이 분다. → 눈과 호응하는 서술어가 생략됨.
- **불필요한 문장 성분 없애기**: 같은 단어가 반복되는 경우에는 둘 중 하나는 삭제하거나 수정해야 하며, 단어의 의미가 중복되지는 않는지 점검해야 함.
  - 예 미리 예습을 하는 것이 좋다.
    → '미리'와 '예(豫)'의 의미가 중복되므로 둘 중 하나는 표현을 삭제하거나 수정해야 함.
    이처럼 고유어와 한자어를 겹쳐 쓸 때 의미가 중복되지 않는지 꼭 확인해야 함.

문법 요소 바르게 쓰기

피동/사동 표현

- **어색한 피동 표현**: 능동문으로 표현해도 될 것을 피동문으로 쓰지 않기
  - 예 그 집은 ~~할아버지에 의해 지어졌다~~. → 그 집은 할아버지께서 지으셨다.
- **어색한 사동 표현**: 주동문으로 표현해도 될 것을 사동문으로 쓰지 않기
  - 예 환경을 ~~개선시켜야~~ 한다. → 환경을 개선해야 한다.
- **이중 피동 표현**: 피동 표현을 두 번 겹쳐 쓰지 않도록 해야 함.
  - 예 그 책은 조선 시대에 ~~쓰여졌다~~. 쓰였다. / 써졌다.
    → 피동 접미사 '-이-'와 '-어지다'가 겹쳐 쓰였으므로 하나는 삭제함.

높임 표현

- **잘못된 대상을 높인 경우**: 예 선생님께서 너 ~~오시래~~. 오라고 하셔.
  → 주체 높임으로 '너'를 높인 표현을 수정.
- **높임 대상을 높이지 않은 경우**: 예 선생님께 ~~줄~~ 선물이 있어요.
  드릴 → 객체 높임으로 '선생님'을 높여야 함.
- **잘못된 간접 높임을 한 경우**: 예 이 신발은 손님께 ~~크시네요~~. 크네요.
  → '신발'은 높임의 대상이 아님.

 ❸ ○○○ 피하기

한 문장이 둘 이상의 뜻으로 해석되지 않도록 해야 함.
→ 쉼표나 보조사의 사용, 어순의 교체 등으로 중의성 해소.

- **수식 범위에 따른 중의성**: 꾸미는 말이 무엇을 꾸며 주는지 분명하지 않아 중의성이 발생한 경우.
  - 예 그녀는 웃으면서 다가오는 그에게 말했다. → [의미 1] 그녀는 웃으면서, 다가오는 그에게 말했다.
    [의미 2] 웃으면서 다가오는 그에게 그녀는 말했다.
- **비교 대상에 따른 중의성**: '보다/만큼'이 비교하는 대상이 명확하지 않아 중의성이 발생한 경우.
  - 예 그녀는 나보다 영화를 더 좋아한다. → [의미 1] 그녀는 나와 영화 중에서 영화를 좋아한다.
    [의미 2] 그녀는 내가 영화를 좋아하는 것보다 영화를 더 좋아한다.
- **부정 표현의 범위에 따른 중의성**: 부정 표현이 미치는 범위가 분명하지 않아 중의성이 발생함.
  - 예 내가 철수를 안 때렸다 → [의미 1] 나는 철수를 안 때렸다. / [의미 2] 내가 때린 사람은 철수가 아니다.
    [의미 3] 내가 철수를 때리지는 않았다.
- **시제·사동 표현의 중의성**: 시제 표현에서 동작상은 완료상과 진행상으로 해석될 수 있고, 사동 표현에서 통사적 사동(-게 하다)은 직접 사동과 간접 사동으로 해석될 수 있어 중의성이 발생함.
  - 예 민정이가 빨간 구두를 신고 있다. → [의미 1] 민정이가 빨간 구두를 신는 중이다. (진행상)
    [의미 2] 민정이가 빨간 구두를 신은 상태로 있다. (완료상)

정답 | ❶ 사동 ❷ 부정 ❸ 중의성

40 음운과 음운 체계

개념의 좌표: **음운** – 음운과 음운 체계 – 음운의 변동 ❶ - 교체 – 음운의 변동 ❷ - 탈락, 첨가, 축약

❶ ◯◯의 개념 말의 뜻을 구별해 주는 소리의 가장 작은 단위.

사람들이 같은 소리라고 인식하는 추상적인 말소리.

- **분절 음운** (= 음소) — **소리마디를 뚜렷하게 나눌 수 있는 음운으로 자신만의 소릿값을 가짐.** 예 자음, 모음
- **비분절 음운** (= 운소) — **뚜렷하게 나눌 수 있는 소릿값을 가지지는 않지만 음절이나 문장에 얹혀서 실현되는 요소.** 예 소리의 길이, 높낮이, 강약 등
  - 소리의 길이: 현대 국어에서는 소리의 길이만 말의 뜻을 구별하는 기능을 함.

최소 대립쌍(최소 대립어)

동일한 환경에서 어떤 한 가지 음만이 달라 그 뜻이 달라졌을 때, 그 짝을 가리킴.

예 밤/방/발 – 첫소리(ㅂ), 가운뎃소리(ㅏ)가 같고 끝소리만 'ㅁ', 'ㅇ', 'ㄹ'로 다르며, 이 차이 때문에 뜻이 구별됨.

국어의 음운 체계

국어의 음운은 자음 19개, 모음 21개.

- **자음** — **발음을 할 때 목청을 통과한 공기의 흐름이 목 안이나 입안에서 발음 기관의 방해를 받고 나는 소리.**
  - ㄱ, ㄲ, ㄴ, ㄷ, ㄸ, ㄹ, ㅁ, ㅂ, ㅃ, ㅅ, ㅆ, ㅇ, ㅈ, ㅉ, ㅊ, ㅋ, ㅌ, ㅍ, ㅎ (19개)
- **모음** — **발음할 때 공기의 흐름이 방해를 거의 받지 않고 나는 소리.**
  - ㅏ, ㅓ, ㅗ, ㅜ, ㅡ, ㅣ, ㅐ, ㅔ, ㅚ, ㅟ (단모음 10개)
  - ㅑ, ㅕ, ㅛ, ㅠ, ㅒ, ㅖ, ㅘ, ㅙ, ㅝ, ㅞ, ㅢ (이중 모음 11개)

국어의 자음 체계

자음은 조음 위치와 조음 방식을 기준으로 아래 표와 같이 분류함.

조음 위치: 발음할 때 공기의 흐름이 방해를 받는 위치.

조음 방법: 발음할 때 공기의 흐름이 방해를 받는 방식.

조음 방법 \ 조음 위치			입술소리(순음)	잇몸소리(치조음)	센입천장소리(경구개음)	여린입천장소리(연구개음)	목청소리(후음)
장애음	파열음	예사소리	ㅂ	ㄷ		ㄱ	
		된소리	ㅃ	ㄸ		ㄲ	
		거센소리	ㅍ	ㅌ		ㅋ	
	파찰음	예사소리			ㅈ		
		된소리			ㅉ		
		거센소리			ㅊ		
	마찰음	예사소리		ㅅ			ㅎ
		된소리		ㅆ			
공명음	비음		ㅁ	ㄴ		ㅇ	
	유음			ㄹ			

국어의 모음 체계

모음은 발음할 때 혀의 높이, 앞뒤 위치, 입술 모양을 기준으로 아래와 같이 분류함.
→ 발음하는 동안 입의 모양이나 혀의 위치가 바뀌느냐 아니냐에 따라 단모음과 이중 모음으로 나뉨.

단모음 — 발음하는 도중에 입의 모양이나 혀의 위치가 바뀌지 않는 모음.

혀의 앞뒤 위치 / 혀의 높이 / 입술 모양	전설 모음		후설 모음	
	평순 모음	원순 모음	평순 모음	원순 모음
고모음	ㅣ	ㅟ	ㅡ	ㅜ
중모음	ㅔ	ㅚ	ㅓ	ㅗ
저모음	ㅐ		ㅏ	

❷ ☐☐ 모음 — 발음하는 도중에 입의 모양이나 혀의 위치가 바뀌는 모음으로 단모음과 반모음이 결합하여 만들어짐.

Ĭ[j]계 이중 모음 — 반모음 'Ĭ[j]' + 단모음	ㅑ, ㅒ, ㅕ, ㅖ, ㅛ, ㅠ
ㅗ̆/ㅜ̆[w]계 이중 모음 — 반모음 'ㅗ̆/ㅜ̆[w]' + 단모음	ㅘ, ㅙ, ㅝ, ㅞ

반모음

발음할 때 공기의 흐름이 방해를 받지 않는다는 점에서 모음과 비슷하고, 홀로 발음될 수 없다는 점에서 자음과 비슷한, 자음과 모음의 중간적 존재. 온전한 모음이 아니므로 표기상으로 반달표(˘)를 붙여 'Ĭ'와 같이 표시를 하여 구분함.
예 'ㅣ'와 'ㅏ'를 이어서 빠르게 발음하면, 마치 'ㅑ'처럼 느껴짐. 이때 빠르게 발음한 'Ĭ'를 반모음 '[j]'라고 함.

음절의 개념 한 번에 소리낼 수 있는 발음의 최소 단위.

음절 구조

음절은 '(자음) + ❸ ☐☐ + (자음)'의 순서로 결합함.

음절의 구조		예시
모음 단독	중성 모음	아, 오, 야
모음 + 자음	중성 모음 + 종성 자음	안, 운, 양
자음 + 모음	초성 자음 + 중성 모음	가, 수, 봐
자음 + 모음 + 자음	초성 자음 + 중성 모음 + 종성 자음	강, 산, 돌

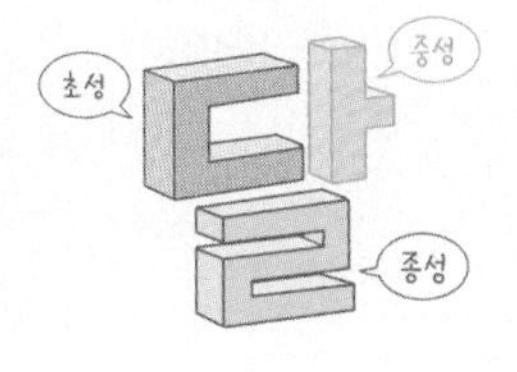

음절 제약

음절의 초성, 중성, 종성에 올 수 있는 음에는 제약이 있음.

초성 제약	최대 1개의 자음이 올 수 있으며, 자음 'ㅇ'은 올 수 없음.
중성 제약	1개의 단모음이나 이중 모음이 올 수 있음.
종성 제약	최대 1개의 자음이 올 수 있으며, 이때 자음은 'ㄱ, ㄴ, ㄷ, ㄹ, ㅁ, ㅂ, ㅇ'만 허용함.

정답 | ❶ 음운 ❷ 이중 ❸ 모음

41 음운의 변동 ❶ – 교체

개념의 좌표: 음운 – 음운과 음운 체계 – 음운의 변동 ❶ – 교체 – 음운의 변동 ❷ – 탈락, 첨가, 축약

음운의 변동 음운이 놓이는 환경에 따라 다르게 발음되는 현상.

변동 유형	변동 양상	음운의 개수 변화
교체	XaY → XbY	없음.
탈락	XaY → X_Y	−1
축약	XabY → XcY	−1
첨가	X_Y → XaY	+1

음운의 교체 한 음운이 다른 음운으로 바뀌는 현상.

음절의 ❶ ○○○ 규칙

음절 끝에서는 'ㄱ, ㄴ, ㄷ, ㄹ, ㅁ, ㅂ, ㅇ'의 일곱 자음만 발음될 수 있음.

- 음절 끝에 이 일곱 개 이외의 자음이 오더라도 'ㄱ, ㄴ, ㄷ, ㄹ, ㅁ, ㅂ, ㅇ' 중 하나로 발음됨.
  - '가느다란 물방울'로 암기!

뒤에 오는 말에 따라 규칙이 적용됨.

- 자음으로 시작하는 말이 올 때 — 예) 옷도 → [옫도] → [옫또]
- 모음으로 시작하는 실질 형태소가 올 때 — 예) 옷 안 → [옫안] → [오단]

→ 모음으로 시작하는 '형식 형태소'가 올 때는 음절의 끝소리 규칙이 적용되지 않음. 예) 옷이 → [오시] (연음 현상)

된소리되기

= 경음화

특정한 환경에서 예사소리가 된소리로 바뀌어 발음되는 현상.

- **된소리되기가 일어나는 환경**: 다음의 환경에서 뒤따르는 예사소리가 된소리로 바뀜.

앞		뒤	예
받침 'ㄱ(ㄲ, ㅋ, ㄳ, ㄺ)', 'ㄷ(ㅅ, ㅆ, ㅈ, ㅊ, ㅌ)', 'ㅂ(ㅍ, ㄼ, ㄿ, ㅄ)'	+	예사소리 ㄱ, ㄷ, ㅂ, ㅅ, ㅈ	약국[약꾹] 닫지[닫찌]
어간 받침 'ㄴ(ㄵ)', 'ㅁ(ㄻ)'	+	어미의 첫소리 ㄱ, ㄷ, ㅅ, ㅈ	안고[안꼬] 감대[감따]
한자어에서 받침 'ㄹ'	+	ㄷ, ㅅ, ㅈ	갈등[갈뜽] 발사[발싸]
• 관형사형 어미 '-(으)ㄹ' • '-(으)ㄹ'로 시작되는 어미	+	ㄱ, ㄷ, ㅂ, ㅅ, ㅈ	할 도리[할또리] 할지라도[할찌라도]

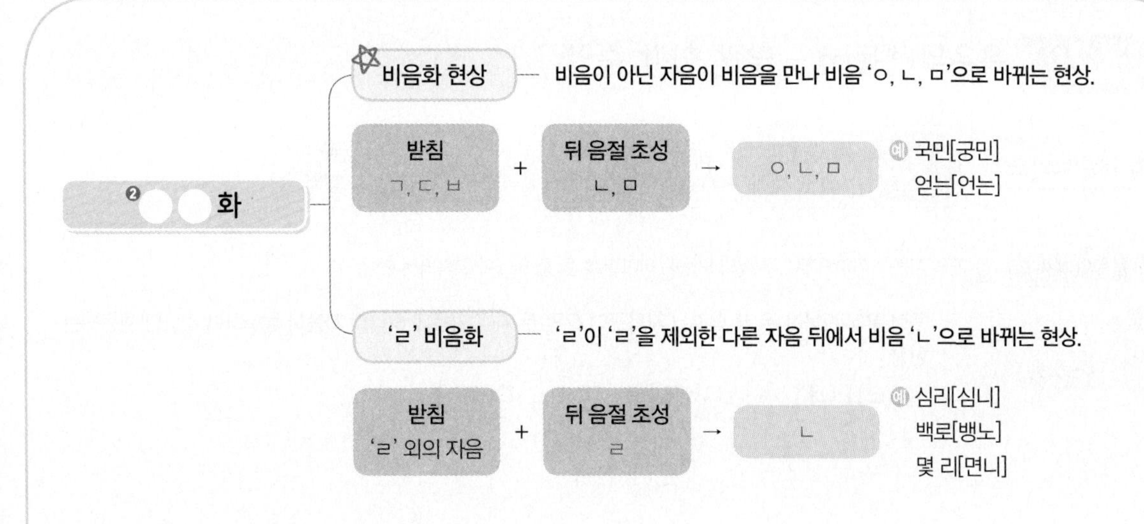

유음화

'ㄴ'이 'ㄹ'의 영향을 받아 유음 'ㄹ'로 바뀌는 현상.

예 신라[실라] 칼날[칼랄]

❸ ○○○화

끝소리가 'ㄷ, ㅌ'인 형태소가 모음 'ㅣ'나 반모음 'ǐ'로 시작하는 형식 형태소를 만났을 때, 구개음이 아니었던 'ㄷ, ㅌ'이 구개음인 [ㅈ, ㅊ]으로 발음되는 현상.

예 굳이[구지] 같이[가치]

- 끝소리 'ㄷ, ㅌ' 뒤에 모음 'ㅣ'나 '반모음 ㅣ'가 오더라도 그것이 실질 형태소이면 구개음화가 일어나지 않음. → 즉, 현대 국어의 구개음화는 실질 형태소와 형식 형태소의 경계에서 일어남.

> - 저 논이랑 ㉠밭이랑[바치랑] 다 내 거야. 구개음화 ○
> - 농부가 ㉡밭이랑[반니랑]을 갈았다. 구개음화 ×

→ ㉠의 '이랑'은 조사(형식 형태소)이고, ㉡의 '이랑'은 어근(실질 형태소)임.

동화(同化)

한쪽의 음운이 다른 쪽 음운의 성질을 닮는 현상. '비음화, 유음화, 구개음화'는 모두 자음이 앞이나 뒤에 오는 음운의 성질을 닮아 변동하기 때문에 동화에 해당함. 동화는 일어나는 방향에 따라 다음의 둘로 나뉨.

순행 동화	앞 음운의 영향으로 뒤 음운이 동화되는 현상. 예 칼날[칼랄]
역행 동화	뒤 음운의 영향으로 앞 음운이 동화되는 현상. 예 신라[실라]

정답 | ❶ 끝소리 ❷ 비음 ❸ 구개음

42 음운의 변동 ❷ – 탈락, 첨가, 축약

개념의 좌표: 음운 – 음운과 음운 체계 – 음운의 변동 ❶ – 교체 – 음운의 변동 ❷ – 탈락, 첨가, 축약

음운의 탈락 두 개의 자음이 이어지거나 두 개의 모음이 이어질 때 둘 중 하나가 탈락되는 현상.

❶ ○○○ 단순화 — 음절 끝에 자음이 두 개 연결된 자음군이 오면 두 자음 가운데 하나의 자음이 탈락하여 하나만 발음되는 현상.

예 넋[넉]　　닮고[담고 → 담꼬]

* 음절 끝 자음군 다음에 모음으로 시작하는 형식 형태소가 오면 연음 현상이 일어남. 예 닮아[달마]

'ㄹ' 탈락 — 'ㄹ'로 끝나는 용언의 어간이 'ㄴ, ㅅ' 등으로 시작하는 어미를 만날 때 'ㄹ'이 탈락하는 현상.

- **용언의 활용에서 'ㄹ' 탈락** — 이 경우 'ㄹ'의 탈락은 표기에도 반영함. 이와 같은 'ㄹ'의 탈락은 어간의 받침이 'ㄹ'로 끝나는 모든 용언의 활용에서 발생하기 때문에 용언 어간의 형태가 바뀌더라도 규칙 활용으로 봄.

예 울(다)– + –는 → [우는]　　울(다)– + –세 → [우세]

- **합성, 파생 과정에서 'ㄹ' 탈락** — 이 경우 'ㄹ' 탈락이 일어난 발음을 표준어로 삼으며 표기에도 반영함. 합성이나 파생의 과정에서 일어나는 'ㄹ' 탈락은 용언의 활용에서와 달리 항상 발생하는 음운 변동이 아님.

예 말 + 소 → 마소　　바늘 + 질 → 바느질

'❷ ○' 탈락 — 'ㅎ'으로 끝나는 용언의 어간이나 어근이 모음으로 시작하는 어미나 접미사를 만나면 'ㅎ'이 탈락하는 현상.

예 낳은(어미)[나은]　　쌓이다(접미사)[싸이다]

잃(다)– + –어(어미) → 잃어[이러]

'ㅡ' 탈락 — 용언 어간 말의 'ㅡ' 모음이 'ㅏ/ㅓ'로 시작하는 어미를 만났을 때 탈락하는 현상.

예 크(다)– + –고(자음으로 시작하는 어미) → 크고(탈락 ×)　　크(다)– + –어(모음으로 시작하는 어미) → 커('ㅡ' 탈락)

'ㅏ/ㅓ' 탈락 (= 동음(同音) 탈락) — 'ㅏ/ㅓ'로 끝나는 용언 어간이 'ㅏ/ㅓ'로 시작하는 어미와 만났을 때 그중 하나의 'ㅏ/ㅓ'가 탈락하는 현상.

예 가(다)– + –아 → 가　　건너(다)– + –어서 → 건너서 음운의 첨가 두 형태소가 결합될 때 그 사이에 없던 음운이 새로 덧붙어 발음되는 현상.

'ㄴ' 첨가 — 'ㄴ'이 새롭게 첨가되어 발음되는 것. 'ㄴ'첨가는 자음으로 끝나는 형태소가 'ㅣ' 또는 반모음 'ㅣ̆'로 시작하는 형태소와 결합할 때 그 사이에 'ㄴ'이 첨가되는 현상.

예 솜이불[솜니불] 식용유[식용뉴 →(연음) 시공뉴]

❸ ( ) 첨가 — 모음으로 끝나는 형태소 뒤에 단모음으로 시작하는 형태소가 올 때 반모음 'ㅣ[j]', 'ㅗ/ㅜ[w]'가 첨가되는 현상.

ㅣ̆[j] 첨가

예 되- + -어 → [되 + ㅣ̆ + 어 → 되여] (결합)
피- + -어 → [피 + ㅣ̆ + 어 → 피여] (결합)

* 발음은 반모음 'ㅣ̆'를 첨가하지 않는 것이 원칙이나 일부 단어에서만 허용함.(표준 발음법 제22항)
예 되어[되어/되여], 피어[피어/피여], 이오[이오/이요], 아니오[아니오/아니요]만 허용함.

ㅗ/ㅜ[w] 첨가

예 좋- + -아도 → [조 + ㅗ̆ + 아도 → 조와도] (결합) → 표준 발음이 아님!

사잇소리 현상

두 개의 형태소 또는 단어가 결합하여 합성 명사, 즉 명사로 된 합성어를 이룰 때 뒷말의 첫소리를 된소리로 발음하거나, 뒷말의 첫소리 앞에서 'ㄴ' 소리 또는 'ㄴㄴ' 소리가 덧나는 현상.

사잇소리 현상	예시
① 뒷말의 첫소리를 된소리로 발음함.	초 + 불 → 촛불[초뿔/촏뿔] 밤 + 길 → 밤길[밤낄]
② 뒷말의 첫소리 'ㄴ, ㅁ' 앞에서 'ㄴ' 소리가 덧남.	이 + 몸 → 잇몸[읻몸 → 인몸] 코 + 날 → 콧날[콛날 → 콘날]
③ 뒷말의 첫소리 모음 앞에서 'ㄴㄴ' 소리가 덧남.	예사 + 일 → 예삿일[예삳닐 → 예산닐] 깨 + 잎 → 깻잎[깯닙 → 깬닙]

사잇소리 현상으로서의 'ㄴ' 첨가 (②, ③)

음운의 축약 두 음운이 합쳐져서 하나의 음운으로 줄어드는 것.

❹ ( ) 되기 (= 유기음화) — 'ㄱ, ㄷ, ㅂ, ㅈ'이 앞이나 뒤에서 'ㅎ'을 만나 'ㅋ, ㅌ, ㅍ, ㅊ'으로 발음되는 현상.

예 국화[구콰] 잡히다[자피다]
많다[만타] 좋고[조코]

- '국화'와 '잡히다'는 종성의 'ㄱ, ㅂ'이 뒤에 오는 'ㅎ'과 합쳐져서 각각 'ㅋ, ㅍ'으로 바뀜.
- '많다'와 '좋고'는 종성의 'ㅎ'이 'ㄷ, ㄱ'과 합쳐져서 'ㅌ, ㅋ'이 됨.

정답 | ❶ 자음군 ❷ ㅎ ❸ 반모음 ❹ 거센소리

43 담화

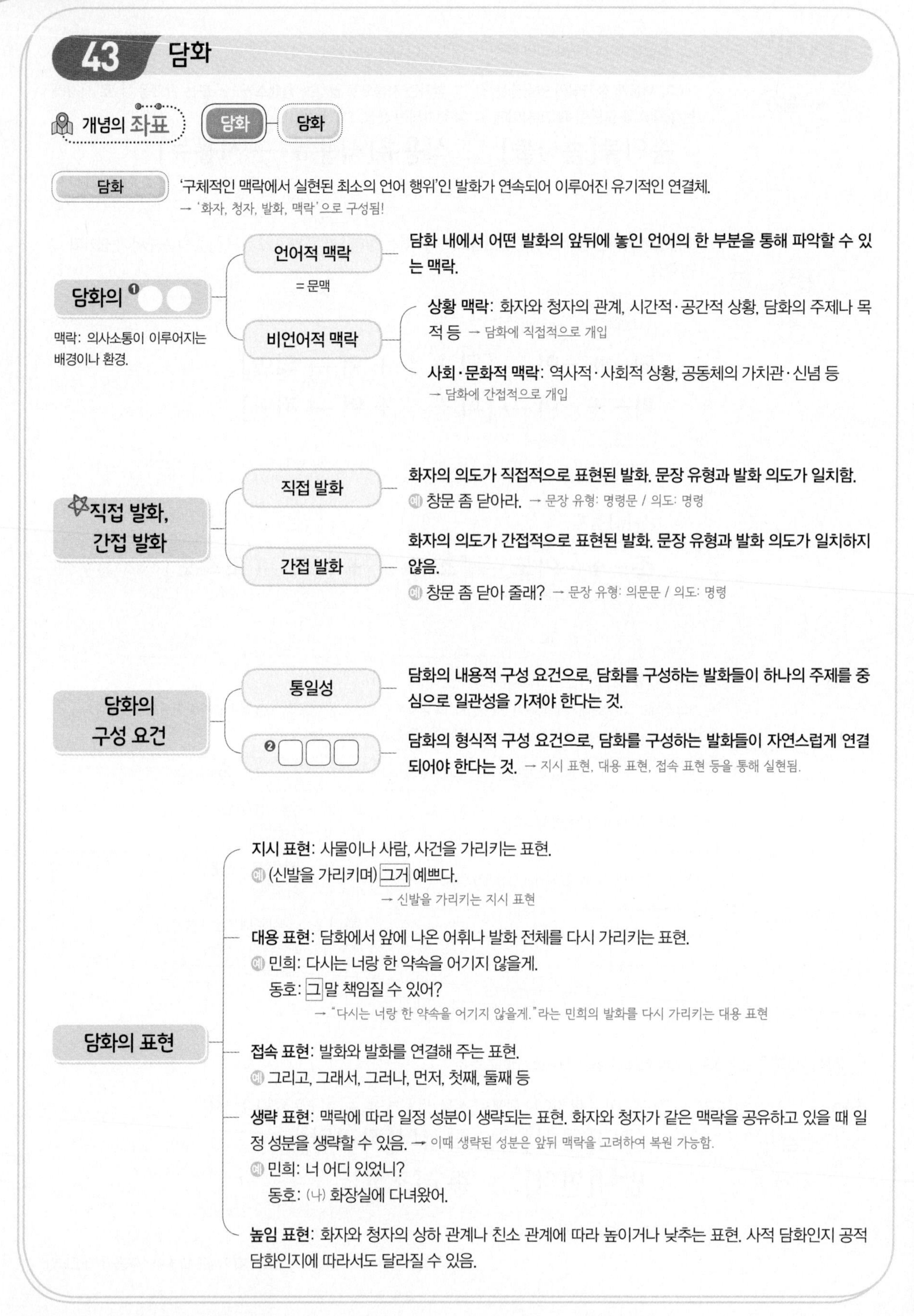

개념의 좌표 | 담화 - 담화

담화 '구체적인 맥락에서 실현된 최소의 언어 행위'인 발화가 연속되어 이루어진 유기적인 연결체.
→ '화자, 청자, 발화, 맥락'으로 구성됨!

담화의 ❶ ○○

맥락: 의사소통이 이루어지는 배경이나 환경.

- **언어적 맥락** (= 문맥): 담화 내에서 어떤 발화의 앞뒤에 놓인 언어의 한 부분을 통해 파악할 수 있는 맥락.
- **비언어적 맥락**
  - **상황 맥락**: 화자와 청자의 관계, 시간적·공간적 상황, 담화의 주제나 목적 등 → 담화에 직접적으로 개입
  - **사회·문화적 맥락**: 역사적·사회적 상황, 공동체의 가치관·신념 등 → 담화에 간접적으로 개입

직접 발화, 간접 발화

- **직접 발화**: 화자의 의도가 직접적으로 표현된 발화. 문장 유형과 발화 의도가 일치함.
  예 창문 좀 닫아라. → 문장 유형: 명령문 / 의도: 명령
- **간접 발화**: 화자의 의도가 간접적으로 표현된 발화. 문장 유형과 발화 의도가 일치하지 않음.
  예 창문 좀 닫아 줄래? → 문장 유형: 의문문 / 의도: 명령

담화의 구성 요건

- **통일성**: 담화의 내용적 구성 요건으로, 담화를 구성하는 발화들이 하나의 주제를 중심으로 일관성을 가져야 한다는 것.
- **❷ □□□**: 담화의 형식적 구성 요건으로, 담화를 구성하는 발화들이 자연스럽게 연결되어야 한다는 것. → 지시 표현, 대용 표현, 접속 표현 등을 통해 실현됨.

담화의 표현

- **지시 표현**: 사물이나 사람, 사건을 가리키는 표현.
  예 (신발을 가리키며) 그거 예쁘다.
  → 신발을 가리키는 지시 표현
- **대용 표현**: 담화에서 앞에 나온 어휘나 발화 전체를 다시 가리키는 표현.
  예 민희: 다시는 너랑 한 약속을 어기지 않을게.
  동호: 그 말 책임질 수 있어?
  → "다시는 너랑 한 약속을 어기지 않을게."라는 민희의 발화를 다시 가리키는 대용 표현
- **접속 표현**: 발화와 발화를 연결해 주는 표현.
  예 그리고, 그래서, 그러나, 먼저, 첫째, 둘째 등
- **생략 표현**: 맥락에 따라 일정 성분이 생략되는 표현. 화자와 청자가 같은 맥락을 공유하고 있을 때 일정 성분을 생략할 수 있음. → 이때 생략된 성분은 앞뒤 맥락을 고려하여 복원 가능함.
  예 민희: 너 어디 있었니?
  동호: (나) 화장실에 다녀왔어.
- **높임 표현**: 화자와 청자의 상하 관계나 친소 관계에 따라 높이거나 낮추는 표현. 사적 담화인지 공적 담화인지에 따라서도 달라질 수 있음.

44 표준어와 표준 발음법

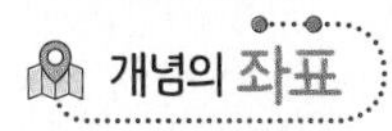

국어 규범 — 표준어와 표준 발음법 — 한글 맞춤법 — 외래어 표기법, 국어의 로마자 표기법

표준어 규정 표준 발음 등 표준어에 대해 규정한 것. → '제1부 표준어 사정 원칙'과 '제2부 표준 발음법'으로 이루어져 있음.

표준어 사정 원칙

- 표준어는 '발음의 변화'와 '어휘의 변화'에 따라 새로이 정해짐.
  → 시간의 흐름에 따라 언어의 발음, 형태, 의미가 달라지기 때문에 이러한 언어 현실을 반영하는 것
- 이때 표준어 사정의 기준이 되는 것은 '널리 쓰임'과 '어원(원형)'임.
  제1절 자음 제5항 어원에서 멀어진 형태로 굳어져서 널리 쓰이는 것은, 그것을 표준어로 삼는다.
  예 강낭콩(○) – 강남콩(×), 사글세(○) – 삭월세(×)

표준 ❸ ( ) 의 기본 원칙

- **제1장 총칙 제1항** 표준 발음법은 표준어의 실제 발음을 따르되, 국어의 전통성과 합리성을 고려하여 정함을 원칙으로 한다.
  → 전통성을 고려한다는 것은 이전부터 내려오던 발음상의 관습을 감안한다는 의미이고, 합리성을 고려한다는 것은 실제 발음이라 하더라도 그것이 국어의 발음 규칙에 맞는지를 따져 표준 발음을 정한다는 것임.

음운 변동과 표준 발음법

표준 발음법은 '음운'(40~42)과 밀접하게 관계되어 있는데, 음운 변동을 조항으로 정리해 둔 것이 바로 '표준 발음법'임.

예 **표준 발음법 제4장 받침의 발음** → 따라서 음운 변동의 내용을 제대로 이해하는 것이 가장 중요함!

제8항 받침소리로는 'ㄱ, ㄴ, ㄷ, ㄹ, ㅁ, ㅂ, ㅇ'의 7개 자음만 발음한다. → 음절의 끝소리 규칙

45 한글 맞춤법

국어 규범 — 표준어와 표준 발음법 — 한글 맞춤법 — 외래어 표기법, 국어의 로마자 표기법

한글 맞춤법 우리말을 한글로 표기하는 방법에 대해 규정한 것.

한글 맞춤법의 기본 원칙

제1항 한글 맞춤법은 표준어를 소리대로 적되, 어법에 맞도록 함을 원칙으로 한다.
→ 표음주의(발음대로 표기하는 것)와 표의주의(각 형태소의 본 모양을 밝혀 적는 것)라는 두 가지 원칙을 융통성 있게 적용함.

❹ ( ) 의 기본 원칙
→ 30항에서 규정함.

표기 원칙: 합성어 중 '순우리말 + 순우리말' 혹은 '순우리말 + 한자어', '한자어 + 순우리말'로 된 말 중 앞말이 모음으로 끝난 경우에 다음 조건에 따라 사이시옷을 받치어 적음.
㉠ 뒷말의 첫소리가 된소리로 날 때 예 나무+가지[나무까지] → 나뭇가지
㉡ 뒷말의 첫소리 'ㄴ, ㅁ' 앞에서 [ㄴ] 소리가 덧날 때 예 내 + 물[낸물] → 냇물
㉢ 뒷말의 첫소리 모음 앞에서 [ㄴㄴ] 소리가 덧날 때 예 깨 + 잎[깬닙] → 깻잎

표기 예외: '한자어 + 한자어'로 이루어진 말에는 본래 사이시옷을 쓰지 않지만, 다음 6개 단어는 예외로 인정함. 예 곳간(庫間), 셋방(貰房), 숫자(數字), 찻간(車間), 툇간(退間), 횟수(回數)

정답 | ❶ 맥락 ❷ 응집성 ❸ 발음법 ❹ 사이시옷

46 외래어 표기법, 국어의 로마자 표기법

개념의 좌표: 국어 규범 – 표준어와 표준 발음법 – 한글 맞춤법 – 외래어 표기법, 국어의 로마자 표기법

외래어 표기법 외래어 소리를 한글로 표기하는 방법에 대해 규정한 것.

표기의 기본 원칙

- **제1항**: 외래어는 국어의 현용 24 자모만으로 적는다.
- **제2항**: 외래어의 1 음운은 원칙적으로 1 기호로 적는다. 예 fighting → 화이팅(×), 파이팅(○)
- **제3항**: 받침에는 'ㄱ, ㄴ, ㄹ, ㅁ, ㅂ, ㅅ, ㅇ'만을 쓴다. 예 racket → 라켙(×), 라켓(○)
- **제4항**: 파열음 표기에는 된소리를 쓰지 않는 것을 원칙으로 한다. 예 bus → 뻐스(×), 버스(○)
- **제5항**: 이미 굳어진 외래어는 관용을 존중하되, 그 범위와 용례는 따로 정한다.
  예 camera[kæmərə] → 카메라(○), 캐머러(×)

국어의 로마자 표기법 우리말을 로마자로 표기하는 방법에 대해 규정한 것.

표기의 기본 원칙

- **제1항**: 국어의 로마자 표기는 국어의 표준 발음법에 따라 적는 것을 원칙으로 한다.
- **제2항**: 로마자 이외의 부호는 되도록 사용하지 않는다.

표기 일람

ㅏ	ㅓ	ㅗ	ㅜ	ㅡ	ㅣ	ㅐ	ㅔ	ㅚ	ㅟ
a	eo	o	u	eu	i	ae	e	oe	wi

ㅑ	ㅕ	ㅛ	ㅠ	ㅒ	ㅖ	ㅘ	ㅙ	ㅝ	ㅞ	ㅢ
ya	yeo	yo	yu	yae	ye	wa	wae	wo	we	ui

ㄱ	ㄲ	ㅋ	ㄷ	ㄸ	ㅌ	ㅂ	ㅃ	ㅍ
g, k	kk	k	d, t	tt	t	b, p	pp	p

ㅈ	ㅉ	ㅊ	ㅅ	ㅆ	ㅎ	ㄴ	ㅁ	ㅇ	ㄹ
j	jj	ch	s	ss	h	n	m	ng	r, l

47 훈민정음의 창제 원리

개념의 좌표: 국어사 – 훈민정음의 창제 원리 – 국어의 변천

훈민정음 이전의 표기 훈민정음 창제 이전에는 우리 고유의 글자가 없었기 때문에 한자의 음과 뜻을 빌려 와 우리말을 표기하였음.

❶ 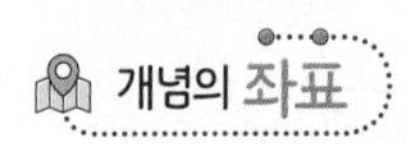 표기

한자의 음과 뜻을 빌려 와 우리말을 표기하는 것. 한자의 소리를 빌리는 것을 음차(音借), 뜻을 빌리는 것을 훈차(訓借)라고 함.

- **고유 명사 표기**: 인명, 지명 등의 고유 명사를 한자를 빌려 표기함.
- **향찰(鄕札)**: 한자의 뜻과 음을 빌려 국어 문장 전체를 적은 표기법. 실질 형태소는 한자의 뜻을, 형식 형태소는 한자의 소리를 빌려 표기하였음.

예

善	化	公	主	主	隱
선	화	공	주	님	은 조사
음차	음차	음차	음차	훈차	음차

훈민정음의 창제 원리 | 초성자, 중성자, 종성자가 각각의 원리에 따라 창제됨.

초성 글자
초성의 자음(17자)

- 기본자: 자음의 기본자 'ㄱ, ㄴ, ㅁ, ㅅ, ㅇ'는 상형(象形)의 원리(사물의 모양을 본떠 글자를 만듦)를 바탕으로 하여, 초성이 발음될 때의 발음 기관 모양을 본떠 만들어짐.

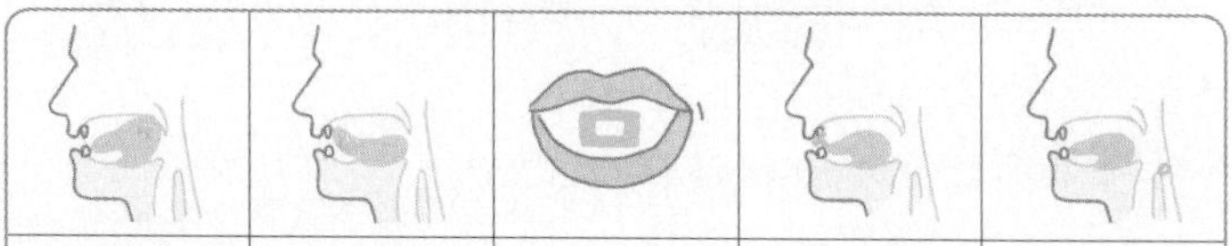

ㄱ: 혀뿌리가 목구멍을 막는 모양	ㄴ: 혀가 윗잇몸에 닿는 모양	ㅁ: 입술의 모양	ㅅ: 이의 모양	ㅇ: 목구멍의 모양

- ❷□□자: 기본자에 가획(加劃/加畫)의 원리(획을 더하여 글자를 만듦)를 적용하여 나머지 글자(ㅋ, ㄷ, ㅂ, ㅈ, ㆆ, ㅌ, ㅍ, ㅊ, ㅎ)를 만들었음.
  → 획을 더함에는 중요한 의미가 담겨 있는데, 가획할수록 소리가 점차 강해짐.
- 이체자: 'ㆁ(옛이응), ㄹ, ㅿ(반치음)'을 이체자라 하며, 이들은 각각 'ㅇ, ㄷ, ㅅ'에 획을 더한 모양이기는 하나 가획에 따라 소리가 강해진다는 의미를 담고 있지 않음. 그래서 다른 글자와는 '다르게 만들었다'하여 이체자(異體字)라고 함.

중성 글자
중성의 모음(11자)

- 기본자: 모음의 기본자인 'ㆍ(아래아), ㅡ, ㅣ'는 상형(象形)의 원리를 바탕으로 하여 각각 하늘, 땅, 사람의 형상을 본떠서 만들어짐.
- 초출자, 재출자: 기본자에 합용(合用)의 원리(같이 쓰거나 합하여 글자를 만듦)를 적용하여 초출자(ㅏ, ㅗ, ㅜ, ㅓ)를 만듦. 초출자 다음으로는 재출자(ㅑ, ㅛ, ㅠ, ㅕ)를 만들었는데, 이는 초출자에 'ㆍ'를 더한 것임.

종성 글자

- ❸□□□□□□(終聲復用初聲): 종성은 초성을 다시 사용한다는 의미로, 받침을 표기하기 위한 글자를 새롭게 만들지 않고 기존의 자음을 사용한다는 것.
  → 사용하는 자음의 수가 늘어나지 않아 경제적임.
- ✡팔종성가족용(八終聲可足用): 종성 표기에는 여덟 개의 자음으로 충분하다는 의미로, '모든 초성이 종성에 쓰일 수 있다'는 종성부용초성이 원칙이기는 하지만 'ㄱ, ㄴ, ㄷ, ㄹ, ㅁ, ㅂ, ㅅ, ㆁ'의 여덟 글자만 종성에 쓰도록 한다는 것.
  → 당시 종성에서 발음되던 자음의 종류가 여덟 가지였다는 점과 직접적인 관련이 있음!

훈민정음의 운용 | 훈민정음을 운용한 원리.

병서, ❹○○

- **병서(竝書)**: 초성 두 글자 또는 세 글자를 나란히 합해 쓰는 것을 말함. 'ㄲ, ㄸ, ㅃ, ㅆ, ㅉ, ㆅ'과 같이 같은 글자를 나란히 쓴 것은 각자(各自) 병서, 'ㅳ, ㅺ, ㅼ, ㅄ, ㅺ, ㅼ, ㅴ, ㅵ'과 같이 서로 다른 글자를 나란히 쓴 것을 합용(合用) 병서라고 함.
- **연서(連書)**: 입술소리인 'ㅁ, ㅂ, ㅍ, ㅃ' 아래에 'ㅇ'을 이어서 'ㅱ, ㅸ, ㆄ, ㅹ'와 같은 글자를 만드는 방법을 말함. 이들 가운데 국어를 표기하는 데는 'ㅸ(순경음 비읍)'만 쓰였음.

합자(合字): 《훈민정음》에서는 '초성, 중성, 종성의 세 소리가 합쳐져 글자를 이룬다.'라고 밝히고 있는데, 이러한 방식을 '합자(合字)'라고 함. → 한글이 음절 문자라는 특성과 관련이 있음.

정답 | ❶ 차자 ❷ 가획 ❸ 종성부용초성 ❹ 연서

48 국어의 변천

개념의 좌표

국어사 – 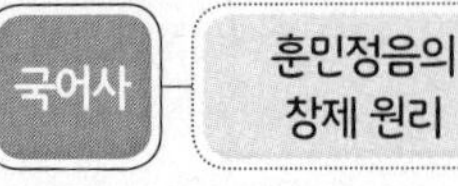
훈민정음의 창제 원리 – 국어의 변천

표기 이어적기에서 끊어적기로 변화함.

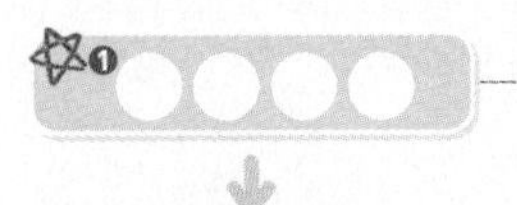
❶ ○○○○ – 훈민정음이 창제되었을 때(중세 국어)의 원칙으로, 앞의 받침을 뒤의 초성으로 옮겨 소리 나는 그대로 적는 것. 예 말ᄊᆞᆷ + 이 → 말ᄊᆞ미

↓

거듭적기 – 근대 국어 시기에 사용되었으며, 이어적기에서 끊어적기로 가는 과도기적 표기법. 이어적기와 끊어적기가 혼용됨. 예 말ᄊᆞᆷ + 이 → 말ᄊᆞᆷ미

↓

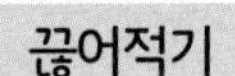
끊어적기 – 현대 국어가 채택한 방식으로 단어의 원래 형태를 밝혀 적는 것. 예 말씀 + 이 → 말씀이

음운 중세 국어 시기에 있었던 음운과 음운 현상의 변화.

지금은 사라진 자음들

- ㅸ(순경음 비읍): 15세기 후반에 소멸함. 이때 'ㅸ'은 뒤에 오는 모음이 'ㅏ/ㅓ'인 경우 'ㅗ̆/ㅜ̆'로 바뀌고, 뒤에 오는 모음이 'ㆍ/ㅡ'일 경우 뒤 모음들과 합쳐져 'ㅗ/ㅜ'로 바뀜. 예 더ᄫᅥ〉더워, 치ᄫᅳ니〉치우니
- ㅿ(반치음): 16세기부터 소멸하기 시작하였으며 아무런 흔적을 남기지 않거나 'ㅅ'으로 바뀜. 예 ᄆᆞᅀᆞᆷ〉마음, 한ᅀᅮᆷ〉한숨
- ㆁ(옛이응): 'ㅇ'이 되면서 초성에서의 음가는 사라졌으나 종성에서의 음가는 그대로 남음.
- ㆆ(여린히읗): 훈민정음이 창제된 이후 거의 쓰이지 않고 사라짐. 예 훈민졍ᅙᅳᆷ> 훈민정음

❷ ○○○○○의 소멸 – 중세 국어에서는 초성(어두)에 합용의 방식으로 만든 자음군을 썼으며, 현대 국어에서는 어두 자음군이 된소리로 바뀌게 되면서 소멸됨. 예 ᄠᅳᆮ> 뜻, ᄡᆞᆯ> 쌀

어두 자음군: 단어의 첫머리에 둘 이상의 자음이 발음되는 무리.

단모음 체계

- ㆍ(아래아)의 소실 – 16세기 경 둘째 음절의 'ㆍ'가 'ㅡ'로 변화했으며, 18세기 경 첫째 음절의 'ㆍ'가 'ㅏ'로 변화함. 예 ᄆᆞᅀᆞᆷ> ᄆᆞ음> 마음
- 이중 모음의 단모음화 – 중세 국어에서는 'ㅔ, ㅐ, ㅚ, ㅟ'를 이중 모음으로 발음하였는데 현대 국어에서는 'ㅔ, ㅐ, ㅚ, ㅟ'를 단모음으로 발음함.

ㆍ(아래아)의 소실과 모음 조화의 파괴

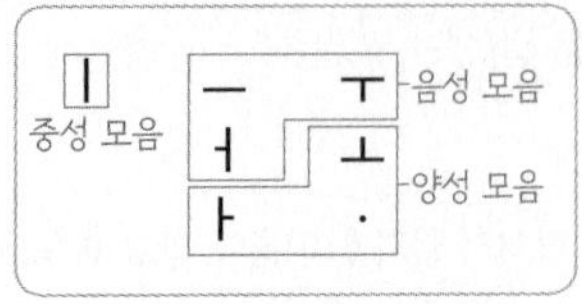

▲ 중세 국어의 모음 체계

'모음 조화'는 성질이 비슷한 모음, 즉 양성 모음은 양성 모음끼리, 음성 모음은 음성 모음끼리 어울리는 현상임.
그런데 아래아(ㆍ)가 소실되면서 양성 모음과 음성 모음의 짝이 맞지 않게 되었고, 이는 중세 국어에서 잘 지켜지던 모음 조화가 파괴되는 결과를 낳았음.

성조(聲調)

중세 국어에서 단어의 뜻을 구분해 주던 소리의 높낮이.

- **평성**: 낮은 소리(방점 없음). 예 손[客]
  - └ 성조를 표시하기 위해 글자 왼쪽에 찍은 점.
- **거성**: 높은 소리(방점 한 개). 예 ·손[手]
- **상성**: 낮았다가 높아지는 소리(방점 두 개). 예 :말[話]

근대 국어에 일어난 음운 현상의 변화들

❸ □□□□

근대 국어 시기부터 나타났으며, 'ㄷ, ㅌ'이 'ㅣ, / ㅣ̆'를 만나면 구개음인 [ㅈ, ㅊ]로 발음됨.

- **근대 국어의 구개음화**: 한 형태소 내부에서도 일어났으며, 이것이 표기에도 반영됨. 예 디하> 지하(地下)
- **현대 국어의 구개음화**: 실질 형태소와 형식 형태소의 경계에서 일어나며, 표기에는 반영되지 않음.
  예 해돋- + -이 → 해돋이[해도지]

원순 모음화

원순 모음: 입술을 둥글게 오므리며 발음하는 모음.

- 입술소리인 'ㅁ, ㅂ, ㅍ, ㅃ' 아래에서 'ㅡ'가 'ㅜ'로 바뀌는 현상.
  예 믈> 물, 블> 불, 플> 풀, 쁠> 뿔

두음 법칙

- 단어의 첫머리에 올 수 있는 음의 종류를 제한하는 것으로, 근대 국어 시기에 많이 나타남. 어두에 'ㄹ'이나 'ㄴ+ㅣ', 'ㄴ+ㅣ̆'가 오면 어두의 자음이 교체되거나 탈락함.
  예 녀름> 여름

단어 중세 국어에서 쓰이던 단어의 변화.

ㅎ ❹ ○○○○

체언(명사, 대명사, 수사)이 조사와 결합될 때 'ㅎ'이 덧붙는 어휘. 단독형으로 쓰일 때는 'ㅎ'이 없이 쓰이고, 조사와 결합할 때는 'ㅎ'이 나타남. 예 안ㅎ(內) + 과 → 안콰

→ ㅎ 종성 체언은 현대 국어의 '머리카락(머리ㅎ+가락)'이나 '수탉(수ㅎ+닭)' 등에 그 흔적이 남아 있음.

단어의 의미 변화

- **의미의 확대**: 의미가 지시하는 범위가 원래보다 넓어지는 것.
  예 '감투'는 모자를 가리키는 말이었으나, 현재는 모자뿐 아니라 벼슬도 의미하게 됨.
- **의미의 축소**: 의미가 지시하는 범위가 원래보다 좁아지는 것.
  예 '얼굴'은 몸 전체를 의미하는 말이었으나, 현재는 안면(顔面)만을 의미하게 됨.
- **의미의 이동**: 단어의 의미가 다른 의미로 바뀌는 것.
  예 '어엿브다> 어여쁘다'는 불쌍하다는 의미였으나, 현재는 예쁘다는 뜻을 지님.

문법 중세 국어에서 사용되던 문법의 변화.

중세 국어의 의문형

- ☆**판정 의문문**: 'ㅏ, ㅓ' 계열 어미가 쓰임. 예 이 ᄯᆞ리 너희 죵가(이 딸이 너희들의 종이냐?)
- ☆**설명 의문문**: '-고', '-뇨'와 같은 'ㅗ' 계열 어미가 쓰임. 체언 뒤에 보조사 '고/구'를 사용하기도 함. 예 이제 엇더ᄒᆞ고(이제 어떠하냐?) / 네 스승이 누고(네 스승이 누구인가?)
  - 체언 + 보조사(고)
- **2인칭 주어 의문문**: 판정 의문문인지 설명 의문문인지에 상관없이 '-ㄴ다', '-ㄹ다'로 의문형을 나타냄. 예 네 엇뎨 안다(네가 어찌 알았느냐?)

정답 | ❶ 이어적기 ❷ 어두 자음군 ❸ 구개음화 ❹ 종성 체언

높임 표현의 변천

- **주체 높임법**: 주체 높임 선어말 어미인 '-시-/-샤-'를 사용함.
  → 현대 국어의 주체 높임법은 주체 높임 선어말 어미 '-시-'를 사용함.
  예 닐굽 거르믈 거르샤 니ᄅᆞ샤ᄃᆡ(일곱 걸음을 걸으시며 이르시되)
- **객체 높임법**: '-ᄉᆞᆸ-/-ᅀᆞᆸ-/-ᄌᆞᆸ-/-ᄉᆞᄫᆞ-/-ᅀᆞᄫᆞ-/-ᄌᆞᄫᆞ-' 등의 객체 높임 선어말 어미를 사용함.
  → 현대 국어의 객체 높임법에서는 객체 높임 선어말 어미가 사용되지 않음.
  예 부텨 니ᄅᆞ샤ᄆᆞᆯ 듣ᄌᆞᆸ고(부처의 이르심을 듣고)
- **상대 높임법**: 'ᄒᆞ쇼셔체, ᄒᆞ야쎠체, ᄒᆞ라체'로 나뉨.
  → 현대 국어에서는 격식체인 '하십시오체, 하오체, 하게체, 해라체'와 비격식체인 '해요체, 해체'로 나뉨.
  예 님금하 아ᄅᆞ쇼셔(임금이시여 아십시오.) → ᄒᆞ쇼셔체의 종결 어미 '-쇼셔'가 사용됨.

격 표시의 변천

중세 국어에서는 모음 조화가 비교적 잘 지켜졌으므로, 앞말의 끝 음절 모음이 양성 모음이냐, 음성 모음이냐에 따라 조사의 이형태가 많음.

- **주격 조사**: 중세 국어의 주격 조사에는 '이'만 있었으며, '이'는 음운 환경에 따라 그 형태가 조금씩 달라짐(이/ㅣ ø). → 현대 국어에는 '이/가'가 있음.
  예 말ᄊᆞᆷ(자음으로 끝남) + 이 / 부텨(ㅣ/ㅣ가 아닌 모음)+ㅣ / 불휘(ㅣ/ㅣ로 끝남)+ø
- **관형격 조사**: 중세 국어의 관형격 조사에는 'ᄋᆡ/의'와 'ㅅ'의 두 종류가 있었음.
  → 현대 국어에는 '의'가 있음. 앞말이 유정 명사 └─ ① 앞말이 무정 명사 ② 높임의 대상
- **목적격 조사**: 중세 국어의 목적격 조사에는 'ᄋᆞᆯ/을, ᄅᆞᆯ/를'이 있었음. → 현대 국어에는 '을/를'이 있음.
  예 믈 + 을 → 므를(앞말이 자음으로 끝남), 천하 + ᄅᆞᆯ → 천하ᄅᆞᆯ(앞말이 (양성) 모음으로 끝남)

명사형 전성 어미

중세 국어에는 명사형 전성 어미로 '-옴/-움'을 주로 사용했으며, '-기'도 드물게 쓰임.
→ 현대 국어에서는 '-(으)ㅁ'과 '-기'가 쓰임.

49 언어와 매체 언어

언어와 인간

언어는 의사소통의 수단이자, 인간의 사고 및 사회·문화와 뗄 수 없는 관계를 맺고 있음.

국어의 특성

- **음운의 특성**: 자음은 예사소리, 된소리, 거센소리의 음운 대립이 있음. 첫 소리에 둘 이상의 자음이 오지 못함.
- **어휘의 특성**: 고유어, 한자어, 외래어의 삼중 체계로 나뉨. 의성어, 의태어와 같은 상징어가 풍부하게 발달함. 색채와 관련한 표현들이 발달함. 친족어와 호칭어들이 섬세하게 분화되어 있음.
- **문법의 특성**: 조사나 어미가 발달하여 이들이 대부분의 문법적 기능을 담당함. 중심이 되는 말을 뒤에 놓는 경향이 있음. 높임 표현이 발달함.

매체와 매체 언어

- **매체**: 어느 한쪽과 다른 한쪽을 관련지어 주는 방법이나 수단.
  예 신문, 책, 텔레비전, 인터넷, 이동 통신 기기
- **매체 언어**: 다양한 매체를 통해 실현되는 언어. 매체 언어는 음성, 문자, 소리, 이미지, 동영상 등이 복합적으로 작용하여 의미를 형성한다는 특징을 지니는데, 이를 '복합 양식성'이라고 함.

뉴 미디어 (New media)

새로운 매체, 즉 기존의 매체와는 양식이 다른 매체.

- 컴퓨터, 인터넷, 이동 통신 기기 등 정보 통신 기술과 결합한 매체임.
- 누구나 쉽게 지식과 정보를 생산하고 유통할 수 있으며, 그에 대한 반응도 전달·공유할 수 있음.
  → 매체 자료의 생산과 수용이 쌍방향적으로 이루어짐. 정보의 신뢰성이 떨어질 수 있음.
- 대중 매체와 마찬가지로 정보의 빠른 유통과 장기간 보존이 가능하나, 대중 매체보다 기존 내용의 변형이 쉽게 이루어진다는 특징이 있음.

III 화법·작문

화법 공부의 지혜

사회·문화적 맥락

역사적 · 사회적 상황, 이념, 공동체의 가치관 · 신념, 담화 관습 등

상황 맥락

화자, 청자, 주제와 목적, 시간적 배경, 공간적 배경 등

화자 — **메시지** — **청자**

화자와 청자가 의사소통을 위해
주고받는 정보, 지식, 생각

화법은 **'화자, 청자, 메시지, 맥락'**이라는 요소로 구성돼. 화자와 청자는 맥락 속에서 구두 언어를 통해 메시지를 주고받으면서 의미를 구성·공유하고 의사소통한단다. 이 요소들을 바탕으로 각 화법의 유형에서 화자와 청자가 취해야 할 전략은 무엇인지에 주목해서 공부하면 돼.

화법의 유형: 대화 – 면접 – 발표 – 연설 – 토의 – 토론 – 협상

작문 공부의 지혜

사회적 의사소통

필자-독자 함께 의미 구성, 언어 공동체의 작문 관습 고려하기

글

독자

자신이 처한 맥락에 따라 의미 구성 과정을 거치면서 글을 이해함.

쓰기 맥락(주제, 목적, 독자, 매체)을 고려하여 의미를 구성함. — **필자**

작문에서는 **'필자'**가 **'쓰기 맥락'**을 고려하여 의미를 구성하면서 **'글'**을 작성하고, **'독자'** 또한 자신이 처한 맥락에 따라 나름의 의미 구성을 거치면서 글을 이해하게 돼. 즉 작문은 필자와 독자가 함께 의미를 구성하는 사회적 의사소통 행위란다. 작문을 공부할 때에 각 작문 유형의 글쓰기 과정에서 필자가 어떤 전략을 활용하는지 파악하는 것이 가장 중요해.

작문의 유형: 정보를 전달하는 글 – 설득하는 글 – 사회적 상호 작용을 위한 글 – 자기표현적 글

50 화법의 본질과 태도

개념의 좌표: **화법** – 본질과 태도 – 대화, 면접 – 발표, 연설 – 토의, 토론, 협상

화법 화자와 청자가 구두 언어를 통해 상호 작용함으로써 의미를 공유하고 구성하는 과정.

화법의 ❶ ○○
- **상황 맥락**: 의사소통에 직접 영향을 미치는 맥락.
  - 예 화자, 청자, 주제와 목적, 시간적 배경, 공간적 배경 등
- **사회·문화적 맥락**: 의사소통에 간접적이고 거시적인 영향을 미치는 맥락.
  - 예 역사적·사회적 상황, 이념, 공동체의 가치관·신념, 담화 관습 등

말하기의 원리

말하기는 일련의 사고 과정을 거쳐 이루어지는 의사소통 행위로, 각 단계에서는 적절한 전략을 사용해야 함.

- **계획하기**: 말하기의 목적·주제를 결정하고, 말하기의 상황 맥락을 파악하여 효과적인 말하기가 이루어지도록 준비하는 단계. → 특히 청자를 잘 파악하여, 이어지는 단계에서 청자에게 적합한 내용을 구성하고 표현할 수 있도록 하는 것이 중요함!
- ↓
- **내용 생성하기**: 관련 자료를 수집·정리하여 말할 내용을 생성하는 단계.
- ↓
- **내용 조직하기**: 효과적인 내용 전달을 위해 적절한 조직 방법으로 내용을 조직하는 단계.
- ↓
- **표현하기**: 효과적인 표현 전략을 고려하며 말하는 단계.

화법의 표현 전략
- **언어적 표현**: 말소리를 사용하여 표현하는 것.
- **준언어적 표현**: 언어적 요소에 덧붙여 의미를 전달하는 것.
  - 예 강세, 말의 빠르기, 억양 등
- **비언어적 표현**: 언어적·준언어적 표현 이외의 방법으로 의미를 표현하는 것.
  - 예 시선, 표정, 동작 등

담화 ❷ ○○ 언어 공동체가 의사소통 문화를 이루어 가는 과정에서 형성되어 의사소통 과정에 작용하는, 언어와 관련된 독특한 관습.
→ 화법 활동을 할 때는 언어 공동체의 담화 관습을 이해해야 하며, 기존의 담화 관습을 존중하되 이를 비판적으로 성찰할 수 있어야 함.

51 대화, 면접

개념의 좌표: **화법** – 본질과 태도 – 대화, 면접 – 발표, 연설 – 토의, 토론, 협상

대화 두 사람 이상이 모여 서로의 생각이나 느낌을 말로 표현하고 이해하는 상호 교섭적인 활동.

❸ ○○○ 듣기

상대방을 존중하고 배려하는 마음으로 상대방의 생각이나 감정에 깊이 있게 공감하며 듣는 방법.

- **소극적 들어 주기**: 상대방이 대화를 계속 진행할 수 있도록 관심을 표현하거나 대화의 맥락을 조절하여 주는, 격려하기 활동을 중심으로 하는 방법.
  - 예 시선을 마주치며 고개를 끄덕이기, 맞장구치기, 적절한 표정 짓기 등
- **적극적 들어 주기**: 상대방의 말을 요약·정리하고 반영하여, 상대방이 객관적인 관점에서 문제에 접근하고 스스로 문제를 해결할 수 있도록 돕는 방법.
  - 예 상대방의 말을 자신의 말로 요약하기, 감정을 이입하여 상대방의 정서 추측하기 등
  - → 대화에서는 상대방의 입장에서 '공감적 듣기'를 하는 것이 중요함!

면접 질문을 통해 면접 대상자의 지식이나 능력, 성품, 잠재력 등을 파악하여 평가하기 위한 공적 대화.

추론적 듣기

- **질문의 의도 파악하기**: 면접에서는 면접관의 질문을 표면적으로 이해하는 것에서 더 나아가 질문에 담긴 의도를 추론하는 추론적 듣기를 하는 것이 중요함.

면접 질문의 유형

폐쇄형 질문	질문자가 제시한 선택지에서 답을 선택하거나 제한된 범위의 단어로 답하도록 하는 질문.
개방형 질문	면접 대상자가 자유롭게 자신의 의견을 말할 수 있도록 허용된 질문.
보충 질문	면접 대상자의 답변을 듣고 보다 구체적인 정보를 원할 경우 추가로 하는 질문.

52 발표, 연설

개념의 좌표: **화법** – 본질과 태도 – 대화, 면접 – 발표, 연설 – 토의, 토론, 협상

발표 여러 사람 앞에서 자신의 생각이나 의견 또는 어떠한 사실이나 정보에 대해 진술하는 말하기.

발표의 원리

- **계획하기**: 목적 설정하기, 주제 정하기, 청중 분석하기, 시간·장소 분석하기.
- ↓
- **내용 생성·조직하기**: 자료 수집하기, 목적·주제·청중을 고려해 자료 선택하기, 내용 구성하기.
- ↓
- **표현하기, 평가하기**: 연습하기, 청중과 상호 작용하기, 내용·구성·표현 방법 등 평가하기.

정답 | ❶ 맥락 ❷ 관습 ❸ 공감적

화법·작문

청자에게서 고려할 점
- 내용에 대한 흥미와 이해 정도
- 주제에 대한 태도
- 주제와 관련한 세부 관심사
- 정서적 상태

내용 구성 단계
- **도입부[처음]**: 청중의 관심 유발하기, 목적·주제·화제 제시하기, 전체 내용 개관하기.
- **전개부[중간]**: 핵심 내용 제시하기, 다양한 자료와 구체적 사례로 청자의 이해 돕기.
- **정리부[끝]**: 핵심 내용 요약 및 강조하기, 당부 및 제언 제시하기, 청자와 질의응답하기.

듣기 전략
- **듣기 전**: 듣는 목적 구체화하기, 배경지식 구체화하기(강연자나 발표 주제에 대해 조사).
- **듣는 중**: 고개를 끄덕이는 등 반응을 보여 주며 집중해서 듣기, 메모하기 등의 방법을 사용해 발표 내용을 재구성하며 능동적으로 듣기.
- **듣기 후**: 발표자의 발표 전략이나 발표 내용의 적절성을 비판적으로 판단하기, 이해되지 않거나 보충 설명이 필요한 내용 질문하기.

연설 화자가 자신의 생각이나 견해를 펼쳐서 청중의 태도나 행동을 변화시키려는 공식적인 말하기.
→ 화자의 설득 전략이 적절한지 파악하며 듣는 '평가적 듣기'가 중요함!

❶ ○○ 전략
- **인성적 설득 전략**: 화자의 성품, 평판, 전문성을 바탕으로 화자의 공신력을 높여 설득하는 방법.
  예 주제에 대한 전문성 드러내기, 자신감 있는 태도로 말하기 등
- **이성적 설득 전략**: 주장을 뒷받침하는 타당한 근거를 들어 논리적으로 설득하는 방법.
  예 논증 방법 활용하기, 통계 자료나 전문가의 의견 등을 근거로 제시하기 등
- **감성적 설득 전략**: 청중의 감정에 호소하여 설득하는 방법.
  예 청중과 공감대 마련하기, 비유적 표현이나 유머, 일화 활용하기 등

발표와 연설의 표현 전략
→ 공적인 화법이라는 공통점이 있음.
- **언어적 표현 전략**: 언어 규범 준수하기, 공식적인 상황에서는 표준어 사용하기, 장황하거나 모호한 표현 지양하기, 구체적이고 정확하게 표현하기.
- **준언어적 표현 전략**: 내용, 장소, 청중의 규모 등에 따라 목소리 크기 조절하기, 내용에 따라 어조나 억양에 변화를 주어 단조로움 피하기, 적절한 빠르기로 말하기.
- **비언어적 표현 전략**: 자신감 있는 표정 짓기, 청중 바라보며 말하기, 손짓이나 몸동작을 활용하여 언어적 표현 보충하기.
- **청중과의 상호 작용**: 청중의 관심을 끌 수 있는 적절한 매체 자료 활용하기, 흥미로운 표현이나 질문 등을 활용해 청중의 주의 환기하기, 청중의 반응을 살펴 발표와 연설의 분량, 내용, 순서 등 조정하기.

53 토의, 토론, 협상

개념의 좌표: 화법 - 본질과 태도 - 대화, 면접 - 발표, 연설 - 토의, 토론, 협상

토의 두 명 이상의 참여자가 모여 공동의 문제에 관한 정보와 그에 대한 다양한 의견을 교환하며 최선의 해결 방법을 찾는 협력적 의사소통의 방식. → 토의의 주제, 제시된 의견과 합의안, 토의 사회자의 역할을 파악하는 것이 중요함!

의사 결정 단계

- **토의 주제의 확정 및 분석**: 사회자가 토의 주제를 제시함, 토의 참여자는 토의 주제를 분석하여 문제의 원인·해결 방안 등을 탐색함. → 토의의 주제는 모든 구성원들이 관심 있는 공동의 주제여야 함.
- ↓
- **해결 방안 제안 및 평가**: 참여자 각자가 준비한 해결 방안을 제안하고, 이를 평가할 공동의 기준을 정해 가장 적합한 해결 방안을 선정하고 합의함.
- ↓
- **구체적인 실천 방법 모색**: 합의한 해결 방안을 실천할 수 있는 구체적인 방법을 찾음.

❷ ◯◯◯의 역할과 태도

- 공정하게 토의를 진행함.
- 토의의 주제, 절차, 규칙을 안내함.
- 적절한 시기에 토의 내용을 요약·정리함.
- 토의 참여자에게 보충 질문을 하여 내용 보충을 요구함.
- 토의 참여자들 사이에 갈등이나 의견 충돌이 생겼을 때 이를 조정하고 해결함.

토론 어떤 논제에 대해 찬성자와 반대자가 논거를 들어 자신의 주장이 옳음을 내세우고 상대방의 주장이나 논거가 부당하다는 것을 밝히는 경쟁적 의사소통의 방식.
→ 찬성 측과 반대 측의 주장을 뒷받침하는 논거가 적절한지 파악하며 듣는 '평가적 듣기'가 중요함!

발언

- **입론**: 찬성 측과 반대 측에서 자기 측의 주장이 타당함을 논리적으로 입증하는 말하기.
- **반론**: 상대측 주장이 타당하지 않음을 증명하기 위해 근거의 불충분함, 부정확함, 부적절함, 이유와 근거의 비연관성 등을 지적하는 말하기.
- **❸ ◯◯ 신문** (=교차 신문): 토론 참여자가 지정된 시간 안에 상대측 발언의 오류나 허점이 드러나도록 질문을 하고 그에 대한 답변을 듣는 말하기.

❹ ◯◯ 토론의 주제.

- **사실 논제**: 어떤 사실이 참인지 거짓인지 진실 여부를 따지는 논제.
  예 독도는 대한민국 영토이다.
- **가치 논제**: 어떤 주장이 옳은지 그른지에 대한 가치 판단을 하는 논제.
  예 선의의 거짓말은 인정해야 한다.
- **정책 논제**: 어떤 정책의 실행 여부와 실행 방안을 주장하는 논제. → 시험에 자주 나오는 논제!
  예 대학 입시의 혼란을 줄이기 위해 대학 입시 간소화 정책을 도입해야 한다.

정답 | ❶ 설득 ❷ 사회자 ❸ 반대 ❹ 논제

쟁점 — 토론에서 찬성과 반대 양측의 입장이 나뉘는 지점이자, 치열하게 맞대결하는 세부 주장. 논제와 관련해 반드시 짚어야 할 쟁점을 '필수 쟁점'이라고 함.

❶ ○○

근거를 바탕으로 주장을 논리적으로 증명하는 것.

- **주장**: 쟁점에 대해 내세우는 의견으로, 진술이 명확해야 함.
- **이유**: 주장에 이르게 된 원인이나 조건으로, 주장을 정당화할 수 있어야 함.
- **근거**: 객관적인 사실 정보로, 근거와 이유 사이에는 밀접한 연관성이 있어야 함.

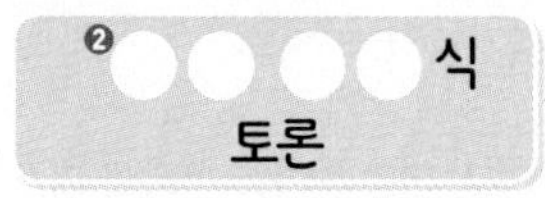

❷ ○○○○식 토론

찬성 측과 반대 측이 반대 신문을 통해 상대방의 논지를 반박함으로써 승부를 가르는, 토론의 한 유형. → 입론 단계에서 반대 신문이 행해지며, 반대 신문에서는 바로 앞 차례의 상대측 토론자가 입론한 내용에 대해 질문을 함.

참여자의 역할과 태도

- **토론자**: 주장을 조리 있고 분명하게 말함, 상대방의 주장을 논리 있게 논박함, 토론의 규칙을 지키며 이야기함, 윤리에 어긋나는 언동을 삼감.
- **사회자**: 공정하게 토론을 진행함, 토론의 규칙을 토론 참가자들에게 알려 줌, 토론의 내용이 논제에서 벗어남을 알려 줌, 토론 참가자의 발언 순서를 지정함, 토론의 쟁점을 정리함, 질문과 요약을 통해 토론을 진행함.
- **청중**: 토론자의 발언을 듣고 객관적으로 판단, 토론자의 주장·근거의 정확성, 타당성, 신뢰성을 판단.

신뢰성, 타당성, 공정성

연설이나 토론과 같이 설득을 목적으로 하는 화법 유형에서는 다음을 기준으로 하여 화자가 한 말에 논리적 오류나 허점이 없는지 평가하면서 듣는 것이 중요함!

신뢰성	인용된 정보의 내용과 출처가 정확한가? 권위를 인정할 수 있는 자료인가?
타당성	결론을 합리적으로 이끌어 내는가? 주장과 논거가 현실이나 삶의 이치에 부합하는가?
공정성	발언이 특정 개인이나 특정 집단의 이익에 치우치지 않은, 공평하고 정의로운 내용인가?

협상 — 개인이나 집단 사이에서 이익과 주장이 달라 갈등이 생길 때, 서로 타협하고 조정하면서 문제 해결 방법을 찾아가는 협력적 의사소통 방식.

용어

- **의제**: 협상에서 상호 간에 합의가 필요한 사안.
- **입장**: 협상에서 의제에 대한 당사자의 태도.
- **제안**: 자기 측의 안이나 의견을 내놓는 것. 또는 그 안이나 의견.
- **대안**: 의제에 대하여 대처할 방안. 어떤 안을 대신하는 안.
- **합의안**: 양측의 제안이나 대안들에 대해 논의하여 의견을 종합한 것.

절차와 전략

- **시작 단계**: 문제에 대한 입장 차이를 서로 확인하고, 갈등 해결 가능성을 판단함.
  → 전략: 목표 수립하기.
- **조정 단계**: 대안을 검토하면서 상대의 처지와 관점을 이해하고, 양보를 통해 입장 차이를 좁힘.
  → 전략: 상대방이 정말 원하는 것 찾기, 상대방의 표준을 파악하여 마음을 움직일 수 있게 표현하기, 먼저 제안하기, 양보에 대해 보상하기, 차선책 준비하기.
- **해결 단계**: 제시된 대안들을 재구성하면서 합의에 이름.
  → 전략: 최선의 방법과 우선순위 정하기, 합의 사항 점검하기.

54 작문의 본질과 태도

개념의 좌표: **작문** - 본질과 태도 - 정보를 전달하는 글, 설득하는 글 - 사회적 상호 작용을 위한 글, 자기표현적 글

작문 쓰기 과정에서의 문제를 해결하며 의미를 구성하고 사회적으로 소통하는 행위.

작문의 원리

- **계획하기**: 쓰기 맥락(주제, 목적, 독자, 매체)을 고려하여 글쓰기 전반을 계획하는 과정.
  → 쓰기 맥락이 완성된 글에서 잘 반영되었는지 파악할 수 있어야 함!
- **내용 생성하기**: 다양한 생각을 떠올리고, 관련 자료를 찾아 수집하고 선정하는 과정.
- **내용 조직하기**: 통일성과 응집성을 고려하며 내용을 조직하는 과정.
  - **통일성**: 글의 어떤 내용이 하나의 주제로 긴밀하게 연결되는 원리.
    → 글에 포함된 내용들 간의 의미 관계!
  - **응집성**: 글의 여러 문장이 문법적으로 긴밀하게 연결되는 원리.
    → 글에 포함된 세부 요소들 사이의 표면적인 연결 관계!
- **표현하기**: 다양한 표현 방법을 적절하게 활용하며 글을 쓰는 것.
   비유하기, 변화 주기, 속담이나 관용 표현 인용, 시·청각 보조 자료 활용 등
- **고쳐쓰기**: 고쳐쓰기의 일반 원리를 고려하여 글을 고쳐 씀.
  └ 문맥에 어울리지 않는 단어를 찾아 고쳐쓰기, 표현 효과를 고려하여 문장 고쳐쓰기, 문장이 자연스럽게 이어지지 못한 부분 고쳐쓰기, 주제에서 벗어난 내용 고쳐 쓰기, 글 전체 수준에서 고쳐쓰기.

작문의 회귀적(回歸的) 성격

작문은 필자가 쓰기 과정에서 부딪히는 여러 문제를 해결하며 글을 완성해 가는 과정으로, 세부 단계가 처음부터 끝까지 순차적으로 진행되는 것이 아니라, 점검과 조정을 통해 언제든지 이전 단계로 돌아갈 수 있음.

55 정보를 전달하는 글, 설득하는 글

개념의 좌표: **작문** - 본질과 태도 - 정보를 전달하는 글, 설득하는 글 - 사회적 상호 작용을 위한 글, 자기표현적 글

정보를 전달하는 글

어떤 대상, 사실, 현상 등에 관하여 가치 있거나 새로운 정보를 전달하려는 목적으로 쓴 글.

- **❸ □□□**: 어떤 사실이나 현상, 원리, 추상적인 개념, 법칙 등을 알기 쉽게 풀어 쓴 글.
  → 설명 대상에 맞는 내용 전개 방법을 선정해야 함!
- **기사문**: 실제로 일어난 사건, 새로운 정보나 소식을 신문, 잡지 등에 실어 사실대로 알리는 글.
  → 육하원칙에 따라 내용을 구성하고, 기사문의 일반적인 구성 요소를 갖추어 써야 함! 기사문의 구성 요소는 '표제-부제-전문-본문'임.
- **보고문**: 어떤 주제나 대상에 대해 조사하거나 관찰 또는 실험을 하고, 그 절차와 결과를 알리기 위해 쓴 글.
  → 절차와 결과가 잘 드러나도록 보고서의 체계적인 짜임에 맞는 내용을 써야 하며, 조사·관찰·실험의 결과를 왜곡하지 않고 쓰는 것이 중요!

정답 | ❶ 논증 ❷ 반대 신문 ❸ 설명문

설득하는 글

어떤 문제에 대한 자신의 생각이나 주장을 논리적으로 펼쳐 다른 사람의 생각이나 행동, 태도의 변화를 이끌어 내고자 하는 글.
→ 타당성, 신뢰성, 공정성을 갖춘 논거를 사용하여 자신의 주장을 논리적으로 증명할 수 있어야 함.

- **❶ □□□** — 어떤 주제에 관하여 자기의 생각이나 주장을 체계적으로 밝혀 쓴 글.
  → 주장과 근거를 논리적으로 조직하고, 다양한 논증의 내용 전개 방법을 활용하여 써야 함!
- **건의문** — 어떤 문제 상황이나 쟁점에 대하여 개인이나 기관에 문제 해결을 요구하거나 해결 방안을 제안하고자 쓰는 글.
  → 예상 독자가 분명한 글로, 독자가 누구인지에 따라 설득 전략과 표현 방법을 달리해야 함. 또 타당한 논거를 제시해야 하며, 책임감 있는 태도로 쓰는 것이 중요!
- **비평문** — 어떤 사물이나 현상에 대해 옳고 그름, 아름답고 추함 등의 가치를 논하는 글.
  → 대상에 대한 다양한 해석을 고려하며 써야 함!

56 사회적 상호 작용을 위한 글, 자기표현적 글

개념의 좌표: 작문 – 본질과 태도 – 정보를 전달하는 글, 설득하는 글 – 사회적 상호 작용을 위한 글, 자기표현적 글

사회적 상호 작용을 위한 글

사회 구성원으로서 타인에게 나를 알리고, 다른 사람과 친밀한 관계를 맺으며 살아가기 위해 쓰는 글.
→ 글의 목적과 예상 독자 등 쓰기 맥락이 뚜렷하므로 이를 고려해야 함.

- **자기를 ❷ □□하는 글** — 주로 입학이나 취업을 목적으로, 다른 사람이나 기관, 단체 등의 독자에게 자기가 어떠한 사람인지를 알리는 글.
  → 독자가 나에 관해 알고자 하는 정보가 무엇인지 정확히 파악하는 것이 중요!
  ㉮ 자기소개서 등
- **친교 표현의 글** — 인간관계를 원만히 유지시키고자 하는 목적으로 쓰는 글.
  → 독자를 존중하고 배려하며 쓰는 것이 중요!
  ㉮ 편지 등

자기표현적 글

개인의 생각과 느낌을 드러낸 글.

- **정서를 표현하는 글** — 특정 대상에 관한 필자의 느낌이나 생각 등을 주 내용으로 하는 글.
  → 느낌이나 생각을 과장이나 왜곡 없이 진솔하게 표현하여 독자에게 감동을 줄 수 있어야 함!
  ㉮ 감상문, 기행문, 수필 등
- **자기를 성찰하는 글** — 자신의 삶을 되돌아보고 성찰하는 내용을 담은 것.
  ㉮ 일기, 자서전, 회고문 등

정답 | ❶ 논설문 ❷ 소개

Ⅳ 독서

비문학 독해의 지혜

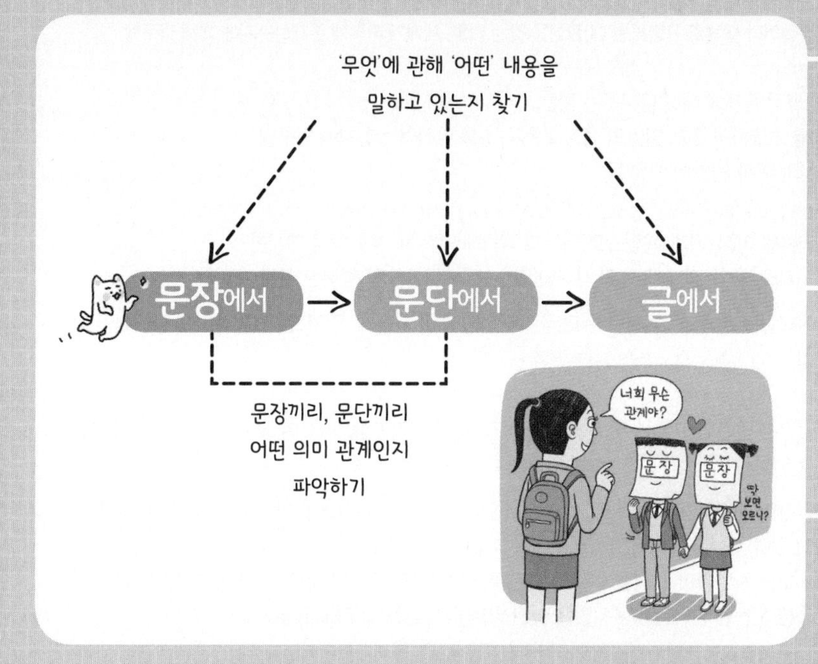

문장 읽기
문장이 '무엇'에 대한 '어떤' 내용을 전달하는지 파악함. (주어, 서술어, 필수 부분, 보충 부분 구분하기)

문단 읽기
문단의 '중심 화제'를 찾고 그것에 관한 중심 내용을 파악함. (중심 문장 찾기, 화제 연결하기)

글 읽기
글 전체의 '중심 화제'와 '중심 내용'을 파악함. (문단별 중심 내용을 모아 요약하기, 글의 구조도 그리기)

배경지식을 마구잡이로 많이 쌓는다고 해서 비문학 독해를 잘할 수 있는 건 아니야. **비문학 영역(제재)별로 주로 어떤 개념이 배경지식으로 등장하는지** 감을 잡는 게 중요해. 그다음 해당 배경지식들을 영역별로 범주화해서 이해하고, 이를 독해 과정에서 활용한다면 좀 더 쉽게 비문학 지문을 읽을 수 있을 거야.

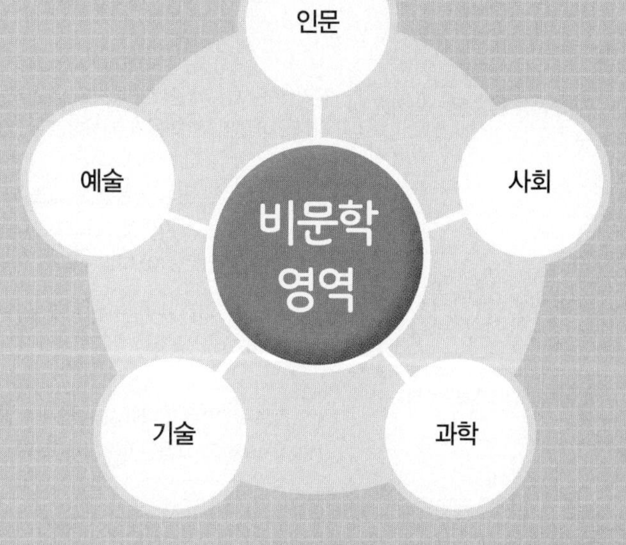

57 인문 분야

개념의 좌표 | 비문학 배경지식 – 인문 – 사회 – 과학 · 기술

서양 철학의 구분

서양 철학의 분야는 크게 존재론, 인식론, 방법론으로 구분할 수 있으며, 기출 지문도 이 세 가지 분야에서 골고루 출제되고 있다. 따라서 이를 중심으로 하여 기본 용어와 주요 학자들의 이론을 알아 두면 좋다!

서양 철학 1 – 존재론

우주의 궁극적 본질이나 실체를 규명하는 데 관심을 갖는 이론. 세계가 어떻게 존재하는지에 대해 탐구함.

형이상학

경험 너머의 궁극적 존재에 대해 탐구하는 학문.

– 개별적 존재를 초월하여 존재 일반의 성질 혹은 구조를 밝히려는 철학적 탐구임.

예 영혼불멸, 신의 존재, 인간의 자유 등

플라톤

(기원전 428?~기원전 347?)

참된 행복을 추구하기 위해 누구나 인정할 수 있는 보편적인 덕을 강조한 소크라테스의 사상을 계승함.

덕, 행복 영혼을 이성, 기개, 욕망으로 나누고 각각에 맞는 세 가지 덕을 제시함.

– 지혜, 용기, 절제, 정의의 사주덕(四主德)을 실현할 때 행복한 삶이 가능함.

이데아 이데아는 존재의 참모습, 즉 모든 감각적인 개별 사물에 공통되는 보편적이고 절대적인 본질. [기출] 1504 고3 학평Ⓑ(플라톤, 이데아)

아리스토텔레스

(기원전 384~기원전 322)

플라톤의 윤리 사상이 지닌 이상주의적 한계를 넘어서며 현실적인 윤리 사상을 대안으로 제시함.

덕, 행복 인간은 인간의 고유한 두 가지 덕(품성적 덕, 지성적 덕)을 따르며 살아야 참된 행복에 이를 수 있음. [기출] 1610 고3 학평(아리스토텔레스의 행복관)

목적론 인간의 행위뿐만 아니라, 세계 안에서 일어나는 모든 사건과 자연의 현상이 목적에 규정되어 있다는 철학적 입장. [기출] 18 수능(아리스토텔레스, 목적론)

– 모든 자연물이 목적을 추구하는 본성을 타고나며, 외적 원인이 아니라 내재적 본성에 따른 운동을 한다는 것. "자연은 헛된 일을 하지 않는다!"라고 말함.

니체

(1844~1900)

'신은 죽었다'라고 선언하며 신 중심의 초월적 세계, 합리적 이성 체계를 부정함.

몸 이성만을 중시했던 인간 중심적 사고방식을 거부하고, 상대적으로 경시되었던 인간의 육체를 중시함. 이성과 육체를 통합적으로 규정하는 '몸'이라는 개념 제시.

주체 전통적 도덕관을 비판하고 도덕의 중심에 '주체'를 둠. 도덕은 외적으로 주어진 규범을 추종하는 것이 아니라, 개인 스스로 주체적 의지를 발휘하여 판단하고 행동하는 것임.

[기출] 1909 고1 학평(존재론, 플라톤, 니체) / 1804 고3 학평(자연관, 니체) / 1409 고2 학평Ⓑ(도덕관, 니체)

서양 철학 2 – 인식론

진리, 또는 지식의 근거와 특징을 밝히는 학문. 인간이 세계에 대한 올바른 인식에 어떻게 도달하는가, 인간은 지식을 어떻게 획득하는가, 지식이란 무엇인가와 같은 물음을 탐구함.

합리론 (이성주의)

도덕적 판단과 행위의 근거를 인간의 이성에서 찾는 주장.

데카르트 (1596~1650) 더 이상 의심할 수 없는 확실한 진리를 찾고자 하였으며 근대 이성주의의 기초를 닦음. "나는 생각한다, 그러므로 나는 존재한다."라는 명제를 확고부동한 진리로 보고 이를 제1의 원리로 삼아 다른 진리를 연역해 나감.

스피노자 (1632~1677) '정념'의 속박에서 벗어나 자유로운 삶을 살고자 우리의 이성을 계발하고 이성에 따르는 삶을 살 것을 주장함. 데카르트의 뒤를 이어 이성주의를 더 발전시킴.

[기출] 1809 고1 학평(스피노자, 코나투스)

칸트 (1724~1804) 언제 어디에서나 지켜야 할 행위의 원칙에 주목하는 '의무론'의 대표적인 사상가. 행위의 옳고 그름은 행위의 결과가 아니라 지켜야 할 도덕 법칙이나 의무에 따라 결정된다고 봄.

[기출] 15 수능ⒶⒷ(칸트, 취미 판단)

경험론

인식이나 지식의 근원을 경험에서 찾는 주장.

[기출] 1506 고1 학평(경험론, 베이컨), 1410 고3 학평Ⓑ(경험주의 철학자들, 로크/버클리/흄)

베이컨 (1561~1626) 근대 경험주의의 선구자로 자연 과학의 실험 정신에 근거하여 경험과 관찰을 통해 새로운 지식을 발견하는 귀납법을 제시함.

흄 (1711~1776) 인간은 경험으로 확인할 수 없는 신이나 정신, 본질 등에 대해 의미 있는 주장을 할 수 없으며, 자연의 인과 관계 또한 반복적으로 관찰하여 파악한 것일 뿐, 원인과 결과의 작동을 완벽하게 알 수 없다고 봄. [기출] 1803 고1 학평(흄, 단순 인상/복합 인상)

버클리 (1685~1753) 세계의 독립적 존재를 부정함. 감각 경험에 의존하지 않고는 세계를 인식할 수 없으며, 세계는 감각으로 인식될 때만 존재한다고 봄. [기출] 1409 모평Ⓐ(세계관, 실재론, 버클리)

관념론

관념 또는 관념적인 것을 실재적 또는 물질적인 것보다 우선으로 보는 입장.

베르그송 (1859~1941) 세계를 통찰하기 위한 방법으로 이성 대신 '직관'과 '지속'을 제시. 그가 말한 직관은 '공감적, 통합적 경험'을 의미함. [기출] 1809 고2 학평(베르그송, 공감과 통합)

예 오렌지색에 공감하는 과정 – 직관을 통해 공감을 확장하려는 노력을 하면 가장 어두운 색으로서의 붉은색과 가장 밝은 색으로서의 노란색 사이의 이질적인 다양한 색들이 있음을 경험하게 됨.

경험론 · 관념론 비판

[기출] 1907 고3 학평(들뢰즈, 주름 개념) / 1411 고2 학평Ⓑ(들뢰즈, 의미 이론)

들뢰즈 (1925~1995) 서구의 2대 지적 전통인 경험론 · 관념론이라는 사고의 기초 형태를 비판적으로 해명함.

- 주름 개념: 대상들이 서로 관계 맺으며 생성되는 무수한 '차이'를 긍정하며 대상과 대상이 연결되어 서로를 변화시키는 생성의 과정을 '주름' 개념으로 설명함.
- 의미 이론: '의미' 그 자체는 규정된 것이 아니지만 '문화적 장'(정치, 역사, 예법 등 인간의 삶에 이미 형성된 모든 것)이 '의미' 규정의 기준이 됨.

탈형이상학

= 포스트모더니즘

데리다 (1930~2004) 후설의 '의식 주체'를 비판하는 입장에서, '차연'이라는 개념을 개진함. 주체란 그 자체로 완전하고 절대적인 의미를 갖고 있는 것이 아니라, 다른 대상들과의 차이에 의해 의미가 드러나고 그 의미에 대한 최종 해석은 계속 연기되는 것이라고 봄.

* '차연'을 뜻하는 신조어 '디페랑스(différance)'는 '차이(差異)'와 '연기(延期)'의 의미를 지님.

예 사전에서 어떤 단어(A)의 의미를 설명하기 위해 또 다른 단어(B)를 사용할 때 단어의 의미는 고정되는 것이 아니라 또 다른 단어와의 차이에 의해 그 의미가 구별되면서 끊임없이 연기됨.

[기출] 1509 고2 학평(후설, 데리다, 차연 개념) / 1807 고3 학평(하이데거, 데리다)

서양 철학 3 – 방법론

진리는 어떻게 탐구하는가에 대한 이론.

논리학

논증에서 전제들로부터 결론이 도출될 수 있는지 판단하는 학문.

전통 논리학 아리스토텔레스 – 정언 문장으로 이루어진 연역 논증을 중심으로 연구한 논리학.

명제 논리학 20세기 독일의 논리학자 프레게 – 소명사, 대명사, 중명사를 중심으로 논증의 타당성을 검토하는 정언 삼단 논증의 한계를 지적하면서, 명제를 단위로 논증을 분석하는 명제 논리학을 제안함.

[기출] 1703 고2(논리학의 발전 과정)

명제

그 내용이 참인지 거짓인지를 명확하게 판별할 수 있는 문장.

분석 명제 수학적 지식이나 논리학 지식처럼 경험과 무관하게 참으로 판별되는 명제.

종합 명제 과학적 지식처럼 경험을 통해 참으로 판별되는 종합 명제. [기출] 17 수능(논리실증주의, 포퍼, 콰인)

추론

이미 제시된 명제인 전제를 토대로, 다른 새로운 명제인 결론을 도출하는 사고 과정.
– 논리학에서는 어떤 추론의 전제가 참일 때 결론이 거짓일 가능성이 없으면 그 추론은 '타당하다'고 말함.

[기출] 1106 모평(추론, 개연성, 건전하다)

논증

어떤 판단이 참인 이유를 분명히 밝히는 일로 전제와 결론으로 이루어짐.

- **연역 논증** 일반 원리로부터 특수한 이치를 도출하는 방법. 전제가 참이면 결론도 반드시 참이 됨.
- **귀납 논증** 개별적인 사실로부터 일반적인 원리나 원칙을 찾아내는 방법으로 경험(관찰과 실험)을 중시함. 학문의 내용을 확장하고 관찰된 증거를 수집하여 일반 원리에 도달함.
  [기출] 13 수능(논증, 연역, 귀납, 포퍼) / 16 수능Ⓐ(귀납, 흄, 미결정성의 문제)
- **유비 논증** 두 대상이 몇 가지 점에서 유사하다는 사실이 확인된 상태에서 어떤 대상이 추가적 특성을 갖고 있음이 알려졌을 때 다른 대상도 그 추가적 특성을 가지고 있다고 추론하는 논증. 이미 알고 있는 전제에서 새로운 정보를 결론으로 도출하게 됨.
  • 유비 논증의 개연성: 도출한 새로운 정보가 참일 가능성. [기출] 1706 모평(유비 논증, 개연성)

유추

어떤 사물이나 현상의 성질을 그와 비슷한 다른 사물이나 현상에 기초하여 미루어 짐작하는 것.
- '알고자 하는 특성의 확정(백조는 날 수 있는가?) → 알고 있는 대상과의 비교(비둘기와의 공통점 비교: 깃털이 있음, 다리가 둘임, 날개가 있음.) → 결론 내리기(백조는 날 것이다)'. [기출] 1403 고1 학평(유추)

동양 철학의 근간

동양 윤리 사상의 근간은 일반적으로 유(儒)·불(佛)·도(道) 라고 여겨진다. 이 가운데 유교와 도가는 중국의 춘추 전국 시대에 발생한 사상으로 후대에까지 큰 영향력을 미쳤다.

동양 철학 1 – 유가 사상

유교는 인륜과 같은 사회적 가치를 중시하는 사상으로, 공자(孔子)가 창시하였음.

공자

(기원전 551~기원전 479)

인(仁)의 실천을 핵심으로 하는 윤리 사상을 주장함.

- **인(仁)** 인간이 지니는 본질적인 '사랑'과 '인간다움'을 말함. 사람〔人〕과 둘〔二〕을 결합해 만든 글자로, 나와 상대방의 관계가 사랑과 인간다움으로 채워져야 한다는 의미를 내포.
- **예(禮)** 국가 제도로부터 개인의 행동 방식에 이르기까지 모든 방면에서의 합리적인 체계와 대응 방식.
  [기출] 1309 모평(공자, 예, 정명)
- **정명(正名) 사상** 모든 사람은 자기의 명분에 부합하는 덕을 갖추고 자기 역할을 온전히 수행해야 함.
  – 군주는 군주답고 신하는 신하답고 부모는 부모답고 자식은 자식답게 행동할 때 사회가 질서와 조화를 유지할 수 있음.

맹자

(기원전 372~기원전 289)

타인을 사랑하는 어진 마음(仁)과 옳고 그름을 분별하는 의(義)의 중요성을 강조함.

- **사단(四端)** 모든 사람의 마음속에 있는 네 가지 본성.
  – 측은지심(惻隱之心), 수오지심(羞惡之心), 사양지심(辭讓之心), 시비지심(是非之心).
- **의(義)** 공자가 제시한 '의'에 대한 견해 강화. 사회 혼란을 치유하는 방법을 '인(仁)'의 실천에서 찾고, '인'의 실현에 필요한 규범으로서의 '의' 제시 [기출] 1509 모평Ⓑ(맹자, '의' 사상)
- **왕도(王道) 정치** 군주는 백성을 아끼고 사랑하며 덕으로 다스려야 한다고 주장함.(민본(民本) 사상)

순자

(기원전 298~기원전 238)

공자의 사상을 계승하면서도 도덕적 마음을 중시한 맹자와 달리 제도적 규범을 강조한 '예' 중심의 윤리 사상을 제시함.

- **심(心)** 순자는 누구나 '심(心)'을 수양하면 성인의 경지에 이를 수 있다고 봄. '심'은 도덕적 행위의 기준이 되는 '도(道)'를 인식하고 실천하는 주체임. [기출] 1511 고2 학평(성인, 순자, '심(心)'의 수양)
- **불구지천(不求知天)** 하늘에 어떤 의지가 있다고 주장하며 그것을 알아내려고 하는 종교적 접근을 비판하는 말. 자연현상에 특별한 의미를 부여하지 말고 오직 인간 스스로 할 일을 열심히 하며 적극적인 행위로 재앙을 이겨내야 한다는 주장임. [기출] 1806 고1 학평(순자, 하늘, 불구지천)
- **예치(禮治) 사상** '예'라는 객관적 기준에 따라 세상을 다스릴 때 질서가 유지되고 모든 사람이 번영을 함께 누릴 수 있다는 것. 이때의 '예'는 제도적 규범의 의미가 강함.

인성론

인간이 어떤 품성을 나고 났는지에 대한 중국 고대 철학자들의 논의. [기출] 1206 고2 학평(인성론, 맹자, 고자)

인간의 본성

[기출] 1906 고1 학평(맹자, 고자, 순자) / 1606 고2 학평(맹자, 순자, 욕망)

- 착하다는 관점 — **성선설** (맹자): 인간은 착한 본성(인, 의, 예, 지)을 타고남.
  - 욕망 때문에 착한 본성이 가려지므로, 개개인이 노력하여 욕망을 줄여야 함.
- 악하다는 관점 — **성악설** (순자): 인간은 악하고 이기적인 본성을 타고남.
  - 교육과 학문을 통해 예(禮)를 정하여 인간의 욕망을 다스려야 함.
- 착하고 악하고의 구분이 없다는 관점 — **성무성악설** (고자): 인간의 본성은 착하고 악하고의 구분이 없음.
  - 식욕과 같은 자연적인 욕구가 인간의 본성임.

동양 철학 2 - 도가 사상

제자백가 가운데 노자와 장자의 사상과 그에 동조하는 사상적 흐름.

노자

(?~?)
도(道)를 매우 중시하여 도를 통해 이 세계를 설명하려 함.

- **도(道)**: 우주 만물의 근원이나 변화 법칙을 뜻함.
  - 도는 사유나 감정을 가지고 무엇을 조작하지 않으므로 무위(無爲)라고 함.
- **무위자연(無爲自然)**: 인위를 행하지 않고 자연(도)에 따르는 것.

장자

(기원전 365?~기원전 270?)
노자의 사상을 계승하면서도 개체를 중시하는 경향을 보임.

- **제물(祭物)**: 도의 관점에서 보면 만물에 우열이 없다는 주장. "모든 것이 평등 혹은 동일하다."라는 의미로 모든 사람은 만물을 차별하지 않는 제물(齊物)을 실천해야 한다고 봄.
- **일기론(一氣論)**: 만물은 본질적으로 하나이며 현상적으로 다른 것들도 모두 연결되어 있어 상호 영향을 주고받는다는 것.
- **물아일체(物我一體)**: 만물과 조화롭게 합일하는 것. 세계의 모든 존재와 일체를 이루고 세계와 자유롭게 소통하는 합일의 경지에 도달하기 위해 '참된 자아'를 잊으면 안 되며, 시비를 따지려 드는 '편협한 자아'를 잊어야 함.('나를 잊는다'는 것의 의미)

[기출] 1606 모평Ⓑ(장자, '물아일체')

동양 철학 3 - 성리학

우주의 근원과 질서, 인간의 심성과 질서를 '이(理)'와 '기(氣)'를 통해 설명하고, 이를 바탕으로 인간과 세계를 연구하는 학문. ＊성리학은 '이'와 '기'를 통해 세계를 설명하므로 이를 '이기론' 또는 '이기 철학'이라고도 함.

성리학

주희(1130~1200)
중국 송나라 때 주희가 집대성하였음.

- **이(理)**: 만물에 내재하는 원리. '이'는 '기'를 통해 드러남. 언제나 한결같음.
- **기(氣)**: 원리를 현실에 드러내 주는 방식과 구체적인 현실의 모습. 여러 가지 모습으로 존재.

[기출] 1806 모평 / 1607 고3 학평(성리학, 실학) / 1409 모평Ⓑ(주희, 정약용, 명명덕, 친민) / 1409 고1 학평(성리학, 호락논쟁), 1403 고2 학평Ⓐ(성리학, 호락논쟁)

조선의 성리학, 실학

조선 전기 통치 이념이었던 성리학이 사변적으로 변질하여 사회적 변화와 요구를 따라가지 못하자, 백성의 실생활에 도움을 주어야 한다는 개혁적 움직임이 나타남에 따라 실학이 등장함.

- 성리학
  - **이황** (1501~1570): '이'를 중시. '이'와 '기'는 철저히 구분되어야 한다는 '이기이원론(理氣二元論)'을 주장함. → 현실의 문제는 '이'를 회복함으로써 해결 가능하다고 봄.
  - **이이** (1536~1584): '이'는 모든 사물의 근원적 원리로, '기'는 그 원리를 담는 그릇으로 봄. → 현실에는 '기'만 작용하므로, 현실에 문제가 있다면 '기'로 나타난 현실의 모습 자체를 바꾸기 위해 싸워야 한다고 봄. → 사회 제도의 개혁 주장. [기출] 1806 모평(이이, 법제개혁론) / 1706 고2 학평(이황, 이이)
- 실학
  - **정약용** (1762~1836): 인간의 본성이 선을 좋아하고 악을 미워할 줄 아는 분별 능력을 갖춘 윤리적 욕구라고 하는 성기호설(性嗜好說)을 주장함. → 도덕성은 선을 선택하고 지속적으로 선을 실천할 때 갖추어진다고 봄. [기출] 1607 고3 학평(성리학, 실학) / 1409 모평Ⓑ(주희, 정약용, 명명덕, 친민)

58 사회 분야

개념의 좌표 | 비문학 배경지식 – 인문 – 사회 – 과학 · 기술

[기출] 1909 고1 학평 / 1711 고1 학평 / 1706 고1 학평 / 1703 고3 학평 / 1603 고2 학평 / 1510 고3 학평Ⓑ

경제 1 – 시장의 이해 시장에서 수요자와 공급자가 모여 생산물을 거래하고, 시장 가격을 결정함.

생산물
시장에서 거래되는 재화와 서비스.

- **재화** 사람들의 욕구를 충족해 주는 유형(有形)의 상품. 예 청바지, 라면
- **서비스** 사람들의 욕구를 충족해 주는 무형(無形)의 인간 행위. 예 의사의 진료, 강사의 강의

경제 주체
경제 활동을 수행하는 개인 또는 집단.

- **가계** ① 기업이 생산한 재화와 서비스를 소비하는 주체. 소비를 통해 효용을 얻으려 함.
  * 효용: 소비자가 어떤 물건을 사거나 서비스를 이용했을 때 느끼는 만족감.

  ② 기업에 생산 요소를 제공하고 소득을 얻는 주체. 더 많은 보수를 얻길 원함.
- **기업** 재화와 서비스를 생산하는 주체. 생산을 통해 이윤을 얻으려 함.

이윤(총수입–총비용) [기출] 1611 고1 학평 / 1609 고2 학평 / 1503 고1 학평

'이윤'은 총수입(재화를 공급하여 생산자가 번 총액)에서 총비용(제품 생산에 발생하는 모든 비용)을 뺀 값이며, 총수입과 총비용이 같아 손실도 이익도 발생하지 않는 지점을 '손익분기점'이라고 한다.

수요
어떤 재화나 서비스에 대해 구매력을 갖춘 사람들이 구입하려는 욕구.

- **수요량** 일정 기간 동안 어떤 재화나 서비스에 대해 특정 가격 수준에서 구매력을 갖춘 사람들이 구입하고자 하는 수량 예 1,000원인 음료수를 한 달 동안 30병 먹을 때, 수요량은 30병
- **수요의 법칙** (다른 조건이 일정할 때) 가격이 올라가면 수요량이 줄고, 가격이 내려가면 수요량이 늘어남.

수요량의 변동과 수요의 변동 [기출] 1406 고1 학평 / 1403 고1 학평

- 수요량의 변동: 가격 변동에 따라 수요량이 변하는 것.
  가격 변동에 따라 수요량이 얼마나 민감한지를 측정한 것이 수요 탄력성.
- 수요의 변동: 가격 이외 요인의 변동에 따라 상품의 수요량이 변하는 것.(수요곡선 자체가 이동함.)

$$\text{수요 탄력성} = \frac{\text{수요량의 변화율 (\%)}}{\text{가격의 변화율 (\%)}}$$

공급
어떤 재화나 서비스에 대해 생산 능력을 갖춘 공급자들이 판매하고자 하는 욕구.

- **공급량** 일정 기간 동안 어떤 재화나 서비스에 대해 특정 가격 수준에서 생산 능력을 갖춘 사람들이 판매하고자 하는 수량 예 1,000원인 음료수를 기업이 한 달 동안 30만 병 판매하면, 공급량은 30만 병
- **공급의 법칙** 가격이 올라가면 공급량이 늘고, 가격이 내려가면 공급량이 줄어듦.

[기출] 2006 모평 / 1909 고2 학평 / 1806 모평 / 1804 고3 학평 / 1803 고1 학평 / 1603 고3 학평 / 1510 고3 학평Ⓑ / 1504 고3 학평Ⓑ

경제 2 – 정부의 경제 활동 정부는 가계, 기업과 함께 국민 경제에 참여하는 경제 주체로서 조세를 거두어 사회가 필요로 하는 재화와 서비스를 생산·소비하는 역할을 함.

조세 국가 및 지방자치단체가 그 일반 경비에 충당하기 위한 목적으로 국민으로부터 법에 따라 강제적으로 징수하는 금전.

국내 총생산 (GDP)

일정 기간 동안 한 나라 안에서 생산된 모든 최종 재화와 서비스의 시장 가치(시장에서 거래된 재화와 서비스의 가격)합. → 국민 경제의 생산을 측정하는 지표

- **총수요** 일정 기간 동안 모든 경제 주체들이 구입하고자 하는 한 나라에서 생산된 재화와 서비스의 시장 가치의 합.
- **총공급** 한 나라에서 일정 기간 동안 팔려고 하는 재화와 서비스의 시장 가치.

→ 총수요와 총공급이 일치할 때, 국내 총생산과 물가가 결정됨.

경기 변동

한 나라의 경제 상황이 좋아졌다가 나빠지기를 반복하는 현상.

① 총수요의 변화: 총수요↑ → 물가↑, GDP↑ / 총수요↓ → 물가↓, GDP↓

② 총공급의 변화: 총공급↑ → 물가↓, GDP↑ / 총공급↓ → 물가↑, GDP↓

재정 정책

정부 지출이나 조세의 변동을 통해 경기를 조절하는 정책

① 경기 과열 시: 정부 지출↓ → 총수요↓ / 조세↑ → 가계의 처분 가능 소득↓ → 소비↓ → 총수요↓

② 경기 침체 시: 정부 지출↑ → 총수요↑ / 조세↓ → 가계의 처분 가능 소득↑ → 소비↑ → 총수요↑

* 처분 가능 소득: (국민 소득-조세)

독서

[기출] 1704 고3 학평(통화량 파악) / 1503 고2 학평(금리, 이자율, 물가 상승률) / 1503 고3 학평Ⓑ(노동-여가 선택 모형)

경제 3 – 금융의 이해 여윳돈이 있는 사람에게서 돈이 필요한 사람에게 돈이 융통되는 것을 금융이라고 하며, 자금의 수요자와 공급자 사이에 금융 거래가 이루어지는 곳을 금융 시장이라고 함.

통화

현금통화와 예금통화를 합하여 일컫는 말로 화폐 중에서 유통되고 있는 화폐.

- **통화량** 한 나라의 경제에서 일정 시점에 유통되고 있는 화폐(또는 통화)의 존재량.

→ 통화량이 늘어나면 그만큼 화폐의 가치가 떨어지고 이는 물가 상승으로 이어짐.

통화 정책 [기출] 2006 모평, 1806 모평, 1504 고3 학평Ⓑ

- 경기 과열 시 정책 [금리 ↑, 통화량 ↓] → 가계 소비, 기업 투자 ↓ → 총수요 ↓ → 물가 ↓ → 경기 안정
- 경기 침체 시 정책 [금리 ↓, 통화량 ↑] → 가계 소비, 기업 투자 ↑ → 총수요 ↑ → 물가 ↑ → 경기 상승

금리 (이자율)

이자를 원금으로 나눈 비율.

$$금리 = \frac{이자}{원금} \times 100$$

이자: 돈을 빌린 사람(채무자)이 돈을 빌려준 사람(채권자)에게 대가로 지급하는 것.

[기출] 1709 고1 학평(금리의 이해와 계산)

- **명목 금리** 물가 변동을 고려하지 않은 금리.
- **실질 금리** 물가 변동을 고려한 금리. (실질 금리 = 명목 금리 - 물가 상승률)
- **기준 금리** 한국은행에서 시중의 통화량을 조절하기 위해 매달 인위적으로 결정하는 금리.

물가와 물가 변동 [기출] 1906 고2 학평(물가지수)

- 물가: 시장에서 거래되는 개별 상품 가격을 종합하여 평균한 것.
- 물가 변동: 전반적인 상품의 가격 변동.

주식

기업이 자금 조달을 위해 회사 소유권의 일부를 투자자에게 준다는 증표. 자본금을 구성하는 단위.

* 주식과 채권은 대표적인 증권 상품임.

주식 관련 용어 [기출] 1903 고3 학평(주식회사, 자본금, 배당) / 1907 고3 학평(기업의 재무제표)

- 주주: 주식의 소유주. 보유한 주식 금액의 비율에 따라 이익배당 등의 권리를 가지면서 회사에 대해 유한책임을 짐.
- 자본금: 회사 설립의 기초가 되는 돈으로, 주식 발행을 통해 조성함.
- 주식회사: 주식을 발행하여 사업 자금을 조달하는 회사.
- 배당: 주식회사가 투자자들에게 회사를 경영하여 얻은 수익 가운데 일부를 투자자의 지분에 비례해 나누어 주는 것.

채권(債券)

정부나 기업이 자금을 조달하기 위해 발행하는 증서. [기출] 1909 모평(채권과 신용 위험)

- 채권 투자에는 발행자의 지급 능력 부족 등의 사유로 이자와 원금이 지급되지 않을 가능성(신용 위험)이 수반됨. 따라서 각국은 채권의 신용 위험을 평가해 신용 등급으로 공시하는 신용 평가 제도를 도입하여 투자자를 보호함.

경제 4 – 국가 간 거래의 이해

무역

나라와 나라 사이에 서로 필요한 물품을 거래하는 것.

- **절대 우위** 다른 생산자에 비해 같은 상품을 더 적은 양의 생산 요소를 투입하여 생산하는 능력.
- **비교 우위** 다른 생산자보다 작은 기회비용으로 생산하는 능력.
  * 기회비용: 하나의 재화를 선택할 때, 그 선택으로 인해 포기한 다른 재화의 가치.
- **특화** 잘하는 산업이나 자원을 가장 효율적으로 사용할 수 있는 분야에 집중하는 것.
- **규모의 경제** 대량으로 생산할 때 단위당 생산 비용이 하락하는 것.

[기출] 1811 고2 학평(무역 양상, 규모의 경제) / 1703 고1 학평(무역, 비교 우위, 기회비용)

환율

두 나라 화폐의 교환 비율.

- **명목 환율** 한 나라의 통화와 다른 나라 통화 사이의 교환 비율. 기준을 기축 통화인 미국의 달러화로 삼는 경우가 많음. * 기축통화: 국제 거래에서 주된 교환 수단으로 쓰이는 특정 나라의 통화(화폐).
- **실질 환율** 두 나라 사이의 재화와 서비스의 교환 비율. 외국 상품 한 단위와 교환되는 국내 상품을 단위 수로 표시함. [기출] 1506 고2 학평(국제 가격 - 명목환율, 실질환율)
- **균형 환율** 외환의 수요와 공급을 일치시켜 주는 환율.
  ① 달러화의 초과 공급(환율>균형 환율): 환율↓ →수출품의 가격↑ →수출↓ →달러화 공급↓
  예 '2,000원/달러 → 1,000원/달러'시 2,000원에 해당하는 수출품이 1달러에서 2달러가 됨.
  ② 달러화의 초과 수요(환율<균형 환율): 환율↑ →수입품의 가격↑ →수입↓ →달러화 수요↓
  예 '1,000원/달러 → 2,000원/달러'시 1달러에 해당하는 수입품의 가격은 1천원에서 2천원이 됨.

환율의 변동 요인 [기출] 18 수능(정책 수단의 선택, 환율의 오버슈팅)

– 물가: 물가 ↑ →수출품 가격 ↑ →수출 ↓ →달러화 공급 ↓ →환율 ↑
수입품 가격 ↓ →수입 ↑ →달러화 수요 ↑ →환율 ↑

법 1 – 법의 개념과 종류 [기출] 1709 모평(사단 법인, 법인격) / 1509 모평Ⓐ(자연법 개념, 발전 과정) / 1509 고2 학평(입법 과정) / 1409 모평ⒶⒷ(소송 제도의 종류와 특징)

법

사회 구성원들의 합의에 따라 만들어지고 강제성을 가진 규칙.

법의 강제성은 공공의 이익을 실현하기 위해 사회 구성원들이 동의할 때만 발휘됨.

법의 특징 [기출] 1806 고1 학평(법의 특징, 민법과 형법)

① 행동의 결과를 중시함. ② 국민의 자유와 권리를 보호함. ③ 최소한의 간섭만 함.

공법과 사법

- **공법(公法)** 사회적 질서, 공공의 생활을 규율하는 헌법이나 형법, 행정법과 같은 법.
- **사법(私法)** 개인 간의 법적 관계를 규율하는 민법, 상법 등. [기출] 1906 모평(사법, 계약의 자유 제한)

* 근대 민법 세 가지 원칙의 수정

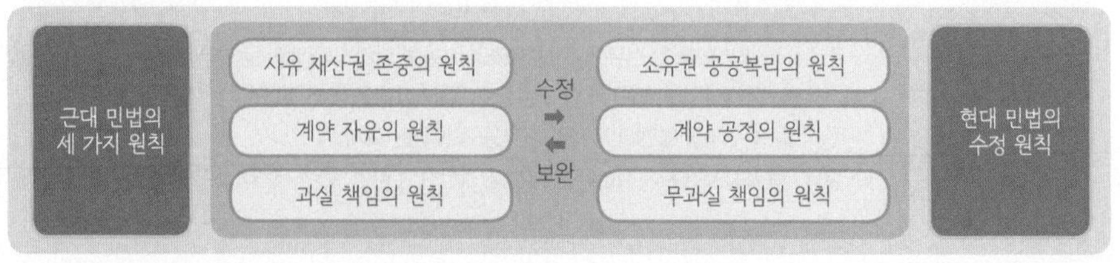

① 개인의 재산권은 공공복리의 차원에서 제한될 수 있음.
② 개인 간의 법률 관계 내용이 사회 질서에 반하고 공공의 이익을 위협해서는 안 된다는 내용 추가.
③ 어떤 기업이나 개인이 사회적인 위험이나 환경 오염 등을 초래한 경우, 과실이 없더라도 이에 대한 손해 배상 책임을 지도록 함.

불법행위에 대한 책임원칙 [기출] 1904 고3 학평(불법행위, 책임원칙)

- 가해자의 책임 여부만 고려하는 책임원칙 (가해자의 주의 수준을 고려하지 않음.): 비책임원칙, 엄격책임원칙
- 가해자의 과실 여부만 고려하는 책임원칙: 과실원칙
- 피해자의 책임 여부까지 고려하는 책임원칙: 기여과실, 비교과실

헌법

국가의 근본법으로서 국가의 통치 조직과 통치 작용의 원리를 규정하고, 국민의 기본권을 보장하는 국가의 최고법. [기출] 1510 고3 학평Ⓐ(헌법 개정)

– 법체계에서 가장 상위에 놓여 있어 최고성을 지니며, 일반 법률에 비해 추상적이고 일반적인 내용을 다룸.

형법

형벌로 처벌할 수 있다고 법률에 규정된 행위를 '범죄'라고 하고, 범죄에 대한 공식적인 제재 수단을 '형벌'이라고 함. 형법은 이러한 범죄와 형벌을 정하고 있는 법률임.

민법과 형법 [기출] 1806 고1 학평(법의 특징, 민법과 형법)

- 민법: 국가 기관이 아닌, 사람들 간의 권리관계를 다루는 법률로서 재산 관계와 가족 관계로 구성되어 있음.
- 형법: 범죄와 형벌을 규정하는 법률로서 '죄형법정주의'(범죄의 행위와 그 범죄에 대한 처벌을 미리 법률로 정해 두어야 한다는 것)라는 기본 원칙이 있음.

범죄의 구성 요건

– 범죄가 성립하려면 그 행위가 구성 요건(법률로 정해 놓은 범죄 행위의 유형)에 해당하고 위법해야 하며, 그 행위를 한 사람에게 법적인 책임 능력이 있어야 함.

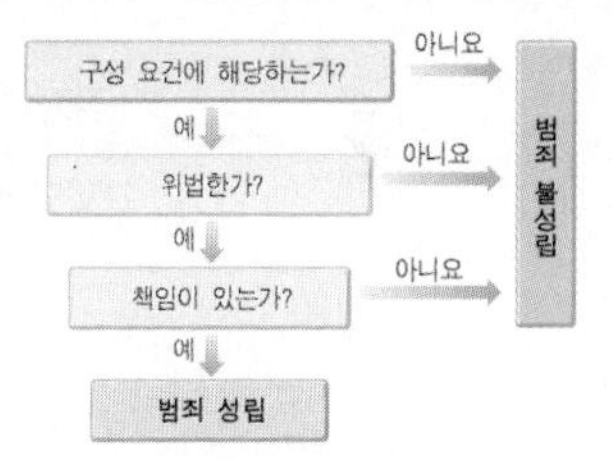

사회법

자본주의가 발달하면서 발생하게 된 여러 가지 문제들을 해결하기 위한 법 영역.
예 노동법, 사회 보장법, 경제법, 환경법 등. [기출] 1806 고2 학평(근로자의 법적 권리) / 1610 고3 학평(상표법)

법 2 – 법적 계약의 특성

[기출] 19 수능(매매 계약, 채권 · 채무 관계) / 1906 모평(사법, 계약의 자유 제한) / 1604 고3 학평(청약과 승낙, 계약)

계약

다른 사람들과 거래를 하고 관계를 맺으려면 기본적으로 사람과 사람 사이에 일정한 합의 또는 약속이 있어야 하는데, 법에서는 이러한 합의와 약속들을 '계약'이라 함. → 계약을 맺기를 요청하는 '청약'과 이를 받아들이는 '승낙'이 있으면 당사자의 의사가 일치하여 계약이 성립하는 것으로 봄.

- **채권(債權)** 특정인이 다른 특정인에게 어떤 행위를 청구할 수 있는 권리. 채권을 가진 사람을 '채권자'라고 함.
- **채무(債務)** 특정인이 다른 특정인에게 어떤 행위를 하여야 할 의무. 채무를 진 사람을 '채무자'라고 함.

계약의 기한과 조건 [기출] 16 수능ⒶⒷ(기한, 조건)

- 기한: 효과의 발생이나 소멸이 장래에 확실히 발생할 사실에 의존하도록 하는 것.
- 조건: 효과의 발생이나 소멸이 장래에 일어날 수도 있는 사실에 의존하도록 하는 것.

손해 배상

민법상 위법 행위로 손해 배상을 해야 하는 경우로는 불법 행위와 채무 불이행 등이 있으며, 이때 피해를 준 사람은 금전 등으로 손해를 배상해야 할 책임을 지게 됨.

- **불법 행위** 타인에게 고의나 과실로 말미암은 위법 행위로 손해를 끼치는 행위.
- **채무 불이행** 채무자가 채무의 내용에 따른 이행을 하지 않는 일.

59 과학·기술 분야

개념의 좌표: **비문학 배경지식** – 인문 – 사회 – 과학·기술

[기출] 1806 고1 학평, 1703 고1 학평, 16 수능Ⓑ, 1609 고1 학평

물리 1 – 물질의 특성

물리학에서는 물질의 성질이나 상태를 수치화하고 이들 사이의 관계를 밝히려고 함.

면적–부피의 법칙

= 제곱–세제곱의 법칙

길이가 길어지면 표면적은 제곱, 부피는 세제곱으로 늘어나는 법칙.
(길이가 L배 길어지면 표면적은 L^2, 부피는 L^3에 비례하여 커짐.)

- **면적** 공간을 차지하는 넓이의 크기.
- **부피** 넓이와 높이를 가진 물건이 공간에서 차지하는 크기.

예 각 변의 길이가 1m인 주사위

표면적 $1m \times 1m \times 6(개) = 6m^2$
부피 $1m \times 1m \times 1m = 1m^3$

↓ (변의 길이를 2배로 늘림.)

표면적 $24m^2$ (면적은 4배 증가)
부피 $8m^3$ (부피는 8배 증가)

밀도

물체의 단위 부피당 질량. $밀도 = \frac{질량}{부피}$

- **질량** 장소에 관계없이 변하지 않는, 물체가 가진 고유한 양. [단위: kg, g]
- **기체의 밀도 변화** '고체 > 액체 > 기체' 순으로 밀도가 높으며, 기체는 온도와 압력에 따른 부피 변화가 크기 때문에 밀도 변화도 큼.
  - 온도에 따른 변화: 온도가 높아지면, 부피도 비례해 커져서 밀도는 줄어듦.
  - 압력에 따른 변화: 압력이 커지면, 부피가 감소하기 때문에 밀도는 커짐.

[기출] 19 수능, 1811 고2 학평, 1709 고1 학평, 1509 고1 학평, 1409모평Ⓑ, 1409 고2 학평Ⓑ, 1409 고1 학평, 1303 고1 학평

물리 2 – 역학적 시스템, 운동과 충돌

물리학 중 특히 역학에서는 힘의 작용과 그에 따른 물체의 운동 상태나 모양의 변화를 체계적으로 연구함.

역학적 시스템

여러 가지 힘이 물체들 사이에서 상호 작용하면서 물체의 운동 상태나 모양이 변하는 체계.
→ 역학적 시스템을 이루는 요소들은 서로 힘을 주고받으며 끊임없이 변화하면서도 일정한 질서를 유지함.

힘

물체의 모양이나 운동 상태를 바꾸는 원인. [기출] 16 수능ⒶⒷ, 1509모평Ⓑ, 1409 모평Ⓑ

- **부력** 액체나 기체가 그 속에 들어 있는 물체를 위쪽으로 밀어 올리는 힘.
- **탄성력** 변형된 물체가 원래 모양으로 되돌아가려는 힘.
- **마찰력** 두 물체의 접촉면에서 물체의 운동을 방해하는 힘.
- **알짜힘** 한 물체에 작용하는 모든 힘의 합력. 합력은 한 물체에 여러 힘이 동시에 작용할 때, 이 힘들과 같은 효과를 내는 하나의 힘을 의미함.
- **돌림힘** 물체가 축을 중심으로 회전 운동 할 때, 회전 운동을 발생하게 만드는 원인.
  → 돌림힘이 작용하면 물체의 회전 운동이 변화하게 됨.

지레의 원리 [기출] 1806 고2 학평, 16 수능Ⓐ, 1311 고1 학평

- 지레는 돌림힘의 원리를 이용하는데, 받침점(지렛대를 받치는 곳)에서 힘점(지레에서 힘을 주는 곳)까지의 거리가 받침점에서 작용점(물체에 힘이 작용하는 곳)까지의 거리에 비해 멀수록 [A<B] 힘점에 작은 힘을 주어 물체를 들어 올릴 수 있음.(이때, 물체의 무게×A=힘점에 작용한 힘×B)

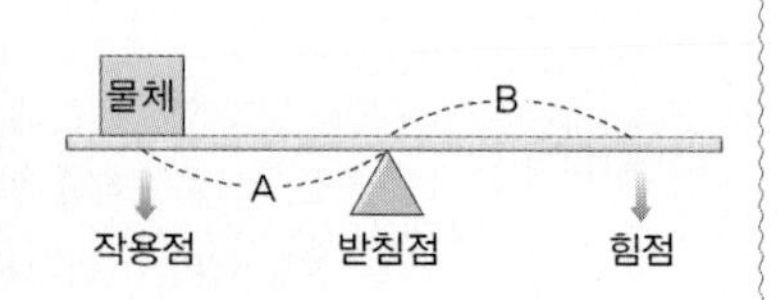

중력

지구가 물체를 끌어당기는 힘. 질량이 있는 모든 물체 사이에 작용하는 힘.

- **방향**: 두 물체가 서로 당기는 방향으로 작용.
- **크기(무게)**: 두 물체의 질량이 클수록, 두 물체 사이의 거리가 가까울수록 큼.
- **특징**: 지구가 물체에 작용하는 중력의 방향은 '연직 방향'임. → 지구 중심 방향

중력은 질량을 가진 물체 사이에 존재하는 힘이다. 두 물체 사이에 서로 당기는 방향으로 작용한다.

두 물체의 질량이 클수록 중력이 커진다.

두 물체 사이의 거리가 멀수록 중력이 작아진다.

등속도와 가속도

운동하는 물체가 일정한 방향으로 등속력으로 운동할 때 '등속도', 시간에 따라 물체의 속도가 변할 때 '가속도'라고 함.

- **속력**: 물체의 운동을 과학적으로 설명할 때 기본이 되는 개념. 단위 시간당 이동한 거리. 운동의 크기를 나타냄.
- **속도**: 물체의 운동 상태를 정확하게 표현하기 위해 속력과 그 운동 방향을 포함한 것.

관성

물체가 현재의 운동 상태를 유지하려는 성질. → 질량이 클수록 관성이 큼.

- **관성의 법칙**: 물체에 작용하는 알짜힘이 0일 때, 정지해 있던 물체는 계속 정지해 있고, 운동하던 물체는 계속 등속도 운동(등속 직선 운동)을 함. → 한편, 물체에 알짜힘이 작용하면 가속도가 작용함. 이때 가속도의 크기는 알짜힘의 크기에 비례하고 물체의 질량에 반비례하는데, 이를 가속도의 법칙이라고 함.
- **운동량**: 운동하는 물체의 운동 정도를 나타내는 양.

  운동량(p) = 질량(m) × 속도(v) → 물체의 질량이 클수록, 속도가 빠를수록 큼.

- **충격량**: 두 물체가 충돌할 때, 물체가 받은 충격의 정도를 나타내는 양.

  충격량 = 작용한 힘 × 힘이 작용한 시간 → 충격량은 물체의 운동량이 변화한 양과 같으며, 물체의 충돌 시 외부에서 힘이 작용하지 않으면 충돌 전과 후의 운동량의 합은 일정하게 보존됨. 이를 운동량 보존의 법칙이라고 함.

원운동과 관련된 개념 [기출] 1509 고1 학평, 1409 모평Ⓑ

- 등속 원운동: 물체가 일정한 속력으로 원을 그리며 도는 운동.
  → 속력은 일정하나 물체의 운동 방향이 바뀌기 때문에 가속도 운동에 해당함.
- 구심력: 원의 중심 방향으로 작용하여 물체가 등속 원운동을 유지하도록 하는 힘.
- 원심력: 원운동을 하는 물체가 중심 바깥으로 나가려고 하는 가상의 힘.
  → 실제로 존재하는 힘이 아니라 물체가 등속직선운동하려는 관성에 의한 효과.
- 각속도: 원운동하는 물체가 단위시간 동안 회전한 각도.

$$각속도(\omega) = \frac{이동한\ 각도(\theta)}{걸린\ 시간(t)}$$

- 각운동량: 회전하는 물체의 운동량.

  각운동량 = 질량(m) X 접선 속도(v) X 회전하는 원의 반지름(r)

  → 이때 접선 속도란 원의 한 점에 닿은 직선 방향의 속도를 의미함.
- 각운동량 보존 법칙: 회전하는 물체의 외부에서 알짜 돌림힘이 작용하지 않는다면, 각운동량이 그대로 유지되는 것.
  예 피겨 선수가 팔을 몸에 바짝 붙인 채로 회전하면 회전하는 원의 반지름이 줄어든 만큼, 회전 속도가 늘어나 각운동량이 보존됨.

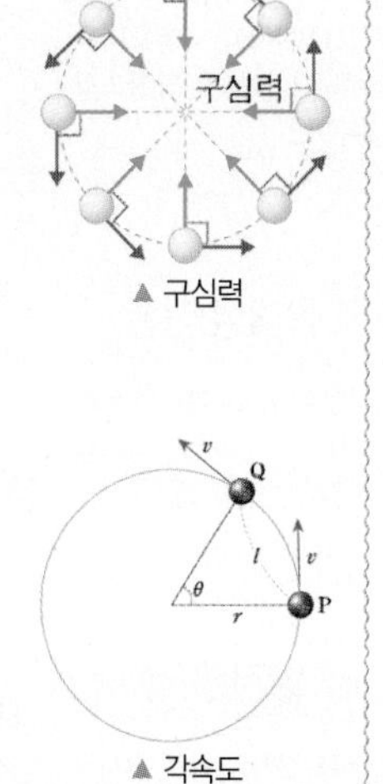

▲ 구심력

▲ 각속도

[기출] 1709 모평, 1703 고1 학평

물리 ❸ - 에너지, 열역학

열역학은 열과 일의 관계에 대하여 체계적으로 연구함.

에너지

일을 할 수 있는 능력.

에너지 전환 에너지가 한 가지 형태로 머물러 있지 않고 다른 형태의 에너지로 바뀌는 것.

에너지 보존 법칙 한 에너지가 다른 형태의 에너지로 전환될 때, 에너지는 새로 생기거나 소멸되지 않고 그 총량이 일정하게 보존됨.

* 열역학 제1법칙: 우주의 에너지 총량은 일정함.

에너지 효율

공급된 에너지에 대해 유용하게 사용된 에너지의 비율.

열기관 열에너지를 유용한 일로 바꾸는 장치.

열효율 공급받은 열에너지 중에서 유용한 일로 전환한 비율.

$$열효율(\%) = \frac{유용한\ 일(W)}{공급받은\ 열에너지(Q_1)} \times 100 = \frac{Q_1 - Q_2}{Q_1} \times 100$$

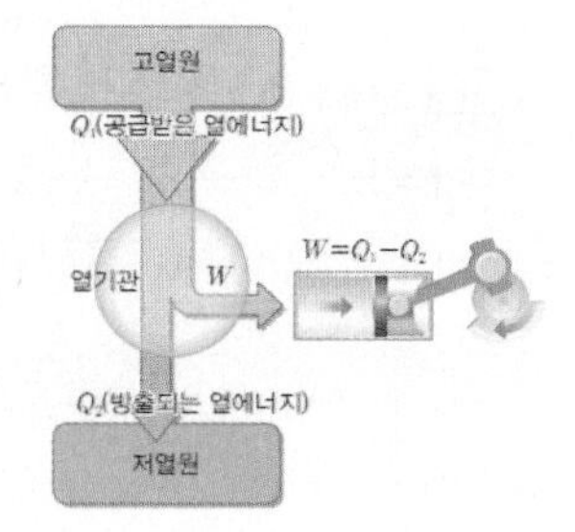

엔트로피

= 무질서도

자연 현상을 열역학 제1법칙으로만 설명하기가 충분하지 않아 등장한 개념으로 자연 물질이 변형되어 원래로 돌아갈 수 없는 현상. 열역학적 계에서 일로 전환될 수 없는, 즉 유용하지 않은 에너지를 기술할 때 이용됨. 엔트로피의 도입과 더불어 열역학 제2법칙이 성립됨.

* 열역학 제2법칙: 열이 낮은 온도에서 높은 온도로만 흐르는 것처럼, 자발적으로 일어나는 자연 현상들은 엔트로피가 증가하는 방향으로 변함.

[기출] 19 수능, 1809 모평, 1610 고3 학평, 12 수능, 1109 모평, 04 수능

물리 ❹ - 과학 이론

과학 지식의 이론적 기초가 되는 내용이나 과학 자체를 바라보고 탐구하는 관점, 태도 등.

고전 물리학

양자 역학이나 상대성 이론이 나타나기 이전의 물리학을 말함.

학문적으로 체계화된 뉴턴 역학을 근간으로 삼고 있음.

뉴턴 역학 물체에 작용하는 힘과 운동의 관계를 설명하는 물리학. '관성의 법칙', '가속도의 법칙', '운동량 보존의 법칙'이 있음.

상대성 이론

아인슈타인이 제시한 특수 상대성 이론과 일반 상대성 이론을 총칭한 것.

- 관성의 법칙이 작용하는 관성 좌표계에서도(특수 상대성 이론), 가속도 운동을 하는 좌표계(일반 상대성 이론)에서도 물리 법칙은 동일하게 성립된다는 이론.
- 모든 좌표계에서 빛의 속도가 일정하고 모든 물리 법칙이 똑같다면, 시간과 물체의 운동은 관찰자에 따라 상대적임. → 모든 관찰자에게 동일한 보편적이고 절대적인 시간이 존재한다는 뉴턴 역학과의 차이점.

양자 역학

원자, 분자와 같은 미시적인 대상에 적용되는 역학.

- 관찰하기 이전에는 상호 배타적인 상태(예 시계 방향/반시계 방향)가 공존하고 있어, 비록 현재의 상태에 대해 정확하게 알고 있더라도 미래에 일어나는 사실을 정확하게 예측할 수 없다는 입장.
  → 뉴턴 역학과 상대성 이론은 초기 운동 상태를 알 수 있다면, 물체의 상태를 측정하는 데 문제가 없다고 봄.

[기출] 1606 모평Ⓐ, 1409 고2 학평Ⓐ, 1409 고1 학평, 1406 고1 학평

화학 1 – 원자와 분자의 이해

원자는 전자, 양성자, 중성자로 이루어졌으며 원자가 전자를 잃거나 얻으면 이온이 됨. 또 원자들이 모여서 분자를 이룰 수 있음.

원자 물질을 구성하는 가장 작은 중성 입자. 원자핵(양성자와 중성자로 구성)과 전자로 이루어짐.

- **전자** (–) 전하를 띠는 입자. 원자핵 주위를 빠르게 움직임.
- **원자핵** 원자 내부 중심에 있는, (+) 전하를 띤 입자.
  - **양성자** 원자핵 속에 들어 있는, (+) 전하를 띤 입자.
  - **중성자** 원자핵 속에 들어 있는, 전하를 띠지 않는 입자.

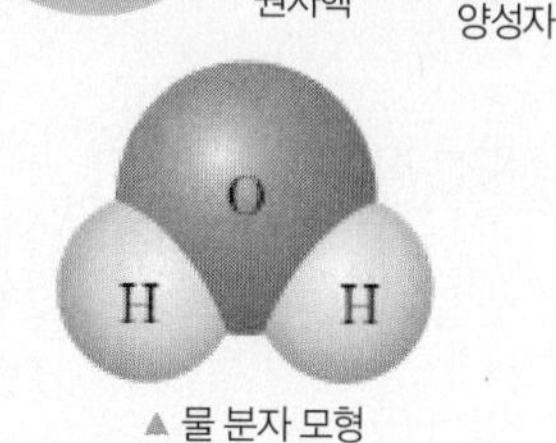

▲ 물 분자 모형

분자 2개 이상의 원자들로 구성된 물질로, 독립된 입자로 존재하여 물질의 성질을 나타내는 가장 작은 입자.

원소 물질을 이루는 기본 성분으로 더는 다른 물질로 분해되지 않는 물질. 원소 기호로 나타냄. 예 H(수소), O(산소)

- **화합물** 2종류 이상의 원소로 이루어진 물질. 원소 사이의 화학 반응으로 형성됨. 예 $H_2 + O \rightarrow H_2O$(물)

이온 원자가 전자를 잃거나 얻어 전하를 띠는 입자.

- **양이온** (+) 전하를 띤 입자.
- **음이온** (–) 전하를 띤 입자.

[기출] 1510 고3 학평ⒶⒷ, 1506 고1 학평, 1409 고1 학평

화학 2 – 액체의 화학적 특성

액체는 여러 가지 화학적 특성을 지님.

용액 두 가지 이상의 순물질이 균일하게 섞여 있는 혼합물. 예 설탕물

- **용질** 녹는 물질. 예 설탕
- **용매** 녹이는 물질. 예 물
- **용해** 용질이 용매에 녹아 용액이 만들어지는 과정. 예 설탕이 물에 녹아 설탕물이 만들어짐.

증발 액체의 표면에 있는 분자의 일부가 분자 사이의 인력을 이겨 내고 기체가 되어 공기 중으로 퍼지는 현상.
(인력: 서로 끌어당기는 힘.)

모세관 현상 액체가 가는 관이나 미세한 틈을 따라 이동하는 현상.
→ 유리관에서의 모세관 현상은 유리관 표면 입자-액체 분자 사이에 작용하는 부착력과 액체 분자 사이의 응집력 때문에 나타남.

- **부착력** 서로 성질이 다른 두 물질의 접촉면에 작용하는 분자 간 인력.
- **응집력** 액체 또는 고체에서 그 물질을 구성하고 있는 원자·분자 또는 이온 간에 작용하고 있는 인력.

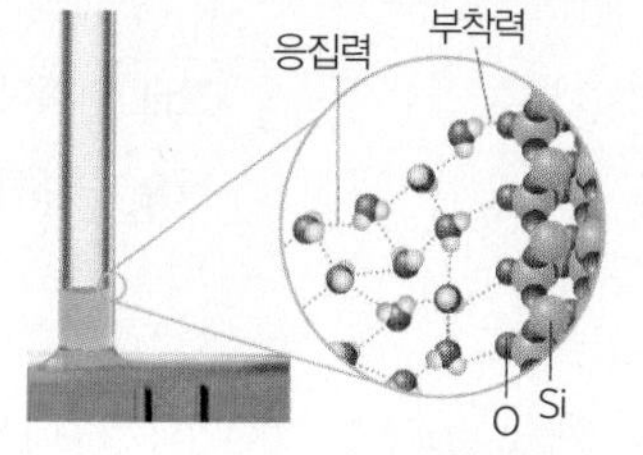

표면 장력 액체가 표면에서 그 표면적을 가능한 한 작게 하려는 힘.
→ 액체 분자는 응집력을 최대화하기 위해, 부착력이 발생하는 표면적을 줄이려 함.

pH 물질의 산성이나 알칼리성의 정도를 나타내는 수치.
→ 순수한 물의 pH인 7을 기준으로 pH 값이 7보다 작은 용액은 산성 용액, 7보다 큰 용액을 염기성 용액이라 함.

[기출] 1906 고1 학평, 1603 고2 학평, 1306 모평

생명 과학 1 – 식물의 작용

식물은 광합성을 통해 생장에 필요한 양분을 만들어 내고, 증산 작용을 통해 줄기 끝에 달려 있는 잎에까지 물을 공급함.

광합성

식물이 빛 에너지를 흡수하여 포도당을 합성하는 반응. 합성된 포도당은 녹말로 바뀌어 엽록체에 저장됨.

- **엽록체** 식물의 세포 소기관 중 하나로 광합성을 하는 곳.
- **엽록소** 엽록체에 든 초록색 색소로 광합성에 필요한 빛 에너지를 흡수함.

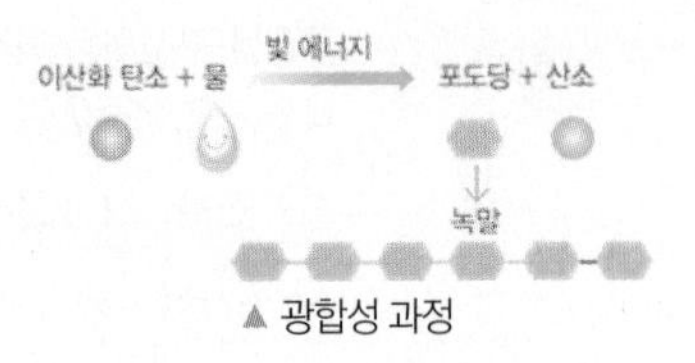

▲ 광합성 과정

증산 작용

식물 잎의 기공에서 물이 수증기 형태로 빠져 나가는 것.

- **기공** 식물 잎의 가장 바깥층 표피에 있는, 외부와 통하는 작은 구멍. 공변세포 2개로 둘러싸여 있으며 공변세포의 모양에 따라 열리고 닫힘. 수증기, 이산화 탄소, 산소는 기공을 통해 식물 안팎을 드나듦.

→ 증산 작용이 일어나면 잎에서는 부족한 물을 보충하기 위하여 잎맥과 줄기, 뿌리 속의 물을 연속적으로 끌어올림. 따라서 뿌리에서 흡수한 물이 물관을 통해 잎까지 상승함.

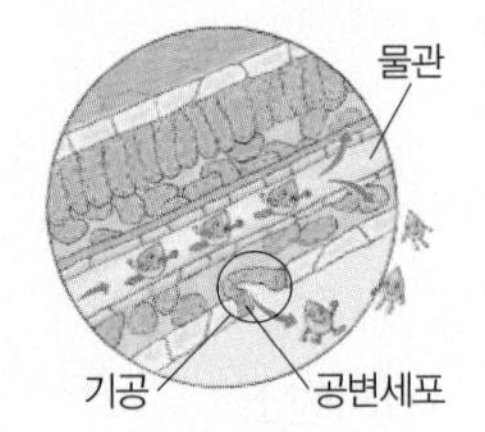

삼투 현상

용액의 농도가 낮은 곳에서 높은 곳으로, 선택적 투과성 막을 통해 물이 이동하는 현상.
예 소금물에 배추를 담그면, 배추에 있는 물이 소금물 쪽으로 이동해 배추가 절여짐.
농도가 낮은 흙 속에서 농도가 높은 식물의 뿌리 쪽으로 물이 이동함.

[기출] 17 수능, 1804 고3 학평, 1611 고2 학평, 15 수능Ⓐ

생명 과학 2 – 체내 작용(소화와 호흡)

음식물은 소화 과정을 거쳐 우리 몸에 최종적으로 흡수되며, 우리 몸은 호흡을 통해 공기 중의 산소를 받아들이고 몸 안의 이산화 탄소를 내보냄.

소화

영양소를 세포막을 통과할 수 있는 작은 크기로 분해하는 과정.
→ 소화 기관에는 입, 식도, 위, 소장, 대장, 침샘, 간, 쓸개, 이자 등이 있으며, 소화는 영양소가 우리 몸의 세포 안으로 흡수되도록 함.

- **영양소** 살아가는 데 필요한 에너지원으로 쓰이거나 우리 몸을 구성하는 성분.
  예 탄수화물, 단백질, 지방 등
- **소화 효소** 영양소를 매우 작은 크기로 분해하는 물질. 예 아밀레이스, 펩신 등

→ 탄수화물은 소화 효소를 통해 포도당으로 분해되고, 단백질은 소화 효소를 통해 아미노산으로 분해됨.
→ 포도당과 아미노산이 소장에서 흡수됨.

호흡

공기 중의 산소를 받아들이고 몸 안에서 생긴 이산화 탄소를 내보내는 작용.
→ 호흡 기관에는 코, 기관, 기관지, 폐 등이 있음.

- **들숨** 들이마시는 숨. 날숨에 비해 산소가 더 많이 들어 있음.
- **날숨** 내쉬는 숨. 들숨에 비해 이산화 탄소가 더 많이 들어 있음.

폐(허파)

가슴안의 양쪽에 있는, 원뿔을 반 자른 것과 비슷한 모양의 호흡을 하는 기관.

- **폐포** 폐를 가득 채운, 포도송이처럼 생긴 공기 주머니. 모세 혈관으로 둘러싸여 있음.

→ 폐로 들어온 산소는 폐포를 둘러싼 모세 혈관을 통해 온몸의 조직 세포로 전달되며, 우리 몸에서 생성된 이산화 탄소는 조직 세포에서 폐포로 이동한 다음 호흡 운동을 통해 몸 밖으로 나감.

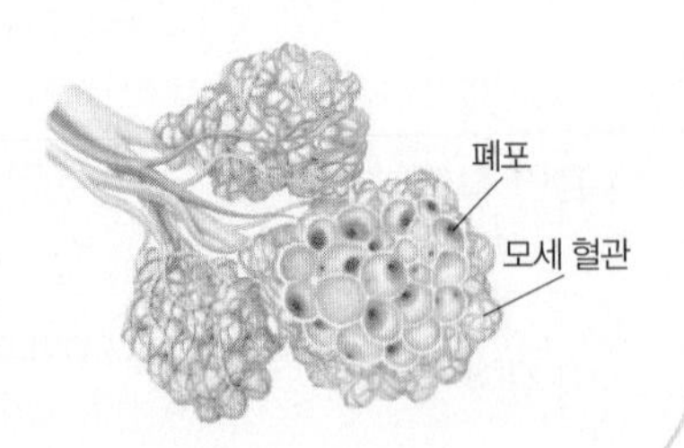

[기출] 1809 고1 학평, 1803 고3 학평, 1711 고1 학평, 1706 고1 학평, 08 수능

생명과학 3 – 체내 작용(순환과 배설)

혈액은 혈관을 따라 온몸을 순환하면서 산소와 영양소를 공급하고, 노폐물을 운반하는 역할을 함. 배설 기관은 혈액이 운반한 노폐물을 몸 밖으로 내보냄.

순환 소화 작용을 통해 흡수된 영양소와 호흡을 통해 흡수된 산소는 순환 기관을 통해 운반됨.
→ 순환 기관에는 심장, 혈관, 혈액이 있음.

심장 수축과 이완을 반복하며 혈액을 온몸으로 순환시키는 역할을 하는 기관.
- **심방** 심장으로 혈액이 들어오는 부분으로 정맥과 연결되어 있음.
- **심실** 심장에서 혈액이 나가는 부분으로 동맥과 연결되어 있음.
- **판막** 심방과 심실 사이, 심실과 동맥 사이에 있으며 혈액이 거꾸로 흐르는 것을 막아 줌.

혈관 혈액이 흐르는 길.
- **동맥** 심장에서 피를 신체 각 부분으로 보내는 통로.
- **정맥** 몸을 순환한 혈액이 심장으로 되돌아가는 통로.
- **모세 혈관** 동맥과 정맥을 연결하며, 온몸에 퍼져 있는 매우 가는 혈관.

혈액(피) 사람이나 동물의 몸 안의 혈관을 돌며 산소와 영양분을 공급하고, 노폐물을 운반하는 붉은색의 액체.
- **혈장** 혈액의 액체 성분.
- **혈구** 혈액의 세포 성분. 모양과 기능에 따라 적혈구(조직 세포에 산소 공급), 백혈구(식균 작용), 혈소판(혈액을 응고시킴)으로 구분됨.

배설 세포에서 생긴 노폐물을 몸 밖으로 내보내는 작용. → 배설 기관에는 콩팥, 오줌관, 방광, 요도 등이 있음.
- **노폐물** 음식물이 신체의 에너지나 구성 요소로 쓰인 뒤, 남은 물질 중에서 몸에 필요 없거나 해가 되는 물질.
예 요소

콩팥(신장) 혈액에서 노폐물을 걸러 오줌을 생성하는 배설 기관.
- **네프론** 콩팥으로 들어온 혈액을 여과하는 장치. 사구체(모세 혈관이 뭉쳐 있는 부분), 보먼주머니(사구체를 둘러싸는 주머니 모양의 구조), 세뇨관(보먼주머니와 연결된 가늘고 긴 관)으로 구성됨.
→ 여과되지 못한 노폐물은 오줌으로 배설됨.

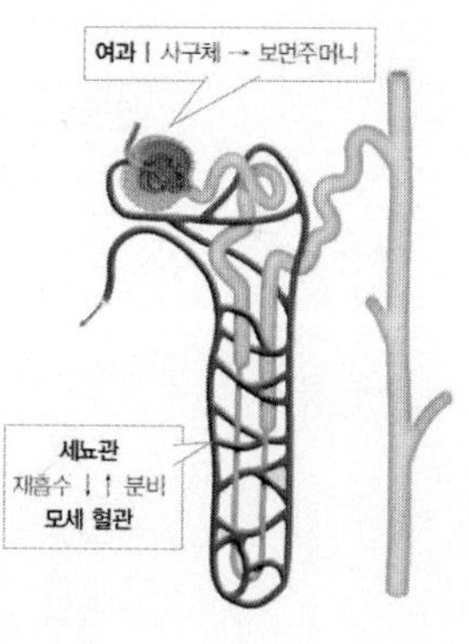

항상성
생체가 여러 가지 환경 변화에 대응하여 생명 현상이 제대로 일어날 수 있도록 일정한 상태를 유지하는 성질. 또는 그런 현상. 콩팥은 신체 내 액체의 농도를 유지시키는 역할을 함.

[기출] 1909 고1 학평, 1611 고1 학평, 1609 모평Ⓑ

생명 과학 4 – 면역 반응

우리 몸은 외부에서 이물질이나 병원체가 침입하면 면역 반응을 통해 이에 대응함.

면역 감염이나 질병으로부터 대항하여 병원체를 죽이거나 무력화하는 작용, 또는 그 상태.
- **항원** 외부에서 침입한 물질 중 면역 반응을 일으키는 이물질이나 병원체.
- **항체** 항원을 제거하기 위해 만들어지는 단백질.
  - 항체는 항원과 결합하여 항원을 제거하는데, 이를 '항원 항체 반응'이라고 함.
- **염증 반응** 피부나 점막이 손상되어 병원체가 체내로 침입했을 때, 모세 혈관이 확장되어 혈액 속 백혈구가 상처 부위로 빠져 나와 식균 작용으로 병원체를 제거하는 면역 반응의 하나.

독서

[기출] 19 수능, 1709 고1 학평, 1606 모평Ⓑ, 15 수능Ⓑ, 1509 고2 학평, 1409 고1 학평

지구 과학 – 지구의 운동과 태양계

태양계 행성인 지구는 자전과 공전을 하며, 달은 지구를 공전함. → 일식, 월식 등의 현상이 나타남.

태양계 태양과 태양을 중심으로 공전하는 천체의 집합.

- **항성(恒星)** 핵융합 반응을 통해서 스스로 빛을 내는 고온의 천체. 예 태양 등
- **행성(行星)** 항성 주위를 도는, 스스로 빛을 내지 못하는 천체의 한 부류. 태양계 안에는 8개의 행성이 존재함.
  예 태양계의 행성 – 수성, 금성, 지구, 화성, 목성, 토성, 천왕성, 해왕성
- **위성(衛星)** 행성의 인력에 의하여 그 둘레를 도는 천체. 예 지구의 위성 – 달
- **인공위성** 지구의 중력에 의해 지구 주위를 공전하는 인공적인 천체.

지구의 운동

- **지구의 자전(自轉)** 지구가 자전축을 중심으로 하루에 한 바퀴씩 서에서 동으로 회전하는 운동. 지구의 자전주기(천체가 자전축 둘레를 한 바퀴 도는 시간)는 약 1일.
- **지구의 공전(公轉)** 지구가 태양을 중심으로 1년에 한 바퀴씩 서에서 동으로 회전하는 운동. 지구의 공전 주기(한 천체가 다른 천체의 주위를 한 바퀴 도는 데 걸리는 시간)는 약 1년.

일식 달이 태양을 가려 태양의 전체 또는 일부가 보이지 않는 현상.

- **개기 일식** 태양이 달에 완전히 가려짐.
- **부분 일식** 태양의 일부가 달에 가려짐.

월식 달이 지구의 그림자 속에 들어가 달의 일부 또는 전체가 가려지는 현상.

- **개기 월식** 달이 지구 그림자에 완전히 가려짐.
- **부분 월식** 달의 일부가 지구 그림자에 가려짐.

[기출] 1909 고1 학평, 1909 모평, 1703 고2 학평, 1406 고1 학평

기술 – 전기와 자기의 이해

전기와 자기의 특성은 각종 첨단 과학 기술의 원리로 활용됨.

전하 전기 현상을 일으키는 원인으로 양(+)전하와 음(–)전하가 있음.

전기력 전하를 띤 두 물체 사이에 작용하는 힘.

- **인력** 서로 끌어당기는 힘.
  → 서로 다른 종류의 전하일 때 발생함.
- **척력** 서로 밀어내는 힘.
  → 서로 같은 종류의 전하일 때 발생함.

전기장 전하로 인한 전기력이 미치는 공간.

전류 전하의 흐름. 전자가 일정한 방향으로 이동하여 생김. [단위: A(암페어)]

- **직류** 시간에 관계없이 전류의 세기와 방향이 일정한 전류.
- **교류** 시간에 따라 전류의 방향과 세기가 달라지는 전류.
- **전압** 전기 회로에서 전류를 흐르게 하는 능력. 전류의 세기는 전압에 비례함. [단위: V(볼트)]
- **저항** 전류의 흐름을 방해하는 정도. 전류의 세기는 저항에 반비례함. [단위: Ω (옴)]

직렬연결, 병렬연결

- **직렬연결** 전기 회로에서 발전기, 축전기, 전지 따위를 일렬로 연결하는 일.
- **병렬연결** 전기 회로에서 발전기, 축전기, 전지 따위의 극을 같은 극끼리 연결하는 일.

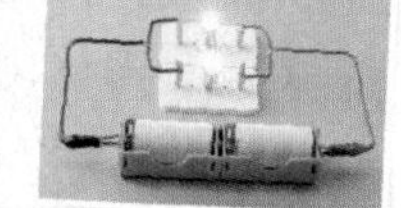

▲ 직렬연결 ▲ 병렬연결

자기력 자석과 자석 또는 자석과 쇠붙이 사이에 작용하는 힘.
→ 자석에는 N극과 S극이 있는데 전기와 마찬가지로 같은 극일 때는 서로를 밀어내는 힘이, 서로 다른 극일 때는 서로를 당기는 힘이 작용함.

자기장 자기력이 미치는 자석 주변의 공간. 전류가 흐르는 전선 주위에서도 자기장이 생김.

명강사
100인의
지혜